THÉORIES DU DÉVELOPPEMENT DE L'ENFANT

Études comparatives

QUESTIONS DE PERSONNE

Consacrée au développement psychologique de la personne, à ses difficultés d'adaptation ou ses handicaps, cette collection concerne tout particulièrement les professionnels de la psychologie et de la neuropsychologie, de la santé, de l'éducation et de la rééducation, mais aussi tous ceux que préoccupe la place dans la communauté des personnes souffrant d'un handicap, dans une perspective de valorisation de la personne.

Questions de personne privilégie, dans une dimension internationale, une méthodologie empirique, clinique et qualitative. En neuropsychologie, différentes approches sont prises en compte.

QUESTIONS DE PERSONNE

THÉORIES DU DÉVELOPPEMENT DE L'ENFANT

Études comparatives

R. Murray THOMAS • Claudine MICHEL

Préface de Gilbert de Landsheere

De Boeck Université

Printed in Belgium

ISSN 0779-9179
D 1994/0074/221
ISBN 2-8041-1595-X

A Shirley R.M.T.

A mes parents,
Paulette et Marc Oriol

C.M.

Table des matières

Préface

La facilité des communications et l'internationalisation de la recherche font du monde scientifique un vaste village où chacun, dans sa sphère d'intérêt, finit par connaître personnellement la plupart de ses collègues. Le nom et l'œuvre du californien R. Murray Thomas sont familiers à tous ceux qui, sur les cinq continents, travaillent en psychologie de l'éducation.

Fait relativement rare, ce n'est pas seulement l'homme de science et l'universitaire infiniment fraternel et hospitalier qui est estimé, mais aussi le professeur exemplaire. La richesse et la limpidité de son enseignement, la stimulation permanente de l'esprit critique qui le caractérisent sont unanimement appréciés par tous ceux qui ont eu le privilège d'avoir suivi ses cours ou ont pu coopérer avec lui.

La présente étude comparée des théories du développement de l'enfant, de leurs aspects fondamentaux et de leurs particularités frappe de nouveau par sa limpidité.

Chacun des chapitres est une longue leçon où le professeur évite toute science gratuite, tout artifice de style pour coller aux idées et aux faits, et être aussi clair et concis que possible. A la description de l'essentiel de la théorie succèdent l'analyse des relations qu'elle entretient avec les autres, l'indication des services qu'elle peut rendre à l'éducation, une évaluation systématique de ses principaux aspects, l'indication des recherches à réaliser – en particulier des recherches de validation – et enfin les lectures d'approfondissement suggérées.

L'ouvrage que voici correspond au texte de la troisième édition américaine, sortie de presse début 1992, texte qui tient compte des publications les plus récentes.

La solide introduction qui est ainsi offerte sera, nous en sommes convaincu, fort appréciée des étudiants en psychologie et en sciences de l'éducation, des enseignants et de quiconque souhaite s'initier aux théories du développement tout en sachant qu'il sera protégé des simplifications outrancières et des prétentions aux solutions miraculeuses.

La traduction est due à Claudine Michel (Ph. D.), disciple de Murray Thomas, qui enseigne, elle aussi, à l'Université de Californie. Elle s'est acquittée de cette tâche avec bonheur en réussissant à respecter le style de son professeur tout en collant au plus près à l'usage français. De surcroît, Claudine Michel a participé à l'élaboration du texte même en lui ajoutant un ensemble de considérations sur les développements les plus récents de la psychologie développementale. C'est pourquoi Murray Thomas a souhaité qu'elle apparaisse comme co-auteur de la version française.

Eminent connaisseur de l'Orient où il a beaucoup travaillé, Thomas sait que le tableau qu'il présente est essentiellement occidental. Pour contrebalancer ce biais, il a rédigé, avec l'aide de quatre de ses anciens étudiants, experts en langues et en cultures asiatiques, un ouvrage parallèle à celui-ci, offrant une vue d'ensemble des théories orientales du développement : *Oriental Theories of Human Development* (New York, Peter Lang, 1988). Espérons que cette seconde synthèse, d'un intérêt majeur, sera aussi traduite en français.

G. de Landsheere

Introduction

Elaboré à l'origine à partir de la deuxième édition du livre du Professeur R. Murray Thomas, *Comparing Theories of Child Development*, le présent ouvrage nécessita de nombreuses transformations dues à notre souci d'informer le public francophone sur les dernières théories et recherches faites dans le domaine de la psychologie du développement. Extrêmement appréciée dans les universités américaines, la seconde édition de ce manuel fut rééditée cinq fois aux Etats-Unis et fit entre autres l'objet de plusieurs traductions, notamment en japonais et en allemand. Ayant été l'étudiante du Professeur Thomas qui dirigea ma thèse de doctorat à l'Université de Californie à Santa Barbara et ayant par la suite collaboré avec lui à plusieurs travaux de recherche et en particulier à un projet sur le développement moral des adolescents américains, haïtiens et zambiens, je pensais à l'origine qu'une traduction en français de son ouvrage m'aurait permis de rendre hommage à ce grand éducateur qui dédia sa vie professionnelle à la compréhension de la psychologie de l'enfant et à la formation d'enseignants et de chercheurs.

Le développement rapide d'une discipline en pleine évolution fit que le projet se transforma et s'enrichit au fil du temps. Au début de l'année 1992, le Professeur Thomas sortit une troisième édition du manuel; nous décidâmes donc d'incorporer au texte initial de la deuxième édition, qui elle avait déjà été traduite, les nouvelles additions de l'auteur. Néanmoins, même en y incluant ces nouveaux apports, nous nous rendîmes vite compte que l'ouvrage demandait encore des mises à jour additionnelles, particulièrement en ce qui concerne les préoccupations psychologiques et éducationnelles existant en dehors des Etats-unis et tout principalement les dernières théories élaborées à partir des recherches interculturelles qui bourgeonnent ces derniers temps de par le monde. Le manuel serait ainsi mieux adapté aux réalités du monde francophone et au pluriculturalisme qui le définit. C'était là une tâche que j'ai entreprise avec enthousiasme.

Traduire pour la première fois de *nouveaux* concepts dans une discipline en plein essor implique la création de tout un arsenal d'équivalence linguistique; ceci est d'autant plus vrai que plusieurs notions théoriques présentées dans ce volume ne sont véritablement apparues qu'au cours de ces deux dernières décennies et n'ont donc pas encore été traduites. Nous pensons précisément aux sections réservées à l'écopsychologie, au contextualisme, à la psychologie éthnique et au modèle de développement d'identité culturelle, à la psychologie humaniste et à certains travaux néo-piagétiens réalisés aux Etats-Unis. Puisqu'il convenait donc de rendre accessibles aux chercheurs et étudiants francophones ces concepts en usage dans le monde anglophone, je m'attelai donc à cette tâche délicate qui est de créer de nouveaux termes pour exprimer ces nouvelles notions tout en respectant leur définition essentielle.

Etant donné que la plupart des manuels de psychologie s'attachent à étudier un nombre limité de théories et des aspects très spécifiques du développement, ce livre comble donc certaines lacunes en psychologie génétique. Bien que cette étude ne soit pas entièrement exhaustive, elle a du moins le mérite de présenter les théories du développement qui ont exercé le plus d'influence dans les domaines de la psychologie et de l'éducation. Le degré de popularité d'une théorie, son impact sur la société et son appartenance à un groupe de théories données sont les critères qui ont décidé de son inclusion dans l'ouvrage. Cette nouvelle présentation qui, de par ses intentions encyclopédiques, regroupe dans un seul recueil les diverses théories éparpillées au sein de nombreux manuels de psychologie et d'éducation a aussi l'avantage d'amener toutes sortes d'analyses comparatives.

Divisé en huit parties qui portent chacune sur une *famille* de théories, ce manuel étudie plus d'une vingtaine de modèles expliquant différents aspects du développement de l'être humain. Il met non seulement l'accent sur les théories les mieux connues comme celles de Piaget, de Freud ou de Skinner, mais analyse aussi d'autres modèles moins familiers mais tout aussi importants comme ceux de Kohlberg, Havighurst, Maslow, Bandura ou Vygotsky. De plus, nous présentons dans cet ouvrage, d'autres théories plus actuelles dans leur approche conceptuelle et méthodologique. Nous pensons en particulier au modèle de Bronfenbrenner, à la théorie du traitement de l'information qui s'est révélée très importante au cours de ces deux dernières décennies et aux travaux de Valsiner apparus à la fin des années 80, contributions qui semblent extrêmement prometteuses en ce qui concerne le nouveau mouvement de psychologie contextuelle. Enfin, nous y avons aussi inclus les perspectives de chercheurs tels Staats et Baddeley, mieux connus en Europe qu'aux Etats-Unis et y avons incorporé, le plus souvent possible, des notions sur la psychologie ethnique et sur les variations interculturelles qui influencent le développement humain.

L'analyse systématique de chacune de ces théories offre à l'utilisateur de ce manuel non seulement des connaissances approfondies de psychologie génétique, mais encore lui permet de comparer la validité des différents modèles présentés et d'apprécier l'influence de ces perspectives psychologiques sur la pédagogie et autres modes d'interventions éducatives et médicales. De plus, il est important de souligner que ce livre soulève de nombreuses questions qui demeurent encore à explorer. Dans un monde de plus en plus astreint aux lois et aux rigueurs scientifiques, les perspectives et possibilités de recherches présentées à la fin de chaque chapitre déboucheront certainement sur d'autres travaux et ne manqueront pas de donner naissance à de nouvelles orientations dans la recherche.

L'étude faite dans ce manuel est détaillée et précise, tout en restant claire et facile à assimiler. Bien qu'elle soit destinée avant tout aux chercheurs et étudiants avancés, un observateur peu averti pourra en tirer profit, car il y découvrira les richesses du monde de l'enfant et deviendra par là même plus conscient des responsabilités inhérentes à l'éducation des jeunes. Nous espérons donc que ce manuel deviendra un outil précieux pour les étudiants et chercheurs soucieux d'acquérir des perspectives nouvelles sur les théories du développement humain, mais aussi pour tous ceux qui se préoccupent du bien-être de l'enfant et de l'avenir de l'éducation dans les pays francophones d'Europe, d'Afrique et des Antilles.

Je ne saurais terminer cette préface sans remercier ceux qui m'ont aidée pendant les quatre étés durant lesquels j'ai travaillé à ce projet. D'abord, ce travail n'aurait pas été possible sans l'aide inconditionnelle de ma mère, Paulette Poujol-Oriol. Je lui suis profondément reconnaissante. Je veux aussi remercier mon mari, Douglas H. Daniels dont le soutien quotidien m'a offert le climat favorable qui m'a permis d'achever ce travail. Mes sincères remerciements vont au Professeur Gérard Pigeon, Directeur du Département de Black Studies de l'Université de Californie et à Mark Lony, étudiant doctorant au Département de Français, qui m'ont aidée pour certains passages de la traduction. Leur assistance s'est révélée cruciale dans la réalisation de ce projet. Je désire également exprimer mon appréciation au Professeur Patricia Clancy du Département de Linguistique de UCSB et au Professeur Alvin Malher de l'Institut d'Education d'Ontario qui m'ont communiqué les sources bibliographiques les plus récentes sur l'acquisition du langage et sur la psychologie humaniste. L'assistance de F. Clermont à la Banque de Terminologie du Québec s'est révélée très utile. De plus, nous voulons aussi remercier Andriana Hohlbauch et Catherine Swysen qui ont assuré les travaux de dactylographie. Elles ont d'autant plus de mérite qu'il est difficile de trouver des dactylographes francophones dans une université américaine.

Finalement, notre appréciation va au Professeur Gilbert de Landsheere qui a bien voulu écrire la préface de cet ouvrage et qui nous a mis en relation avec Monsieur Michel Jezierski de De Boeck-Université. Ce travail n'aurait pas vu le jour sans leur vif intérêt, leur détermination et leur soutien. Nous leur sommes donc infiniment reconnaissants. Nous remercions également l'équipe de production de De Boeck-Université.

Dr. Claudine Michel
Department of Black Studies,
University of California, Santa Barbara, USA.

Première partie

Critères de comparaison

Ce livre met en parallèle diverses théories du développement de l'enfant. Il faut donc, dès le début, choisir des critères pertinents pour les évaluer et les comparer. Les deux chapitres qui constituent la première partie y seront consacrés.

Le chapitre 1 s'attache à définir la terminologie spécifique qui sera employée tout au long du livre. Il explicite aussi une série de critères souvent utilisés pour établir une distinction entre une théorie *satisfaisante* et une théorie *peu satisfaisante.*

Le chapitre 2 aborde les théories sous un angle différent. Il propose un questionnaire issu de l'étude des théories du développement, de manière à pouvoir appréhender le contenu d'une théorie afin d'en découvrir les caractéristiques fondamentales.

La première partie propose donc différents points de vue à partir desquels les théories étudiées dans les chapitres 3 à 18 peuvent être analysées et appréciées.

1

Théorie, modèles, paradigmes

Les adversaires des *modèles théoriques* sont nombreux et, parmi eux, beaucoup se disent intéressés par la seule compréhension des faits concernant le développement de l'enfant. Pour eux, l'étude théorique signifie la spéculation dans le calme d'un cabinet de travail, résultant en une «philosophie de salon» qui n'a peu ou presque rien à voir avec la manière dont les enfants grandissent dans le monde réel. Les «faits», pour eux, doivent être pratiques et utiles et expliquer le pourquoi et le comment du développement de l'enfant. Pour ces objecteurs, un livre sur les théories du développement de l'enfant a peu de valeur.

La distinction entre fait et théorie ne constitue pas le propos de ce livre. Il présente les faits ou données comme étant : (1) soit des observations isolées d'enfants et une évaluation individuelle de leur comportement, (2) soit la somme de ces observations et des évaluations. Voici trois exemples d'observations isolées :

Un professeur de première année verse toute l'eau contenue dans un bol peu profond dans un grand verre et demande à Anne, âgée de six ans, si la quantité d'eau qui est maintenant dans le verre est la même que celle qui était initialement dans le bol. Anne dit qu'il y a plus d'eau maintenant dans le verre.

Les parents d'un garçonnet de treize ans, Martin, sont inquiets parce que ce dernier, disent-ils, agit comme une petite fille. Martin n'aime pas jouer avec les garçons de son âge, il porte des bagues et des bracelets. Sa mère l'a trouvé dans sa chambre en train de se mettre du rouge à lèvres et de se farder les paupières. D'après le père, Martin marche comme une fille.

Tout de suite après le dîner, un soir, Linda, âgée de dix-sept ans, reçoit un coup de téléphone l'invitant à aller au cinéma, mais elle dit : «Désolée, Hank, je dois rester à la maison toute la soirée pour étudier ma chimie». Quelques instants plus tard, elle répond à un autre appel. «OK, Larry, mais seulement pour environ deux heures. J'étudierai jusqu'à huit heures et ensuite nous pourrons sortir pour un moment».

Faits et données peuvent aussi être présentés sous la forme d'observations et de mesures globales : la taille moyenne des filles de douze ans; une liste de réactions d'enfants de cinq ans qui entrent à l'école pour la première fois; le pourcentage d'adolescents de seize ans qui fument de la marijuana.

Si ce sont là des faits, qu'est-ce donc que la théorie ? Il n'y a pas de réponse type à cette question étant donné les diverses connotations que le mot «théorie» peut prendre, qu'il s'applique aux sciences ou à la philosophie. Ce concept prendra ici un sens assez large, susceptible d'englober les points de vue des différents auteurs étudiés.

La théorie est ici définie comme une explication de *la manière dont les faits s'imbriquent*. Plus précisément, nous considérons le processus d'élaboration d'une théorie comme étant la mise en lumière : (1) des éléments les plus importants pour comprendre les enfants et (2) des types de relations les plus significatifs entre ces éléments pour en assurer la compréhension.

La théorie est ce qui donne un sens aux faits. Sans la théorie, ceux-ci constituent un amoncellement d'éléments désorganisés sur un canevas de points épars qui n'offrent aucune ligne directrice susceptible de définir le développement de l'enfant. Par ailleurs, un livre sur le développement de l'enfant peut servir de guide pratique en tant qu'éclaircissement de différentes théories éducatives.

Dans ce premier chapitre, nous étudierons quatre questions essentielles : (1) Quelle importance y a-t-il à adopter une théorie plutôt qu'une autre ? (2) Quelle est la valeur du mot *théorie* par rapport à des termes comme *modèle*, *paradigme*, *analogie*, etc. ? (3) Quels critères peuvent être utilisés pour distinguer une «bonne» théorie d'une «mauvaise» ? (4) Pourquoi les chercheurs développent-ils de nouvelles théories au lieu de se mettre d'accord sur celles déjà existantes ?

Importance du choix de la théorie

Une théorie peut être comparée à une lentille au travers de laquelle on observerait les enfants et leur développement. Cette lentille filtre certains faits et donne un relief particulier à ceux qu'elle laisse passer. Pour illustrer ce mécanisme de filtrage, nous considérerons brièvement comment les incidents d'Anne, de Martin et de Linda peuvent être diversement interprétés.

Ces interprétations seront naturellement simplifiées du fait qu'elles relèvent de théories qui ne seront présentées en détail que plus tard. Elles nous suffiront toutefois pour démontrer que l'interprétation des faits est tributaire de la théorie à laquelle on se rattache.

Quatre théories nous serviront pour interpréter les trois faits susmentionnés, à savoir celles de Piaget, de Freud, de Lewin et de Skinner.

Point de vue de Piaget

Pendant plus de cinquante ans, Jean Piaget, un Suisse, psychologue de l'enfant, a recueilli des données sur la manière dont les enfants d'âges différents résolvent leurs problèmes de raisonnement, comment ils établissent des jugements de valeur et comment ils mènent à bien toutes sortes d'autres activités mentales. Il émet l'hypothèse que les modes de pensée de l'enfant constituent une série de stades de développement intellectuel communs à tous les enfants de toutes les cultures. Nous pouvons donc inférer que les adeptes de Piaget interpréteraient les cas d'Anne, de Martin et de Linda en fonction de ces stades.

Un adepte de Piaget expliquera qu'Anne pense qu'il y a plus d'eau dans le grand verre que dans le bol peu profond parce qu'elle n'a pas encore atteint le stade où les enfants comprennent le concept de conservation de volume. Par «conservation», nous voulons dire qu'Anne ne reconnaît pas encore que la quantité d'eau reste la même («est conservée») bien que la hauteur et la largeur des deux récipients diffèrent.

Quand nous considérons le comportement efféminé de Martin, nous sommes sur un terrain moins sûr en spéculant sur ce que pourrait conclure un partisan de Piaget parce que ce dernier attache peu d'importance à l'étude des comportements sociaux déviants. Piaget est surtout préoccupé par les processus de pensée de l'enfant typique ou moyen plutôt que par un comportement social qui diffère des normes généralement admises par une société particulière.

Cependant Piaget a consacré une part importante de ses travaux au jugement moral chez l'enfant, à ce que les enfants considèrent comme bien ou mal et à la manière dont ils justifient leur point de vue. Il a identifié une série de stades par lesquels les enfants passent dans le développement de leur jugement moral et nous pouvons les utiliser pour interpréter ce que Martin pourrait dire pour défendre son droit de porter du rouge à lèvres et du fard à paupières.

En d'autres termes, en posant des questions d'ordre moral et en fonction des réponses de Martin, nous pourrions déterminer le niveau de raisonnement qu'il a atteint et qu'il utilise pour justifier ses actes.

Quand nous interprétons l'attitude de Linda dans la perspective de Piaget, une fois de plus, nous sommes quelque peu démunis puisqu'il n'a pas proposé de théorie sur l'attraction sexuelle et l'interaction sociale parmi les adolescents. Cependant, en mettant de côté la question de l'attraction sexuelle et en nous limitant à l'aspect de compagnonnage intellectuel du choix de Linda, la théorie de Piaget peut nous éclairer : nous pouvons spéculer que Linda a préféré Larry parce que son stade intellectuel propre ou ses modes de pensée en général sont plus proches de ceux de Larry que de ceux de Hank; en d'autres termes, nous pouvons avancer l'hypothèse que les jeunes ayant des niveaux intellectuels similaires ont de plus grandes affinités entre eux que ceux d'un niveau différent.

Nous pouvons aussi utiliser la théorie de Piaget d'une autre manière et proposer une seconde explication à l'acte de Linda. Etant donné que Piaget a identifié des stades du jugement moral par lesquels passent les enfants, nous pourrions demander à Linda de justifier sa préférence pour Larry et nous serions alors en mesure d'interpréter son jugement en fonction de ces stades.

Après cette application de la théorie de Piaget aux actes isolés de trois enfants, voici une seconde perception théorique des mêmes cas.

Point de vue de Freud

Vers la fin du XIXe siècle et le début du XXe siècle, Sigmund Freud a développé une théorie du développement de l'enfant basée sur les souvenirs d'enfance d'adultes qu'il traitait pour des névroses dans sa clinique psychiatrique à Vienne, en Autriche. Freud comme Piaget avance que les enfants se développent suivant une succession de stades.

Cependant, alors que Piaget se consacrait à l'étude du raisonnement de l'enfant, Freud fixe son attention sur le développement psychosexuel. Il a identifié des étapes du développement de la personnalité comme étant tributaires des pulsions sexuelles d'une période de l'enfance à une autre.

Par exemple, Freud a postulé qu'entre trois et cinq ans, l'enfant moyen considère le parent du sexe opposé comme un objet d'amour désirable qu'il ou elle voudrait posséder exclusivement. Essentiellement, le garçon aspire à posséder sa mère et la fille son père. Cependant l'enfant réalise qu'il ou elle a été supplanté dans la compétition par le parent du même sexe. Pour résoudre ce problème d'aspiration vers le parent du sexe opposé, l'enfant normal, dans le système freudien, tâche d'acquérir les caractéristiques du vainqueur. Ce processus d'identification explique donc pourquoi le garçon normal adopte les particularités que sa société considère comme étant masculines et que la petite fille normale fait montre de particularités considérées comme féminines.

Cependant, les partisans de Freud soulignent que quelquefois le processus de résolution du conflit de l'amour parental avorte. Par conséquent, le garçon adopte des caractéristiques féminines et vice versa. Du point de vue freudien, nous pouvons avancer qu'une telle déviation s'est produite dans le cas de Martin. Apparemment, le garçon n'est pas parvenu à résoudre d'une manière satisfaisante le conflit auquel il a eu à faire face. Pour découvrir les raisons profondes du comportement de Martin, les adeptes de Freud auraient souhaité pouvoir recueillir des informations tirées de l'inconscient du garçon, au moyen de l'interprétation de ses rêves et en analysant des pensées émises librement alors qu'il se trouverait en état de relaxation complète.

Les adeptes de Freud considéreraient sans doute aussi les réactions d'Anne d'un point de vue psychosexuel. Ceux-ci, ou du moins quelques-uns d'entre eux, interpréteraient les réactions d'Anne face au bol et au grand verre en termes de symboles sexuels. Selon Freud, des récipients tels que des bols et verres symbolisent les organes sexuels féminins alors que les objets saillants, en forme de projectile, symbolisent le mâle. Mais, en quoi cette symbolisation correspond-elle exactement à la structure de la personnalité d'Anne, dans l'expérience «bol-verre» ? La réponse échapperait probablement aux psychanalystes en l'absence d'informations complémentaires sur l'inconscient de la petite fille.

Du point de vue freudien, on peut expliquer l'attitude de Linda en fonction de la ressemblance ou au contraire de la divergence entre les personnalités de ses deux prétendants et celle de son père. Linda a-t-elle choisi Larry parce qu'il lui rappelle son père et qu'il en est un substitut dans son affection ? Ou Linda a-t-elle rejeté Hank parce qu'elle souhaite atteindre et blesser son père, qu'elle lui en veut et lui souhaite du tort ? La réaction de Linda envers ces deux garçons est-elle en rapport avec son désir de possession de son père, un désir qui ostensiblement a commencé dix ans plus tôt au stade psychosexuel, généralement connu pour les garçons comme conflit œdipien ou comme conflit d'Electre pour les filles ?

La solution ne se trouve pas dans l'exposé de l'incident *Larry-Hank* : pour la trouver, il est nécessaire de rassembler des informations complémentaires quant aux motifs inconscients de Linda et d'envisager le type de relations qu'elle a eues avec ses parents au cours des dernières années.

Nous voyons que les cas de Martin, d'Anne et de Linda sont susceptibles d'interprétations fort diverses, selon qu'ils sont considérés à la lumière de la théorie freudienne ou de celle de Piaget.

Point de vue de Lewin

Un troisième théoricien, Kurt Lewin, a largement contribué à la théorie du développement de l'enfant au cours des années 20 et 30, d'abord en Allemagne, puis aux Etats-Unis. Pour expliquer le comportement de l'enfant, il avait recours à un schéma représentant l'esprit de celui-ci : *l'espace vital.* Par ce procédé, il mettait en évidence l'ensemble des forces qui interagissent lors du processus de pensée de l'enfant, au moment même où il décide d'agir. Ces forces ne sont pas seulement issues du vécu quotidien de l'enfant, elles proviennent aussi de souvenirs précis du passé et dépendent aussi de l'état physique actuel de l'enfant et de tout ce que ce dernier ressent à un moment précis. Quelques-unes de ces forces influencent le comportement de l'enfant tandis que d'autres agissent en sens contraire. L'enfant se conformera en définitive à la conduite dictée par le groupe de forces le plus puissant.

Dans le cas d'Anne et des récipients d'eau, un adepte de Lewin chercherait quelles sont les forces qui amènent la fillette à conclure que l'eau du bol augmente quand elle est versée dans le verre. En ce qui concerne Linda, il est probable que les partisans de Lewin interprètent le choix de la jeune fille à la lumière des forces psychologiques qui interviennent au moment de sa décision. Pour illustrer l'espace vital apparent de Linda, ceux qui se rallient à la théorie de Lewin pourraient dessiner un diagramme comme celui de la figure 1.1, mais il leur faudrait recueillir des données complémentaires à propos de Linda afin de déterminer quelles forces ont influencé sa décision à ce moment précis. Comme le suggère la figure 1.1, les forces semblent plus favorables à Larry qu'à Hank.

Pour le cas de Martin, les partisans de Lewin établiraient certainement un diagramme des forces psychologiques qui ont poussé le garçon à agir de la manière décrite par ses parents. Cependant, ils pourraient interpréter le comportement de Martin comme une tentative confuse pour comprendre le nouveau stade de développement, celui de la pré-adolescence, qu'il est en train de vivre. Selon Lewin, l'adolescence est une période de mouvement qui assure la transition entre une période stable de la vie, la troisième enfance, et une autre période stable, l'âge adulte, encore mal comprise par les jeunes. Pendant les années d'adolescence, de nombreux changements s'opèrent dans le corps, et famille et amis modifient leur attitude vis-à-vis du jeune homme ou de la jeune fille. D'après Lewin, les adolescents connaissent de nouvelles tensions émotionnelles; c'est pourquoi il arrive qu'ils adoptent un comportement que leur entourage trouve parfois bizarre. Martin est donc peut-être en train d'exprimer, par son comportement sexuel inadéquat, la confusion d'un visiteur qui pénètre dans une terre inconnue dont il perçoit mal les contours.

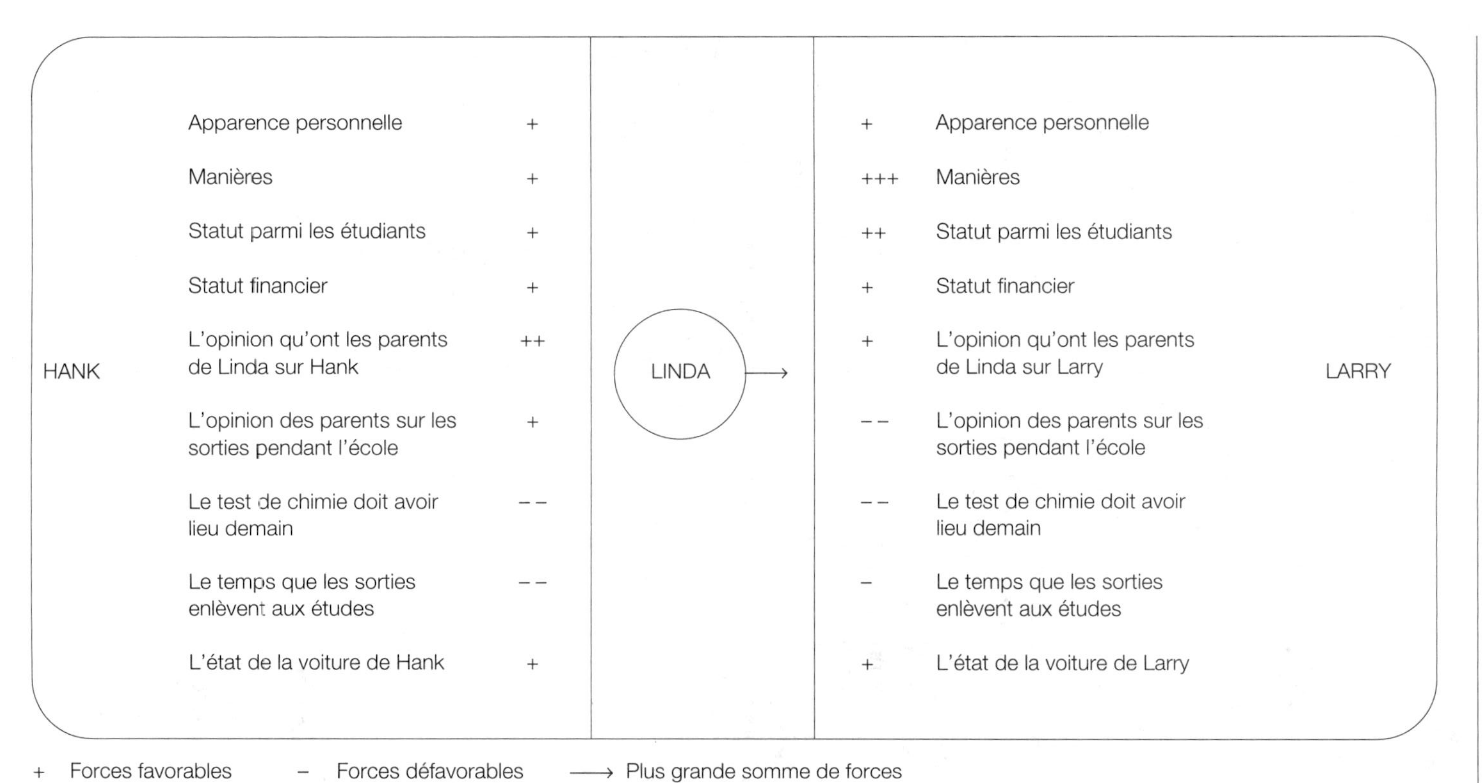

Figure 1.1 — Carte lewinienne de l'Espace de Vie intervenant dans un processus de prise de décision

La théorie de Lewin interprète le comportement d'Anne, de Martin et de Linda tout à fait différemment de Piaget et de Freud.

Point de vue de Skinner

Mort en 1990, B.F. Skinner, psychologue américain, fut le promoteur de l'école de pensée connue sous le nom de *behaviorisme radical* (d'après le mot anglais *behavior* : comportement). Selon lui, les facteurs extérieurs qui semblent influencer le comportement des individus importent davantage que le contenu de leur esprit et leur personnalité. Ses postulats sont très simples : chaque fois qu'une personne agit, son comportement est suivi d'une conséquence. C'est la nature de cette conséquence qui déterminera si la personne agira de la même manière dans une situation future similaire. Soit la conséquence est plaisante (renforçante), la personne aura alors tendance à adopter une conduite identique dans le futur. Soit la conséquence n'est pas agréable, la personne sera dès lors tentée d'agir différemment au cas où une même situation se présenterait. Selon Skinner, les comportements que nous adoptons en grandissant dépendent des conséquences qui ont suivi ces mêmes comportements dans le passé.

Voyons à présent comment nous pourrions, sur base de cette théorie, interpréter les cas de Anne, Martin et Linda. Il nous est permis d'avancer que, dans le passé, Anne a été récompensée (les behavioristes diraient *renforcée*) pour avoir conclu qu'un objet plus haut est plus grand ou plus gros en général. Donc, lorsqu'elle voit l'eau atteindre un niveau plus élevé dans le verre que dans le bol, elle adopte cette même conclusion, à savoir qu'il y a plus de substance quand le niveau du contenu d'un récipient est plus élevé. Si nous souhaitons corriger la mauvaise conception d'Anne, nous devons nécessairement modifier les conséquences de son comportement, afin que ces dernières ne renforcent plus son jugement premier. Nous mettrons au point des expériences qui la forceront à infirmer sa conclusion erronée sur le contenu des récipients d'eau et nous aurons soin de lui dire quand elle a raison et quand elle a tort. Nous pouvons même envisager de lui procurer un renforcement externe, tel un jouet ou un bonbon, chaque fois qu'elle parvient à une solution correcte. Si l'on se réfère à la théorie de Skinner, le développement intellectuel d'Anne est conditionné par les conséquences de son comportement.

Si nous adoptons le point de vue de Skinner pour comprendre le comportement de Martin, nous pouvons conclure qu'il adopte actuellement des attitudes féminines parce que, lorsqu'il l'a fait dans le passé, les conséquences ont été plus gratifiantes ou plus renforçantes que lorsqu'il a eu un comportement masculin. Non seulement il persiste dans ses manières efféminées, mais on peut s'attendre à ce qu'il en acquière encore davantage si ce comportement continue à être renforcé. La seule manière de changer son comportement est de modifier les conséquences de sorte que celles qui suivent les comportements féminins ne soient pas renforçantes et que celles qui suivent les comportements masculins le soient.

Dans le même ordre d'idées, nous pouvons interpréter la préférence de Linda en fonction des conséquences qui ont suivi les relations antérieures de la jeune fille avec les deux garçons. Apparemment, ses relations avec Larry ont été plus renforcées que ses relations avec Hank. Ce renforcement positif explique sa préférence pour Larry.

Skinner ne perçoit donc pas le développement de l'enfant de la même manière que Piaget, Freud ou Lewin. Aussi, en fonction de la théorie adoptée, y aura-t-il une grande différence dans la compréhension des faits et dans la manière dont nous considérerons l'avenir, les enfants et les jeunes dans notre désir de promouvoir leur développement optimum.

Le mot théorie et quelques autres termes

Jusqu'ici, nous nous sommes limités presqu'exclusivement à l'usage du mot «*théorie*» pour renvoyer aux schémas proposés par différents auteurs afin d'analyser les données recueillies. Cependant la terminologie pose des problèmes aux personnes non initiées à la littérature sur le développement de l'enfant. Ainsi, quel est le lien entre *théorie, modèle, paradigme, analogie* et *métathéorie* ? Répondre à cette question serait aisé si tous les auteurs donnaient la même signification à un même terme, mais tel n'est pas le cas. Un auteur utilisera théorie et modèle comme synonymes, un autre pas. Avant d'aller plus avant dans notre analyse des théories, nous tenterons de définir quelques-uns de ces termes, ainsi que leur signification pour différents auteurs.

Parmi les nombreux mots que nous aurions pu retenir, nous en avons sélectionné treize. Les six premiers sont presque des synonymes pour plusieurs auteurs. Il s'agit de *théorie, modèle, paradigme, analogie, structure* et *système*. Le septième est *métathéorie*, un terme en vogue depuis peu et qui semble être à l'origine du succès des mots composés du préfixe «méta». Les six derniers sont en général employés pour identifier certaines assertions nées de théories variées. Ces mots sont : *assomption, axiome, postulat, hypothèse, principe* et *loi*.

□

A la lecture d'ouvrages traitant du développement de l'enfant, il faut être attentif à la signification implicite ou explicite donnée au mot *théorie.* Pour nous, une théorie consistera en n'importe quelle assertion décrivant : (1) les faits les plus importants qui permettent de comprendre les enfants et (2) quelle relation entre les faits est plus significative pour faciliter cette compréhension. D'autres auteurs restreignent davantage le sens de ce terme. Ainsi, la théorie peut être définie comme un ensemble d'assertions incluant : (a) des lois et principes généraux qui servent d'axiomes, (b) d'autres lois ou théorèmes qui découlent des axiomes et (c) des définitions de concepts (Reese et Overton, 1970, p. 117).

B.F. Skinner a parfois refusé que sa définition du behaviorisme soit qualifiée de théorie; de fait, si une définition très stricte du mot théorie devait s'appliquer à ses recherches, son opinion serait justifiée. Le système de Skinner peut toutefois être considéré comme une théorie à part entière (Skinner, 1950) si l'on s'en tient au sens large de ce mot.

Le mot *modèle* a été de plus en plus utilisé au cours des dernières décennies comme la marque significative des propositions théoriques. Cependant l'utilisation de ce terme a créé quelque confusion, tel auteur l'utilisant dans son sens large alors qu'un autre lui donnait un sens restrictif. Dans son sens large, *modèle* peut signifier toute tentative du plan d'idéation soulignant les relations existantes entre des variables. A ce niveau général, un «modèle» peut être une vision du monde (Kuhn, 1962) ou une hypothèse sur le monde (Pepper, 1942) relatives à la nature de l'homme ou de la réalité. Par exemple, quelques théories du développement sont élaborées à partir du modèle d'une machine et d'autres sur un modèle d'organisme dynamique. Ce qui signifie qu'une école de théoriciens considère l'enfant qui se développe comme une machine, conditionné par l'environnement : ainsi, le comportement de l'enfant est avant tout le résultat de la manière dont l'environnement influence ce comportement. Un autre groupe représente l'enfant comme un organisme actif, curieux, qui détermine ses propres attitudes par des motivations internes. Dans un sens plus restreint, certains auteurs ont utilisé le terme *modèle* pour désigner exclusivement une représentation mathématique ou graphique de la manière dont quelque chose fonctionne (Suppes, 1969, pp. 10-17). Ainsi, pour étudier une théorie du développement de l'enfant, il nous faut d'abord savoir à quelle tendance l'auteur appartient. Dans les chapitres suivants, le terme *modèle* sera utilisé, tout comme *théorie,* dans un sens large – pour déterminer tout système destiné à décrire des relations entre des variables ou des faits liés au développement de l'enfant.

Un autre terme communément utilisé dans le domaine de la littérature consacrée au développement de l'enfant est *paradigme.* Certaines personnes utilisent ce mot pour ne désigner qu'un modèle très général (Kuhn, 1951), un point de vue global ou une description de rapports relatifs à la réalité et à l'humanité. D'autres l'emploient, soit dans un sens très large, soit dans un sens plus spécifique pour décrire des relations précises entre des variables. Le terme *paradigme* serait alors synonyme de «modèle», ces deux vocables devenant ainsi interchangeables.

Les théoriciens utilisent le terme *analogie* pour comparer un aspect du développement de l'enfant à un autre élément. Ainsi, ils peuvent comparer l'esprit de l'enfant à un ordinateur qui comporte, d'une part, une quantité définie d'espace de stockage pour les idées et, d'autre part, un système pour retrouver ces idées au besoin. Ils peuvent aussi établir un parallélisme entre un enfant de deux ans très actif et un jeune chiot curieux qui fouine partout sans être conscient des dangers qui le guettent. Les analogies sont donc en quelque sorte des modèles, en ceci qu'un concept présente des particularités que l'on retrouve dans d'autres concepts. Dans cet ouvrage, le mot *analogie* sera utilisé pour faire référence à une comparaison entre le développement de l'enfant en général et quelque autre objet ou système. Par exemple, une analogie assimilerait les étapes du développement aux degrés d'une échelle que l'enfant gravit à mesure que passent les années.

Les mots *structure* et *système* sont étudiés ensemble parce qu'ils ont des significations proches l'une de l'autre; en effet, chacun d'eux identifie les éléments qui composent un tout et décrit ensuite la manière dont ces éléments sont reliés entre eux. Donc, l'ensemble total des concepts et leurs interconnections émis par un théoricien peut être appelé un système. De même, un segment d'un ensemble complexe d'assertions peut être considéré comme une entité indépendante avec ses propres parties constituantes et être dénommé un système ou sous-système. Nous pouvons donc parler de l'ensemble complexe des idées de Piaget sur le développement de l'enfant comme de son système ou de sa structure théorique ou nous pouvons ne retenir qu'un segment de cet ensemble – par exemple son interprétation du jeu chez les enfants – et le considérer comme un sous-système complet avec son mécanisme propre (Hall et Lindzey, 1970, pp. 317-318).

Vers les années 70, le préfixe «méta» a envahi les écrits relatifs au développement humain : on y traitait, entre autres, de métathéorie, métamémoire, métacognition, méta-analyse, méta-apprentissage, métaperception, métaprincipe. Cette abondance de néologismes a créé une certaine confusion parmi les lecteurs, beaucoup d'auteurs négligeant souvent d'expliquer le sens particulier que ces termes prenaient pour eux. Dans la littérature consacrée au développement humain, le préfixe «méta» fait référence à une «analyse» ou «connaissance» du terme auquel il est rattaché (Sternberg, 1984; Posner, 1989). Ainsi la *métacognition* est la connaissance de la connaissance ou, en d'autres termes, une réflexion sur la pensée. De même, la *métamémoire* est la prise de conscience du fonctionnement de la mémoire, le *méta-apprentissage* est l'auto-analyse de la manière dont se produit l'apprentissage. Selon ce même principe, la *métathéorie* devient l'analyse de ce que sont les théories, de la façon dont elles se développent et sont utilisées. En conséquence, le propos de ce livre, et en particulier celui des deux premiers chapitres, relève de la métathéorie (Flavell, 1981; Ashcraft, 1989).

Quelques mots méritent encore notre attention. Ils se réfèrent à certains types d'assertions qui peuvent être inclus dans une théorie. Il s'agit de : *assomption*, *axiome*, *postulat*, *hypothèse*, *principe* et *loi*. Une fois encore, nous nous devons de remarquer que tous les auteurs n'assignent pas un sens identique à ces termes. Nous nous en tiendrons ici à l'acception la plus générale.

Une bonne méthode pour aborder ces six termes est de considérer leur rôle à l'intérieur de quatre phases par lesquelles le théoricien peut passer pour créer et mettre au point un modèle de développement de l'enfant (voir tableau 1.1). Au départ, celui-ci admet certains concepts sans les vérifier. Ces vérités «évidentes» sont fréquemment appelées «assomptions» ou «hypothèses de base», «axiomes» ou «postulats». Un *axiome* ou *postulat* est une assertion formelle sur laquelle se fonde le modèle du théoricien. Au contraire, une *assomption* ou *hypothèse de base* est énoncée d'une manière informelle ou ne l'est pas du tout. Il arrive que certains théoriciens soient ignorants de certaines de leurs hypothèses de base. Après avoir établi des hypothèses de base et des postulats, le théoricien érige les superstructures du modèle. En général, le modèle – ou du moins certains de ses aspects – sont présentés sous réserve, l'auteur n'étant pas sûr qu'ils représentent une réplique fidèle de la manière dont les enfants se développent en réalité. Aussi avance-t-il qu'«il semble probable que les enfants grandissent de cette manière et pour ces raisons»; cependant, il n'en est pas tout à fait sûr. Pour répondre à des questions non encore éclaircies sur la validité de la théorie émise, le chercheur peut composer une série de propositions causales qui découlent logiquement du modèle présenté. Ces propositions qui restent à démontrer sont généralement appelées des *hypothèses*.

Une manière courante de formuler une hypothèse consiste en une approche causale. Par exemple, dans le chapitre 6 nous considérons la théorie des tâches développementales élaborées par Havighurst. Celle-ci avance qu'à certains stades de leur développement, les enfants rencontrent un ensemble de problèmes de croissance physique et de problèmes socio-psychologiques ou «tâches», défis qu'ils doivent surmonter. Il est encore dit dans cette théorie que, si les enfants n'ont pas résolu ces problèmes à un âge donné, ils auront des difficultés pour résoudre des problèmes auxquels ils seront confrontés par la suite.

A partir de cette proposition générale, nous pouvons émettre des hypothèses pour vérifier la validité des assertions d'Havighurst. Prenons comme exemple le domaine du développement émotionnel appelé

Tableau 1.1 — Termes et phases dans une élaboration de théorie

	Phase 1	*Phase 2*	*Phase 3*	*Phase 4*
	Convictions de base	*Description du modèle*	*Déductions logiques*	*Conclusions*
Produits de la phase	Axiomes Postulats Assertions	Structure Système	Hypothèses	Principes Lois
Comportement du théoricien	Accepte certaines vérités comme étant évidentes en soi	Définit les parties du modèle et leurs interrelations	Suggère les relations ou les résultats qui peuvent être raisonnablement attendus si le modèle représente exactement l'aspect du développement qu'il est censé décrire	Tire les généralisations de l'évidence recueillie pour tester et estimer l'exactitude du modèle

Bien que le processus d'élaboration d'une théorie puisse être aussi décrit en quatre étapes séquentielles ou phases, en pratique, un théoricien peut fréquemment ne pas suivre exactement la séquence. Plus souvent les théoriciens semblent aller et revenir parmi les phases, révisant une phase, altérant une autre, pour produire un schéma qu'ils croient susceptible d'apporter une interprétation convaincante des faits.

«transfert réciproque d'affection». Havighurst avance, dans le cadre de ce transfert, que le préadolescent est confronté à la nécessité «d'apprendre à donner autant d'amour qu'il n'en reçoit». Au début de l'adolescence, il doit parvenir à «s'accepter lui-même comme une personne valable qui vaut la peine d'être aimée». Nous avons ici deux tâches segmentales qui nous permettent de proposer l'hypothèse suivante :

> *Si, à la fin de l'enfance, une fillette n'a pas appris à donner autant d'amour qu'elle n'en reçoit; alors, au début de l'adolescence, elle ne sera donc pas en mesure de s'accepter elle-même comme une personne valable, digne d'amour.*

Après avoir défini les termes clés de cette assertion (tels que *fin de l'enfance*, *autant d'amour*, *début d'adolescence*, *s'accepter soi-même* et *personne valable*), nous pouvons tenter de vérifier la validité de cette hypothèse : nous pouvons en effet observer des enfants, pour décider si oui ou non cette assertion – et par conséquent, un aspect de la théorie – est vérifiée dans la vie réelle. Une hypothèse (ou une tentative d'estimation de l'état réel des choses) n'est cependant pas toujours présentée sous la forme d'une proposition causale. Elle peut n'être qu'une simple phrase déclarative. Ainsi, nous pourrions reformuler notre hypothèse sous la forme suivante :

> *Une fillette qui n'a pas appris à donner autant d'amour qu'elle n'en reçoit au moment où elle atteint la fin de l'enfance ne s'acceptera pas elle-même comme une personne valable durant ses années d'adolescence.*

Une autre possibilité serait de présenter l'hypothèse sous forme de question :

> *Une fillette qui n'a pas appris à donner autant d'amour qu'elle n'en reçoit à la fin de l'enfance, sera-t-elle en mesure de s'accepter elle-même comme une personne valable digne d'amour quand elle sera une jeune adolescente ?*

Quel que soit le type de formulation adopté, l'hypothèse en tant que telle garde la même valeur. Elle se présente comme un propos sensé, mais non encore vérifié et dont la validité a besoin d'être prouvée.

Quand les investigateurs ont recueilli assez de preuves pour se convaincre de la validité de l'hypothèse, ils peuvent alors en tirer une généralisation appelée *principe*. Nous employons le terme *principe* pour désigner une généralisation qui est considérée comme vraie, non parce qu'elle semble l'être, mais parce qu'elle est étayée par ce que les théoriciens considèrent comme des données sûres. S'ils estiment que les données empiriques et la logique supportant le principe sont irréfutables, ils peuvent octroyer à cette généralisation le statut de *loi* ou de *loi de la nature.*

Pour achever, notre discussion sur la terminologie, nous nous attarderons à bien marquer la distinction qu'il faut faire entre «évidence» et «preuve». L'*évidence* est une chose publique, elle consiste dans les arguments, la logique, le processus de raisonnement et les faits qui la font apparaître comme vraie. Ce livre est destiné à présenter des évidences à propos des théories qu'il aborde. La *preuve*, à l'opposé, est une chose privée et personnelle. C'est la conviction qu'une chose est «vraie». Les évidences qu'une personne accepte comme preuve d'une théorie peuvent se différencier de celles dont quelqu'un d'autre a besoin pour être convaincu.

Théorie satisfaisante, théorie peu satisfaisante

En général quand nous comparons des théories du développement de l'enfant, nous ne sommes pas seulement intéressés par les similitudes ou les différences qui existent entre elles, mais nous désirons aussi évaluer leur contenu. Pour établir ce jugement, il nous faut décider quels seront nos critères d'évaluation; ils différeront pour chacun.

C'est pourquoi, nous rappelons ici des critères pour distinguer une *théorie satisfaisante* d'une *théorie peu satisfaisante.* Nous allons traiter neuf critères parmi ceux qui sont les plus fréquemment utilisés pour se faire une opinion sur la valeur des théories du développement. Le lecteur peut à sa guise en modifier quelques-uns, en éliminer d'autres et même en ajouter, comme nous le proposerons à la fin du chapitre. Ainsi, chacun pourra élaborer ses propres critères de jugement des théories de développement de l'enfant.

Au début de ce chapitre, le terme *théorie* a été défini dans un sens très large. Une théorie est une description : (1) des faits les plus importants qui permettent de comprendre un enfant et (2) des relations entre les faits les plus favorables à cette compréhension. Nous avons ensuite noté que certaines personnes utilisent le terme «théorie» dans un sens plus limité, se référant, pour ce faire, à certains éléments décrits dans les neuf critères proposés ici. Par exemple, certains hésitent à appeler un groupe d'idées une théorie à moins que celui-ci ne soit d'une structure cohérente et qu'il permette l'établissement d'hypothèses vérifiables. Nous utiliserons quant à nous ces critères non pour décider quel système mérite d'être appelé «théorie», mais plutôt pour déterminer la valeur ou le bien-fondé d'un modèle particulier.

Critère 1 : Une théorie est satisfaisante si elle reproduit fidèlement les faits réels de l'univers des enfants

On a reproché à certains théoriciens de n'avoir pas élaboré un modèle de développement qui dépeigne exactement les enfants. Nous évoquerons trois motifs d'une mauvaise adaptation entre une théorie particulière et les faits réels de développement de l'enfant. Tout d'abord, un théoricien peut tirer des conclusions d'une étude réalisée avec quelques enfants et généraliser ensuite erronément ces conclusions à un ensemble d'autres enfants. Cette critique ne vaut cependant pas pour la pratique commune qui consiste à étudier un échantillonnage représentatif d'enfants, puis d'élargir les résultats obtenus à une plus grande population dont les sujets étudiés étaient vraiment représentatifs. En réalité, cette procédure est le point de départ de presque toutes les recherches sur le développement, mais c'est une erreur d'appliquer les conclusions tirées de l'observation d'un petit groupe à une plus large population quand il y a de bonnes raisons de croire que les deux parties considérées sont foncièrement différentes. Par exemple, Arnold Gesell (chapitre 5) a été critiqué pour avoir improprement généralisé les résultats d'une étude menée sur l'observation d'enfants qui fréquentaient sa clinique à l'Université de Yale. Il sous-entendait ainsi que le groupe d'enfants qu'il avait observé et évalué était exactement représentatif de tous les autres enfants. Il est cependant douteux que ses conclusions restent valides lorsqu'elles s'appliquent à des enfants issus d'autres milieux culturels.

De même au XVIIIe siècle, Jean-Jacques Rousseau (chapitre 3) a longuement écrit sur la nature des enfants, fondant ses assertions sur trois types d'évidence : (1) son expérience de précepteur de plusieurs jeunes garçons issus de familles européennes aristocratiques; (2) quelques données informelles recueillies à propos des enfants de paysans français; (3) des on-dit relatifs à la personnalité du «bon sauvage» dans les cultures primitives. Les détracteurs de Rousseau se sont demandé dans quelle mesure ses descriptions du développement de l'enfant pouvaient correspondre à l'expérience vécue de tous les enfants auxquels il a appliqué ses conclusions (Boyd 1963; Davidson 1898), tant ses données de base semblaient limitées.

Une deuxième raison pour laquelle une théorie peut ne pas décrire les enfants avec précision réside dans le fait que le chercheur qui étudie une facette de la croissance de l'enfant ne limite pas toujours ses conclusions à ce seul aspect et étend indûment ses conclusions à d'autres aspects du développement de l'enfant. Par exemple, l'auteur peut mesurer des aspects du développement physique de l'enfant et ensuite chercher à appliquer les diagrammes de cette croissance à d'autres champs du développement, notamment aux domaines social, émotionnel et mental.

Mais les principes régissant un aspect particulier du développement ne valent pas nécessairement pour d'autres, d'où un risque d'erreurs.

Une troisième cause de conflit entre la théorie et les faits est la mémoire défaillante du chercheur ou son observation inexacte des enfants. Il est évident qu'aucun d'entre nous ne peut faire totalement abstraction de ses propres souvenirs d'enfance ou des impressions subjectives issues de rencontres informelles avec des enfants. Aussi, la prudence et la rigueur sont indispensables dans ce genre d'étude, pour éviter que des observations déformées du passé ou des impressions fortuites n'influencent le schéma établi pour expliquer le développement de l'enfant.

Critère 2 : Une théorie est satisfaisante si elle est exprimée d'une manière qui la rende clairement compréhensible à toute personne raisonnablement compétente.

Etre *raisonnablement compétent* signifie avoir une maîtrise suffisante du langage technique et faire montre de logique dans l'analyse. Plus précisément, une personne possédant des connaissances suffisantes doit être capable de comprendre : (1) les aspects ou événements du monde réel auxquels correspond chaque partie de la théorie, (2) le sens des termes utilisés dans le modèle, (3) les éléments clés sur lesquels le modèle est basé et (4) les explications et les projections sur le développement de l'enfant qui découlent des définitions et hypothèses de base.

Ce critère peut paraître évident mais, en réalité, il peut prêter à confusion. Si nous pensons qu'une théorie manque de clarté, est-ce dû au manque de clarté du théoricien ou à notre incompréhension ? En effet, on a une plus grande considération pour une théorie dont on peut bien saisir les éléments. Une théorie sera d'autant mieux accueillie que ses fondements seront compréhensibles dans leurs détails.

Critère 3 : Une théorie est satisfaisante si elle n'explique pas seulement les événements passés, mais encore si elle prévoit avec exactitude les événements futurs. Elle est encore meilleure si elle nous permet de faire des prédictions correctes sur les comportements spécifiques d'un enfant en particulier et pas seulement de spéculer sur le développement général d'un groupe d'enfants.

Ceux qui cherchent à comprendre l'enfant sont généralement intéressés à la fois par son passé et son futur. Ils étudient le premier pour découvrir quels éléments de la vie de l'enfant lui ont permis de devenir ce qu'il est aujourd'hui. Ils se tournent vers le second pour augurer de ce que l'enfant sera probablement plus tard.

Beaucoup de théories conviennent mieux pour expliquer le passé que pour prévoir le futur. Parmi celles qui permettent de faire des prévisions, la plupart sont plus aptes à prédire les caractéristiques de l'enfant moyen ou des enfants en général plutôt que celles spécifiques à un enfant en particulier. Cependant ceux qui s'intéressent au développement de l'enfant (chercheurs, parents, professeurs, médecins) préfèrent de loin une théorie qui établit des prédictions spécifiques au sujet d'un enfant donné à une autre qui n'indique que des lignes générales de croissance ou qui ne propose qu'une vague estimation de ce que deviendra l'enfant moyen. Ainsi, nous pensons qu'un adepte de l'école de l'apprentissage social (chapitre 15) est plus apte à faire des prédictions sur le développement verbal d'un enfant donné qu'une personne qui base son jugement uniquement sur la théorie de Werner (chapitre 7).

Critère 4 : Une théorie est satisfaisante si elle donne des conseils pratiques pour résoudre des problèmes d'éducation auxquels sont régulièrement confrontées les personnes responsables du bien-être des enfants.

Ce critère, qui est une extension pratique du critère 3, est considéré comme essentiel par beaucoup de personnes qui ne s'intéressent à la théorie que dans la mesure où celle-ci leur permet d'améliorer leurs compétences pour la compréhension et l'éducation des enfants qui leur sont confiés.

D'autres théoriciens et lecteurs, par contre, ne se sentent pas particulièrement concernés par l'application pratique des théories. Ils cherchent plutôt à découvrir les principes de base du développement et du comportement humain; pour eux, la question de savoir si ces principes aideront les gens – parents, professeurs, médecins, moniteurs de camp, psychologues, juges d'enfants et autres – à mieux traiter les enfants est accessoire.

Critère 5 : Une théorie est satisfaisante si elle est cohérente et possède une logique interne.

L'essence d'une théorie comprend une structure globale, une description des divers éléments qui la composent et de la manière dont ceux-ci interagissent. Les théoriciens choisissent différentes manières d'exposer les grandes lignes de leur pensée. Par exemple, bien que tous les théoriciens expriment leur modèle de développement par des mots, ils y ajoutent des symboles mathématiques qui permettent aux différents éléments de la théorie d'être compatibles avec les règles de logique. En quantifiant les composantes de son schème, un théoricien espère obtenir plus de précision dans son analyse et dans ses projections sur le développement et le comportement d'un enfant. Jean Piaget a ainsi tenté de clarifier ses explications verbales par l'emploi de symboles (Piaget, 1950).

Une autre manière de suppléer à la description verbale est d'utiliser des diagrammes. Par exemple, si une théorie comprend deux dimensions principales qui interagissent (telle que la relation entre l'âge chronologique et l'âge mental), alors la relation peut être présentée sous forme d'un simple graphe, reprenant l'âge chronologique sur un axe et l'âge mental sur l'autre. Ainsi, nous l'avons vu, Lewin utilise un diagramme, une sorte de plan topologique pour illustrer les relations existant entre les différents secteurs de l'espace vital d'un enfant.

Cependant, quel que soit le mode de présentation choisi (mots, symboles mathématiques ou diagrammes), le système, pour satisfaire au critère 5, doit être cohérent et clair en lui-même. Une personne cherchant à appréhender le système ne devrait pas avoir à négliger un segment du modèle afin de mieux en comprendre un autre. Toutes les parties doivent s'ajuster logiquement.

Critère 6 : Une théorie est satisfaisante si elle est économique, à savoir si elle est fondée sur un nombre minimal d'hypothèses de base non démontrées et si elle requiert des mécanismes simples pour expliquer les phénomènes qu'elle embrasse.

Ce critère est souvent dénommé *loi de parcimonie* ou encore *canon de Morgan* et ce, en mémoire d'un biologiste, Lloyd Morgan; celui-ci proposait que si deux explications d'un même phénomène conviennent également aux faits, il est préférable d'opter pour la plus simple des deux. Il faut noter que le but de ce critère n'est pas de décourager les théoriciens de formuler des explications sophistiquées pour éclairer des événements complexes, car des explications plus simples pourraient s'avérer inexactes dans certains cas. En fait, il tend à réduire l'élaboration de théories présentant des mécanismes hypothétiques compliqués impossibles à contrôler. Plus la théorie est compliquée, plus il est difficile de la vérifier et ses adeptes n'ont alors plus que des arguments subjectifs à avancer.

Critère 7 : Une théorie est satisfaisante si elle est vérifiable.

Dans les cercles scientifiques, une théorie est généralement conçue comme une estimation de la vérité plutôt que comme un énoncé définitif de cette vérité. Les chercheurs doivent vérifier la validité des hypothèses qui dérivent de la théorie afin de déterminer dans quelle mesure elle explique réellement les faits d'une manière satisfaisante. Si les hypothèses proposées par une théorie peuvent être testées afin de déterminer si elles sont vraies, alors l'inverse devrait également être possible; il faut aussi être en mesure de vérifier qu'une hypothèse est fausse. En réalité, de nombreux chercheurs estiment que la validité d'une théorie ne doit pas seulement reposer sur la logique et la présentation des données recueillies, mais encore sur les mécanismes leur permettant de rejeter certaines hypothèses, si nécessaire. Certaines théories du développement de l'enfant ne semblent pas permettre de vérifier dans quelle mesure une hypothèse est fausse. Or, toute bonne théorie doit permettre d'expliquer tant les résultats négatifs que les résultats positifs d'une expérience.

Nous pouvons illustrer le problème de la vérifiabilité par l'exemple suivant : imaginons que nous créons une théorie du développement social selon laquelle nous établissons qu'un régime équilibré est l'élément déterminant de l'adaptation sociale de l'enfant. Nous avançons qu'une juste combinaison de vitamines B est particulièrement importante, car elle favorise l'éclosion d'une personnalité constructive et plaisante. Par contre, un mauvais apport en vitamines B provoque, chez un enfant, une attitude rancunière et un comportement anti-social. Notre hypothèse devient donc vérifiable seulement après avoir déterminé quelles sont les bonnes et les mauvaises combinaisons de vitamines B. Nous pouvons alors mettre au point des expériences qui déterminent si cet aspect de la théorie est valide ou non. Ajoutons un nouvel élément à notre système : il s'agit du facteur de contrepoids : quand il est présent, les combinaisons de vitamines B ont un effet exactement contraire à l'effet habituel. En ajoutant ce facteur nous avons rendu notre théorie non vérifiable. Si quelqu'un essaie de tester notre théorie et découvre que plusieurs enfants qui absorbent la mauvaise combinaison de vitamine B sont socialement bien adaptés, nous avancerons que chez ces enfants-là, le facteur de contrepoids s'est avéré déterminant. Par conséquent, la théorie ne serait pas vérifiable parce que l'hypothèse avancée est toujours «vraie». Valsiner écrit au sujet du critère de vérifiabilité :

> *Les théories sont des systèmes hiérarchiques dont les composantes sont des propositions sur la réalité et où chaque proposition est en rapport avec les autres et dérive d'une hypothèse de base plus générale que celle acceptée par le créateur de la théorie. De tels systèmes sont plus susceptibles d'être adéquats quand ils sont construits par un chercheur qui connait bien la phénoménologie empirique. Dans ce sens, les contributions théoriques dérivent de la manière dont l'auteur parvient à vérifier les notions abstraites du modèle au moyen de connaissances empiriques. Dans le processus de recherche, la vérification empirique d'une théorie porte seulement sur quelques aspects du modèle que le scientifique considère comme importants. Chaque scientifique a un niveau particulier de tolérance psychologique face à l'échec et réagit d'une manière différente au manque de vérifiabilité de certains aspects sélectionnés de sa théorie (...) Quelques-uns acceptent le fait que certains points théoriques clés ne sont pas vérifiables et rejettent leur modèle; ce sont ceux qui croient en la vérité absolue des résultats empiriques. D'autres refusent tout simple-*

ment d'accepter l'évidence empirique qui rejette leurs propositions théoriques (1987, pp. 143-144).

Parmi les modèles étudiés dans ce livre, ceux de Freud, des psychologues humanistes et des puritains en particulier peuvent être considérés comme non vérifiables, ce qui dévalorise leurs théories pour de nombreux chercheurs qui ont tendance à réfuter toute théorie qui leur paraît non vérifiable. Par conséquent, le critère 7 semble être l'un des critères déterminants dans le processus d'évaluation des théories du développement.

Critère 8 : Une théorie est satisfaisante si elle stimule l'élaboration de nouvelles techniques de recherche et suscite l'élargissement du champ des connaissances.

Le critère 8 peut être appelé «critère de fertilité». Certaines théories se sont révélées très fertiles et remarquables par les nouveaux horizons qu'elles ont ouverts et aussi par la somme des recherches qu'elles ont suscitées. Ainsi, comme peut l'attester un inventaire des revues consacrées à l'étude de la croissance de l'enfant, une grande proportion des travaux publiés pendant les années 1960 à 1990 dans le domaine du développement cognitif ont leur origine dans les écrits de Piaget. De même, les adeptes de Skinner, ceux de l'école de l'apprentissage social et de la théorie du traitement de l'information ont joué le rôle de catalyseurs de recherches au cours des dernières années. Par contre, les travaux d'Havighurst et d'autres promoteurs de la théorie des tâches développementales n'ont pas inspiré de recherches susceptibles d'engendrer de nouvelles connaissances.

Pour nombre de chercheurs, ce facteur de fertilité est souvent considéré comme la qualité essentielle d'une théorie parce que les modèles qui génèrent de nombreuses idées de recherche sont ceux qui favorisent le plus la progression des connaissances relatives au développement de l'enfant. Ces stimulations peuvent prendre plusieurs formes. La plus courante est peut-être celle qui conduit à mener une même recherche à plusieurs reprises. Les études empiriques sur lesquelles la théorie originale est basée sont répétées par d'autres chercheurs afin de déterminer dans quelle mesure leurs conclusions théoriques et leurs résultats empiriques rejoignent ceux de la théorie initiale. La stimulation peut aussi mener à une vérification d'hypothèse, en ce sens que le principe général de la théorie a engendré des hypothèses devant être vérifiées sur des enfants pour déterminer plus exactement dans quelles conditions le principe peut s'appliquer valablement. Une troisième forme de stimulation conduit à des études de vérification, c'est-à-dire à des recherches entreprises pour évaluer en quoi une proposition théorique se vérifie dans les faits de la vie réelle. Cette opération s'impose lorsque des notions proposées par un théoricien semblent être en conflit avec le sens commun ou encore avec une théorie déjà bien acceptée. Une quatrième forme de recherche consiste à déterminer si un résultat empirique ou une conclusion théorique basées sur l'étude d'un groupe d'enfants en particulier vaut également pour d'autres groupes d'enfants de niveaux intellectuels variés. Un cinquième type de recherche prend la forme d'une résolution antinomique se rapportant à des recherches destinées à résoudre ou du moins à explorer les éventuelles contradictions internes d'une théorie. Une sixième forme de recherche mène à un élargissement de la théorie, ce qui signifie que les idées d'un théoricien ont incité un utilisateur de son modèle à créer ses propres propositions théoriques. Parfois ces nouvelles propositions surpassent celles du théoricien initial, la théorie amplifiée suscitant elle-même de nouvelles possibilités de recherches empiriques.

Critère 9 : Une théorie est satisfaisante si elle est auto-suffisante, c'est-à-dire si elle explique le développement d'une manière acceptable.

Ce critère pourrait être appelé critère d'*auto-satisfaction* ou de *suffisance*. Il dépend non seulement des critères énoncés ci-dessus, mais encore de facteurs émotionnels et intuitifs que nous ne pouvons pas identifier aisément. Le mécanisme de ceux-ci se révèle quand nous ne parvenons pas à définir les aspects d'une théorie qui ne nous satisfont pas totalement. Au contraire, nous pouvons considérer une théorie comme valide lorsque «nous sentons qu'elle est juste».

Parmi les théories décrites dans ce livre, celle qui semble se fonder le plus sur des facteurs d'auto-affirmation est la psychologie humaniste, car elle est basée sur les croyances existentialistes, pour lesquelles le monde réel de l'individu est celui qu'il expérimente personnellement. Les expériences et sentiments intimes de l'enfant sont les plus importants, quel que soit le nombre de facteurs objectifs qui existent dans le monde qui l'entoure. Le développement du *moi* perçu par l'enfant lui-même est ce qui intéresse le psychologue humaniste et ce *moi* ne peut être découvert que par introspection. Les partisans de la théorie humaniste peuvent donc faire bon accueil à un modèle pour la simple raison qu'il «semble juste» et qu'il «répond à l'intuition», sans réclamer aucune confirmation du monde extérieur ou de données objectives.

Un behavioriste radical peut, quant à lui, penser qu'une théorie est juste, sans pouvoir considérer cette intuition comme une évidence valable; au contraire, il est obligé, pour se conformer à sa position théorique, de se livrer à des observations et des expérimentations objectives pour soutenir ses idées.

Autres critères d'évaluation

Comme précisé ci-dessus, ces neufs critères ne sont pas les seuls éléments susceptibles d'être utilisés pour juger de la valeur d'une théorie. Ainsi, différents théoriciens en ont proposé d'autres que ceux que nous avons évoqués. A titre d'exemple, nous considérerons deux des critères d'évaluation préconisés par le théoricien Thagard.

Le premier, qu'il appelle «consilience», fait référence à *l'étendue* de la théorie, au nombre de détails du développement que le modèle est en mesure d'expliquer au moyen de principes communs. Une théorie qui est «consiliente» n'explique pas seulement des faits relatifs à une catégorie du développement, mais encore «explique d'autres faits qui appartiennent à d'autres domaines» de croissance (Thagard, 1978, p. 82). Ainsi, une théorie dont les fondements permettent d'analyser la croissance physique, l'habilité sociale et la perception de soi est, d'après ce théoricien, plus étendue et plus valable qu'une autre qui n'expliquerait que les phénomènes appartenant à une seule de ces catégories.

L'usage que fait Thagard du critère d'*analogie* est basé sur la conviction que comparer le phénomène X au phénomène Z permet non seulement de faire progresser la réflexion sur la notion X, mais facilite en plus la compréhension de ladite notion, car l'explication donnée au phénomène Z aide aussi à expliquer X. Ce point peut être illustré par la théorie du traitement de l'information qui postule que le fonctionnement du cerveau humain est comparable à l'opération d'un ordinateur. Expliquer le travail d'un ordinateur complexe permet en outre de mettre en lumière le fonctionnement des systèmes sensoriels et perceptuels des humains.

Certains rejettent les propositions de Thagard alors que d'autres les jugent satisfaisantes et en harmonie avec leur propre conception des choses ou leurs méthodes personnelles de recherches. En fait, pour conclure, nous dirons que chacun est libre de créer sa propre liste de critères d'évaluation, car, en définitive, la valeur des diverses théories dépend de la conviction intime de celui qui les juge, les accepte ou les réfute. Ce problème d'évaluation subjective d'une théorie nous amène à considérer la question finale de ce chapitre.

Pourquoi les chercheurs développent-ils de nouvelles théories ?

Ceux qui entreprennent d'analyser les théories du développement se demandent souvent ce qui incite les théoriciens à proposer de nouveaux modèles. L'explication première réside dans le fait que les réponses des théories existantes aux questions qu'ils se posent ne les satisfont pas. Il se peut aussi que les théories établies ne correspondent pas aux critères qu'ils ont choisi pour juger la valeur d'un modèle. Mais, à côté de ces raisons d'ordre général, il en est d'autres, plus spécifiques, qui amènent les théoriciens à produire de nouvelles conceptions du développement de l'enfant.

Tous les théoriciens sont influencés par leur formation de base. Par exemple, de solides études en sciences biologiques peuvent expliquer qu'un chercheur accorde plus d'attention à l'hérédité des enfants qu'à leur environnement, en tant que facteurs de développement. Une préparation en sociologie pourra influencer un théoricien dans un sens contraire. Pour illustrer ce propos, les théories de Herbert Spencer et de G. Stanley Hall, au XIXe siècle, ont été inspirées par leurs études de biologie, en particulier celles concernant la théorie de l'évolution de Darwin (Hall, 1904).

Non seulement la préparation académique des théoriciens influence leur explication du développement, mais, de plus, les problèmes qu'ils rencontrent dans leur travail journalier orientent l'attention qu'ils accordent à des faits particuliers et aux relations qui existent entre ces faits. A la fin du XIXe siècle, les cas troublants de patients névrotiques que Freud rencontra dans sa pratique psychiatrique l'ont incité à rechercher des explications tout à fait étrangères aux théories neurologiques en vigueur à son époque (chapitre 8). Au début de ce siècle, Piaget travaillait dans un centre d'études psychologiques en France quand il s'intéressa au processus de pensée qui conduit les enfants à donner certaines réponses incorrectes aux tests proposés. Il consacra le reste de sa vie à étudier le développement des formes de pensée de l'enfant et à concevoir une théorie qui mettrait en œuvre les faits qu'il avait découverts (chapitre 10).

La manière dont les chercheurs recueillent leurs données influe aussi sur les conclusions qu'ils en tirent. Skinner se méfiait de l'exactitude des rapports que les gens faisaient, eux-mêmes, sur leurs processus de pensée; il a donc choisi de baser ses conclusions sur des observations objectives du comportement réalisées par une personne neutre (chapitre 14). Au contraire, Charlotte Buhler, comme nous le verrons dans le chapitre sur la psychologie humaniste, a encouragé ses sujets à révéler leurs sentiments, leurs espoirs et leurs ambitions. En fait, les sources d'information d'un chercheur favorisent certains types de conclusions et rendent improbables d'autres types de résultats. De même, l'un des aspects les plus importants des modèles de psychologie expérimentale est l'apparition de résultats tout à fait inattendus au cours de recherches effectuées sur des enfants. Lorsque c'est le cas, les chercheurs sont confrontés à l'éventualité que la théorie proposée est inexacte et que des changements doivent y être apportés. Ce type d'influence a été particulièrement marquant dans les travaux inspirés du behaviorisme (chapitres 14 et 15) et aussi dans les contributions de chercheurs se situant dans une perspective néo-piagétienne.

Les préoccupations subjectives des individus influencent également leurs propositions théoriques sur le développement. L'enfance décousue de Rousseau dans l'Europe du XVIIIe siècle semble, par exemple, avoir eu un effet certain sur les idées qu'il a proposées sur la croissance de l'enfant (chapitre 3). Les faits historiques qui ont placé Vygotsky dans la Russie post-révolutionnaire l'ont incité à créer une théorie du développement compatible avec la doctrine sociale marxiste (chapitre 11). L'insatisfaction de Maslow quant à la manière dont le behaviorisme et la psychanalyse ont expliqué sa personnalité et les faits de sa vie l'a amené à concevoir sa propre théorie du développement : la psychologie humaniste.

En résumé, une série de facteurs provoquent auprès des chercheurs une insatisfaction; ceux-ci sont alors encouragés à formuler d'autres propositions théoriques pour résoudre certains des problèmes soulevés par les modèles déjà existants. Bien qu'il existe actuellement un grand nombre de théories majeures et encore bien davantage de «mini-modèles», nous pouvons nous attendre à un épanouissement de théories du développement de l'enfant dans les années à venir.

Conclusion

Le chapitre 1 se proposait d'atteindre quatre objectifs majeurs.

1 Donner un aperçu de plusieurs théories et suggérer comment l'interprétation du comportement de l'enfant, à partir de points de vue divergents, peut aboutir à des conclusions variées.

2 Identifier quelques termes théoriques généraux et les différents sens qui peuvent leur être assignés.

3 Proposer des modèles de critères destinés à juger de la valeur des différentes théories du développement de l'enfant et suggérer au lecteur d'établir, si nécessaire, une liste complémentaire qui satisferait ses exigences.

4 Noter quelques-uns des facteurs qui incitent les théoriciens à proposer de nouveaux schémas pour interpréter le développement de l'enfant.

Le contenu du premier chapitre constitue une bonne introduction au chapitre 2, celui-ci évoque en effet les questions qui se posent lors de l'étude comparative de diverses théories sur le développement de l'enfant.

2

Nature des théories du développement de l'enfant

Pour comparer les diverses théories envisagées, nous ne nous en tiendrons pas aux seuls critères décrits au chapitre 1, mais aussi au contenu des théories en question. Par contenu, nous entendons les aspects du développement de l'enfant sur lesquels les théoriciens fixent leur attention, ainsi que les convictions philosophiques et méthodes logiques qui sous-tendent le modèle qu'ils proposent.

Ce chapitre aborde également des problèmes auxquels les théories du développement de l'enfant font souvent référence et se propose d'y sensibiliser le lecteur. Il vise aussi à montrer que tous les théoriciens ne cherchent pas à résoudre les mêmes questions ni n'accordent la même importance à des problèmes donnés. Il est important de le souligner : des théories qui semblent contradictoires peuvent en fait se consacrer à des aspects différents du développement de l'enfant. Deux points de vue apparemment opposés peuvent même être heureusement combinés, comme Dollar et Miller qui ont tenté de le faire avec les théories du behaviorisme et de la psychanalyse dans leur livre *Personnalité et Psychothérapie*(1950).

Ce chapitre 2 posera un certain nombre de questions qui traitent, soit de la structure de base des théories, soit de leur support philosophique ou méthodologique. Ces questions sont organisées en treize groupes intitulés comme suit :

1. ***Etendue et portée*** – Quels niveaux d'âge, aspects de développement et de culture humaine constituent l'objet de cette théorie ?
2. ***Nature et environnement*** – Quels sont les rôles de l'hérédité et de l'environnement en tant que facteurs de développement ?
3. ***Direction du développement*** – Vers quel type de maturité et vers quelle réalisation future l'enfant, immature à sa naissance, se développe-t-il ?
4. ***Développement continu ou développement par étapes*** – Les enfants grandissent-ils imperceptiblement par petites acquisitions, ou, au contraire, évoluent-ils périodiquement par grandes étapes, d'un stade à un autre ?
5. ***Condition morale originelle*** – L'enfant naît-il moral, immoral ou amoral ?
6. ***Structure de la personnalité*** – Quelles sont les composantes de base de la personnalité humaine et comment sont-elles conciliables entre elles ?
7. ***Motivation et processus d'apprentissage*** – Qu'est-ce qui motive le développement et par quel processus l'enfant apprend-il ?
8. ***Différences individuelles*** – Comment une théorie explique-t-elle les différences dans le développement d'enfants du même âge chronologique ?
9. ***Développement désirable/non désirable; développement normal/anormal*** – Comment la théorie distingue-t-elle le développement désirable et normal du développement indésirable et anormal ?
10. ***Origines philosophiques et hypothèses de base*** – De quel point de vue philosophique la théorie est-elle créée et sur quelles hypothèses de base est-elle fondée ?
11. ***Méthodes d'investigation*** – Quelles méthodes le théoricien utilise-t-il pour recueillir, analyser et vérifier ses idées et en quoi celles-ci influencent-elles le contenu et la structure de la théorie ?
12. ***Crédibilité de la théorie*** – Sur quels types d'arguments et expériences le théoricien se fonde-t-il pour démontrer que sa théorie est valable ?
13. ***Terminologie*** – Quels termes spécifiques sont employés dans la théorie et dans quelle mesure sont-ils comparables à des concepts similaires proposés par d'autres théoriciens ?

Avant d'étudier chacune de ces catégories en détail, nous devons souligner trois caractéristiques de ce questionnaire :

(1) Les différents points traités ne s'excluent pas l'un l'autre; au contraire, ils se côtoient et se complètent. Par exemple, lorsqu'il est question de la structure du développement de la personnalité proposée par Freud, nous considérons nécessairement, à la fois les stades de croissance s'y rapportant, ses idées sur la condition morale originelle de l'enfant

et la terminologie qui lui est propre. Il ne s'agit donc pas d'entités séparées, mais de différents points de vue à partir desquels l'ensemble de la théorie peut être considéré.

(2) La liste proposée n'est pas une liste exhaustive; elle n'est qu'un modèle proposé pour attirer l'attention sur les différents aspects des théories. D'autres listes, conçues ou organisées différemment, peuvent se révéler utiles à d'autres chercheurs.

(3) Les questions relatives au développement seront surtout traitées dans les premiers points de la liste proposée. Dans le vaste domaine de la psychologie, les praticiens sont traditionnellement répartis en plusieurs groupes : spécialistes en traitement clinique des troubles du comportement, psychologues qui comparent le développement humain avec celui des animaux, spécialistes en recherches sur l'apprentissage, psychologues spécialistes du développement. Ces derniers nous intéressent plus particulièrement en ceci qu'ils étudient le «comment» et le «pourquoi» des êtres qui changent avec le temps et l'évolution en âge. Aussi, dans notre liste de treize catégories, les points 1 à 5 concernent-ils plus précisément les psychologues du développement. Les points 6 à 13 traiteront indifféremment des autres catégories de psychologues.

Reprenons à présent, dans le détail cette fois, les treize groupes de questions.

1 Etendue et portée

Le terme *étendue* est utilisé ici pour identifier trois aspects d'une théorie : a) ses limitations d'âge, c'est-à-dire la manière dont la théorie marque le début et la fin de la période du développement; b) la variété de ses aspects, c'est-à-dire le nombre et le type de facettes envisagées par la théorie; c) son étendue culturelle, c'est-à-dire la diversité de cultures que la théorie se propose de décrire. Pour découvrir la manière dont un théoricien particulier aborde ces sujets, nous pouvons prendre pour fil conducteur l'ensemble de questions suivantes :

1.1 Comment sont définis le début et la fin de la période de développement chez l'enfant ? Quelles caractéristiques, telles que l'âge chronologique, des changements de comportement particuliers, ou des changements dans la vitesse de maturation définissent cette période ?

Certains des modèles présentés dans les chapitres suivants correspondent mieux que d'autres théories aux vocables *théories du développe-*

ment humain étant donné qu'ils proposent des structures et des principes décrivant la durée entière de l'existence, de la conception à la mort. On se réfère aux autres en tant que *théories du développement de l'enfant* parce qu'elles se rapportent exclusivement, ou du moins principalement, aux deux premières décennies de la vie. Dans ce livre nous nous limitons à une approche des vingt premières années, sans tenir compte du fait que certaines de ces théories s'appliquent encore à l'âge adulte et la vieillesse.

De nombreuses théories utilisent l'âge chronologique comme mesure principale de la période du développement de l'enfant avec, pour limite inférieure, soit la conception biologique, soit la naissance et l'âge de dix-huit ou vingt et un ans comme limite supérieure. Ainsi, les années d'adolescence sont généralement comprises dans les limites du terme «développement de l'enfant», bien que quelques auteurs préfèrent limiter l'emploi du mot «enfance» aux années précédant la puberté – qui arrive en général entre douze et quatorze ans – et emploient le terme «adolescence» pour désigner les années entre la puberté et l'âge adulte.

D'autres théoriciens pensent que l'âge chronologique n'est pas une dimension satisfaisante dans l'analyse du développement (Wohlwill, 1976). Ils utilisent d'autres caractéristiques, telles que l'acquisition de la taille adulte ou l'émergence de tout comportement propre aux adultes, comme indicateurs de la fin de l'enfance. En ce cas, les frontières entre les différents stades de développement pendant la période de l'enfance sont déterminées par des indices de développement autres que l'âge.

Pour élaborer leur théorie, certains auteurs reprennent la totalité des expériences faites pendant la période d'enfance et d'adolescence tandis que d'autres se limitent exclusivement à l'enfance ou, au contraire, à l'adolescence.

1.2 Sur quels aspects du développement ou du comportement la théorie met-elle l'accent ?

Quelques modèles se concentrent sur des aspects particuliers du comportement. Par exemple, Kohlberg (chapitre 13) s'intéresse seulement à l'aspect moral. Les psychologues humanistes se focalisent presqu'exclusivement sur le développement du «moi». D'autres théories présentent un champ d'investigation plus large. Le schéma d'Havighurst, par exemple, (chapitre 6) propose une étude des aspects physique, émotionnel, moral, cognitif et social de l'enfant. Gesell (chapitre 5) propose lui aussi dans ses recherches l'étude d'un éventail de comportements et de caractéristiques du développement.

1.3 La théorie se propose-t-elle d'expliquer le développement dans une culture déterminée ou, au contraire, peut-elle s'appliquer à toutes les cultures ?

La plupart des théoriciens veulent que leurs modèles s'appliquent au plus grand nombre d'enfants possible. En fait, ils essaient de produire une théorie universelle. Leurs assertions générales impliquent qu'ils font référence aux enfants de tous les horizons et de toutes les époques. Ceci est vrai pour Piaget, Freud, Lewin, Skinner et bien d'autres. D'autres théoriciens, par contre, avancent que leurs propositions sont destinées à décrire le développement dans un espace culturel et géographique précis. Par exemple, Havighurst a précisé que ses «tâches développementales» sont celles auxquelles sont confrontés les filles et les garçons américains des années 50 – particulièrement ceux qui font partie des classes moyennes et supérieures.

Ces trois aspects de l'*étendue* d'un modèle permettent de déterminer le territoire psychologique que le théoricien tente de cerner et d'étudier.

2 Nature et environnement

Au cours de ces dernières décennies, la préoccupation majeure des théoriciens du développement de l'enfant s'est résumée au rapport «*hérédité/environnement*». Les formules utilisées pour l'exprimer ont varié selon l'époque : il fut question, tantôt de nature face à éducation ou nativisme face à relativisme culturel, tantôt d'apport génétique face à apport social, de maturation face à apprentissage ou encore de traits innés face aux caractéristiques acquises. Mais quelle que soit la terminologie employée, l'essence du problème a subsisté : en quoi les facteurs innés, comparés aux facteurs de l'environnement, contribuent-ils au développement de l'enfant ? (Charke-Stewart, Friedman et Koch, 1985)

La question relative aux origines du développement est en général présentée sous une forme ou une autre de la dualité «*hérédité/environnement*», sous-entendant par là qu'il y a seulement deux causes déterminantes dans le développement de l'enfant : d'une part, une nature héritée et d'autre part, la manière dont il est éduqué par ses parents et les autres adultes. Cependant, quelques théoriciens ont proposé d'autres causes toutes aussi plausibles. Avant d'identifier celles-ci, nous examinerons d'abord exclusivement la question «*nature/environnement*» étant donné qu'elle demeure la préoccupation centrale de la plupart des psychologues, biologistes et sociologues qui étudient les sources du développement.

Au fil du temps, le cœur du débat s'est quelque peu déplacé et avec lui, les questions qui se posaient (Anastasi, 1958). Nous en étudierons trois.

La question «Lequel ?»

Au cours des siècles passés, les philosophes semblent s'être penchés sur la question suivante : lequel de ces deux facteurs – Hérédité ou Environnement – est à l'origine de changements dans le développement de l'enfant ? Le philosophe anglais Locke (1632-1704), partisan de l'environnement, a avancé que l'esprit de l'enfant est une page blanche ou «table rase» sur laquelle les expériences se marqueront au fur et à mesure qu'il grandit. Jean-Jacques Rousseau (1712-1778), tout au contraire, considère la «nature» héritée par l'enfant comme étant la force la plus influente dans les étapes de son développement.

Les partisans de l'hérédité ont par la suite été divisés en deux groupes : les «préformationnistes» et les «prédéterministes» (voir tableau 2.1). La distinction entre préformationnistes et prédéterministes réside principalement dans l'importance que la théorie accorde aux effets de l'hérédité. Les préformationnistes sont d'avis que toutes les potentialités d'un individu – sa personnalité, ses valeurs, ses motivations, son aptitude mentale et ses tendances émotionnelles – sont complètement formées chez l'enfant qui vient de naître. Tandis que l'enfant avance en âge, ses potentialités se développent selon un plan génétique pré-établi. Comme tous les éléments significatifs du développement sont prédéterminés, l'environnement particulier dans lequel évolue l'enfant ne joue aucun rôle dans son évolution. Les prédéterministes, quant à eux, ne réfutent pas complètement l'éventualité de l'influence de l'environnement physique et social sur le développement de l'enfant. Ils pensent que l'environnement a quelque effet, mais ils sont à ce point convaincus de l'importance de l'apport génétique chez l'enfant qu'ils sont malgré tout assimilés aux partisans de l'hérédité aux côtés des préformationnistes. C'est Rousseau qui formula la première «théorie définitive du développement prédéterminé chez l'enfant» (Ausubel et Sullivan, 1970, p. 2).

Tableau 2.1 — Question : lequel ?

Environnementalistes	*Partisans de l'hérédité*	
	Préformationistes	*Prédéterministes*
Les expériences personnelles de l'enfant sont déterminantes dans le développement	L'environnement n'a pas d'influence	L'environnement a peu d'influence

En fait, aucun de ces deux facteurs ne peut à lui seul exercer une influence ou exister isolément. L'hérédité d'un enfant ne peut se manifester dans le vide absolu, c'est-à-dire dans un environnement inexistant; un enfant ne peut non plus être engendré indépendamment de ses parents, comme si, surgissant du néant, il devenait le jouet d'un environnement quelconque. Même dans le passé, les partisans les plus extrémistes de l'hérédité et de l'environnement ont reconnu la nécessité de la coexistence des deux facteurs, nature et environnement. La question qui se pose alors est la suivante : lequel de ces deux facteurs influence davantage le développement de l'enfant ?

La question «Combien ?»

Tout au long du XIXe siècle, et pendant la première moitié du XXe, la question «nature-environnement» étudiait surtout les proportions dans lesquelles l'un et l'autre des deux facteurs influençaient le développement. Ce rapport peut être représenté graphiquement par une ligne, les composantes héréditaires se situant au dessus de celle-ci et les composantes de l'environnement au-dessous. La position d'un théoricien donné sur la question peut être située en un point quelconque de cette ligne. Pour présenter le courant des idées de l'époque, nous citerons le débat célèbre qui a passionné les psychologues américains dans les années 20 et 30. Au moyen de méthodes statistiques, Burks (1928) a conclu que l'hérédité contribuait pour 83 % à l'aptitude mentale et l'environnement seulement pour 17 %. D'autres chercheurs (Leahy, 1935; Schuttleworth, 1935) ont eux aussi conclu que l'hérédité jouait un rôle majeur, bien que leurs pourcentages différaient quelque peu de ceux de Burks. Par ailleurs, d'autres théoriciens se fondant sur une série d'études faites dans le Midwest des Etats-Unis ont abouti à une conclusion contraire, à savoir que l'environnement était le facteur le plus important dans la détermination de l'aptitude mentale (Skeels, 1940; Skodak, 1939). En fait, la question n'a

Tableau 2.2 — Question : Combien ?

	Partisans extrêmes de l'hérédité	*Partisans modérés*	*Partisans extrêmes de l'environnement*
Pourcentage de contribution de la nature	95 %	50 %	5 %
Pourcentage de la contribution de l'environnement	5 %	50 %	95 %

jamais été tranchée; la raison principale réside sans doute dans le fait que le problème n'était pas bien cerné dès le départ.

Les investigations basées sur la question «*combien*» ont ainsi conduit à des conclusions conflictuelles sur les mêmes données et à une remise en question de l'utilité de ce débat. En conséquence, au cours de ces dernières décennies, il y a eu une grande tendance, parmi les chercheurs intéressés par ce problème, à reconsidérer la question sous un angle différent, à chercher à savoir «*comment*» et «*de quelle manière*» les facteurs en présence étaient interactifs (Anastasi, 1958; Lerner, 1986).

La question «De quelle manière ?»

De quelle manière la nature et l'environnement agissent-ils l'un sur l'autre ? Un postulat de base de l'approche interactionniste moderne est que la nature et l'environnement sont deux entités différentes, agissant chacune à 100 % indépendamment l'une de l'autre. Cette approche ne nie pas l'importance de chacun des deux facteurs; toutefois, la question la plus importante demeure de savoir comment l'hérédité et l'environnement interagissent pour permettre le développement observé chez l'enfant. Il y a une multitude de réponses à cette question, chacune d'elles étant fonction du point de vue particulier du théoricien considéré. Le but de ce chapitre est de présenter le type de questions traitées par les diverses théories et de poser des questions guides pouvant servir à mieux comparer différents modèles; nous n'analyserons pas ici toutes les interprétations possibles de l'interaction de ces deux phénomènes. Nous nous en tiendrons à décrire brièvement deux points de vue sur la question, histoire de mettre en lumière les divergences qui peuvent exister d'une interprétation à l'autre.

Pour le première modèle, l'hérédité détermine les frontières du développement potentiel et l'environnement établit, à l'intérieur de ces frontières, le développement effectif auquel l'enfant aboutira. L'hérédité détermine donc ce que nous pouvons faire et l'environnement ce que nous faisons en réalité (Montagu, 1959). De plus, il est généralement admis que les limites varient selon les différentes caractéristiques envisagées. Pour certains traits, tels la couleur des yeux par exemple, l'hérédité établit des limites très étroites. Pour d'autres caractéristiques, telles que l'aptitude cognitive qui permet d'analyser des relations abstraites et complexes, les limites établies par l'hérédité semblent être très larges, laissant une place considérable à l'influence des facteurs dépendant de l'environnement, tels la nutrition, l'instruction, les récompenses, etc.

De plus, ce point de vue *interactionniste* avance que le potentiel délimité par l'hérédité se manifeste différemment selon l'âge (chronologique) de l'enfant. Par exemple, à la puberté, apparaît une maturation génétiquement programmée pour les caractéristiques sexuelles primaires et secondaires. Donc, la puberté offre des potentialités différentes de celles que présentait l'enfant à l'âge de deux, quatre ou six ans.

En fonction de cette perspective *interactionniste*, il est nécessaire de se poser les questions suivantes :

a) Quelle est l'étendue des limites fixées par l'hérédité pour différents aspects du développement – traits physiques, habilité cognitive, tolérance à la frustration et autres ?
b) Quelles forces de l'environnement influencent la manière dont ces aspects se manifesteront dans la structure et le comportement de l'enfant ?
c) Comment cette interaction du potentiel inné et des forces de l'environnement agit aux différentes étapes du développement de l'enfant ?

Quelques idées sur les inter-relations complexes suscitées par cette interrogation sont exposés dans le diagramme simplifié de la figure 2.1. Trois concepts y sont combinés :

1 **Les influences génétiques sur les caractéristiques du développement varient selon l'aspect envisagé**. Les trois caractéristiques illustrées dans la figure 2.1 sont la taille, l'habilité à analyser des relations abstraites et le contrôle émotionnel dans des conditions de tension. Le haut et le bas de chaque case représentent respectivement le plus haut et le plus bas degré de potentialité pour cette caractéristique (à un certain niveau d'âge). L'espace blanc dans chaque figure représente le potentiel génétique d'un enfant pour cette caractéristique.

2 **L'hérédité établit les limites de la potentialité de chaque caractéristique**. Dans la figure 2.1, la limite supérieure hypothétique de développement – par exemple, la taille maximum qu'un enfant peut atteindre – est la ligne supérieure en pointillés et la limite inférieure, soit la taille minimale qu'il atteindra, est la ligne inférieure en pointillés.

3 **Les influences de l'environnement déterminent, dans les limites données, le niveau de développement terminal de l'enfant**. Pour chaque caractéristique, l'espace blanc entre les deux lignes en pointillés représente le champ d'influence de l'environnement sur le développement. La lettre F désigne le niveau de développement (proche de la limite supérieure) que l'enfant atteindra si les influences de l'environnement sont très favorables; la lettre D indique le niveau de développement (proche de la limite inférieure) qu'il atteindra dans des conditions extérieures très défavorables.

Donc dans la figure 2.1, nous émettons l'hypothèse qu'il existe plus de flexibilité quant à l'influence des facteurs de l'environnement sur la

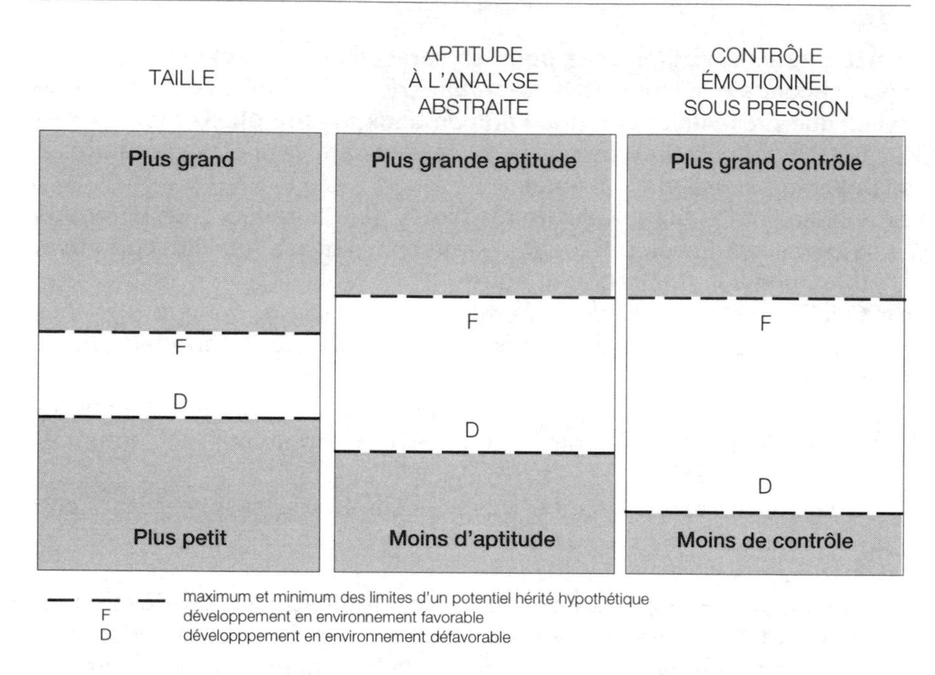

Figure 2.1 — Un point de vue interactionniste : de quelle manière ?

détermination du contrôle émotionnel de l'enfant que sur sa taille ou son habileté à concevoir une analyse abstraite. Déterminer si oui ou non pareille hypothèse est vraie devient une question d'investigation empirique.

Bien que cette première approche interactionniste ne nous dise pas, comme le faisaient les anciennes théories, quelle proportion de développement est due à l'hérédité et quelle autre, à l'environnement, elle nous permet toutefois de différencier les adeptes de l'environnement de ceux de l'hérédité. Selon la figure 2.1, les théoriciens qui réduisent l'espace entre les limites innées de potentialité sont des partisans de l'hérédité, puisqu'ils considèrent que le programme établi par la nature génétique de l'enfant n'est pas perméable aux facteurs extérieurs. Les théoriciens qui, au contraire, élargissent davantage ces limites sont plutôt des adeptes de la théorie de l'environnement, car ils pensent que les influences extérieures affectent grandement la manière dont les caractéristiques du développement se manifestent.

La seconde manière de considérer l'approche interactive est elle aussi basée sur la question «*de quelle manière*». Quelques auteurs considèrent l'interaction en fonction de l'influence directe de l'hérédité sur le développement (Anastasi, 1958; Lerner, 1986). En ce sens, considérons trois exemples de développement mental, partant d'une influence héréditaire très directe pour aboutir à une autre, tout à fait indirecte.

Pour illustrer l'influence héréditaire directe, nous citerons le cas d'un enfant souffrant de la maladie de Tay-Sachs. Cette affection est causée par des gènes récessifs qui produisent une déficience des enzymes chez l'enfant qui grandit. Les enfants atteints paraissent généralement normaux à la naissance, mais, par la suite, leur développement se ralentit et ils perdent certains acquis, notamment la vue. Ils atteignent rarement l'âge de quatre ans. Jusqu'à présent, des changements intervenus dans l'environnement de ces enfants n'ont jamais permis d'améliorer leur état de santé.

L'hérédité a une influence moins directe sur le développement mental dans des cas de surdité ou de cécité congénitales. Un enfant sourd ou aveugle de naissance élevé dans un environnement conçu pour des enfants normaux présentera, en général, des symptômes de retard dans son évolution mentale. Bien que la vue et l'ouïe ne puissent pas être recouvrées, des changements peuvent être apportés à l'environnement pour compenser ce handicap. On peut donner à un enfant aveugle des enregistrements de livres et lui enseigner la méthode de lecture Braille; on peut apprendre à l'enfant sourd, le langage par signes et la lecture sur les lèvres. Ces mesures compensatoires permettent à ces handicapés de connaître un développement se rapprochant de la normale.

Notre troisième exemple concernant les stéréotypes sociaux illustre l'influence indirecte de l'environnement. Nous reconnaissons que l'apport génétique a beaucoup d'influence dans la détermination de la couleur de la peau d'un enfant, de sa taille, de son poids, des traits de son visage, de l'acuité de ses sens, etc. Dans une culture donnée, on associe souvent certains traits intellectuels ou des traits de la personnalité à de telles caractéristiques : en d'autres termes, les gens se réfèrent généralement aux stéréotypes sociaux. Comme la manière dont les gens traitent un enfant influe sur la perception que ce dernier a de lui-même, nous pouvons donc conclure que sa conception de lui-même est, du moins partiellement, le résultat des stéréotypes sociaux associés à ses caractéristiques physiques innées. De plus, si l'enfant se perçoit comme étant intelligent, il sera d'autant plus stimulé pour parvenir au développement mental adéquat. L'hérédité, dans ce cas, a une influence très indirecte sur le développement mental.

Bien que les théoriciens qui adoptent l'une de ces approches mettent l'accent sur la manière dont s'effectue l'interaction *nature-environnement*, précédemment, nous avons dit qu'ils n'ont pas complètement abandonné la question relative à la proportion dans laquelle chacune des deux données intervient. Cependant, ils la formulent différemment. Par exemple, Anastasi (1958, p. 206) a avancé que la meilleure manière de considérer l'interaction «*nature-environnement*» est de l'envisager sous l'angle de l'action directe ou indirecte de ces forces. Ainsi, l'étendue des résultats probables sera d'autant plus importante que l'influence de l'hérédité sur un comportement aura été indirecte. En d'autres termes, il n'y a pas beaucoup de chances pour que l'environnement influence les caractéristiques qui dépendent directement des facteurs génétiques. Par contre, l'environnement peut grandement influencer les caractéristiques qui ont peu à voir avec l'hérédité. Donc, Anastasi pose à nouveau la question «combien» lorsqu'elle s'interroge sur le degré de variabilité de ces deux forces quant à leur influence respective sur le développement.

Qu'en est-il de la position des théoriciens modernes à propos de la question «*hérédité-environnement*» ? De nos jours, la plupart des théoriciens se considèrent comme des interactionnistes, car ils pensent que la nature et l'environnement sont tous deux indispensables au développement et collaborent à sa réalisation. Cependant, ceci ne signifie pas que le débat a pris fin : il se situe actuellement au niveau des conditions de l'interaction entre la nature et l'environnement. En fait, l'une des plus brûlantes controverses de ces dernières années dans les milieux américains de l'éducation a eu pour objet la question de l'apport génétique de certains groupes raciaux qui, selon certains, limiterait les capacités mentales (Jensen, 1969, 1973; Layzer, 1974; Kamin, 1972; White et Parham, 1990).

Pour l'analyse de théories de développement, nous proposons de se référer aux questions guides suivantes :

2.1 Le théoricien peut-il être désigné par des appellations traditionnelles telles que «*préformationniste, prédéterministe, interactionniste, partisan de l'hérédité ou de l'environnement*» ?

2.2 Le théoricien considère-t-il certains aspects du développement comme étant plus limités que d'autres par les facteurs héréditaires ? Par exemple, l'influence de l'hérédité n'est-elle pas plus directe dans la transmission de la couleur de la peau qu'elle ne l'est au niveau de l'acquisition du langage parlé ?

2.3 Le théoricien voit-il l'hérédité comme plus contraignante pour certaines caractéristiques de croissance en fonction de l'âge de l'enfant ? Par exemple, la disposition à la lecture diffère-t-elle à l'âge de six ans et à l'âge de douze ans ?

2.4 Le théoricien décrit-il le processus par lequel l'interaction de la nature et de l'environnement prend place ?

Par ailleurs, certains auteurs ont proposé d'autres variables intervenant dans le processus de développement à côté de l'hérédité et de l'environnement. Pour illustrer ces propositions, nous pouvons citer en premier lieu les conceptions d'un partisan respecté de la théorie du développement,

T.C. Schneirla et décrire deux types de croyances communes à de nombreuses traditions religieuses.

Schneirla (1957) a proposé qu'une troisième force affectant le développement d'un organisme en croissance est l'enfant lui-même. Celle-ci trouve son origine dans la manière dont les facteurs de l'hérédité et de l'environnement interagissent. Par exemple, un enfant qui naît avec une structure génétique le prédisposant à un haut degré d'activité dort moins que la plupart des bébés. De plus, quand il est réveillé, il pleure pour attirer l'attention de ses parents. Bien que ceux-ci soient désireux de pourvoir au confort et à l'attention dont leur enfant semble avoir besoin, ils finissent par se sentir fatigués et nerveux, suite au bouleversement survenu dans leurs habitudes de repos et aux sollicitations incessantes de l'enfant. Leur irritation se reflète dans la manière dont ils traitent l'enfant quand ils perdent patience. Dans leur frustration et leur épuisement, ils tentent d'échapper à la situation en fermant la porte de la chambre de l'enfant pour qu'il se calme spontanément. Ce traitement contribue à augmenter le niveau d'activité de l'enfant au lieu de le diminuer parce qu'il est stimulé par sa détresse émotionnelle et donc amené à exiger davantage encore de temps et de patience de la part de ses parents. En fait, un cycle d'interaction est établi, dans lequel les caractéristiques propres à l'organisme qui se développe – c'est-à-dire l'enfant qui grandit – se muent en une influence significative, une troisième force qui détermine la manière dont l'environnement traitera l'enfant (Lerner, 1976, pp. 102-103). Schneirla a conclu essentiellement que «l'individu lui-même semble jouer un rôle important dans son propre développement au fur et à mesure que les processus propres à chaque stade ouvrent la voie à d'autres réactions du type «stimulus-réponse» issues des conditions intrinsèques et extrinsèques du moment» (1957, p. 86).

Voyons à présent deux variantes particulières qui se retrouvent dans des concepts de développement inhérents à plusieurs religions. Il s'agit de la volonté humaine et de l'intervention surnaturelle. En ce qui concerne la volonté, on considère que le schéma de vie de quelqu'un n'est pas seulement déterminé par les variables génétiques ni par celles de l'environnement, mais peut tout aussi bien être influencé par le libre-arbitre de l'individu et par sa persévérance à mettre ses propres choix en pratique. L'importance de la volonté apparaît ainsi dans diverses conceptions philosophiques telles le Christianisme, l'Islam, le Confucianisme, l'Hindouisme et le Shintoïsme, tant dans le sens commun collectif que dans la psychologie naïve du profane. Dans les chapitres suivants, le rôle de la volonté humaine est mentionné au chapitre 3 dans les doctrines de Rousseau et des puritains et au chapitre 4 dans la théorie de la psychologie du sens commun.

Le concept d'intervention surnaturelle en tant qu'élément contribuant au développement est un facteur essentiel dans la plupart, sinon dans toutes les traditions religieuses. Les adeptes desdites traditions croient que le développement de la personne peut être déterminé, dans une large mesure, par l'action de forces surnaturelles destructrices (Satan ou autre Esprit du Mal) ou par des puissances constructives et salutaires (Dieu, Allah, l'énergie cosmique et autres esprits bienveillants). Parfois ces puissances surnaturelles interviennent spontanément dans la vie des humains pour les influencer. Dans d'autres cas, l'intervention surnaturelle est sollicitée par les prières, les rites et les offrandes des fidèles. Ce type de causes n'est généralement pas admis dans les théories scientifiques modernes décrites dans les chapitres 5 à 18. (Cependant, les adeptes des théories scientifiques peuvent, dans leur vie quotidienne, manifester une certaine croyance en une influence surnaturelle).

3 Direction du développement

Les termes *croissance* et *développement* impliquent tous deux l'idée de *changement* et l'une des préoccupations essentielles des théoriciens a été de définir les orientations de ce changement. En anglais, ces deux mots (*growth* et *development*) sont très proches l'un de l'autre et sont parfois utilisés comme synonymes pour désigner à la fois des changements dans la dimension et dans les fonctions. Cependant en français, la distinction est claire : la *croissance* se rapporte presqu'exclusivement à l'aspect physique et est considérée comme un changement de dimensions. Le *développement*, au contraire, concerne non seulement des changements de dimensions, mais considère également l'évolution des fonctions mentales de l'individu.

Un bon exemple de théorie qui met l'accent sur les directions du développement est celle de Werner (chapitre 7). Celui-ci identifie un processus de croissance comme étant, par exemple, le passage d'un état de *rigidité* à un état de *flexibilité*. Il entend par là que le très jeune enfant fait montre de comportements rigides adaptés à des situations précises et ne les modifie pas aisément pour les adapter à de nouvelles conditions. Les comportements de l'adolescent sont quant à eux plus flexibles et s'adaptent mieux à des situations variées.

La meilleure manière de découvrir pour quelle orientation de développement opte un théoricien donné est peut-être de se demander en quoi l'enfant diffère de l'adulte ? Selon Rousseau, un objectif important est de passer du stade d'individu irrationnel à celui de personne rationnelle. Pour les puritains, l'objectif principal est de passer de l'état naturel de péché à celui d'individu moralement conscient. Pour Piaget, les jeunes enfants sont égocentriques et ne peuvent interpréter les événements qu'à partir de leur propre perspective. Les adultes normaux, au contraire, comprennent que chaque individu peut interpréter les événements de manière personnelle. De la recherche des directions décrites ou impliquées dans une théorie découlent les questions suivantes :

> **3.1** Quels aspects du comportement ou du développement (croissance physique, développement cognitif, aptitudes sociales) sont compris dans tel principe particulier ou telle définition de direction ?
>
> **3.2** S'il y en a, quels sont les rapports existant entre la direction d'un changement donné d'un aspect avec celle d'un autre ?

Par exemple, la maturité physique survient-elle avant la maturité intellectuelle ? La différenciation de comportement chez le jeune enfant évolue-t-elle plus rapidement que l'intégration d'actions individuelles variées en un système harmonieux de comportements ?

4 Développement continu ou développement par stades

En général, les théories ne définissent pas seulement les directions du changement, elles indiquent aussi si ce changement se produit graduellement, par acquisitions minimes ou si, au contraire, il se manifeste par des bonds spectaculaires se produisant par paliers successifs. Les progrès rapides sont suivis par des périodes de ralentissement, appelées plateaux, où les changements ne sont pas aussi marqués. Le behaviorisme de Skinner est un exemple de théorie qui dépeint la croissance comme une succession de petites acquisitions imperceptibles. A l'opposé, d'autres théories présentent le développement comme un passage brusque d'un stade déterminé à un autre. Piaget a proposé des étapes et des sous-étapes du développement cognitif. Freud a identifié plusieurs moments importants du développement psychosexuel. Havighurst a avancé que les enfants, à différentes étapes de leur vie, sont confrontés à des «tâches» particulières du développement et que celles-ci forment une série de stades précis. En fait, l'intérêt de ces théories réside dans le type de stades qu'elles proposent et dans la manière dont elles envisagent le passage de l'enfant d'un niveau à un autre. Pour les développementalistes, cette problématique est celle de la «continuité-discontinuité».

Chacun admet que le développement s'opère graduellement. Ainsi, personne ne va prétendre qu'une fillette de douze ans est un jour une enfant pré-pubère pour passer dès le lendemain au stade d'adolescente épanouie. Dans ce sens, le développement s'opère dans la continuité, par acquisitions successives. La question clé est donc de savoir si, durant ce processus, le physique et le comportement de l'enfant présentent périodiquement des symptômes qui soulignent le passage effectif à un nouveau stade de développement. Des behavioristes comme Skinner prétendent que non; d'autres théoriciens, qui répondent par l'affirmative, sont alors tenus de définir les caractéristiques de chacun des stades afin que, sur base de leurs théories, il soit possible de reconnaître un nouveau stade dès son apparition. Aussi, lors de l'étude de la position d'un théoricien sur la question de «continuité-discontinuité», devons-nous d'abord nous interroger au préalable :

4.1 Le développement de l'enfant procède-t-il par une série de petites acquisitions continues sans changements fondamentaux ? Ou les enfants passent-ils en une fois d'un stade nettement défini à un autre ?

Si la réponse à cette dernière question est positive, alors il est intéressant de s'interroger encore :

4.2 Quelle est, pour le théoricien envisagé, la définition des termes «*stade*», «*étape*», «*période*» ?

4.3 Combien de *stades* identifie-t-il dans son système et quels sont les noms et les caractéristiques particulières de chacun de ceux-ci ?

4.4 Sur quel aspect de la vie ou du développement ces *stades* mettent-ils l'accent ? En d'autres termes, quelles dimensions du développement ceux-ci représentent-ils ? Par exemple : sont-ils des stades de croissance physique ? de développement sexuel ? de socialisation ? de jugement moral ? de développement du langage oral ?

4.5 Ces aspects ou dimensions ont-ils la même importance à toutes les périodes de l'enfance ? Par exemple, les stades de développement physique sont-ils plus importants dans les premières années qu'ils ne le sont durant les dernières années de l'enfance ?

4.6 Quel rapport existe-t-il entre les stades de développement et l'âge chronologique ?

Parmi les propositions envisagées dans les chapitres subséquents, celle de Gesell (chapitre 5) met d'avantage l'accent sur le rapport entre l'âge et les caractéristiques de croissance. Gesell décrit en termes assez précis le modèle de l'enfant de deux ans et en quoi ses caractéristiques diffèrent de celles d'un enfant d'un an ou de trois ans. Les stades proposés par Piaget, Freud et Havighurst sont moins tributaires de l'âge que chez Gesell et les niveaux des besoins humains présentés par Maslow sont encore plus éloignés des questions d'âge chronologique que ne l'étaient ceux de Piaget et de Freud.

Cette question de corrélation entre l'âge et les stades de développement n'est pas la seule qui soit pertinente dans la recherche de la normalité du développement chez l'enfant. Il en est d'autres, qui traitent de l'universalité et de l'invariance des stades.

4.7 Ainsi, ces stades de développement sont-ils universels, c'est-à-dire valent-ils pour tous les enfants de toutes les cultures ? Ou les enfants d'une culture donnée passent-ils par des étapes différentes de celles par lesquelles passent les enfants appartenant à une autre culture ? A l'intérieur d'une même culture, est-il possible pour un enfant de sauter un stade déterminé ou chacun doit-il nécessairement passer par les différentes étapes du développement dans une même séquence définie ? Si un enfant parvient à sauter un palier ou s'il arrive à évoluer par un chemin différent de celui emprunté par ses pairs, quelle en est la raison ?

De nombreux théoriciens considèrent les stades qu'ils décrivent comme étant universels et invariables quant à leur ordre d'apparition. «Invariable» ne signifie pas seulement que les stades apparaissent dans toutes les cultures connues, mais aussi que la nature du développement est telle qu'aucun autre ordre dans le schéma de développement des stades n'est possible. Quelques auteurs, tels Piaget (chapitre 10), Kohlberg (chapitre 13) et Erikson (chapitre 9) ont choisi l'option de la non-variance bien que cette position ait été récemment remise en question par des critiques (Phillips et Kelly, 1975). Cependant, il faut non seulement chercher à découvrir la position d'un théoricien sur la question, mais encore considérer dans quelle mesure le raisonnement tenu pour soutenir cette hypothèse est convaincant.

Trois autres groupes de questions peuvent être posées quant à la manière dont la vitesse de croissance, le statu quo à un stade et la régression à un stade précédent peuvent être appréhendés par une théorie.

4.8 Chaque enfant passe-t-il par les différents stades au même rythme ? Si non, pourquoi ?

Les termes *retardés*, *avancés* et *doués* ont été traditionnellement employés pour désigner des enfants qui se développent selon un rythme différent par rapport à leur groupe d'âge et ceci sans tenir compte du fait que le développement soit considéré, tantôt comme un processus continu, tantôt comme un développement par étapes.

La question 4.8 s'applique à découvrir si une théorie particulière admet de tels phénomènes et si c'est le cas, comment elle tente de les expliquer.

4.9 Un enfant peut-il présenter les caractéristiques inhérentes à plusieurs stades à la fois ? Si oui, pourquoi cela se produit-il ?

Certains théoriciens (Gesell, Havighurst) envisagent peu ou pas du tout cette possibilité. D'autres (Erikson, Piaget, Kohlberg) s'arrêtent longuement sur la question. Un exemple de la présence simultanée de plusieurs stades se retrouve dans la sous-théorie de Piaget sur les idées des enfants face à la causalité. Lorsque Piaget a étudié ce que l'enfant perçoit de certains événements physiques du monde extérieur, il a conclu que l'enfant qui explique les mouvements des nuages en disant que des «elfes les poussent» use d'un niveau de pensée inférieur à celui d'un autre enfant qui explique que les courants d'air déplacent les nuages. Cependant, Piaget a démontré que, bien qu'un enfant puisse faire appel au merveilleux pour expliquer certains phénomènes physiques, ce même enfant est à même de donner des explications naturelles pour en expliquer d'autres. Ceci prouverait que l'enfant peut se situer à deux niveaux différents dans le même temps (Piaget, 1930). Piaget a utilisé les termes de *décalage horizontal* et *décalage vertical* pour désigner les variations qui existent dans le mode de pensée des enfants d'un domaine à un autre; il a toutefois décrit ces phénomènes sans les expliquer. Cependant, Case (1986), qui se situe dans une perspective néo-piagétienne, semble avoir récemment trouvé une explication pour décrire la notion de *décalage horizontal*, en introduisant la notion de sous-stades de développement.

4.10 Les progrès d'un enfant peuvent-ils s'arrêter ou stagner à un stade donné ? Si oui, qu'est-ce qui provoque cet arrêt ? Que peut-on faire pour favoriser le passage au stade suivant ?

Les théoriciens expliquent un statu quo dans le développement de différentes manières. Le système de Gesell, qui peut être considéré comme une théorie prédéterministe, y voit le résultat d'apports génétiques inadéquats. Les behavioristes pensent qu'il résulte de stimuli inadéquats de l'environnement. La psychanalyse de Freud quant à elle, l'explique par l'excès ou la carence de satisfaction des besoins à un stade antérieur ou au stade présent du développement.

4.11 Un enfant peut-il revenir à un stade antérieur de son développement après qu'il soit entré dans un autre plus avancé ? Si oui, qu'est-ce qui cause cette régression ? Que peut-on faire pour aider l'enfant à récupérer ce retard et reprendre le cours normal de son développement ?

La régression, comme la stagnation, est d'un intérêt particulier pour les thérapeutes dont la tâche consiste à aider les enfants qui ont un développement anormal. L'explication habituellement proposée par les théoriciens qui reconnaissent le phénomène de régression est que l'enfant retourne à un stade antérieur quand la capacité d'ajustement, qu'il a développée au stade présent, s'est révélée inadéquate pour faire face aux problèmes courants. Cependant, certains théoriciens prétendent qu'il n'existe pas de vraie régression. L'enfant ne régresse pas vraiment, il donne seulement l'impression de le faire en adoptant un type de comportement propre à la période précédente.

Nos réflexions sur le retard mental, la stagnation, la régression et le développement inégal conduisent logiquement à une autre question :

4.12 Si un enfant présente des problèmes de développement à un stade particulier, en quoi ceux-ci peuvent-ils influencer négativement un développement harmonieux par la suite ? Et comment pouvons-nous mieux aborder de tels problèmes ?

Pour la plupart des théoriciens, les problèmes qui n'ont pas été adéquatement résolus à un stade donné empêcheront l'enfant de progresser ou rendront difficile son adaptation à des niveaux supérieurs. La plupart d'entre eux considèrent que la thérapie et la réhabilitation sont nécessaires pour corriger et améliorer les problèmes et, par là, permettre à l'enfant de poursuivre un développement normal. Cependant, toutes les théories ne considèrent pas le problème de la même manière. Celle de Gesell, qui envisage les facteurs génétiques comme restreignant considérablement le champ d'action des facteurs de l'environnement, ne recommande pas la réhabilitation et la thérapie. Il met en avant le concept d'alternance de «bonnes et mauvaises années» ou phases de croissance. Ce schéma d'alternance est considéré comme naturel et commun à presque tous les enfants. Il considère donc les problèmes inhérents à un niveau de croissance comme un passage par une mauvaise période, qui s'estompera naturellement avec le temps. La patience plutôt que la thérapie est nécessaire pour voir la mauvaise phase prendre fin (Ilg et Ames, 1955, pp. 22-24).

Les douze groupes de questions qui ont été proposés ici ont pour but de guider l'investigation des chercheurs qui désirent appréhender la question de développement continu ou de développement par stades chez l'enfant.

5 Condition morale originelle

Une question qui, dans le passé, était d'un intérêt primordial est celle de la nature morale originelle de l'enfant. Quelques théoriciens avancent que l'enfant, à la naissance, est par inclination naturelle, dans une condition morale particulière : bonne (morale), mauvaise (immorale) ou neutre (amorale). Par exemple, Rousseau considérait les enfants comme étant naturellement moraux et estimait que, pour rester bons, ils devaient être protégés pendant leurs jeunes années des corruptions d'une société immorale. Les puritains, au contraire, considéraient les enfants comme naturellement immoraux et proposaient qu'ils soient sévèrement châtiés pour échapper au Démon. Les partisans de Freud considèrent les enfants comme moralement neutres, mais perméables aux valeurs morales de la société qui les entoure, de sorte que ces valeurs font éventuellement partie intégrante de leur personnalité. Maslow, en tant que psychologue humaniste, estime que le sens moral de l'enfant est un amalgame d'inné et d'appris. Par conséquent, en comparant diverses théories du développement de l'enfant, nous pouvons être amenés à nous demander :

5.1 Quelle est la condition génétiquement déterminée ou originelle de l'enfant : morale, immorale ou amorale ? Le nouveau-né peut-il présenter les trois conditions à la fois, en fonction de l'aspect du développement qui est envisagé ?

6 Structure de la personnalité

La plupart des théories de développement considèrent que l'enfant est doté d'un système psychologique ou d'une sorte de machinerie mentale que l'on désigne par les termes suivants : *personnalité, structure cognitive*, ou encore *variables intervenantes*. En général, ce système est censé contenir des éléments qui interagissent pour déterminer le comportement de l'enfant. Une partie de l'effort pour comprendre le développement consiste donc à identifier ces composantes et à étudier leur intervention pendant les deux premières décennies de la vie. Le système de Freud comprend trois de ces éléments clés : *le ça*, *le moi* et *le surmoi*. Rousseau et les puritains ont appelé les éléments importants de la personnalité, «facultés mentales». La théorie du traitement de l'information distingue, par exemple, entre *les organes des sens*, *la mémoire à court terme* et *la mémoire à long terme*. Dans le système de Piaget, il est important de comprendre clairement le fonctionnement des *mécanismes d'assimilation et d'accommodation*. Ainsi, lors de l'analyse d'une théorie, il convient de poser les questions suivantes :

> **6.1** Quelles sont les composantes de la personnalité ou du comportement ?
>
> **6.2** Comment celles-ci interagissent-elles et comment évoluent-elles au fur et à mesure que l'enfant grandit ?

7 Motivation et processus d'apprentissage

Dans le domaine de la psychologie, les concepts de motivation et d'apprentissage sont souvent considérés isolément. Cependant, la motivation est généralement perçue comme le moteur de l'apprentissage, le guide de l'attention de l'enfant, l'orientant vers ses acquisitions futures. Par conséquent, en tant que condition préalable au processus d'apprentissage, la motivation peut-être traitée en même temps que celui-ci.

Tous les théoriciens n'utilisent pas les mêmes termes pour identifier les forces motivantes. Cependant, les deux termes les plus employés pour ce faire sont *besoin* et *pulsion*. Ces termes sont à comparer aux deux faces d'une médaille, comme deux manières de considérer un même phénomène. Ainsi, le mot *besoin* implique l'idée de ration, d'absorption, de vide aspirant à se remplir. *Pulsion* sous-entend l'idée d'émission, de sortie de l'énergie concentrée cherchant un exutoire où s'investir et se répandre. Bien qu'il y ait, parmi les théoriciens, une tendance à favoriser le terme *besoin* (psychologues humanistes) et pour d'autres à préférer le terme *pulsion* (behavioristes), dans les deux cas, l'intention est d'identifier une force motivante qui dynamise le comportement (Hall et Lindzey, 1920, pp. 175-180, 425-436). Certaines théories accordent peu ou pas d'attention du tout à la description des forces de motivation (Gesell, chapitre 5; Kohlberg, chapitre 13). Pour d'autres cependant, en particulier celles des puritains, de Freud et de Maslow, les forces motivantes sont au centre des systèmes.

Pour certains théoriciens, il existe une force générale unique qui active tout comportement. Freud a appelé cette force *libido*, énergie issue d'une composante de la personnalité appelée le *ça*, que d'autres composantes de la personnalité utilisent pour faire marcher leurs fonctions. Freud a d'abord décrit l'énergie libidinale comme étant une pulsion sexuelle dominante. Cependant, dans ses dernières années, il a modifié ses idées et suggéré que le développement et le comportement sont motivés par l'interaction de deux pulsions contraires, une force de vie (*Eros*) qui explique les événement constructifs de la personnalité et une force de mort (*Thanatos*) qui explique les faits destructifs (Freud, 1938, pp. 5-6).

De nombreuses théories de la personnalité et du développement font, implicitement ou explicitement, la différence entre les niveaux de besoins. Par exemple, un besoin fondamental souvent exprimé dans le domaine biologique est celui de l'auto-conservation. Mais, en observant le comportement humain, nous pouvons proposer que ce besoin de base se manifeste par une série de besoins plus spécifiques tels que se nourrir, respirer, s'exprimer sexuellement, être allaité, bercé et consolé (Hall et Lindzey, 1970, pp. 174-180).

Les théoriciens ont donc des opinions divergentes, tant en ce qui concerne le nombre des forces motivantes qu'ils identifient ou impliquent dans leur théorie que dans la manière dont ils nomment et organisent les pulsions et besoins proposés. Nous sommes donc amenés à nous poser une nouvelle question :

7.1 Le théoricien identifie-t-il ou implique-t-il des forces qui motivent le comportement ? Si oui, quelles sont-elles et quelles sont leurs caractéristiques ?

Tous les théoriciens qui soutiennent l'existence de pulsions et de besoins variés ne sont pas d'accord sur le degré de puissance de chacune de ces forces. Par exemple, Freud a décrit l'énergie libidinale comme étant essentiellement sexuelle. L'un des premiers collègues de Freud, Alfred Adler (1870-1937) n'était pas d'accord sur ce point. Bien qu'il reconnaissait que le sexe était une force significative, Adler affirmait que la vraie force dirigeante du développement humain était *la volonté de puissance*, c'est-à-dire une lutte pour la supériorité. Il écrivit que «quelles que soient les idées dont rêvent tous les psychologues et philosophes (l'auto-conservation, le principe du plaisir, le principe de la compensation), elles ne sont que des représentations vagues d'efforts pour exprimer la grande pulsion ascendante» (Adler, 1930, p. 398).

Le système de Maslow reconnaît lui aussi les différences de puissance existant entre les diverses forces motivantes, mais présente leur fonctionnement différemment de Freud ou d'Adler. Maslow a suggéré que les besoins d'un individu sont disposés en une hiérarchie, comme les degrés d'une échelle, dont ceux du bas exigent satisfaction avant ceux du haut. Il a relégué les besoins de survie comme la faim, la soif et la sécurité physique aux degrés les plus bas de la hiérarchie et a placé les désirs d'expression créatrice et d'auto-accomplissement aux niveaux supérieurs.

Les théoriciens ne prétendent pas seulement que certains besoins sont plus importants que d'autres pendant toute la durée de l'existence, mais proposent encore que certains de ces besoins sont plus puissants à un stade de développement plutôt qu'à un autre. Par exemple, le besoin de protection physique et de soins est souvent perçu comme plus important durant les premières années, alors que le besoin d'expression sexuelle se fait plus impérieux après la puberté (voir les tâches développementales du chapitre 6).

De cette discussion, nous pouvons tirer un autre ensemble de questions guides :

7.2 Si plusieurs forces motivantes sont identifiées dans une théorie, ont-elles toutes la même puissance et la même importance ? Sinon, lesquelles sont plus significatives et pourquoi ? Leur degré relatif de puissance varie-t-il d'un stade de développement ou d'un niveau d'âge à un autre ?

La plupart des théoriciens sont d'accord pour affirmer qu'un enfant n'est pas seulement motivé fortement ou faiblement, mais qu'il est aussi orienté vers certains éléments particuliers de l'environnement. En d'autres termes, une force motivante n'a pas seulement de la puissance, mais elle a aussi une direction. Les théoriciens cependant ne s'accordent pas quant aux sources ou causes de cette direction. La question à se poser est donc la suivante :

7.3 Quelle source – besoin intérieur de l'enfant ou stimulus de l'environnement – prédomine dans la détermination de la direction que prend l'attention de l'enfant ?

Des théoriciens comme Piaget et Freud citent les besoins intérieurs comme première source d'intérêt tandis que les behavioristes considèrent les stimuli de l'environnement comme plus importants. En substance, c'est dans cette différence d'opinion que réside la principale divergence quant au modèle que chaque groupe de théoriciens considère comme plus représentatif du comportement humain. Dans le chapitre 1, nous avons noté que quelques théories du développement sont fondées sur une analogie avec la machine, tandis que d'autres reposent sur une comparaison avec un organisme. Une machine réagit aux manipulations qui lui viennent des forces extérieures; elle est «motivée» par les stimuli de l'environnement. Un organisme contient des forces motivantes intérieures qui cherchent à s'exprimer dans l'environnement; ces forces intérieures dirigent son attention vers les éléments de l'environnement susceptibles de satisfaire ses besoins.

Nous avons déjà noté que la motivation ou stimulation est, en général, considérée comme préalable au processus de l'apprentissage. Les étapes qui suivent ce stade initial donnent lieu à de multiples controverses. Un behavioriste comme Skinner propose un schéma de ce processus. Piaget en donne quant à lui une représentation tout à fait différente et Lewin une autre encore. Aussi, en analysant les théories étudiées, allons-nous devoir prendre garde à certains faits :

7.4 Dans cette théorie, comment la motivation s'insère-t-elle dans le schéma global du processus d'apprentissage ?

7.5 Quelles sont les conditions nécessaires pour qu'il y ait apprentissage ? Quels éléments ou mécanismes sont contenus dans le processus d'apprentissage et comment ces éléments interagissent-ils ?

8 Différences individuelles

Il est évident que des enfants d'un même âge ne sont pas tous semblables. Les théories du développement diffèrent elles aussi dans leur approche de cette question de variations parmi les enfants. Par exemple, quelques théoriciens – comme Gesell – accordent peu d'importance à la question des différences individuelles. Ils s'astreignent presqu'exclusivement à décrire un enfant type, négligeant le fait que presque tous les enfants s'écartent, à un degré quelconque, de la moyenne. D'autres théories, comme le behaviorisme, le modèle topologique de Lewin ou la psychologie écologique prennent plus en compte les différences entre individus. On peut donc se demander :

8.1 Quelles sont les différences individuelles entre les enfants qui sont retenues par une théorie donnée ?

8.2 Comment la théorie explique-t-elle ces différences ? Dans quelle mesure les facteurs qui sont à l'origine de ces différences découlent-ils de l'hérédité ou de l'environnement et comment ces facteurs de causalité agissent-ils et se développent-ils ?

9 Développement désirable-non désirable; développement normal-anormal

Une des questions pratiques communément soulevées est la suivante : le développement de l'enfant est-il normal ? Chacun ne définissant pas le terme *normal* de la même manière, cette question peut induire en erreur. Ainsi le mot *normal* peut signifier que le comportement de l'enfant est «bien adapté», «satisfaisant». Il peut aussi vouloir dire que la croissance de l'enfant est proche de la moyenne pour son groupe d'âge ou que son comportement est en rapport avec ses proportions physiques ou encore avec son niveau scolaire. Lorsque ces deux sens sont pris l'un pour l'autre, cela donne lieu à des confusions. Par exemple, fumer des cigarettes est très courant pour les adolescents de quinze à vingt ans; dans ce sens, fumer est «normal» – c'est-à-dire typique du comportement habituel à cet âge – mais fumer n'est pas souhaitable; donc, au sens d'une adaptation harmonieuse, fumer n'est pas souhaitable, soit «anormal». Les deux usages les plus répandus du mot *normal* sont donc parfois en opposition. Le jeune qui fume (dans une communauté où 70 % des jeunes le font) est *normal*, mais il est *anormal* en ce sens que son comportement n'est pas désirable.

L'association ou même la confusion du terme «normal» avec le mot «naturel» est fréquente. On pense souvent qu'une action est *naturelle* si elle se produit sans interférence consciente pour changer un état de fait; c'est laisser la nature suivre son cours. Mais, tous ne s'accordent pas pour dire que la croissance naturelle est toujours bonne ou désirable. Dans les chapitres suivants, les deux théories qui s'opposent le plus radicalement dans ce débat sont celles des puritains et de Rousseau. Les puritains disent que l'enfant est naturellement mauvais et que la tâche des parents consiste à combattre cette tendance naturelle. Rousseau pense au contraire que l'enfant est naturellement bon et qu'il se muera en un parangon de sagesse et de vertu s'il n'est pas corrompu par un environnement malsain.

Cette interrogation relative à la valeur du développement «naturel» soulève certaines questions au niveau de l'intervention pédagogique. Parfois, il est nécessaire d'intervenir et d'empêcher que le développement suive son cours dit *normal*. De plus, ce qui entre dans la norme statistique, n'est pas nécessairement ce qui est désirable pour tous les enfants dans des contextes différents. C'est, là, l'une des difficultés rencontrées dans le modèle de Gesell, qui accorde peu d'importance aux différences individuelles.

D'autres théoriciens ne se sont pas arrêtés au problème de développement *normal* ou *naturel* en tant que tel. En lieu et place, ils ont mentionné ou spécifiquement défini les caractéristiques d'un développement adéquat ou désirable et souligné les buts désirés et les directions de croissance. On peut conclure que tout écart par rapport à cette ligne pourrait être considéré comme *indésirable* ou *anormal*. Aussi est-il utile de se poser les questions suivantes :

9.1 Le développement normal, naturel ou désirable est-il clairement défini ou pour le moins sous-entendu ? Si deux de ces termes apparaissent dans une théorie, sont-ils employés comme synonymes ? Sinon, en quoi sont-ils différents ?

9.2 Les notions de développement anormal, non naturel ou indésirable sont-elles identifiées ? Si deux ou plus de ces termes sont présentés, sont-ils utilisés comme synonymes ? Sinon, en quoi diffèrent-ils ?

9.3 Qu'est-ce qui cause le développement anormal, non naturel ou indésirable ? Dans le cas où il est possible d'agir sur ce développement, que peut-on faire pour transformer des comportements déviants en un développement normal, naturel et désirable ?

10 Origines philosophiques et hypothèses de base

Aucune théorie ne peut prétendre être une création nouvelle de part en part. Chacune d'elles a ses fondements philosophiques et la compréhension d'une théorie est généralement facilitée si nous savons quelque chose de ses origines. Notre appréhension de la variante de psychologie humaniste proposée par Maslow (chapitre 16) est facilitée si nous savons que ses propositions sont pour une part une réaction aux défaillances présumées de la psychanalyse et du behaviorisme. Nous pouvons aussi progresser en apprenant que les idées d'Erikson (chapitre 9) sont basées initialement sur les enseignements de Freud et qu'elles ont été également influencées par la méthodologie et les concepts propres à l'anthropologie culturelle. Deux questions clés viennent ainsi s'ajouter à notre liste :

10.1 Sur quelles traditions philosophiques ou sur quelles croyances et hypothèses de base la théorie est-elle fondée ?

10.2 Contre quelles croyances la théorie a-t-elle réagi ?

11 Méthodes d'investigation

Il y a une relation de cause à effet entre une théorie et ses méthodes d'investigation. Nous ne savons jamais si oui ou non a) la structure de la théorie définit elle-même les méthodes qu'elle utilise pour recueillir les données ou si b) la méthode de recueillement des données dicte la structure de la théorie. De toute manière, les modèles de développement de l'enfant et leurs applications pédagogiques sont grandement influencés par les méthodes que les chercheurs emploient pour recueillir les données à analyser (De Landsheere, 1982).

Par exemple, la méthode principale que Freud utilisait pour collecter ses informations était d'écouter des adultes névrotiques se remémorer des incidents de leur enfance et leurs rêves habituels. Ces souvenirs particuliers, ainsi mis à jour par cette méthode, ont manifestement influencé la nature du modèle qu'il a proposé. On a reproché à sa théorie de s'être fondée sur une vue sombre et déformée du développement humain, les critiques estimant que son choix d'informateurs névrotiques était à l'origine du tableau ostensiblement pessimiste qu'il faisait du développement de l'enfant. A l'opposé, Skinner a rejeté les rapports introspectifs et a choisi de se fonder sur des descriptions du comportement de l'enfant rapportées par un observateur. Ce choix de faits observables est compatible avec le fait que Skinner rejette des éléments aussi hypothétiques qu'un «esprit» invisible ou des composantes mentales comme le *ça*, le *moi* et le *surmoi* de Freud.

Ainsi, en analysant des théories du développement de l'enfant, nous devons aussi tenter de savoir :

11.1 Quelles méthodes d'investigation sont utilisées par le théoricien ?

11.2 En quoi ces méthodes ont-elles influencé la forme et le contenu de la théorie ?

12 Crédibilité de la théorie

En général, les théoriciens veulent convaincre. A cette fin, ils proposent les arguments qu'ils estiment suffisamment convaincants pour faire accepter leurs propositions. Ainsi, les premiers écrivains puritains ont fait appel à la foi de leurs paroissiens dans la Parole de Dieu telle qu'elle est présentée par la Bible et à un ensemble de considérations sur l'éducation des enfants que les Pasteurs tiraient de la doctrine de l'Eglise. Rousseau a cherché à convaincre ses lecteurs au moyen d'anecdotes qu'il inventait, ou qu'il tirait de son expérience de précepteur. Les psychanalystes classiques sont d'avis qu'une personne peut être convaincue de la validité de leur théorie en se faisant psychanalyser. Les psychologues expérimentaux décrivent leurs expériences en détail et présentent leurs résultats sous forme de statistiques, convaincus que toute personne qui les consulte peut refaire les mêmes expériences et vérifier ainsi par elle-même la validité de la démarche.

Nous l'avons vu, les méthodes utilisées par les théoriciens pour faire adopter leurs points de vue sont variées. De même, ceux qui s'intéressent aux différentes théories du développement de l'enfant adhèrent à certains modèles, de préférence à d'autres à leurs yeux moins convaincants. Une question découle de ces considérations :

12.1 Quels sont les aspects d'une théorie qui la rendent plus convaincante ?

13 Terminologie

Dans les chapitres suivants, le lecteur trouvera de nombreux termes créés ou adoptés par des théoriciens pour décrire leurs points de vue sur la structure de la personnalité, les stades de développement et les principes de croissance. Parmi ceux-ci figurent le *ça*, le *principe orthogénétique*, les *figures topologiques*, la *mémoire à long terme*, les *opérations formelles*, l'*écologie* et beaucoup d'autres. Souvent, l'essentiel de la position d'un théoricien se dégage des termes qu'il utilise. Aussi, pour le lecteur, comprendre les termes employés par le chercheur revient à saisir le contenu de sa pensée.

Ainsi, les douze groupes de questions présentés jusqu'ici nous auront probablement permis de comprendre la plupart des termes clés d'une théorie envisagée. Au cas où certains d'entre eux nous auraient échappés, nous pourrions nous aider des questions guides suivantes :

13.1 La théorie présente-t-elle une terminologie particulière ? Si c'est le cas, que signifient chacun des termes proposés ?

13.2 Ces termes se réfèrent-ils à des concepts propres à cette seule théorie ou les retrouve-t-on, sous des formes différentes, chez d'autres théoriciens ?

Conclusion

Dans le chapitre 2, une série de questions ont été proposées pour étudier le contenu et les fondements philosophiques des théories que nous désirons analyser et comparer. Cette liste n'est pas exhaustive et se limite aux questions que nous estimons être d'un intérêt général.

Au cours des chapitres suivants, plusieurs théories sont envisagées et nous avons essayé, lorsque c'était possible, de les soumettre à ce questionnaire type en évitant toutefois de rendre la lecture fastidieuse.

Chaque chapitre est donc présenté de manière à faire découvrir l'essentiel du modèle d'un théoricien de façon logique et attrayante. Il arrive que des questions ne soient pas reprises dans tel ou tel chapitre, les théoriciens les ayant eux-mêmes laissées de côté. Dans d'autres cas, le rôle de la question considérée était tellement minime qu'il n'a pas semblé nécessaire de la discuter, ce livre étant un ouvrage d'initiation à la connaissance des théories du développement de l'enfant.

Nous pouvons à présent aborder les théories elles-mêmes, en partant des sources, pour nous rapprocher le plus rapidement possible des théories modernes.

Deuxième partie

Vestiges du passé
La nature originelle de l'enfant et les moyens de l'influencer

Les théories du développement de l'enfant ne sont pas nées au XXe siècle : la manière dont l'être humain se développe a toujours fait l'objet d'interprétations en tous genres. Parfois, ces points de vue étaient d'emblée partagés par une majorité de personnes; parfois, elles émanaient d'un auteur isolé que certains approuvaient, pour peu qu'ils soient sensibles à ses arguments. Nous illustrerons ces diverses tendances en présentant trois cas types.

Les deux premiers, proposés au chapitre 3, illustrent des types de convictions contradictoires qui ont exercé une influence significative en Europe et en Amérique du Nord au cours des derniers siècles. La première émane d'écrivains comme Jean Calvin (1509-1564) et John Knox (1505-1572). La seconde se fonde principalement sur les écrits d'un précurseur en matière de contestation sociale, le Suisse Jean-Jacques Rousseau (1712-1778). Comme l'influence de ces deux points de vue s'est perpétuée jusqu'à nos jours, il est utile d'en saisir les fondements.

Le troisième cas, présenté au chapitre 4, touche à ce qu'on appelle la «psychologie naïve» ou «psychologie du sens commun» puisqu'elle rassemble des considérations unanimement reconnues sur le développement de l'enfant. Selon des psychologues tels que Fritz Heider, cet ensemble de croyances n'est pas un conglomérat d'opinions, mais bien un tout structuré, ce qui justifie qu'il figure parmi les théories du développement de l'enfant.

Il faut noter, cependant, que la psychologie naïve n'est pas une théorie décrite d'une manière formelle et certains pourraient estimer que l'introduction d'un tel modèle dans notre exposé est discutable. Pour nous, sa valeur réside non pas dans les convictions qu'elle présente, mais bien dans la contribution que l'analyse de ses composantes apporte à la recherche psychogénétique. En effet, l'étude de la psychologie naïve permet entre autres de mieux comprendre la nature des théories formelles, car les hypothèses de départ de ces modèles dérivent souvent du sens commun. De plus, le fait d'identifier les convictions contre lesquelles les chercheurs ont pu réagir permet de mieux comprendre les modèles scientifiques.

Lee (1988, pp. 17-18, 25) a écrit à propos du rapport entre la psychologie naïve (connaissance ordinaire) et les théories formelles (connaissance scientifique) :

> *La connaissance scientifique est une connaissance extraordinaire. C'est une connaissance de phénomènes qui vont au-delà de l'observation normale (...) Nous voulons d'une psychologie académique qui offre des connaissances extraordinaires, mais qui soit aussi en mesure de lier ces connaissances approfondies aux divers aspects de la psychologie ordinaire où elle a trouvé sa source. La psychologie du sens commun est basée sur nos expériences journalières et nous pouvons difficilement nous en défaire.*

C'est donc pour ces raisons que nous avons fait figurer une étude de la psychologie du sens commun au côté des théories scientifiques du développement de l'enfant. De même, les travaux de Rousseau et les croyances puritaines sont considérés ici pour l'influence que ces modèles ont exercée sur les théories modernes. Cette deuxième partie met donc l'accent sur les fondements à partir desquels se sont érigées les théories contemporaines du développement.

3

L'enfant «pécheur» des puritains et l'enfant «moral» de Rousseau

Le présent chapitre a été organisé en une série de sections traitant chacune d'un aspect particulier du développement. Les différents aspects du modèle des puritains et de la théorie de Rousseau sont étudiés selon le plan suivant :

1. sources de la théorie
2. prémisses de base et conséquences
3. personnalité humaine : structure et fonctions
4. stades de développement
5. apprentissage et éducation
6. différences individuelles
7. applications pratiques
8. perspectives de recherche
9. évaluation de la théorie

Sources de la théorie

L'origine des théories est bien plus facile à déterminer pour Rousseau que pour les puritains, le premier étant un auteur isolé qui s'est exprimé dans un nombre limité d'ouvrages, d'essais et de lettres, tandis que les seconds ont conçu une théorie sur base de témoignages épars, recueillis çà et là.

Sources des idées puritaines

Il semble qu'aucun auteur puritain n'ait recueilli les idées des premiers protestants sur la nature de l'enfant. De même, personne n'a envisagé de réunir ces idées pour les ériger en un système qui constituerait une théorie du développement telle que celle conçue par les puritains de l'Amérique coloniale. Nous devons donc effectuer des recherches dans les écrits des maîtres à penser protestants pour en dégager la conception puritaine de l'enfant. Les termes *puritains, calvinistes* et *protestants* sont utilisés de manière interchangeable dans le chapitre 3, *calvinisme* se référant au calvinisme de l'époque coloniale et *protestant*, à une «forme initiale du protestantisme calviniste».

Le schéma proposé dans les pages suivantes se compose principalement d'extraits de textes rédigés par des auteurs protestants aux XVIIe et XVIIIe siècles, parmi lesquels les éminents Jonathan Edwards, John Cotton, Cotton Mather, Samuel Sewall et Benjamin Wadsworth. Mais, parmi ces sources, la plus intéressante est sans doute *The New England Primer*, un petit livre à peine plus grand que la main d'un enfant. On estime que le «Primer», entre 1687 et la première moitié du XVIIIe siècle, s'est vendu à plus de six millions d'exemplaires soit une moyenne de quarante mille par an dans une Amérique alors encore peu peuplée (Morisson, 1936, p. 79). Au XVIIIe siècle, ce livre était «le» manuel scolaire des enfants des familles protestantes, et il était encore largement utilisé à côté d'autres ouvrages de référence au XIXe siècle. (Ford,1962, p. 19). Il est peu probable que parents, pasteurs et instituteurs eussent permis une telle dépendance vis-à-vis d'un livre s'il ne représentait pas un modèle. Les considérations sur la nature de l'enfant qui figurent dans le *New England Primer* étaient à l'époque sans nul doute une représentation assez fidèle des opinions adoptées par la majorité de la population.

Sources des idées de Rousseau

Dans une Europe du XVIIIe siècle persuadée que l'enfant était mauvais par nature, Jean-Jacques Rousseau déclara : «Tout est bien sortant des mains de l'Auteur des Choses, tout dégénère entre les mains de l'homme» (Rousseau, 1762, vol. 1, page 1). Sur cette assertion s'ouvrait le roman *Emile*, publié en France en 1762 alors que Rousseau, âgé de cinquante ans, était déjà bien connu pour ses essais de philosophie morale et pour son dernier roman, *Julie ou La nouvelle Heloïse*. L'*Emile* parut la même année que *le Contrat Social*, volume antimonarchique qui ferait par la suite de Rousseau un favori des partisans de la Révolution Française.

L'*Emile*, quoique présenté sous forme de roman, était en réalité comme le précisait le sous-titre, *un traité de l'éducation*. Dans ce livre, l'auteur décrivait à sa manière les moyens grâce auxquels on peut assurer une éducation adéquate aux enfants de familles aisées. La description de l'éducation d'Emile, de sa naissance à l'âge adulte, est sous-tendue par une théorie de développement de l'enfant, théorie qui a exercé une influence significative sur des générations d'auteurs, d'éducateurs, de parents dans diverses parties du monde.

Le roman de Rousseau ne s'est pas limité exclusivement à l'éducation des garçons. Dans la partie finale, il est question de l'éducation convenant à une jeune fille modèle, Sophie, qui doit «avoir tout ce qui convient à la constitution de son espèce et à son sexe pour remplir sa place dans l'ordre physique et moral» (Rousseau, 1762, vol. 3, p. 168). Quoique l'essentiel de la conception de Rousseau sur le développement de l'enfant ait été présenté dans l'*Emile*, il a produit un certain nombre d'autres travaux qui ont étendu ses vues sur l'éducation. L'analyse de la théorie de Rousseau que nous proposons ici est tirée en particulier de l'*Emile*, mais repose aussi sur les œuvres suivantes : une partie de la *Nouvelle Héloïse*, des extraits des *Confessions*, son *Mémoire sur l'éducation de la fille du Prince de Wirtenberg* et les *Lettres à l'Abbé M. sur l'éducation d'un garçon* (Boyd, 1962).

Deux siècles et plus se sont écoulés depuis la publication de l'*Emile* et les lecteurs de Rousseau continuent à se demander si oui ou non les idées présentées dans le livre étaient réellement nouvelles. Les détracteurs de Rousseau ont prétendu que la plupart des concepts clés qu'il propose se trouvaient déjà dans les écrits d'auteurs tels que Platon ou Locke (Patterson, 1971, pp. 12-13). Les partisans de Rousseau, au contraire, ont soutenu que la plupart des idées lui appartenaient et que l'organisation qu'il en avait faite était certainement nouvelle. Mais quelle que soit leur position, les critiques comme les partisans reconnaissent que les écrits de Rousseau ont grandement influencé les idées sur l'éducation des enfants.

Tandis que la théorie des puritains partait de la Bible protestante et, en particulier, des interprétations des leaders religieux sur les idées de la Bible concernant le développement humain, celle de Rousseau semble avoir eu quatre sources bien distinctes : les souvenirs de sa propre enfance, son expérience comme précepteur de fils d'aristocrates, ses lectures sur la philosophie et sur les peuples dits «primitifs» et ses observations informelles d'enfants de paysans européens.

A propos de son enfance, il écrivit dans ses *Confessions* : «si jamais enfant reçût une éducation sensée et raisonnable, ce fut moi» (Boyd, 1963, p. 13). Cette éducation dont il s'enorgueillissait fut des plus désordonnée. Sa mère étant morte tout de suite après sa naissance, il fut élevé principalement par son père, horloger fantaisiste et professeur farfelu aux idées romantiques qu'il a transmises à son fils. Jean-Jacques savait déjà lire à l'âge de six ans et entreprit la lecture d'œuvres romanesques que sa mère lui avait laissées. A l'âge de sept ans, il abordait déjà la philosophie et l'histoire. Quand le garçon atteint la pré-adolescence, son père s'exila à Genève et Jean-Jacques fut recueilli par des parents. Il fut placé comme apprenti chez un graveur, mais abandonna bientôt ce poste. Après quelques autres emplois temporaires, il décida de proposer ses services à des familles aisées comme secrétaire ou précepteur. Cette enfance, dénuée des contraintes de l'école traditionnelle ou d'une vie de famille régulière, semble avoir été le modèle proposé dans l'*Emile*.

Dans ses écrits sur le développement de l'enfant et l'éducation, Rousseau met l'accent sur le fait que les parents doivent consacrer beaucoup de temps à suivre le développement de leurs enfants si un tuteur ne peut pas leur être attaché. Cependant, Rousseau lui-même n'a pas pris la paternité au sérieux. Il ne se maria jamais, mais vécut de nombreuses années avec une servante qui lui donna cinq enfants qu'il confia rapidement à l'Assistance Sociale en dépit des pleurs de leur mère. Il n'appliqua donc jamais à sa propre progéniture les conseils qu'il prodiguait aux autres parents. En décrivant le développement adéquat de Sophie dans l'*Emile*, Rousseau s'est, semble-t-il, inspiré de la femme qui avait porté ses enfants. Elle était dévouée et loyale, mais quelque peu simple d'esprit. Elle semble avoir satisfait les besoins de Rousseau sans lui reprocher les autres liaisons qu'il entretint durant leurs années de vie commune (Davidson, 1878).

Une troisième source d'idées pour Rousseau provient des livres qu'il lut sur les aborigènes d'Amérique et des Mers du Sud et sur les peuples d'Afrique et d'Asie. Leurs auteurs étaient, soit des aventuriers qui avaient effectivement visité ces contrées lointaines, soit des rêveurs qui s'étaient fait leur propre représentation de ces continents. Alors que certains écrivains déploraient l'état dans lequel vivaient les peuples primitifs, d'autres vantaient le mode de vie des «bons sauvages». Rousseau était tellement fasciné par certains traits de ces personnages fictifs qu'il essaya d'appliquer leur naïveté et leurs liens étroits avec la nature à son propre personnage d'Emile.

La quatrième influence majeure sur la théorie de Rousseau provient de ses observations sur les pratiques éducatives des paysans européens qu'il fréquenta toute sa vie. Bien qu'il n'approuvât point certaines rudesses du peuple, il considérait certaines de ses pratiques comme louables (l'allaitement maternel, par exemple) et les intégra à ses recommandations sur l'éducation des enfants.

Il est clair que les sources d'inspiration de la théorie de Rousseau ont pu être déterminées beaucoup plus aisément que celles de la théorie puritaine.

Comparons à présent les hypothèses de départ de l'un et l'autre de ces points de vue.

Les prémisses de base et leurs conséquences

Les différences entre les théories du développement proviennent souvent du contenu des hypothèses philosophiques sur lesquelles elles ont été érigées. Ceci apparaît nettement dans les théories des puritains et de Rousseau.

Prémisses puritaines

Les trois concepts de base sur lesquels se fondent les vues puritaines sont : 1) l'enfant naît mauvais et voué au péché s'il n'est pas éloigné de son état naturel, 2) l'enfant naît sans aucune connaissance, ce qui signifie qu'il n'est pas conscient de son état de péché et qu'il est incapable de mener une bonne vie et 3) l'enfant naît avec la capacité d'apprendre.

Le premier concept émanait de la doctrine religieuse, le deuxième et le troisième, semble-t-il, du sens commun.

Chez les puritains, le rôle de l'éducation, dans la famille, à l'église et à l'école, était d'éloigner l'enfant de ses inclinations naturelles pour qu'il puisse échapper à l'enfer après sa mort. Celui qui menait une vie morale n'avait pas pour autant son salut garanti, car la grâce étant un don de Dieu, les humains ne pouvaient y accéder par leurs seules bonnes actions sur terre. Cependant les puritains croyaient que des efforts constants pour mener ce genre de vie pouvaient mener au salut éternel et augmenter leurs chances de recevoir la grâce de Dieu. La doctrine puritaine se fondait sur la croyance que le péché de désobéissance d'Adam et Eve, lorsqu'ils mangèrent le fruit défendu dans le jardin d'Eden, se transmettait de génération en génération. Le nouveau-né était l'héritier de ce péché originel et serait condamné à l'Enfer après sa mort s'il n'était pas racheté. Le *New England Primer* enseignait aux enfants la première lettre de l'alphabet par un vers assez éloquent (1836, p. 11) :

> *A = In Adam's fall we sinned all. [Par la chute d'Adam, nous avons tous péché]*

Les effets de ce péché originel se faisaient sentir dès que l'enfant était poussé à mal agir pour plaire au démon. Il était normal que l'enfant s'ébatte et qu'il «s'amuse en compagnie d'autres enfants qui passent leurs journées dans la joie et le plaisir» (*New England Primer*, 1836, p. 57). Mais le cours normal du développement de l'enfant auquel les puritains s'attendaient était le suivant : «Il passerait son temps dans l'oisiveté, désobéirait à ses parents et à d'autres autorités, mentirait, jurerait et volerait; il négligerait ses études et ferait l'école buissonnière, il haïrait les autres, se battrait avec ses camarades d'école et ses frères et sœurs, il refuserait de prier et d'aller à l'église, de lire la Bible, de se conformer aux Dix Commandements et refuserait d'accepter le Christ et de le suivre» (*New England Primer*, 1836, pp. 10-64).

L'enfant devait donc s'écarter de ses inclinations naturelles et être préparé dans les normes pour la vie après la mort. Pour le calvinisme comme pour nombre d'autres confessions, les années de vie terrestre ne sont qu'une période transitoire. Elles constituent une «époque d'épreuves et de préparation à la Vie éternelle dans le grand au-delà». Pour éviter cette Eternité infernale, l'enfant devait adopter une conduite de «bon enfant». Ainsi, le bon enfant était celui qui s'astreignait à des tâches profitables et qui ne gaspillait pas son temps, celui qui obéissait à ses supérieurs, celui qui ne mentait pas, qui ne jurait ni ne volait, celui qui travaillait bien à l'école, qui pardonnait à ses ennemis, qui parlait bien des autres et les traitait avec bonté, qui lisait la Bible et priait régulièrement, qui allait à la messe, observait les Dix Commandements. C'était aussi celui qui aimait le Christ et l'acceptait comme son Sauveur. C'est ainsi que les puritains définissaient le cours souhaitable du développement de l'enfant.

Prémisses de Rousseau

Le concept essentiel sur lequel Rousseau a basé ses propositions a déjà été mentionné : les enfants naissent bons et tous les défauts qu'ils développent en grandissant doivent être imputés à un environnement défavorable. En conséquence, la tâche des parents et des professeurs est de protéger le jeune enfant d'un tel environnement nocif jusqu'à ce qu'il soit suffisamment mûr pour se protéger lui-même.

Trois autres hypothèses à la base de la théorie de Rousseau ont gardé leur importance jusqu'à nos jours. Ce sont : sa conviction qu'il existe des périodes critiques, l'idée d'apprentissage par la découverte personnelle du monde et l'éducation non contraignante. Par *période critique*, il faut comprendre que, en éducation comme en ferronnerie, «le fer doit être battu quand il est chaud». Le faire avant ou après gâterait le produit. Ceux qui admettent l'existence des périodes critiques disent que l'enfant ne peut profiter des influences de l'environnement, telles l'instruction ou l'expérience, avant d'avoir atteint un certain degré de maturité. Ce n'est pas là une idée nouvelle. Ainsi, nous perdons notre temps si nous essayons d'enseigner à un bébé de deux semaines à marcher ou à un enfant d'un an à lire. Cependant le concept de «*périodes critiques*» est plus complexe qu'il n'y paraît. Il implique la nécessité de déterminer le meilleur moment pour initier l'enfant à chaque activité. Par exemple, il existe un moment «idéal» pour initier l'enfant à la marche, à la lecture, à l'analyse de concepts d'algèbre ou encore pour l'initiation à la vie sexuelle. Une autre question se pose alors : dans quelle mesure le développement de l'enfant sera-t-il normal si on laisse passer cette période optimale, c'est-à-dire si on attend trop longtemps avant de l'initier à une activité donnée ?

En d'autres termes, existe-t-il pour chaque aspect de la croissance une tranche de vie qui correspondrait à la période optimale pendant laquelle les forces de l'environnement agissent conjointement avec la maturation intérieure de l'individu pour produire un développement harmonieux ? Ces questions retiennent l'attention des chercheurs d'aujourd'hui, tout comme elles avaient retenu celle de Rousseau deux siècles auparavant (Lerner, 1976, pp. 98-100).

Rousseau n'estimait pas, cependant, que les parents attendaient trop longtemps avant d'instruire leurs enfants, ce qui équivaudrait à dépasser la période critique d'apprentissage pour une acquisition donnée; il était plutôt d'avis que les parents faisaient l'erreur d'enseigner trop tôt ou de fournir à leurs enfants de mauvais types d'expériences, créant ainsi des dommages irréparables pour leur avenir. Rousseau pensait que chaque dimension du développement (physique, mental, social, moral) s'épanouit à un moment particulier; il a souligné l'importance de préserver ce processus afin que chaque individu bénéficie d'un épanouissement harmonieux tel que prévu par la nature. Cette question des «périodes critiques», qui préoccupait déjà Rousseau, est aujourd'hui connue sous le nom de «méthode d'auto-découverte».

Durant ces dernières décennies, les éducateurs ont mis l'accent sur l'importance d'encourager les enfants à découvrir par eux-mêmes les principes régissant leur environnement physique et social plutôt que d'assimiler passivement ce que leur enseignent parents et professeurs. Bien que ces idées sur l'apprentissage par l'auto-découverte et par l'observation directe ne fussent entièrement nouvelles, Rousseau les a recommandées avec insistance dans l'*Emile* et y a illustré par des exemples la manière de les mettre en pratique.

Une autre idée dont le mérite ou le blâme revient à Rousseau est celle de l'éducation non contraignante. L'assertion de base de Rousseau est que les enfants sont nés naturellement bons et qu'ils se mueraient en des modèles de sagesse et de vertu si on leur permettait de suivre les voies de la nature et s'ils n'étaient pas mis sur le mauvais chemin par les ingérences d'une société corrompue. Il existe plusieurs interprétations modernes de l'éducation non contraignante prônée par Rousseau dont l'une, parmi les plus courantes, est fausse. Elle avance que le cours normal de la nature requiert que l'on laisse les enfants agir comme ils l'entendent en toutes choses et en toutes circonstances. C'est là trahir la pensée de Rousseau qui estimait qu'il appartenait aux adultes, comme il l'avait lui-même proposé dans l'*Emile*, d'analyser la voie préconisée par la nature et d'orienter, sur la base de cette analyse, les expériences de l'enfant afin qu'elles correspondent aux périodes critiques que l'auteur avait décrites comme étant la source d'un développement désirable. Pour Rousseau, c'est donc dans les limites structurées d'opportunités qui avaient été délimitées par un adulte, qu'il était permis à l'enfant de croître selon les voies de la nature.

Personnalité humaine : structure et fonctions

Ni les calvinistes, ni Rousseau n'étaient les auteurs de la théorie de l'intelligence à laquelle ils ont tous souscrit. Celle-ci provenait des théologiens médiévaux, Albert le Grand et Thomas d'Aquin, et des philosophes humanistes de la Renaissance qui l'avaient déjà eux-mêmes affinée. Les protestants l'ont quelque peu modifiée pour l'adapter à certaines de leurs croyances, mais, dans l'ensemble, elle est restée une psychologie des facultés comme on l'appelait alors, telle qu'elle était enseignée dans les livres de physique et de physiologie. Rousseau semble également avoir souscrit à un aspect de cette théorie. Les sermons des puritains y faisaient régulièrement allusion, attestant ainsi de la connaissance qu'en avaient à la fois théologiens et fidèles (Miller, 1963, pp. 242-244). Bien que très simplifié dans ce cas, ce modèle fut accepté comme un parangon de vérité tant par les adeptes de Luther, Calvin et Knox que, semble-t-il, par Rousseau lui-même.

Pour mieux expliquer la conception de la nature de l'esprit ou de l'âme qu'avaient les adeptes de la psychologie des facultés, considérons par exemple les réactions mentales d'un enfant rencontrant un chien qui aboie. Le premier élément du système «Pensée-Action» qui est activé est l'ensemble des sens externes de l'enfant. Ceux-ci sont identifiés par Aristote comme étant la vue, l'ouïe, l'odorat, le goût et le toucher. L'œil et l'oreille de l'enfant reproduisent une image ou réplique du faciès de l'animal et des sons qu'il produit. Chaque image, apparition ou représentation de l'objet observé recueillie par les yeux et les oreilles est alors conduite par l'«exubérance» d'un organe à l'autre via les nerfs (voir figure 3.1). Cette force projette ainsi l'image du chien à une «case» appelée «bon sens» située au centre du cerveau; c'est l'endroit où les images recueillies par les divers sens sont appréhendées et distinguées les unes des autres. Le bon sens est un sens interne, appelé aussi faculté, c'est-à-dire une puissance, une capacité ou fonction de l'esprit.

Au niveau du bon sens, les signes visuels et auditifs perçus par l'enfant sont identifiés comme appartenant à l'espèce canine et en particulier comme étant ceux d'un chien qui aboie et montre ses dents et non pas d'un chien qui agite la queue. Le sens commun transmet le résultat de ses interprétations à une autre zone située à l'avant du cerveau, la «faculté de l'imagination» (parfois appelée «fantaisie») qui évalue et compare les images entre elles, les retient quand l'objet (le chien dans ce cas précis) n'est plus dans le champ visuel, et les rend plus vives. L'imagination

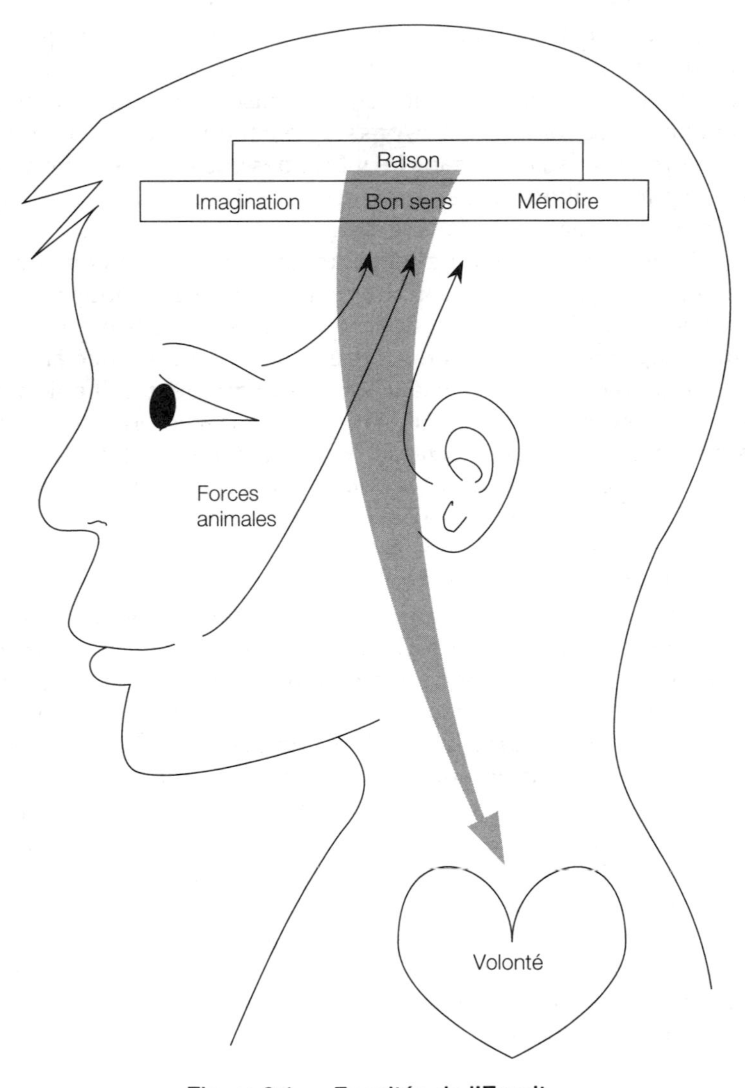

Figure 3.1 — Facultés de l'Esprit

compare ainsi l'image du chien à des images passées dont elle se souvient et le considère alors comme étant amical ou peut-être dangereux.

Le verdict établi par l'imagination est ensuite transmis à la faculté «mémoire» située en arrière du cerveau et qui se charge de garder l'information pour des références futures. Au même moment, la faculté de raisonnement ou de compréhension située un peu au-dessus du bon sens rappelle les images, soit de l'imagination, soit de la mémoire; la raison estime si celles-ci sont vraies ou fausses, désirables ou indésirables, bonnes ou mauvaises. Dans l'exemple choisi, les images de chiens rencontrés dans le passé (tirées de la mémoire) et l'image du chien présent (tirée de l'imagination) sont analysées par la raison qui conclut que l'animal en question pourrait attaquer, particulièrement si l'enfant se mettait à courir comme s'il avait peur. La raison détermine alors que le comportement le plus sage est de passer précautionneusement auprès du chien sans montrer sa peur, sans le quitter des yeux. Cette conclusion est transmise par l'exubérance, au moyen des nerfs de la raison, à la faculté de volonté qui a son siège dans le cœur.

Le rôle de la volonté est de recevoir les images d'un comportement sage dicté par la raison et de commander ensuite aux émotions (généralement appelées affections ou passions et logées dans le cœur) d'activer les muscles appropriés afin de mettre à exécution les décisions de la raison. L'entièreté de ce processus, depuis le moment où l'enfant voit le chien pour la première fois jusqu'au moment où sa volonté ordonne à ses pieds de marcher, requiert juste un ou deux instants. Nous le voyons à peine hésiter quand il rencontre le chien, avant de se remettre à marcher près de l'animal sans montrer sa peur, faisant montre à la fois de prudence et de courage (Miller, 1963, pp. 240-242).

Les philosophes renaissants et les calvinistes appelaient ce système de pensées et d'actions humaines, l'âme. Contrairement au corps, l'âme est individuellement «créée par Dieu à partir de rien et immédiatement intégrée au corps à la naissance, créant ainsi un homme vivant, sensible, nouveau, doué de compréhension et de volonté» (John Morton, cité par Miller, 1963, p. 240). L'âme humaine est un objet unitaire, mais, comme Dieu lui-même, elle forme une trinité constituée d'une âme végétative, d'une âme sensible et d'une âme rationnelle. L'âme végétative a le pouvoir de se nourrir et de se reproduire, deux caractéristiques que l'être humain a en commun avec la végétation de la terre. L'âme sensible n'a pas seulement ces mêmes pouvoirs de se nourrir et de se reproduire, mais a également d'autres capacités qu'ont aussi les animaux : les sens externes et l'exubérance, mais encore les sens internes tels que le bon sens, l'imagination, la mémoire, les passions ou émotions et la musculature qui rend les mouvements possibles. C'est l'âme rationnelle, la plus haute de la trinité, qui différencie les humains des autres créatures vivantes. Elle recèle tous les pouvoirs des autres types d'âme et intègre en outre les facultés de raison et de volonté. C'est le sort de cette âme rationnelle qui préoccupait plus particulièrement les parents puritains dans leur tâche éducative; l'âme étant immortelle, elle était pour toujours, soit condamnée à la punition éternelle, soit, au contraire, comblée des bonheurs du ciel. Comme pendant la vie, l'âme, après la mort, était considérée comme un être sensible. Jonathan Edwards disait à ses fidèles : «Un esprit séparé du corps peut être capable d'amour et de haine, de joie et de douleur, d'espoir ou de peur et d'autres sentiments comme un autre qui habite encore un corps» (Simonson, 1970, p. 163).

Cette doctrine sur l'esprit et la personnalité humaine comportait encore des aspects multiples. Par exemple, une autre faculté très importante était la conscience, définie comme étant la faculté de discerner entre bien et mal. Les puritains soutenaient que la conscience était innée et que le jeune enfant, bien qu'il manquât d'expérience terrestre, ne pouvait pas excuser ses manquements en évoquant son ignorance, comme le soulignait encore Edwards (Smith, 1959, p. 207) :

> *La conscience donne naturellement une connaissance du bien et du mal et suggère les relations qui existent entre le bien et le mal et le châtiment. L'esprit de Dieu assiste la conscience des hommes dans cette tâche et l'aide à surmonter l'influence abrutissante des objets du monde et de leurs appétits.*

Dans le cas de la conscience comme dans bien d'autres cas, les penseurs puritains ont débattu la question «*nature/environnement*». Quels éléments du caractère et des facultés de l'enfant étaient innés ou donnés par Dieu et quelle fraction de ces facultés était due à l'instruction et à l'expérience ? Il était admis que l'enfant naissait avec ses facultés ou «chambres mentales», mais le contenu de ces chambres, telles l'imagination et la mémoire était inexistant, tant qu'il n'avait vécu aucune expérience, ni reçu d'instruction. Pour les puritains, le déclenchement et le développement des facultés dépendaient de deux facteurs tandis que l'enfant avançait en maturité : la grâce de Dieu qui le dotait d'un certain niveau de facultés et d'aptitudes – un enfant pouvait avoir une inclination particulière que l'on pouvait cultiver – et les influences familiales, scolaires, religieuses et communautaires. Bien que la conscience ou connaissance du bien et du mal soit considérée comme innée, les puritains n'ont pas hésité à y associer menaces, sermons moraux et châtiments corporels.

Le développement d'une autre faculté, l'intuition, ne dépendait pas de l'instruction. Il était possible de parvenir à ce «sixième sens» par la méditation, la prière et l'introspection. Edwards considérait l'intuition comme l'instigatrice du «grand réveil» de conversions religieuses auquel les puritains accordaient tant de valeur. Il était d'avis que la conversion ne consistait pas en un comportement pieux de l'individu ni même en l'accomplissement de bonnes actions, mais qu'il s'agissait surtout d'une conviction débordante et immédiate de la réalité de Dieu (Simons, 1970, p. 13). Dès leur plus jeune âge, les enfants étaient encouragés à rechercher ce sentiment.

Ce sont donc là les grandes lignes de la structure et des fonctions de l'âme et de l'esprit humains à l'époque des puritains. Cependant, Samuel Willard, dans son ouvrage consacré à la période coloniale, *The Complete Body*, révèle que les puritains admettaient que «Notre connaissance de la nature de nos propres âmes est très superficielle et confuse» (Miller, 1963, p. 244).

Stades de développement

Les stades de développement par lesquels les enfants passent n'étaient pas clairement explicités dans la doctrine puritaine, tandis que dans l'*Emile*, Rousseau les décrivait en détail.

Les stades chez les puritains

Bien que les auteurs puritains ne nous aient pas laissé une description bien précise des étapes du développement des enfants, nous pouvons en proposer quatre, en considérant la manière dont les enfants et les jeunes étaient traités et ce que l'on attendait d'eux à différents niveaux d'âge.

La petite enfance : de la naissance à 1 an 1/2 ou 2 ans.

C'est l'époque durant laquelle les enfants dépendent entièrement des adultes pour satisfaire leurs besoins physiques. Cette période prenait fin quand l'enfant était capable de marcher seul et d'énoncer quelques mots compréhensibles par les autres. Peu de temps après la naissance de l'enfant, les parents le faisaient baptiser; il avait alors officiellement un nom, il était béni par l'Eglise et voué à une vie chrétienne. Ce vœu fait par les parents de l'enfant était nécessaire, les facultés de raison et de volonté du bébé n'étant pas assez développées pour lui permettre de prendre seul une telle décision.

L'enfance : de 2 ans à 5/7 ans.

Durant ces années, l'enfant devenait de plus en plus mobile et apprenait à communiquer d'une manière élémentaire. Il était normal que les jeunes enfants, comme l'a écrit John Cotton, «passent la plupart de leur temps à jouer et à s'amuser car leur corps est trop faible pour travailler et leur esprit trop peu profond pour étudier... même si les sept premières années se passent en loisirs, Dieu n'y regarde pas de si près» (Morgan, 1956, pp. 28-29). Bien que Cotton ait fixé la limite de ce stade d'oisiveté à 7 ans, dans de nombreuses maisons, les enfants étaient mis au travail, du moins partiellement, dès l'âge de 5 ou 6 ans.

Durant ces années, on devait commencer à inculquer aux enfants le devoir chrétien et les dangers d'une vie pécheresse. L'apprentissage à cet âge devait se faire avec peu ou pas de compréhension des significations subtiles ou interprétations puisque la faculté de raison n'était pas encore développée. Martin Luther a suggéré qu'il était approprié de présenter des idées complètes aux «érudits et aux sages» mais que pour les jeunes «il fallait rester simple et leur enseigner d'abord tous les articles, c'est-à-dire les Dix Commandements, les actes de foi, le *Notre Père*, etc., en suivant le texte, mot à mot, afin qu'ils les répètent et les apprennent par cœur» (Eby, 1971, p. 89).

La dernière enfance : de 5-7 ans à 11-14 ans.

A ce stade, les enfants devaient participer aux travaux utiles à la maison et aller à l'école s'il y en avait une dans les environs. L'apprentissage essentiel était celui de la lecture, suivie de près par le calcul et l'écriture. Les mères devaient initier leurs filles à la cuisine et aux autres travaux domestiques. Les pères et les frères aînés devaient surveiller les garçons dans leurs tâches à la ferme, à l'atelier ou à la maison. Ceux-ci devaient abandonner leurs longues robes ou casaques pour le pantalon. Au moins une fois par semaine, les parents évaluaient les progrès effectués par l'enfant dans l'étude de la Bible et lui assignaient d'autres leçons. Les deux buts principaux qui transparaissaient derrière ces activités étaient de s'assurer que l'enfant ait des tâches constructives qui le tiendraient à l'abri du Démon et surtout d'établir les habitudes précoces de travail. John Cotton, allant dans le même sens, donnait au début du XVIIIe siècle l'avertissement suivant : «l'oisiveté de la jeunesse est rarement guérie sans une cicatrice du temps» (Morgan, 1965, p. 29).

Pendant ces années, les facultés du bon sens et de l'imagination se fortifiaient, la mémoire se remplissait, la raison et la volonté mûrissaient.

La jeunesse ou l'âge de l'indépendance économique : de 11-14 ans à 18-21 ans.

Cette période était souvent appelée l'âge de raison, car on considérait qu'à ce stade, les facultés de raison et de volonté étaient relativement mûres, tout au moins suffisamment pour que l'adolescent soit considéré comme un être rationnel et responsable. C'était à cette époque, en général, que le jeune se rendait à l'église, conscient des vœux du baptême que ses parents avaient formulés pour lui à sa naissance. Il fallait que le jeune soit réceptif à l'appel, appel qui, à l'époque coloniale, pouvait avoir plusieurs significations : tout d'abord, le jeune acceptait l'appel de Dieu à la vie chrétienne en assumant sa qualité de membre de l'Eglise. L'appel signifiait aussi que l'adolescent devait identifier la voie pour laquelle il avait été choisi par Dieu. Sur la base de cette identification, un garçon acceptait une place d'apprenti ou bien il faisait partie des quelques élus qui fréquenteraient une école supérieure ou iraient à Harvard ou à Yale pour devenir pasteurs. Bien que la vocation d'une fille était d'être maîtresse de maison, parfois, à la puberté, elle était envoyée comme ses frères en service chez quelqu'un. Les apprentis vivaient toujours dans la maison ou dans l'atelier du maître pendant sept à dix ans, jusqu'à ce que le garçon atteigne vingt et un ans et la fille, dix-huit ans. Morgan, écrivain contemporain qui s'est intéressé à la période puritaine, suggère que (1956, p. 88) :

> *Cette séparation psychologique entre parents et enfants semble avoir eu une fondation solide. L'enfant quittait la maison juste au moment où la discipline parentale causait des frictions croissantes, juste au moment où l'enfant commençait à affirmer son indépendance. En permettant à un maître étranger de prendre la discipline de l'enfant en mains, les parents pouvaient désormais montrer affection et amitié pour l'enfant. En même temps, l'adolescent se verrait instruit dans les bonnes manières par quelqu'un qui ne lui pardonnerait aucun écart par affection.*

Comme les facultés de l'âme étaient bien développées à cet âge, on s'attendait à ce que le jeune aille au-delà de la pure mémorisation des écrits théologiques. Il devait être capable de discuter des finesses de sens et d'interprétation les mieux fondées. Il devait aussi faire montre d'une volonté forte qui lui permettrait d'agir en accord avec sa raison. Quand tous ces objectifs étaient atteints, l'enfance était passée.

Les stades chez Rousseau

La conception de Rousseau sur l'évolution par étapes est très claire, puisqu'il a organisé le roman *Emile* en une progression de sections, chacune présentant un stade plus avancé du développement de l'enfant. Les caractéristiques significatives de ces différents niveaux sont résumées dans les paragraphes suivants :

L'âge de la nature («infans») : de la naissance à 2 ans.

C'était la période critique pour l'établissement de la santé physique et de l'acuité des sens. Selon Rousseau, les nouveaux-nés ont de vagues sensations de plaisir et de douleur, mais n'ont pas de sentiments réels et, pendant cette période, ils ne développent aucune idée. Ils perçoivent cependant certains éléments de l'environnement et commencent à stocker dans leur mémoire les impressions issues de ces sensations.

Ce stade visait à produire de jeunes animaux robustes, aux sens bien aiguisés. Rousseau pensait que la nature exigeait que l'enfant soit allaité par sa propre mère plutôt que par une nourrice comme c'était la pratique dans les classes supérieures de la société européenne de l'époque. Il a donc recommandé que les mères allaitent elles-mêmes leurs rejetons. Rousseau pensait également que la nature n'avait pas créé les enfants pour qu'ils soient emmaillotés dans du linge trop serré. Avec beaucoup de conviction mais peu de preuves, il a avancé que dans les lieux où les enfants sont libres de leurs mouvements dans leurs vêtements «les gens sont tous grands, robustes et bien proportionnés». Il a ajouté : «Les pays où l'on emmaillote les enfants sont ceux qui fourmillent de bossus, de boiteux, de cagneux, de noués, de rachitiques et de gens contrefaits de toute espèce» (1762, vol. 1, p. 11).

Le but de ces suggestions sur la nourriture et le vêtement n'était pas de choyer les enfants ni d'augmenter leur confort, mais bien de s'assurer qu'ils étaient élevés selon les lois de la nature. Et comme Rousseau l'a lui-même bien souvent dit, c'était là la manière dure. Par exemple, il suggérait qu'on place graduellement les bébés dans des conditions physiques extrêmes. A ce propos, il a écrit : «Endurcissez leur corps aux intempéries des saisons, des climats et des éléments, à la faim, à la soif et à la fatigue» (1762, vol. 1, p. 18).

Cette période de petite enfance prenait fin quand l'enfant avait fait ses premiers pas et maîtrisé un langage rudimentaire.

L'âge de la nature («puer») ou l'âge de la formation du corps et des sens : de 2 à 12 ans.

C'était la période critique dans le développement de la force et de l'agilité physique et dans l'assimilation des sensations. A ce stade, l'enfant, comme «le bon sauvage» que Rousseau admirait tant, apprend par le biais d'expériences directes liées à ses besoins et ses intérêts journaliers. On lui enseigne aussi à fabriquer, avec les mains, des objets utiles comme des jouets ou des machines simples.

Comme nous l'avons déjà souligné, Rousseau considérait que l'esprit consistait en facultés ou fonctions qui se développent à différents moments de l'enfance. Il écrivait : «Les premières facultés qui se forment et se perfectionnent en nous sont les sens. Ce sont donc les premières qu'il faudrait cultiver; ce sont les seules qu'on oublie ou celles qu'on néglige le plus» (1762, vol. 1, p. 164). Afin d'aiguiser ses sens et d'emmagasiner des sensations, l'enfant, selon Rousseau, devait être élevé à la campagne dans un paysage rural loin des mauvaises influences de la ville et de celles de ses propres pairs. Ainsi, on ne permit pas à Emile de fréquenter d'autres enfants avant qu'il ait atteint la mi-adolescence. Les mentors de l'enfant doivent le placer durant ces années dans des situations qui permettent à son corps et à ses sens d'être exercés. La méthode d'instruction doit être ce que Rousseau a appelé «*l'éducation négative*». Au lieu de lui enseigner ce qui est bien (ce serait l'éducation positive), le précepteur ou le parent sage protège l'enfant des réparties astucieuses et des doctrines religieuses ainsi que d'un savoir basé sur la mémoire et les clichés. *L'éducation négative* consiste :

> *non point à enseigner la vertu ni la vérité, mais à garantir le coeur du vice et l'esprit de l'erreur (...) Exercez son corps, ses organes, ses sens, ses forces; mais tenez son âme oisive autant qu'il se pourra* (Rousseau, 1762, vol. 1, p. 96).

Eduqué de la sorte, l'enfant arrivera à l'âge de douze ans comme un jeune des plus honnêtes, agile, à la vue et à l'ouïe aiguisées, animé, mais socialement naïf.

L'âge de force ou l'âge de la formation intellectuelle et technique : de 12 à 15 ans

Cette période était considérée comme la période critique pour le début du développement du raisonnement. Pendant ces trois années, l'enfant ne réagit plus principalement en se basant sur les sensations accumulées, mais commence à développer des idées réelles. Rousseau, comme les puritains, croyait que les impressions des sens étaient transmises à un centre de transformation, le bon sens, situé dans le cerveau et que durant la période de puberté, ce sens mûrissait. Le rôle de celui-ci ne consistait pas seulement à transformer les impressions régies par les sens extérieurs, mais également les sensations purement internes, appelées *perceptions* ou *idées*. «C'est par le nombre de ces idées que se mesure l'étendue de nos connaissances; c'est leur netteté, leur clarté qui fait la justesse de l'esprit; c'est l'art de les comparer entre elles qu'on appelle raison humaine» (Rousseau, 1762, vol. 1, p. 209).

Dans sa manière de concevoir l'origine des idées, Rousseau donnait sa réponse à un débat déjà en cours à l'époque et qui continue à passionner les psychologues et les philosophes d'aujourd'hui. La question est de savoir si les idées se forment uniquement à partir des expériences vécues ou si elles sont en partie déterminées par la nature innée de l'être. En d'autres termes, on se demande si les fonctions cognitives sont en partie déterminées génétiquement. Rousseau répondrait que oui et que celles-ci commencent à se manifester durant la puberté.

Le premier niveau de raisonnement qui, selon Rousseau, se manifeste durant l'adolescence est appelé *raison sensitive* ou *puérile*. Elle consiste «à former de simples idées par le concours de plusieurs sensations» (1762, vol. 1, p. 209). Ces idées dépendent grandement de la mémoire. Par la suite, l'enfant progresse vers l'âge du «vrai» raisonnement humain, qui consiste à former «des idées complexes par le concours de plusieurs idées simples» (1762, vol. 1, p. 209). (Au chapitre 10, nous verrons que les observations de Rousseau sur le raisonnement rejoignent dans une certaine mesure celles de Piaget). La puberté était la période pendant laquelle la faculté de curiosité devait être stimulée. Avant ce stade, la motivation chez l'enfant, c'est-à-dire son instinct de recherche, se contentait d'atteindre une sorte de bonheur hédoniste. Cette force avait, jusque là, stimulé l'enfant dans l'exercice de son corps et de ses sens. Pendant la puberté, l'enfant fait montre d'une curiosité intellectuelle qui devient «le mobile de l'âge où nous voilà parvenus» (1762, vol. 2, p. 5). Les recommandations de Rousseau pour tirer avantage de cette curiosité se rapprochent fort des suggestions faites de nos jours dans le cadre de la méthode d'auto-découverte ou d'interrogation directe :

> *Rendez votre élève attentif aux phénomènes de la nature, bientôt vous le rendez curieux; mais, pour nourrir sa curiosité, ne vous pressez jamais de la satisfaire. Mettez les questions à sa portée, et laissez-les lui résoudre. Qu'il ne sache rien parce que vous le lui avez dit, mais parce qu'il l'a compris lui-même; qu'il n'apprenne pas la science, qu'il l'invente. Si jamais vous substituez dans son esprit l'autorité à la raison, il ne sera plus que le jouet de l'opinion des autres* (1762, vol. 2, p. 7).

Rousseau recommande aux précepteurs d'enseigner à l'enfant à lire et à écrire avant l'adolescence uniquement pour lui permettre de se débrouiller dans la vie quotidienne. Les enfants auxquels on apprend à lire se limitent ordinairement à cela. «L'enfant qui lit ne pense pas, il ne fait que lire; il ne s'instruit pas, il apprend des mots» (1762, vol. 2, p. 7). Cependant, il estimait qu'à l'époque de la puberté, les enfants pouvaient dépasser ce stade d'assimilation passive et comprendre des idées. Donc, ils pouvaient commencer à lire des textes concernant des principes et situations qui lui étaient étrangers.

Avec un tel régime, Emile arrive à l'orée de la puberté en n'étant capable de raisonner que sur le monde physique qu'il a eu à observer depuis plus d'une décennie. «Il ne sait même pas le nom de l'histoire, ni ce que c'est que la métaphysique et la morale (...) Il sait peu généraliser d'idées, peu faire d'abstractions (...) Emile est laborieux, tempérant, patient, ferme et plein de courage» (1762, vol. 2, pp. 79-80).

L'âge de raison et des passions ou âge de la formation morale et religieuse : de 15 à 20/25 ans.

C'était la période critique pour se socialiser et atteindre la vraie moralité. Dans le schème de Rousseau, l'apparition de puissantes passions sexuelles durant cette période s'accompagnait d'un épanouissement de la faculté d'imagination, laquelle stimulait également le développement social et moral (éthique) et la formation de la conscience. La faculté de volonté s'affirmait aussi par une aspiration à une plus grande indépendance.

Rousseau croyait que les jeunes se socialisaient et devenaient consciemment moraux lorsqu'ils parvenaient à se représenter la souffrance des défavorisés. Il incombait donc aux parents et tuteurs de sensibiliser l'adolescent à ce problème, mais non par l'observation directe de la misère humaine et du vice, car une exposition exagérée à la souffrance pouvait rendre le jeune insensible plutôt qu'humain :

> *(...) je voudrais lui montrer les hommes au loin, les lui montrer dans d'autres temps ou d'autres lieux, et de sorte qu'il pût voir la scène sans jamais y pouvoir agir. Voilà le moment de l'histoire (...) c'est par elle qu'il les verra, simple spectateur, sans intérêt et sans passion, comme leur juge, non comme leur complice ni comme leur accusateur* (1762, vol. 2, p. 128).

Les sentiments moraux qui se développaient durant cette période n'étaient cependant pas le seul produit des expériences de l'adolescent. Certains principes moraux provenaient directement de l'âme, qui est «un principe inné de justice et de vertu, sur lequel... nous jugeons nos actions et celles d'autrui comme bonnes ou mauvaises; et c'est à ce principe que je donne le nom de conscience» (1762, vol. 3, p. 50). Bien que pour Rousseau, la conscience fût innée, elle pouvait être émoussée ou affinée par les expériences sociales.

Qu'en était-il du changement développemental le plus évident, la maturation des fonctions sexuelles ou des «passions», ainsi que Rousseau les dénommait ? Il pensait que les enfants, avant l'adolescence, devaient être protégés des situations qui pourraient stimuler des idées sexuelles. Mais une fois la puberté survenue, il fallait répondre en toute sincérité aux questions des jeunes sans mensonge ou détour. Plus tard, à la fin de l'adolescence, il revenait au précepteur ou au parent d'aider le jeune à choisir un partenaire. Au moment où le jeune bien éduqué atteignait environ sa vingt-cinquième année, il dominait enfin toutes les vertus sociales possibles puisqu'il avait atteint l'*âge de sagesse et du mariage*. Et c'est seulement à ce moment que l'on pouvait dire que le développement de l'enfant était complet.

Apprentissage et éducation ou importance de l'instruction

Quoique les puritains et Rousseau aient estimé que les enfants devaient recevoir une instruction dès leurs premières années, leurs opinions divergeaient quant au type d'éducation qui devait être prodiguée.

L'éducation puritaine

Puisque, pour les puritains, le sort des enfants dépendait surtout de la manière dont on leur apprenait à combattre leur méchanceté innée, il était important que ceux qui prenaient soin d'eux s'appliquent à leur fournir le type d'instruction approprié le plus tôt possible. Les puritains croyaient que le mal, comme l'ignorance, pouvait être combattu et vaincu par l'éducation. Pour combattre l'influence de Satan sur le jeune enfant, on encourageait les parents à former les tout-petits dès le berceau, dès que leur compréhension s'éveillait. Mais puisqu'ils estimaient que les jeunes enfants avaient des capacités d'apprentissage limitées, les leaders puritains suggéraient que l'instruction soit «versée en eux goutte à goutte» comme si on leur instillait le savoir (Morgan, 1956, p. 53). Pendant les premières années, l'instruction devait être occasionnelle et informelle, le parent «leur parlant de temps en temps de bonnes actions, ligne après ligne, précepte après précepte, peu et souvent, comme ils étaient capables de le recevoir» (Cotton Mather dans Morgan, 1956, pp. 53-54).

Le type d'apprentissage pouvant conduire au salut était la maîtrise des vérités du plan de Dieu, révélées dans la Bible. Pendant les premières années, les enfants étaient censés mémoriser les vérités comme elles leur étaient apprises par leurs aînés, mais, au fur et à mesure que leurs capacités intellectuelles augmentaient, ils devaient apprendre la Bible seuls afin de devenir, comme le prescrit la doctrine protestante, leur propre maître à penser et pouvoir communiquer directement avec le Seigneur et sa Parole. En 1647, cette conviction que chaque enfant devait apprendre à lire a permis qu'une loi passe, permettant à chaque communauté d'une certaine importance d'établir une école afin de contrecarrer les desseins de «ce grand trompeur, Satan, qui veut tenir l'homme éloigné de la connaissance des écritures» (Vaughn, 1972, p. 237).

Pour permettre aux enfants de combattre leurs mauvaises inclinations naturelles, il était nécessaire d'éveiller en eux une forte motivation afin qu'ils éprouvent le désir de mener une vie disciplinée et constructive. Pour ce faire, il fallait les menacer de conséquences pénibles, tout en leur témoignant une certaine affection. Les enfants des puritains n'étaient pas incités à bien se conduire par des promesses de récompenses dans cette vie et dans l'autre, mais étaient plutôt éloignés du mal par la perspective des flammes de l'enfer. Dans le *New England Primer* et dans des sermons tels que, entre autres, *Les pécheurs dans la main d'un Dieu courroucé* de Jonathan Edwards, l'enfant et l'adolescent trouvaient bien plus de menaces de mort et de misère que de promesses de bonheur et de ciel. L'énumération d'exemples du *New England Primer* pour initier les enfants aux lettres de l'alphabet, comprenait les illustrations suivantes pour les lettres L et U (1836, pp. 15-16) :

> *L* = Liars *will have their part in the* Lake *which burns with fire and brimstone. [Les menteurs seront envoyés dans le Lac qui brûle avec du feu et du soufre].*
> *U* = Upon *the wicked, God will rain a horrible tempest. [Sur les méchants, Dieu fera pleuvoir une horrible tempête].*

Martin Luther avait écrit que : «les enfants ne doivent pas seulement être éduqués à craindre leurs parents, mais doivent encore savoir que Dieu se fâcherait s'ils ne le faisaient pas» (Eby, 1971, pp. 25-27).

Pour les parents, un conflit existait entre l'image de l'enfant méchant par nature qui méritait un traitement sévère et leurs sentiments d'amour et d'affection. La crainte de laisser leur cœur gouverner leur raison était sans doute à l'origine de l'usage répandu en Nouvelle-Angleterre d'envoyer les enfants âgés de huit, douze ou quatorze ans, vivre dans une autre famille, «même quand il n'y avait aucune apparence d'avantages éducationnels ni économiques... Je crois que les parents puritains ne se faisaient pas confiance quant à leurs propres enfants et qu'ils avaient peur de les gâter en les couvrant de trop d'affection (Peter Laslett dansRutman, 1970, p. 44).

Quand l'instruction directe, les remontrances et les menaces n'étaient pas suffisantes pour garder les enfants dans le droit chemin, les puritains en venaient aux punitions corporelles. Luther, dans un essai déplorant l'usage répandu de méthodes sévères dans les écoles, a admis que : «Néanmoins, l'enfant a besoin de discipline et de fouet; mais cette discipline doit être tempérée de remontrances et dirigée vers l'amélioration; car sans elle, l'enfant ne se développera jamais comme il faut, car son corps et son âme seront ruinés» (Eby, 1972, p. 32).

Ces sentiments, d'abord originaires d'Europe, se sont ensuite propagés aux colonies d'Amérique, véhiculés par des calvinistes, tels Cotton Mather, qui a intitulé un de ses sermons : *Mieux vaut être battu que damné* (Morgan, 1956, p. 58). Bien que le fouet apparaisse à la maison comme dans les salles de classes, il est en général utilisé en dernier recours. Morgan, dans sa monographie moderne de la famille puritaine, a conclu que les pasteurs qui ont écrit et parlé de l'instruction «ont presque toujours conseillé à leurs lecteurs et leur assemblée de gagner les enfants à la sainteté par la gentillesse plutôt que de les y forcer par la sévérité» (Morgan, 1956, p. 58).

En résumé, le but de l'instruction était de tenir les enfants à l'écart des inclinations du mal et de les conduire vers la voie de Dieu. Elle consistait à donner des informations et des conseils, à raconter des fables, à réciter des vers contenant des leçons de morale et à enseigner aux enfants à lire afin qu'ils trouvent la vérité directement dans la Bible. Pour inciter les enfants à poursuivre cet apprentissage, on évoquait l'enfer promis aux mauvais, on promettait le salut aux adeptes d'une vie chrétienne et les plus récalcitrants n'échappaient pas au fouet.

L'enseignement de Rousseau

La théorie de l'instruction de Rousseau était fondée sur trois principes essentiels, inhérents à sa propre conception du développement de l'enfant :

1) L'apprentissage doit se faire dans l'ordre, avec le développement physique d'abord, le développement mental en second lieu et le développement social en troisième position. Puisque la nature de l'enfant est ainsi agencée, ne pas se conformer à cette progression engendrerait des résultats négatifs.

2) Pendant la petite et la moyenne enfance, on doit utiliser l'enseignement négatif, qui consiste à placer l'enfant dans un environnement contrôlé, c'est-à-dire un environnement aménagé pour stimuler la curiosité de l'enfant dans une certaine direction tout en le protégeant des influences qui pourraient, à ce moment du cours de son existence, nuire à son développement.

3) Tout apprentissage direct dépassant les limites de l'expérience quotidienne doit être reporté à la dernière enfance et à l'adolescence, c'est-à-dire à un moment où l'enfant a développé un corps fort et agile, des sens aiguisés, un esprit curieux, une assez profonde compréhension des phénomènes naturels rencontrés dans la vie de tous les jours et, par conséquent, une confiance en soi suffisante pour avoir maîtrisé jusque-là les différentes acquisitions développementales.

Différences individuelles

Pour les puritains, comme chez Rousseau, les différences entre des enfants du même âge résultent tant des facteurs innés que des facteurs de l'environnement. Ces derniers semblent toutefois avoir une influence plus marquante sur les différences individuelles.

Le point de vue puritain

Selon la doctrine puritaine, tous les enfants naissent égaux quant à leur inclination pour le mal. Mais, ils diffèrent très fort dans leur choix d'une vocation ou d'une mission particulières dans la vie. Les filles sont, par exemple, généralement appelées à des missions différentes de celles des garçons. Des différences innées de personnalité sont donc admises par la théorie puritaine.

Cependant, dans la justification des différences individuelles, les facteurs innés ne sont pas aussi importants que deux autres facteurs, à savoir les forces de l'environnement et l'intervention surnaturelle. Les agents principaux de l'influence de l'environnement sont les parents, les maîtres à penser religieux, la Bible, les professeurs, la famille et les pairs. Les forces surnaturelles, quant à elles, se subdivisent en deux forces opposées qui influent sur la direction que prend le développement de l'enfant : (1) la Trinité (constituée par Dieu, le Christ et le Saint-Esprit), qui peut intervenir à n'importe quel moment pour supprimer des obstacles qui se dressent sur le chemin de l'enfant ou bien pour corriger toute caractéristique déviante que celui-ci pourrait présenter et (2) Satan, qui peut égarer les enfants physiquement ou mentalement et les entraîner à pécher en les soumettant à des tentations et en les mettant en présence de mauvais compagnons dans leur existence quotidienne.

Une force encore plus puissante intervenant dans le développement de l'enfant est la volonté humaine ou encore la propre détermination ou le pouvoir de décision de l'individu. Dans la croyance puritaine, la volonté est un produit de l'hérédité et de l'environnement. Certaines personnes naissent avec une volonté hors du commun, c'est-à-dire avec une plus grande aptitude que les autres à réaliser des plans d'actions établis en dépit d'obstacles et de forces opposées. Mais, les éléments plus influents encore dans la consolidation de la volonté de l'enfant relèvent de son environnement; il s'agit des sermons, du catéchisme, des prières, de la lecture de la Bible, des conseils parentaux et des punitions.

Le point de vue de Rousseau

Dans sa théorie, Rousseau sous-entend que l'horloge de la nature progresse à la même vitesse pour tout le monde. Chaque garçon, chaque fille atteint la première enfance à l'âge de deux ans, entre dans la période de puberté vers douze ans, et aborde l'adolescence à l'âge de quinze ans. Cependant, le niveau de développement approprié atteint par l'enfant à chacun de ces stades sera influencé par le type d'expériences qu'il a vécues. En conséquence, une nette différence se marquera entre les enfants, tant au niveau de la force physique et de l'agilité qu'à ceux de l'acuité des sens, du contenu de la mémoire et en ce qui a trait aux caractéristiques morales et sociales.

Cependant, l'environnement seul ne suffit pas à expliquer les variations entre les enfants du même âge. Rousseau a aussi proposé que leurs capacités originelles pouvaient entrer en ligne de compte : ainsi, il suggère que les tuteurs et les parents donnent au jeune enfant plusieurs chances d'apprendre les sciences, l'art et la musique parce qu'«en aiguisant sa curiosité, en le suivant partout où elle le porte, on a l'avantage d'étudier ses goûts, ses inclinations, ses penchants (...)» (1762, vol. 2, p. 62). Néanmoins, la cause la plus importante de différences individuelles était, pour Rousseau, la nature de l'environnement dans lequel l'enfant évolue.

Si Rousseau avait vécu à la fin du XIXe siècle, il aurait été critiqué avec véhémence pour sa conception du statut de la femme, un être, selon lui, inférieur à l'homme, conçue pour le servir. «La femme est faite spécialement pour plaire à l'homme... son mérite est dans sa puissance, il plaît par cela seul qu'il est fort. Ce n'est pas ici la loi de l'amour, j'en conviens; mais c'est celle de la nature, antérieure à l'amour même (1762, vol. 3, p. 169).

Les stades par lesquels passe le développement des filles sont identiques à ceux des garçons. En fait, selon Rousseau, jusqu'à l'âge de la puberté, il y a peu de différences entre garçons et filles. Cependant, il suggère une approche différente dans l'éducation des uns et des autres. Pour les jeunes garçons, il faut insister sur le développement de la force et de l'endurance, mais, pour les filles, l'accent doit être mis sur le charme. Après la puberté, on ne doit pas s'attendre à ce que les filles maîtrisent les mêmes connaissances intellectuelles que les garçons. «La recherche des vérités abstraites et spéculatives, des axiomes dans les sciences (...) n'est point du domaine des femmes; leurs études doivent se rapporter toutes à la pratique; c'est à elles de faire l'application des principes que l'homme a trouvés (...)» (1762, vol. 3, p. 223). «Femme, honore ton chef; c'est lui qui travaille pour toi, qui te gagne ton pain, qui te nourrit : voilà l'homme !» (1966, p. 574).

Applications pratiques

Envisagées quant à leurs valeurs pragmatiques, les théories des puritains et de Rousseau sont l'une et l'autre très valables : chacune fait clairement la différence entre les buts à atteindre ou à rejeter dans tout développement afin que les parents puissent juger du bon déroulement de la croissance de leur enfant. De plus, pour chaque étape importante du développement de l'enfant, ces théories proposent l'une comme l'autre un type de pratique éducative appropriée. Les recommandations de Rousseau sont encore plus spécifiques que celles des puritains : dans l'*Emile*, il a inclus des exemples précis de ce qu'il y a lieu de faire ou d'éviter dans l'éducation des enfants, proposant ainsi un modèle à suivre pour les parents.

A côté des conseils tout à fait généraux qu'elles prodiguent, ces deux théories font aussi des suggestions pratiques pour l'éducation à l'école. Le contenu du *New England Primer*, par exemple, contient des méthodes d'éducation morale qui peuvent être incorporées dans le matériel d'enseignement. Il renseigne également sur les méthodes d'instruction en vigueur dans les milieux puritains, comme l'illustre ce vers, présentant la lettre F.

> *F = The idle* Fool *is whipt at school. [L'imbécile oisif est battu à l'école] (1836, p. 13).*

Rousseau intègre, lui aussi, à ses propositions pour l'éducation des enfants d'âge scolaire, des recommandations sur le contenu de l'enseignement aux différentes étapes du cursus et sur les méthodes appropriées. L'*Emile* donne également des exemples qui illustrent les notions de périodes critiques d'apprentissage et de principe d'éducation par l'auto-découverte. Il suggère, de plus, différentes méthodes pour aménager l'environnement éducatif afin d'inciter l'enfant à poursuivre les activités d'apprentissage adéquates.

Cependant, même si ces deux théories sont pratiques en ceci qu'elles prodiguent des conseils intelligibles et facilement réalisables, il est important de se demander dans quelle mesure certaines de ces suggestions peuvent favoriser l'accession de l'enfant à un développement souhaitable ou, au contraire, provoquer en lui des changements désastreux. Ainsi, certaines méthodes peuvent être remises en question, par exemple, le fait pour les puritains d'accabler l'enfant de remords au moyen de mauvais traitements et de punitions et celui, pour Rousseau, d'isoler l'enfant de ses pairs jusqu'à l'adolescence afin de promouvoir son développement social.

Perspectives de recherche

Trois raisons au moins justifient que les chercheurs modernes ne font presque plus jamais appel aux théories des puritains et de Rousseau au cours de leurs travaux.

En premier lieu, il faut savoir que certaines problématiques qui figuraient dans ces deux théories ne sont plus l'apanage des seuls puritains ni de Rousseau, mais apparaissent de nos jours, sous une forme différente, dans d'autres théories. Par exemple, la méthode de Rousseau, qui enjoint d'attendre qu'un enfant ait atteint un certain stade de croissance avant de lui enseigner certaines choses, est reprise aujourd'hui sous le nom de *maturation* dans la théorie de Piaget (chapitre 10) et sous celui de *moments appropriés pour l'acquisition* chez Havighurst (chapitre 6).

Ensuite, les méthodes de recherche scientifique employées aujourd'hui ne disposent pas des outils appropriés pour vérifier certains aspects du modèle des puritains et de celui de Rousseau, même s'ils semblent encore intéressants. Il en va ainsi du point de vue puritain selon lequel l'enfant est mauvais au départ et de la proposition de Rousseau que l'enfant est naturellement bon. De même, les chercheurs ne disposent pas de méthodes valables pour étudier la croyance de la vie après la mort des puritains ou l'idée d'une force satanique qui influerait sur le développement, ou encore l'effet des prières sur la croissance de l'enfant.

Enfin, le domaine du développement humain, comme celui de nombreuses autres disciplines, est caractérisé par des engouements successifs pour telle ou telle théorie en vogue à un moment donné. Ainsi, le behaviorisme méthodologique était populaire aux Etats-Unis dans les années 20 et 30; le behaviorisme radical de Skinner a ensuite remplacé cette première forme de behaviorisme, dans les années 40 et 50. A la fin des années 60 et au cours des années 70, la théorie de l'apprentissage social s'est présentée comme la théorie behavioriste par excellence et, au cours de ces dernières décennies, la théorie du traitement de l'information a rapidement gagné en popularité. De plus, l'enthousiasme pour la psychanalyse freudienne, très vif au cours des années 30 et 40, a grandement diminué par la suite. Des marques d'intérêt de ce genre peuvent varier non seulement avec le temps, mais encore en fonction du lieu. Par exemple, l'œuvre de Piaget était largement connue et respectée en Europe depuis les années 20, mais n'est devenue populaire en Amérique du Nord qu'à partir de 1960. Ces vagues d'intérêt résultent également de l'intervention de différents agents dans la communauté de la psychologie du développement de l'enfant – les professeurs d'université qui dirigent l'attention de leurs étudiants vers leur modèle favori, les éditeurs de revues et de livres qui préfèrent une approche théorique à une autre et les organismes qui offrent leur support financier à des recherches qui se fondent sur certains modèles théoriques. Tout ceci explique que la théorie puritaine – et c'est le cas de toute théorie dérivant d'une base religieuse donnée – et la théorie rousseauiste ne sont plus populaires de nos jours parmi les chercheurs qui se consacrent aux études du développement de l'enfant.

Le point de vue puritain : une évaluation

Bien qu'il s'agisse là d'une mentalité qui a fait son temps, il existe encore des vestiges de la conception puritaine du développement de l'enfant en

Europe et dans les sociétés américaines, tant catholiques que protestantes. Certaines communautés chrétiennes continuent de souscrire à plusieurs de leurs croyances et nombreux sont ceux qui adoptent encore certaines de leurs maximes, comme, par exemple, l'enfant est naturellement mauvais, l'oisiveté durant la deuxième enfance est mauvaise et les enfants sont incapables de raisonnement et de comportement rationnel avant la puberté. Ainsi, certains tentent encore de «maintenir le démon» loin des enfants et attribuent le fait qu'un jeune se comporte d'une manière irresponsable à une «perte de facultés».

Néanmoins, le point de vue puritain a considérablement perdu en popularité au cours des derniers siècles, suite à l'intervention de plusieurs facteurs; l'avancement de la science, par exemple, a engendré de nouvelles théories sur la nature humaine et de nouveaux critères quant au type de preuves nécessaires pour vérifier la validité d'une proposition. La théorie de l'évolution de Darwin a, quant à elle, quelque peu ébranlé le concept de l'âme rationnelle en suggérant que les humains ne sont pas si distinctement différents des animaux. Freud s'en est pris lui aussi au concept de l'importance des pouvoirs de raisonnement dans l'organisation du comportement en avançant que la majeure partie de nos comportements sont une réaction à des forces inconscientes. Le développement de la psychologie expérimentale, dont les structures sont vérifiables par les sciences physiques, a amené un nombre croissant de personnes à douter de la validité d'une théorie se fondant sur des données telles que la révélation divine ou «la foi aveugle» pour reprendre l'expression employée par les théologiens.

Les attaques de la communauté scientifique mises à part, un autre élément a contribué à la perte du modèle puritain aux XVIIIe et XIXe siècles; il s'agit du développement du mouvement humaniste. De fait, les philosophes humanistes ont condamné ce qu'ils considéraient comme un traitement inhumain des enfants, traitement auquel souscrivait selon eux, la doctrine protestante.

Cependant, les défenseurs de la théorie et des pratiques puritaines ont également leurs arguments à soumettre. Ainsi, certains spécialistes de l'époque coloniale ont suggéré que la douceur prévalait dans la plupart des maisons puritaines et que l'on n'avait recours à la peur que pour protéger l'enfant du mal, en ce monde comme dans l'au-delà (Martin Luther dans Eby, 1971, p. 33, p. 153; Morgan, 1956, p. 58). De plus, les défenseurs de la position puritaine peuvent mettre en avant le taux de croissance de la délinquance et le manque supposé de motivations sociales acceptables chez les adolescents d'aujourd'hui. Certains vont même jusqu'à se demander si les problème sociaux modernes ne sont pas le résultat de l'abandon de méthodes d'éducation puritaines. De même, alors que la conception puritaine des opérations mentales basée sur la psychologie des facultés est qualifiée de naïve et de non scientifique, les défenseurs de ladite théorie peuvent se demander dans quelle mesure les théoriciens modernes n'ont pas tout simplement rebaptisé les «*facultés*» en question. Celles-ci se retrouveraient ainsi dans le *ça* et le *moi* du langage freudien ou dans les *variables intervenantes* utilisées par certains behavioristes. Par conséquent, l'argumentation sur la position puritaine n'a pas encore trouvé une réponse qui soit satisfaisante pour tous.

Pour compléter cette brève évaluation de la théorie puritaine, nous allons revenir aux neuf critères du chapitre 1 pour évaluer les vues puritaines. Ce faisant, nous tenons à rappeler qu'il n'est pas ici question d'appliquer lesdits critères pour arriver à un jugement objectif admis par tous : au contraire, ce type d'évaluation est très subjectif et ne peut donc aboutir à une vérité universelle. L'évaluation qui va suivre n'est donc pas obligatoirement acceptable. Les conclusions que l'on décidera d'embrasser, celles que l'on choisira de réviser ou celles, au contraire, que l'on décidera de rejeter complètement dépendront des propres valeurs du lecteur, de la nature des preuves qui, selon lui, soutiennent ou non une proposition donnée, et du poids qu'il accorde à telle évidence.

Les critères sont proposés sous forme de neuf échelles de valeurs. Un tel système présente un aspect pratique indéniable, mais toutefois assez simpliste. Il faudrait en effet plusieurs pages pour étudier cette théorie dans le détail, chose impossible étant donné l'espace limité dont nous disposons ici. Aussi l'explication se limitera-t-elle, pour chaque critère, à quelques commentaires. Le lecteur peut aussi trouver utile de préparer une feuille d'évaluation personnelle et d'y inscrire ses propres arguments.

Dans chaque échelle évaluative, les X situent la théorie puritaine par rapport à chacun des critères proposés.

Elle mérite par exemple une cote très élevée pour le critère 4 parce qu'elle prodigue des conseils très précis aux parents pour élever leurs enfants. Cependant, si ce critère englobait également la qualité de ces conseils, la cote serait minimale car nous n'approuvons pas l'idée de base selon laquelle l'enfant est naturellement mauvais. Ceci explique par ailleurs la cote relativement basse du point 1. Effectivement, le principe des mauvaises inclinations innées chez l'enfant n'est pas très convaincant. Il tient de quelques passages bibliques et «révélations divines» rapportées par des clercs des siècles passés. Cependant, certaines des hypothèses de base des puritains sur les étapes de développement semblent exactes. C'est pourquoi, dans l'ensemble, une cote supérieure à «modérément bien» a pu être octroyée à cette théorie, pour le critère 1.

Les cotes modérées attribuées aux critères 2 et 5 s'expliquent par le fait que, bien que certains principes de la théorie puritaine soient clairs et logiques, il y figure également d'importantes zones de confusion. Ceci semble inévitable dans la mesure où il s'agit d'un modèle de développement de l'enfant fondé sur nombre d'hypothèses dont la validité n'a pas été prouvée empiriquement et que l'on doit se contenter d'admettre sur la base des propos d'une autorité ou sur celle de la foi dans une doctrine révélée à quelques élus. Par exemple, comment savoir si Dieu, en choisissant ceux qui iront au ciel, tient compte du fait que l'enfant a vécu ou non une vie chrétienne sur la terre. De même, qu'advient-il de l'enfant qui meurt peu après sa naissance ? Ce sont là les points faibles de la théorie puritaine.

Pour les points 7 et 8, les puritains ont une cote très basse, leur théorie se fondant essentiellement sur «des vérités révélées» dont la validité ne peut être testée. Ce n'est donc pas une théorie vérifiable et elle ne stimule pas l'émergence d'hypothèses qui peuvent être testées et amener à de nouvelles découvertes. De plus, elle n'est pas très économique, en ce sens que les justifications qu'elle propose sont complexes; ainsi, par exemple, celle de la structure de l'esprit, où les phénomènes pourraient être démontrés par un nombre plus restreint d'hypothèses non vérifiées. Naturellement, un autre point de vue pourrait avancer que la théorie est plutôt simple puisqu'un moine puritain pourrait répondre que certains types de changements ont lieu par la «volonté de Dieu» ou encore parce que ce sont les plans de Dieu.

En ce qui concerne le critère 3, la théorie puritaine reçoit deux cotes, l'une élevée, l'autre basse. La première signifie que si l'on accepte les hypothèses puritaines à propos du péché originel et de la vie après la mort, la théorie explique alors avec exactitude les événements de la vie passée de l'enfant (il a hérité du péché d'Adam et Eve) et prédit assez bien ce qu'il adviendra dans le futur (l'enfant ira soit au ciel soit en enfer, selon qu'il ait ou non reçu la grâce de Dieu). Mais, si l'on n'accepte pas ces propositions, un score inférieur à 3 doit être attribué, parce que la théorie n'explique pas le développement passé de l'enfant et ne prédit pas le développement

Tableau 3.1 — La théorie puritaine

Comment la théorie puritaine répond-elle aux critères ?

Les critères		*Très bien*		*Assez bien*			*Très Mal*	
1. Reflète le monde réel des enfants					X			
2. Se comprend clairement			X					
3. Explique le développement passé et prévoit l'avenir		X				X		
4. Facilite l'éducation	X							
5. A une logique interne				X				
6. Est économique					X			
7. Est vérifiable								X
8. Stimule de nouvelles découvertes								X
9. Est satisfaisante en elle-même							X	

futur, mises à part les lignes générales de croissance suggérées par les stades de développement.

Cela nous amène au point 9. Etant donné les réserves exprimées à propos de la théorie puritaine et nos intuitions sur la nature profonde des enfants, le point de vue puritain n'est pas jugé satisfaisant. Beaucoup de personnes partagent cette opinion; le fait que celle-ci ne fasse plus partie des théories du développement de l'enfant étudiées de nos jours en est une preuve. Cependant, certains éléments de la doctrine puritaine sont encore bien vivants, particulièrement dans la psychologie du sens commun que nous étudierons au chapitre 4. La compréhension des croyances puritaines peut également aider à expliquer certaines des bases des théories modernes et à élucider nombre d'idées contre lesquelles d'autres théoriciens ont réagi.

Le point de vue de Rousseau : une évaluation

Pour évaluer les points forts et les faiblesses de la théorie du développement de l'enfant proposée par Rousseau, nous utiliserons la même méthode que pour la doctrine puritaine. A nouveau, nous évaluerons cette théorie en fonction de nos propres critères; là encore, il est possible d'utiliser un mode d'évaluation personnel de la théorie, en fonction de critères particuliers.

La théorie de Rousseau reçoit une cote très élevée pour le critère 8 parce qu'elle a exercé une influence fondamentale sur les pratiques des XVIIe et XVIIIe siècles en matière d'éducation. Quatre innovateurs célèbres doivent beaucoup à l'*Emile* de Rousseau; il s'agit de Heinrich Pestalozzi (1746-1827), Friedrich Froëbel (1782-1862), Friedrich Herbart (1776-1841) et Maria Montessori (1870-1952). Le suisse Pestalozzi a affiné les méthodes de base de l'instruction rousseauiste et les a appliquées dans les écoles (Heafford, 1967). L'allemand Froëbel a créé les jardins d'enfants. Il s'est servi des concepts prédéterministes de Rousseau comme fondement aux activités d'apprentissage pour les jeunes enfants, et son influence est encore marquante dans les jardins d'enfants aujourd'hui, particulièrement en Europe (Froëbel, 1889; Kilpatrick, 1916). Herbart, un éducateur allemand s'intéressant aux enfants plus âgés, a analysé la manière dont les idées sont contenues dans l'esprit et a transposé son analyse à des techniques d'enseignement à utiliser en classe. Maria Montessori, un médecin italien, a basé son système d'enseignement pour les retardés mentaux en partie sur les principes de Rousseau et a ensuite élargi son schème aux enfants normaux.

Rousseau est aussi considéré comme l'initiateur d'autres mouvements, notamment ceux de l'apprentissage manuel, de la pédagogie moderne et de la méthode de découverte en sciences (Boyd, 1963, pp. 296-350; Davidson, 1898, pp. 211-244). Bref, si l'on envisage l'œuvre de Rousseau en fonction de son influence sur ses successeurs en éducation, elle reçoit une note extrêmement élevée.

En tant que guide pour l'éducation des enfants, la théorie de Rousseau mérite deux types de cote : l'une pour le nombre et la spécificité de ses suggestions, l'autre pour le degré de vraisemblance de celles-ci. Nous avons donné une cote élevée à ce critère, Rousseau proposant dans l'*Emile* de nombreux exemples sur la manière dont ses principes sur l'éducation doivent être mis en pratique. Cependant, comme certaines de ces suggestions peuvent être remises en question, une cote modérée est attribuée quant à la justesse de ses recommandations. Ainsi, nous pensons qu'il a tort en ce qui a trait à la socialisation des enfants, c'est-à-dire la manière dont ils développent leur capacité de s'entendre avec leurs pairs. Rousseau a isolé Emile des autres enfants jusqu'à l'adolescence et a ensuite affirmé que celui-ci ferait immédiatement montre de qualités sociales au niveau de ses relations humaines, ce qui le ferait immédiatement reconnaître par ses pairs comme leur leader naturel. Il est certain qu'aucun observateur sérieux du développement de l'enfant n'acceptera une telle proposition, l'éducation de la première enfance se basant actuellement sur des principes contraires. Un rôle essentiel imparti aux écoles maternelles et jardins d'enfants est justement d'offrir aux enfants des opportunités pour qu'ils apprennent à s'entendre. Cette proposition nous semble plus raisonnable que celle de Rousseau, convaincu de la valeur de l'isolement comme moyen de socialisation de l'enfant.

Les deux cotes du point 3 se justifient de la même manière : les prédictions sur l'évolution d'un enfant sur base de l'éducation qu'il a reçue sont assez spécifiques. De plus, Rousseau prétend que l'apparence générale d'un enfant et son comportement présent peuvent révéler avec certitude quel type d'éducation on lui a donné. Nous avons donc attribué une cote élevée pour la spécificité de ses recommandations. Mais la justesse de ses prédictions est discutable, comme le démontre la question de la socialisation de l'enfant. De même, ses prédictions relatives aux conséquences du port de vêtements ajustés à la stature et aux conditions physiques générales.

Nous avons donné une cote assez élevée à la description générale du schème de Rousseau (point 2), au degré de cohérence de sa théorie (critère 5) et à l'économie de ses explications (critère 6), quoique ce dernier point soit sujet à controverse. Rousseau n'a pas recours à un mécanisme explicatif élaboré lorsqu'un plus simple peut convenir. Son modèle de développement n'est pas exagérément complexe : ainsi, il explique la séquence du développement des périodes critiques comme étant «le cours de la nature» et il voit dans les distorsions du développement une incompétence des parents à appliquer le traitement nécessaire pour assurer le développement naturel de chaque stade. Cependant, à la question de savoir pourquoi les périodes critiques arrivent selon un ordre déterminé ou pourquoi la méthode de l'auto-découverte est supérieure à l'endoctrinement, Rousseau n'offre pas de réponse véritable. Sa théorie est donc économique quand il s'agit d'expliquer en quoi les pratiques éducatives conviennent ou non à chacun des stades de croissance proposés, mais pas pour expliquer la succession de ceux-ci.

Pour ce qui a trait au point 1, la description du monde de l'enfance proposée dans l'*Emile* et dans d'autres écrits de Rousseau n'est que partiellement exacte. Il avait raison de réagir contre le préjugé de l'enfant mauvais, mais sa proposition selon laquelle les enfants naissent moralement bons et qu'ils feront le bien si on les laisse libres n'est pas plus fondée. Au niveau de ses suggestions pratiques, il a quelque peu modéré sa position en suggérant que la liberté devait avoir des limites spécifiques. Nous sommes d'accord avec Rousseau pour donner aux enfants le maximum d'opportunités pour exercer leur corps et développer leurs sens et les inviter à tirer des conclusions à partir de leur observation de la nature. Mais, nous remettons en question son idée selon laquelle exposer les enfants aux intempéries durant les premiers mois de vie leur procure un développement optimum. De plus, des observations et des tests effectués sur des filles quant à leurs comportements et aptitudes mentales jettent des doutes sérieux sur l'hypothèse de Rousseau selon laquelle celles-ci seraient inférieures intellectuellement par rapport aux garçons. Par conséquent, la description faite par Rousseau de l'enfance ne serait que partiellement vraie.

Le critère 7 concerne l'idée de vérifiabilité. Est-il possible de réaliser des expériences ou observations qui vérifient la validité de la théorie de Rousseau ? Si nous pouvions faire une observation méthodique du

Tableau 3.2 — La théorie de Rousseau

Comment la théorie de Rousseau répond-elle aux critères ?

Les critères	*Très bien*	*Assez bien*	*Très Mal*
1. Reflète le monde réel des enfants		X	
2. Se comprend clairement		X	
3. Explique le développement passé et prévoit l'avenir	X	X	
4. Facilite l'éducation	X	X	
5. A une logique interne		X	
6. Est économique		X	
7. Est vérifiable	X		
8. Stimule de nouvelles découvertes	X		
9. Est satisfaisante en elle-même		X	

développement d'un groupe d'enfants évoluant dans différentes conditions environnementales pendant un nombre donné d'années, on pourrait vérifier les propositions de Rousseau au sujet de : (1) l'effet des vêtements serrés, (2) l'influence des interactions entre pairs pendant l'enfance et les qualités sociales définitives dont l'adolescent dispose et (3) l'effet de l'enseignement négatif en tant qu'instrument d'apprentissage. Cependant, comme les scientifiques modernes ont défini des moyens de vérifier le concept de *périodes critiques*, l'aspect de la théorie de Rousseau reprenant cette notion a pu être vérifiée (Schneirla et Rosenblatt, 1963; Scott, 1963). Bien que l'hypothèse de base selon laquelle les enfants naissent naturellement bons soit peut-être la plus difficile à prouver, il est concevable qu'elle puisse être elle-même vérifiée. Par exemple, une comparaison du jugement moral de jeunes enfants peut être faite à l'intérieur d'une même culture; une telle comparaison peut aussi être réalisée entre des enfants dont les cultures recèlent des critères moraux différents.

Enfin, le point 9 évalue dans quelle mesure la théorie de Rousseau est satisfaisante en elle-même. Nous considérons cette théorie comme étant au moins modérément satisfaisante, particulièrement dans son propre environnement culturel. Bien qu'il y ait des failles dans certains aspects de sa théorie, Rousseau peut être considéré comme un précurseur dans le domaine de l'éducation. En effet, il avait des vues non orthodoxes pour son époque et certaines de ses idées ont influencé l'évolution de la psychologie de l'enfant et des méthodes éducatives. Ses contributions les plus marquantes se retrouvent surtout dans : (1) son insistance pour que les enfants ne soient pas considérés comme des adultes en miniature, mais comme des êtres qui ont une structure mentale différente et des besoins propres; (2) l'importance qu'il a donnée à l'expérience directe en tant que base de l'apprentissage pendant l'enfance; (3) son désir d'octroyer à l'enfant la liberté d'exercer son corps et d'explorer son environnement; (4) sa suggestion de laisser les enfants apprendre en construisant des objets utiles avec leurs mains et (5) ses techniques de questionnement et d'agencement d'idées qui permettent aux enfants de tirer leurs propres conclusions de ce qu'ils observent.

Une connaissance des idées de Rousseau est nécessaire pour ceux qui se consacrent à l'étude du développement de l'enfant; en effet, de nombreux concepts que l'on retrouve dans plusieurs théories contemporaines, particulièrement celles qui concernent l'apprentissage des tout-petits, trouvent leur origine dans les travaux de ce pédagogue. Ainsi, la méthode Montessori est l'une des représentantes modernes de la tradition pédagogique qui s'inspire directement des travaux de Rousseau et le concept même de *jardins d'enfants* doit beaucoup à celui qui est souvent appelé le premier psychologue de l'enfance.

4

Théorie de l'attribution du sens commun

Comme nous l'avons expliqué dans l'introduction de la deuxième partie, l'expression *psychologie du sens commun* fait référence aux idées sur le développement de l'enfant, idées communément partagées dans une société donnée, lesquelles sont considérées comme évidentes. Celles-ci n'ont pas fait l'objet d'une théorie organisée, mais les psychologues sont parvenus à inférer, à partir de l'observation du comportement humain, les lignes directrices de pensée et les convictions propres aux individus peu informés à propos du développement de l'enfant. Par exemple, la théorie de *l'attribution du sens commun*, élaborée par Fritz Heider, examine ainsi les croyances rencontrées dans les sociétés, retraçant leur origine dans le monde européen. Elle explique «les critères que l'individu moyen semble utiliser pour inférer les causes de divers comportements observés» (Jones, 1971, p. X). Il faut toutefois noter que tous ne partagent pas les mêmes idées au sein d'une même culture.

De plus, il ne semble pas évident que le modèle américain de Heider reflète les croyances de sociétés traditionnelles d'Afrique, d'Asie, des îles du Pacifique ou même des populations indigènes d'Amérique (Thomas, 1988). Par exemple, des chercheurs ont découvert qu'au Japon, en Corée et en Chine, les enfants ont tendance à expliquer la notion de succès par le degré de motivation personnelle plutôt que par les influences de l'environnement, comme c'est pourtant le cas en Amérique et en Europe de l'Ouest (Munro, 1977; Stevenson, Azuma et Hakuta, 1986).

Pour la société américaine, plusieurs méthodes pourraient être adoptées en vue de présenter une théorie du développement basée sur le sens commun. Nous pourrions, par exemple, mener une enquête sur la manière dont les adultes conçoivent le développement et l'éducation des enfants. Nous pourrions recueillir des données issues du folklore, des proverbes et dictons traditionnels relatifs à l'éducation des enfants et chercher à identifier les concepts éducatifs supportant ces idées communément acceptées. Nous pourrions aussi observer des adultes dans leurs rapports avec des enfants et en déduire quelle théorie de la nature de l'enfant est impliquée dans ces actions et conversations. Nous pourrions encore analyser les lois relatives aux enfants, partant du principe que les lois reflètent un ensemble de convictions généralement partagées dans une société donnée. Toutes ces approches pourraient être utilisées. Nous en retiendrons deux, l'analyse d'une conversation entre deux parents et l'examen de quelques lois fondamentales concernant le développement des enfants. Les travaux de l'Allemand Fritz Heider (1931-1988) nous guideront dans l'étude de cette conversation. Après son doctorat à Berlin, qui le mit en contact avec des psychologues de la Forme, tels que Kurt Lewin, il émigra aux Etats-Unis où il s'est consacré, d'abord au Smith College, puis à l'Université de Kansas, à tracer les linéaments d'une psychologie naïve sous-jacente dans chacune des actions humaines. Les principes exposés par Heider ont été décrits dans son livre *La Psychologie des Relations Interpersonnelles* (1958). Selon Weiner (1980, p. XV), les travaux de ce psychologue semblent très utiles pour étudier la manière dont la plupart d'entre nous expliquent le comportement humain. Cependant, comme sa description est plutôt axée sur l'adulte et non sur l'enfant, il est nécessaire d'étendre les vues de Heider, pour montrer comment la psychologie du sens commun conçoit les changements développementaux. Pour ce faire, nous nous appuierons non seulement sur le langage de tous les jours employé par l'individu moyen, mais encore sur les lois civiles et criminelles communément en usage dans les communautés américaines modernes.

Nous tenons à préciser que ce chapitre est uniquement destiné à identifier quelques-uns des principaux éléments de la psychologie naïve et à illustrer de quelle manière un théoricien comme Heider les définit. Les éléments repris ici sont nettement insuffisants pour reproduire la complexité de l'analyse de Heider dans son intégrité.

La théorie moderne qui dérive de la psychologie de Heider est appelée *théorie de l'attribution*, ce qui signifie que ce modèle cherche à expliquer comment et pourquoi les gens *attribuent* le comportement humain à des causes particulières. Cependant, l'usage du terme *attribution* pour distinguer cette théorie des autres peut paraître quelque peu insolite dans la mesure où presque toutes les théories du développement de la personnalité *attribuent* la pensée et l'action humaines à des facteurs variés considérés comme les plus influents par divers théoriciens. Les freudiens attribuent ainsi une grande part du développement à la manière dont les pulsions internes de l'enfant interagissent avec les agents de l'environnement, avec les parents, par exemple. Les behavioristes, quant à eux, attribuent le développement à la manière dont les conséquences des actions présentes influenceront des situations similaires dans le futur. Cependant, nous nous servirons du terme *théorie de l'attribution du sens commun* pour identifier le modèle de développement basé sur les propositions de Heider. Dans ce chapitre figureront quelques variantes de ce modèle, variantes proposées par trois autres théoriciens (Jones, 1971; Kelley, 1972, 1973; Shaver, 1975).

Les causes de l'action humaine

Parmi les questions auxquelles la psychologie du sens commun essaie d'apporter une réponse, nous en retiendrons une : «Pourquoi les gens agissent-ils comme ils le font ?» Quand cette question est transcrite en termes de développement de l'enfant, elle devient : «Comment et pourquoi le comportement d'un enfant change-t-il au fur et à mesure qu'il grandit ?» En réponse à cette première question, l'analyse du langage quotidien élaborée par Heider explique que trois facteurs déterminent l'action chez une personne. Deux de ceux-ci sont inhérents à l'individu. Il s'agit du *pouvoir personnel* (la personne en question est-elle capable de faire ce dont il est question ?) et du *degré de motivation* et *d'effort personnel* (tentera-t-elle de le faire ?). Le troisième facteur, qui peut être appelé la *difficulté de la tâche,* est étranger à l'individu et englobe toutes les forces de l'environnement qui influencent l'accomplissement de l'acte.

A partir de ces notions de pouvoir personnel, d'effort et de difficulté de la tâche, nous pouvons définir l'étude du développement de l'enfant comme étant une investigation des changements qui se produisent dans le pouvoir personnel et le degré d'effort chez un enfant entre le moment de sa naissance et celui où s'achève son adolescence. L'importance de ces changements dépend de la nature des différents environnements dont l'enfant subit l'influence et qui peuvent être utilisés pour expliquer le comportement humain à différents moments de la vie.

Pour donner une idée du matériau brut dont est tiré cet aspect de la psychologie de l'enfant, nous avons choisi de faire précéder l'analyse par une conversation fictive représentative des communautés américaines. Des extraits de cette conversation seront utilisés par la suite pour illustrer des hypothèses sur le comportement de l'enfant qui, selon le théorie du sens commun, expliquent le type de rapports que l'adulte moyen a quotidiennement avec les enfants.

Conversation entre deux parents

(M. Young et Mme Campbell se rencontrent au supermarché)
M. Young : Que pensez-vous du professeur de 10e des enfants ? Je crois qu'elle leur en demande trop. Mon fils Georges me dit que presque tous les élèves de la classe ne peuvent pas faire les maths. Avez-vous vu les problèmes qu'elle leur donne ?
Mme Campbell : Oui, Dominique apporte du travail à la maison chaque jour. Mais, heureusement, elle semble pouvoir s'en tirer sans mon aide.
M. Young : Elle doit être très intelligente.
Mme Campbell : Ce n'est pas exactement cela. Elle travaille dur aussi. Je crois que le fait pour elle d'être en compétition avec son frère de douze ans la stimule. Il est très bon dans les activités physiques, mais plutôt moyen dans le travail scolaire; alors elle semble montrer qu'elle a une bonne tête. Elle essaie de se faire valoir de cette manière.
M. Young : Ah oui, j'ai vu dans le journal que votre fils est dans l'équipe de football.
Mme Campbell : Oui, c'est un mordu de sports. Mais son admission dans l'équipe ne veut pas dire grand-chose. Ils ont mis en uniforme à peu près tous les garçons qui se sont présentés.
M. Young : Mais ne s'est-il pas distingué ?
Mme Campbell : Oui, pendant les deux premières semaines, il a commencé comme quarterback. Il est rapide et il lance bien la balle. Mais par la suite, il a joué de malchance. Et depuis lors, l'entraîneur ne lui a pas donné une chance de montrer ce qu'il peut faire. Le pauvre enfant passe chaque match assis sur le banc.
M. Young : C'est dommage. Tiens, je vois que vous n'avez pas amené votre bébé avec vous.
Mme Campbell : Non, je l'ai laissé à la maison avec Dominique.
M. Young : Vraiment, n'avez-vous pas peur de laisser un bébé à la charge d'une fillette de neuf ans ?
Mme Campbell : Oh non ! Dominique s'en tire bien; elle aime s'occuper du bébé.
M. Young : En tout cas, il faut oser. Je ne crois pas que je laisserais ma fille Caroline s'essayer à cela, même à quatorze ans. Ce n'est pas qu'elle en soit incapable, mais elle a d'autres centres d'intérêt : les garçons et la musique. Bien, je crois qu'il vaut mieux que je paie mes achats et que je m'en aille. J'ai laissé Caroline dehors dans la voiture. Elle manipule tous les boutons pour faire croire qu'elle conduit. Elle attend impatiemment d'avoir seize ans pour avoir son permis.

Cette conversation peut nous permettre d'étudier les trois composantes principales de l'action. Tout d'abord, nous considérerons le pouvoir personnel; nous analyserons la notion d'effort ou de motivation et finalement, nous identifierons les forces de l'environnement en question.

Le pouvoir personnel (le «pouvoir faire»)

Dans une conversation ordinaire, la notion de *pouvoir personnel* ressort de l'utilisation des termes «peut» et «ne peut pas» («presque tous les élèves de la classe ne peuvent pas faire les maths») («Ce n'est pas que Caroline ne puisse le faire»). Ce facteur de pouvoir personnel comprend de nombreuses composantes. La plus importante d'entre elles est *l'aptitude*. D'autres, qui exercent une influence moins directe, sont les attitudes, le statut social et certaines conditions personnelles temporaires comme la fatigue.

Durant un jour donné, un adolescent moyen utilise diverses qualités pour accomplir certaines tâches. Cependant, ces capacités ne sont pas du tout distinctes ni indépendantes; elles ont des points communs et sont, en général, reprises en deux catégories : physique et mentale. Il n'est pas rare que les gens pensent qu'un jeune puisse avoir un niveau de capacités dans le domaine physique qui soit tout à fait différent de celui qu'il atteint dans le domaine mental. Par exemple, il ne semble surprendre personne qu'un garçon de douze ans puisse être un excellent joueur de football, mais un piètre écolier ou que sa sœur de neuf ans présente les aptitudes inverses. Mais il semble moins répandu que les gens admettent qu'à l'intérieur d'une même catégorie, les déficiences et talents puissent varier selon l'activité – physique ou mentale – considérée. Ainsi, il est courant que l'on considère qu'un bon joueur de tennis est forcément habile au tennis de table et vice-versa. De plus, les gens sont enclins à considérer la capacité mentale comme un talent unitaire, un tout qui enchâsse toutes les tâches intellectuelles possibles. Donc M. Young, entendant parler du talent de Dominique pour les mathématiques, conclut que celle-ci doit être intelligente en général. Mme Campbell aussi actualise cette idée d'une intelligence polyvalente en disant que Dominique «a une bonne tête». Cette croyance que les aptitudes sont partagées entre les domaines physique et mental (chacun unitaire plutôt que composé de talents isolés) a d'importantes conséquences sur la manière dont les enfants sont traités à l'école et à la maison. Et quoique largement acceptée, cette opinion n'est pas toujours en accord avec les faits observés (Gardner, 1983; Kail et Pellegrino, 1985).

Alors que les gens essaient de comprendre et de prédire leur propre comportement ou celui des autres, ils s'inquiètent de savoir dans quelle mesure leurs propres aptitudes ou encore celles des autres sont grandes, moyennes ou limitées dans un domaine donné. Il est donc utile d'examiner trois types d'informations sur lesquelles ce jugement est généralement basé.

Le premier indice du niveau d'aptitude est la proportion d'autres personnes qui peuvent accomplir la ou les tâches en question. C'est-à-dire s'il y a peu de personnes qui peuvent l'accomplir, alors n'importe quelle personne qui l'accomplit est considérée comme dotée d'une grande capacité. On pense que la cause principale du succès réside dans le pouvoir personnel de l'individu et, en conséquence, on lui accorde du respect. Par contre, si à peu près tout le monde peut accomplir telle tâche, on conclut alors qu'elle est facile et les personnes qui s'en acquittent ne sont pas considérées comme ayant des facultés supérieures. En fait, la cause du succès n'est pas du tout attribuée à la personne mais à l'environnement. On dit, dans un tel cas, qu'il ou qu'elle a réussi parce que les facteurs de l'environnement lui étaient favorables.

Un second facteur important dans l'évaluation des aptitudes est de savoir quelles catégories de personnes ont déjà accompli la tâche. Ceci importe surtout pour évaluer les aptitudes des enfants et des adolescents car leurs capacités mentales et physiques s'accroissent avec l'âge, tandis que celles de l'adulte sont censées être stables jusqu'à l'âge du déclin. La psychologie naïve cherche donc à connaître l'âge de ceux avec lesquels un enfant donné est comparé. Il est considéré comme plus équitable de le comparer avec ses pairs, en particulier avec d'autres enfants du même âge et du même sexe. Cependant, il est quelquefois utile de le comparer également à des enfants plus âgés ou plus jeunes. Ainsi, un enfant qui agit aussi bien qu'un enfant moyen plus âgé que lui de quelques années est dit «doué» «brillant» ou même «génial». Un enfant plus âgé qui ne fait pas mieux qu'un autre qui est son cadet de plusieurs années est considéré comme retardé, déficient ou handicapé. Une troisième source d'information qui révèle les capacités de l'individu est la qualité de l'effort exercé pour accomplir une tâche. L'enfant qui réussit avec facilité est considéré comme ayant plus d'aptitudes que celui qui doit se battre et s'évertuer pour accomplir le même travail.

Par ailleurs, nous avons évoqué la tendance de croire qu'un enfant qui s'acquitte aisément d'une tâche physique (ou mentale) sera également habile dans d'autres activités physiques (ou mentales). Cette croyance en une corrélation élevée entre les «sous-talents» à l'intérieur d'une catégorie plus large permet de prédire si une personne sera ou non à la hauteur d'une tâche à accomplir. Tel était le cas de M. Young qui a estimé que Caroline, âgée de quatorze ans, ne peut prendre soin d'un bébé et ne l'a encore jamais fait. L'opinion de M. Young est apparemment fondée sur le fait que la fillette s'acquitte d'autres tâches physiques et mentales et que ses compagnes s'occupent déjà de bébés. Le problème de Caroline, aux yeux de son père, n'est pas un manque d'habileté («ce n'est pas que Caroline ne puisse le faire»), mais bien un manque de motivation («Elle a d'autres centres d'intérêt»).

Bien que l'«aptitude» soit l'élément essentiel du *pouvoir personnel*, d'autres aspects comme les attitudes, le statut social et les circonstances particulières affectent aussi, même si c'est à un degré moindre, le «vouloir faire».

Les *attitudes*, dans le sens que nous leur donnons ici reflètent l'estimation personnelle de l'individu sur sa capacité à accomplir des tâches. S'il se sent généralement incapable, s'il se sent inférieur, s'il manque de confiance, s'il a une faible opinion de lui-même ou qu'il est timide, on le dit pessimiste. Si, au contraire, il sent qu'il peut réussir, il est alors qualifié d'optimiste. L'individu optimiste est confiant, il a une haute opinion de lui-même et fait montre d'une approche positive dans ses entreprises. Donc le facteur «pouvoir» chez une personne ne se fonde pas seulement sur ses talents réels, mais est aussi influencé par des attitudes qui déterminent la manière dont l'habileté et l'effort sont dirigés.

Le *statut social* affecte aussi l'attitude que l'individu adopte par rapport à la tâche à accomplir. S'il a le statut d'un chef de groupe, il peut donner des instructions aux membres de l'équipe, convaincu que ses instructions seront suivies. Une jeune fille qui, par rapport à ses compagnes de classe, considère qu'elle appartient à une classe sociale défavorisée sera peut-être mal à l'aise lors de la fête de fin d'année parce qu'il lui manque une certaine assurance, qui lui permettrait d'imposer ses qualités sociales parmi d'autres élèves dont les manières, les vêtements et le langage diffèrent des siens. De plus, des circonstances particulières telles que la fatigue et la maladie peuvent influencer les actes ou la performance d'une personne dans une occasion donnée, mais ces conditions n'affectent pas l'habileté de l'individu.

Pour clôturer ce bref aperçu sur la notion de «pouvoir personnel», notons trois des hypothèses de base les plus significatives qui sous-tendent la conception du développement de l'enfant selon la psychologie naïve :

1. Les aptitudes sont considérées comme des attributs permanents propres à un individu. Elles ne changent pas sur une courte période.
2. Les aptitudes augmentent, tantôt régulièrement, tantôt par à-coups, pendant la période de l'enfance et de l'adolescence. En gros, l'étude du développement de l'enfant s'attache à découvrir la manière dont les aptitudes se développent. Un enfant dit «à problèmes» à l'école est habituellement un élève dont les capacités évoluent à un rythme considéré comme peu satisfaisant.
3. Les aptitudes sont déterminées à la fois par l'hérédité («Il tient sa prodigieuse mémoire du côté de la famille de sa mère») et par l'environnement («Il lui a fallu beaucoup de pratique pour apprendre à prononcer l'anglais correctement»). Cependant, la proportion dans laquelle chacune de ces sources contribue au développement des diverses aptitudes et la manière dont ces forces interagissent ne sont pas claires.

L'effort (le «vouloir faire»)

Non seulement les enfants doivent avoir des aptitudes personnelles pour agir, mais ils doivent avoir la volonté de le faire. Donc, «pouvoir» et «essayer» sont tous deux nécessaires à la réalisation de l'action. Dans l'exemple proposé, Mme Campbell dit de Dominique qu'elle n'est pas seulement intelligente, mais qu'en plus, elle travaille beaucoup.

Le *facteur de l'effort*, généralement dénommé par les psychologues «motivation», comprend deux aspects : la direction et la qualité. La *direction* indique l'objectif fixé et réfère à ce que la personne essaie de faire. On l'appelle souvent l'*intention*. La *quantité* indique la quantité d'efforts produits par un individu; on l'appelle l'*intensité de l'effort*. Les remarques émises par M. Young à propos de Caroline suggèrent qu'elle ne pourrait sans doute pas s'occuper d'un bébé. Par contre, il semble évident qu'elle pourra conduire une voiture dès que son âge le lui permettra.

Nous avons déjà noté que, pour la psychologie naïve, les aptitudes ne cessent de se développer avec l'âge. On s'attend aussi à ce que la nature du facteur «effort» subisse une certaine évolution au fur et à mesure que l'enfant grandit. De plus, le niveau d'attention d'un enfant, c'est-à-dire le laps de temps qu'il peut allouer à une tâche donnée, augmente avec l'âge. Quand un jeune grandit, ses intérêts se stabilisent apparemment et son attention est beaucoup moins dispersée que durant l'enfance. On s'attend aussi à ce que qu'un enfant fasse davantage d'efforts en grandissant, qu'il apprenne à faire de son mieux en toute chose et qu'il fasse montre de persévérance.

Quand un enfant fait bien quelque chose, mais qu'il apparaît que ceci est arrivé accidentellement, sans effort de sa part, on ne le félicite pas. Louanges et blâmes semblent dépendre grandement des intentions apparentes du sujet. Shaver (1975, pp. 28-29) a observé que :

> *(...) du point de vue psychologique, pour qu'une action soit qualifiée de valable, il faut qu'elle ait été accomplie intentionnellement (...) Finalement, pour un observateur attentif, l'identification de l'intention réelle motivant une action dépendra de son appréciation générale des circonstances entourant l'acte, de ses connaissances générales de la personne et de ses propres expériences antérieures en tant qu'acteur dans une situation similaire.*

Par rapport aux deux autres facteurs d'action – la force personnelle et la difficulté de la tâche – l'*effort* est considéré comme étant davantage sous le contrôle conscient de l'individu. Par conséquent, quand l'enfant échoue suite à un manque apparent d'effort, les critiques qu'on lui adresse sont davantage méritées que s'il avait échoué à cause de ses aptitudes limitées ou parce que la tâche était trop difficile. La psychologie du sens commun soutient donc que l'enfant est personnellement responsable de sa paresse, de son manque de constance et de ses rêveries. Au contraire, il ne doit pas être blâmé s'il est mentalement retardé ou physiquement handicapé.

Dans notre recherche de compréhension et de prédiction du comportement des autres, le concept de motivation est essentiel pour comprendre le processus d'interaction sociale. La question de direction de la motivation est constamment évoquée dans les interrogations telles que : «Qu'est-ce qu'il fait ?» «Qu'est-ce qu'elle veut ?» «Que recherche-t-il ?» Dans une large mesure, la manière dont nous réagissons face aux autres dépend moins de leurs actions que des objectifs que nous pensons qu'ils poursuivent à un moment donné. Shaver cependant recommande d'aller au-delà de l'*intention* et suggère d'identifier les *dispositions* émotionnelles de l'individu, par exemple, ses désirs et peurs, intérêts et préjugés. Une telle démarche dépasse, pour lui, la simple identification de l'intention qui sous-tend un acte, car ces *dispositions* «offrent une explication plus satisfaisante et permettent d'avoir une meilleure estimation de la forme que prendront les comportements futurs» (1975, p. 29). Il est clair que la psychologie du sens commun donne une place importante à la prédiction de motifs bien plus que ne le font la plupart des autres théories que nous envisagerons par la suite.

La difficulté de la tâche et le rôle de l'environnement

Le dernier des trois facteurs qui déterminent l'action est l'environnement. Il est dénommé «difficulté de la tâche». La *difficulté de la tâche* relève des divers aspects de l'environnement qui influencent, favorablement ou non, la tâche que quelqu'un tente d'accomplir à un moment donné.

Selon Heider, les efforts accomplis par une personne pour comprendre les faits, principes et lois en fonction desquels un environnement opère, sont motivés par le désir qu'a cette personne de s'établir elle-même dans un monde stable dont le futur peut être anticipé et contrôlé (Heider 1958, p. 91). Par conséquent, ce que nous souhaitons découvrir ce sont ces conditions stables, permanentes de l'environnement qui influencent la difficulté de la tâche. Cependant, les prédictions basées sur la compréhension de telles conditions se révèlent parfois fausses, à cause d'influences inattendues pour lesquelles on ne sait pas toujours qui incriminer de l'environnement ou de l'individu. Mais, en général, on n'attribue pas d'influences négatives aux individus, particulièrement s'il s'agit de personnes qu'on aime. Ces circonstances imprévues ou surprenantes sont généralement mises sur le compte de la chance, de l'opportunité, du hasard, du destin... Mme Campbell a identifié certaines de ces influences imprévisibles qui ont valu à son fils la perte de sa position d'arrière dans l'équipe. «Il a joué de malchance», dit-elle, malchance qui a pris la forme d'une blessure et l'a relégué sur le banc de touche. La perte de ce poste par le garçon n'a cependant pas diminué ses capacités aux yeux de sa mère. Elle pense qu'il peut toujours bien jouer même s'il n'a plus de chance de le prouver sur le terrain.

Quatre des caractéristiques attribuées au milieu extérieur sont perçues comme influençant particulièrement le cours des choses. D'abord les environnements sont perçus comme des milieux qui offrent des opportunités ou qui, au contraire, les restreignent. Le succès de quelqu'un est souvent attribué aux opportunités dont il a pu bénéficier; de même, une vie peu productive est souvent expliquée par un manque d'opportunités. Ensuite, certaines tâches sont considérées comme plus difficiles à accomplir que d'autres. Comme nous l'avons signalé, le niveau de difficulté d'une tâche est souvent mesuré à la proportion de personnes du même âge qui l'accomplissent bien et par la quantité d'efforts qu'il faut déployer pour la mener à bien.

La troisième caractéristique majeure issue de l'environnement est la pression sociale, qui influence grandement le processus de socialisation. Les adultes, par exemple, utilisent punitions et récompenses pour encourager ou décourager un type particulier de comportement. En dernier lieu, la situation elle-même et les rôles assignés dans un milieu donné ont un impact sur le comportement d'un individu. Par exemple, une fillette peut paraître plus réservée qu'à l'ordinaire parce qu'elle se trouve parmi des gens qu'elle ne connaît pas ou parce qu'elle se trouve dans une situation où tel comportement est de rigueur. Autre exemple : l'entraîneur décide, de par son rôle qui jouera ou non dans une partie de football.

La ligne générale de raisonnement de Heider à propos des influences de l'environnement nous permet d'évoquer deux autres propositions *communément acceptées* :

1. Les gens chargés de l'éducation d'enfants veilleront au bien-être de ceux-ci en ajustant graduellement la difficulté des tâches aux différents niveaux d'aptitudes atteints, au fur et à mesure de leur développement. C'est là une manière d'exercer un certain contrôle sur le milieu extérieur.
2. Les conditions de l'environnement sont divisées en deux catégories générales : celles qui sont stables et opèrent d'une manière prévisible et les circonstances inattendues, communément appelées «occasion», «hasard», «chance». Dans leur tentative de rendre la vie prévisible, les gens s'efforcent d'augmenter leur pouvoir sur les conditions de la première catégorie et, par conséquent, de diminuer les imprévus.

Offrir une explication détaillée de toutes ces interactions serait impossible dans le cadre d'un tel ouvrage; toutefois, nous avons essayé de présenter une analyse sommaire des trois facteurs principaux que la psychologie du sens commun utilise pour expliquer comportement et développement.

Implications pour l'éducation des enfants

Des trois facteurs qui, dans la psychologie naïve, déterminent l'action, nous pouvons tirer plusieurs principes qui semblent inspirer les adultes dans leur manière de traiter les enfants. Par exemple, si nous voulons aider un enfant à accomplir une tâche où il a échoué plusieurs fois, nous devons d'abord estimer lequel des trois facteurs – capacité, difficulté de la tâche, ou effort – est à la base de son échec. Alors seulement pourrons-nous tenter d'apporter une solution à son problème.

Si nous pensons que l'enfant fait tout ce qu'il peut et qu'il pourra difficilement s'améliorer, alors nous devons logiquement essayer de réduire la difficulté de la tâche, de telle manière qu'il puisse l'accomplir. Pour réduire le niveau de difficulté de la tâche, nous pouvons, soit l'aider, soit lui demander de l'exécuter partiellement ou encore la diviser en petites étapes plus faciles à franchir. Cependant, c'est souvent le cas, nous sommes incapables de simplifier la tâche ou nous ne souhaitons pas le faire. Alors nous pouvons tenter d'améliorer l'aptitude de l'enfant par l'entraînement. Nous pouvons aussi conclure que l'enfant est capable, mais qu'il ne s'est pas intéressé à la tâche (direction de motivation) ou qu'il n'a pas fait assez d'efforts. Il faut alors essayer de le convaincre de l'importance de cette entreprise. Nous pouvons utiliser la logique, les cajoleries, les promesses de récompense ou les menaces de punition pour le pousser à agir (Heider, 1958, p. 123).

Il est important de retenir que le sens commun n'est pas inné et que la forme qu'il prendra est largement tributaire du milieu dans lequel l'enfant est socialisé. En effet, il s'acquiert au fur et à mesure que le jeune grandit grâce aux messages communiqués par les parents, le groupe de jeu, la télévision ou ses lectures. Le contenu de ces leçons est ensuite corroboré ou révisé en fonction de l'observation de divers comportements par le jeune lui-même. La capacité que possède l'enfant «d'attribuer» des causes à l'action humaine se complexifie peu à peu et, avec le temps, la forme qu'elle prend contribue à reproduire les principes acceptés par la plupart des adultes appartenant à la société dans laquelle il s'insère.

Privilège et responsabilité

Comme d'autres modèles de développement, la théorie du sens commun présente la croissance de l'enfant sous forme de stades. Elle en décrit trois : le premier âge, l'enfance et l'adolescence. Les limites entre ces étapes se caractérisent par des changements relativement soudains, d'ordre à la fois physiologique et psychologique. Par exemple, un nourrisson ou un bébé passe la limite de l'enfance quand il devient «une personne réelle», en apprenant à marcher et à parler, soit vers un an et demi – deux ans. L'enfant entre dans l'adolescence quand ses fonctions sexuelles mûrissent, c'est-à-dire lorsque les caractéristiques sexuelles secondaires telles que la mue de la voix, le développement physique, la pilosité se produisent, soit entre douze et quinze ans.

Parallèlement à ces signes de maturation physique surviennent une série de changements dans les privilèges et responsabilités de l'enfant qui grandit, considérés comme nécessaires par la société. Il est donc possible d'analyser les directions ou stades de développement d'après la perspective du sens commun, en fonction des privilèges et responsabilités octroyés aux enfants à différents niveaux d'âge.

L'expression *augmentation de privilèges* implique l'idée que l'enfant a accès à un champ d'activités plus large. *L'augmentation de responsabilités* signifie que l'enfant est soumis à l'obligation d'exécuter, spontanément ou sous contrôle, des tâches que la société estime correctes, constructives et désirables. Dans la psychologie naïve, «la responsabilité» est composée de ce que Heider a appelé les «forces du devoir» (ought forces) (1958, pp. 218-243). Ce sont les attitudes largement répandues dans une communauté, attitudes relatives aux devoirs que chacun doit remplir. La réalisation de ceux-ci est nécessaire afin de procurer à l'individu un environnement social stable et prévisible. De même, «l'homme n'arrive à fonctionner valablement dans l'environnement extérieur qu'à cause des lois physiques qui régissent cet environnement» (Heider, 1958, p. 229).

Comme le suggère le dicton : «A chaque privilège correspond une responsabilité», le sens commun considère le privilège et la responsabilité comme les deux plateaux d'une balance. Au fur et à mesure que l'enfant se développe, ses capacités lui permettent de faire plus de choses par lui-même, de sorte que la société lui permet peu à peu d'exécuter un plus grand nombre d'actions et de prendre plus de décisions personnelles. Mais, tandis que l'enfant gagne des privilèges, la société, principalement les parents et les professeurs, lui attribue des responsabilités et des devoirs supplémentaires. L'essentiel des conflits entre enfants et adultes durant les vingt premières années de la vie réside dans le fait que les enfants désirent plus de privilèges alors qu'ils sont jeunes et, d'autre part, que les adultes cherchent à retarder l'attribution de certains privilèges ou à imposer prématurément certaines responsabilités à l'enfant.

Comme le critère le plus répandu pour évaluer le niveau développemental est l'âge chronologique, la société s'en sert pour déterminer le moment où les aptitudes et le sens des responsabilités de l'enfant sont suffisants pour lui permettre de s'essayer à certaines tâches et de commencer à prendre seul certaines décisions. Nombre de ces exigences relèvent de coutumes, telle celle de certaines églises chrétiennes qui admettent les enfants comme membres vers l'âge de douze ans. D'autres exigences prennent la forme de lois ou de règlements. En examinant ces lois, nous pouvons découvrir ce que le sens commun, à une époque donnée, considère comme étant les étapes ou stades de développement. Par exemple, le stade de la petite enfance est nettement différencié de l'enfance plus avancée par les lois qui régissent l'admission à l'école. Aux Etats-Unis, il est à la fois permis et exigible que l'enfant entre à l'école à l'âge de cinq ou six ans; des règlements moins formels comme, par exemple, les prescriptions du curriculum délimitent des sous-groupes à l'intérieur des catégories principales. Ainsi, il est commun en Amérique de mettre l'accent, dans les jardins d'enfants, sur les activités qui élargissent les expériences de l'enfant dans son environnement physique et social et non sur l'enseignement formel de la lecture, de l'écriture et du calcul. Mais, quand il entre à l'école à l'âge de six ans environ, on s'attend à ce qu'il commence à analyser formellement des concepts quantitatifs.

Le code criminel nous apprend qu'avant le puberté, les enfants ne sont pas encore des êtres raisonnables ou responsables et que, même après celle-ci, ils ne sont pas encore considérés vraiment comme tels. Le code pénal californien, par exemple, stipule que l'enfant de moins de quatorze ans n'est pas capable de commettre de vrais crimes sauf s'il y a «une preuve évidente qu'au moment où il a commis l'acte qui lui est imputé, il en connaissait la gravité». Donc l'excuse «il ne savait pas ce qu'il faisait» est suffisante pour ne pas poursuivre un enfant, là où un adulte «raisonnable» serait condamné. De quatorze à dix-sept ans, les jeunes sont considérés comme partiellement raisonnables et responsables, de sorte que, quand ils commettent des actes illégaux, ils sont tenus pour délinquants et non pour criminels et ne subissent ainsi ni le blâme ni la honte publique.

Le nombre de lois civiles et criminelles qui adoptent dix-huit ans comme un âge charnière au niveau des privilèges et responsabilités suggère que le sens commun d'aujourd'hui définit la période de l'enfance comme allant de la naissance jusqu'à dix-sept ans. Bien que dans la société américaine beaucoup de jeunes ne soient pas toujours indépendants de leurs parents à l'âge de dix-huit ans, récemment, l'âge légal du droit de vote a été ramené de vingt et un à dix-huit ans. Désormais, l'âge du vote coïncide avec celui où les garçons acquièrent le privilège ou l'obligation de se battre et de mourir pour leur pays (dix-sept ans est l'âge requis pour l'enrôlement volontaire et dix-huit ans celui de la conscription).

Ces lois et coutumes reflètent donc effectivement la notion commune de stades de développement, chaque étape requérant un niveau d'habileté et d'acceptation particulier, l'enfant devant à chaque fois accepter des responsabilités et des privilèges nouveaux. Cependant, atteindre l'âge voulu pour franchir une étape n'est pas une garantie qu'un privilège ou une responsabilité sera effectivement octroyé. D'autres conditions sont nécessaires avant que l'on estime l'enfant apte à aborder l'enseignement primaire; il est testé et observé afin de déterminer s'il a les capacités nécessaires pour s'adapter aux tâches généralement enseignées à ce niveau. Ainsi la fille de M. Young, Caroline, n'est pas certaine d'obtenir son permis de conduire à l'âge de seize ans. La maîtrise du volant et des règlements de la circulation seront testés et on lui refusera un permis de conduire tant que ses connaissances ne seront pas suffisantes. Par contre, certains privilèges sont parfois accordés avant que le niveau d'âge requis n'ait été atteint. Un adolescent qui est légèrement au-dessous de l'âge requis, mais qui peut prouver qu'il est capable de bien conduire et qu'il a un besoin impérieux de le faire (par exemple pour raisons familiales) peut recevoir un permis de conduire avant l'âge de seize ans. En conclusion, l'âge demeure le principal critère de compétence développementale dans la psychologie du sens commun, mais d'autres critères sont utilisés pour accommoder les différences individuelles entre les enfants.

La psychologie du sens commun propose donc d'une part, des généralisations qui décrivent l'enfant moyen et, d'autre part, des amendements mineurs s'appliquant aux individus qui s'écartent de la moyenne. Ces conclusions qui reflètent les préjugés d'une société sur le développement de l'enfant se retrouvent dans les coutumes, les règlements et les lois régissant la vie dans les foyers, à l'école et dans la communauté.

Applications pratiques

Si le mot «pratique» est défini comme «quelque chose de fortement lié aux réalités de la vie quotidienne», la théorie du sens commun, de par sa propre nature est vraiment «pratique», car elle résume les hypothèses qui sous-tendent la manière dont les gens interprètent le «comment» et le «pourquoi» du développement de l'enfant dans la vie quotidienne. De plus, si le mot «pratique» est défini comme «quelque chose d'utile dans la solution des problèmes quotidiens», la théorie du sens commun y correspond à nouveau, car elle explique le raisonnement que les gens emploient pour interpréter le comportement de l'enfant. Par exemple, si nous connaissons par la théorie du sens commun le mécanisme de l'interaction qui existe entre la capacité, la difficulté de la tâche et l'effort, nous sommes mieux préparés pour comprendre la structure du raisonnement de parents qui nous expliquent pourquoi leur enfant se développe d'une manière satisfaisante ou non.

Une autre fonction pratique de la théorie du sens commun réside dans sa capacité éventuelle à nous révéler la structure de nos propres considérations inexprimées sur le développement de l'enfant. Nous pouvons ainsi découvrir certaines de nos croyances sous-jacentes, qui, après une analyse soigneuse, peuvent s'avérer exactes ou, au contraire, en contradiction avec les faits et mêmes illogiques. Forts de cette analyse, nous pouvons désormais élaborer une version plus logique de la théorie de l'attribution, version qui embrasserait à la fois notre système personnel de valeurs aussi bien que les faits établis relatifs au développement de l'enfant.

Perspectives de recherche

La psychologie du sens commun a généré des recherches empiriques et théoriques particulièrement dans deux domaines essentiels.

Tout d'abord, le modèle d'analyse unifié par Heider a été amélioré par des psychologues comme Keley (1973, pp. 107-128), Werner (1972, 1974) et Shaver (1975). Leurs études, cependant, ont surtout porté sur la manière dont les gens perçoivent le comportement plutôt que sur les aspects développementaux de celui-ci. Il y a donc au moins deux aspects de la recherche développementale qui attendent encore une réponse dans le cadre de la psychologie naïve. Un premier groupe de questions porte sur les idées suivantes : quels principes de causalité les gens utilisent-ils pour expliquer que tel comportement est représentatif d'un stade de la vie plutôt que d'un autre ? Les gens attribuent-ils le comportement d'un enfant de trois ans, celui d'un jeune de vingt ans, ou encore d'un vieillard de quatre-vingts ans au même groupe de facteurs de causalité ? Si ce n'est pas le cas, pourquoi ?

Le deuxième groupe de questions concerne l'idée d'attribution causale chez des enfants d'âge différents. Par exemple : (1) Quels sont les facteurs que les enfants et les jeunes, à différents stades du développement, utilisent pour expliquer le comportement des gens ? (2) Jusqu'à quel point ces attributions causales sont-elles semblables pour tous les enfants d'un niveau d'âge donné ? (3) Dans quelle mesure les attributions causales des enfants diffèrent-elles d'une culture à l'autre ? (4) Quelles sont les raisons apparentes qui se cachent derrière les ressemblances et les différences dans le comportement attributif des enfants ? Dans une certaine mesure, ces questions ont été étudiées par des chercheurs dans des perspectives différentes de celles de la théorie du sens commun – ainsi, le point de vue théorique proposé par Piaget (1948), qui a analysé les explications de la causalité sociale chez des enfants d'âges différents. Mais, bon nombre de questions dans ce domaine restent sans réponse.

La psychologie naïve ouvre aussi des perspectives de recherche en ceci qu'elle propose des explications sur base desquelles les résultats d'études empiriques peuvent être jugés. Quand les observations du comportement de l'enfant et de son développement ne sont pas aisément interprétables par la psychologie du sens commun, le chercheur peut être incité à élaborer une nouvelle base d'analyse, c'est-à-dire une nouvelle explication théorique qui cadre mieux avec les faits observés.

De plus, un stimulus important à la base de la création de beaucoup, sinon de toutes les théories nouvelles, a été l'écart constaté par les théoriciens entre des phénomènes observés et la manière dont ces faits sont expliqués par le bon sens. Ceci était déjà vrai quand Freud avait reconnu que les symptômes de ses patients n'avaient pas d'explication valable selon la théorie neurologique admise à son époque. La même chose s'est produite quand Piaget a cherché à expliquer, du point de vue du sens commun de l'époque, pourquoi les enfants donnaient certaines réponses fausses aux tests d'intelligence. La théorie du sens commun semble donc avoir joué un rôle important dans l'élaboration de la plupart des questions de recherche. Lorsque des études aboutissent à des résultats déroutants dans le domaine de la psychologie enfantine, les chercheurs proposent des alternatives théoriques pour expliquer ces résultats et poursuivent leurs investigations afin de tester la véracité des nouvelles propositions.

La psychologie naïve : appréciation

Notre appréciation de la théorie du sens commun se fonde sus les neuf critères d'évaluation déjà utilisés. Les explications qui vont suivre justifient les cotations données. Mais, le système d'évaluation du lecteur peut différer de ce qui suit et il peut souhaiter préparer sa propre feuille d'estimation. La logique qui sous-tend cette évaluation peut être plus facile à suivre si nous commençons par le point 5, le degré de cohérence interne de la théorie. Les gens suivent nécessairement une logique pour éduquer les jeunes. Sinon, l'éducation des enfants serait beaucoup plus chaotique qu'elle ne l'est en réalité. Comme Heider l'a lui-même souligné, on peut critiquer la théorie naïve et ses sources de données pour «les nombreuses contradictions qui se trouvent dans cet ensemble de matériel, tels que des proverbes antithétiques ou contradictions dans l'interprétation que fait une personne des événements même les plus simples» (1958, p. 5). On est en droit de se demander quelle est la méthode idéale pour éduquer les enfants. Doit-on se fier aux dictons populaires, tels que : «Un peu d'amour et de tendresse font une longue route» ou «Epargnez le bâton et choyez l'enfant» ? Comment un professeur s'accommode-t-il des contradictions de ses observations quand il note qu'un enfant n'a pas vraiment le talent nécessaire pour faire telle chose, mais qu'il fait tant d'efforts qu'il est capable de se surpasser ? En résumé, la logique substantielle de la théorie naïve l'emporte sur les contradictions apparemment nombreuses et le point 5 est coté dans la partie supérieure du segment «moyennement bon».

Il y a au moins deux manières de considérer le point 2, qui concerne la clarté de la théorie naïve. Il faut rappeler que la psychologie naïve n'est pas la création d'un scientifique. C'est un ensemble de considérations auxquelles les gens se réfèrent pour éduquer leurs enfants. Une première manière d'évaluer la clarté de la théorie est donc de poser la question suivante : les hypothèses issues de la théorie du sens commun au sujet des enfants sont-elles clairement comprises et admises dans une société donnée ? Nous répondrons que le contenu de la psychologie du sens commun n'est pas absolument clair. Les gens, au sein d'une même société, ont des idées différentes sur le développement de l'enfant, et, chez un même individu, il existe des contradictions, comme nous l'avons vu lors de la discussion sur la cohérence interne. Cependant, les gens s'accordent sur bien des aspects de la psychologie naïve qu'ils trouvent clairs et satisfaisants. Si ce n'était pas le cas, nous aurions beaucoup plus de conflits dans la société qu'il n'y en a actuellement.

Tableau 4.1 — La théorie de l'attribution du sens commun

Comment la théorie naïve répond-elle aux critères ?

Les critères	*Très bien*		*Assez bien*		*Très Mal*
1. Reflète le monde réel des enfants		X			
2. Se comprend clairement		X			
3. Explique le développement passé et prévoit l'avenir			X		
4. Facilite l'éducation		X			
5. A une logique interne			X		
6. Est économique			X		
7. Est vérifiable				X	
8. Stimule de nouvelles découvertes	X				
9. Est satisfaisante en elle-même				X	

Une deuxième manière de considérer la question de clarté est illustrée par la question suivante : les psychologues qui étudient la psychologie naïve ont-ils décrit toutes ses caractéristiques ? Heider a fait un grand pas en avant en clarifiant les structures de base du bon sens collectif, et des auteurs comme Baldwin (1967) ont étendu le système général de Heider pour l'adapter à l'enfance. Cependant le modèle est encore loin d'être vraiment clair et de nombreuses questions demeurent sans réponse. Par conséquent, tant du point de vue de la compréhension qu'ont les gens des croyances communes que de celui des travaux des psychologues, nous estimons que la théorie naïve n'est que moyennement claire.

Analysons maintenant le point 1. La théorie naïve décrit-elle le monde de l'enfance et de l'adolescence de manière exacte ? Elle semble le faire dans une large mesure. Comme l'a observé Heider :

> *L'individu ordinaire a une grande et profonde compréhension de lui-même et des autres, connaissance qui, bien que non formelle ou à peine évoquée, lui permet d'interagir avec les autres d'une manière plus ou moins adaptée (...) La connaissance intuitive peut être remarquablement pénétrante et permet de bien progresser dans la compréhension du comportement humain* (1958, p. 2).

Cependant, quelques aspects remarquablement irréalistes figurent malgré tout dans la psychologie du sens commun. L'un des plus évidents parmi ceux-ci est la tendance qu'ont les gens à attribuer le comportement de l'enfant – ou les événements qui se produisent dans le cours de son développement – à une seule cause. Une analyse minutieuse des événements démontre que tout événement résulte de causes multiples, bien que certaines d'entre elles exercent plus d'influence que d'autres.

Nombre d'autres aspects remettent en cause l'exactitude de la description établie par la théorie naïve. Par exemple, de récentes études sur les capacités intellectuelles ont apporté de nombreuses preuves qui contredisent la notion du sens commun selon laquelle les capacités dans un aspect de la vie mentale sont les mêmes pour tous les autres relevant du domaine psychique. C'est pourquoi les psychologues se sont désintéressés des tests généraux qui donnent un quotient d'intelligence global pour se référer plutôt aux tests de facteurs multiples qui proposent des résultats distincts pour chaque type d'aptitude mentale (Guilford 1967; Harris et Harris, 1971). De même, des études ont réfuté le principe qui considère que tous les enfants sont aptes à apprendre à lire quand ils entrent en primaire (Durkin, 1976). Donc, après avoir considéré les points forts et les faiblesses de la psychologie naïve pour ce critère 1, nous lui donnons une cote légèrement supérieure à la moyenne.

Les critères 3 et 4 concernent la psychologie et l'éducation des enfants. Etant donné que cette théorie est mieux adaptée pour expliquer le passé que pour prédire le futur, elle ne peut avoir une grande valeur quant à une influence éventuelle sur l'éducation. Comme l'a souligné Baldwin : «La théorie ne prédit pas bien le comportement futur des enfants, à cause de deux de ses caractéristiques essentielles. Tout d'abord, elle ne spécifie pas toutes les conditions ou causes qui interagissent pour amener un événement ou un aspect du développement. Pour cette raison, si la cause que la théorie identifie n'est pas la plus puissante parmi toutes celles qui opèrent, la prédiction sera alors erronée.»

De plus, la théorie naïve suppose que l'enfant a un *libre-arbitre* qui est en général étudié en psychologie en tant que contraire du *déterminisme*, l'un des concepts de base de la méthode scientifique. L'opposition déterminisme et libre-arbitre est complexe; nous nous limiterons à admettre que le principe de libre-arbitre pose des problèmes au théoricien qui essaie de l'utiliser comme base pour prédire le futur. Quel que soit le nombre de conditions causales identifiées dans la vie de l'enfant, si ce dernier a la liberté de choix, des prédictions exactes sur son développement ou son comportement futur se révèlent impossibles. La valeur de la théorie naïve est donc réduite, en ceci qu'elle n'est pas toujours en mesure d'émettre des suggestions précises sur l'éducation des enfants. Il est, par exemple, difficile pour un éducateur de prévoir comment un enfant interprétera ses actes et comment celui-ci choisira d'y répondre.

Bien que cette théorie contienne beaucoup de vérités populaires qui ont permis à bien des générations d'élever leurs enfants avec succès, elle a aussi ses limites; c'est pourquoi nous ne lui avons donné qu'une cote modérée pour les critères 3 et 4.

L'évaluation du critère 6 est malaisée, la théorie paraissant «trop économique», c'est-à-dire qu'elle propose des explications simplistes de certains aspects du développement qui requerraient des développements beaucoup plus complexes. Par exemple, un grand nombre de recherches actuelles suggèrent que le phénomène de la perception est beaucoup plus complexe que ne le laisse supposer la théorie naïve. En fait, celle-ci néglige la complexité des phénomènes, pour présenter un tableau simplifié à l'extrême de ce qui apparemment a lieu.

Baldwin avance que le bon sens n'est pas suffisant pour expliquer adéquatement les rapports existant entre l'intention d'un individu et ses actes. Cette objection fait intervenir la téléologie. En philosophie traditionnelle, dans une explication *téléologique*, la cause principale d'un événement se trouve dans le futur plutôt que dans le passé ou le présent. Par exemple, un enfant apprend à parler parce qu'il sera ainsi davantage capable de communiquer ses désirs; un adolescent recherche un partenaire, poussé par le besoin de se reproduire et par conséquent, de préserver l'espèce humaine. Cette logique, bien qu'elle puisse apparaître comme raisonnable, n'est pas en conformité avec le principe généralement adopté en sciences naturelles : une cause n'apparaît pas avant son effet. Aussi, pour ceux qui souhaitent qu'une théorie du développement de l'enfant adhère aux principes des sciences physiques et biologiques, l'aspect téléologique de la théorie naïve représente une faille, tout comme la croyance en un libre-arbitre ou encore l'idée de cause ou facteur unique, qui constituent d'autres faiblesses identifiées dans ce modèle.

Il y a naturellement des théoriciens qui avancent que le comportement humain suit – tout au moins dans une certaine mesure – des lois différentes de celles qui gouvernent les événements non humains. Pour ceux-ci, y compris les adeptes de la théorie humaniste (chapitre 16), les causes téléologiques et le libre-arbitre ne sont pas à remettre en cause. Considérons donc que la psychologie naïve simplifie à l'excès certains aspects du développement, violant ainsi certains critères du point 6; c'est pourquoi nous l'avons cotée d'une manière relativement faible.

Certains aspects de la théorie sont testables et non confirmables et d'autres ne le sont pas (point 7). Quoique beaucoup de recherches menées tout au long du siècle dernier sur le développement de l'enfant représentent des efforts louables pour tester la validité de certaines points de vue du sens commun, d'autres éléments importants de la théorie ne s'avèrent ni testables ni vérifiables, leur véracité relevant de l'opinion personnelle ou de la foi. Deux exemples de concepts non vérifiables sont le libre-arbitre et l'idée de causalité téléologique. Ainsi, après avoir comparé ces facteurs positifs et négatifs, nous avons placé le critère à un niveau moyen de l'échelle.

Le résultat le plus élevé a été attribué au critère 8 pour la grande richesse des vues du sens commun et son aptitude à promouvoir de nouvelles découvertes. L'ensemb le des nouvelles théories et recherches empiriques se sont en effet développées parce que les gens n'étaient pas satisfaits par les réponses du sens commun ou en réponse aux attaques dont la théorie du sens commun était l'objet. De plus, le type d'analyse utilisé par Heider et ses disciples pour élaborer la théorie du sens commun a grandement contribué au développement d'un nouveau champ de recherches connu sous le nom de *théories d'attribution* (Lefcourt, 1982; Cooper et Findley, 1983; Weimer, 1986; Gralian et Cong, 1986; Graham, 1991; Huddley, 1991).

Finalement, la théorie naïve est, dans son ensemble, satisfaisante (critère 9). Quoiqu'une grande partie de nos idées pratiques en matière d'éducation soit basée sur des notions de bon sens, dans beaucoup de domaines, ce sens commun ne convient pas pour résoudre les questions que nous nous posons sur le développement de l'enfant et nous laisse dans l'incertitude . Cette insatisfaction, cependant, constitue un stimulus qui peut nous amener à nous intéresser à d'autres théories plus formelles, proposées dans les chapitres suivants.

Troisième partie

Etapes, directions et principes de développement

Certains théoriciens se sont efforcés de classer par caractéristiques les différentes étapes du développement des enfants. Pour ce faire, ils se sont demandés quelles caractéristiques physiques, mentales, sociales ou autres, présentaient les enfants à chacune de ces étapes. D'autres théoriciens, plutôt intéressés par les principes du développement, ont voulu savoir quels généralisations ou principes pourraient décrire au mieux le processus de changement dont les enfants font l'expérience tout au long de leur développement.

Les deux premiers chapitres de la troisième partie présentent donc certaines des théories qui mettent l'accent sur la description des faits importants à différentes étapes du développement. Le troisième chapitre est consacré aux théories qui dépeignent plutôt les directions et principes généraux du développement.

Description des étapes du développement

G. Stanley Hall avec la publication, en 1891, de son livre intitulé *The Contents of Children's Mind on Entering School* (Que se passe-t-il dans l'esprit des enfants en âge d'entrer à l'école ?) fut l'initiateur d'une tradition qui a dominé les recherches américaines sur le développement de l'enfant pendant la première partie du XXe siècle : elle consistait à mesurer et à observer des groupes d'enfants et à présenter les résultats sous forme de moyennes pour différents groupes d'âge. Des études sur diverses caractéristiques de l'enfant, comme la taille, le poids, l'aptitude mentale, l'habilité physique, les habitudes de sommeil, les accès de colère, etc. ont été réalisées dans le monde entier. On les a appelées «investigations normatives» ou «descriptives» et les résultats de ces recherches sont généralement qualifiés de «normes descriptives» ou «normes d'âge». Arnold Gesell, disciple de Hall, est le principal représentant de cette école.

Une seconde approche dans la description des repères caractéristiques du développement est illustrée par la théorie des tâches développementales, qui a vu le jour à l'intérieur même du mouvement d'éducation progressive vers les années 30 et 40. Contrairement à Gesell, les partisans de la théorie des tâches développementales ne se sont pas consacrés à «évaluer» et à «tester» systématiquement les enfants; ils ont plutôt basé leurs recherches sur des observations déjà faites (celles de Gesell, par exemple), sur des investigations anthropologiques et sociologiques, sur des considérations émises par des instituteurs et des professeurs, sur des idées dérivées du sens commun... Gesell s'est consacré à décrire ce que sont les enfants à différents niveaux d'âge alors que Havighurst et les adeptes de la théorie des tâches développementales se sont davantage intéressés à ce que les enfants tentent de réaliser à chacune des étapes de leur développement.

Description des principes généraux de développement

Le troisième volet de cette troisième partie, le chapitre 7, reprend des théories qui décrivent plutôt les directions et les principes de développement. Il est divisé en deux sections. La première présente les travaux de deux Européens, Kurt Lewin et Heinz Werner, qui ont tous deux reçu une formation en «psychologie de la forme» ou gestalt. Considérant l'enfant comme un tout, un organisme intégré, ils ont proposé des schémas de développement et des principes qui seraient applicables à tous les aspects du développement, qu'il soit physique, cognitif, social ou émotionnel.

La deuxième section du chapitre 7 identifie les apports de l'éthologie à l'étude du développement de l'enfant; il s'agit d'une discipline relativement nouvelle, un sous-produit de la théorie de Darwin relative à l'évolution des espèces animales. Le but des éthologistes est de découvrir deux types de principes de croissance : d'une part, ceux qui gouvernent une espèce unique et d'autre part, ceux qui régissent le développement de plusieurs espèces, y compris l'espèce humaine.

Comme la plupart des études éthologiques sont menées sur des animaux, certains s'interrogent sur l'utilité de telles recherches quand il s'agit d'expliquer le développement humain. A cela, R.A. Hinde répond dans *Biological Bases of Human Social Behavior* (Bases biologiques du développement social humain) :

> *Comprendre le comportement humain implique des problèmes infiniment plus difficiles que de faire marcher l'homme sur la lune ou de comprendre la structure de molécules complexes (...) Pour y arriver, nous devons utiliser toutes les sources de données disponibles, y compris l'étude des animaux. Souvent ces études sont valables parce que les animaux ressemblent à l'homme et, d'autres fois, elles sont utiles parce que justement, les animaux sont différents. Elles permettent de faire des expériences simplifiées et isolées ainsi que des études poussées auxquelles on ne pourrait soumettre l'espèce humaine. Ce genre d'études peut aider à comprendre le comportement humain non seulement au moyen de comparaisons factuelles entre l'homme et les animaux, mais encore en nous aidant à affiner les différents concepts et catégories utilisés pour décrire et expliquer le comportement et les structures sociales en général. Cependant, l'utilisation des animaux comporte des dangers : il est facile de faire des généralisations hâtives, de glisser des faits exacts dans de fausses déductions et de choisir des exemples pour satisfaire des préconceptions. Les études sur les animaux doivent donc être utilisées avec circonspection et les limites de leur utilisation, spécifiées* (1974, p. XIII).

5

Les stades de croissance de Gesell

Toute science naturelle se propose d'abord de décrire des phénomènes, puis de classifier les descriptions obtenues. C'est ce à quoi se sont employés, au cours de la première partie du siècle, dans le domaine du développement de l'enfant, Arnold Gesell et ses collègues de l'Ecole de Médecine de l'Université de Yale et de l'Institut Gesell dans le Connectitut. L'œuvre de Gesell et les travaux de l'Institut rassemblent des données normatives sur le développement des enfants et fournissent des renseignements précieux pour leur éducation.

La première publication de ce type remonte à 1912, mais certains résultats des recherches effectuées par Gesell et ses adeptes, condensés sous forme de guides pratiques d'éducation, ont toujours une influence notoire, notamment auprès des parents et enseignants. Les ouvrages les plus célèbres sont *The Child from Five to Ten* (L'enfant de cinq à dix ans) qui présente l'interprétation des membres de l'Institut Gesell sur le développement de l'enfant et *Your Four Year Old* (Votre enfant de quatre ans), publié en 1976, mais qui en était à sa 17e réimpression à la fin des années 80. Enfin, un livre récent, *Your Eight Year old* (Votre enfant de huit ans), paru en 1990 et écrit par Ames et Haber, tous deux disciples de Gesell, souligne l'influence qu'exercent encore les travaux de ce dernier dans le domaine de la psychologie de l'enfant.

Gesell est né en 1880 dans le Wisconsin où il fit ses études avant d'obtenir en 1906 un doctorat en psychologie à l'Université de Clark dans le Massachusetts. Il fut nommé professeur d'éducation à l'Université de Yale en 1911, en même temps qu'il fondait sa *Clinique de Développement de l'Enfant* qu'il dirigea pendant plus de 37 ans. Il obtint un diplôme de docteur en médecine en 1915 et sa clinique fut alors annexée à la faculté de Médecine de l'Université de Yale. Après qu'il eût pris sa retraite, plusieurs de ses collègues fondèrent un institut privé près de Yale, à New Haven, qu'ils appelèrent «L'Institut Gesell de Développement de l'Enfant» où Gesell lui-même fut consultant entre 1950 et 1958. Après sa mort en 1961, les travaux de recherche se sont poursuivis dans l'institut qui portait son nom.

Tout au long de sa carrière, Gesell a travaillé à découvrir les changements observables dans la croissance et le comportement de l'enfant, de la naissance à l'adolescence. Bien qu'il se soit surtout intéressé au développement après la naissance, il a mené également des recherches sur la croissance pré-natale. Les quelques ouvrages dont il est l'auteur suggèrent la diversité de ses intérêts : *The Normal Child and Primary Education* (L'enfant normal et l'éducation primaire) (1912); *Guidance of Mental Growth in Infant and Child* (Conseils pour la croissance mentale des nourrissons et des bébés) (1930); *An Atlas of Infant Behavior* (Atlas sur le comportement du nourrisson) (1934); *The Embryology of Behavior* (L'embryologie du comportement) (1945); *The Child from five to ten* (L'enfant de cinq à dix ans) (1946); *Youth: The Years from 10 to 16* (La jeunesse : les années de dix ans à seize ans) (1956).

En passant en revue les thèmes qui ont dominé les investigations de Gesell, nous considérerons tour à tour : 1) les différents aspects du développement qui ont fait l'objet de son étude, 2) la primauté des déterminants génétiques, 3) les cycles du comportement, 4) ses conceptions sur les différences individuelles. De plus, nous étudierons les implications méthodologiques de ces travaux et, comme nous l'avons fait dans les autres chapitres, nous présenterons des applications pratiques et perspectives de recherche découlant de la théorie, ainsi qu'une évaluation critique du modèle.

Aspects du développement

Les travaux de recherche de Gesell et de ses collègues ont été effectués principalement sur un échantillonnage d'une cinquantaine d'enfants examinés à la clinique de Nouvelle-Angleterre. Les caractéristiques importantes du groupe n'ont été définies qu'en des termes très vagues, tels que : «Les enfants d'âge préscolaire étaient en général d'intelligence supérieure à la moyenne ou les parents de tous ces enfants nous ont assistés avec un haut degré de coopération» (Gesell et Ilg, 1949, p. xx). Le nombre de sujets étudiés n'a pas été spécifié dans des volumes clés comme, par exemple, *Child Development* (Le développement de l'enfant) (1949) mais, par la suite, on a appris que :

> *La plupart de ces enfants étaient d'intelligence supérieure à la moyenne et venaient de foyers jouissant d'un niveau économique plutôt élevé (...) Un groupe spécial de quatorze enfants (...) fut examiné à intervalles de six mois de l'âge de six ans à neuf ans* (Gesell, Ilg, Ames, et Bullis, 1977, p. XIV).

Les résultats rapportés dans *Child Development* (Le développement de l'enfant) étaient basés non seulement sur les études des enfants de Nouvelle-Angleterre, mais encore sur les données établies à partir «d'un groupe spécial d'enfants suédois (...) étudiés par le Dr. Ilg entre 1936 et 1937 alors qu'elle était en résidence à Stockholm» (Gesell et Ilg, 1949, p. xx). D'autres publications de l'Institut Gesell font occasionnellement mention de divers groupes d'enfants, mais peu d'informations sont fournies sur le nombre exact de ceux-ci, sur leur âge et leur milieu culturel.

Pour réaliser ces études, Gesell et son équipe ont mis au point un ensemble de tests, de techniques d'observation et de mesures, qui leur permettaient de décrire avec précision les caractéristiques de l'enfant dans un grand nombre de domaines de croissance. L'équipe de recherches a recueilli ces données sur base de l'observation des enfants principalement à la clinique, mais a aussi interviewé leurs parents pour se renseigner sur leur comportement à la maison. Ces informations ont permis à l'équipe de décrire les stades de croissance de l'enfant typique pour chacun des niveaux d'âge. L'ensemble des aspects développementaux pour lesquels Gesell a identifié des traits de maturité ou *stade de croissance* ont été classés ici en dix catégories génériques se subdivisant en sous-catégories (Gesell et Ilg 1949, p. 69; Gesell, Ilg, Ames et Bullis, 1977, p. 58).

1. Caractéristiques motrices
   a. activité du corps
   b. yeux et mains
2. Hygiène personnelle
   a. nourriture
   b. sommeil
   c. élimination
   d. toilette et habillement
   e. santé et problèmes somatiques
   f. libération des tensions
3. Expression émotionnelle
   a. attitudes affectives
   b. pleurs et comportements du même type
   c. affirmation et colère
4. Peurs et rêves

5. Moi et sexe
6. Relations interpersonnelles
   a. mère-enfant et père-enfant
   b. enfant-enfant
   c. grands-parents
   d. famille
   e. organisation des jeux
   f. manières
7. Jeux et passe-temps
   a. intérêts généraux
   b. lecture
   c. musique, radio, télévision et cinéma
8. Vie scolaire
   a. ajustement à l'école
   b. comportement scolaire
   c. lecture
   d. écriture
   e. arithmétique
9. Sens éthique
   a. sens du blâme et des excuses
   b. réponses aux instructions, aux punitions et aux récompenses
   c. attitude face à la raison
   d. sentiment du bien et du mal
   e. sens de la vérité et de la propriété
10. Perspective philosophique
   a. temps
   b. espace
   c. langage et pensée
   d. guerre
   e. mort
   f. divinité

Un examen rapide de cette énumération révèle que Gesell a choisi de présenter plusieurs facettes du développement de l'enfant plutôt que de s'en tenir à l'un ou l'autre seulement. Et le fait que les aspects de croissance étudiés soient d'un intérêt quotidien pour les parents et les professeurs permet d'expliquer la popularité des ouvrages de Gesell vers les années 50. Quand une mère s'inquiétait de savoir dans quelle mesure un comportement particulier de son enfant était typique ou «normal», elle pouvait consulter les manuels de Gesell et y trouver une réponse. La rédaction même des ouvrages les plus populaires de Gesell a été adaptée à un public de parents : par exemple, ces volumes ne présentent pas de tableaux statistiques, montrant les fréquences de certains comportements ou le nombre d'enfants au-dessus ou en-dessous de la moyenne pour un niveau donné. Gesell et ses collaborateurs ont, au contraire, «digéré» les statistiques et les ont transformées en des énoncés spécifiques décrivant comment est l'enfant à un âge donné. Pour illustrer notre propos, nous reproduirons ici la description type d'un aspect du comportement, à savoir la peur chez les enfants, de cinq et six ans, présentée par deux des plus proches collaborateurs de Gesell, Francès Ilg et Louise Bates Ames.

5 ans – Age auquel on est peu sujet à la peur. Peurs davantage visuelles que d'un autre type. Peur moins forte des animaux, des «mauvaises» personnes, des croque-mitaines et des épouvantails. Peurs concrètes, peur de choses réelles : souffrance physique, chute, chiens. Peur du noir. Peur que la mère ne revienne plus.

6 ans – Age auquel on est facilement effrayé. Spécialement peurs auditives : sonnerie, téléphone, attitude, ton de voix peu agréable, bruit de chasse d'eau, bruits d'insectes et d'oiseaux. Peur que quelqu'un soit caché sous le lit. Peur des éléments : feu, eau, tonnerre, éclair. Peur de dormir seul dans une chambre ou d'être seul à l'étage d'une maison (1955, pp. 172-173).

Par conséquent, les livres issus de la clinique de Gesell consistaient pour une grande part en «traits types et tendances de croissance pour chaque âge (...) résumés dans un profil de comportement» (Gesell et Ilg, 1949, p. 2).

Nous pensons cependant que l'Institut Gesell a souvent tendance à présumer que certains traits du développement sont caractéristiques d'un âge spécifique et qu'ils sont absents aux autres âges. Par exemple, on nous dit que les enfants ont très peu le sens de l'humour à l'âge de sept ans, mais qu'ils rient beaucoup à huit ans... (Gesell, Ilg, Ames et Bullis, 1977). Des observations, même fortuites, nous révèlent l'absurdité de telles généralisations. Pour obtenir la production de descriptions normatives précises, il est important de préciser : 1) les différentes définitions possibles du terme *humour*, avec des exemples illustratifs, 2) les dispositions environnementales dans lesquelles on retrouve chaque type d'humour et 3) le pourcentage des différents types d'humour retrouvé à chaque niveau d'âge. Contrairement aux travaux du groupe de Gesell, d'autres chercheurs, sans toutefois ignorer quelques généralisations possibles, ont noté que différents types d'humour pouvaient se manifester à tous les âges (Chapman et Foot, 1976; Pepler et Rubin, 1982; Vawkey et Pellegrino, 1984).

De plus, Gesell et ses collaborateurs ont exprimé trois idées importantes qui retiendront plus particulièrement notre attention : (1) le développement est avant tout un produit des facteurs génétiques, (2) de bonnes et de mauvaises années alternent systématiquement au cours de la croissance de l'enfant et (3) il existe une corrélation évidente entre le type physique de l'enfant et sa personnalité.

La primauté des déterminants génétiques

Dans la controverse entre *l'hérédité et l'environnement*, Gesell apparaît nettement comme un pré-déterministe. Selon lui, les changements dans la structure du comportement chez les enfants sont principalement le résultat de leur héritage génétique. Les gènes établissent un programme en fonction duquel les caractéristiques de l'enfant émergent au cours des vingt premières années de la vie. Par conséquent, les environnements physiques et sociaux ont très peu d'effets sur ces caractéristiques.

Pour affirmer cette croyance en la primauté de la détermination génétique, il n'est pas surprenant que Gesell et son équipe se soient donné comme objectif de classifier les caractéristiques physiques et mentales pour chaque niveau d'âge. Cette description informe les parents, les professeurs, les pédiatres sur les diverses caractéristiques dont ils peuvent observer l'apparition tout au long du processus de croissance chez les enfants et les adolescents.

Toujours en accord avec ces principes, les directeurs de l'Institut Gesell écrivaient en 1981 :

> *A l'époque où nous avions publié la première édition de ce livre (1955), de nombreux psychologues blâmaient encore les parents pour les comportements indésirables [de leur enfants] (...) [Maintenant] le plupart des spécialistes de l'enfant et les cliniques du comportement n'associent plus le blâme "aux facteurs émotionnels présents dans le foyer" (...) [Ceux-ci] basent de plus en plus leur interprétation du comportement sur les composantes biologiques. Nous pensons qu'une connaissance poussée du corps humain et de son fonctionnement augmentera le compréhension du rôle joué par les facteurs biologiques, davantage responsables des comportements que les parents et autres influences du milieu. Ainsi on pourra non seulement comprendre ces comportements pour mieux leur faire face mais encore, on sera en mesure d'en prévenir d'autres* (Ilg, Ames et Baker, 1981, pp. VII-VIII).

Cycles de comportement

L'école de Gesell qualifie chaque nouvelle année de développement de positive ou de négative. Elle a proposé que les phases positives et négatives apparaissent en cycles récurrents, qui sont essentiellement les mêmes pour tous ou du moins pour à peu près tous les enfants. Le terme «stade d'équilibre» s'applique à n'importe quelle année durant laquelle l'enfant semble bien ajusté ou bien équilibré, en lui-même et par rapport aux autres personnes de son univers. Le terme «stade de déséquilibre» est donné aux années durant lesquelles l'enfant est malheureux et mal dans sa peau, et en état d'opposition envers son environnement physique et social. Ilg et Ames ont avancé que ces cycles représentent une «alternance de stades d'équilibre et de déséquilibre» (1955, p. 91). Dans l'introduction de leur ouvrage de 1977 (p. XI), Gesell et ses collaborateurs ont affirmé «avoir défini les plus importants cycles du développement qui apparaissent de deux à cinq et de dix à seize ans, et dans chacun de ces cas, avoir observé la même séquence alternée de stades d'équilibre et de déséquilibre».

Comme l'indique le tableau 5.1, le premier cycle d'alternance entre «âges équilibrés» et «âges déséquilibrés» commence à deux ans et finit à cinq ans. Le second cycle dure de cinq ans à dix ans. Alors, commence un dernier cycle qui continue jusqu'à seize ans.

Puisque le groupe de Gesell considérait les caractéristiques de ces bonnes et mauvaises années comme résultant de facteurs de maturation interne, il était conseillé aux parents et aux professeurs qui étaient confrontés à ce problème d'être patients et d'attendre. Cette école n'a proposé ni la thérapie que les freudiens auraient pu suggérer ni l'intervention comportementale que les behavioristes recommanderaient en pareilles circonstances. «Nous pouvons essayer d'adoucir les stades difficiles d'un enfant... Mais, si nous pouvons accepter ces extrêmes... comme une étape nécessaire de la croissance, et ne pas blâmer les autres (professeur, parent, voisin, ou l'enfant lui-même), alors nous regarderons les choses avec réalisme» (Ilg et Ames, 1955, p. 17).

Différences individuelles

Dans un système comme celui de Gesell, qui dépeint les enfants à un âge donné comme étant semblables les uns aux autres, la question des différences individuelles entre pairs doit être soulevée. Conscients de l'existence d'exceptions à leur description des caractéristiques types, Gesell et ses collègues ont émis quelques réserves, telles que celles-ci :

> *L'existence de variations importantes est reconnue à chaque étape* (Gesell et Ilg, 1949, pp. 1-2).
>
> *N'importe quelle description basée sur le niveau d'âge, telle que celle que nous venons de vous donner est une simplification à outrance* (Ilg et Ames, 1955, pp. 22-23).
>
> *Quand nous décrivons le comportement caractéristique à un âge donné, nous ne voulons pas dire pour autant que tous les enfants de cet âge se comporteront exactement de cette manière tout le temps. En fait, certains se comportent très rarement de cette manière* (Ilg, Ames et Baker, 1981, p. 15).

Cependant, une allusion plus spécifique aux déviances par rapport à ces modèles est rare dans leurs écrits, particulièrement ceux d'avant 1950. Mais, dans les ouvrages plus récents (Ilg et Ames, 1955) et particulièrement dans leurs derniers volumes (Ames et Baker, 1981; Ames et Haber, 1990), les disciples de Gesell ont accordé un peu plus d'importance aux différences individuelles en décrivant d'abord les traits types et en représentant ensuite deux ou trois catégories différentes qui constitueraient des déviations ou des variations par rapport aux caractéristiques générales. De plus, les auteurs ont émis des suggestions quant à l'aide que l'on peut apporter à la personne déviante. Le texte suivant décrit le comportement face à la nourriture :

> *Certains enfants vivent pour manger. Ils sont souvent ronds et gras. Ils ont en réalité un problème d'alimentation. Il y en a d'autres qui, par contre, ne pensent presque jamais à manger. Il sont petits, fragiles, souvent chétifs. La faim chez ces derniers est en général aiguë et passagère. Ils se portent mieux s'ils mangent de petits repas fréquents, jusqu'à cinq ou six par jou (...) Ils gagnent du poids très lentement, mais sont actifs et en bonne santé, en meilleure santé souvent que les enfants plus forts et d'apparence robuste* (Ilg et Ames, 1955, p. 91).

Ce passage illustre trois caractéristiques particulières aux publications émanant de l'Institut Gesell. Premièrement, les différences entre les

Tableau 5.1 — Alternance des stades d'équilibre et de déséquilibre

Stades du comportement de l'enfant				
Premier cycle	*Second cycle*	*Troisième cycle*		
Ages	*Ages*	*Ages*	*Tendances personnelles générales*	*Qualités de l'âge*
2	5	10	égal, équilibré	meilleur
2,5	5,5-6	11	en rupture	pire
3	6,5	12	égal, équilibré	meilleur
3,5	7	13	renfermé	pire
4	8	14	vigoureux, expansif	meilleur
4,5	9	15	renfermé, extériorisé trouble "névrotique"	pire
5	10	16	égal, équilibré	meilleur

Tableau adapté de Ilg et Ames, 1955, p. 22.

enfants d'un même âge sont cataloguées en deux ou trois catégories. Dans ce cas, les types «grassouillet» et «chétif» sont les déviations admises. On peut en déduire que les enfants échouent dans l'un des deux groupes *déviants* s'ils n'appartiennent pas à la catégorie normale. Deuxièmement, on ne trouve pas de référence aux facteurs environnementaux qui pourraient avoir contribué à rattacher l'enfant à l'un de ces types plutôt qu'à un autre, ce qui implique que c'est la seule structure génétique qui est à l'origine de cette caractéristique. Troisièmement, les suggestions émises pour aider les enfants dont le type dévie de la moyenne ne dérivent pas des principes inhérents à la théorie de Gesell. Ces recommandations relèvent plutôt du sens commun ou encore proviennent d'études et de théories d'autres chercheurs dans le domaine du comportement de l'enfant.

Considérant le rôle dominant que le groupe de Gesell a assigné à l'hérédité, il est aisé de comprendre pourquoi ces chercheurs se sont tournés vers la théorie de William Sheldon, populaire pendant les années 40, pour expliquer les différences de personnalité entre les enfants. Les travaux de Sheldon n'ont cependant jamais été considérés par la plupart des psychologues comme un modèle explicatif valable du développement de l'enfant.

Selon la théorie des «somatotypes» de Sheldon, il y a des catégories corporelles fondamentales chez l'homme ou tout au moins trois types de tendances physiques. Ces catégories sont appelées l'endomorphie, la mésomorphie et l'ectomorphie (Sheldon, 1940, 1942).

> *La personne qui est de prédominance* endomorphe *a tendance à être grasse, molle et ronde. Sheldon associe à ce type de construction morphologique un type de personnalité qui a tendance à aimer le confort et la détente, la nourriture et la compagnie des autres et aussi l'affection.*
>
> *Le* mésormorphe *a de gros os et des muscles développés. Il aime les activités physiques vigoureuses, est péremptoire et souhaite dominer les autres dans des situations sociales.*
>
> *L'*ectomorphe *est mince, fragile, peu musclé. Cette personnalité est renfermée, inhibée, hypersensible et cherche à se cacher. Elle fuit les contacts sociaux.*

Bien que Sheldon reconnaisse que peu de personnes correspondent parfaitement à l'un ou l'autre de ces types, il pense que chacun tend à s'en rapprocher. Ilg et Ames, souscrivant à la position de Sheldon, ont stipulé que les différences individuelles de personnalité à chacun des niveaux d'âge peuvent être mises sur le compte de la structure corporelle, elle-même déterminée par les gènes :

Que nous approchions la compréhension d'un individu en étudiant la manière dont il est bâti physiquement ou en observant son comportement, nous arrivons à la conclusion que les différences individuelles sont innées (...) Il faut accepter le fait (...) que celui qui est replet, endomorphe sera joyeux, sociable, détendu et aura peu de désir de rentrer en compétition ou de dominer (Ilg, Ames et Baker, 1981, p. 68).

Cependant, ces auteurs ont prévu une place pour l'influence de l'environnement. Déjà en 1955, deux d'entre eux écrivaient : «Tout ceci ne veut pas dire que le comportement humain soit entièrement déterminé par les facteurs héréditaires. Mais cela veut dire que la structure du corps fournit la matière brute à partir de laquelle la personnalité est formée» (Ilg et Ames, p. 55). Néanmoins, en dépit de cette mention des facteurs de l'environnement, le thème dominant dans les travaux de l'Institut Gesell demeure le fait que le facteur prépondérant de développement est le programme de maturation pré-établi, tant pour l'individu moyen que pour ceux qui dévient de la normale.

Applications pratiques

Les travaux de Gesell ont été précieux pour leur valeur pragmatique en ce sens qu'ils ont fourni pour nombre d'aspects des critères de comparaison pour le développement de l'enfant. La popularité des données normatives de Gesell démontre l'utilité de telles études. Par exemple, aux Etats-Unis, les méthodes d'évaluation du niveau développemental des bébés susceptibles d'être adoptés et des enfants pour lesquels on a fait une demande d'admission au jardin d'enfants continuent à se baser sur des critères établis par Gesell et ses adeptes.

Cependant, certains se sont plaints que, trop souvent, les critères normatifs sont appliqués aux enfants d'une manière naïve et hâtive. Les critiques ont fait remarquer que, quand des chercheurs publient seulement «la moyenne» pour différents âges donnés, s'appliquant à des caractéristiques comme la taille, l'intelligence ou le comportement social, ceux qui utilisent ces normes risquent de croire que leur enfant doit se trouver exactement à «la moyenne» pour être «normal». Le danger vient de trois facteurs : (1) le manque de données sur les écarts possibles par rapport à la normale, (2) le manque d'information concernant la manière dont la caractéristique mesurée se compare avec d'autres caractéristiques et (3) le fait d'assimiler *moyenne* avec *développement désirable* et, par conséquent, le fait d'inférer que toute déviation par rapport à la moyenne est indésirable. L'analyse de ces facteurs propose une démarche qui permettrait d'utiliser des données normatives tout en évitant ce danger.

Déviation par rapport à la moyenne

Un problème se pose quand on ne connaît que les moyennes car seuls un petit nombre d'enfants atteignent des scores identiques à ceux qui caractérisent *la moyenne* : la plupart d'entre eux se trouvent, soit au-dessus, soit au-dessous de celle-ci. Par conséquent, pour interpréter le score d'un enfant en particulier, il nous faut savoir où la majorité des enfants se situe par rapport à une caractéristique donnée. Par exemple, si un garçon de huit ans reçoit un total de 96 pour son test d'aptitude verbale et si nous savons que la moyenne pour cet âge est de 100, nous sommes mieux équipés pour interpréter la signification du score du garçon si nous connaissons la marge (supérieure ou inférieure) qui existe entre le score des autres enfants du même âge et la moyenne de 100. Si nous apprenons que seulement 15 % de l'échantillonnage ont un score inférieur à 96 (ce qui ferait que 85 % des enfants auraient un score supérieur à l'enfant en question), nos conclusions seront différentes que si, au contraire, nous découvrons que 43 % des enfants ont un score égal ou inférieur à 96 (ce qui ferait que seulement 57 % auraient un score plus élevé que celui de l'enfant en question). Dans le premier cas, notre enfant est bien au-dessous de la moyenne tandis que dans le second, il est juste au niveau de celle-ci.

Par conséquent, connaître la marge existant entre la moyenne et le score de la majorité des enfants nous aide à juger du développement particulier d'un enfant donné.

Rapports entre les caractéristiques

Un second type de données normatives qui peut se révéler utile est le rapport existant entre certaines variables. Par exemple, pour comparer le poids d'une fillette à celui d'autres fillettes du même âge, il est non seulement important de connaître le poids dit «normal», mais encore de pouvoir établir un rapport entre le poids de cette fillette, sa taille et son type squelettique. Une fillette qui est plus grande que la moyenne et qui a une structure osseuse plus solide que les autres peut raisonnablement être plus forte que ses camarades du même âge.

Par conséquent, les données normatives présentées sous une forme qui permet d'établir une comparaison entre variables offrent une meilleure base pour évaluer la croissance de l'enfant que les données qui ne font intervenir que des variables isolées.

Développements «normal» et «désirable»

Cependant, connaître l'écart d'un groupe par rapport à la moyenne et savoir quels sont les rapports existants entre différentes variables ne révèlent pas dans quelle mesure le développement d'un enfant particulier est satisfaisant. Un enfant qui est *anormal,* en ce sens qu'il dévie de la moyenne, ne se développe pas nécessairement d'une manière indésirable. Avant tout, il est utile de revoir la définition du terme *désirable* en fonction de l'environnement familial et culturel de l'individu. Par exemple, en Amérique du Nord et dans la majeure partie de l'Europe et du Japon, les parents accueillent très favorablement les comportements précoces au niveau de la marche, du langage, de la lecture, de l'arithmétique et de la disposition à jouer d'un instrument de musique. Clairement, être *déviant* (c'est-à-dire évidemment au-dessus de la moyenne) pour de telles caractéristiques est considéré comme *désirable.* Par contre, la précocité sexuelle n'est pas considérée comme désirable dans ces mêmes cultures et un enfant moyen et même au-dessous de la moyenne pour ce qui a trait aux activités sexuelles est jugé favorablement.

Il est aussi intéressant de noter que ces normes ne sont pas universelles. Par exemple, dans certaines cultures traditionnelles du Pacifique, la précocité intellectuelle n'est pas bien considérée. Un enfant qui fait montre d'une intelligence normale est mieux accepté qu'un autre qui semble en avance sur son groupe d'âge (Thomas, 1988). De même, la précocité sexuelle est mieux acceptée dans certaines cultures et sociétés que dans d'autres (Staples, 1991).

En résumé, nous suggérons que les normes descriptives basées sur un échantillonnage très large d'enfants à différents niveaux d'âge peuvent donner des indices valables aux parents, professeurs ou médecins sur la manière dont le développement d'un enfant particulier peut être comparé à celui d'autres enfants. Mais les normes en elles-mêmes ne révèlent pas dans quelle mesure le schéma de croissance d'un enfant doit être souhaité ou évité. Pour évaluer un tel schéma, il faut connaître la signification du *développement désirable* tel qu'il est compris par les parents de l'enfant ainsi que par la société dans laquelle il évolue.

Implications méthodologiques

Avant d'en venir aux perspectives de recherche et à l'évaluation du modèle, nous présenterons ici quelques implications que l'on peut tirer des méthodes utilisées pour recueillir les données normatives.

Un énoncé normatif décrit dans quelle mesure une caractéristique particulière s'applique à un groupe spécifique ou à un classement de personnes. Exemple 1 : la taille moyenne des garçons américains à l'âge de cinq ans correspond à 1 mètre 10. Exemple 2 : pendant les années 80 aux Etats-Unis, les adolescentes ont donné naissance à près de la moitié des enfants illégitimes (Romig et Thompson, 1988, p. 134). Nous essayerons de découvrir quelles sont les catégories de variables qui interviennent dans ce type de recherches.

Variables complexes

La catégorie essentielle pour la mise au point de données normatives est l'âge chronologique. Cependant, l'âge en lui-même n'est pas une source de changements développementaux, mais plutôt une mesure corrélative aux «vraies» causes qui peuvent être plus difficiles à observer et à décrire, telles que des changements hormonaux ou structurels dans le corps de l'enfant, ou qu'une maturation sur le plan cognitif. En réalité, l'âge est un indicateur commode, même s'il est parfois imprécis.

Une classification peut aussi être définie non seulement par une caractéristique comme l'âge ou le sexe, mais encore par une combinaison de caractéristiques, par exemple : l'âge, le sexe et le statut ethnique (un garçon polynésien âgé de seize ans); le sexe, une caractéristique développementale, l'époque et la nationalité : «Dans les années 70, chez les jeunes filles américaines, la première menstruation non pathologique apparaît entre neuf et seize ans» (Bullough, 1981).

Il est important de faire attention aux classifications sur lesquelles les donnés normatives sont basées afin de déterminer si l'on peut appliquer des données normatives à l'individu ou au groupe avec qui l'on travaille. En d'autres termes, il faut s'assurer que l'échantillonnage est convenable ou adéquat. On doit vérifier que l'enfant à qui l'on veut appliquer des données normatives est «semblable» aux enfants de l'échantillonnage initial. Ici, le mot «semblable» signifie que plusieurs des spécificités du groupe sur lequel les observations ont été faites doivent se retrouver chez l'enfant que l'on désire évaluer. Pour illustrer ce propos, considérons l'exemple du développement du langage. Nous postulons que la classe sociale, le langage parlé en famille et l'intelligence des enfants influencent leur syntaxe et leur vocabulaire. Aussi, pour évaluer un enfant, recueillerons-nous des données de classes complexes (son âge, le langage parlé en famille, son statut social, ses résultats à des tests d'intelligence). Ces renseignements nous aideront à estimer à quel point les caractéristiques de l'enfant correspondent à celles du groupe normatif.

La norme comme moyenne ou pourcentage

Les renseignements normatifs et descriptifs sont reportés le plus souvent sous forme de : 1) moyenne d'une caractéristique retrouvée chez un groupe d'enfants ou 2) proportion d'enfants qui, dans la classification, présentent cette caractéristique. Ordinairement, la tendance centrale d'un groupe s'exprime en *moyenne arithmétique.*

Le degré de variabilité

La reconnaissance de la variabilité dans le groupe est souvent aussi importante que la reconnaissance de la moyenne. La variabilité exprime typiquement dans quelle mesure les individus du groupe s'écartent de la moyenne. La statistique la plus utilisée à cet effet est la *déviation standard.* L'*intervalle* entre deux pourcentages (par exemple, entre 60 % et 90 %) peut indiquer si le groupement est étendu ou concentré.

Les prédictions dérivées des données normatives

Les renseignements normatifs sont d'ordinaire utilisés pour prévoir à quel point un individu appartenant à une classe donnée pourra présenter une caractéristique particulière. Les généralisations ci-dessous peuvent nous guider dans ces prédictions :

1. *La proportion d'une classe répondant à un critère donné.* Plus grande est la proportion d'enfants qui correspondent à un critère donné, plus sûrement nous pouvons prédire qu'un individu de cette classe répond lui aussi à ce même critère. Par exemple, 90 % des adolescentes qui sont enceintes avant un âge donné continuent d'habiter avec leurs parents (Furstenburg, 1981). Ainsi, on pourra prédire, avec plus ou moins d'assurance, que telle jeune fille enceinte, même si elle nous est inconnue, habite encore chez ses parents.

2. *La précision des énoncés normatifs.* Tout énoncé normatif nous donne des renseignements quantitatifs sur un aspect, mais ces énoncés varient en précision. Les moins précis s'expriment souvent sous la forme adjectivale (beaucoup de, peu de, la plupart de, nombreux, etc.), adverbiale (parfois, typiquement, indûment, souvent, etc.) ou nominale (la majorité de, bon nombre de, etc.). On recourt régulièrement à l'usage de termes non numériques quand il n'est pas sûr que les données peuvent s'appliquer à d'autres enfants de même âge, genre, origine ethnique, etc. Alors, des mots tels que *fréquemment* ou *parfois* font office de précaution oratoire. Or, les descriptions normatives sont plus utiles lorsqu'elles se présentent sous une forme précise et numérique. Ce manque de rigueur

dans les résultats du groupe de Gesell diminue la valeur de leurs recherches.

Les études de Gesell décrites dans ce chapitre souffrent de ce que les chercheurs n'ont pas suffisamment isolé les variables significatives que présentaient les enfants des divers échantillonnages. De plus, ils n'ont pas averti les lecteurs du fait que ces conclusions sont applicables seulement à des enfants «comparables», c'est-à-dire à ceux dont les conditions de départ (sociales, personnelles, intellectuelles, etc.), sont similaires à celles des enfants de l'échantillon considéré. Les chercheurs de l'Institut Gesell ont donc erronément conclu que leurs résultats s'appliquent à tous les enfants quelle que soit leur origine.

Perspectives de recherche

Fréquemment, les recherches suscitées par le travail d'un théoricien naissent de critiques qui soulignent que les données recueillies par ce chercheur pour appuyer ses conclusions sont incomplètes ou erronées. Ainsi certains reproches faits à la théorie de Gesell semblent avoir généré des recherches complémentaires sur la question du développement de l'enfant. Les trois reproches suivants illustrent notre propos : (1) Gesell a tiré des généralisations sur la base d'un échantillonnage très limité d'enfants, (2) il a minimisé le problème des différences individuelles entre enfants du même âge et (3) il a préféré classer les enfants en quelques catégories sur la base d'une ou deux variables plutôt que de considérer l'ensemble des variables qui constituent les attributs d'un enfant donné. Considérons à présent les recherches qui se sont développées à partir de telles critiques.

La question principale inhérente au problème d'échantillonnage consistait à savoir dans quelle mesure des données résultant d'études faites sur des enfants de cultures et de groupes ethniques autres que ceux de New Haven, Connecticut, seraient les mêmes que celles rapportées par Gesell. Pour répondre à cette question, il suffisait de mener des études similaires avec d'autres enfants appartenant à d'autres milieux en utilisant des techniques de recherche identiques, alors même que la population serait différente. Les résultats de ces recherches ont été comparés pour établir dans quelle mesure des groupes d'enfants du même âge, mais de milieux différents sont, en moyenne, semblables ou différents les uns des autres. D'autres investigations de ce genre sont en cours ou en préparation.

On peut encore reprocher à Gesell d'avoir négligé les différences individuelles en concentrant son attention presqu'exclusivement sur l'enfant moyen. Des recherches complémentaires ont été entreprises au cours de ces vingt dernières années afin de déterminer la manière dont les enfants s'écartent de la moyenne. Les chercheurs ont systématiquement examiné la nature et l'importance de ces différences. Dès que celles-ci étaient reconnues, elles ont fait l'objet d'une nouvelle étude, en vue d'expliquer les causes de leur apparition, de découvrir pourquoi certains enfants ont des scores inférieurs ou supérieurs à la moyenne.

La dernière critique que nous pourrions émettre à propos des travaux de Geselll et de ses collègues concerne leur classement des enfants en catégories, sur base d'une ou deux caractéristiques, classement qui sous-entendait que les enfants d'une même catégorie avaient essentiellement un même type de personnalité. Par exemple, l'ensemble des enfants maigres et frêles avaient, d'après ce modèle, une même personnalité, contrastant avec le type de personnalité des enfants forts et costauds. Répartir ainsi les enfants en catégories revient à simplifier les choses à l'extrême en faisant fi de la diversité du comportement journalier et du développement des enfants en général. Il faut poursuivre la recherche, pour élaborer des moyens de combiner les évaluations de diverses caractéristiques, afin d'obtenir un tableau plus sophistiqué et par là plus représentatif d'un enfant donné par rapport à d'autres. Comprendre le tableau complexe des attributs de l'enfant individuel est particulièrement important pour les parents, les éducateurs, les pédiatres, les animateurs qui voudraient éviter de traiter tous les enfants indifféremment et qui souhaiteraient adapter leur attitude aux besoins particuliers de chacun d'eux. Le souci de ne pas classer les enfants par catégories a amené les chercheurs à adopter des techniques statistiques comme, par exemple, les études qui déterminent dans quelle mesure un aspect du développement de l'enfant est en corrélation avec un autre aspect de croissance. Les progrès de l'informatique ont rendu possible une évaluation rapide et exacte qui rende compte des rapports entre ces multiples mesures de divers aspects spécifiques de l'enfant.

Les lacunes observées dans les études descriptives d'un pionnier tel que Gesell ont donc incité les chercheurs à chercher des réponses à des questions non encore résolues, aboutissant par là à des descriptions de plus en plus élaborées et précises du développement de l'enfant.

Les contributions de Gesell : une évaluation

L'appréciation du travail de Gesell paraîtra assez singulière, puisqu'il a bénéficié de cotes élevées pour cinq critères sur neuf bien que, dans l'ensemble, sa théorie n'ait pas été considérée comme très satisfaisante. En dépit de la grande popularité de ce modèle et bien que l'Institut Gesell continue à publier certains ouvrages, cette théorie ne jouit plus d'un grand crédit auprès des théoriciens et chercheurs empiriques. Pour expliquer cela, considérons donc les résultats attribués aux différents critères d'évaluation.

De manière générale, l'énoncé des théories de Gesell est très clair (critère 2). Cependant, son utilisation du mot «normal», comme nous l'avons vu précédemment, prête à confusion puisqu'il peut désigner non seulement ce qui est caractéristique d'un groupe d'âge ou de quelque autre groupement, mais encore ce qui est *désirable* dans un contexte donné. Dans les travaux de Gesell, les enfants dont les traits de maturité correspondent aux «normes», à la moyenne, pour leur niveau d'âge sont qualifiés de *normaux*. C'est l'usage le plus fréquent de ce terme, mais on en relève d'autres qui sont moins bien définis. Ainsi, les enfants qui dévient de la «normale» peuvent aussi être *normaux* comme l'expliquent Ames et Ilg : «Votre enfant peut être tout à fait «normal», mais tout en étant un peu plus lent que la moyenne dans son développement (...) on peut détecter qu'il a un potentiel qui prendra forme au moment opportun)» (1976, pp. 12-13). Ceci semble donc être en contradiction avec la signification habituellement adoptée pour le mot «normal» dans cette théorie. On se demande s'il existe, dans les travaux de Gesell et de ses disciples, des critères permettant de différencier les termes *normal* et *anormal*. C'est pourquoi nous n'avons pas donné une cote excellente à Gesell pour la clarté de son exposé étant donné le manque de constance dans son utilisation de la notion de «normalité».

Tableau 5.2 — La théorie de Gesell

Comment la théorie de Gesell répond-elle aux critères ?

Les critères	*Très bien*	*Assez bien*	*Très Mal*
1. Reflète le monde réel des enfants		X	
2. Se comprend clairement	X		
3. Explique le développement passé et prévoit l'avenir	X		X
4. Facilite l'éducation	X		X
5. A une logique interne	X		
6. Est économique			X
7. Est vérifiable	X		
8. Stimule de nouvelles découvertes	X		
9. Est satisfaisante en elle-même			X

A l'exception de sa position sur l'importance et l'origine des différences individuelles, ses propositions sont des plus cohérentes (critère 5). Toutefois, nous avons rencontré quelques contradictions dans les écrits des adeptes de Gesell. Par exemple, considérant la position de cette école sur les données normatives, une proposition comme celle qui suit serait discutable :

> *La plus grande préoccupation actuelle de l'école doit être de (...) traiter chaque enfant comme un être humain et non comme un sujet qui doit nécessairement correspondre à un schéma pré-établi qui, trop souvent, ne tient pas compte des réalités et besoins de l'individu particulier* (Gesell, Ilg, Ames et Bullis, 1977, p. X).

De plus, les propos de Gesell sont vérifiables (critère 7). Ses stades de croissance et ses descriptions du comportement pour chaque niveau d'âge sont le résultat de recherches empiriques. De même, la validité du concept de bonnes et mauvaises années peut être aisément vérifiée par un chercheur qui met au point des définitions spécifiques de ces types de comportement et qui observe alors des enfants d'âges différents en vue de valider l'hypothèse en question. Enfin, la corrélation entre structure corporelle et caractéristiques de la personnalité est empiriquement vérifiable.

Le critère 8 obtient une cote élevée au vu de l'influence que le travail de Gesell a exercée sur d'autres chercheurs dans le domaine du développement. En effet, à l'époque où il était très productif, Gesell a élaboré une grande variété de méthodes d'observation et d'évaluation qui ont été admirées pour leur précision et leur ingéniosité. Ces procédés font encore partie intégrante des échelles communément utilisées pour évaluer le développement de l'enfant durant les premières années de sa vie. En effet, les méthodes de recherche proposées par Gesell sont encore utilisées de nos jours. Burton L. White, de l'Université de Harvard, qui fait autorité dans le domaine de l'enfance a écrit en 1971 : «La source d'information la plus largement utilisée, dans ce pays, sur le comportement de l'enfant humain est probablement constituée par les travaux d'Arnold Gesell» (White, 1971, p. 7).

L'évaluation du degré d'économie (critère 6) du système de Gesell est un compromis entre (1) son explication simple et en ce sens, économique des causes du développement et (2) l'aspect peut-être simpliste de cette explication. Gesell n'a pas émis un ensemble exagéré d'hypothèses non vérifiées sur lesquelles il a basé ses propositions; il a toutefois ignoré de nombreuses preuves et recherches démontrant que les influences environnementales avaient beaucoup plus d'importance que son système le laissait entendre. Comme l'a dit E. Zigler :

> *Il est difficile de se référer au schéma de Gesell comme à une théorie. Il apparaît plutôt comme une vue d'ensemble basée sur le seul concept de maturation (...) Dans un tel cadre, il n'existe aucun autre choix que de transformer les normes découvertes au moyen d'investigations empiriques en dispositifs explicatifs. Ce qui fait que le processus explicatif est alors réduit à un procédé d'étiquetage (...) Le vide et l'inadéquation conceptuelle d'un tel procédé ont souvent été notés* (1965, pp. 359-360).

Le système, n'étant donc pas exagérément complexe, apparaît économique. En réalité, il est d'une simplicité non convaincante, ce qui explique la faible cote attribuée au critère 6.

En ce qui concerne la manière dont une théorie reflète avec plus ou moins d'exactitude le monde de l'enfant (critère 1), Gesell a le mérite d'avoir fondé ses idées sur des observations empiriques plutôt que de spéculer sur ce que les enfants pourraient ou devraient être. Cependant, sa tendance à réduire ses observations à des moyennes commodes ou à des lieux communs sur les caractéristiques typiques à chaque niveau d'âge a quelque peu déformé la vision du monde réel de l'enfant. A n'importe quel niveau d'âge et à n'importe quel stade du développement, il y a des différences marquées parmi les enfants. Par exemple, des études sur l'aptitude à la lecture des écoliers américains ont démontré que dans la classe de 8e de l'école élémentaire (âge 10-11 ans), les élèves les plus aptes liront aussi bien qu'un élève de 3e de l'école secondaire, alors que les moins aptes ne liront pas mieux qu'un élève moyen de 12e de l'école primaire (Thomas et Thomas, 1965, pp. 304-309). Cependant, la plupart des élèves se situent entre ces deux extrêmes, la majorité d'entre eux approchant du niveau de la 8e. Gesell s'est limité aux moyennes ou tout au plus à des observations sur des sous-catégories d'enfants s'écartant de la moyenne, donnant ainsi une image non réaliste de la croissance de beaucoup d'enfants.

Gesell ne rapporte que des caractéristiques typiques; de plus, la question de savoir si ces normes développementales représentent exactement le monde réel des enfants subsiste. Ceci touche au problème du nombre de sujets étudiés et à celui de la nature des données culturelles sur lesquelles il a basé ces normes. Le nombre exact de garçons et de filles observés n'est pas précisé dans les ouvrages de Gesell; toutefois, ses échantillons d'étude pour chaque niveau d'âge n'excédaient pas, semble-t-il, quelques douzaines d'enfants. Il faut ajouter que ceux-ci provenaient de familles de Nouvelle-Angleterre assez intéressées par les recherches de Gesell pour amener régulièrement leurs enfants à la clinique pour des tests et des observations. Cette méthode d'échantillonnage a pu fausser les résultats dans la mesure où des différences systématiques existaient sans doute entre ces familles et celles qui n'avaient pas participé aux études cliniques. En réalité, Gesell a lui-même souligné que les enfants d'âge préscolaire de son groupe étaient d'une intelligence supérieure à la moyenne. Aussi y a-t-il de bonnes raisons de douter que le comportement typique observé sur cet échantillonnage (malgré l'apport de l'observation de quatorze enfants suédois) donne une image réaliste d'enfants issus d'autres milieux culturels et géographiques.

Naturellement, cette question de représentativité de l'échantillonnage n'est pas essentielle si l'on adopte la perspective pré-déterministe de Gesell. Il croyait en effet que le développement dépendait en grande partie de l'hérédité plutôt que de l'environnement; aussi, pour lui, n'était-il pas nécessaire de choisir des enfants de cultures différentes, leur environnement ayant peu d'influence. Il recommandait que l'on observe un nombre suffisant d'enfants pour être sûr que l'échantillonnage comporte les quelques types génétiques majeurs qui forment une population. Fort de ces quelques principes, Gesell pensait que ces observations étaient généralisables à tous les enfants. Mais, en tant qu'adeptes des théories selon lesquelles l'environnement exerce une influence importante sur le développement, nous avons conclu que les procédés d'échantillonnage de Gesell étaient inadéquats.

L'application que Gesell a apportée à l'observation empirique des enfants compense quelque peu seulement les comportements moyens d'un échantillonnage de Nouvelle-Angleterre, c'est pourquoi nous considérons son schème comme modérément réaliste (critère 1).

Les critères 3 (explication du passé et prédiction du futur) et 4 (guide de l'éducation de l'enfant) ont chacun reçu une double cotation. La première évalue le degré de spécificité et la seconde le degré d'exactitude du système de Gesell. Pour ce dernier, le développement passé d'un enfant résulte du déroulement d'un schéma génétiquement établi, tandis que sa croissance future est décrite en termes de caractéristiques typiques pour un âge déterminé. Les méthodes pédagogiques appropriées sont également définies : en gros, il faut laisser la nature suivre son cours. Par exemple, si le développement actuel de l'enfant ne semble pas satisfaisant, c'est parce qu'il traverse une phase négative et la patience est de rigueur jusqu'à ce que ce stade soit dépassé. Un tel degré de spécificité explique la cote élevée donnée à ces deux critères.

Cependant, pour ce qui a trait à l'exactitude de ses explications sur le passé, de ses prédictions sur le futur et de ses recommandations éducatives, la théorie de Gesell se trouve au bas de l'échelle. En effet, nous n'approuvons pas sa pratique de limiter son attention au comportement «moyen» ou «typique» pour un groupe d'âge, aucun enfant n'étant «moyen» ou «typique» dans tous les domaines de développement. Chacun d'eux présente un ensemble de caractéristiques qui constituent son individualité. Par conséquent, l'usage des moyennes de groupes nous paraît limitatif pour expliquer le passé d'un enfant, prédire son statut futur, et prodiguer des conseils pour guider son développement. Le crédit dont jouissaient les études nomothétiques ou normatives durant la première moitié de ce siècle a fortement diminué ces dernières années.

A présent les études idiographiques, consacrées à l'élaboration de méthodes d'investigation permettant de déterminer le niveau de croissance de l'enfant individuel et d'améliorer la qualité de l'éducation qui lui est offerte, constituent la préoccupation des chercheurs.

Non seulement nous trouvons discutable la grande dépendance de Gesell par rapport à des comportements types, mais nous remettons aussi en question le fait qu'il ait donné à l'environnement un rôle aussi faible dans le façonnement du développement humain. Nous analyserons ultérieurement les travaux de théoriciens qui ont assemblé des preuves et une logique révélant l'importance des facteurs de l'environnement dans le modelage de la croissance de l'enfant et nous soulignerons combien leurs travaux semblent convaincants (en particulier ceux de Lewin et Barker au chapitre 7, de Vygotsky au chapitre 11 et des behavioristes dans la septième partie). Gesell, en négligeant les aspects physiques et sociaux, réduit l'exactitude de ses explications sur le passé de l'enfant, ses prédictions sur le futur et ses recommandations aux éducateurs. A cause de ce critère d'*exactitude*, les critères 3 et 4 reçoivent une seconde cote située dans la moyenne.

En conclusion, nous estimons que le système de Gesell doit être classé en-dessous de la moyenne pour ce qui est de l'autosuffisance (critère 9). Nous apprécions sa méthodologie de recherche, et la contribution importante qu'il a apportée au domaine de la recherche sur le développement de l'enfant. Toutefois, nous lui reprochons sa dépendance exagérée par rapport au concept de maturation, de même que la trop grande importance qu'il accorde à l'aspect typique ou moyen d'un comportement.

6

Les tâches développementales d'Havighurst

La théorie des tâches développementales décrit le processus de vie, de la naissance à la mort, comme un passage de l'individu d'un stade de développement à un autre, impliquant la résolution de problèmes inhérents à chaque étape de croissance. Ces «problèmes» communément rencontrés dans une culture donnée sont appelés *tâches développementales*, expression créée par les théoriciens pour préciser que la croissance est une occasion pour l'enfant d'accomplir de nouveaux objectifs ou de mener à bien de nouvelles tâches à chacune des étapes de son développement. Si un individu accomplit une tâche avec succès, il est heureux et reçoit l'approbation de la société. Ce succès constitue une assise qui facilite l'accomplissement de tâches ultérieures. Au contraire, s'il échoue dans l'accomplissement d'une tâche, l'individu se sent malheureux et la société ne le soutiendra pas lorsqu'il sera confronté à des difficultés pour accomplir des tâches à venir (Havighurst, 1953, p. 2).

Apprendre à marcher et à parler sont des exemples de tâches développementales qui doivent être accomplies durant les premières années de la vie. Pendant la deuxième enfance, les enfants doivent acquérir les aptitudes physiques nécessaires aux jeux ordinaires et les talents requis pour apprendre à lire, à écrire et à calculer. Durant la dernière phase de l'adolescence, il est important d'acquérir une certaine indépendance affective par rapport à ses parents et de se préparer à choisir une profession.

La théorie des tâches développementales n'est pas le fait d'un théoricien unique. Ce modèle ainsi que la notion de tâche importante ont émergé dans les années 30 et se sont développés durant les années 40 surtout au sein de groupes de psychologues et d'éducateurs membres de l'Association de l'Education Progressive aux Etats-Unis. Havighurst (1953, pp. 325-333) retient les personnes suivantes pour leur contribution dans la définition du concept de tâche développementale : Frankwood Williams, Lawrence K. Frank, Carolyn Zachry, Erik Erikson, Fritz Redl, Caroline Tryon, Jesse Lilienthal, Stephe M. Corey, Peter Blos, Daniel Prescott, Evelyn Duvall et Renben Hill.

Par la suite, la théorie a été proposée sous une forme plus systématique et plus complète par Robert J. Havighurst en 1953, dans son volume intitulé *Human Development and Education* (Développement humain et éducation) et par Carolyn Tryon et Jesse Lelienthal dans deux chapitres de leur ouvrage paru en 1950 : *Fostering Mental Health in Our Schools* (Encourageons la santé mentale dans nos écoles). La théorie des tâches développementales, telle que présentée ci-dessous, se réfère principalement à ces deux sources. Bien que cette théorie ait connu son apogée dans les années 40 et 50, son influence a perduré parmi les psychologues et éducateurs et a suscité, en Europe et en Amérique, la publication de nouveaux livres fondés sur le concept de tâche développementale.

La brève description de la théorie qui va suivre s'articule autour de cinq points distincts : 1) caractéristique des tâches, 2) âge d'apparition des tâches, 3) preuves en faveur de la théorie, 4) applications pratiques et 5) perspectives de recherche.

Caractéristiques des tâches

Le terme *tâche développementale* a été créé dans les années 30 par les membres de l'Association de l'Education Progressive. Il a été adopté et popularisé par Havighurst dans les années 40 et 50, parce que d'après lui, au cours de recherches sur le développement des adolescents, on aboutissait à «trop de résultats erronés, quand le terme *besoins*, qui est équivoque, était utilisé comme concept central» (1953, p. 330). Il a donc estimé que l'expression *tâches développementales* correspondait davantage à ce que les jeunes essaient d'accomplir au cours de leur croissance. Havighurst définit les tâches développementales de la vie comme une recherche :

> *qui constitue une croissance saine et satisfaisante dans notre société. Ce sont ces choses que quelqu'un doit apprendre s'il doit être jugé par*

> *les autres et par lui-même comme étant une personne raisonnablement heureuse et ayant réussi. Une tâche développementale est une tâche qui se manifeste au cours d'une certaine période de la vie de l'individu. La succès dans l'accomplissement de cette tâche conduit au bonheur et à la réalisation des tâches subséquentes alors que l'échec conduit au malheur de l'individu, à la réprobation de la société et à des difficultés à surmonter les tâches à venir* (1953, p. 2).

Quelles sont donc les tâches à accomplir à différents niveaux d'âge ? Havighurst avance que leur nombre est quelque peu arbitraire car tributaire d'une part de la manière dont une personne les considère et d'autre part de la société particulière à laquelle on fait référence. Ainsi, la tâche d'apprentissage de la marche peut être considérée comme une même tâche complexe composée de sous-activités (ramper, marcher, trotter, courir, sauter) ou encore comme cinq petites tâches distinctes.

Quelques tâches ont leur origine dans la nature biologique des humains et sont, par conséquent, communes à toutes les sociétés humaines, de même que leur forme est identique dans toutes les cultures. D'autres dérivent d'un schéma culturel propre à une société donnée; elles existent alors sous différentes formes dans diverses sociétés ou bien se retrouvent dans certaines cultures et pas dans d'autres. Par exemple, apprendre à marcher dépend avant tout de facteurs de croissance génétiquement déterminés et est essentiellement identique dans toutes les sociétés, apprentissage qui se réalise plus ou moins au même âge pour tous les enfants. Tandis que la tâche consistant à choisir un métier est complexe, surtout dans les sociétés fortement industrialisées, caractérisées par une grande spécialisation et une division du travail. Toutefois, dans les pays en voie de développement où presque tout le monde est pêcheur ou fermier, choisir un métier est une tâche plus simple qui s'accomplit plus tôt que dans les sociétés avancées. De plus lire et écrire, apprentissage important dans les sociétés fortement alphabétisées, sont des tâches quasi inexistantes là où le taux d'analphabètes est encore élevé.

Par conséquent, les listes de tâches développementales ne peuvent être identiques pour toutes les cultures et s'inspirent dans une certaine mesure du système de valeurs personnelles des gens qui les élaborent. Havighurst a admis que sa propre description des tâches était «basée sur les valeurs démocratiques américaines, considérées du point de vue de la classe moyenne bien que des efforts aient été faits pour en souligner les variations pour les classes populaires et supérieures» (1953, p. 267).

Pour appliquer ce principe des tâches développementales à l'éducation de l'enfant, Havighurst recommande de sélectionner de six à dix tâches pour chacune des étapes du développement. Un modèle de cette méthode figure dans le tableau 6.1 adapté de Tryon et Lilienthal, où dix catégories générales de tâches sont retenues. Celles-ci sont identifiées dans la colonne d'extrême gauche. A la droite du nom de chaque catégorie se trouvent les tâches spécifiques correspondant à chacun des niveaux d'âge.

Par exemple, considérons la première catégorie, celle qui concerne l'acquisition par l'enfant d'un schéma approprié d'indépendance au cours de sa croissance. Dans la seconde colonne à partir de la gauche, nous trouvons deux tâches spécifiques auxquelles le petit enfant est confronté dans cette catégorie : 1) prendre conscience de sa condition d'être très dépendant et 2) commencer à prendre conscience de soi. Pour les jeunes adolescents (cinquième colonne), cette acquisition de l'indépendance par rapport aux adultes se retrouve dans tous les aspects du comportement. Nous pouvons ainsi identifier les tâches spécifiques à chaque niveau de croissance pour les dix catégories présentées ici.

De même que le nombre de tâches est quelque peu arbitraire, les stades de développement par lesquels l'individu passe le sont aussi. Tryon et Lilienthal ont déterminé cinq niveaux, depuis la naissance jusqu'à vingt ans environ. Havighurst, pour sa part, a divisé la durée totale de la vie en six parties :

1) la première enfance et les années préscolaires (de la naissance à cinq ans)
2) la troisième enfance (entre six et douze ans)
3) l'adolescence (entre treize et dix-sept ans)
4) le début de l'âge adulte (entre dix-huit et trente ans)
5) l'âge mûr (entre trente et un et cinquante-quatre ans)
6) la maturité finale (à partir de cinquante-cinq ans).

Quelle que soit la manière dont les niveaux sont définis en termes d'âge, les tâches proviennent invariablement de trois sources : 1) la structure et les fonctions biologiques de l'individu, 2) la société particulière ou culture dans laquelle cet individu évolue et 3) les valeurs et aspirations personnelles de la personne. Havighurst a appelé cela les bases biologiques, culturelles et psychologiques du développement. Quelques-unes des tâches d'origine biologique consistent à apprendre à contrôler ses sphincters, à accepter les modifications sexuelles du corps pendant l'adolescence et à se comporter d'une manière appropriée par rapport au sexe opposé. Des tâches issues des pressions sociales seront par exemple : apprendre à lire et à écrire, apprendre à respecter la propriété des autres et accepter de faire sa part de travail dans les projets de groupe. Les tâches directement inspirées des valeurs et aspirations personnelles de l'individu et qui se dévoilent à la fin de l'adolescence sont entre autres : choisir un métier et opter pour des convictions philosophiques et religieuses.

A ceux qui désirent analyser chaque tâche dans le détail, Havighurst recommande de s'interroger sur la définition de celle-ci, sur la nature de ses bases biologiques, psychologiques et culturelles et sur les implications pédagogiques qu'elle peut avoir. Ainsi, pour chaque tâche considérée, devons-nous nous poser ces quelques questions :

> *Nature de la tâche* : Comment est-elle définie ? Quels en sont les différents aspects ?
> *Bases biologiques* : Que nous apprend la biologie à propos de cette tâche ? En quoi la maturation physique de l'individu l'aide-t-elle à réaliser cette tâche ? Comment les différences biologiques individuelles interviennent-elles dans l'accomplissement de la tâche ?
> *Bases psychologiques* : Que nous apprend la psychologie à propos de cette tâche ? Comment le développement mental de la personne est-il en relation avec celle-ci ? En quoi les valeurs et aspirations de l'individu influencent-elles l'accomplissement de la tâche ? Quel est l'impact du succès ou de l'échec dans la réalisation de celle-ci sur la personnalité ?
> *Bases culturelles* : Que peuvent nous apprendre la sociologie et l'anthropologie sur une tâche à réaliser ? Comment celle-ci varie-t-elle d'une culture à une autre et d'une classe à l'autre ?
> *Implications pédagogiques* : En quoi l'éducation intervient-elle pour aider les enfants et les jeunes à accomplir une tâche donnée ? La responsabilité éducative est-elle à prendre en compte à ce moment ? Comment le système éducatif peut-il être amélioré pour mieux aider les jeunes à accomplir la tâche ? (Havighurst, 1953, p. 17).

Pour apprendre comment Havighurst lui-même a utilisé ces questions, le lecteur peut consulter son ouvrage *Human Development in Education* (Le développement humain en éducation) qui propose une analyse détaillée des tâches clés qu'il a identifiées pendant les six périodes couvrant la durée de l'existence.

Ages d'apparition des tâches

Dès qu'il est question de *tâches développementales* dans une théorie, il faut se demander si l'enfant atteint un stade donné à un âge considéré comme normal. Dans sa théorie, Havighurst a identifié deux catégories génériques de tâches, certaines apparaissent seulement à un moment particulier et devant être accomplies à ce moment précis et d'autres étant des tâches de longue haleine, auxquelles un individu se consacre des années durant. Dans la première catégorie figurent des actions telles qu'apprendre à marcher ou à parler, contrôler ses sphincters d'une manière acceptable et choisir un métier. La seconde catégorie reprend des entreprises de longue haleine ou épisodiques comme, par exemple, apprendre à agir en citoyen responsable ou adopter un comportement féminin ou masculin. Ces tâches, qui interviennent à plusieurs reprises comportent également des exigences annexes auxquelles l'enfant ou

Tableau 6.1 —Tâches propres aux cinq stades de développement et aux dix catégories de comportement

		Petite enfance (naissance à 1 ou 2 ans)	*Age préscolaire (2-3 ans à 5-6-7 ans)*	*Moyenne enfance (5-6-7 ans à la pré-adolescence)*	*Première adolescence (pré-adolescence à la puberté)*	*Seconde adolescence (puberté au début de la maturité)*
I	Atteindre un schéma de dépendance/ indépendance approprié	1. s'établir en tant qu'être indépendant 2. début de prise de conscience de soi	1. s'accommoder de moins d'attention personnelle; indépendance physique (mais dépendance émotionnelle)	1. se libérer de l'identification exclusive avec les adultes	1. être indépendant des adultes dans tous les domaines du comportement	1. s'établir comme être indépendant d'une manière adulte et mûre
II	Atteindre un schéma qui permette de recevoir et de donner de l'affection	1. développer un sentiment d'affection	1. apprendre à donner de l'affection 2. apprendre à partager de l'affection	1. apprendre à donner autant d'affection qu'on en reçoit; début d'amitié avec les pairs	1. s'accepter comme une personne valable, méritant d'être aimée	1. créer des liens affectifs forts et mutuels avec un éventuel partenaire de mariage
III	Interagir avec des groupes sociaux changeants	1. apprendre la différence entre ce qui vit et ce qui est inanimé; entre ce qui est familier et ce qui ne l'est pas 2. développer un rudiment d'interaction sociale	1. début du développement de la capacité d'interagir avec des pairs 2. ajustement aux attentes que la famille a pour soi en tant qu'enfant membre d'une unité sociale	1. faire la différence entre le monde des adultes et celui des enfants 2. établir le sentiment d'appartenance au groupe de pairs	1. se conformer aux différents codes du groupe des pairs	1. adopter des valeurs sociales propres aux adultes en apprenant à vivre en société
IV	Développer une conscience	1. commencer à se conformer aux attentes des autres	1. développer la capacité de suivre des ordres et d'être obéissant à l'autorité; la conscience commence à remplacer l'autorité	1. intérioriser plus de règles et développer un début de sens de moralité		1. apprendre à reconnaître des contradictions dans les codes moraux et les différences existant entre jugements et comportements moraux; attitude responsable envers ces questions

V	Apprendre les aspects psychologiques, sociaux et biologiques de son rôle sexuel	1. apprendre à s'identifier au rôle de femme ou d'homme adulte	1. commencer à s'identifier aux pairs du même sexe	1. commencer à s'identifier aux pairs du même sexe	1. forte identification avec les gens du même sexe 2. apprentissage du rôle à jouer dans les relations hétérosexuelles	1. explorer les possibilité de s'associer avec un partenaire; fort désir de satisfaire ce besoin 2. choisir un métier 3. se préparer à accepter le rôle futur d'homme ou de femme adulte, en tant que citoyen responsable faisant partie d'une communauté plus large
VI	Accepter et s'adapter aux changements corporels	1. s'adapter à l'horaire de nourriture imposé par les adultes 2. s'adapter aux habitudes de propreté 3. accepter l'attitude des adultes face aux manipulations génitales	1. s'adapter aux nouvelles demandes résultant de meilleures performances musculaires 2. développer un sens de la pudeur		1. réorganiser ses pensées et sentiments en face de changements corporels importants et des conséquences en dérivant 2. accepter son apparence	1. apprendre à utiliser des soupapes pour se libérer des pulsions sexuelles
VII	Tirer profit des changements corporels en apprenant de nouveaux comportements moteurs	1. développer un équilibre physiologique 2. développer une coordination entre yeux et mains 3. établir un rythme satisfaisant d'activité et de repos	1. maîtriser la motricité musculaire large 2. apprendre à coordonner la motricité fine avec la motricité large	1. raffinement dans l'élaboration de la motricité fine	1. contrôler et bien utiliser ce "nouveau corps"	

	Petite enfance (naissance à 1 ou 2 ans)	*Age préscolaire (2-3 ans à 5-6-7 ans)*	*Moyenne enfance (5-6-7 ans à la pré-adolescence)*	*Première adolescence (pré-adolescence à la puberté)*	*Seconde adolescence (puberté au début de la maturité)*
VIII Apprendre à comprendre et à contrôler le monde extérieur	1. explorer le monde physique	1. se conformer aux restrictions des adultes quant à l'exploration et la manipulation d'un environnement extérieur toujours plus vaste	1. apprendre des moyens plus réalistes d'étudier et de contrôler le monde physique		
IX Développer un système de symboles appropriés en rapport avec les capacités conceptuelles	1. développer un mode de communication pré-verbale 2. développer la communication verbale 3. développer les rudiments de pensée conceptuelle	1. améliorer son utilisation du système de symbole 2. développement considérable des schémas conceptuels	1. utiliser le langage pour échanger des idées et pour influencer son audience 2. début de compréhension des rapports de causalité 3. faire des distinctions conceptuelles plus fines et début de pensée introspective	1. utiliser le langage pour exprimer et clarifier des concepts de plus en plus sophistiqués 2. évoluer d'une forme de pensée concrète à une autre plus abstraite; applications de principes généraux à des situations parti-culières	1. atteindre le plus haut niveau de raisonnement dont chaque individu est capable
X Apprendre à accepter sa place dans le cosmos		1. développer un sens réel (bien que rudimentaire) de sa place dans le cosmos	1. accepter une approche scientifique		1. formuler pour soi-même un système de croyances et de valeurs raisonnables

l'adolescent doivent se soumettre à différents moments de leur développement.

Selon Havighurst, il est important que l'enfant satisfasse à la plupart des tâches, au moment précis où elles se présentent. Comme preuve de ce qu'il avançait, il a fait référence à des études sur des enfants auxquels on n'avait pas permis d'avoir des compagnons durant les premières années de leur vie et qui, par conséquent, n'avaient pas appris à parler (1953, p. 3). Il a suggéré que de tels cas peuvent prouver que si la tâche d'apprentissage de la parole n'est pas réalisée durant la deuxième année de vie, son accomplissement peut être compromis à jamais. La deuxième année de vie semble donc être la période critique pour l'initiation au langage. De plus, si au cours de cette période critique, l'individu fait l'expérience de l'échec dans un apprentissage, il risque par la suite d'avoir des difficultés dans l'acquisition d'autres connaissances qui reposent sur celui-ci. Par exemple, l'échec dans l'apprentissage du langage empêchera l'enfant d'apprendre à lire ou à écrire et de saisir le sens de nombre de concepts rencontrés à des stades plus avancés de sa croissance. Havighurst a appliqué ce principe de *succession dans l'apparition* des tâches à des notions déjà établies du développement biologique des humains, en particulier celle du développement au stade pré-natal et embryonnaire. Dans l'embryon, l'organe qui ne se développe pas au moment voulu, non seulement compromet ses propres chances de se développer, mais «met en danger la hiérarchie entière des organes» (1953, p. 3). Havighurst a donc étendu sa généralisation à toutes les tâches bio-socio-psychologiques traitées dans ce schème. «Si la tâche n'est pas accomplie au moment opportun, elle ne sera pas bien accomplie et l'échec dans cette tâche causera un échec partiel ou complet dans l'accomplissement des tâches à venir» (Havighurst, 1953, p. 3).

Preuves en faveur de la théorie des tâches développementales

Les partisans de cette théorie ont fondé la plupart de leurs spéculations théoriques à la fois sur des études normatives menées par d'autres chercheurs et sur leurs propres observations d'enfants et d'adolescents. Havighurst a reconnu que les idées psychanalytiques d'Erikson l'ont influencé pour sa définition, en particulier pour ce qui a trait au développement de la prise de conscience de soi. Il a également trouvé intéressant de faire reposer ses principes généraux de croissance sur les études biologiques et d'utiliser ces notions pour expliquer le développement social et psychologique. Cependant, c'était là davantage une hypothèse qu'une description détaillée de la réalité.

Pour tenter de généraliser les principes de la croissance biologique à d'autres domaines, Havighurst et ses collègues ont mené une étude longitudinale sur quinze garçons et quinze filles dans une petite ville américaine pendant une période de plus de six ans. Les enfants étaient âgés de dix ans quand l'étude a été reprise. Les chercheurs ont eu recours à des techniques d'évaluation variées, y compris des interviews des élèves et de leurs parents, des tests sociométriques, des tests projectifs (le *Rorchach*, le *Thematic Aperception Test* et des tests de complément de phrases), des rapports d'observation établis par des professeurs ou d'autres adultes, des essais et des questionnaires remplis par les enfants, des tests d'aptitude et d'intelligence, des évaluations de la personnalité et des mensurations de croissance physique. Les cinq tâches développementales sur lesquelles l'étude a porté étaient : 1) apprendre le rôle réservé par la société au sexe auquel on appartient, 2) atteindre une indépendance affective par rapport aux parents et à d'autres adultes, 3) développer une conscience et une échelle de valeurs, 4) s'entendre avec ses pairs et 5) développer des talents intellectuels.

A la fin de l'étude, les chercheurs ont conclu qu'en règle générale, le succès dans une tâche particulière est en rapport avec le succès dans d'autres activités, bien que ce rapport soit variable selon le type de tâche envisagé. Par exemple, il existe une relation très étroite entre s'entendre avec les camarades de son âge et développer une échelle de valeurs. Cependant les rapports se sont révélés seulement modérément élevés pour les autres tâches, comme par exemple adopter le comportement propre à son sexe ($r = .61$ entre dix et treize ans). Dans la plupart des cas, le succès dans l'accomplissement d'une tâche à un âge donné était suivi par une bonne performance dans cette même tâche à un stade ultérieur bien qu'il «ne faille pas totalement éloigner la possibilité de progrès de la part d'un individu n'ayant pas eu une bonne performance au départ» (Havighurst, 1953, pp. 290, 325-326).

L'équipe de recherche a isolé quelques preuves qui appuient le concept de *compensation*. Ainsi, un enfant peut *compenser* une mauvaise performance dans une tâche en en réussissant particulièrement bien une autre. Cependant, il s'agit là d'exceptions à la règle générale, car «le nombre de personnes qui utilisent une bonne réussite dans une tâche pour compenser de piètres résultats dans une autre est très limité» (Havighurst, 1953, p. 322).

Cette investigation menée sur un échantillon restreint d'enfants, est l'étude la plus fouillée et la plus rigoureuse qui ait été réalisée pour valider la théorie d'Havighurst. Elle se fonde largement sur des études normatives – comment l'enfant moyen se présente à différents niveaux d'âge – et sur la logique interne de la théorie. Cependant, des travaux récents semblent apporter de nouvelles preuves susceptibles de vérifier certains aspects de cette théorie.

Ils émanent entre autres des recherches de Palmonari, Pombeni et Kirchler (1990) qui ont étudié l'influence du groupe sur les efforts que font les adolescents pour accomplir certaines tâches développementales. De même, Dangelo (1989) s'est penché sur la manière dont, avec le temps, l'évolution des attitudes chez les filles affecte leur comportement face à diverses tâches. Ittejerah et Samarapungavan (1989) ont étudié la manière dont les enfants aveugles de naissance se comportent face aux tâches développementales. Fucks (1988) a cherché quel était l'effet cumulatif du succès et de l'échec dans les tâches cognitives. Ainsi, même si la théorie des tâches développementales en tant que telle n'a pas été particulièrement féconde, elle continue à faire office de modèle conceptuel pour certains chercheurs.

Applications pratiques

Les applications qui peuvent être faites à partir de la théorie des tâches développementales sont de plusieurs types. Elle a par exemple contribué à l'amélioration des programmes dans les écoles et des activités extrascolaires pour garçons et filles. Ainsi, on a cherché à adapter le travail scolaire aux besoins de l'élève en évaluant en quoi les activités du programme en vigueur correspondaient aux tâches développementales établies par niveaux d'âge. C'est ainsi qu'on a introduit des modifications dans le secteur scolaire qui, apparemment, jusque-là, n'était pas beaucoup intervenu dans l'accomplissement de tâches importantes (Tryon et Lilienthal, 1950). Les personnes chargées d'activités extra-scolaires pour jeunes ont également utilisé la méthode d'analyse de tâches pour établir une sélection dans leur programme.

Citons encore comme autres applications de ce modèle le fait que de nombreux auteurs de manuels sur le développement de l'enfant, tant en Amérique qu'en Europe, ont présenté des descriptions de l'enfance basées en partie sur la perspective offerte par la théorie des tâches développementales (Bernard, 1970; Hurlock, 1968; Muller, 1969; Travers, 1977). Selon eux, une bonne compréhension des tâches que les enfants essaient d'accomplir rendra les parents et les professeurs plus patients, ce qui procurera aux jeunes des opportunités pour réussir dans leurs entreprises.

De plus, des chercheurs travaillant dans ces domaines particuliers ont adopté la notion des tâches de développement comme méthode d'approche de leur sujet d'étude. Par exemple, Godin (1971) a proposé une séquence de cinq tâches de développement en éducation chrétienne. La première d'entre elles consiste à découvrir le rôle historique de Jésus au centre du plan de Dieu, un accomplissement qui ne devient possible que lorsque la conscience historique de l'enfant est atteinte, soit vers l'âge de douze ou treize ans. La seconde tâche vise à comprendre que Jésus n'était pas seulement une figure historique, mais bien un symbole continu des actions présentes de Dieu. Selon Godin, cette compréhension ne devient possible qu'à l'âge de treize ans. La troisième tâche, d'après Godin, est celle de l'abandon par l'enfant, vers la mi-adolescence, d'une vue magique de la religion, qui sera remplacée par la vraie foi dans le plan de Dieu. La quatrième tâche est l'abandon progressif de l'idée qu'un comportement moral nous attire les faveurs de Dieu. Cette notion est remplacée par le désir grandissant chez l'adolescent de faire de bonnes actions parce qu'elles sont une expression d'humanisme, sans espérer pour autant que Dieu lui procurera des cadeaux en échange des actions faites. La cinquième tâche, se rencontre à la fin de l'adolescence et au début de l'âge adulte, lorsque les croyances chrétiennes de l'individu se détachent de l'image parentale qu'il pourrait garder. Sur base de ces cinq tâches, Godin établit alors une pédagogie chrétienne qui s'écarte très nettement des méthodes généralement en usage dans les programmes d'éducation religieuse.

Un second exemple d'application du concept de tâches développementales est tiré du livre de Duval, *Family Development (Le développement familial)* (1971) dans lequel l'auteur articule sa présentation autour des tâches développementales étudiées dans le cadre de familles types. Le modèle de Duvall est fondé sur la prémisse que la famille se développe selon des stades prévisibles, analysables d'une part en termes du développement de chacun de ses membres et d'autre part, en fonction du développement de la famille considérée comme un tout.

Plusieurs applications de la théorie des tâches développementales ont fait usage des tâches originelles proposées par Havighurst et ses collègues. Cependant, d'autres applications, comme celles de Godin et de Duvall ont procédé à l'élaboration de tâches différentes et basé les analyses et pratiques éducatives sur celles-ci. Les travaux récents (1988, 1989, 1990) que nous avons mentionnés précédemment peuvent se révéler très utiles pour l'éducation des enfants aveugles et celle des filles, de même que pour l'apprentissage de certaines tâches cognitives.

Perspectives de recherche

Comme d'autres modèles du développement de l'enfant, la théorie des tâches développementales a suscité des questions demeurées sans réponse, qui peuvent amorcer de nouvelles recherches. Ces questions peuvent se diviser en deux catégories.

Dans la première figurent les problèmes déjà traités empiriquement par Havighurst et ses collègues, mais d'une manière si limitée que leurs réponses sont loin d'être suffisantes. Ces questions réclament des recherches complémentaires basées sur un échantillonnage plus large d'enfants, une plus grande variété de tâches développementales et peut-être des techniques d'évaluation plus adéquates. Les questions suivantes représentent des exemples de questions reprises dans cette première catégorie : En quoi le succès ou l'échec dans une tâche donnée influencent-ils le succès ou l'échec dans d'autres domaines, tant dans le présent que dans le futur ? Dans quelle mesure un enfant peut-il compenser son échec dans une tâche donnée par ses efforts pour réussir dans un autre domaine ?

Dans la seconde catégorie figurent les questions qui n'ont pas été étudiées empiriquement par ceux qui ont formulé la théorie. Par exemple, les problèmes qui suivent attendent d'être traités : Quels sont les critères d'évaluation qui sélectionnent les tâches les plus importantes dans une culture spécifique aux différents stades de développement ? Et quand ces critères sont utilisés pour établir des tâches dans des cultures variées, en quoi ces dernières sont-elles comparables, et quelle est la raison de ces rapprochements ou différences éventuels ? Quand on observe un comportement donné, comment établir que telle acquisition, plutôt qu'une autre, est en cours de réalisation ? (Par exemple, à quelle tâche un adolescent est-il confronté quand il aide un camarade à étudier, pour un test de biologie, un chapitre intitulé «La sexualité humaine».) Quelles sont les activités spécifiques auxquelles les enfants peuvent s'adonner aux différents stades de croissance pour favoriser leur réussite dans leurs tâches développementales ?

Ces questions sont quelques-unes des perspectives de recherche dérivées du modèle des tâches développementales de Havighurst.

La théorie des tâches développementales : appréciation

Pour nous conformer au mode d'évaluation utilisé dans les chapitres précédents, nous nous servirons à nouveau des neuf critères décrits au chapitre 1. Cette théorie reçoit une cote élevée pour le critère 1, car Havighurst propose un tableau réaliste du groupe culturel pour lequel il a mis ce modèle au point. Il reproduit en effet fidèlement les problèmes développementaux des enfants et des jeunes américains appartenant à la classe moyenne dans les années 50. La liste de tâches proposées par Havighurst convient effectivement à ces enfants.

Un bon résultat est encore obtenu pour la clarté des explications (critère 2) et la cohérence du modèle (critère 5). De même, la théorie semble satisfaire au critère de l'économie (critère 6), car elle ne comporte pas un grand nombre d'hypothèses de départ non vérifiées alors qu'un petit nombre suffisait. Le système d'Havighurst n'est pas inutilement complexe mais n'est pas pour autant simpliste, comme on pouvait le reprocher à Gesell. Havighurst a longuement analysé les racines biologiques, sociales et psychologiques qu'il estimait être à l'origine de chacune des tâches proposées.

Pour les critères 3 (explication du passé et prédiction du futur) et 4 (guide pour l'éducation), nous avons attribué une cotation modérée à cette théorie. Elle prédit le futur d'une manière assez générale en décrivant des tâches apparemment identiques pour tous les enfants d'une même culture et indique ainsi les aspects du développement sur lesquels les enfants, à différents stades, concentreront leur attention. De même, si un enfant semble inadapté à un stade particulier, la théorie s'en réfère aux tâches qui, dans le passé, n'ont sans doute pas été réalisées avec succès, ce qui perturbe l'accomplissement des tâches actuelles. Cependant, le modèle proposé est davantage une manière de décrire le comportement, les intérêts et préoccupations des enfants à différentes périodes de la vie, qu'une explication sur le comportement qu'adoptent les enfants à un moment donné. C'est donc là une théorie davantage descriptive qu'explicative à l'instar du système de Gesell : ainsi, à la question de savoir en quoi les facteurs de l'environnement interagissent pour occasionner un comportement particulier, la théorie des tâches développementales n'offre pas de réponse satisfaisante.

Tableau 6.2 — La théorie des tâches développementales

Comment la théorie d'Havighurst répond-elle aux critères ?

Les critères	*Très bien*	*Assez bien*	*Très Mal*
1. Reflète le monde réel des enfants	X		
2. Se comprend clairement	X		
3. Explique le développement passé et prévoit l'avenir		X	
4. Facilite l'éducation		X	
5. A une logique interne	X		
6. Est économique	X		
7. Est vérifiable		X	
8. Stimule de nouvelles découvertes		X	
9. Est satisfaisante en elle-même		X	

Sur le plan pédagogique, la théorie met en lumière les problèmes qui peuvent surgir au cours du développement des enfants. Cependant, parents et professeurs ne pourront y recourir pour trouver une méthode permettant de promouvoir la bonne réalisation de ces tâches par des enfants. La théorie des tâches développementales a permis de mettre en lumière certains principes fondamentaux dans l'éducation des enfants, par exemple : 1) reconnaître la nature des tâches auxquelles les enfants sont confrontés à chacune des périodes de développement et leur offrir des occasions d'y apporter eux-mêmes des solutions, 2) faire preuve de patience face aux tentatives des enfants pour résoudre les problèmes inhérents aux différentes tâches, 3) leur fournir les informations et les conditions nécessaires pouvant faciliter la réalisation des tâches.

La théorie semble n'être que modérément vérifiable (critère 7). Certaines de ses hypothèses clés, comme l'a montré l'étude d'Havighurst sur la manière dont le succès des tâches préalables influe sur l'accomplissement de tâches subséquentes, sont vérifiables. Cependant, d'autres aspects de la théorie ne le sont pas. Par exemple, comment pouvons-nous déterminer quels sont le nombre et le groupement idéaux des tâches dans une culture donnée ? Ou, comment pouvons-nous identifier avec certitude quelle tâche ou combinaison de tâches est recherchée dans une catégorie spécifique de comportement ? Identifier les tâches qui apparemment sont à l'origine d'une série particulière de changements développementaux implique une large part de subjectivité. Tester la validité des interprétations personnelles survenues au cours du choix de tâches et de comportements appropriés semble relever, du moins dans certains cas, de l'impossible. En ce sens, la théorie des tâches développementales n'est donc pas vérifiable. La théorie envisagée pour son influence sur de nouvelles découvertes (critère 8) se présente ici sous un double aspect. Comme nous l'avons vu, elle s'est révélée fertile en ce sens qu'elle fait figure de modèle utile pour réviser les programmes scolaires et proposer aux parents et aux enseignants une nouvelle conception des besoins développementaux des enfants. Toutefois, bien que nombre de manuels américains et européens aient utilisé la théorie d'Havighurst pour présenter leur modèle de développement de l'enfant, peu de recherches ont pris le concept de *tâches développementales* comme point de départ. Mais, il y a peu, quelques chercheurs (Palmonari et al., 1990; Dangelo, 1989; Fuchs, 1988) ont basé leurs recherches sur certains concepts clés de la théorie, ce qui permet de revaloriser ce modèle. Cependant, quand on compare cette théorie à la psychanalyse de Freud et au modèle cognitif de Piaget, force est d'admettre qu'elle n'a pas été très influente, ce qui justifie le résultat assez mauvais attribué pour le critère de la fertilité.

Finalement, dans quelle mesure cette théorie est-elle satisfaisante (critère 9)? Elle est plutôt de type descriptif et limitée pour ce qui est de la capacité explicative du comportement. De plus, elle semble peu précise dans son identification des tâches et des comportements qui leur correspondent. Enfin, elle n'a pas ouvert de champ d'investigation très large aux recherches ultérieures ou du moins, peu de chercheurs l'ont choisie comme point de départ à leur travaux. En dépit de ces limitations, la théorie des tâches développementales demeure utile pour interpréter le comportement des enfants, car le principe selon lequel ceux-ci luttent pour atteindre des objectifs variés est valable. Aussi, après avoir considéré tant ses lacunes que sa valeur dans le domaine de l'éducation des enfants, nous lui avons octroyé une note moyenne pour le critère d'autosuffisance.

7

Principes de développement : Lewin, Werner et les éthologistes

Les théoriciens que nous présentons dans ce chapitre 7 partagent un objectif commun, celui d'identifier les principes généraux du développement, considérés comme constituants du schéma développemental des humains, mais aussi d'autres espèces vivantes. Une première partie de notre exposé étudie les principes et directions du développement tels que proposés par deux psychologues allemands et américains, Kurt Lewin et Heinz Werner. La seconde partie illustre les concepts et les généralisations proposés par les éthologistes pour expliquer la manière dont les caractéristiques génétiques de l'espèce humaine permettent la survie et le développement de leurs représentants.

Contributions de Lewin et de Werner : une comparaison

Pour décrire les caractéristiques clés des schèmes théoriques de Lewin et de Werner, nous commencerons par présenter un bref aperçu de la personnalité de chacun des deux auteurs. Puis nous continuerons en proposant : 1) une comparaison des principes de croissance qu'ils adoptent, 2) leurs idées sur les stades de développement, 3) le schéma de Lewin pour l'analyse de décisions, 4) les applications pratiques des travaux des deux théoriciens, 5) les perspectives de recherche dérivées de ces deux modèles et 6) une évaluation de leurs contributions respectives.

La nature des travaux de Lewin et de Werner

Bien que Kurt Lewin (1890-1947) ait passé la majeure partie de sa vie professionnelle à étudier l'enfant, il ne s'est pas limité à la seule pratique de la psychologie de l'enfant. Ses théories étant d'un ordre général, elles pouvaient tout aussi bien s'appliquer aux domaines de la psychologie sociale et de la psychologie industrielle. Son intérêt pour les enfants s'est surtout manifesté au cours des années 20 en Allemagne et des années 30 en Amérique à l'Université d'Iowa.

Baldwin (1967, p. 87) a écrit qu'il était plus exact de parler de *l'approche de Lewin* plutôt que de la *théorie de Lewin*, Lewin n'ayant jamais présenté de description clairement structurée de sa conception du développement de l'enfant. De même, il n'a rien rédigé qui propose une approche systématique du comportement de l'enfant. Par conséquent, pour connaître son interprétation personnelle de la croissance de l'enfant, nous devons recueillir ses écrits sur ce sujet, ce qui constituera la matière de ce chapitre.

Parmi les contributions notables de Lewin au domaine de développement, on trouve son adaptation des concepts et diagrammes topologiques visant à expliquer le comportement humain. La «topologie» est un type de géométrie qui accorde une attention particulière aux distances entre deux espaces particuliers et aux frontières situées entre ceux-ci. La version de ce terme adoptée par Lewin en psychologie l'a amené à dessiner des diagrammes présentant l'état de développement d'un enfant à différents points entre la naissance et l'âge adulte; il illustrait par là, à la fois, les principes de développement et les forces qui ont poussé un enfant à agir d'une certaine manière à un moment donné. Ces diagrammes ont servi d'auxiliaires à Lewin pour appuyer ses explications théoriques sur le comportement.

Heinz Werner (1890-1964) a baptisé lui-même sa démarche «théorie orthogénétique», la mission qu'il s'était assignée consistant à découvrir les principes et processus corrects (ortho = droit) du développement génétique. Dans la poursuite de ses objectifs, d'abord en Allemagne puis à l'Université Clark en Amérique, Werner a réalisé une série impressionnante d'expériences dont beaucoup s'orientaient vers l'étude des phénomènes de perception et d'utilisation du langage chez les enfants. A partir de ces expériences, il a été capable non seulement de trouver des éléments en faveur des principes de croissance généraux qu'il recherchait, mais aussi d'identifier des phénomènes spécifiques de perception et d'utilisation de langage qui ont dès lors figuré dans l'ensemble des connaissances de la psychologie.

Les principes de développement de Lewin

Avant d'appréhender les travaux de Lewin, il est important de comprendre certains termes qui lui sont propres, à savoir : *espace vital, fait, région* et *frontière.*

L'*espace vital* dans le système de Lewin regroupe tous les faits qui influencent le comportement d'un enfant à un moment donné. Un *fait* n'est pas une observation objectivement vérifiable dans le «monde réel», mais bien tous les éléments de l'environnement psychologique qui affectent le comportement ou la pensée de l'enfant, ceux-ci comprenant aussi bien les éléments dont il n'a pas conscience que ceux qu'il considère comme vrais ou réels. Par exemple, si une petite fille de sept ans croit que son professeur ne l'aime pas, même si ce n'est pas le cas, son impression de «n'être pas aimée» est considérée comme un fait, faisant partie de son espace vital. Cette conception erronée influence le comportement de l'enfant de la même manière que si cette opinion était objectivement vraie.

Pour illustrer le type d'éléments ou faits qui constituent l'espace vital d'un enfant, considérons le cas de cette petite fille de sept ans durant une leçon de mathématique, juste avant midi, le dernier jour du mois d'octobre.

Nous pouvons spéculer sur la nature des faits qui influencent ses résultats au cours de cette leçon sur le système métrique. Un fait est, pour l'enfant, celui de penser que le professeur ne l'aime pas. Un autre est la condition physique de l'enfant : elle a très peu mangé au petit déjeuner et a maintenant faim. De plus, elle a manqué l'école la semaine dernière à cause d'un rhume et elle n'a pas assisté aux leçons sur les poids et mesures. Cependant, au cours des mois précédents, elle a toujours bien réussi en arithmétique et se considère comme une bonne élève dans cette matière. Il y a aussi le fait qu'elle sait que, cet après-midi, les élèves de sa classe organisent une fête pour le carnaval et que chacun d'entre eux portera un costume. Son propre costume est là, prêt à être porté. Voilà donc quelques-uns des aspects de l'espace vital qui influencent l'enfant alors que le professeur donne son cours sur les mètres et centimètres.

A partir de cet exemple, nous pouvons déterminer plusieurs caractéristiques importantes sur les faits de l'*espace vital.* Tout d'abord, ceux-ci peuvent avoir des origines diversifiées. La faim qui taraude l'enfant a une origine biologique, mais un effet psychologique : le manque d'attention. De plus, la peur de n'être pas aimée par le professeur l'inhibe et l'empêche de dire qu'elle ne comprend pas la leçon. Ces sentiments envers le professeur ont leur origine dans un besoin social : être aimé et approuvé.

De plus, les *faits* peuvent appartenir au passé, au présent ou au futur. Dans cet exemple, l'enfant se juge bonne en arithmétique, d'après des résultats obtenus dans le passé; les explications du professeur se situent dans le présent et le fait que l'enfant anticipe ses activités de l'après-midi relève du futur.

Pour expliquer la manière dont les événements passés affectent le comportement présent, Lewin a pris soin de distinguer sa propre approche de celles qui se fondent sur l'aspect historique, comme la psychanalyse, par exemple. Dans le modèle freudien traditionnel, les sources de désordre chez un jeune ou un adulte se trouvent nécessairement dans le passé. Le psychanalyste a donc besoin de connaître le passé de ses patients, en examinant leurs rêves et leurs souvenirs pour découvrir la cause des incidents névrotiques présents. Au contraire, les adeptes de Lewin ne s'intéressent pas à un tel historique, les événements passés n'étant pour eux considérés comme influents que lorsqu'il subsiste des traces d'expériences passées dans la mémoire relative à l'*espace vital* actuel du sujet. L'aspect originel des incidents ne les préoccupe pas; par conséquent, les lewiniens essaient de comprendre les attitudes, connaissances et sentiments présents plutôt que passés, bien que ceux-ci soient parfois liés d'une certaine manière aux faits actuels de l'espace vital d'un individu.

Certaines personnes confondent le concept d'*espace vital* de Lewin avec le *moi phénoménal* des psychologues humanistes que nous présenterons par la suite. Pour ceux-ci, le *moi phénoménal* est le *moi* ou le *je* dont la personne a conscience. L'espace vital reprend non seulement cet aspect dont l'individu a conscience, mais encore d'autres forces dont il n'est pas conscient et qui influencent tout autant son comportement.

Le contenu de l'espace vital se différencie également de l'environnement objectivement observable des behavioristes. Comme nous le verrons dans la sixième partie, ceux-ci s'intéressent aux aspects de l'environnement «objectif, observable et mesurable» qui servent de stimuli à l'enfant. Les lewiniens, par contre, sont moins intéressés par ce monde réel objectif que par les perceptions que l'enfant en a. Pour eux, l'enfant n'agit pas sur base d'une réalité objective, mais en fonction de ce qu'il perçoit comme vrai, que sa perception soit *une réalité objective* ou au contraire, une vulgaire illusion ou une hallucination (Lewin, 1942, p. 217).

Dans la perspective lewinienne, le contenu de l'espace vital de l'enfant est un amalgame de nature et d'environnement. Le succès de la petite fille au cours d'arithmétique dépend en partie de son héritage génétique (structure neurologique de ses organes des sens et de son cerveau) et de ses expériences avec l'environnement. Lewin n'a pas essayé de déterminer laquelle des deux sources contribue davantage à l'espace vital de l'enfant. Il a, semble-t-il, appréhendé la nature et l'environnement comme deux sources se complétant pour produire le contenu de l'espace vital.

Deux autres termes qui doivent être définis pour comprendre la conception lewinienne du développement de l'enfant sont : *région* et *frontière*. Une *région* est un élément ou un fait de l'espace vital de l'enfant. Deux aspects particuliers de ce concept ont leur importance. Il s'agit, d'une part, du rapport entre deux régions ou plus (celles-ci peuvent être étroitement liées ou vaguement connectées) et, d'autre part, de la nature des *frontières* entre ces régions. Ainsi, une frontière peut être faible, c'est-à-dire perméable à l'influence d'une région sur l'autre ou, au contraire, elle peut être forte et servir de barrière, isoler véritablement une région des influences des régions adjacentes.

Ces quatre concepts de base ayant été définis, nous pouvons à présent aborder l'étude des principes de croissance de Lewin. D'après lui, au fur et à mesure que l'enfant se développe, cinq types de changements surviennent dans son espace vital. L'enfant qui grandit devient plus *différencié*, les frontières entre régions se font plus *rigides*, l'espace *s'étend*, les régions augmentent en *complexité* et en *organisation*, et le comportement devient plus *réaliste* (Barker, Dembo et Lewin, 1943, pp. 441-442). Nous examinerons chacun de ces principes en détail.

Différenciation

Le premier principe de développement avance que, au fur et à mesure que l'enfant grandit, son espace vital se différencie (figure 7.1). Ceci signifie que les régions augmentent en nombre et en spécificité de fonction. La différenciation est une conséquence du nombre d'expériences acquises et de la capacité de plus en plus développée de percevoir les différences entre une situation et une autre. Par exemple, un bébé prend un crayon en main d'un seul geste; ses doigts sont enroulés autour de celui-ci et le seul usage qu'il en fait est de le mouvoir sans but et d'en mettre un bout dans sa bouche. Mais, à l'âge de six ans, l'enfant peut tenir le crayon et le manipuler de différentes manières, par exemple pour dessiner des formes aussi variées qu'un chien ou une étoile, ou pour écrire quelques lettres ou faire une addition. De même, dans le domaine du langage, le très jeune enfant utilise invariablement le mot «aller» pour désigner une série d'activités. L'enfant plus âgé différencie des concepts variés en relation avec le mot «aller», comme par exemple, «laisser aller, il est allé, allons-y, si nous y allons, ils y vont quand même».

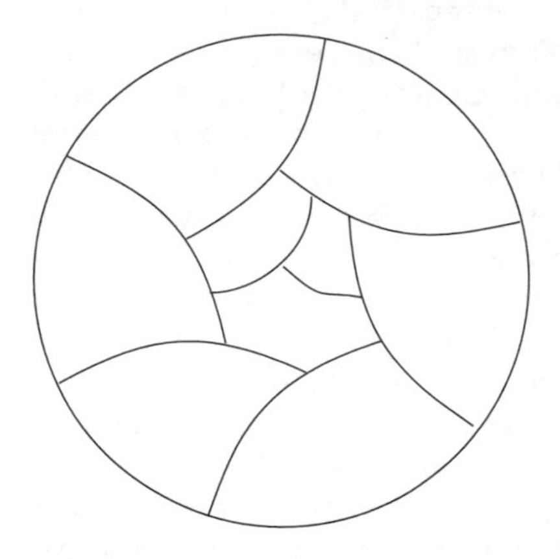

Jeune enfant : peu de régions avec des frontières faibles

Adulte : beaucoup de régions avec des frontières rigides

Figure 7.1 — Structure de l'espace de vie d'un jeune enfant et de l'adulte (adapté de Kounin, 1943, p. 181).

Rigidification

Le second principe de développement propose qu'au fur et à mesure que l'enfant grandit, les frontières entre les régions deviennent de plus en plus solides, ce qui fait que les régions sont de moins en moins influencées les unes par les autres (figure 7.1).

Le phénomène de rigidification a été conçu par Lewin en termes de tensions se développant dans une région en état de «besoin». Lewin a utilisé le besoin physiologique de nourriture comme exemple explicatif de ce qui se passe dans les autres régions de l'espace vital. Quand la faim se fait sentir, la tension devient forte et pousse l'individu à l'action. Chez le jeune enfant, la tension de la région de la faim se communique rapidement à d'autres régions, influençant d'autres aspects de l'espace vital. Mais chez un adolescent, les frontières d'une région à l'autre sont plus fortes et on peut s'attendre à ce que la tension provoquée par la faim exerce moins d'influence sur les régions avoisinantes. Lewin a encore postulé que, comme celui de la faim, d'autres types de besoins se développent dans d'autres régions, par exemple le besoin d'approbation des autres et celui de faire des expériences intéressantes.

Afin de vérifier ce concept de tension se répandant par delà les limites des régions, des disciples de Lewin ont fait une série d'expériences à partir de dessins d'enfants (esquisses très simples d'animaux, tels que chats, tortues, lapins). Chaque animal était censé représenter une sous-région de l'espace vital de l'enfant. Les expérimentateurs ont cherché à déterminer combien de fois un enfant pouvait reproduire le dessin d'un animal donné avant que la tension engendrée dans cette région par le besoin de dessiner l'animal en question ne soit dissipée. Ils ont aussi essayé d'évaluer dans quelle mesure la tension développée dans une région (dessins de chats) pouvait s'étendre à une autre (dessins de tortue) et influencer l'attention ou l'intérêt de l'enfant dans cette seconde région (figure 7.1).

Dans une expérience semblable, un collègue de Lewin, Joseph Kounin, a émis l'hypothèse que la rigidité augmentait avec l'âge mental (figure 7.2). Kounin a testé les activités de dessins d'animaux avec un groupe d'adultes mentalement retardés dont la maturité intellectuelle était égale à celle d'un groupe d'enfants normaux. Les adultes ont dessiné un nouvel animal (tortue) pendant un temps presque aussi long que celui qu'ils avaient pris pour tracer le dessin originel (chat). Toutefois les enfants, après avoir dessiné des tortues jusqu'à en être saturés, avaient dessiné des chats pendant un temps beaucoup plus court. Kounin a interprété cela comme une preuve que les frontières entre les régions chez les adultes sont plus fortes ou plus rigides que chez les enfants. Les enfants sont passés plus facilement du dessin de tortues au dessin de chats, cette saturation réduisant leur intérêt pour le dessin de chats (Kounin, 1943, pp. 194-196). Lewin a utilisé le terme «cosaturation» pour décrire le processus de satisfaction (ou d'ennui) d'une région, réduisant la quantité d'activité nécessaire pour annihiler le besoin d'une autre région (figure 7.2).

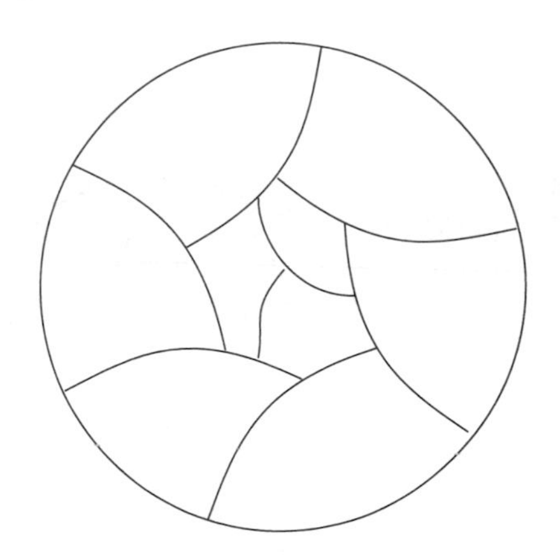

Enfant de dix ans d'intelligence normale : plusieurs régions avec des frontières faibles

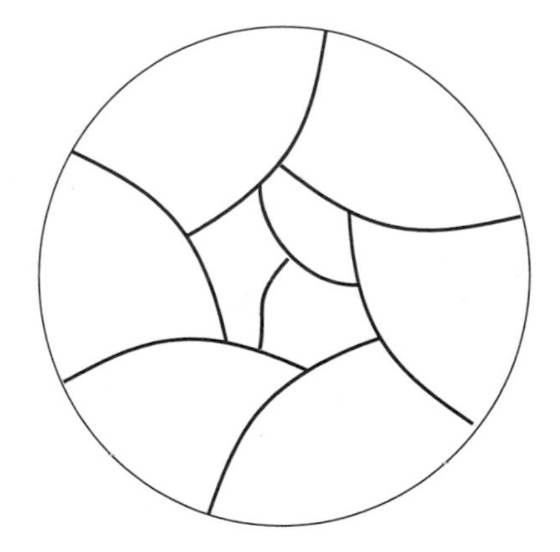

Adulte retardé ayant un âge mental de dix ans : peu de régions avec des frontières rigides

Figure 7.2 — Structure de l'espace de vie de l'enfant normal et du retardé mental adulte

Expansion

Comme troisième principe de développement, Lewin a stipulé que l'espace vital de l'enfant s'élargit aussi bien en «temps» qu'en «espace» à mesure que passent les années. De plus, l'enfant a désormais accès à un nombre croissant de régions faisant partie intégrante de son espace vital à mesure qu'il grandit.

L'expansion de l'espace vital se produit pour plusieurs raisons. Physiquement, l'enfant devient plus grand, plus fort et plus agile, capable de coordonner ses mouvements dans des activités complexes lui permettant de se mouvoir dans des environnements de plus en plus diversifiés et d'accomplir un nombre plus élevé de tâches. Intellectuellement, il améliore sa connaissance de l'environnement et, par conséquent, ses stratégies visant à résoudre les problèmes rencontrés. Socialement, il devient plus responsable, et la société en tient compte et lui permet de s'engager dans davantage d'activités en toute autonomie. L'adolescent plus âgé est ainsi autorisé à conduire une voiture, à sortir tard le soir et à fréquenter des lieux d'amusement interdits aux jeunes enfants.

L'expansion temporelle peut se réaliser, l'enfant se rappelant désormais du passé et dominant la notion de temps historique, ce qui lui permet d'inclure dans son espace vital des faits qui se sont produits des décennies et des siècles plus tôt. De même, l'enfant qui grandit a accès à une perception accrue du futur. Il développe son aptitude à imaginer, à attendre, à espérer, à planifier ce qui peut arriver dans les mois ou dans les années à venir.

Interdépendance organisationnelle

Parallèlement à ce principe d'interdépendance, les régions de l'espace vital, y compris certains segments du comportement de l'enfant, développent de plus en plus de rapports. En apparence, cette généralisation semble entrer en contradiction avec le principe de rigidification. Si les limites entre les régions deviennent plus fortes avec l'âge, ceci ne produit-il pas une plus grande indépendance plutôt qu'interdépendance entre les régions ? Lewin a essayé de réfuter cette objection en différenciant «l'interdépendance simple» de «l'interdépendance organisationnelle». L'interdépendance simple est représentée par des frontières minces entre les régions de sorte que la saturation d'une région affecte les régions adjacentes. Une telle interdépendance décroît au fur et à mesure que l'enfant grandit. Par contre, l'interdépendance organisationnelle entre différentes régions consiste en arrangements en systèmes hiérarchiques ou séquences d'actions ayant pour but d'atteindre un objectif plus éloigné et plus complexe. Alors qu'un enfant d'un an a des difficultés pour ramasser une petite balle et l'envoyer dans une direction désirée, un enfant de dix ans attrape une balle au vol dans un gant de baseball tout en courant, peut le passer d'une main dans l'autre et la lancer convenablement à un autre enfant se trouvant à bonne distance de lui. L'enfant de dix ans est donc à même de coordonner une série de comportements (c'est-à-dire de régions de son espace vital) et de faire montre d'interdépendance organisationnelle. Dans le domaine des activités mentales, une telle organisation des régions de l'espace vital se révèle lors d'opérations intellectuelles complexes, telles par exemple, l'acte qui permet à un enfant de résoudre un jeu de patience ou bien l'analyse d'un diagramme lui permettant de construire une maquette d'avion ou encore la création d'une saynète à faire jouer par ses camarades de classe.

Réalisme

Enfin, un développement normal se caractérise par l'augmentation du niveau de réalisme. Il faut faire la différence entre les niveaux de réalité, c'est-à-dire d'une part, entre ce qui pourrait être, ce que nous désirons qui soit ou ce que nous imaginons qui peut être et d'autre part, ce que les choses sont en réalité pour nous. Comme Baldwin l'a expliqué : «Là où le réalisme est poussé, les frontières entre les régions sont relativement rigides; les objectifs ne sont pas atteints simplement en souhaitant ou en imaginant, mais bien par des comportements se conformant aux règles. Tout ceci représente l'acquisition par l'enfant d'un monde objectif, extérieur à lui-même» (1967, p. 121).

En résumé, Lewin a considéré le développement comme un mouvement vers une plus grande différenciation de l'espace vital et une orientation spatio-temporelle accrue vers une meilleure interdépendance organisée d'activités et de régions et vers un plus grand réalisme.

Les principes de développement de Werner

Les poètes, tout comme les théoriciens, utilisent des observations tirées d'un aspect de l'existence pour expliquer des phénomènes appartenant à d'autres. Ainsi, le poète Tupper lorsqu'il écrit que l'amitié d'un enfant «est un joyau qui vaut bien un monde de douleurs». Heinz Werner a fait de même quand il a proposé que la croissance intellectuelle de l'enfant est parallèle à l'évolution biologique des organismes ou encore, au développement d'une société d'un état primitif à une condition avancée.

Les grandes lignes du modèle de Werner remontent à la théorie de la récapitulation des zoologistes du XIXe siècle. Cette théorie, connue sous le nom de «principe de l'ontogénie», suggère que les stades d'évolution par lesquels l'espèce se développe (phénomène de *phylogénie* ou *phylogenèse*) sont parallèles aux étapes du développement d'un animal ou d'un être humain particulier (*ontogénie*). Ce principe avait déjà été énoncé par des chercheurs naturalistes et des philosophes aux siècles précédents, mais son influence s'est accrue après que Darwin ait défini les étapes par lesquelles l'espèce humaine est passée, au départ de formes de vie très simples, au cours des millénaires. Les zoologistes ont encore observé que le développement fœtal des animaux avancés et des humains progresse à partir d'une cellule unique simple qui passe par plusieurs stades qui simulent les états de maturité de plusieurs organismes ou animaux de plus en plus complexes. Selon les mots de Sidgwick, «l'histoire développementale de l'individu apparaît être une courte répétition ou, dans un certain sens, une récapitulation du cours du développement de l'espèce» (1959, p. 268).

Le philosophe anglais Herbert Spencer (1820-1903) ne s'est pas contenté de l'application de la théorie de récapitulation au développement biologique. Il l'a étendue aux phénomènes psychologiques et sociologiques. Selon Spencer, l'enfant se développe intellectuellement d'une condition primitive à une condition plus avancée. De même, les sociétés primitives, dit-il, sont représentatives des stades de l'évolution sociale qui sont parvenus à produire les sociétés avancées.

En Amérique vers les années 1890-1900, le principal adversaire de la théorie de récapitulation était G. Stanley Hall, président et professeur de psychologie à l'Université Clark (Hall, 1904). Pendant les premières décennies du XXe siècle, biologistes, psychologues et sociologues ont remis en question la théorie de récapitulation et à partir des années 30-40, les développementalistes sont parvenus à rejeter l'idée selon laquelle l'enfant qui grandit passe par les mêmes stades de développement que l'espèce, mais à un rythme beaucoup plus accéléré.

Quand, un demi-siècle après que Hall ait commencé ses travaux, Werner est arrivé à l'Université Clark, ses idées sur le développement apparurent comme une version moderne de la théorie de récapitulation. Mais Werner s'en est défendu, disant que les similitudes n'étaient que superficielles et qu'en réalité, il n'approuvait ni les idées de Spencer, ni celles de Hall (Werner, 1961, pp. 24-25). Pour établir cette distinction, il est nécessaire d'analyser les ressemblances entre les vues de Spencer et de Werner, puis d'examiner en détail la nature du schème de Werner.

Spencer a défini trois principes de base d'évolution selon lui universels, puisqu'ils s'appliquaient tant aux matières organiques et inorganiques qu'à la croissance psychologique et aux sociétés. Il a émis l'hypothèse qu'au fur et à mesure qu'une chose se développe, elle devient de plus en plus *différenciée* en parties et en fonctions, les parties fonctionnant mieux entre elles si elles sont intégrées tout en restant indépendantes. Chaque partie parvient à des qualités plus individualisées qui la distinguent des autres parties (Royce, 1959, p. 392). (Les trois principes de Spencer ne sont pas très éloignés de ceux de *différenciation*, d'*interdépendance organisée* et de *rigidification* de Lewin).

De même que Spencer a cherché à identifier les principes généraux de l'évolution, Werner, grâce à sa solide formation en biologie et en anthropologie, s'est astreint à la tâche d'identification des principes que le développement correct *(orthogenèse)* suit dans les domaines de croissance biologique et intellectuelle, en mettant l'accent particulièrement sur le phénomène de perception humaine. Les études de Werner l'ont conduit à cette conclusion générale :

> *Nous assumons que les organismes sont naturellement appelés à subir une série de transformations, ce qui reflète une tendance à se développer d'un état de globalité relative et d'indifférenciation vers un état de différenciation accrue et d'intégration hiérarchisée. C'est cette tendance, appelée principe orthogénétique, que nous utilisons pour caractériser le développement comme distinct par rapport à d'autres types de changements qui s'opèrent avec le temps* (Werner et Kaplan, 1963, p. 7).

Le fait que Werner ait souscrit à un tel point de vue signifie-t-il qu'il adhérait à la théorie de récapitulation ? Ses écrits infirment cette hypothèse :

> *Il existe certaines similitudes entre les séries développementales. Les similarités, par exemple entre la mentalité de l'enfant et celle de l'homme primitif, ne peuvent être réduites pour se conformer à aucune loi de récapitulation. C'est le développement lui-même, dans la mesure où il implique un changement de formes générales vers des formes plus spécialisées, qui donne la fausse impression d'une récapitulation et qui crée certains phénomènes parallèles dans deux séries génétiques en relation. Dans un sens pratique, on peut parler d'un principe de parallélisme : le développement dans la vie mentale suit certaines règles générales et formelles qui concernent ou l'individu ou l'espèce. Un tel principe implique qu'en plus des similitudes générales et formelles, il n'existe pas de différence matérielle dans les phénomènes comparables* (1961, pp. 24-25).

Le principe de directivité de Werner

Comme l'impliquent les termes *directivité naturelle* et *tendance*, Werner croyait que c'était la nature même de l'espèce qui orientait son développement dans la direction «d'une fin pré-ordonnée». Werner et son collègue

Bernard Kaplan ont appelé cette idée «l'hypothèse de directivité» et ont expliqué que pour eux, «directivité» ne signifie pas «effort conscient vers un but», ce qui ne serait autre que de la «téléologie subjective». *Directivité* dans le sens de «téléologie objective» est la caractéristique observable d'un comportement de l'organisme qui ne tient compte d'aucune conscience de buts et objectifs de la part de l'organisme (Werner et Kaplan 1963, pp. 5-6).

Dans le concept de directivité, Werner a exprimé sa vision de l'être humain, activé par un instinct de vie et un désir de contrôler son sort. Les humains, par rapport à d'autres êtres vivants, sont particulièrement avancés pour ce qui est de leur faculté d'adaptation à des environnements variés, faculté qui dépend dans une grande mesure de l'usage de symboles représentant des objets et idées, symboles pouvant être organisés en de nouvelles configurations, enregistrés pour des utilisations subséquentes et déplacés d'un endroit à un autre. Werner et Kaplan ont écrit que :

> *L'homme, destiné à conquérir le monde par la connaissance commence par être tout d'abord incompris, désorienté, se trouvant dans un chaos contre lequel il se bat, afin de le surmonter. L'homme vit constamment dans un monde en devenir plutôt que dans un monde fixe. Nous avançons maintenant que pour construire un univers vraiment humain, c'est-à-dire un monde qui soit connu plutôt que simplement subi, l'homme a besoin d'un nouvel outil, le symbole* (Werner et Kaplan, 1963, p. 5).

C'est donc ce que Werner a dépeint comme un mouvement vers une plus grande différenciation, une meilleure intégration des différentes parties entre elles et même une compréhension plus claire du monde, compréhension qui, dans une large mesure, dépend de l'utilisation de symboles.

En plus d'offrir ces lignes de développement, Werner a enrichi le principe orthogénétique. Par exemple, son expression «de syncrétique à discret» caractérise l'enfant qui progresse d'un état d'indifférenciation à celui de différenciation. Le *syncrétisme*, qui est la manière dont l'enfant agit ou perçoit les choses lors de ses premières années, fait référence à des actions ou concepts globaux. Au fur et à mesure qu'il grandit, ces actions ou idées générales se fragmentent pour devenir des parties constituantes isolées et mieux identifiables. Par exemple, un enfant d'un an qui essaie de saisir un crayon le fait par un mouvement unique du corps, du bras, de la main alors que le même geste effectué par un enfant de dix ans révèle une plus grande autonomie des parties : son corps ne se déplace pas du tout, seule sa main bouge. Le poignet se plie et le pouce et l'index s'emparent du crayon dans un mouvement de préhension qui ne requiert pas la participation des autres doigts. De plus, l'enfant de dix ans peut adapter sa préhension selon qu'il s'agit d'une balle de tennis, d'un verre, d'un marteau ou d'un pépin d'orange mouillé. La différenciation des parties du bras et de la main rend possible une telle accommodation.

Cette mutation du syncrétisme en une plus grande *différenciation* se réalise aussi au niveau du développement intellectuel. Le jeune enfant a un langage holophrastique, c'est-à-dire qu'il emploie un seul mot ou *mot-phrase* pour présenter une situation entière ou une série d'actions, là où un enfant plus âgé utiliserait plusieurs mots, qui décriraient mieux les éléments de cette même situation.

Bien que Werner ait cru que le développement procédait d'un état syncrétique à un état isolé, il n'a pas proposé que l'adulte perd son aptitude à percevoir d'une manière syncrétique. Par exemple, un adulte peut avoir une impression générale en pénétrant dans une pièce et peut garder en tête le panorama général d'un paysage, tout en étant capable de l'analyser dans les détails, partie par partie. De plus, comme Baldwin l'a expliqué :

> *Le syncrétisme est primitif, dans le sens où c'est une caractéristique des enfants et des hommes primitifs et un attribut de la perception dans des conditions pauvres de captation. Mais, il n'est pas en soi mal adapté, désordonné ou incompatible avec les types de perceptions plus indépendantes qui caractérisent la vie d'adulte de tous les jours* (1967, p. 502).

Articulation, flexibilité et stabilité

Non seulement le développement progresse vers plus de différenciation, mais les parties sont de plus en plus articulées entre elles. Ce facteur d'*articulation* ressemble au concept d'interdépendance organisée de Lewin. Au fur et à mesure que l'enfant grandit, les aspects de plus en plus différenciés de la vie physique et de la vie mentale s'ordonnent en hiérarchies et en séquences entrecroisées qui permettent des actions et des pensées de plus en plus complexes. Ce jeune enfant qui veut se promener en voiture avec son père est incapable de concilier une série de pensées indépendantes prenant en considération les conditions passées et futures, alors qu'un adolescent dira : «Si papa descend en ville demain, j'aimerais y aller avec lui afin de faire arranger mes skis».

Un autre sous-principe orthogénétique proposé par Werner est que le développement progresse d'un état de rigidité vers un autre présentant plus de *flexibilité.* A première vue, ce principe semble s'opposer au concept de rigidification de Lewin. Un examen plus approfondi de la définition du terme «rigide» révèle que les deux théoriciens ont chacun leur propre acception de ce mot. Alors que Lewin l'utilise pour identifier l'isolement croissant des régions de l'espace de vie, Werner l'emploie pour désigner l'incapacité du jeune enfant à développer ses aptitudes pour répondre à de nouvelles demandes de l'environnement. Pour Werner, l'enfant plus âgé est plus flexible, plus sensible à des changements subtils de son entourage et est ainsi mieux préparé à sélectionner dans son répertoire de comportements, ceux qui peuvent valablement s'adapter à ces variations. L'enfant plus âgé non seulement dispose d'un choix plus vaste d'idées et d'actions, mais est aussi mieux préparé à adapter ses idées et talents existants pour satisfaire aux nouvelles demandes de son milieu. Par exemple, quand un jeune enfant joue aux échecs, il conçoit en général un nombre très limité de manières de déplacer ses pions et évalue difficilement l'influence que peut avoir le déplacement d'un pion sur le jeu en général. Au contraire, l'enfant plus âgé adopte une stratégie plus flexible. Il peut immédiatement mettre au point plusieurs alternatives immédiates de jeu et est à même de prévoir avec plus d'exactitude les conséquences éventuelles de ses tactiques sur les déplacements de pions futurs. Il est aussi favorisé par une plus grande faculté de prévoir les réactions de ses adversaires.

Une autre orientation de la croissance orthogénétique dans le modèle de Werner va de l'état d'instabilité vers celui de *stabilité* et est particulièrement bien illustré par l'exemple de la capacité d'attention chez les enfants. Les intérêts et la faculté de concentration du jeune enfant sont fugaces. Mais, dès l'adolescence, l'enfant est désormais capable de concentrer plus longtemps son attention sur une activité ou un élément particulier. Il peut dès lors se fixer des objectifs à long terme, qui peuvent être poursuivis, tandis que ses centres d'intérêt se stabilisent.

Enfin, Werner croyait qu'avec les années, l'enfant parvenait mieux à faire la différence entre «le Moi» et le monde. Le nourrisson ne distingue même pas le «Moi» du «non-Moi» et quand il commence à établir cette distinction, il associe sans doute les sources de satisfaction au Moi, et ce qui lui déplaît comme provenant du non-Moi. Donc l'opposition ou séparation entre le moi et le monde « (...) manque pour ainsi dire pendant la première enfance et augmente avec l'âge (...) La nature fondamentale de la polarité *moi-monde* est particulièrement évidente dans les circonstances où celle-ci est déficiente, par exemple, dans des cas de pathologie» (le mot pathologie faisant référence à des états de confusion d'identité comme dans la schizophrénie) (Wapner et Werner, 1965, p. 10).

Par conséquent, comme le prouvent les exemples que nous venons de présenter, Werner considère que l'être humain, de par sa nature même, se développe physiquement et psychologiquement vers plus :

1) de différenciation des parties et de leurs fonctions;

2) d'intégration des parties individuelles pour former des comportements complexes et les organiser en des schémas de pensées;
3) de flexibilité pour adapter des actions et des pensées à des conditions changeantes de l'environnement;
4) de stabilité d'intérêts et d'attention;
5) de distinction entre le moi et le monde.

Stades de développement : Lewin et Werner

Le cas de Lewin

Quoique Lewin considère l'identification des principes de croissance comme plus importante que la description des stades qui les caractérisent, il a cependant accordé une certaine attention à deux aspects de la question. Il a d'abord reconnu le bien-fondé de l'importance généralement attribuée aux périodes de croissance, telles la première et la seconde enfance et l'adolescence. Il a ensuite identifié des phases par lesquelles les enfants passent, dans plusieurs domaines spécifiques de leur vie, le jeu ou le dessin par exemple. Quelques exemples tirés de ses travaux permettront d'illustrer la manière dont il a appliqué sa méthode topologique à ces différents cas.

Périodes générales de développement

Lewin fait état de périodes générales de croissance dans ses écrits et rapports de recherche et a proposé, dans un essai, une méthode d'analyse d'une période donnée en termes de diagrammes topologiques. Par exemple, lorsqu'il a écrit sur l'adolescence, il l'a décrite comme une période d'instabilité, un stade transitoire entre une période stable, la seconde enfance, et une autre période, tout aussi stable quoiqu'encore mal comprise : l'âge adulte. Lewin croyait que *l'espace de vie* de l'adolescent était nécessairement flottant, étant donnés les changements corporels occasionnés par la puberté, l'intellectualité croissante du jeune et les nouvelles possibilités de liberté offertes par la société. Pour faire face à ces problèmes, l'adolescent, dans le monde occidental moderne, est incertain, au regard de la somme de liberté dont il dispose et de celle dont il a réellement besoin. En résumé, après la seconde enfance, la voie future est à peine ébauchée dans l'esprit du jeune. Le «caractère cognitivement non structuré» de cette nouvelle situation rend l'adolescent timide, sensible ou agressif. Les tensions émotionnelles naissent du conflit entre les diverses attitudes, valeurs et style de vie de la période qui s'achève (seconde enfance) et celles qui se dessinent à peine et qui relèvent de l'étape suivante, la maturité. Il peut adopter des positions extrêmes en politique ou dans son comportement et changer radicalement d'avis régulièrement. Comme un émigrant dans une nouvelle culture – l'homme marginal par excellence, pour le sociologue – il vit à la fois dans l'ancienne et la nouvelle culture, sans être cependant accepté ni par l'une, ni par l'autre. Lewin a illustré cet aspect de l'adolescent dans le diagramme présenté à la figure 7.3.

Alors que la figure 7.3 établit les relations entre divers groupes de la société, la figure 7.4. reproduit le changement survenant dans l'espace de vie de l'individu alors qu'il passe des régions clairement définies de l'enfance et de celles plutôt vagues de l'adolescence à un *espace de vie* délimité caractérisant l'âge mûr de l'adulte.

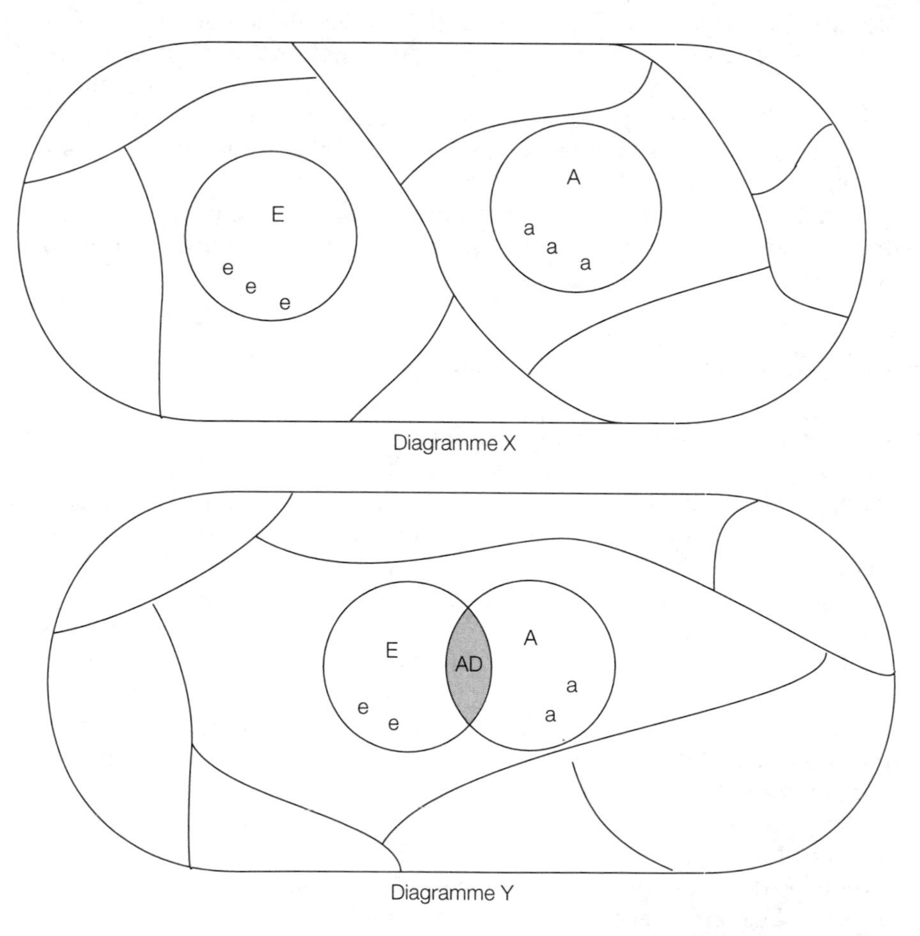

Figure 7.3 — La structure de la société pour les enfants (E), les adolescents (AD) et les adultes (A) (d'après Lewin, 1939, p. 882).

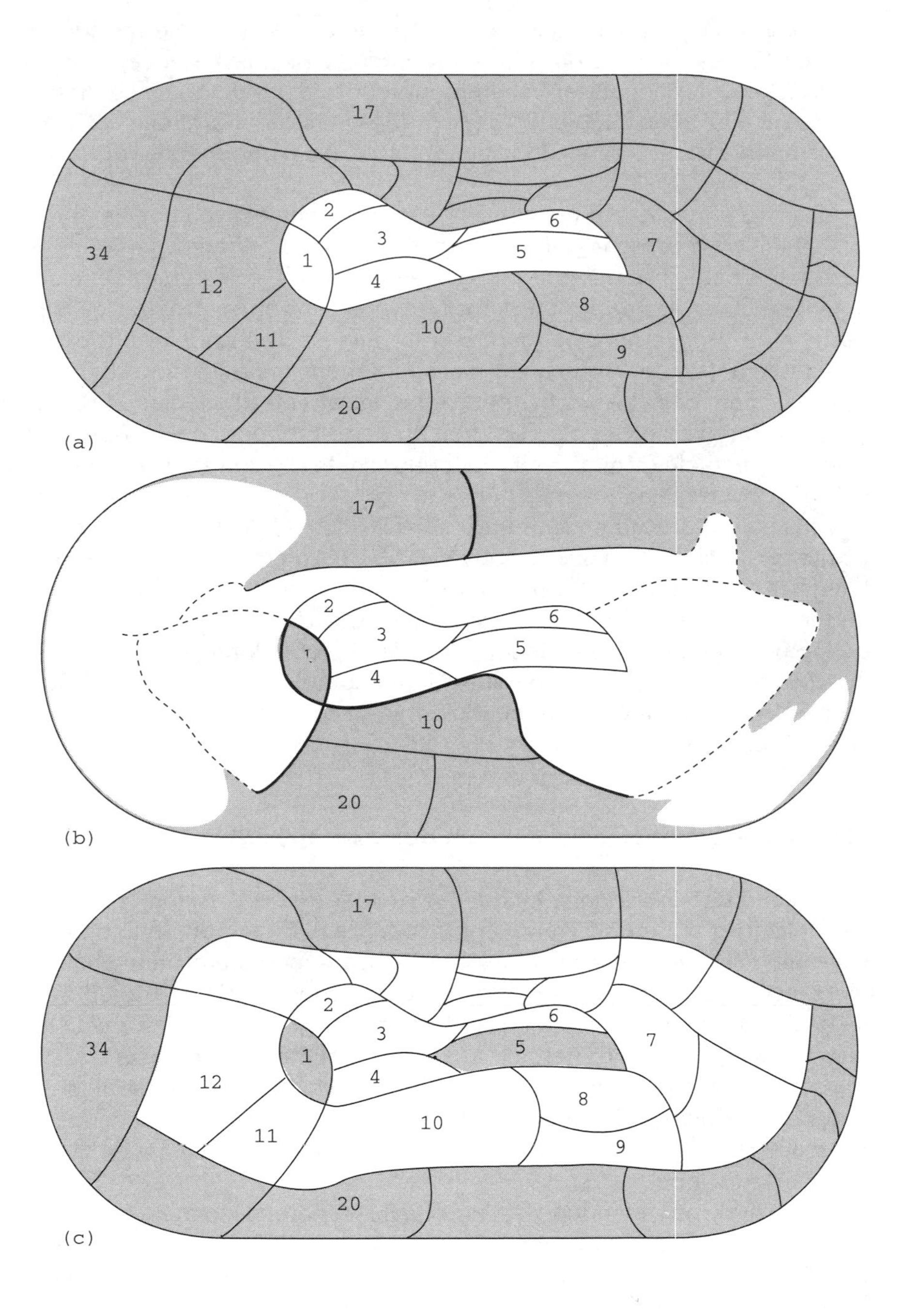

Figure 7.4 — Espace du mouvement libre de l'enfant (a), de l'adolescent (b) et de l'adulte (c) (adapté de Lewin, 1939, pp. 875-877).

Comme l'indique le diagramme (X) de la figure 7.3, le monde de l'enfant (E) est distinct du monde de l'adulte (A). Enfants (e, e, e) et adultes (a,a,a), connaissent clairement leur rôle. Le diagramme du bas (Y) quant à lui situe l'adolescent (AD) dans la limite marginale entre les deux mondes; il ne connaît donc pas son rôle et n'a pas encore appris «les règles du jeu».

Dans la figure 7.4a, l'espace de vie concernant le niveau de flexibilité de l'enfant est représenté par les régions en blanc, nettement séparées de l'espace adulte (frontières rigides). Les régions 1 et 6 reprennent des activités telles que payer un demi-tarif pour entrer au cinéma et faire partie d'un mouvement de jeunesse. Le niveau de flexibilité attribué à l'adolescent (figure 7.4b) n'est pas clairement délimité sous tous les rapports; pour certaines activités en effet, les attentes sont claires et bien définies. Par exemple, il n'a plus droit au demi-tarif pour entrer dans une salle de spectacle (région 1) et il ne peut acheter de boissons alcoolisées (10). Par contre, il acquiert de nouveaux privilèges, tels que le permis de conduire, l'autorisation de rentrer tard le soir et la liberté de fumer (toutefois, l'acquisition de ces nouvelles libertés n'est pas systématique). L'espace adulte (figure 7.4c) quant à lui comprend bien plus de régions, nettement définies. Cependant, certaines activités sont prohibées, telles que payer demi-tarif au cinéma (région 1) et adopter des attitudes puériles (région 5). De même, il est inacceptable de tuer des individus qu'on n'aime pas (région 20) ou d'obtenir un emploi pour lequel on n'est pas préparé (régions 17, 34).

Stades de développement dans un domaine spécifique de la vie

Au cours d'une expérience intitulée «Frustation et régression», Lewin et ses collègues ont étudié trente enfants de deux à cinq ans qui jouaient librement (Barker, Dembo et Lewin, 1943). Chacun d'eux a été observé alors qu'il jouait seul dans une pièce avec des jouets. Un écran transparent a ensuite été placé au milieu de la pièce, séparant l'enfant des jouets les plus attrayants, et permettant aux expérimentateurs d'observer ses réactions face aux jouets moins attrayants. Les chercheurs ont ainsi pu noter : (1) le niveau d'élaboration ludique avant et après que l'écran ait été placé et (2) à quel point le jeu de l'enfant a été influencé par le retrait des meilleurs jouets.

A partir de ces expériences, l'équipe de recherche a conclu que le jeu avec des jouets, tels par exemple des camions ou des poupées, peut être divisé au moins en huit niveaux d'élaboration, en corrélation avec l'âge. Ils ont aussi établi que suite aux frustrations dues à la présence de l'écran, les enfants étaient ramenés à un niveau d'élaboration inférieur (Baker, Dembo et Lewin, 1943, pp. 452-456). La nature des niveaux d'élabora-

tion peut être illustrée par les trois exemples qui suivent :
Niveau 2: Les jouets sont examinés superficiellement. Par exemple, l'enfant s'assied par terre et prend le jouet dans ses mains.
Niveau 5 : Manipulation élaborée. Par exemple, le camion et la remorque sont déchargés, attachés, détachés, réattachés, tirés.
Niveau 7: Dimension dramatique conférée au jeu en composant une histoire qui englobe un environnement plus large que celui du camion et de la remorque avec lesquels on va à la pêche. Il faut donc détacher la remorque, aller à une station-service pour «faire le plein d'essence, puis attacher un bateau à moteur au camion. Hum... Le voilà parti» (Parker, Dembo et Lewin, 1943, pp. 449-450).

Lewin et ses collaborateurs sont de cette manière parvenus à identifier des stades de développement pour des domaines spécifiques du comportement de l'enfant. Cependant, la tâche d'identification de ces stades n'a pas été poursuivie pour elle-même; elle représente une découverte accidentelle pour ces chercheurs qui poursuivaient des objectifs théoriques de plus grande importance pour eux. Par exemple, dans l'expérience du jeu, leur préoccupation principale était la nature des réactions des enfants vis-à-vis des frustrations. La hiérarchie d'élaboration dans le jeu a été développée en tant qu'instrument de mesure venant étayer l'hypothèse de la régression après une frustration.

Le cas de Werner

Comme Lewin, l'objectif principal de Werner était d'identifier les principes et directions du développement plutôt que d'étudier dans ses détails la nature des stades de croissance. Cependant, il ne s'est pas complètement désintéressé de la question des stades. Sa position dans le débat sur leur continuité est la suivante : de nouvelles formes apparaissent continuellement pour remplacer les anciennes, produisant ainsi des étapes ou niveaux discontinus. D'après Werner, le processus est double : le mouvement général de développement est continu, mais, périodiquement, à côté de cette croissance continue, des étapes se dessinent :

> *D'un côté, le principe orthogénétique en termes généraux (...) implique nécessairement la continuité. D'un autre côté, des formes concrètes et des opérations, c'est-à-dire de nouvelles fonctions et structures émergent et, sous cet angle, les changements ne sont pas continus* (Werner et Kaplan, 1963, pp. 7-8).

Cependant, dans le système de Werner, lorsqu'une nouvelle forme de comportement ou de pensée en supplante une autre, cette dernière disparaît, pour être tirée de l'ombre, au besoin. Ainsi, dans des circonstances ordinaires, l'enfant qui grandit utilise la nouvelle forme, le schéma le plus avancé de comportement. Cependant, sous l'influence de certains facteurs internes (état de rêve, conditions pathologiques, intoxication par certaines drogues), le vieux schéma peut réapparaître. De même, lors de conditions externes inhabituelles (comme une tâche difficile ou nouvelle), cela peut également se reproduire. Au moment de faire face à une nouvelle situation, l'enfant revient très souvent à un comportement moins évolué, avant de progresser vers des «opérations mûres et bien balancées; nous pouvons faire référence à cette tendance comme à une manifestation du principe génétique de spiritualité» (Werner et Kaplan, 1963, p. 8).

Pour certains sous-domaines du développement, Werner a identifié des étapes de croissance. Cependant, contrairement à Gesell, il n'a pas déterminé d'âge correspondant à chaque stade. Tout au plus a-t-il proposé des exemples pour illustrer les différents niveaux en question. Ainsi quand un enfant donne une représentation exacte (par geste) d'une forme ou qu'il produit un son à l'aide de l'objet qu'il voit, il s'agit d'un bas niveau de communication. Au fur et à mesure qu'il grandit, sa référence à l'objet est de moins en moins une représentation directe. Les symboles qu'il utilise finalement n'auront en général aucune ressemblance avec l'objet qu'ils représentent. Cette tendance développementale a été qualifiée de *distanciation* par Werner (Werner et Kaplan, 1963, pp. 82-83).

Bien que ce ne fut pas là son objectif premier, Werner a identifié des étapes dans différents domaines du comportement. Cependant, il ne les a pas formulées en un système unique, au contraire de Piaget, par exemple; il n'a pas non plus précisé à quel âge l'enfant type devrait passer par chacune de ces étapes.

Un exemple d'analyse de décisions

Lewin a utilisé sa méthode topologique non seulement pour illustrer les principes de croissance et la nature des stades développementaux, mais encore pour expliquer pourquoi un enfant agit d'une manière particulière à un moment donné. Pour cela, il avance tout d'abord que le comportement de l'enfant est orienté vers un but : un enfant agit pour atteindre un objectif qui satisfera un besoin qu'il ressent. Atteindre ce but, cependant, n'est pas toujours facile, car l'enfant peut être pris entre deux besoins inconciliables qui cherchent à être satisfaits simultanément. De plus, il peut y avoir des barrières physiques, sociales ou psychologiques à surmonter ou à éviter avant que l'objectif puisse être atteint. Par conséquent, à n'importe quel moment, l'espace de vie d'un enfant consiste en une mosaïque de régions ou d'éléments, chacun exerçant une certaine force dans une direction donnée. La décision finale, c'est-à-dire la manière d'agir, est déterminée par celle de ces forces qui se trouve être la plus puissante.

Pour illustrer le processus lewinien de prise de décision, nous examinerons l'exemple d'un enfant face à une alternative : une enfant de la section des grands de la maternelle est attirée par le coin des poupées et par celui de la peinture dans la salle d'exercice. Comme le montre la figure 7.5, la situation peut être présentée sous forme d'un diagramme représentant trois régions d'espace de vie. La région (X) est le coin des poupées; la région (Y), le coin de la peinture et la région (D), la situation de prise de décision dans laquelle la petite fille se trouve. L'enfant est représentée par (P) (personne). Lewin a adopté le terme *valence* des sciences physiques pour représenter le pouvoir ou la force psychologique d'une région dans l'espace vital. Une «valence positive» attire l'enfant vers une région donnée alors qu'une «valence négative» l'en rejette. Le signe «plus» (+) de la région (X) indique que le coin des poupées a pour la petite fille une plus grande attraction; donc nous pouvons nous attendre à ce qu'elle résolve le problème en allant vers le coin des poupées. Les flèches vers l'enfant (P) suggèrent la puissance comparative des forces vers (X) et (Y). En résumé, on comprend pourquoi la force vers (X) représentée par la longue flèche F(X) apparaît comme plus puissante que la force vers (Y) comme l'indique la flèche courte F(y).

Bien que cet exemple fasse l'objet d'une représentation graphique du processus de prise de décision, il ne peut servir à illustrer des décisions plus compliquées. Une étape plus complexe peut être observée dans la figure 7.6 qui introduit des barrières (régions Ba) dans l'espace de vie. Cette figure 7.6 représente le problème d'un garçon, Paul, qui tente de se décider à choisir laquelle de ses deux amies il va inviter à danser. Il les aime bien toutes les deux, elles sont toutes deux représentées par des valences positives (régions A et B), mais il trouve Betty (région B) un peu plus attrayante que Anne (région A), surtout que son ami Jean est sorti avec Betty et qu'il l'a trouvée intéressante. Jean voudra probablement inviter Betty à danser. En choisissant Betty, Paul risque donc de compromettre son amitié avec Jean. Cette barrière psychologique (région Ba) exerce une force opposée à la valence positive de Betty. La force qu'est la barrière qui représente l'intérêt de Jean pour Betty est symbolisée par la flèche F (Ba) et sa fonction est double : d'une part, elle augmente l'attrait de Betty et en fait un objet qui vaut la peine d'être conquis, mais, en même temps, elle menace son amitié avec Jean. Paul résoud ce problème en invitant Anne à danser, car les forces combinées dans la direction d'Anne F(a) et F(b) l'emportent sur l'unique force puissante qui va dans la direction de Betty. Harry a une préférence pour Betty, en partie parce qu'elle est plus difficile à conquérir, mais choisit Anne car le prix psychologique à payer pour séduire Betty est trop élevé.

Naturellement, la plupart des décisions de l'existence sont plus complexes que celles que nous proposons dans ces deux exemples. Au moment d'une prise de décision, les attractions et barrières qui exercent une force sur l'individu sont multiples. Présenté sous forme de schéma, l'espace de vie dans de telles conditions exigerait des cartes topologiques bien plus complexes que celles des figures 7.5 et 7.6. Les lewiniens ont produit une grande variété de diagrammes théoriques, chacun destiné à éclaircir un type de décision particulier ou à proposer de nouvelles hypothèses. Un échantillon des diagrammes lewiniens figure dans *Theories of Child Development* (Baldwin, 1967, Chap. 3).

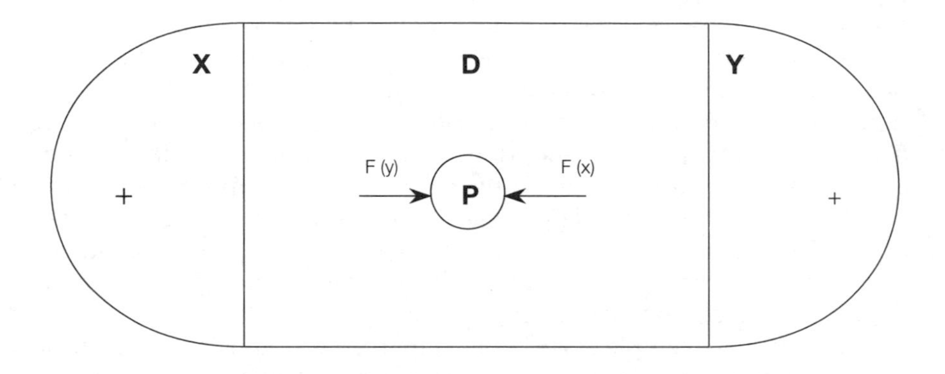

Légende :
X = coin des poupées, D = prise de décision, Y = coin peinture, P = personne, F = force

Figure 7.5 — Choix entre deux possibilités également séduisantes

Il est aussi important de reconnaître le rapport existant entre le point de vue de Lewin sur le processus de prise de décision et ses principes de développement. Au fur et à mesure que l'enfant grandit et que son espace de vie change, le mécanisme de prise de décision est modifié selon des schémas décrits par les principes suivants. Par exemple, un garçonnet de sept ans et un adolescent de dix-sept ans qui sont confrontés à une décision semblable font, en fait, face à des situations tout à fait différentes compte tenu des différences existant entre les espaces de vie respectifs. Prenons, par exemple, le cas de ces deux garçons à qui une fille a donné son adresse mais a oublié de mentionner le numéro de sa maison. Les deux garçons doivent décider si oui ou non ils vont rendre visite à celle-ci et quel moyen de transport ils vont utiliser. En fonction des grands principes de développement, nous pouvons évaluer en quoi les espaces de vie de ces deux garçons diffèrent. Parce que l'espace de vie du garçon de dix-sept ans est plus étendu en «espace» et en «temps», on peut s'attendre à ce que son choix de moyens de transport pour se rendre chez la fille soit plus vaste que celui du garçonnet de sept ans. Il semble aussi plus probable qu'il soit en mesure de trouver l'adresse précise de la jeune fille. Les régions de son espace de vie concernant les moyens de transport de même que sa capacité à trouver une destination sont plus différenciées que celles du garçon de sept ans.

Supposons encore que, à cinq ans, chacun des deux garçons, se soit un jour perdu dans un magasin et ait eu peur d'avoir été abandonné. A présent, alors que ces deux garçons font face à une décision courante, nous pouvons dire que l'enfant de sept ans sera probablement davantage influencé par sa peur de se perdre que le jeune homme de dix-sept ans; les frontières entre les sous-régions (les incidents passés et présents) sont plus rigides chez ce dernier et il est plus réaliste dans son évaluation des

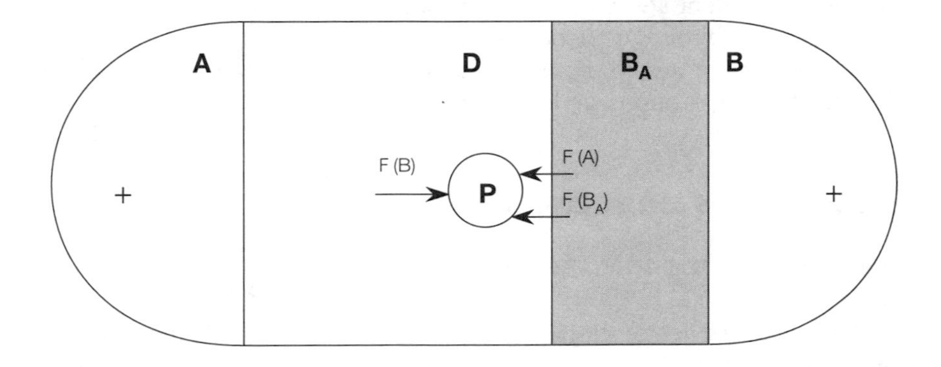

Figure 7.6 — La fonction d'une frontière dans un processus de prise de décision

conséquences que le garçon plus jeune. Finalement, nous pouvons nous attendre à ce que le jeune homme de dix-sept ans soit davantage en mesure de coordonner ses activités pour arriver à une décision et de les exécuter avec une plus grande maîtrise que le plus jeune, étant donné qu'il est plus apte à organiser les régions complexes qui composent son espace de vie.

En conclusion, dans la théorie lewinienne, le processus de prise de décision est influencé par les différences développementales qui affectent la structure de l'espace de vie de l'enfant.

Applications pratiques

Quand on utilise le terme *applications pratiques* pour désigner «la conduite adoptée pour résoudre des problèmes d'éducation et d'instruction», les principes de développement proposés par Lewin et Werner peuvent à peine être qualifiés de «pratiques». Ils peuvent aider quelque peu les parents et les professeurs dans l'interprétation du comportement des enfants de différents niveaux d'âge, mais la connaissance et l'acceptation de ces principes ne semblent pas pouvoir aider les adultes à décider de la manière de traiter les enfants. Par exemple, le modèle de prise de décision de Lewin peut présenter un certain intérêt intellectuel pour comprendre pourquoi un enfant a décidé d'agir d'une certaine manière, mais il ne permet pas de prédire comment celui-ci agira dans le futur, car il n'étudie pas tous les facteurs de l'espace de vie à l'origine d'une telle décision. Et, même si nous sommes en mesure de découvrir tous ces facteurs, nous pouvons rester ignorants de leur valeur relative et de leur influence sur le processus de décision.

Par conséquent, les principes de Lewin et Werner sont utiles pour qui s'intéresse aux directions générales du développement, mais ils ne sont pas d'une valeur réelle pour les parents, professeurs, médecins et responsables de groupes de jeunes.

Perspectives de recherche

Influence du modèle de Lewin

Au cours de ces dernières décennies, les recherches les plus connues s'inspirant des travaux de Lewin ont été menées en psychologie écologique; nous étudierons celle-ci dans la dernière section de ce manuel. Apparemment, la notion clé qui sous-tend ces recherches est la notion d'*espace vital,* c'est-à-dire, l'idée lewinienne selon laquelle le comportement humain n'est pas simplement le résultat de l'histoire psychologique d'un individu, mais bien le produit de l'*espace vital*, ce nouvel environnement créé par la combinaison de l'histoire développementale de la personne et des forces socio-physiques présentes dans l'environnement immédiat du sujet. Les psychologues écologistes ont surtout retenu du principe de Lewin, l'aspect environnemental, mettant ainsi l'accent sur les diverses forces de l'entourage de l'enfant qui influent sur son développement. C'est de là qu'est né le mouvement écologiste, qui semble avoir pris de l'importance au cours des années 80 (Brofenbrenner, 1979; Schoggen, 1989).

Cependant, on se demande si l'influence de Lewin est le résultat logique de sa théorie ou, au contraire, si elle découle de son inventivité. Par exemple, Spence, un behavioriste célèbre, a écrit que :

> *Lewin explore des parties fragmentaires ou sous-systèmes de topologie. Quant au système formel de dynamique, il demeure bien cloisonné (...) dans l'esprit de Lewin. Comme tant d'autres théoriciens dans ce domaine, Lewin propose un programme de théorie des plus*

attrayants. Prise en conjonction avec ses expériences intéressantes, l'illusion est aisément créée (1963, p. 168).

A l'Université d'Iowa, le groupe qui travaillait avec Lewin a contribué à faire avancer les recherches développementales. Mais, comme Spence l'a suggéré, on continue à se demander si une telle productivité a été générée par la valeur intrinsèque de la théorie ou par l'ingéniosité expérimentale de son auteur ou encore par le fait que celui-ci avait réussi à intéresser à son projet des collègues et des étudiants très enthousiastes.

Au cours de ces dernières années, peu d'études (à part celle des psychologues écologistes) semblent issues de la théorie de Lewin. Cependant, des questions subsistent encore parmi ses propositions théoriques, questions qui mériteraient que des chercheurs s'y intéressent. Par exemple, il y aurait lieu de rechercher : 1) Quels facteurs de l'*espace de vie* influencent le processus de prise de décision à différentes étapes du développement ? 2) Dans quelle mesure les enfants à différents niveaux d'âge sont conscients des facteurs qui affectent leur décision ? 3) En quoi les conséquences d'une décision prise aujourd'hui altèrent-elles l'*espace de vie* d'un enfant d'une manière qui influencera ses décisions futures ?

L'approche méthodologique de Werner

Werner, de même que Lewin, n'a pas seulement proposé des principes généraux de développement, mais a également produit bon nombre de recherches empiriques et incité d'autres chercheurs à faire de même. Cependant, on se demande si c'est sa théorie sur les principes de croissance qui a généré ses études empiriques ou, au contraire, s'il a créé son modèle pour interpréter les expériences qu'il menait sur la perception. Son approche méthodologique est illustrée par l'exemple qui suit.

Un mot sans signification est introduit dans une série de phrases. La tâche de l'enfant consiste à analyser ces phrases pour déterminer quel mot familier aurait pu être substitué à celui-ci. Par exemple, dans les phrases suivantes, le mot en question est «machin» (Baldwin, 1967, p. 511).

1. Vous pouvez remplir n'importe quoi avec un «machin».
2. Plus vous videz un«machin», plus grand il devient.
3. Avant que la maison ne soit terminée, les murs ont besoin d'être «machin».
4. Vous pouvez sentir ou toucher un «machin».
5. Une bouteille a seulement un «machin».
6. John est tombé dans un «machin» sur la route.

Les expérimentateurs ont demandé à des enfants d'âges différents de donner un seul mot pouvant remplacer les différents «machin» de la série et d'expliquer comment ils étaient parvenus à cette conclusion. L'analyse des réponses des enfants permit à Werner et à son équipe d'identifier différents modes de pensée qui semblaient correspondre aux principes orthogénétiques.

Par exemple, certains enfants ont choisi un mot valable pour la première phrase et ont conclu qu'il valait pour toutes les autres phrases, plutôt que d'y voir une possibilité à vérifier dans les cinq autres phrases. En considérant les autres phrases, deux attitudes ont été adoptées : (1) accepter aveuglément le mot ou (2) chercher une fausse logique pour le justifier. Werner a établi que plus l'enfant était jeune, plus il y avait de chance qu'il s'en tienne à sa première trouvaille. Les plus âgés, au contraire, étaient disposés à considérer le premier mot trouvé comme une solution provisoire qui serait retenue ou éliminée au besoin, en fonction des autres phrases qui se présenteraient. Les chercheurs ont interprété ce schéma de réponse comme supportant le principe orthogénétique de passage d'un état de rigidité à un autre plus flexible.

D'autres types de réponses données par les enfants semblent confirmer aussi le principe de *différenciation* accrue avec l'âge. Ainsi, certains enfants ne pouvaient concevoir que le mot qu'ils cherchaient puisse prendre un sens dans chacune des phrases présentées. De plus, d'autres enfants de l'école primaire, plus jeunes, pensaient que le mot qu'ils cherchaient était l'équivalent du reste de la phrase. C'est là le phénomène *holophrastique* déjà mentionné. Seuls les enfants plus âgés parvenaient à comprendre que le mot «contavish» (une bouteille contenant quelque chose) était une unité en soi-même et non le transmetteur du sens complet de la phrase.

C'est de cette manière et par nombre d'autres expériences que Werner est parvenu à des résultats empiriques lui permettant d'appuyer et d'illustrer sa théorie orthogénétique. De plus, ses expériences ont fourni des données utilisables par d'autres psychologues et ont mis en évidence de nouveaux phénomènes que Werner et ses collègues pouvaient étudier et intégrer dans leur modèle de psychologie orthogénétique.

Lewin et Werner : appréciation

Considérons d'abord les vues de Lewin, puis celles de Werner. Cependant, afin de mieux visualiser cette comparaison, les cotes des deux théoriciens apparaîtront sur un même graphe, marquées d'un L pour Lewin et d'un W pour Werner.

Les travaux de Lewin

L'intérêt pour les études de Lewin s'est surtout manifesté à la fin des années 30 et pendant les années 40, alors que ses premiers travaux et ceux de ses associés venaient d'être publiés. Depuis lors, l'influence de la théorie topologique du développement semble avoir décliné. Aujourd'hui, elle est présente principalement sous forme de quelques concepts clés qui sont entrés dans le vocabulaire général de la psychologie et par les travaux des successeurs de Lewin qui ont présenté leur propre version du modèle original.

Le résultat élevé obtenu par le modèle de Lewin pour son influence sur de nouvelles découvertes (critère 8) est dû au fait que les travaux ont été à l'origine de nouvelles recherches sur les enfants et qu'il a su encourager ses collègues à se livrer à des études plus approfondies encore sur le rôle de l'environnement dans le processus de développement. En particulier, les contributions de Lewin ont grandement influencé les chercheurs qui ont mis au point une série de propositions théoriques reprises sous le nom d'*écologie du développement humain.*

La cote élevée pour le critère 1, à savoir la représentation du monde réel des enfants, vaut surtout pour l'insistance de Lewin sur la complexité des forces qui déterminent le comportement d'un enfant à un moment donné. Les termes *espace de vie* et *champ psychologique* ont été admis dans le vocabulaire général de la psychologie de l'enfant, qui préfère ces notions à la théorie selon laquelle un stimulus unique provoque une réponse. De plus, la théorie de Lewin peut expliquer les différences individuelles entre enfants du même âge, puisqu'elle propose que la combinaison des faits constituant *l'espace de vie* est différente pour chaque enfant.

Pour ajouter encore au degré élevé de réalisme de la théorie de Lewin, il faut noter que ses collègues et lui n'ont pas manqué d'accompagner leur théorie d'une série extensive d'expériences et d'observations sur le comportement des enfants. Leurs rapports de recherche comprenaient en général non seulement une description des données empiriques, mais encore une interprétation des résultats dans la perspective de la psychologie topologique. Cependant, on n'a pas encore pu prouver que les représentations topologiques de l'*espace vital* sont la réplique exacte des opérations réelles de la dynamique du développement des enfants. Pour cette raison, qui remet partiellement en cause le niveau de réalisme de la théorie, nous n'avons pu donner un meilleur résultat à la théorie léwinienne pour ce critère.

Ceci nous amène aux aspects de la clarté (critère 2) et de la logique interne (critère 5) du système de Lewin. Les psychologues apprécient beaucoup les diagrammes topologiques que Lewin a choisis pour illustrer la dynamique de sa conception de l'*espace vital.* En effet, ceux-ci sont de précieux auxiliaires qui suppléent à la description verbale utilisée par la plupart des théoriciens pour expliquer leur système. De même, les études empiriques sur les enfants que Lewin a utilisées pour appuyer sa théorie constituent des intermédiaires entre ces idées abstraites et la manière dont les gens perçoivent les enfants dans la réalité. Tout ceci nous amène à donner une cote assez élevée à la théorie de Lewin, quant à sa clarté.

Cependant, Spence a critiqué certaines de ses propositions pour leur caractère confus, et d'autres lui ont reproché de n'avoir pas présenté son modèle sous forme d'un livre ou d'un essai unique, et de n'avoir pas montré l'articulation logique de toutes les parties de son système. Il s'est inspiré de diverses «sciences de base», mais n'a pas défini ses concepts assez clairement et ne les a pas utilisés d'une manière logique, (par exemple le concept de *région*) susceptible de les rendre accessibles à une large audience. De plus, les éléments de l'*espace vital* ne sont pas observables ni mesurables de façon à permettre à des chercheurs de déterminer leur composition et leur puissance. En conclusion, nous estimons que la théorie lewinienne est modérément claire (critère 2).

Pour les mêmes raisons, nous attribuons une cote modérée à la cohésion interne de la théorie (critère 5). Comme Baldwin l'a fait remarquer :

> *Les théoriciens ont une approche commune des problèmes et une terminologie assez semblable, mais ils n'ont fait aucun effort pour proposer une théorie tout à fait cohérente des mécanismes qui gouvernent le comportement humain (...) Les chercheurs de l'école lewinienne utilisent souvent des termes du sens commun comme point de départ de leurs recherches, sans trop se préoccuper de la manière dont ces concepts s'accorderont avec d'autres déjà existants dans la théorie. Ils semblent croire que si des problèmes individuels sont étudiés et analysés avec soin, les hypothèses feront nécessairement sens les unes avec les autres* (1967, p. 142).

Pour ces mêmes raisons, et parce que le théorie lewinienne n'a pu démontrer les rapports entre des concepts tels que *régions* et *barrières*, le modèle reçoit une cote modérée quant à l'économie de ses explications (critère 6).

La théorie mérite aussi une cote assez basse pour le critère de vérifiabilité. Si l'on souhaite pouvoir vérifier la validité d'un modèle de développement, les termes employés doivent être définis clairement sans risque de confusion pouvant mener à une interprétation erronée des événements observés dans le monde extérieur. De plus, les rapports supposés entre les termes et concepts doivent être assez évidents pour écarter tout risque d'erreur pour le chercheur. Les concepts lewiniens manquent, dans beaucoup de cas, d'une telle clarté. Cependant, les adeptes de cette théorie se sont livrés à des expériences scientifiques et ont observé les enfants dans leur environnement naturel, ce qui s'est révélé utile pour vérifier la validité de certains concepts théoriques.

De plus, les travaux de Lewin se sont fondés sur l'introspection phénoménologique des sujets participant aux expériences et sur celles des chercheurs eux-mêmes. De telles données constituent des bases peu fiables pour vérifier la validité de la théorie, comparées à celles plus objectives, directement observables dans le comportement des enfants, qu'emploient les spécialistes des méthodes des sciences physiques. Il est peu sûr que nous puissions déterminer avec exactitude le concept d'*espace vital*, vu comme des régions séparées par des barrières, chaque région étant dotée de tensions et de besoins particuliers. Il semble presque inconcevable qu'une telle proposition puisse être prouvée (critère 7).

Tableau 7.1 — Les théories de Lewin et de Werner

Comment les théories de Lewin et de Werner répondent-elles aux critères ?

Les critères	*Très bien*	*Assez bien*	*Très Mal*
1. Reflète le monde réel des enfants	W L		
2. Se comprend clairement	W	L	
3. Explique le développement passé et prévoit l'avenir			LW
4. Facilite l'éducation			LW
5. A une logique interne	W	L	
6. Est économique	W	L	
7. Est vérifiable		WL	
8. Stimule de nouvelles découvertes	L	W	
9. Est satisfaisante en elle-même		LW	

Le système de Lewin nous apparaît inadéquat pour expliquer le passé, prévoir le futur (critère 3) ou servir de guide aux parents et éducateurs (critère 4). Le concept même d'*espace vital* fait référence à un domaine complexe dont les régions et les forces sont en état de changement continuel, ce qui fait obstacle à une éventuelle application de la théorie en tant que guide de développement pour un enfant donné. Pour prédire comment un enfant particulier se comportera dans une situation spécifique, il faudrait être en mesure de savoir quelles régions de son «espace vital» sont actives à ce moment-là et comment les forces en présence interagissent. Le concept d'*espace vital* est peut-être une représentation exacte de l'environnement psychologique de l'enfant, mais, vu le manque de précision dans les mesures de ce champ mental, il est impossible d'établir un dispositif capable de mettre au point des prédictions exactes. Les méthodes pour évaluer le type et la puissance des objectifs, les besoins, barrières, peurs, fatigues et autres faits de l'espace vital sont simplement trop limitées pour fournir les informations nécessaires pour prédire ou guider le développement de l'enfant. De plus, la théorie lewinienne est à peu de chose près incapable d'expliquer les comportements passés des sujets. Dans le cas de Jean qui a choisi d'inviter Anne à danser plutôt que Betty, nous pouvons conclure que les forces en faveur de la première ont dépassé celles qui favorisaient la seconde. Cependant, nous ne sommes pas en mesure de décrire avec précision les régions de l'*espace vital* du garçon au moment où il prend sa décision, ni la puissance de la force exercée par la région en question. Cependant, ces problèmes concernant la prise de décision soulevés par la théorie de Lewin ont aidé les psychologues sociaux au cours de ces trente dernières années à élaborer de nouvelles méthodes d'explication de la dynamique à la base des décisions humaines.

Quelle doit donc être la cote globale du système de Lewin pour le critère d'autosuffisance ? Nous devons reconnaître qu'il a ouvert de nouvelles perspectives sur le développement en adoptant des idées jusque là réservées aux domaines de la physique et des mathématiques. Cet apport a favorisé un nombre important de nouvelles recherches empiriques sur les enfants. De plus, les diagrammes de Lewin ont contribué à visualiser les forces psychologiques qu'il décrivait et, donc à mieux comprendre son modèle. En sus, les principes généraux de croissance qu'il a proposés, notamment la *différenciation*, la *rigidification*, l'*expansion*, l'*interdépendance organisée* et le *réalisme,* ont fait découvrir aux psychologues développementalistes une nouvelle manière de concevoir les changements qui ont lieu entre l'enfance et la maturité.

Nous devons cependant noter que certains aspects de cette théorie ne sont pas aussi positifs. Ainsi, les concepts clés du modèle sont un mélange de bon sens, d'une part et d'hypothèses théoriques définies avec plus de précision, d'autre part. Cette théorie apparaît donc comme segmentée, avec des contradictions et des erreurs de logique entre les différentes parties; les éléments de l'*espace vital* ne sont pas suffisamment accessibles pour que les chercheurs puissent les évaluer valablement afin de déterminer leur composition ou puissance. En somme, la théorie lewinienne n'est que modérément satisfaisante. Il est cependant important de remarquer qu'une telle évaluation ne surprendrait pas Lewin, car lui-même avait avancé qu'il ne considérait pas son schème comme un produit fini. Pour lui, une théorie est davantage un processus, une stratégie de recherche qu'une structure qui décrit la véritable anatomie du développement. Considérée sous cet angle, la théorie de Lewin satisferait certainement notre attente.

Les travaux de Werner

Nous avons conclu à la clarté de la théorie de Werner (critère 2) et à sa logique (critère 5). Ceci explique la cote élevée qui a été octroyée pour ces deux aspects. Sa théorie est encore économique (critère 6) en ce sens qu'elle ne propose pas un ensemble de principes complexes quand un autre plus simple suffirait pour expliquer un type de comportement. Les principes généraux de croissance proposés par Werner sont peu nombreux et il les applique d'une manière rationnelle pour expliquer ses expériences.

De plus, la théorie de Werner semble bien refléter le monde réel des enfants (critère 1), ce qui est aisément compréhensible au vu de la série de recherches empiriques auxquelles il s'est livré sur le comportement perceptuel.

Werner mérite aussi une cote élevée quant à l'influence qu'il a exercée sur d'autres théoriciens du développement qui le citent régulièrement pour ses apports théoriques (critère 8). De plus, il a apporté des contributions méthodologiques en développant de nouveaux instruments de recherche (par exemple, la série de phrases contenant des mots n'ayant aucun sens) et des techniques visant à analyser la nature des phénomènes perceptuels. Notons aussi que certains de ses disciples, comme Seymour Wapner et Jonas Langer, ont grandement contribué à l'extension des recherches sur le développement en utilisant les principes de la théorie orthogénétique.

Cependant, pour les critères 3 (explication du passé et prédiction du futur) et 4 (guide pour les éducateurs et parents), cette théorie recueille des résultats assez mauvais. Ceci n'est pas étonnant en ce sens que Werner voulait découvrir des principes généraux de développement et non développer des techniques explicatives ou prédictives des comportements. Il ne comptait pas davantage proposer des méthodes pédagogiques particulières.

Pour son aspect de vérifiabilité (critère 7), il semble que la théorie orthogénétique soit seulement modérément satisfaisante. Dès qu'une théorie est composée de principes généraux de développement dont l'application est largement tributaire d'interprétations personnelles, il est difficile d'établir des tests qui démontreraient sans équivoque que la théorie est vraie ou fausse. Il ne serait pas difficile pour les partisans de la théorie de citer des exemples de comportements qui viendraient prouver les principes proposés. Cependant, les détracteurs du modèle pourraient prendre les mêmes exemples et les réinterpréter pour avancer que les principes sont faux et qu'ils ont besoin d'être révisés.

Par exemple, dans le cas de la mère qui amène son enfant de cinq ans pour la première fois à la maternelle, critiques et partisans de la théorie de Werner interpréteraient différemment l'attitude de l'enfant qui, sans se soucier de quoique ce soit, se jette sur un cheval de bois tandis que la mère s'arrête pour inspecter les lieux. Un détracteur de la théorie de Werner peut dire que ces deux attitudes réfutent le principe syncrétique. Si le comportement progresse vraiment dans la direction *fait global/fait isolé*, pourquoi l'enfant s'est-il arrêté à un objet, au contraire de sa mère ? Un partisan de Werner, cependant, suggérerait que le fait d'observer le comportement général de l'enfant et de la mère ne signifie pas que les deux sujets n'ont pas perçu les objets selon le principe de *syncrétisme* ou d'isolation, qui, quand il s'agit de perception visuelle, s'effectue en très peu de temps. De plus, un partisan de Werner avancerait qu'un tel incident est plutôt un exemple qui illustre le principe de *rigidité/flexibilité*. L'enfant qui se concentre sur le cheval de bois a moins de flexibilité de comportement que la mère qui regarde autour d'elle et qui voit bien d'autres possibilités d'activités intéressantes.

Que les partisans et détracteurs soutiennent leur point de vue avec tel ou tel argument, l'important est de noter que tout principe qui laisse trop le champ libre aux interprétations personnelles est difficile à valider. Werner et ses collègues ont certainement fait des recherches pour vérifier certaines de leurs hypothèses, mais la théorie se présente encore sous une forme qui limite son niveau de vérifiabilité (critère 7).

Abordons enfin la question de l'auto-satisfaction de la théorie (critère 9). Nous considérons ses principes généraux de croissance et ses démonstrations expérimentales comme valables car elles permettent de mieux appréhender les grandes lignes du développement général. De plus, les études sur le langage et la perception effectuées par Werner, ainsi que les méthodes de recherche qu'il a proposées pour réaliser ces études constituent des contributions positives. Cependant, la théorie ne convient pas pour comprendre le passé et prédire le comportement à venir d'enfants particuliers dont on essaie de guider le développement.

Considérant que tel n'était pas l'objectif premier de Werner, nous considérerons donc sa théorie orthogénétique comme modérément satisfaisante.

Les contributions des éthologistes

L'éthologie est l'étude comparée des espèces animales, y compris l'espèce humaine. Dès le début des années 30 jusqu'à la fin des années 60, les éthologistes étaient principalement des zoologistes dont les études portaient uniquement sur les animaux. Cependant, une nouvelle école dont Bowlby (1969) semble avoir été le chef de file a reconnu l'importance d'adopter certaines approches éthologistes pour mieux comprendre le développement de l'enfant (Tinbergen, 1973; Lorenz, 1977; Bowlby, 1980). De nos jours, beaucoup de chercheurs recourent à ce type d'études pour découvrir des explications à la croissance et au développement de l'enfant. Ce mouvement a fait des progrès importants dans les années 80 et l'on s'attend à ce qu'il en fasse davantage encore dans les années à venir. Dans les pages suivantes, nous considérerons d'abord les bases théoriques sur lesquelles reposent les recherches éthologistes, puis nous examinerons quatre exemples d'études animales qui peuvent s'avérer utiles à la compréhension du développement de l'enfant.

Bases néo-darwiniennes

Comme indiqué dans l'introduction de la quatrième partie, les éthologistes ont basé leurs travaux sur la théorie de l'évolution de Charles Darwin. Il est impossible de comprendre la position des évolutionnistes sans reconnaître leur filiation darwinienne. Au cours de cet exposé, nous en présenterons succinctement certaines hypothèses de base.

En tout premier lieu, il est important de définir les termes *espèce* et *population*. Une *espèce* est une collection d'organismes individuels capables de se reproduire dans des conditions naturelles. Le terme *conditions naturelles* est l'élément clé de cette définition. Par exemple, en captivité, un lion et un tigre peuvent être croisés dans des conditions expérimentales avec succès, même s'ils appartiennent à deux espèces différentes (Wilson, 1975, pp. 8-9). Une *population* est un ensemble d'organismes de la même espèce occupant simultanément un territoire géographique clairement déterminé. Par exemple, une population de fourmis est constituée par l'ensemble des colonies de fourmis vivant dans la même zone géographique ou, par exemple, des indigènes vivant dans un groupe de petites îles des mers du Sud. Après ces définitions, nous examinerons à présent cinq propositions auxquelles les théoriciens de l'éthologie semblent souscrire comme hypothèses de base.

Reproduction de l'espèce

Pour les humains aussi bien que pour les autres espèces qui nécessitent deux parents comme source de reproduction, un nouveau membre de l'espèce est conçu quand une cellule du sperme mâle se combine avec un ovule femelle. Cette combinaison produit une nouvelle cellule qui se divise immédiatement. Celle-ci se divise à son tour et ce processus de division cellulaire continue indéfiniment. Chaque étape crée des cellules dotées de propriétés légèrement différentes, des cellules capables de fonctions spécialisées, jusqu'à ce que celles-ci recréent un nouveau membre de l'espèce, parfaitement constitué, comprenant des parties aussi variées et coordonnées que le cœur et la rate, la gorge et les poumons, la peau et les cheveux, les yeux et le cerveau.

Plan génétique

La constitution architecturale de ce nouveau poisson ou de ce nouvel être humain trouve son origine dans les milliers de gènes transportés par les chromosomes présents dans le spermatozoïde ou l'ovule. Chez l'être humain, les chromosomes sont au nombre de quarante-six, vingt-trois venant de la mère et autant du père.

Les gènes hérités d'un parent déterminent : (1) les limites extrêmes en fonction desquelles le développement peut avoir lieu et (2) les potentialités de variation à l'intérieur de ces limites. L'expression de *limites extrêmes* se réfère aux traits caractérisant l'espèce, aux éléments communs à tous les individus. Par exemple, l'être humain naît avec deux yeux placés des deux côtés du nez; par contre, les yeux des lapins et des grenouilles sont très éloignés de leur nez. Le terme *potentialités de variation* indique qu'à l'intérieur de ces limites, des combinaisons particulières de gènes déterminent les variations de la caractéristique générale. La couleur des yeux et l'acuité visuelle peuvent donc varier d'un enfant à un autre, en fonction de l'amalgame des composantes génétiques reçues de leurs parents respectifs.

Le rapport entre un gène et une caractéristique donnée (comme la couleur de la peau, l'intelligence, l'esprit de compétition) n'est pas aussi simple qu'il y paraît. Le chromosome ne dispose pas lui-même de telles caractéristiques. Celles-ci sont déterminées par des gènes placés à différents points à l'intérieur des chromosomes. Par exemple, dans une même famille, un enfant héritera d'une composition de gènes différente de celle de ses frères et sœurs, à l'exception des vrais jumeaux (monozygotes). Les variations de l'environnement ne sont donc pas le seul facteur qui provoque des différences entre enfants d'une même famille; la combinaison de gènes reçue par chaque enfant en est aussi une cause importante.

Ensemble d'espèces

Les éthologistes souscrivent à la proposition de Darwin qu'aucune espèce, y compris l'espèce humaine, n'est une création séparée, isolée des autres. Au contraire, toutes les espèces sont liées en un réseau d'êtres vivants. Celui-ci va des plus simples organismes unicellulaires – ou même d'organismes à des stades inférieurs à ceux-ci – à l'espèce la plus avancée, celle de l'être humain.

Désir de survie

S'il existe un but naturel dans la vie, un but vers lequel tendent tous les êtres vivants, c'est bien celui de la survie. Il ne s'agit pas de la survie de l'organisme individuel puisque tous les individus meurent; il ne s'agit pas de celle des espèces, car celles-ci sont éliminées ou modifiées avec le temps. Au contraire, l'origine de ce désir semble être la survivance des gènes, qui sont porteurs de la vie en tant que telle. (Wilson, 1975, pp. 3-4).

Sélection naturelle

Les êtres vivants ne se développent pas dans le vide. Ils croissent dans des environnements qui peuvent varier en température, etc. Seules survivent les espèces qui sont capables de faire face aux changements qui se produisent dans leur environnement. Celles qui ne sont pas en mesure de s'y adapter meurent. C'est le processus de *sélection naturelle* : la survie des plus adaptés. Ce point de vue, révisé depuis la publication de la théorie de Darwin de 1859, est celui du néo-darwinisme qui sous-tend la majeure partie des recherches modernes sur les origines biologiques du comportement humain et qui, par conséquent, est à la base de l'étude du développement de l'enfant.

Quatre propositions tirées des études éthologiques

Certaines contributions de l'éthologie à la compréhension du développement de l'enfant sont illustrées ci-après sous forme de quatre propositions reposant sur les concepts d'attachement, d'altruisme, d'intelligence sociale et de comportement dominant ou soumis. Une *proposition*, dans le cas présent, est une généralisation faite à partir de l'étude des animaux, qui peut s'appliquer aussi bien aux humains et peut, par conséquent, expliquer certains aspects du développement de l'enfant.

Proposition 1 : Attachement. *Dans les premières heures et les premiers jours d'existence, un fort attachement émotionnel mutuel s'établit entre le nouveau-né et le plus proche adulte qui prend soin de lui. Cet attachement tend à se développer pendant les années qui suivent, même dans le cas où l'enfant est sévèrement maltraité par cet adulte.*

Aucun nouveau-né appartenant à l'une des espèces supérieures du règne animal ne peut se suffire à lui-même. Pour survivre, il a besoin de l'aide d'au moins un adulte jusqu'à ce qu'il soit assez fort pour trouver seul nourriture et abri et pour se protéger des prédateurs, des maladies et des accidents. Un attachement émotionnel mutuel et précoce intervient pour qu'un adulte en particulier assume cette responsabilité pour chaque nouveau-né et pour que celui-ci, en retour, accepte cet adulte particulier vers lequel il peut se tourner en cas de besoin. Cet attachement augmente les chances de survie du nouveau-né qui, à son tour, produira, plus tard, une progéniture. Dans la perspective de la théorie de Darwin, au cours des générations, les gènes qui créent cet attachement se sont largement répandus à l'intérieur des espèces, faisant ainsi de l'attachement une caractéristique développementale des espèces.

Cette notion de lien précoce entre parent et enfant, d'abord générée à partir d'observations faites sur des espèces non humaines, a amené l'Anglais, John Bowlby (1969, 1980) à conclure que cette généralisation à propos de l'attachement valait également pour les humains. Ces études semblent révéler qu'il y aurait une période critique pour la création de cet attachement, période qui se situe pendant les premières heures après la naissance. Une comparaison entre des mères ayant pu serrer leur enfant contre elles immédiatement après la naissance et d'autres qui ne l'avaient pas pu a démontré que les premières, au cours des mois subséquents avaient un comportement plus affectueux et davantage de contact par le regard avec leur enfant. Les découvertes de Bowlby et d'autres du même type ont provoqué des réactions dans les maternités, qui encouragent désormais les jeunes mères à passer plus de temps avec leur nouveau-né dès les premières heures et les premiers jours après la naissance.

Cet exemple illustre assez bien l'influence que l'éthologie peut avoir sur l'éducation des enfants. Tout d'abord, une généralisation est faite à partir d'espèces non humaines. Puis, cette généralisation est vérifiée pour les humains, par des études de laboratoire et des études sur le terrain. Si la généralisation est confirmée par celles-ci, les spécialistes du développement de l'enfant intègrent la nouvelle découverte aux techniques pédagogiques qu'ils proposent.

Proposition 2 : Altruisme. *Plus la similitude génétique entre deux individus (deux enfants par exemple) est grande, plus le degré d'altruisme dont ils feront montre l'un pour l'autre sera grand.*

Cette proposition est un élargissement à l'espèce humaine d'une théorie que les zoologistes ont récemment élaborée à partir d'études sur des insectes (fourmis, abeilles, guêpes et termites) dont le comportement altruiste diffère selon leur niveau de sociabilité (Hamilton, 1964; Wilson, 1975; Trivers et Hare, 1976; Alexander et Sherman, 1977).

Cette théorie de parenté définit un acte comme étant *altruiste*, s'il apporte un bénéfice à un autre organisme tandis qu'il fait du tort à son auteur. Pour mesurer objectivement ce *bénéfice* et ce *tort*, on étudie ceux-ci en termes de succès reproductif d'un organisme, c'est-à-dire en fonction du succès que l'organisme considéré connaît dans la reproduction de sa descendance. Un acte est altruiste s'il empêche l'organisme qui agit de se reproduire et favorise, au contraire, la reproduction et le maintien de sa propre progéniture. A ce point de notre discussion, il nous faut rappeler que selon le néo-darwinisme, le but de la nature est d'assurer non pas la survie de l'individu, mais bien celle de la ligne génétique. Et, dans certains cas où l'organisme se bat contre des circonstances environnementales difficiles, le sacrifice de soi est parfois plus favorable à la survie génétique qu'une attitude égoïste que l'organisme pourrait avoir. Quand les mâles d'une espèce, par exemple, se placent en première ligne en face de prédateurs qui attaquent les leurs, même s'ils meurent, leurs gènes ne seront pas perdus et seront transmis à d'autres générations, par ceux-là mêmes dont la vie aura été sauvée.

Cette logique explique pourquoi le principe de sélection naturelle a encouragé, par le passé, le développement d'un comportement altruiste devant promouvoir la survie et la reproduction des individus qui transportent des gènes particuliers engendrant un comportement donné. Cependant, la théorie ne précise pas vraiment pourquoi un acte altruiste est perpétré au lieu d'un acte égoïste. C'est justement à cette question que les recherches des zoologistes sur la théorie de la tribu apportent quelques éclaircissements. Les scientifiques ont maintenant élaboré des techniques d'évaluation des circonstances au cours desquelles la sélection naturelle favorise les gènes responsables des actes altruistes. Elles se présentent comme des formules qui comprennent deux facteurs principaux : (1) le degré de rapport génétique entre deux organismes concernés (c'est-à-dire la proportion de gènes commune à deux individus) et (2) la balance entre le coût et les bénéfices tant pour celui qui a le comportement altruiste que pour celui qui en bénéficie. Comme l'expliquent Trivers et Hare : «pour que le principe de la sélection naturelle favorise un acte altruiste dirigé vers un parent, le bénéfice de l'acte pour le parent en question doit être supérieur au coût de l'acte.» (1976, p. 249).

En d'autres termes, la théorie propose que, par le processus évolutionniste, les gènes ont été sélectionnés pour encourager un organisme à s'engager dans un comportement d'autosacrifice pour ses proches parents plutôt que pour des parents éloignés. Mais, dans tous les cas, l'altruisme a des limites. L'individu consentira de plus grands sacrifices pour ses proches, mais quand le prix à payer devient tellement élevé qu'il excède le produit du bénéfice et du degré de parenté, alors on peut s'attendre à ce qu'il agisse de manière égoïste et non plus altruiste.

Ce sont là les bases du raisonnement sous-tendant la théorie de la tribu, telles qu'elles ressortent de l'étude du comportement *égoïste/altruiste* chez les insectes sociables. Mais quel rapport y a-t-il entre tout ceci et le développement de l'enfant ? Ces résultats permettent en fait de formuler des hypothèses quand aux bases et conditions de l'altruisme chez les humains. Ils suggèrent que la sélection naturelle pour l'espèce humaine prédispose génétiquement les enfants à adopter une conduite altruiste envers ceux qui sont proches d'eux et non pas envers d'autres plus éloignés. Cette proposition soulève à son tour les questions suivantes :

1. Dans quelle mesure les enfants manifestent-ils un comportement d'autosacrifice envers les membres de leur famille ? Est-ce parce qu'on leur a appris à le faire ou ce comportement est-il, au contraire, le résultat d'une prédisposition génétique ?
2. Un idéal commun de démocratie sociale est de parvenir à ce que les enfants traitent les autres sur la base du respect personnel de chaque individu plutôt que sur l'appartenance d'une personne à un sous-groupe de la société (famille, tribu, groupe religieux ou ethnique, classe socio-économique). Cela signifie-t-il que, pour atteindre cet idéal, les personnes chargées de l'éducation des enfants doivent se battre contre la tendance naturelle des enfants, laquelle les porte à agir avec plus d'altruisme envers ceux qui sont plus proches d'eux qu'ils ne le font vis-à-vis des enfants avec lesquels ils ont très peu de gènes en commun ?

Proposition 3 : Intelligence sociale. *La majorité des problèmes auxquels les individus font face dans leur vie de tous les jours concerne ceux qui découlent de leurs interactions avec les autres. La capacité à résoudre ces problèmes peut être qualifiée «d'intelligence sociale». Une telle potentialité n'est pas exactement mesurée au moyen de tests traditionnels d'intelligence, mais nécessite au contraire différentes techniques d'évaluation qui confrontent directement le sujet à des problèmes d'interaction sociale.*

Depuis le début du XXe siècle, la méthode la plus populaire pour évaluer la faculté qu'ont les personnes de résoudre des problèmes est celle des tests d'intelligence qui consistent en questions posées oralement ou sous forme écrite. Cette méthode est née en France avec des travaux d'Alfred Binet au début de ce siècle et est encore utilisée actuellement. Cependant, bon nombre de critiques, dont Jean Piaget, ont condamné ces tests en ceci qu'ils permettent seulement de vérifier dans quelle mesure la réponse est bonne, sans révéler les processus de pensée utilisés pour parvenir à la réponse donnée. C'est pourquoi d'autres techniques ont été mises au point pour évaluer les possibilités mentales des humains. Par exemple, selon la technique de Piaget, l'expérimentateur propose un problème à un enfant et observe comment ses processus de pensée fonctionnent pour arriver à une solution.

Cependant, des études menées par les éthologistes ont mis en doute la valeur des mesures traditionnelles d'intelligence et également celle de la méthode des tâches à résoudre proposée par Piaget. Ces réserves ont été soulevées suite à l'observation des animaux dans leur rythme de vie et leur habitat naturels. Ce qui crée le comportement intelligent dans de tels environnements naturels est assez différent des éléments mesurés par les tests d'intelligence. En particulier, les problèmes qui apparaissent dans les tests d'intelligence présentent rarement des situations où il est question de prendre des décisions à caractère social. On ne trouve pas non plus, dans les laboratoires expérimentaux, le type d'influences qui affectent en réalité la décision des individus dans des situations réelles. Les observations éthologistes ont donc permis aux psychologues de constater les limites des tests utilisés par Binet et Piaget pour mesurer le développement de l'intelligence et ont incité les scientifiques à rechercher de meilleurs moyens d'évaluer formellement l'évolution des enfants quant à leur faculté de résoudre les problèmes au niveau des interactions sociales.

Proposition 4 : Dominance/soumission. *Une ligne génétique survit mieux si les individus qui descendent d'une même lignée sont socialement organisés de manière à ce que les membres les plus capables soient en position de force, de domination et de contrôle alors que les membres moins puissants, moins inventifs ou moins talentueux, acceptent les positions ou rôles inférieurs et dépendants.*

Cette proposition dérive du néo-darwinisme, présenté ci-après. L'ensemble des gènes d'une population consiste en une variété de gènes communs à tous les membres de cette population. Chaque nouveau membre de la population est doté d'une combinaison particulière de gènes, dérivée de l'ensemble de ceux-ci. Cela signifie que tous les membres d'une même population n'ont pas les mêmes caractéristiques, et implique que toutes les combinaisons de gènes ne sont pas nécessairement établies de manière à assurer la survie de l'individu. De plus, la ligne génétique se manifeste beaucoup plus quand les membres de l'espèce vivent ensemble, faisant face ensemble au problème de survie. Au contraire, la lignée se perd quand les différents membres sont organisés en un système social qui implique une division du travail et de la puissance, où les différences génétiques prédisposent les différents membres à certains rôles plutôt qu'à d'autres. Plus l'efficacité du système social qui assure la survie est grande, plus élevé sera le taux de survie des membres qui transportent les gènes propres à ce système. Cela signifie qu'au mieux les membres seront adaptés, au plus les gènes survivront et seront transmis à d'autres générations. Par ce processus, les nouveau-nés de toutes les espèces (fourmis, abeilles, chiens, hommes) sont dotés de tendances génétiques leur permettant d'arborer le comportement social qui, par le passé, a favorisé l'organisation sociale qui est devenue la norme pour une espèce donnée.

Parmi les caractéristiques sociales dont les éthologistes retrouvent ainsi l'origine génétique figure le comportement *dominant/soumis* typique des espèces les plus évoluées, notamment les primates. La hiérarchie *domination/soumission* est définie dans les sociétés animales par la manière dont la puissance et les privilèges sont répartis entre les différents membres, particulièrement pour ce qui a trait à l'accouplement, la répartition de la nourriture, les lieux de repos appropriés, etc. Certains animaux adoptent facilement un rôle de soumission qu'ils exhibent en se roulant sur le dos, en exposant leur ventre ou en baissant leur tête ou leur crinière. D'autres ne se soumettent pas facilement et se battent pour la position dominante; mais dès que les moins puissants sont ramenés à leur situation de soumission, le groupe peut continuer à fonctionner dans des conditions sociales stables.

Les études sur ce comportement de domination chez les animaux ont pu être reproduites avec des enfants. De nombreuses découvertes ont pu être réalisées sur les règles non verbales que les enfants suivent pour réglementer les relations avec leurs pairs et sur l'efficacité des stratégies d'ajustement que ceux-ci utilisent, par exemple, l'attaque physique et la défense, la taquinerie, les injures, les menaces verbales, la fuite, etc. On a ainsi pu montrer que, au tout début de la formation d'un groupe (au début d'une année scolaire, par exemple), les conflits sont fréquents jusqu'à ce que les membres les plus forts soient reconnus et que les plus faibles acceptent une position inférieure dans la hiérarchie sociale. Puis, les conflits diminuent et le travail du groupe peut s'effectuer dans l'ordre. (Savin-Williams, 1976; Sherif, 1966; Strayer et Srayer, 1976).

Ainsi, les généralisations établies à partir des études éthologistes procurent de nouvelles perspectives de recherche dans le domaine du développement de l'enfant. Cependant, comme l'ont démontré les explications précédentes sur le développement et le comportement de l'enfant, la perspective éthologiste privilégie les facteurs biologiques par rapport à ceux de l'environnement. L'éthologiste Edward O. Wilson de l'Université de Harvard conclut à propos de la nature humaine que les facteurs génétiques jouent un rôle dominant dans la détermination de ce qu'un individu apprendra ou non (1978, pp. 67-69) :

> *Le potentiel d'apprentissage de chaque espèce semble être entièrement programmé par la structure de son cerveau, la séquence de libération de ses hormones et, par dessus tout, par ses gènes. Chaque espèce animale est préparée pour apprendre certains stimuli, non programmée pour en apprendre d'autres et neutre pour certains autres (...) Donc le cerveau humain n'est pas une table rase, une surface vierge sur laquelle l'expérience dessinerait des schémas au moyen de lignes et de points. Il peut être plus exactement décrit comme un instrument autonome de prise de décisions, un investigateur alerte de l'environnement qui approche certains types de choix, qui en rejette d'autres et qui, d'une manière innée, penche vers une option parmi d'autres poussant ainsi le corps à l'action en fonction d'un programme qui change automatiquement et graduellement de l'enfance à la vieillesse.*

Applications pratiques et perspectives de recherche

Nous combinons ici les applications pratiques avec les perspectives de recherche car les applications pratiques de l'éthologie pour le développement de l'enfant prennent la forme de suggestions pour la recherche. Le but de telles études est de découvrir dans quelle mesure les généralisations dérivées de l'observation des espèces non humaines peuvent être valablement appliquées pour interpréter la croissance des enfants et leur comportement.

De plus, les propositions de la théorie éthologiste déjà mentionnées mises à part, d'autres figurent ci-dessous sous forme de questions, ce qui démontre la fertilité de cette théorie.

Wilson (1978, p. 99) a écrit : «Les êtres humains sont-ils agressifs de nature ? (...) La réponse (...) est oui». Mais, certains chercheurs vont à l'encontre de la pensée de Wilson, en avançant que l'agressivité, quoique largement répandue, est le résultat des conditions de vie qui précipitent les conflits et la compétition et qu'elle ne provient pas d'une tendance humaine innée. De là, une variété de propositions de recherche peut surgir. Par exemple, aux stades successifs de croissance, de quelles manières l'environnement des enfants peut-il être organisé pour éliminer tout comportement agressif ? Et, au cas où celui-ci ne peut être éliminé, quelles méthodes éducatives peuvent être utilisées pour canaliser cette énergie vers des actes constructifs qui aident les autres à satisfaire leur besoin plutôt que vers des actes destructifs faisant obstacle à leur auto-réalisation ? Dans quelle mesure l'agressivité dont l'enfant est témoin, en famille, à l'école, à la télévision, influe-t-elle sur l'importance et le type d'agressivité dont il fait montre à différents âges ?

Wilson (1978, p. 128) a encore observé que «les femmes en tant que groupe sont moins sûres et moins agressives physiquement». En est-il de même pour les enfants ? Est-ce que les garçons et les filles sont tout autant sûrs d'eux-mêmes, mais utilisent des techniques différentes pour l'exprimer ? Et si tel est le cas, dans quelle mesure ces différences sont-elles innées et dans quelle mesure sont-elles le résultat des influences culturelles ? Plus précisément, comment les méthodes éducatives peuvent-elles provoquer des différences éventuelles entre les deux sexes quant à l'assurance ?

Quant au comportement sexuel, dans quelle mesure les préférences pour les activités hétérosexuelles par rapport aux activités homosexuelles sont-elles innées ? Comment différents modèles de comportement sexuel dans l'environnement de l'enfant influencent-ils ses préférences et ses activités sexuelles à différents niveaux d'âge ? Existe-t-il des rôles pour lesquels les femmes ont des prédispositions par rapport aux hommes et vice-versa ?

Dans quelle mesure les actions compétitives et coopératives de l'enfant ainsi que ses actions introverties et extraverties sont-elles le résultat d'une tendance génétique qui le pousse à agir de cette manière en particulier ? Quelle importance accorde-t-on aux forces de l'environnement dans l'apparition de tels traits ou tendances ?

Y-a-t-il quelque vérité dans les anciennes croyances qui voulaient que les actes antisociaux des enfants et des jeunes soient dus, sinon entièrement, du moins partiellement, à «de mauvais gènes» ? Ou, pour utiliser un vocabulaire plus moderne, existe-t-il, des «personnalités psychopathes», c'est-à-dire des gens prédisposés par leur héritage génétique à un comportement antisocial contre lequel toute tentative d'intromission d'une conduite pro-sociale serait vouée à l'échec ? Dans quelle mesure des enfants appartenant à une population (groupe ethnique ou tribu, par exemple) sont-ils génétiquement prédisposés à exhiber un comportement social plutôt qu'un autre (par exemple, résolution de disputes par le raisonnement au lieu d'une tendance à résoudre les disputes par la violence) ?

Ces questions et bien d'autres encore dérivent des investigations éthologiques qui sont riches en opportunités de recherche dans le domaine du développement de l'enfant.

La théorie éthologique : appréciation

Le critère 1, qui évalue la manière dont la théorie reflète le monde réel, est dans ce cas divisé en deux sous-échelles. La première (1a) se rapporte aux espèces sous-humaines, sujet d'étude principal des éthologistes et la seconde (1b) concerne la préoccupation majeure de ce livre, les enfants. La théorie éthologique reçoit une note très élevée pour le point (1a) parce que les hypothèses proposées par les éthologistes sont très bien soutenues par une série d'études empiriques réalisées sur différentes espèces. Cependant, de nombreux sociologues et psychologues sociaux attribueraient sans doute un moins bon résultat aux éthologistes pour le critère (1b) en ceci qu'ils accordent une trop grande importance aux gènes en tant que facteurs déterminants par rapport aux caractéristiques psychologiques des individus et aux habitudes sociales des groupes. Bien que les éthologistes n'ignorent pas le rôle de l'apprentissage dans la production de traits personnels et l'organisation sociale en général, ils considèrent que la structure génétique établit des limites étroites, à l'intérieur desquelles l'apprentissage a lieu. Le point de vue génétique adopté par les vrais éthologistes se retrouve dans certaines affirmations de Wilson, pour qui le développement humain consiste en un ensemble de potentialités génétiquement fondées qui permettent d'apprendre certaines choses plutôt que d'autres avec une certaine facilité :

> *Pavlov avait tout simplement tort quand il avançait que n'importe quel phénomène naturel peut être converti en stimuli conditionnés. Seules un très petit nombre de parties du cerveau représentent une table rase; ceci est vrai même pour les êtres humains. Les autres parties sont comme un négatif exposé, attendant d'être plongé dans un fluide pour être développé* (Wilson, 1975, p. 156).

On pourrait critiquer les éthologistes pour leur conception de l'hérédité dans la controverse *nature/environnement*; le bénéfice du doute est toutefois accordé, grâce au très grand nombre de recherches empiriques sur lesquelles ils ont basé leurs généralisations et leurs principes théoriques de développement. Cependant, la cote attribuée au critère 4 (valeur pédagogique de la théorie) est plutôt basse car la plupart des études éthologiques ne concernent pas directement la vie des enfants et ce n'est qu'à partir des travaux de Bowlby dans les années 50 et 60 que cette théorie a été appliquée à l'espèce humaine (Bowlby 1969, 1973, 1980).

Après avoir considéré la clarté (critère 2), la cohérence interne (critère 5) et la simplicité des explications (critère 6) de la théorie éthologique, nous pouvons conclure que les principaux livres et articles concernant cette théorie sont rédigés clairement et que ceux-ci sont riches en exemples reflétant le comportement des espèces. (Hinde, 1974, 1987; Eibl-Eibesfeldt, 1975, 1989; Lorenz, 1977; Wilson, 1975, 1978). De même, le néo-darwinisme, comme les théories éthologiques, ne semble pas s'encombrer de plus de concepts qu'il n'en faut pour expliquer les phénomènes éthologiques en cause.

Les critères 3 (capacité d'explication du passé et prévision du futur) et 7 (vérifiabilité) peuvent être considérés simultanément car ils partagent les mêmes faiblesses. La théorie éthologique, à son stade de développement actuel, est composée d'un ensemble de concepts et de principes

Tableau 7.2 — La théorie éthologique

Comment la théorie éthologique répond-elle aux critères ?

Les critères	*Très bien*	*Assez bien*	*Très Mal*
1. Reflète le monde réel des enfants	X		X
2. Se comprend clairement	X		
3. Explique le développement passé et prévoit l'avenir		X	
4. Facilite l'éducation			X
5. A une logique interne	X		
6. Est économique	X		
7. Est vérifiable			X
8. Stimule de nouvelles découvertes	X		X
9. Est satisfaisante en elle-même	X		

assez flous destinés à expliquer l'évolution de tous les comportements psychologiques et sociaux de toutes les espèces. Jusqu'à présent, ce modèle n'est pas suffisamment détaillé ni assez précis pour produire une description indubitable quant à ses explications sur le développement passé et l'évolution future d'une population donnée. La théorie ne fournit pas les informations nécessaires pour juger spécifiquement des limites génétiques pré-établies, ni des potentialités concernant différents aspects du développement humain. Elle ne précise pas en quoi les différentes influences de l'environnement complètent le schéma pour produire les caractéristiques que les êtres humains présentent à différents stades de croissance. L'éthologie est encore au stade d'une histoire naturelle et ses théoriciens continuent à observer le comportement social de l'une ou l'autre espèce pour proposer des concepts explicatifs d'un tel comportement; par raisonnement logique, ils étendent l'application de ces concepts à d'autres espèces sans vérifier rigoureusement la validité de cette extension. Comme Wilson (1975, p. 28) l'a souligné en traitant d'un sous-produit de l'éthologie connu sous le nom de sociobiologie :

> *La plus grande faille du raisonnement sociobiologique est la facilité avec laquelle il est conduit. Alors que les sciences physiques reposent sur des résultats précis généralement difficiles à prouver, la sociobiologie ne dispose que de résultats imprécis qui peuvent trop facilement être expliqués par de nombreux schèmes différents.*

Le remède à un tel problème consiste, selon Wilson, en l'adoption de méthodes de déduction rigoureuses. Ceci nécessiterait que d'autres hypothèses soient proposées à partir de la théorie, ce qui engendrerait des expériences importantes ainsi que des observations sur le terrain qui permettraient de déterminer laquelle, parmi les différentes hypothèses proposées, est la plus satisfaisante et ce, afin de réviser les concepts de la théorie en fonction des résultats de tests (Wilson, 1975, p. 28). Les modèles éthologiques resteront non vérifiables et fourniront des explications douteuses du passé et du futur, jusqu'à ce qu'ils aient atteint ce stade de méthodologie déductive basée sur des postulats vérifiables.

Pour le critère 8, deux notes ont été données à la théorie éthologique, l'une pour l'influence réelle qu'elle a exercée quant à la stimulation de nouvelles découvertes et l'autre, pour sa capacité d'atteindre cet objectif. Comme nous l'avons déjà montré dans nos discussions précédentes, la théorie éthologique est reconnue pour son impact sur de nouvelles découvertes dans le domaine du développement de l'enfant.

Jusqu'aux années 60, les applications directes des découvertes éthologiques aux recherches sur le développement de l'enfant étaient extrêmement limitées, mais nous avons donné une cote modérée à l'influence réelle exercée par ce modèle pour bien marquer les changements qui ont eu lieu au cours de ces trente dernières années. En effet, des recherches effectuées dans les domaines suivants se sont révélées utiles pour l'étude du comportement humain : (1) l'adaptabilité à de nouvelles conditions environnementales, (2) le rapport entre parent/enfant, (3) les manifestations d'affection, (4) les manifestations agressives, (5) l'impact des expériences qui ont lieu tôt dans la vie, (6) les mécanismes d'autorégulation, (7) l'infanticide, (8) les formes de jeu et même le sens esthétique et le comportement moral (Wilson, 1978; Muller-Schwarze, 1978; Bell et Smotherman, 1980; Hinde, 1983; Hausfater et Hardy, 1984; Eibl-Eibesfeldt, 1989).

Pour sa cohérence générale dans l'étude théorique du développement de l'enfant (critère 9), une appréciation modérée a été donnée à l'éthologie, justifiée par (1) les points forts de la théorie qui résident dans la ligne de raisonnement quant aux espèces en général, d'une part et (2) le manque de preuves scientifiques quand il s'agit d'appliquer ce raisonnement pour expliquer des comportements complexes chez l'être humain, d'autre part. En particulier, il aurait été souhaitable que la théorie éthologique présente un développement qui explique de manière précise pourquoi les enfants se développent psychologiquement et socialement de telle ou telle manière au cours des vingt premières années de leur vie.

Quatrième partie

La tradition psychanalytique : recherches sur les causes développementales et sur le traitement des névroses

Pour le grand public, la psychanalyse de Sigmund Freud est l'une des théories du développement de l'enfant les plus controversées. A la fin du siècle dernier, beaucoup ont été choqués par les propositions de Freud qui considérait le sexe comme étant à l'origine de presque tous, sinon de tous les comportements humains. La notion de sexualité enfantine semble encore plus choquante. Pour les profanes, et même pour les médecins de l'époque, soit de la fin du XIXe et début du XXe siècles, l'idée que de petits enfants aient des pensées à caractère sexuel représentant des éléments clés de leur ajustement social personnel n'était qu'une distorsion de la vérité émise par un esprit névrotique (Freud, 1917, pp. 323-325; Freud, 1938, p. 91; Hartman, 1959, p. 11).

Moins choquante moralement, mais tout aussi dérangeante était la suggestion de Freud que, la plupart du temps, nous ne savons pas pourquoi nous agissons comme nous le faisons. Au lieu de nous comporter en êtres rationnels, nous sommes menés et manipulés par des pulsions primitives et par des traumatismes de notre vie passée qui résident dans ce que Freud a appelé notre inconscient. Au XVIe siècle, Copernic avait insulté l'humanité en suggérant que la terre n'était pas le centre de l'univers; Darwin a poussé cet outrage plus loin en proposant que l'homme était un descendant de formes inférieures et que, par conséquent, il n'était pas divin, unique, comme on le croyait. Freud allait plus loin encore, en avançant que l'esprit conscient de l'homme n'était ni le maître de son destin, ni le directeur de son âme; qu'en fait, l'homme était victime de ses propres pulsions inconscientes.

Cependant, la théorie de Freud a fait tache d'huile. Les travaux et les révisions qui l'ont perpétuée constituent à présent une branche majeure de la psychologie. En fait, nombre de principes freudiens ont presque atteint le statut de sens commun. Ceci justifie qu'une place importante y soit consacrée dans notre ouvrage.

Le chapitre 8 présente les concepts de base de la théorie de Freud, comme il les avait lui-même établis. A la fin du chapitre figure une brève description des développements ultérieurs effectués par la fille de Freud, Anna, précisément dans la partie de la théorie consacrée à l'enfance.

Le chapitre 9 traite d'un développement décisif de la psychanalyse par Erik Erikson, un disciple de Freud. Parmi les multiples variantes de la psychanalyse, celle d'Erikson fait autorité dans le domaine du développement de l'enfant, particulièrement au niveau de l'adolescence.

8

La psychanalyse de Sigmund Freud

La compréhension du processus d'élaboration d'une théorie est facilitée s'il est possible d'identifier les expériences qui en sont les instruments de base. Ceci se vérifie particulièrement bien dans le cas de la psychanalyse; nous commencerons l'explication du modèle de Freud par un bref aperçu des problèmes médicaux qui l'ont amené à spéculer sur la nature des enfants et des forces qui déterminent leur développement.

Sigmund Freud (1856-1939) était un neurologue autrichien qui a rencontré des cas très particuliers dès le début de sa carrière médicale. Des patients venaient le consulter pour des maux (paralysie de la main, vision douloureuse ou floue) qui ne pouvaient pas s'expliquer par la connaissance de la physiologie traditionnelle. Bien que les symptômes suggéraient que le système nerveux était endommagé, l'examen révélait que celui-ci était intact.

Comment des gens pouvaient-ils souffrir du système nerveux ? Tandis que Freud réfléchissait, Jean Charcot, à Paris, démontrait que sous l'influence de l'hypnose, on pouvait annoncer aux gens qu'ils présenteraient, au sortir de l'état hypnotique, tel ou tel symptôme d'une maladie, mais qu'ils en auraient oublié l'origine. Charcot prouvait ainsi qu'on peut être mis sous influence par hypnose. Effectivement, une fois sortis de leur état d'hypnose, les patients présentaient les symptômes suggérés, comme la paralysie d'une jambe, l'insensibilité d'une joue ou encore la surdité partielle ou totale. De plus, Charcot utilisait l'hypnose pour soulager ses patients : il disait par exemple à ces derniers qu'ils ne souffraient plus du mal qui les avait amenés à la clinique. En se réveillant, les patients, ou du moins quelques-uns d'entre eux, ne présentaient plus les symptômes dont ils se plaignaient auparavant (Freud, 1910, p. 21). L'intérêt de Freud pour les expériences de Charcot était si grand qu'il passa l'année 1885-1886 à Paris pour y étudier les méthodes et les effets de l'hypnose. A la même époque, il commença à se poser des questions sur la cause de ces curieux phénomènes. Quelles relations pouvait-il y avoir entre les cas auxquels Freud était confronté dans sa pratique médicale et les cas rencontrés dans la clinique de Charcot ? Comment la personnalité humaine était-elle structurée et comment l'esprit était-il «connecté» au corps pour pouvoir causer de tels phénomènes ? (Freud, 1910, pp. 16-20).

C'est en répondant à ces interrogations que Freud, au cours des années suivantes, a développé sa théorie psychanalytique de la personnalité. Le développement de l'enfant fait partie intégrante de sa théorie; ses vues sur l'enfance ont exercé une influence décisive sur la psychologie de l'enfant telle qu'on l'envisage actuellement, la psychiatrie infantile, la psychologie clinique pour les enfants et adolescents, les méthodes d'enseignement utilisées dans les jardins d'enfants et les recherches en psychologie génétique. Certains concepts de la théorie freudienne sont aujourd'hui acceptés par les psychologues, les éducateurs et les assistants sociaux, même par ceux qui rejettent l'ensemble de la théorie psychanalytique. En fait, les conceptions de Freud ont une influence indéniable sur la manière dont les enfants sont éduqués actuellement.

La psychanalyse, prise dans son ensemble, est très complexe. Non seulement elle comporte beaucoup de subdivisions, mais de plus ses adeptes sont souvent en désaccord sur des points importants de la théorie. Freud a, à plusieurs reprises, modifié sa propre théorie. Pour ces raisons, nous présenterons un schéma simplifié des principaux éléments de cette théorie. La première partie décrit quatre aspects : (1) les niveaux de conscience, (2) le mécanisme de la vie mentale, (3) les stades psychosexuels du développement de l'enfant, (4) le développement de la conscience et de la force du *moi*. Après, sont présentés, (5) l'étude de certaines contributions à la pratique psychanalytique par Anna Freud, (6) les applications pratiques, (7) les perspectives de recherche et finalement (8) une évaluation de la théorie.

Niveaux de conscience

Très vite, en élaborant sa théorie, Freud a évoqué un aspect inconscient, à côté de l'aspect conscient dont chaque individu a connaissance. Par «inconscient», Freud voulait désigner une sorte de réceptacle mental pour idées, un réceptacle dont l'individu ne dispose pas selon son bon vouloir. Ces idées dont nous n'avons pas connaissance influencent nos actions comme si elles étaient conscientes. En fait, beaucoup de nos actions ont leur source dans cette motivation inconsciente. (Freud, 1923, p. 4).

La notion d'un inconscient n'était pas entièrement nouvelle dans le domaine de la philosophie. Cependant, il revient à Freud d'avoir élaboré ce concept et de lui avoir assigné un rôle central dans la psychanalyse et dans l'étude du comportement en général. Rangell écrit : «sans l'inclusion des forces inconscientes, les psychologies cognitives qui se limitent à l'intention consciente seraient incomplètes» (1986, p. 31).

Ce nouveau concept a permis à Freud d'expliquer des désordres, autrement incompréhensibles, dont souffraient ses patients. Il a émis l'hypothèse qu'une personne confrontée à un problème angoissant non résolu dans sa vie de tous les jours trouvera ce problème psychologiquement douloureux. La personnalité de l'individu, pour échapper à la douleur de ces conflits irrésolus, résoudra donc automatiquement le problème en reléguant les pensées douloureuses hors de sa conscience. Le patient «oublie» volontairement la matière, mais Freud a suggéré qu'une telle matière «oubliée» ne déserte pas l'esprit. Au contraire, elle est ramenée à une condition inconsciente – en d'autres termes, elle est refoulée – de manière à garder le sujet ignorant de son existence et, par conséquent, de lui permettre de se sentir davantage en paix. Mais, le problème, devenu *inconscient*, persiste et s'exprime de différentes manières : par un mode d'expression, une défaillance physique comme un mal de tête ou une paralysie d'une partie du corps. C'est ainsi que Freud a conclu que les symptômes étranges observés chez ses malades étaient causés par des conflits mentaux irrésolus qui se manifestaient avec insistance au niveau de l'inconscient. Il considérait ces désordres physiques qu'il appela les symptômes de conversion hystérique comme une conséquence de conflits mentaux refoulés, mais il pensait également qu'il en était de même pour tous les symptômes névrotiques, y compris les phobies, les obsessions et les angoisses.

Pour soulager de tels symptômes et par là, traiter les névroses, Freud décida que le conflit refoulé, issu d'un problème auquel le patient avait été confronté au cours de son développement, devait être ramené à la conscience. Le patient devait d'abord reconnaître l'origine de ses difficultés, puis revivre verbalement la situation conflictuelle originelle, et ensuite extérioriser le conflit d'une manière constructive, émotionnellement satisfaisante, traitant par là-même sa névrose. Pour que ce processus thérapeutique soit opérationnel, Freud devait mettre au point un mécanisme qui mette à jour les conflits inconscients de ses patients et les leur présenter sous une forme qu'ils accepteraient comme réelle et digne d'attention.

Très tôt dans sa carrière, Freud a testé différentes méthodes pour dévoiler les conflits inconscients. Il a commencé par l'hypnose, mais comme il l'a lui-même rapporté plus tard : «Bien vite j'ai cessé d'aimer l'hypnose, car c'était une alliée capricieuse et... mystique.» (Freud, 1910, p. 22). Il a donc délaissé cette technique en faveur de l'association libre et de l'interprétation des rêves.

Le processus d'*association libre* consiste à encourager le patient, généralement étendu sur un divan, à se détendre et à décrire librement ses pensées sans les altérer. L'analyste écoute pendant des heures des narrations de ce genre afin de découvrir les thèmes sous-jacents de conflits, les clés ou symboles de problèmes cachés. Grâce à ce processus de relaxation et d'association libre, le thérapeute avance que : «le désir (volontairement) réprimé recherche une opportunité d'être activé et quand cela arrive, il parvient à envoyer à la conscience un substitut déguisé et difficilement reconnaissable pour remplacer ce qui a été refoulé !» (Freud, 1910, p. 27). Il revient à l'analyste de distinguer les éléments de la narration du patient et de les lui révéler en fonction du rôle qu'ils ont joué dans le développement passé de celui-ci.

De même, Freud a utilisé l'interprétation des rêves, quoique obscurs et distordus, pour appréhender le contenu de l'inconscient. Il croyait que durant le sommeil la force de censure tendant à empêcher les conflits d'entrer dans la conscience n'est pas aussi vive qu'en phase d'éveil. Les rêves, selon Freud, sont le produit d'efforts faits en vue de satisfaire des désirs et de résoudre des problèmes durant le sommeil. Le rêve apparaît comme un symbole audio-visuel des pulsions inconscientes cherchant à s'exprimer dans la conscience. L'analyste intelligent est habile à interpréter les rêves d'une manière qui révèle la nature et les sources des conflits inconscients du patient (Freud, 1900).

L'importance des méthodes d'association libre et d'interprétation des rêves proposées par Freud peut être considérée sous deux aspects. D'abord, ces deux techniques utilisées étaient des auxiliaires essentiels à la réussite de son système de thérapie. Ensuite, ce qui est en relation avec nos objectifs, elles ont servi de sources de données presqu'exclusives sur l'enfance, et c'est à partir d'elles que Freud a érigé son modèle de développement. Au lieu d'observer directement les enfants au cours de leurs différentes étapes de croissance, Freud a passé de longues heures à écouter des adultes névrotiques raconter leurs souvenirs d'enfance. C'est à partir de ces souvenirs, recueillis au moyen d'*associations libres et de rêves*, qu'il a élaboré son schéma de développement sexuel.

Non content d'avoir introduit une conception du mental comme réparti en aspects conscients et inconscients, Freud a également distingué deux niveaux d'inconscience. Il a avancé qu'un premier niveau contient les idées qui ne sont pas hors de la conscience, mais qui lui sont sous-jacentes. Nous pouvons les rappeler si nous le voulons, non sans efforts. Freud a appelé ce premier niveau «pré-conscient». Le second niveau contient les idées vraiment refoulées, celles qui sont maintenues et réprimées par les forces de résistance de l'esprit, car permettre à ces idées d'entrer dans la conscience serait trop pénible pour la personnalité consciente. Ce second niveau, plus profond et moins accessible que la pré-conscience, est le «prototype», véritable inconscient dans le schéma freudien. La préconscience est donc en quelque sorte une zone d'ombre entre la conscience ouverte et claire et l'inconscient fermé et sombre. (Freud, 1923, pp. 4-5). Un individu a des pensées et des idées à chacun de ces niveaux.

L'appareil psychique

Les niveaux du conscient constituent un ensemble à trois niveaux dans lequel la vie psychique se déroule. Dans ce champ psychique, les trois éléments principaux qui d'une part, sont en compétition, et d'autre part, coopèrent, ont été baptisés par Freud le *ça*, le *moi* et le *surmoi*. Au cours du développement de l'enfant, ces trois concepts n'apparaissent pas simultanément. Le *ça* intervient déjà à la naissance. Le *moi* se développe grâce aux efforts que fait le nourrisson pour satisfaire ses besoins par des transactions avec l'environnement. Quelques années plus tard, le *surmoi* se développe en tant que représentation interne des règles et valeurs de l'environnement.

La manière dont le développement du *ça*, du *moi* et du *surmoi* s'effectue aux stades de croissance psychosexuelle est plutôt complexe. Pour mieux présenter ce développement, nous diviserons notre explication en deux parties. La première, qui comprend cette section sur l'appareil psychique, traitera de la nature et du fonctionnement du *ça*, du *moi* et du *surmoi*. La seconde, dans la section suivante, décrira leurs relations par rapport aux stades psychosexuels établis par Freud. Avant d'aborder ce sujet, nous devons reconnaître que tout comportement physique ou psychologique a besoin d'énergie pour être activé. Dans la théorie psychanalytique, les sources de toute énergie sont les instincts, le mot «instinct» étant compris ici comme un facteur unique qui donne de la force et une direction aux activités psychologiques. Pendant au moins trente ans, Freud a mené des expériences sur l'instinct et ses acceptions variées puis, en 1920, il s'est arrêté à deux types de forces motivantes, les instincts de vie et de mort, qu'il pensait être en conflit pour l'expression et la suprématie du comportement mental tout au cours de la vie psychique de l'individu. L'influence de l'instinct de vie est reflétée par les actes constructifs, par les actes d'amour et d'altruisme. L'influence de l'instinct de mort se retrouve dans les actes destructifs, dans la haine et l'agression. Freud a appliqué le mot *libido* à l'énergie psychique dérivant de l'instinct de vie, mais il n'a pas proposé de terme équivalent pour l'énergie issue de l'instinct de mort (Freud, 1920).

Le processus de vie consiste en une lutte continuelle entre les forces opposées de vie et de mort, amour contre haine, instinct de conservation contre celui d'auto-destruction. Souvent, un comportement sera constitué d'une association de ces deux extrêmes comme, par exemple, dans le cas où l'agression contre un ennemi menaçant (comportement motivé par l'instinct de mort) préserve la vie de quelqu'un et assure son bien-être (ce qui est l'objectif de l'instinct de vie). Bien que pendant l'enfance et la vie adulte, les manifestations de l'instinct de vie semblent être plus importantes, la victoire ultime revient à la force opposée quand, à la fin de la vie, l'organisme perd toute animation et retourne à l'état passif inorganique qui est l'ultime but de l'instinct de mort.

Les instincts de base de l'esprit étant définis, tournons-nous vers l'appareil psychique par lequel ces forces se manifestent. Dans la théorie psychanalytique, la personnalité du nouveau-né consiste en une composante active, unique, appelée le *ça* qui se trouve au niveau inconscient et «contient tout ce qui est hérité, c'est-à-dire tout ce qui est présent à la naissance. Au-dessus de tout, il y a les instincts» (Freud, 1938, p. 2). C'est dans ce *ça* que la libido se construit, sorte de pression cherchant à s'exprimer. En d'autres termes, l'énergie libidinale issue du *ça* prend la forme de besoins qui demandent à être satisfaits. L'expansion et la libération de la libido sont expérimentées par le petit enfant comme un plaisir. L'arrêt de la libération de l'énergie libidinale est, pour lui, une douleur. Donc le *ça* opère sur le principe du plaisir qui veut que l'on prenne «le plus de plaisir possible aussi vite que possible sans égards pour qui que ce soit ou quoi que ce soit dans le monde». Dans sa forme opposée, le principe devrait éviter autant de douleur que possible.

Donc, la psychanalyse présente le nouveau-né comme étant entièrement *ça*, cherchant seulement à satisfaire ses besoins de nourriture, de boisson, de chaleur, d'élimination, de sommeil et d'affection. Affection dans ce sens signifie être bercé par sa mère ou par le substitut de celle-ci. La perception qu'a le nouveau-né de sa condition et du monde est ostensiblement très floue. Les freudiens supposent qu'un bébé ne distingue pas les objets dans son environnement ni ne reconnaît la différence entre lui-même et les autres personnes ou les autres objets. Le nouveau-né a seulement conscience de l'inconfort ou de la douleur, signalant des besoins insatisfaits et qui requièrent de l'attention. Les seules méthodes observables dont le bébé dispose pour réagir à ses douleurs ou autres signes de tension sont ses pleurs, ses cris et ses mouvements incoordonnés de bras et de jambes.

Mais, au fur et à mesure que le temps passe, l'expérience du tout-petit augmente. Une connaissance plus précise de l'environnement commence à se développer. Son premier niveau de conscience émerge, dans le processus primaire qui consiste en la création d'une image se logeant dans sa mémoire et représentant un objet qui satisfait l'un de ses besoins. Par exemple, quand le nouveau-né ressent les tiraillements de la faim, il pleure automatiquement jusqu'à ce que quelqu'un le nourrisse. La nourriture réduit la tension de la faim et le bébé expérimente le plaisir. Au fur et à mesure que les jours passent, ce cycle de faim, de nourriture et de réduction de tension se renouvelle régulièrement de telle manière que, graduellement, le goût, l'odeur, la sensation et la vue de la nourriture et de la personne qui nourrit (la mère en général) sont enregistrés comme des images dans la mémoire du bébé. En conséquence, celui-ci, au moyen du processus primaire, peut dès lors imaginer ces faits qui lui apportent un type spécifique de satisfaction et un mode particulier de libération d'énergie libidinale.

Il est important de reconnaître que le processus primaire est un mode de pensée plutôt chaotique et irrationnel qui ne distingue pas les images raisonnables de satisfaction des besoins des non raisonnables. Le but du *ça* et du processus primaire de pensée est d'atteindre la satisfaction sans tenir compte de l'aspect pratique de la méthode de satisfaction et sans savoir si elle sera tolérable pour l'environnement. Ce que la personnalité requiert ensuite est une composante qui reconnaît la nature de l'environnement aussi bien que les exigences du *ça* et qui, par conséquent, procure des moyens réalistes d'investissement d'énergie. Cette seconde composante de l'appareil psychique est appelée le *moi*. Freud a postulé que le *moi* naît, puis se sépare du *ça*, mais continue à s'alimenter de l'énergie libidinale du *ça*. Le *moi* est chargé d'inscrire le rêve dans la réalité. Freud a expliqué que «Le *moi* est la partie du *ça* qui a été modifiée par l'influence directe du monde extérieur, par le truchement» de la perception consciente (Freud, 1923, p. 15). De plus, il a proposé que :

> *C'est à ce «moi» que la conscience est attachée, le «moi» contrôle la (...) décharge d'excitation dans le monde extérieur, c'est l'agent mental qui supervise tous les processus qui le constituent et qui s'endort la nuit, bien qu'il continue à exercer une censure sur les rêves* (1923, p. 7).

Le *moi* sert donc de facteur de décision qui tente de négocier une solution satisfaisante, tout en considérant les demandes conflictuelles qui viennent, d'un côté du *ça* et de l'autre de l'environnement ou du monde réel, lesquels exigent que certaines conditions soient respectées. Alors que le *ça* fonctionne sur le principe de plaisir, le *moi* opère sur le principe de réalité qui peut être énoncé comme suit : reconnaître les conditions et les exigences du monde réel, puis chercher les méthodes de satisfaction des besoins du *ça* qui sont acceptables par un tel monde.

Pour jouer son rôle de négociateur, le *moi* évalue constamment le type et l'importance des besoins issus du *ça* et apprécie en même temps les conditions de l'environnement. Cette évaluation de conduites représente le meilleur compromis entre le *ça* et le monde extérieur. Mais, comme c'est souvent le cas, le *moi* doit tenir compte de demandes diverses, venant simultanément du *ça*, comme dans le cas de faim et de fatigue simultanées.

Nous avons noté que le *ça*, au moyen du processus primaire, associe certains objets à la satisfaction de besoins. Ces associations sont conservées sous forme d'images dans la mémoire; il revient au *moi* de transformer ces images en réalité. Cet acte de résolution de problèmes, est appelé *processus secondaire*. Les facultés de perception, de mémoire, d'analyse et d'action d'un individu se développent à partir de cette interaction constante entre (1) les besoins du *ça*, (2) les organes du corps en voie de maturation et (3) la connaissance croissante qu'acquiert le *moi* de la complexité du monde.

La troisième composante de l'appareil psychique est le *surmoi*. Très tôt dans la vie de l'enfant, les règles du monde, les règles du *permis* et du *défendu* sont imposées par l'environnement. Le nouveau-né, dans le système freudien, ne possède pas une voix intérieure innée qui lui dicte ce qui est bien et ce qui est mal. L'enfant ne naît ni moral ni immoral; en fait, il est amoral. Il n'a pas connaissance du *Bien* ou du *Mal*, sa moralité est simplement d'obtenir du plaisir (comme le demande le *ça*) d'une manière qui évite les punitions et la douleur (méthode issue du *moi*). Le très jeune enfant ne se sent donc pas automatiquement méchant, coupable ou honteux lorsqu'il se conforme aux attentes de la société. Il se considère comme mauvais seulement lorsque les conséquences de sa conduite occasionnent, soit la suppression de récompenses, soit l'application de sanctions. Ce sont en général les parents de l'enfant qui produisent ces bons ou mauvais sentiments, utilisant le système de récompenses ou de punitions dont ce dernier fait l'expérience.

Bien que les enfants ne naissent pas avec la connaissance de ce qui est bien et de ce qui est mal, ils ont, dès le départ, la capacité de développer des valeurs intérieures et aussi tendance à se sentir satisfaits et fiers quand ils agissent en fonction des valeurs imposées par leur milieu. Au contraire, ils se sentent plutôt tristes, honteux et coupables quand ils ne les respectent pas. Au cours des années d'enfance et d'adolescence, cette capacité prend forme de valeurs morales que l'enfant tire de son environnement. C'est cette troisième composante de la personnalité croissante que Freud a appelée le *surmoi*. Comment et pourquoi le *surmoi* apparaît-il et se développe-t-il ? C'est là une question liée aux stades psychosexuels de développement qui sera abordée lors de la présentation de ceux-ci. Nous nous en tiendrons pour l'instant au rôle que le *surmoi* joue dans la vie mentale de l'enfant plus âgé et de l'adolescent.

De même que Freud a décrit le *moi* comme se développant à partir du *ça*, il a considéré le *surmoi* comme trouvant son origine dans le *moi*. (Freud, 1923, pp. 18-19). D'après lui,

> *Ce nouvel agent psychique continue de perpétuer les fonctions qui, jusque là, avaient été prises en charge par les individus du monde extérieur. Il observe le «moi» qui lui donne des ordres, le juge, le menace de ses punitions, exactement comme le faisaient les parents dont il a pris la place* (1938, p. 62).

Le *surmoi*, selon Freud, présente deux aspects : la conscience et le *moi idéal*. La conscience représente les «défenses» du monde extérieur, les choses pour lesquelles l'enfant a été puni. Le *moi idéal* représente les «obligations», les valeurs morales positives qu'on a enseignées à l'enfant. Alors que le très jeune enfant doit être puni pour ses transgressions et récompensé pour ses bonnes actions, l'enfant qui grandit n'a plus systématiquement besoin de ces sanctions extérieures en toutes occasions. Son *surmoi* se charge de le punir ou de le récompenser. Pour avoir désobéi à des valeurs qu'il a adoptées comme siennes, la conscience de l'enfant le punit par le remords, la honte et la peur. Au contraire, quand il agit selon ses valeurs morales, son *moi idéal* le récompense par des sentiments d'auto-satisfaction personnelle et de fierté.

En ajoutant le *surmoi* au *ça* et au *moi*, l'appareil mental est complet. Le comportement des enfants plus âgés et des adolescents résulte donc de la manière dont le *moi* a négocié un compromis entre trois sources conflictuelles de demande : (1) le *ça* qui insiste pour avoir la satisfaction immédiate de ses désirs, (2) l'environnement qui établit les conditions dans lesquelles les désirs peuvent être satisfaits sans punition et (3) le *surmoi* qui oblige le jeune à se conformer à une échelle de valeurs transmises par ses parents et par d'autres personnes importantes du milieu social de l'individu.

Mécanismes de défense

Au fur et à mesure que le *moi* se développe, il élabore des techniques pour accommoder les demandes conflictuelles qui lui sont faites. Un *moi* fort et mûr utilise des moyens directs à cette fin. Il admet la nature des demandes instinctives des forces de l'environnement et des commandes du *surmoi*. Ensuite, il propose une solution raisonnée qui satisfasse, dans une certaine mesure, chaque source de demande. Mais un *moi* faible, encore enfantin et immature, tend à mettre en œuvre un plus grand nombre de techniques d'ajustement, des techniques déviantes que Freud a appelées des *mécanismes de défense*. Le *moi* essaie en fait de se tromper lui-même, en même temps qu'il leurre le *ça* et le *surmoi* à propos des problèmes auxquels il est confronté, car il se sent incapable de les résoudre.

La technique de défense la plus significative, le *refoulement* a déjà été décrite. C'est le processus automatique non conscient qui rejette les expériences négatives hors de la conscience, c'est-à-dire vers l'inconscient. Bien que le refoulement efface les soucis de l'esprit conscient, le matériel refoulé crée la détresse dans l'inconscient et participe à la production des signes névrotiques que Freud a rencontrés dans sa pratique médicale.

Un second mécanisme est la *sublimation*, qui est la substitution d'un mode plus élevé culturellement et plus acceptable socialement à l'expression directe de l'énergie sexuelle ou agressive. Des actes altruistes comme les soins donnés aux enfants ou l'aide octroyée aux malades ou encore la participation à des activités artistiques sont considérés par Freud comme des substituts à des comportements sexuels directs.

Un troisième mécanisme de défense est la *régression* qui consiste à revenir à un mode plus primitif d'ajustement aux problèmes. En général, un individu a recours à cet artifice lorsqu'il doit s'adapter à une nouvelle situation déprimante pour laquelle les techniques plus avancées sont inefficaces. Prenons l'exemple d'une enfant de douze ans qui, frustrée parce que sa mère la critique en public, se met à sucer son pouce ou le coin de son mouchoir, comme elle le faisait quand elle se sentait en situation d'insécurité durant ses premières années.

Un mécanisme de défense qui dérive du simple bon sens est celui de *projection*. Quand un enfant sent que, au sein même de sa personnalité, il y a une pulsion dont il a honte ou qu'il craint, il se peut qu'il ne l'admette pas consciemment, mais qu'il retrouve constamment cette pulsion chez les autres. Il attribue aux autres les actes et sentiments non acceptables que son propre *ça*, le pousse à exprimer. Ainsi, l'enfant qui déteste la haine résidant dans son propre inconscient accusera les autres de le haïr, sous-entendant qu'il n'y a chez lui aucune malice. De même, une personne qui réprime des désirs sexuels très forts et dont elle a honte, prétendra que d'autres essaient de la séduire ou de l'assaillir sexuellement.

Le mécanisme appelé *formation réactionnelle* est particulièrement utile aux psychanalystes pour expliquer un comportement qui semble réfuter les prémisses mêmes de la théorie. La *formation réactionnelle* consiste pour un enfant à adopter le comportement qui est exactement à l'opposé de sa pulsion instinctive. Par exemple, un enfant peut être propre jusqu'à en être maniaque, évitant la saleté, se lavant fréquemment les mains et changeant souvent de vêtements. L'interprétation directe d'un tel comportement serait que l'enfant désire être propre et que la propreté est pour lui, un besoin de base. Mais les freudiens verraient cela différemment; en effet, dans cette théorie, les pulsions de base comprennent des plaisirs à caractère sexuel, tels que les stimulations sexuelles et les fonctions de défécation et de miction; ils proposeraient ainsi que l'enfant n'est pas motivé par un besoin rudimentaire de propreté. En réalité, il voudrait se salir, se complaire dans la saleté et les fèces, mais il a été puni par ses parents pour avoir exprimé de tels désirs et considère maintenant que ses pulsions instinctives sont mauvaises. Pour les contrôler, il réprime ses désirs originels et, dans sa vie consciente, adopte la conduite diamétralement opposée comme moyen désespéré de satisfaire les pulsions dont il a honte. Son comportement s'inscrit donc comme une réaction contre ses pulsions instinctives.

Nous pouvons encore décrire brièvement trois autres mécanismes de défense. La *compensation* est un moyen par lequel l'enfant essaie de compenser un échec personnel en y substituant le succès dans un autre domaine. La *rationalisation* consiste à donner une raison socialement acceptable à un comportement qui était à l'origine motivé par une raison moins honorable. La *fuite* permet d'échapper à une expérience déprimante. Elle peut être soit physique, ainsi l'exemple d'une fillette qui fugue, soit psychologique, tel un jeune qui se retranche dans la rêverie à l'école quand il perd le fil de la leçon.

Ces quelques mécanismes de défense parmi les nombreux cas identifiés par Freud et ses adeptes, illustrent diverses stratégies employées par le *moi* pour satisfaire autant que possible les demandes contradictoires qui lui sont faites. Nous avons identifié les trois principaux éléments de la psyché ainsi que leurs fonctions; considérons à présent les stades de croissance psychosexuelle qui interviennent dans le développement de ces composantes.

Les stades psychosexuels du développement

Pour expliquer les rêves et les souvenirs d'enfance que ses patients décrivaient, Freud a établi un modèle de développement de l'enfant qui comprend une série de stades de croissance. Selon lui, les névroses dont souffraient ses patients résultaient de solutions inadéquates apportées aux problèmes vécus par l'individu au cours d'un ou de plusieurs de ces stades. Il a appelé ces étapes de croissance *phases psychosexuelles*, parce qu'il estimait que le développement de la personnalité, la psyché, était profondément influencé par la manière dont l'enfant apprenait à libérer son énergie sexuelle *(libido)* d'une période de la vie à une autre. En d'autres termes, Freud a émis l'hypothèse que les expériences les plus marquantes au cours de l'enfance et de l'adolescence sont associées à l'expansion de la libido, en relation avec une série de parties du corps particulièrement sensibles, sur lesquelles l'attention des enfants se fixe à différents moments de son développement. Ces zones érogènes sont dans l'ordre chronologique, la bouche, l'anus et les organes génitaux. Lorsqu'une zone particulière est la cible de la satisfaction de sa libido, cela ne se limite pas, pour l'enfant, au seul plaisir sexuel (ce mot étant ici pris dans son sens large); cela concerne aussi ses rapports avec d'autres personnes, qui sont grandement influencés par la manière dont celles-ci répondent à l'attention que porte l'enfant à la zone érogène. En fait, Freud a proposé que les relations personnelles et sociales que l'enfant développe, et sa manière de se considérer lui-même et de considérer les autres, sont fondées sur les expériences qu'il fait à chacun des stades psychosexuels. Des problèmes de personnalité qui se développent au fur et à mesure que l'enfant progresse au cours d'un stade particulier peuvent ne pas être résolus; ils seront alors refoulés par un *moi* frénétique et continueront à s'agiter dans l'inconscient pour provoquer des névroses dans les années à venir.

Bien que le nombre de périodes développementales identifiées entre la naissance et l'âge adulte varie quelque peu d'un psychanalyste à l'autre, tous proposent au moins cinq stades principaux : oral (0 à 1 an), anal (2 à 3 ans), génital ou phallique (3 à 4 ans), stade de latence (4 ou 5 ans à la puberté), génital mûr (de 15 ans environ à l'âge adulte). Nous examinerons ces stades, ainsi que les sous-stades identifiés à chacune des étapes de croissance.

La naissance : le premier traumatisme

La naissance n'est pas un stade de croissance, mais un événement très significatif dans la théorie psychanalytique parce qu'elle est considérée comme étant le premier grand choc de la vie de l'enfant. D'après Freud, le nouveau-né est agressé par les stimulations de l'environnement qu'il rencontra au sortir de la matrice protectrice. Sa réaction est une peur intense car le *moi*, non encore développé, n'a aucun moyen de réagir adéquatement à un tel flot de stimuli. Le traumatisme de la naissance constitue alors un prototype de toutes les situations ultérieures susceptibles de produire la peur chez l'enfant, au fur et à mesure qu'il grandira en âge. Quand, plus tard dans la vie, il sera confronté à des stimuli extrêmes ou à des demandes instinctives excessives ou encore à des pressions exacerbées de l'environnement et que les techniques dont dispose son *moi* s'avéreront inefficaces pour maîtriser ces stimuli, la peur originelle occasionnée par le traumatisme de la naissance sera réactivée, l'enfant reviendra à un comportement infantile. Par conséquent, d'après Freud, une naissance moins traumatisante produira moins de peur dans un inconscient en développement, permettant à l'enfant de faire face à des expériences ultérieures frustrantes avec un meilleur contrôle émotionnel.

Stade 1 : la période orale (de 0 à 1 an)

Le modèle psychanalytique de l'enfant ne présente pas le nouveau-né comme de l'argile humide sur laquelle les expériences de l'environnement viendront graver une structure de personnalité, mais bien comme un système d'énergie dynamique, désireux de dépenser cette énergie. Plus précisément, le *ça* du nouveau-né cherche à investir son énergie libidinale dans des images d'objets qui satisferont ses besoins instinctifs et lui apporteront le plaisir de libération. Cet acte d'investissement (ce processus primaire du *ça*) est appelé *cathexie*. Quand le *ça* canalise l'énergie dans l'image d'un objet, on dit qu'il provoque la cathexie de cet objet. Après la naissance, l'objet naturel de cathexie est le sein de la mère ou d'un substitut valable, parce que c'est par la bouche que le nouveau-né obtient la nourriture qui le maintient en vie et c'est aussi par la bouche et le nez qu'il respire. Les nerfs aboutissant aux lèvres et à la bouche sont particulièrement sensibles et procurent au nouveau-né un plaisir particulier. Freud a écrit :

> *La succion obstinée et persistante du bébé constitue une évidence, dès ce premier stade, d'un besoin de satisfaction qui, bien qu'il soit déterminé par l'absorption de nourriture, lutte néanmoins pour obtenir du plaisir indépendamment de l'acte de se nourrir et pour cette raison peut et doit être qualifié de sexuel* (1938, p. 11).

C'est en satisfaisant son besoin de nourriture, de boisson et de respiration que l'enfant recueille ses premières impressions du monde et de la place qu'il occupe dans l'univers. Sa personnalité est influencée par la rapidité avec laquelle l'énergie libidinale est libérée et par le caractère plus ou moins absolu de cette libération; mais l'atmosphère associée à la manière dont ses besoins de libération sont satisfaits ou négligés l'affecte grandement aussi. Si sa mère le tient affectueusement et calmement tandis qu'elle le nourrit, l'enfant vivra davantage le stade oral dans un sentiment de bonheur et de confiance.

A côté de sa fonction d'absorption de la nourriture et de la boisson, la zone orale est utile au tout-petit pour découvrir les éléments du monde qui sont à sa portée. Il prend connaissance de la plupart des objets en les portant à ses lèvres ou à sa bouche. Freud a suggéré que les enfants agissent ainsi parce qu'ils désirent s'approprier ces objets et par là, les contrôler et les maîtriser. La personnalité du nourrisson étant initialement constituée par un *ça* en quête de plaisir, il commence peu à peu à faire la différence entre le *moi* et le *non-moi* (preuve de la présence d'un *moi* qui se développe) en assimilant les objets qui procurent du plaisir au *moi*, tandis que les objets qui ne lui donnent pas de plaisir sont considérés comme appartenant au *non-moi*.

Quelques psychanalystes divisent la période orale en deux stades, le premier étant appelé «stade réceptif» et le second «stade de morsure».

Le *stade réceptif* couvre les premiers mois de la vie, quand le plaisir érotique est dérivé de la succion, de la déglutition et de la morsure. A ce stade, le nourrisson est plutôt passif, son rôle étant extrêmement dépendant. Si ses besoins, alimentaires et autres ne sont pas satisfaits convenablement ou si un grand conflit leur est associé, un résidu d'insatisfaction et de conflit sera refoulé dans l'inconscient et ne resurgira que dans les années subséquentes, souvent sous forme de dépendances névrotiques exagérées ou d'un besoin irrépressible d'assimiler les autres et les objets environnants. En fait, la théorie freudienne considère la satisfaction des pulsions instinctives du nouveau-né comme constitutive d'un modèle pour des attitudes et des rapports sociaux qu'il peut garder toute sa vie.

Le *stade de morsure* apparaît vers six mois, quand les dents sortent et que les gencives deviennent plus dures. La zone dominante de gratification est toujours la bouche; toutefois, l'acte de toucher les choses avec les lèvres ou d'avaler n'est pas aussi satisfaisant que celui de mordre ou de mâcher. Au fur et à mesure que son aptitude perceptuelle mûrit, l'enfant commence mieux à distinguer les caractéristiques des objets extérieurs. Il sait maintenant qu'un objet, tel sa mère par exemple, peut avoir des fonctions dispensatrices de plaisir et être, à la fois, source de douleur. Ainsi, elle soulage la faim de son bébé lorsqu'il pleure, mais elle a aussi des activités annexes, elle ne peut donc pas toujours satisfaire immédiatement les demandes du bébé et celui-ci trouve ce délai douloureux.

C'est là que le bébé développe ses premiers sentiments ambivalents : il hait et aime à la fois le même objet. La théorie freudienne propose que les premiers sentiments ambivalents de l'enfant ainsi que ses premières tendances sadiques s'expriment dans l'acte de mordre (le sein de la mère, les doigts des personnes, les jouets, etc.). Si l'enfant ne réagit pas normalement à ce stade, et qu'il ne retire pas une satisfaction suffisante de ses besoins de mordre ou s'il n'a pas suffisamment l'occasion d'exprimer cette ambivalence sans connaître de répercussions indûment douloureuses, alors un résidu de conflit demeurera dans son inconscient, et resurgira pour troubler sa vie future. Si au cours de la deuxième phase du stade oral, les progrès de l'enfant sont interrompus, c'est-à-dire s'il fait une fixation à cette étape de sa croissance psychosexuelle, il est possible que devenu adulte, il revive ce moment en émettant fréquemment des critiques *mordantes* à l'égard des autres ou en dénigrant ceux qui l'entourent.

Ce phénomène de fixation peut avoir lieu à n'importe quel stade psychosexuel. Les freudiens considèrent la fixation, qui reproduit – à un stade ultérieur – ces modes de gratification inhérents à un stade préalable, comme résultant de satisfactions excessives ou, au contraire, d'une insuffisance de gratifications à ce stade particulier. Si les tentatives d'investissements libidinaux d'un enfant dans une zone érogène sont frustrés, il y a donc un trop-plein d'énergie et une satisfaction inadéquate. La fixation peut se muer en une recherche constante d'une forme de satisfaction donnée au cours des années qui suivent. Au contraire, s'il y a eu trop de satisfaction dans une zone érogène déterminée, à tel point que l'enfant refuse d'abandonner ce plaisir pour des formes plus mûres d'expression libidinale, une fixation peut également en résulter. A chaque niveau psychosexuel, l'enfant progresse plus positivement s'il reçoit assez de plaisir pour évoluer, sans pour autant traîner derrière lui un résidu de besoins insatisfaits. Cependant, obtenir trop de satisfaction à un stade donné serait un obstacle à sa progression vers le stade suivant.

Stade 2 : la période anale (de 2 à 3 ans)

Durant les deuxième et troisième années de la vie, une grande partie de l'attention de l'enfant et de celle de ses parents se concentre sur l'établissement d'un contrôle parfait des sphincters. Cette période de la vie est habituellement appelée la période anale parce que son objet principal est l'évacuation et la rétention des fèces. Elle est parfois aussi appelée «période anale-urétale» parce que le contrôle des fonctions urinaires est également en cause. Ainsi, les zones dominantes de gratification et d'investissement de la libido deviennent la cavité anale, les muscles du sphincter du bas intestin et les muscles du système urinaire. Le déplacement de l'attention de l'enfant vers la zone anale ne signifie pas que l'expression de l'énergie instinctive pour la zone orale cesse. Il signifie plutôt que les activités anales focalisent à ce moment l'attention de l'enfant comme celle de ses parents. En réponse à des questions relatives à la séquence des stades oral, anal et phallique, Freud a écrit :

> *Ce serait une erreur que de supposer que ces trois phases se succèdent l'une à l'autre d'une manière bien définie. L'une peut apparaître en addition à une autre; elles peuvent se chevaucher; elles peuvent être présentes parallèlement aux autres* (1938, p. 12).

Durant la période anale, une partie importante du contact de l'enfant avec les adultes et des sentiments que ceux-ci manifestent à son égard est liée au contrôle des sphincters. Comme le stade oral, la période anale peut être divisée en deux sous-périodes : la première concerne le plaisir d'évacuer les fèces et l'urine et la seconde, dans le fait de retenir ces excréments. Durant le *stade de l'expulsion*, l'enfant vit sa première expérience sérieuse d'une autorité extérieure (les coercitions des parents pour obliger l'enfant à contrôler ses sphincters) s'opposant à une cathexie instinctive (le désir de déféquer). L'enfant doit parvenir à contrôler ses intestins et sa vessie, le *moi* doit donc opposer une résistance à son désir d'éliminer au moment où il en éprouve le besoin. Le *moi* va se servir de la libido du *ça* pour donner de l'énergie à cette résistance.

Un tel usage de la force libidinale par le *moi* ou, à un stade ultérieur, par le *surmoi*, est appelé *contre-cathexie* ou *anti-cathexie*. En bref, la cathexie ou l'investissement de l'énergie du *ça* dans l'acte agréable que constitue la défécation peut être équilibrée par une cathexie opposée du *moi* si l'enfant doit se soumettre aux exigences de propreté des parents et par là, conserver leur amour. C'est un moment décisif pour l'enfant, qui a besoin d'obtenir l'amour, la louange et l'approbation. Si cette période n'est pas nettement dominée par les parents, c'est-à-dire si ceux-ci imposent brutalement la propreté avant que l'enfant soit physiologiquement apte à contrôler ses sphincters, alors sa personnalité restera marquée par la peur, la culpabilité. Ce conflit refoulé peut faire de l'enfant un adulte qui sera exagérément régulier et propre ou, par contre, amer au sens symbolique, c'est-à-dire une personne qui «défèque» et «urine» sur les autres dans ses interactions sociales. L'usage fréquent des mots «caca», «merde» et «bouse» par des adultes serait révélatrice d'une fixation au stade anal.

Durant la seconde moitié de la période anale, l'enfant a appris à retenir ses fèces et son urine à volonté. Il éprouve à présent une satisfaction sensuelle en se retenant, c'est-à-dire en retenant ces produits auxquels il donne une valeur. Les freudiens suggèrent que l'enfant acquiert à ce stade l'idée que les choses ont une valeur; une résolution inadéquate de cette étape peut se manifester ultérieurement dans des habitudes telles qu'amasser ou collectionner des objets divers.

Stade 3 : la période phallique (de 3 à 4 ans)

Le pénis du garçon et le clitoris de la fillette deviennent des objets clés du plaisir érotique durant la troisième étape psychosexuelle majeure. Comme les précédentes, cette période peut être divisée en deux phases.

Durant la première de celles-ci, appelée *stade phallique*, l'enfant découvre que la manipulation de ses parties génitales, la titillation, et la masturbation (mais sans orgasme) procurent un plaisir érotique. L'enfant associe ensuite l'usage de ses organes à un objet d'amour avec lequel il ou elle voudrait avoir une sorte de relation sexuelle. Dans le cas des garçons, Freud écrit :

> *L'objet qui a été trouvé devient presque identique au premier objet de l'instinct du plaisir oral qui était obtenu par l'attachement (à l'instinct nutritionnel). Quoique ce ne soit pas exactement le sein de la mère, du moins c'est la mère. Nous appelons la mère le premier objet d'amour* (1917, p. 329).

Tandis que le garçon considère sa mère comme l'objet désiré, il reconnaît en même temps qu'il ne peut l'avoir pour lui seul, son père étant un rival dangereux. Le conflit psychologique qui en résulte – le désir de posséder la mère, qui ne peut être réalisé à cause de la présence du père – a été qualifié de *complexe d'Œdipe* ou de *conflit d'Œdipe*. La petite fille vit la situation opposée : elle veut son père comme partenaire, mais est vaincue dans l'épreuve par sa mère. Le conflit qui en découle a été appelé «complexe d'Electre». Les problèmes auxquels sont confrontés le petit garçon et la petite fille sont généralement qualifiés d'«Oedipiens». Pendant cette période, l'enfant éprouve des sentiments contradictoires, recherchant le parent du sexe opposé comme avant, mais en même temps craignant et aimant à la fois le parent du même sexe. La résolution adéquate du conflit d'Œdipe a lieu quand l'enfant rejette les sentiments sexuels éprouvés pour l'objet tabou, le parent du sexe opposé, tout en s'identifiant au parent du même sexe. Ce faisant, l'enfant apaise ses sentiments de peur, de vengeance et s'approprie les traits du parent du même sexe, traits qui ont rendu ce parent victorieux dans la lutte pour l'amour de l'autre. De fait, le garçon s'identifie avec son père et essaie d'adopter le comportement de ce dernier. La petite fille en fait de même avec sa mère. C'est la manière dont la théorie freudienne explique le développement des caractéristiques masculines ou féminines correspondant aux mœurs de la société dans laquelle l'enfant est élevé.

C'est pendant le processus de résolution du complexe *d'Œdipe*, qui se réalise par la répression des désirs sexuels et l'adoption des caractéristiques parentales, que le *surmoi* se développe pour annihiler ce qu'il considère désormais comme des pulsions sexuelles dangereuses. L'enfant assimile les valeurs parentales à sa propre personnalité. Ces valeurs qui se présentent sous la forme d'un *surmoi* indépendant du *moi* permettent à l'enfant de se récompenser ou de se punir et, par conséquent, de contrôler sa propre conduite en l'absence de figure autoritaire extérieure.

Si le *complexe d'Œdipe* n'est pas adéquatement résolu par la répression des pulsions sexuelles et l'identification avec le parent du même sexe, des vestiges de ce conflit demeurent dans l'inconscient et resurgiront plus tard pour déformer la personnalité de l'adolescent ou de l'adulte. Par exemple, l'origine de l'homosexualité s'explique parfois par l'identification de l'enfant au parent du sexe opposé; l'enfant a modelé ses habitudes de vie et ses attitudes sexuelles ultérieures sur celles du sexe opposé plutôt que sur celles du parent du même sexe.

La résolution du *complexe d'Œdipe* mène à la deuxième phase du stade génital infantile appelé «période de latence». Etant donné que cette période de latence érotique est fort différente du premier stade génital infantile de par ses manifestations spécifiques, nous la considérons comme une période majeure.

Stade 4 : la période de latence (de 4/5 ans à la puberté)

Durant cette période, la zone de gratification dominante demeure la région génitale, mais ceci n'apparaît généralement pas dans le comportement de l'enfant, car le petit garçon comme la petite fille refoulent leur expression sexuelle afin de résoudre leur conflit œdipien. L'enfant a assimilé ou adopté les principes gratifiants ou réprobateurs de ses parents et considère que toute référence au sexe est taboue. Le garçon cesse de se masturber parce qu'il a peur d'être puni par la castration et la petite fille cesse parce qu'elle a peur de perdre l'amour parental. Selon Freud (1938, p. 10), l'enfant devient «victime et oublie» (au moyen du refoulement) les pulsions et activités sexuelles des cinq premières années de sa vie.

Durant les années de latence, l'intérêt très vif de l'enfant pour le travail et le jeu avec des enfants du même sexe que le sien est une manifestation des efforts qu'il fait pour contrôler ses pensées sexuelles. Cette période a parfois été appelée «l'âge de la bande», les enfants se regroupant rarement de manière spontanée avec des éléments du sexe opposé. A cause de cette tendance, cette période est également dénommée «phase homosexuelle», bien qu'on n'y décèle aucun acte sexuel apparent, le tabou que s'impose l'enfant pour contrôler ses tendances œdipiennes lui interdisant toute pensée d'exhibition physique qui pourrait être considérée comme sexuelle. Il importe peu que l'objet de cette démonstration soit un enfant du même sexe ou du sexe opposé. En fait, le «super ego» joue le rôle d'un puissant directeur moral intérieur dérivé des parents et basé sur les valeurs sociales d'un milieu donné. Se soumettre à ses ordres dans le jeu et dans d'autres actions quotidiennes est primordial pour les enfants au cours de cette période de croissance.

Résoudre le conflit œdipien et évoluer avec succès dans la phase de latence est une tâche difficile, éprouvante et il est rare que les enfants s'y adaptent avec succès. Certains développent même une fixation à ce stade et ne se sentiront jamais à l'aise dans leur vie d'adulte, avec des personnes du sexe opposé ou encore éviteront des relations sexuelles avec celles-ci ou se livreront à des activités sexuelles sans s'impliquer affectivement ou alors de manière agressive.

Stade 5 : la période de maturité génitale (de 14/16 ans à 18/21 ans)

La maturation des fonctions sexuelles à l'époque de la puberté et au-delà se manifeste chez les filles par la menstruation et l'apparition de caractères sexuels secondaires tels que les seins et les poils sous les bras et au pubis. Chez les garçons, elle se révèle par la croissance des organes génitaux, l'apparition de spermatozoïdes, les émissions nocturnes de sperme (souvent accompagnées de rêves érotiques), la mue de la voix qui devient grave et la poussée de poils sous les bras, au visage et au sexe.

La zone primaire de plaisir érotique ou de cathexie libidinale demeure le pénis chez le garçon et la zone du vagin chez la fille. Mais, à présent, la gratification est dépendante de l'orgasme. Alors qu'au cours de la période de latence, l'enfant était principalement intéressé par des camarades du même sexe, son attention se tourne maintenant vers ceux du sexe opposé. Dans la sexualité accomplie, l'activité érotique dominante devient la copulation avec un partenaire du sexe opposé. Passer du stade de rejet du sexe identique (phase de latence) à la poursuite passionnée d'activités hétéro-sexuelles est, en général, un défi psychologique très exigeant, surtout dans des sociétés où subsistent de fortes barrières morales contre les rapports sexués entre personnes non mariées, particulièrement entre adolescents. Et tel était précisément le cas à la fin du XIXe siècle dans la société viennoise, à laquelle appartenaient la plupart des patients de Freud, ceux-là mêmes qui lui ont fourni les cas psychanalytiques sur lesquels il a échafaudé sa théorie.

Le passage positif à travers cette période de transition permet non seulement au jeune de satisfaire ses instincts sexuels à la manière des adultes, mais encore lui donne une perspective moins égocentrique et plus objective du monde en général. Le *surmoi* est désormais bien formé, avec sa conscience propre et un *moi idéal*. Le *moi* opère sur le principe de réalité, ayant développé ses propres modes directs de résolution de problèmes, qui ne dépendent plus exclusivement des mécanismes de défense.

Cependant, c'est à ce stade final du développement psychosexuel que les règles de la société régissant les rapports sexuels amènent souvent les jeunes à adopter la sublimation comme mécanisme de défense. C'est-à-dire que l'adolescent s'abstient de copuler et y substitue une activité artistique ou philanthropique pour exprimer indirectement ses pulsions sexuelles. Ce substitut peut aussi prendre la forme de littérature, chant, musique, attachement aux enfants, aide à des handicapés, etc. Psychanalystes et psychiatres s'interrogent encore pour savoir dans quelle mesure cette sublimation satisfait les pulsions sexuelles.

L'usage des stades psychosexuels en thérapie

Le concept de stade chez Freud est la clé d'une pratique de la psychanalyse en tant que méthode pour soulager les enfants et les adultes souffrant de névrose. La tâche du thérapeute consiste à utiliser l'association libre et l'interprétation des rêves pour rechercher l'histoire psychosexuelle du patient et déterminer à quel stade des conflits non résolus ont été refoulés. Par l'analyse, le thérapeute espère révéler au patient les causes originelles de ses problèmes refoulés et lui faire revivre consciemment ces conflits originaux afin qu'il les reconnaisse pour ce qu'ils sont et qu'il intègre leur compréhension à sa personnalité. En gros, le conflit est exhumé et revécu tant émotionnellement qu'intellectuellement. Lorsque ce processus est clôturé, on s'attend à ce que les symptômes névrotiques qui ont amené le patient au psychanalyste disparaissent. Les psychanalystes considèrent qu'il est néfaste de changer directement les symptômes névrotiques; au contraire, ils essaient d'identifier le conflit refoulé qui est à l'origine du symptôme. Ils estiment que, dès que ce conflit sera résolu et intégré psychologiquement, les symptômes disparaîtront. D'après eux, traiter un symptôme directement ne résoud pas le problème : dans le meilleur des cas, cela amène le patient à lui substituer un nouveau symptôme, différent de celui qui a été traité. Freud insiste pour que la cause sous-jacente soit identifiée, puis revécue d'une manière réaliste (comme nous le verrons dans la septième partie, les behavioristes ont des idées tout à fait opposées sur la question).

Deux aspects importants du développement

Nous avons décrit les caractéristiques principales du modèle de Freud; nous allons en considérer deux aspects en particulier. Cet approfondissement nous permettra d'illustrer la complexité des spéculations de Freud, le développement de la conscience et de la force du *moi* et la manière dont ces aspects s'insèrent dans le cadre général de la théorie.

Développement de la conscience

Dans le système de Freud, l'aspect conscient de la vie mentale ne s'épanouit pas sous sa forme ultime et complète au moment de la naissance ou pendant l'enfance. Conscience et pré-conscience se développent au fil des années, à mesure que la personnalité est influencée par la progression de la maturation interne et par l'accumulation d'expériences. Ce développement s'explique mieux en termes de rapports qui naissent entre les niveaux de conscience (conscient, pré-conscient et inconscient) et l'appareil de la vie mentale (le *ça*, le *moi* et le *surmoi*).

Au cours des vingt ou trente dernières années de sa vie, l'un des défis les plus difficiles que Freud ait rencontrés a été de décrire clairement la manière dont les niveaux de conscience interagissent avec le *ça*, le *moi* et le *surmoi* au cours des différentes étapes du développement de l'enfant. Il a lui-même admis que ses efforts pour résoudre ce problème n'ont connu qu'un succès partiel, étant donnée la difficulté à pénétrer des territoires aussi «enchevêtrés» et «nuageux» que sont le *pré-conscient* et l'*inconscient* : «la profonde obscurité des racines de notre ignorance est à peine illuminée par quelques lueurs de compréhension» (Freud, 1940, p. 20). Cependant, il est quand même parvenu à dépeindre ce qu'il a pu saisir et la figure 8.1 est un essai de représentation de ces idées sous forme de diagrammes. Ceux-ci se fondent sur les opinions de Freud quant au développement de la personnalité de ce monde occidental qu'il connaissait le mieux. Ils représentent l'anatomie de l'esprit à trois niveaux d'âge : un mois, trois ans et douze ans.

Tout de suite après la naissance, l'esprit du nouveau-né, dans le système de Freud, est presque entièrement inconscient, dominé par les pulsions instinctives venant du plus profond du *ça*. En fait, tout au long de l'existence, le maître de l'inconscient est le *ça*, axé sur le principe de plaisir, sans considération pour les règles du monde extérieur. A ce stade initial de la vie, le *moi* en tant qu'arbitre entre les exigences des instincts et les réalités du monde extérieur est encore très peu développé et très faible. Seulement une petite partie de ce *moi* peut être à juste titre appelée «conscience», car le tout jeune enfant n'a qu'une connaissance embryonnaire et vague de son existence. Puisque nous identifions le *moi* comme la force opérationnelle de la personnalité agissant dans le monde réel pour étendre l'énergie instinctive du *ça,* il est raisonnable d'assumer que la portion la plus importante du *moi* est pré-consciente ou inconsciente immédiatement après la naissance. Cette hypothèse se fonde sur l'observation empirique de la plupart des (ou, peut-être même de tous les) comportements du nouveau-né qui se font sans intention consciente. Celui-ci n'a pas à décider de ses battements de cœur, de la respiration de ses poumons, de la succion de ses lèvres, de ses paupières qui se ferment sous l'effet d'une forte lumière ni des mouvements incoordonnés de ses bras et de ses pieds. Tout ceci se fait automatiquement, mais, au fur et à mesure que le temps passe, la maturation interne du système nerveux et les stimulations du monde extérieur poussent l'enfant à prendre de plus en plus connaissance des actions pouvant satisfaire ses besoins, issus de sources inconscientes. L'enfant devient aussi plus apte à distinguer parmi les possibilités d'action celles qui semblent pouvoir lui apporter la plus grande satisfaction avec le moins de douleur. En résumé, le principe de réalité, en fonction duquel le *moi* fonctionne, dicte de plus en plus la conduite du jeune enfant.

A l'âge de trois ans, les rapports de l'enfant avec le monde ont élevé celui-ci à un certain niveau de conscience et grandement développé la zone de la pré-conscience. Nous pouvons dès lors identifier plus précisément les caractéristiques de la *conscience* et de la *pré-conscience* et décrire leurs modes d'interactions.

La *conscience*, parfois appelée le *système perceptuel conscient*, est ce qui attire l'attention de l'individu à un moment donné. C'est ce que nous avons pleinement conscience de voir, de sentir ou de penser. La conscience est la partie la plus externe de l'appareil mental, en contact immédiat avec le monde extérieur; c'est le noyau du *moi* (Freud, 1923, pp. 9, 18). Les images ou idées sur lesquelles notre attention se focalise à un moment donné sont limitées en nombre et en importance. En effet, nous sommes incapables de garder plusieurs éléments dans notre conscience simultanément. Au contraire, les images sont appréhendées en une séquence d'images individuelles. Chacune apparaît momentanément, puis change de forme ou s'estompe pour laisser la place à la suivante. Cet aspect kaléidoscopique de la nature de l'inconscient se retrouve dans l'expression «courant de conscience».

Cependant les images qui s'estompent ne disparaissent pas à jamais. Soit nous pouvons les ramener délibérément à l'esprit en les rappelant au niveau de la conscience, soit, elles peuvent y pénétrer à partir de l'extérieur (comme les impressions sensibles des yeux et des oreilles issues de l'environnement) ou encore surgir de l'intérieur (comme les pensées et les sentiments qui surgissent dans notre conscience). Cependant, qu'ils proviennent d'une source intérieure ou extérieure, ces éléments qui retiennent notre attention doivent nécessairement être perceptibles. Ils doivent prendre une forme reconnaissable, image, symbole verbal ou phrase entière. En d'autres termes, les sensations brutes et amorphes, issues de l'inconscient d'un individu restent imperceptibles jusqu'à ce qu'elles soient présentées sous forme de représentations mentales (imagées ou auditives comme dans les rêves) ou sous forme de symboles verbaux ou de présentations de mots (mots, phrases et énoncés) auxquels des sensations recueillies dans le monde extérieur ont été rattachées.

Fonctions du pré-conscient

Forts de cette logique, considérons les raisons pour lesquelles Freud a postulé l'existence d'un pré-conscient, intermédiaire entre la conscience et l'inconscient. Freud a envisagé l'inconscient (principalement le domaine du *ça*) comme le réceptacle de l'énergie instinctive pour les besoins et pulsions mal définis, mais il avait également besoin d'un réceptacle pour le matériel qui ne se trouve pas dans l'esprit, mais qui peut être rappelé à volonté. C'est pourquoi, comme zone de stockage pour les traces mémorielles de perceptions conscientes du passé qui ne sont pas «conscientes» à un moment donné mais cependant disponibles au besoin, il a créé le *pré-conscient*. Alors que l'inconscient était principalement dépeint comme la zone d'opération du *ça*, la pré-conscience est considérée comme dépendant du contrôle du *moi*.

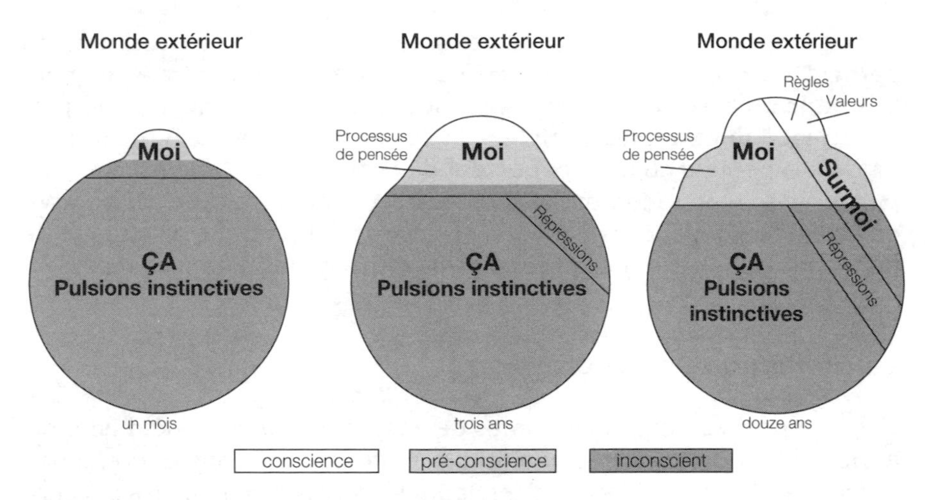

Figure 8.1 — Tendances développementales dans la structure de l'esprit

A côté de sa fonction de stockage pour les traces mémorielles pouvant être rappelées, le *pré-conscient* est encore le lieu de transformation dans lequel le *moi* reçoit les pulsions amorphes du *ça* et les réinterprète en images ou en forme verbales perceptibles par le *moi conscient.* En effet, avant que le *moi conscient* puisse satisfaire (par des relations avec le monde extérieur) les besoins intérieurs, ceux-ci doivent être présentés sous une forme perceptible. Freud a suggéré que cette transformation s'effectuait par les procédures façonnantes du *préconscient* que «nous pouvons, en gros et inexactement, englober sous le nom de *processus de pensée*» (Freud, 1923, pp. 9-10). Il semble que, par cette expression, il faisait allusion aux actes mentaux connus comme l'analyse, la synthèse, l'identification, l'évaluation, etc.

En considérant ces éléments venant de l'inconscient et cherchant à s'extérioriser, Freud a distingué entre le chemin pris par les idées et celui choisi par les sentiments. Alors que les idées ont besoin d'être traitées par le pré-conscient, révélées sous la forme d'images ou de présentations verbales familières avant de pouvoir apparaître dans la conscience, les sentiments prennent une autre voie. Ils passent plutôt directement de l'inconscient à la conscience.

Après avoir identifié les rôles conscients et pré-conscients joués par le *moi*, nous sommes à même de saisir plus aisément la différence existant entre le schéma mental d'un nouveau-né d'un mois et celui d'un enfant de trois ans (figure 8.1). Le pré-conscient du nouveau-né existe peu ou pas du tout et son conscient est très limité en importance et en clarté. Mais, à l'âge de trois ans, le conscient est plus étendu et affiné, et le préconscient est bien plus grand, en ce sens qu'il contient un nombre croissant de souvenirs tirés des expériences du monde extérieur. De plus, le pré-conscient s'est enrichi de certaines données de l'inconscient, en particulier de ses processus de pensées. Comme le démontre également l'esprit hypothétique d'un enfant de douze ans, cette tendance du pré-conscient à devenir plus complexe avec les années se confirme tout au long de la période du développement de l'enfant et de l'adolescent. Une plus grande maturation du système nerveux interagit avec un nombre croissant d'expériences du monde extérieur pour produire davantage de traces mémorielles et des processus de pensée plus sophistiqués.

La dynamique de répression

Une comparaison des diagrammes de l'esprit du nouveau-né d'un mois et de l'enfant de trois ans montre que le *moi* de trois ans a ajouté une touche personnelle à l'inconscient, laquelle consiste en pensées psychologiquement douloureuses refoulées dans l'inconscient par le *moi*, ce dernier les ayant trouvées trop insupportables pour les maintenir dans le conscient ou dans le pré-conscient; mais il n'a pu y apporter de solution, ni les éliminer d'une manière consciente satisfaisante. Nous supposons que ces matériaux refoulés à l'âge de trois ans sont nés d'anxiétés au cours du stade oral ou anal, de conflits de l'enfant avec ses parents. Par exemple, selon Freud, de brutales exigences pour le contrôle des sphincters alors que l'enfant n'est pas assez mûr pour y parvenir peuvent être la cause d'une mauvaise adaptation et de la crainte de perdre l'amour parental. Comme le faible *moi* de l'enfant est incapable de résoudre ce conflit au niveau conscient, le *moi* relègue hâtivement les actions douloureuses dans l'inconscient. Et, comme le diagramme de l'esprit de l'enfant de trois ans le suggère, nous pouvons avancer que la somme de matériaux refoulés augmentera à cet âge à cause des conflits psychiques expérimentés à la période œdipienne, soit de trois à cinq ans et même au delà.

En résumé, au cours des premières années de la vie, le *conscient* gagne en clarté et le *moi* construit un centre de réserve de mémoires susceptibles d'être rappelées : des perceptions passées ou des souvenirs déposés dans un pré-conscient en plein développement. En même temps, les problèmes particulièrement douloureux d'un *moi* immature et mal préparé à dominer sont poussés hors de la conscience pour être stockés dans l'inconscient au moyen de l'énergie tirée du *ça*. L'apport d'énergie psychique disponible pour faire face aux situations pré-conscientes et conscientes est ainsi diminué par l'énergie captée par les besoins de refoulement. De plus, comme nous l'avons remarqué, de tels problèmes refoulés sont, en réalité, ajournés plutôt que résolus, car ils continuent à bouillonner et à s'exprimer hors de l'inconscient par des voies détournées, sous forme de névroses.

Le troisième diagramme, celui qui représente l'esprit de l'enfant de douze ans, y intègre le nouvel élément, le *surmoi* qui s'est développé hors du *moi* durant la période œdipienne. Freud a proposé que le *surmoi* commence à se développer vers l'âge de trois ans ou même légèrement plus tôt, auquel cas une trace de son influence aurait pu être incluse au diagramme de l'esprit de l'enfant de trois ans. Aux niveaux conscient et pré-conscient, le *surmoi* apparaît comme un ensemble de valeurs conscientes ou de règles de vie qui guident le comportement de l'enfant plus âgé, même quand les parents, les professeurs et autres autorités sont absents. Mais, il existe dans la psyché de l'adolescent une anxiété latente, ainsi que de vagues sentiments de culpabilité et de honte, qui ne se rattachent à aucun événement particulier, et ceci suggère que le *surmoi* a également un aspect inconscient. En effet, l'enfant plus âgé ou l'adolescent peut se sentir mal dans sa peau sans en connaître la raison. Dans le schéma de Freud, ceci signifie que le jeune a fait siennes certaines attentes venant de ses parents sans les reconnaître consciemment. Apparemment, ces attentes ou modèles sont associés à des expériences traumatisantes préalables, qui ont été refoulées entretemps.

Ainsi, tandis que l'enfant grandit, les relations entre les niveaux de la conscience et les éléments psychiques (*ça*, *moi* et *surmoi*) se déplacent de sorte que l'enfant acquiert un contrôle accru de sa destinée. En même temps, il est accablé par des refoulements qui sapent son énergie psychique, détournent son attention d'actions conscientes et raisonnables et sont à l'origine de pensées et d'un comportement déprimants et illogiques.

Le développement de la force du *moi*

Inhérent au processus que nous venons de décrire, il y a le développement d'un *moi* fort et stable. Quoique Freud n'ait pas décrit la force du *moi* exactement dans les termes que nous utilisons ici, il semble permis de prétendre, sur la base de tout ce qu'il a écrit à ce propos, que les définitions suivantes reflètent exactement son opinion. Un *moi* solide est celui qui dispose de techniques d'ajustement suffisantes pour : (1) satisfaire les besoins instinctifs du *ça* sans pour autant négliger aucun besoin, (2) satisfaire les exigences imposées à l'individu, d'une part, par les environnements physique et social et, d'autre part, par le *surmoi* de l'individu.

Un *moi* faible, au contraire, ne dispose pas des moyens conscients qui lui permettent de canaliser l'énergie instinctive d'une manière qui soit acceptable à la fois pour l'environnement et pour le *surmoi*. Un *moi* faible, mis en présence d'exigences conflictuelles qu'il ne peut consciemment satisfaire, se réfugie dans sa technique d'urgence qui est le refoulement. Par conséquent, plus le *moi* d'un individu est faible, plus il connaîtra de refoulements, qui s'accumuleront dans son inconscient pour le ronger, sauf naturellement si un agent extérieur, tel un parent ou un autre responsable intervient pour minimiser le nombre d'exigences infligées à ce *moi* par l'environnement. C'est au niveau de cette intervention que le concept de la force du *moi*, proposé par Freud, a d'importantes implications pour l'éducation des enfants.

Le *moi* du nouveau-né est très faible. Il possède seulement quelques méthodes rudimentaires pour arbitrer le conflit entre les demandes du *ça* et les exigences de l'environnement. L'enfant aura besoin d'une plus grande maturation nerveuse et de plus d'expériences avec le monde extérieur pour développer le vaste ensemble de méthodes d'ajustement élaborées qui caractérisent un *moi* solide. Si le nouveau-né veut survivre et s'il veut éviter de traîner un lourd fardeau de répression tout au long de sa vie, alors, il a absolument besoin d'une aide extérieure importante; celle de ses parents, mais aussi celle des autres. Bien que ces agents extérieurs ne puissent rien faire pour contrôler les pulsions instinctives venues du *ça*, ils peuvent intervenir sur l'environnement, leur aide visant à réduire la charge de décision pesant sur le faible *moi* de l'enfant; cette aide peut se concrétiser essentiellement de deux manières. Premièrement, les parents peuvent procurer à l'enfant des réponses aux besoins qu'il ne peut satisfaire lui-même, comme, par exemple, la nourriture et la chaleur. Ils peuvent aussi fournir peu à peu des occasions à l'enfant d'exercer son corps et son système de perception, de sorte qu'il puisse s'exercer à comprendre le monde et à agir d'une manière progressivement plus adaptée. Deuxièmement, les parents peuvent préserver l'enfant de stimuli extrêmes qui pourraient envahir et dépasser ses capacités perceptuelles, stimuli qui l'effrayent parce qu'il ne peut les comprendre ou les contrôler. Il s'agit, par exemple, de bruits excessifs, de jets de lumière, de bases instables qui pourraient provoquer la chute de l'enfant, de discussions violentes, de bagarres... Mais, l'un des rôles les plus importants qui incombent aux parents est celui de protéger le jeune enfant des exigences sociales auxquelles il ne peut encore se soumettre. C'est particulièrement pour cette raison que Freud a critiqué les méthodes pédagogiques en vigueur en Europe à son époque. Il estimait que puisque rien ne peut diminuer les pulsions instinctives d'un *moi* faible, il était nécessaire que la société permette à ces pulsions de s'exprimer plus librement au cours des première années de la vie, plutôt que de les réprimer par une censure très stricte.

> *D'un point de vue biologique, le «moi» a du mal à dominer les excitations de la première période sexuelle à un moment où sa maturité l'en rend incapable. C'est dans ce cadre du développement du moi, derrière un développement libidinal, que nous trouvons la condition première et essentielle d'une névrose; et nous ne pouvons pas échap-*

> *per à la conclusion que les névroses pourraient être évitées si on épargnait cette tâche au «moi» enfantin, c'est-à-dire si on permettait à la vie sexuelle de l'enfant un libre épanouissement, comme il advient chez les peuplades primitives* (Freud, 1938, p. 57).

Freud a donc émis l'hypothèse que moins de refoulements et donc moins de névroses se développeraient (y compris la succion et les morsures du stade oral et les activités intestinales et urinaires au stade anal) si on permettait aux pulsions sexuelles de se manifester librement. Il a également avancé que la civilisation telle que nous la connaissons ne se serait pas développée sous de telles conditions d'expression libre. Il pensait que le rejet précoce de l'instinct sexuel forçait l'enfant qui se développe, et par la suite l'adulte, à réorienter une part de son énergie au moyen de la technique d'ajustement qu'est la sublimation. Il a avancé que cette réorientation ou ce processus de sublimation est à l'origine de nombre de développements de notre culture, puisque la libido réorientée est chargée de générer des inventions, des travaux d'art, des créations littéraires, des services sociaux, etc. (Freud, 1938, p. 58). Donc, en ce sens, la culture polymorphe dont nous jouissons a été, au moins en partie, léguée par les répressions d'un *moi* faible au sein de notre vie.

Que retiendront de tout ceci ceux qui sont désireux de guider la croissance de l'enfant pour promouvoir le développement d'un *moi* fort et éviter, au maximum, les refoulements qui pourraient causer des symptômes névrotiques déprimants ? La réponse du point de vue psychanalytique consiste en cinq principes. Les parents ou leurs substituts doivent :

(1) connaître la nature des pulsions instinctives et admettre la nécessité de laisser à ces pulsions l'occasion de s'exprimer;

(2) reconnaître les stades psychosexuels normaux de développement et le type de conflits auxquels l'enfant fait face à chacun d'entre eux;

(3) procurer à chacun des stades du développement assez d'occasions pour que l'enfant puisse satisfaire ses pulsions instinctives dans une atmosphère de compréhension, mais veiller aussi à ce que l'enfant ne reçoive pas trop de satisfaction, au point de refuser de progresser;

(4) prodiguer beaucoup d'attention et de protection à l'enfant pendant ses premières années pour éviter que son faible *moi* ne soit englouti par l'environnement physique et les modèles sociaux;

(5) au fur et à mesure que le temps passe, proposer des solutions variées aux problèmes confrontés, afin que le *moi* développe un répertoire toujours croissant de techniques d'ajustement conscientes aptes à satisfaire toutes les demandes instinctives dans n'importe quelles conditions de l'environnement.

En résumé, la théorie de Freud, développée pour expliquer les origines des névroses chez les adultes, a permis d'élaborer nombre de principes généraux destinés à guider le développement normal de la personnalité de l'enfant, à tous les niveaux du processus de croissance. Les éléments clés du modèle de développement proposé par Freud étant à présent connus, nous étudierons brièvement les contributions apportées à la théorie originelle par sa fille Anna.

La psychanalyse de l'enfant selon Anna Freud

Le modèle de développement de l'enfant élaboré par Sigmund Freud n'était pas fondé sur l'observation directe d'enfants. Il a été façonné à partir des associations libres et des rêves des patients névrotiques qu'il traitait. Cependant, la fille de Freud, Anna (née en 1895) passa une grande partie de sa carrière de psychanalyste à étudier directement des cas d'enfants. Elle appliquait la théorie de son père d'une manière assez stricte, mais elle estima toutefois qu'il y avait lieu d'en améliorer certains aspects, sur la base de son expérience dans le traitement des névroses enfantines. Ces développements de la théorie freudienne ont fait l'objet d'articles divers et de conférences publiées de loin en loin sur une période de quarante ans de 1920 à 1970 environ. Ces travaux épars sont à présent réunis en cinq volumes, sous le titre : *Ecrits d'Anna Freud.*

Ceux-ci portent principalement sur trois domaines : (1) le traitement psychanalytique de l'enfant alors que son *surmoi* est encore en formation, (2) la valeur de l'observation directe des enfants et (3) les implications de la psychanalyse dans l'éducation de l'enfant normal.

Statut du *surmoi*

Comme son père, Anna Freud explique de nombreuses névroses d'adultes par l'existence d'un *surmoi* punitif à l'excès. Il revient à l'analyste d'aider le patient à réorganiser le contenu de son *surmoi* afin que celui-ci s'adapte adéquatement à la réalité et ne propose pas de contraintes abusives à l'individu. Dans la névrose d'adulte, cette tâche de reconstruction est longue et difficile, car le *surmoi* est devenu, depuis l'époque de la première adolescence, une composante puissante de la personnalité, très résistante aux influences extérieures. Mais chez l'enfant ou le jeune adolescent, le *surmoi* est encore en formation, l'enfant est encore partagé entre la soumission aux ordres de ses parents et à leurs valeurs, et le fait de recevoir des directives d'un *surmoi* qui se développe, sans être toutefois déjà bien distinct du *moi* ou de ses sources extérieures (parents, pairs, professeurs).

La psychanalyse de l'adulte nécessite seulement la présence du patient et de l'analyste. D'après Anna Freud, les névroses enfantines, quant à elles, sont mieux traitées si l'analyste collabore avec l'enfant, mais également avec d'autres personnes importantes de son environnement. En changeant les attentes des parents vis-à-vis de leurs enfants, ainsi que le traitement qui est appliqué à ceux-ci, l'analyste espère pouvoir influencer le contenu du *surmoi* encore dépendant et traiter la névrose plus rapidement que dans le cas d'un adulte dont le *surmoi*, extrêmement exigeant, est déjà consolidé. L'analyste qui travaille avec des enfants doit en outre manipuler l'environnement et non se limiter à reformer les rapports entre les éléments de la personnalité le *ça*, le *moi* et le *surmoi* (A. Freud, 1974, vol. 1, pp. 57-58).

Observation directe des enfants

Dans la psychanalyse des adultes, la source presque exclusive d'information du thérapeute est ce que le patient raconte de lui-même. Cependant, les enfants décrivent moins facilement, sur demande, leur histoire passée, leurs soucis et leurs fantasmes. Anna Freud a donc recommandé que, dans l'analyse d'un enfant, l'interprétation des rêves soit complétée d'informations procurées par la famille et par des observations directes de cet enfant. En notant les habitudes de nourriture, de sommeil, de maladie, de jeu, l'analyste peut déterminer quels types de comportements sont nés d'après la théorie psychanalytique des stades oral, anal ou génital infantiles. Dans l'analyse de l'enfant, certains types d'observations peuvent être substitués aux données fournies par l'association libre, sur laquelle l'analyse des problèmes psychologiques des adultes se fonde généralement (A. Freud, 1974, vol. 5, pp. 95-101).

Psychanalyse et éducation des enfants

En 1956, Anna Freud disait : «Alors que nous ne sommes pas en mesure d'altérer les dons de l'être humain, nous sommes peut-être en mesure de soulager quelques-unes des pressions externes qui agissent sur eux.» (1974, vol. 5, pp. 265-266). Elle pensait que la théorie psychanalytique pouvait apporter une contribution majeure au soulagement de pressions extérieures en procurant aux parents «une compréhension du mal potentiel fait aux jeunes pendant les périodes critiques de leur développement par la manière dont leurs besoins, leurs pulsions, leurs désirs et leurs dépendances émotionnelles sont satisfaits» (1974, vol. 5, p. 266). Elle a ajouté qu'une certaine aide avait déjà été apportée par des découvertes telles que : (1) l'initiation sexuelle de l'enfant, (2) la reconnaissance du rôle des conflits et de l'anxiété dans le développement de la conscience, reconnaissance qui a abouti à une limitation de l'autorité des parents sur les enfants, (3) la liberté pour l'enfant d'exprimer son agressivité, (4) la reconnaissance de l'importance de la relation mère-enfant et (5) une compréhension du rôle de la mère en tant que *moi* auxiliaire pour l'enfant qui grandit.

En résumé, Anna Freud a étendu la théorie psychanalytique en lui annexant une série de conclusions tirées de ses observations directes d'enfants à différents stades de leur développement et des résultats de sessions de thérapie pratiquées sur ses jeunes clients. E. J. Anthony, un chercheur américain, a récemment fait le point sur la question en décrivant l'apport de la psychanalyse de l'enfant au domaine de la psychanalyse en général :

> *Quand on considère qu'en psychanalyse, un concept clé est que l'enfant est le père de l'homme, une hypothèse de base est que l'analyse des enfants, conjointement avec l'observation critique que l'on fait d'eux, a quelque chose d'important à offrir, quelque chose qui autrement ne serait pas mis à la disposition [des chercheurs]* (1986, p. 61).

Dans les dernières années de sa vie, Anna Freud a mis l'accent sur l'importance pour les analystes s'occupant d'enfants de travailler de concert avec ceux qui traitent les adultes afin que, de part et d'autre, les concepts importants de la psychanalyse soient critiqués et que de nouvelles connaissances naissent de cet échange. D'autres chercheurs modernes mettent également l'accent sur la nécessité pour ces deux groupes d'analystes de collaborer.

> *Pour que le domaine de la psychanalyse continue d'avancer, il est essentiel qu'il existe une compréhension entre ces deux groupes et pour que ceci devienne une réalité, il faut que soit annihilée la compétition et qu'il y ait un travail coopératif. Les analystes pour adultes et ceux qui s'occupent des enfants doivent parvenir à une sorte de synergie professionnelle* (Anthony, 1986, p. 61).

Applications pratiques

La théorie freudienne a été appliquée au traitement des enfants de trois manières principales : dans les méthodes d'éducation conventionnelles, dans l'éducation préscolaire et sous forme de thérapie.

Au cours de ces vingt ou trente dernières années, particulièrement en Europe et en Amérique, les découvertes de la psychanalyse ont exercé une influence substantielle sur les personnes responsables du domaine de l'éducation. On en a tenu compte, par exemple, au niveau des besoins émotionnels des enfants, particulièrement dans le domaine du sexe et de l'agressivité et à propos de concepts tels que la motivation inconsciente. Par exemple, les propositions freudiennes sur le stade oral ont eu des répercussions sur les attitudes à adopter vis-à-vis des bébés. Il faut à présent leur donner beaucoup d'occasions d'être bercés et de satisfaire leur besoin de succion, particulièrement pendant qu'on les nourrit. Les théories relatives au stade anal ont donné lieu à des recommandations selon lesquelles le contrôle des sphincters ne doit pas être commencé trop tôt ni être imposé comme une punition. De plus, cet apprentissage ne doit pas s'accompagner d'éclats émotionnels déplaisants ni même d'expressions de dégoût à moitié déguisées que l'enfant interprète comme une menace de retrait de l'amour parental. On trouve aussi dans la théorie freudienne des suggestions sur la manière dont les adultes doivent réagir à la curiosité sexuelle pendant les années d'enfance et d'adolescence. De plus, à l'issue des réflexions sur la motivation inconsciente, les parents auront sans doute compris qu'un enfant n'est pas toujours conscient des motivations réelles de son comportement, car à l'origine de ses actes peuvent se trouver des intentions refoulées. Donc, quand on demande à un enfant d'expliquer pourquoi il a agit d'une certaine manière, les explications qu'il donne peuvent n'être que des explications socialement acceptables, camouflant une attitude qui peut, en réalité, dériver d'un tout autre motif.

Dans le domaine de l'éducation formelle, les méthodes employées dans les jardins d'enfants et les écoles maternelles en particulier ont été influencées par les idées freudiennes sur la curiosité sexuelle, un contrôle des sphincters qui ne soit ni brutal ni traumatisant, la signification symbolique du jeu d'un enfant et des substances salissantes comme la boue et la peinture au doigt, le besoin de contacts physiques, tels que l'étreinte et les caresses, la curiosité des enfants à l'égard des parties sexuelles cachées du sexe opposé et l'importance des professeurs en tant que modèles auxquels l'enfant peut s'identifier.

Les techniques de psychothérapie pour enfants difficiles ont également été grandement influencées par la théorie psychanalytique. Afin de comprendre la dynamique d'interaction existant entre les membres de la famille de l'enfant, les thérapeutes présentent des poupées qui représentent les membres de la famille et interprètent ensuite, en termes psychanalytiques, le jeu dramatique que l'enfant crée au moyen de ces poupées. Dans d'autres cas, on demande à l'enfant de faire un dessin de sa famille et d'expliquer les rapports qui existent entre ses membres, puis de dire ce qu'il pense d'eux. De plus, l'usage que les enfants font du matériel de jeu, tels que le «punching-ball», la terre glaise, révèle la présence de la honte, de la haine, de la méfiance ou de la peur chez un enfant troublé. L'utilisation d'un tel matériel a aussi été encouragé, pour sa valeur cathartique, l'enfant pouvant en les employant soulager d'une manière acceptable son trop-plein de tension.

Perspectives de recherche

Le nombre de chercheurs dans le domaine du développement de l'enfant qui s'orientent vers les sources psychanalytiques semble avoir diminué ces trente dernières années. Ce changement est dû, en partie, au fait que les théoriciens du développement sont attirés par des théories plus récentes, telles les travaux de Piaget, les modèles d'apprentissage social, le mouvement humaniste et la théorie du traitement de l'information. Ceci s'explique également par le fait que certaines idées, d'abord popularisées par Freud, comme les niveaux de conscience de l'esprit et les fonctions d'identification, se sont tellement bien intégrées au domaine de la psychologie en général, qu'elles ne sont plus identifiées spécifiquement comme des notions freudiennes.

Cependant, les recherches s'inscrivant dans une perspective freudienne se poursuivent parce qu'il subsiste un bon nombre de questions non résolues dans la théorie psychanalytique, lesquelles restent obscures surtout pour ceux qui n'adhèrent pas à la doctrine de Freud. Nous en avons retenu quelques-unes.

Dans quelle mesure les objets et les événements qui apparaissent dans les rêves ont-ils le même sens symbolique d'une personne à l'autre ? (Cette question découle de l'affirmation de Freud selon laquelle les objets en forme de projectiles entrevus dans les rêves doivent être interprétés comme des références au phallus, alors que les réceptacles doivent être interprétés comme des symboles du sexe féminin). Les objets et les événements vus en rêve ont-ils une signification identique uniquement à l'intérieur d'une même culture ? Un objet a-t-il une signification idiosyncratique pour chaque individu, ce qui interdirait d'étendre l'interprétation du contenu des rêves d'une personne en particulier à d'autres ?

Dans quelle mesure les interprétations de jeux d'enfant avec les poupées ne sont-elles pas plutôt une extension des propres conflits et obsessions de la personnalité du thérapeute lui-même, plutôt qu'une description exacte de la vie intérieure de l'enfant ?

Est-il vrai qu'un trop-plein ou, au contraire, un manque de satisfactions à un stade psychosexuel du développement mènent à des troubles de personnalité ? Si c'est le cas, comment savoir si un enfant reçoit, à un stade donné, trop peu ou trop de satisfaction ? Dans l'optique d'un développement harmonieux, est-il vraiment désirable qu'un enfant utilise des mécanismes de défense comme la régression et la projection ? Si oui, comment estimer quand leur usage est nécessaire et quand il ne l'est pas ?

Pour soigner les angoisses et les troubles comportementaux d'un enfant, est-il nécessaire d'exhumer des événements de sa vie passée qui ont manifestement donné lieu à ces troubles ou suffirait-il simplement de chercher à annihiler le symptôme angoissant en rééduquant et en rassurant l'enfant ? Et au cas où ce symptôme est dissipé par la rééducation directe, un autre symptôme différent, mais tout aussi indésirable se développera-t-il en lieu et place du premier ?

La théorie freudienne : appréciation

Notre évaluation de la théorie psychanalytique propose d'abord les critères pour lesquels celle-ci mérite une cote élevée.

La théorie freudienne mérite sans conteste un bon résultat pour l'impulsion qu'elle a donnée à la recherche (critère 8). Elle est à l'origine de centaines d'articles sur des études cliniques du développement de l'enfant, reprises généralement sous forme d'études de cas de comportements déviants typiques. Elle a également incité les chercheurs à publier de nouveaux périodiques consacrés exclusivement aux divers aspects de l'étude psychanalytique et à rédiger de nombreux ouvrages qui proposent des extensions, des améliorations ou des révisions de la théorie. Particulièrement au cours de la période allant de 1940 à 1960, le modèle freudien a fourni des idées qui constituent le fondement des recherches de spécialistes de la psychologie expérimentale, y compris de behavioristes éminents, tels Dollard et Miller (1950), Sears, Rau et Ampert (1965). Bien que l'enthousiasme pour le modèle psychanalytique ait sans aucun doute diminué, on continue de lui manifester beaucoup d'intérêt qui se concrétise sous la forme d'un flot continu d'investigations cliniques et expérimentales, ainsi que de nouvelles interprétations et controverses. De 1983 à 1990, l'index *Psychological Abstracts* reprend pas moins de 4.567 articles consacrés à la psychanalyse, dont 45 portent sur l'analyse des enfants en particulier et 18 sur les problèmes inhérents à leur développement.

Une seconde bonne cote est attribuée à la théorie de Freud pour le critère 4, à savoir l'influence substantielle que les idées psychanalytiques ont exercée sur l'éducation des enfants, comme nous l'avons expliqué dans la partie consacrée aux applications pratiques. Des principes dérivés de la théorie freudienne apparaissent en effet régulièrement dans les ouvrages pédagogiques, qu'ils soient destinés à des professionnels ou qu'il s'agisse de simples ouvrages de vulgarisation. Il en va de même au niveau des médias.

Bien que la théorie psychanalytique prodigue des conseils valables sur la croissance affective des enfants, elle ne semble pas convenir pour ce qui a trait à leur développement cognitif et à leur croissance corporelle, sauf dans les cas de maladies physiques imputées à une origine psychologique. Le résultat obtenu pour le critère 4 a donc dû tenir compte des contributions freudiennes au développement émotionnel de l'enfant, mais aussi des lacunes de la théorie quant à la croissance cognitive et physique de celui-ci.

Tableau 8.1 — La théorie freudienne

Comment la théorie freudienne répond-elle aux critères ?

Les critères	*Très bien*		*Assez bien*		*Très Mal*
1. Reflète le monde réel des enfants				X	
2. Se comprend clairement		X			
3. Explique le développement passé et prévoit l'avenir	X			?	
4. Facilite l'éducation	X				
5. A une logique interne				X	
6. Est économique			X		
7. Est vérifiable					X
8. Stimule de nouvelles découvertes	X				
9. Est satisfaisante en elle-même			X		

Pour sa clarté (critère 2), la méthode psychanalytique mérite une cotation à peine supérieure à la moyenne. Les principales composantes du système sont assez clairement expliquées, le recours fréquent de Freud à des exemples tirés de la vie réelle de ses patients y a certainement contribué. Mais, au fil de la progression dans les concepts de base de la théorie, nombre de questions surgissent et nécessitent plus d'éclaircissements. Pour illustrer cette confusion, Magel s'est plaint que le freudien

> *décrit parfois les principales composantes théoriques de l'appareil mental comme des 'unités de fonction' et suggère que les pulsions de l'inconscient sont comme des dispositions. Mais il a aussi déclaré que ces composantes possèdent des énergies qui s'opposent les unes aux autres, sans pour autant expliquer dans quel sens les fonctions peuvent être chargées d'énergie ou comment les dispositions peuvent être engagées dans des conflits* (1959, p. 46).

En résumé, une analyse détaillée du modèle psychanalytique du développement de l'enfant révèle que celui-ci nécessiterait des explications complémentaires. Cette question de la clarté resurgit au point 1 (évaluation de la théorie en tant que reflet du monde réel des enfants). Ce qui explique que, pour ce critère, nous lui attribuerons une cote légèrement inférieure à la moyenne. Cependant, au bénéfice de Freud, il faut retenir les points suivants : (1) le fait d'avoir révélé au grand public l'importance et l'universalité des intérêts sexuels chez l'enfant et chez l'adolescent, (2) celui d'avoir identifié les mécanismes de défense que les enfants développent, (3) le fait d'avoir décrit les sentiments ambivalents ressentis par les enfants – la haine mêlée d'amour – envers les parents et envers d'autres personnes proches de leur entourage, sentiments qui reflètent donc bien la vie réelle des enfants (Hilgard, 1952).

Cependant, tandis que de tels éléments sont vérifiables par observation directe ou par évaluation, une grande partie de la théorie freudienne n'a pu être expérimentée d'une manière aussi nette. Quelques critiques ont été particulièrement durs, soutenant que la psychanalyse n'est pas parvenue à élaborer les méthodes qui auraient permis de valider les propositions qu'elle avance. Scriven a écrit que :

> *En tant qu'ensemble d'hypothèses, la théorie était un accomplissement remarquable, il y a cinquante ans; étant donné qu'elle n'est pas plus qu'un ensemble d'hypothèses, aujourd'hui, c'est un scandale (...) c'est, en fait, la forme la plus sophistiquée de métaphysique à avoir jamais joui de support en tant que théorie scientifique* (1959, pp. 226-227).

Quand on considère la source de données de Freud, on se demande dans quelle mesure son modèle reflète exactement la manière dont les enfants se développent dans le monde réel. Il n'a pas observé, testé ou mesuré directement des enfants pendant leurs années de croissance comme l'ont fait d'autres théoriciens. De même, son mode de rassemblement de données pose problème : (1) durant les sessions de thérapie avec des adultes névrotiques, l'analyste établit sa propre interprétation des faits, fondée sur sa propre perception du problème, (2) un matériel symbolique est utilisé issu de rêves et de souvenirs d'expériences marquantes vécues par le patient vingt ou trente ans auparavant. Cette méthode de rassemblement d'informations risque d'établir des donnés de base falsifiées puisqu'il s'agit là de distorsions des actions, des pensées, des émotions aux différents stades de développement. Nous estimons que cette théorie ne représente pas le développement réel des enfants, partageant ainsi l'opinion de ces critiques qui réclament que le modèle freudien soit soutenu plus efficacement par une preuve facilement vérifiable.

La théorie psychanalytique a toujours été difficile à vérifier ou à réfuter, non pas parce que ses adeptes sont fermés à toute suggestion ou sont des chercheurs improductifs, mais bien parce que certains éléments clés du modèle, y compris l'inconscient, le refoulement, la réaction-formation et le symbolisme, rendent la théorie non vérifiable. Ceci a permis à certains critiques d'avancer qu'«il y a un soupçon, selon lequel la théorie freudienne peut être tellement manipulée qu'elle défie la vérification, face à nombre de faits établis» (Nagel, 1959, p. 44). Partageant ce point de vue, nous avons placé le critère 7 (vérifiabilité) tout à fait au bas de l'échelle.

Imaginons que nous désirons contrôler la validité du conflit d'Œdipe en interviewant des adolescents sur les idées sexuelles qu'ils avaient lors de leur toute première enfance. Si les réponses des adolescents corroborent l'affirmation selon laquelle l'attirance du type père-fille, mère-garçon est fréquente, nous pouvons considérer ces réponses comme appuyant le concept du complexe d'Œdipe. Mais si, au contraire, les adolescents, malgré leur désir de rapporter la vérité, n'ont aucun souvenir des conflits qu'ils ont vécus au stade œdipien, pouvons-nous en conclure que ceci constitue une preuve de la non-universalité de la notion du concept d'Œdipe ? Les freudiens répondraient par la négative et prétendraient que ces réponses négatives prouvent que les premières pulsions sexuelles ont été refoulées dans l'inconscient, le refus de la part des adolescents d'accepter ces idées constituant ainsi une preuve de l'existence du complexe d'Œdipe et, dans le même temps, des mécanismes de refoulement. Il n'y a donc aucun moyen de tester la validité du concept d'Œdipe par des interviews rétrospectives qui sont pourtant l'instrument de base des freudiens dans l'élaboration de leur modèle explicatif du développement de l'enfant.

Lorsqu'on évalue la théorie, le concept de *réaction-formation* pose le même type de problème. La réaction-formation est le mécanisme de défense qui intervient quand un individu est animé par un désir ou pulsion (9a) qui s'oppose à ses principes moraux (*surmoi*); pour résoudre ce conflit, le *moi* de l'individu concerné réprime la pulsion et agit comme si rien ne s'était passé. Le jeu sexuel ouvert de l'enfant est très révélateur de l'énergie libidinale qu'il possède. Mais, le comportement opposé, par exemple le rejet de tout ce qui a trait au sexe, comme chez les puritains, est interprété comme une autre forme d'expression de cette même énergie libidinale, révélée par le mécanisme de réaction-formation. De même, l'enfant qui se bat souvent (qui fait montre d'agressivité directe) et celui qui est généralement pacifique (qui utilise la réaction-formation) sont mus en fait pas la même force agressive (l'instinct de mort). Une fois de plus, l'évaluation de cette théorie pose problème : comment interpréter le fait que des conclusions identiques soient dérivées de données diamétralement opposées ?

Le rôle des symboles dans les travaux de Freud est également une source de confusion : il propose que le *moi* d'un individu, en collaboration avec son *surmoi*, censure le matériel refoulé qui tente d'échapper à la conscience et à l'inconscient. Mais Freud a également avancé que les désirs refoulés peuvent échapper à la censure et se représenter sous forme de symboles. Par exemple, nous avons noté au chapitre 1 que Freud considérait tout objet allongé vu en rêve comme un symbole du pénis et tout objet en forme de réceptacle comme symbolisant le vagin (Freud, 1900). Les freudiens ont ainsi repris ces concepts et en ont fait une pratique courante.

Le modèle psychanalytique peut donc être correct; toutefois, les processus de vérification employés sont parfois difficiles à accepter, à cause des procédures arbitraires autorisées par l'inclusion de concepts tels que ceux que nous venons de mentionner. La cote relativement basse octroyée au point 5 (cohérence interne) résulte de ces considérations.

Pour le critère 6 relatif à l'économie de la théorie, nous avons attribué une cote moyenne au modèle de Freud. Alors que certains des aspects de la théorie semblent être directs, économiques en ceci que l'explication d'un phénomène est simple, d'autres paraissent inutilement complexes. Par exemple, les phénomènes de fixation pourraient être expliqués d'une manière plus simple. De même, le comportement socio-personnel prépubertaire de l'enfant se justifie mieux par une explication autre que le complexe d'Œdipe. Nous n'insinuons pas par là que Freud avait tort. Toutefois, son explication du phénomène aurait pu être plus simple.

Le critère 3 (explication du passé et prévision du futur) reçoit deux notes sur la même ligne. La cote relative à la spécificité de la théorie figure au haut de l'échelle, les explications freudiennes des faits psychosexuels précoces dans la vie étant très spécifiques. La psychanalyse met l'accent sur le passé du développement, en tant que découverte s'effectuant au moyen de l'association libre et de l'interprétation des rêves. Mais les visions psychanalytiques pour le futur sont en général plus vagues, souvent présentées sous forme de comportements déviants possibles, au cas où les besoins de l'enfant au cours des stades psychosexuels subséquents ne seraient pas satisfaits adéquatement par les adultes responsables. En vertu de la spécificité de ses explications sur le passé, et de ses considérations plutôt générales sur le futur, la théorie psychanalytique reçoit une cote assez élevée pour ce critère 3.

Cependant, l'exactitude des prévisions freudiennes est d'un ordre tout à fait différent. Il est permis d'émettre des réserves quant à la validité des explications qui se fondent sur la théorie. Aussi un point d'interrogation a été placé au bas de l'échelle pour le critère 3. La théorie devrait être mieux soutenue qu'elle ne l'a été jusqu'à présent.

Dans le cas de la théorie psychanalytique, le critère 9 (auto-suffisance) est d'une importance particulière, les assertions de Freud reposant toujours sur l'affirmation personnelle en tant que moyen d'acceptation. Par «affirmation personnelle», il faut ici entendre le «sentiment» que la théorie psychanalytique n'explique pas comme il se devrait la manière réelle dont la personnalité se développe et fonctionne. Et, comme Hook l'a noté (1959, p. 213), la réponse aux critiques faites par quelques freudiens est que : «la psychanalyse peut n'être pas scientifique, mais elle est vraie». Toutefois, nous admettons ne pouvoir partager ce sentiment que dans une certaine mesure. En dépit de ses lacunes, quand elle est jugée en fonction de critères scientifiques tels que les neuf critères proposés ici, la théorie freudienne se rapproche d'un certain existentialisme. Nous admettons des concepts tels que l'*inconscient*, le *refoulement*, l'usage que nous faisons des *mécanismes de défense* et beaucoup d'autres propositions avancées par la théorie. Cependant, nous demeurons sceptiques quant à certains autres aspects du modèle. Pour ces raisons, nous avons octroyé une appréciation moyenne au modèle freudien quant au critère d'autosuffisance.

9

Le modèle d'Erikson

Allemand de naissance, Erik Homberger Erikson (né en 1902) est un psychanalyste qui s'est donné pour objectif d'étendre et de perfectionner les propositions de Freud sur le développement de la personnalité en mettant particulièrement l'accent sur le développement de l'enfant. Trois des principales contributions d'Erikson ont porté sur :

(1) le développement de la personnalité normale, contrairement à Freud qui s'est intéressé surtout à la croissance et aux comportements névrotiques;

(2) le processus de socialisation de l'enfant qui, dans une culture donnée, s'effectue en stades psychosociaux innés, parallèles aux stades psychosexuels freudiens;

(3) la tâche individuelle qui consiste à atteindre l'*identité du moi* en résolvant des crises d'identité spécifiques à chacun des stades psychosociaux du développement.

La carrière professionnelle d'Erikson a commencé à Vienne où il a obtenu son diplôme à l'Institut Psychanalytique de Vienne avant d'émigrer aux Etats-Unis en 1933. Il a commencé sa pratique clinique aux Etat-Unis, a pris la nationalité américaine en 1939 et, pendant plus de quarante ans, a apporté d'importantes contributions aux domaines de la psychanalyse, de la théorie de la personnalité, de l'éducation et de l'anthropologie sociale.

Une grande partie de la théorie de Freud, notamment l'existence et la nature de l'*inconscient*, la triple composition de l'esprit (le *ça*, le *moi*, et le *surmoi*), les *stades psychosexuels* et bien d'autres notions ont été considérées par Erikson comme étant valides, ce qui explique qu'il ait relativement peu écrit à ce propos. Il a orienté ses travaux vers des aspects de la théorie psychanalytique qui, selon lui, avait besoin d'être révisés ou développés. Dans ce chapitre, nous ne décrirons pas le système d'Erikson, mais bien les développements importants qu'il a apportés à la théorie de Freud : (1) la nature d'une personnalité saine et celle de l'*identité du moi,* (2) le *principe épigénétique,* (3) les stades de croissance psychosexuels et les crises d'identité. Nous terminerons cette présentation par une appréciation des idées d'Erikson.

Identité du moi et personnalité saine

Erikson se joint aux critiques qui avancent que Freud ne s'est intéressé qu'à l'étude des personnalités névrotiques et a, par conséquent, négligé de définir la nature des personnalités saines et de retracer leur schéma de développement. C'est pourquoi Erikson a cherché à combler cette lacune de la théorie psychanalytique en commençant par identifier les caractéristiques de la personnalité saine. Celles-ci présenteraient les objectifs et les apparences d'un développement humain souhaitable. Erikson a approuvé les idées de Marie Jahoda, d'après qui une personnalité saine *maîtrise activement* son environnement, montre une certaine *unité dans sa personnalité* et est capable de *percevoir* le monde et soi-même *correctement* (Erikson, 1968, p. 92). Le nouveau-né ne fait montre d'aucune de ces caractéristiques; la personnalité adulte saine les possède toutes. Donc pour Erikson, «l'enfance est définie par l'absence initiale (de ces caractéristiques) et par leur développement graduel en étapes complexes qui se différencient de plus en plus» (1968, p. 92).

En fait, *se développer* est une formulation particulière faisant référence au processus qui permet d'atteindre l'*identité du moi.* Dans le système d'Erikson, l'*identité du moi* a deux aspects. Le premier se concentre sur l'individu lui-même et est la découverte par la personne de «sa propre conscience de soi et d'un sens de continuité dans le temps» (Erikson, 1959, p. 23). En d'autres termes, c'est se connaître et s'accepter soi-même. Le second aspect, orienté vers l'extérieur, est la reconnaissance par l'individu des idées ou des caractéristiques essentielles de sa culture et un certain degré d'identification avec ces valeurs; il implique le partage d'«une sorte de caractère fondamental» avec les autres. (Erikson, 1968, p. 104). La personne dont l'*identité du moi* est bien développée a une perception claire et un sens d'acceptation de son *moi intérieur* et des caractères essentiels du groupe culturel dans lequel elle vit.

Donc, d'après Erikson, le développement humain consiste à évoluer de l'état de *non-identité du moi* à celui d'*identité du moi.* Son schéma du processus développemental intègre une description de la nature des «conflits intérieurs et extérieurs, altérés continuellement par la personnalité vitale qui resurgit après chaque crise avec un sens accru d'unité intérieure, un meilleur sens du jugement et une capacité accrue de bien faire», basée sur des règles que l'individu s'est définies lui-même ou émanant de personnes qui comptent pour lui (Erikson, 1968, p. 92).

Le principe épigénétique

Les études portant sur le développement de l'organisme humain alors qu'il est encore *in utero* suggèrent que celui-ci se développe à partir d'une cellule unique fertilisée et qu'il passe par les mêmes stades que tous les organismes jusqu'à ce que, après neuf mois, naisse un bébé, organisme multicellulaire et très complexe, avec des parties différenciées, mais coordonnées. L'ensemble de ce schéma de développement semble être gouverné par des structures génétiques communes à tous les humains. En d'autres termes, les gènes établissent un plan de construction et un programme pour le développement de chacune des parties.

Des études sur le développement physique après la naissance suggèrent que le plan de maturation génétique ne s'arrête pas à la naissance. Au contraire, la séquence de développement, à laquelle correspondent des activités telles que ramper ou marcher ou encore l'apparition des seins chez une jeune fille et d'une barbe chez le jeune homme, est établie par un plan de maturation génétique. Ces caractéristiques se développent à un moment particulier de la vie, en fonction d'un programme préétabli, qui est très peu affecté par les influences de l'environnement.

Le terme de *principe épigénétique* a été donné à cette thèse selon laquelle tout ce qui se développe est gouverné par un plan préétabli : «A partir de ce plan de base, les différentes parties s'érigent, chacune ayant son époque spécifique d'ascendance, jusqu'à ce que toutes les parties se soient édifiées pour former un tout qui fonctionne» (Erikson, 1968, p. 92).

De nombreuses personnes ont adopté ce principe comme guide explicatif de la croissance physique. Erikson a étendu cette notion à la croissance socio-psychologique, proposant que la personnalité semble aussi se développer par étapes préétablies dans l'organisme humain. Il reconnaît que cette croissance peut être polymorphe, puisque les cultures dans lesquelles les enfants évoluent peuvent varier considérablement. Erikson a toutefois maintenu que le développement de la personnalité obéit à une série de lois internes, qui régissent les rapports éventuels que l'enfant aura avec les individus et les organisations appartenant à sa culture particulière.

Erikson a donc émis l'hypothèse que la nature de l'espèce humaine implique, tout au long du développement, le passage par une série identifiable de stades psychosociaux, stades déterminés génétiquement, indépendamment de la culture considérée. L'environnement social n'a pas, selon lui, une influence décisive sur la nature des crises qui surgissent à chacun des stades, ni sur la manière dont l'enfant ou l'adolescent s'en accommodera.

Tableau des stades psychosociaux

Erikson a d'emblée considéré l'ensemble des stades psychosexuels de Freud comme une description valide des éléments clés du développement de la personnalité, de l'enfance à l'âge adulte. Cependant, il a estimé que cette présentation était incomplète sous au moins quatre de ses aspects.

Pour Erikson, Freud a accordé trop peu d'attention à la socialisation de l'enfant, c'est-à-dire aux différents schémas de comportement considérés comme désirables dans différentes cultures, schémas que l'enfant doit adopter pour être intégré au groupe dans lequel il vit. Ensuite, Erikson, estimant qu'il existe des stades de développement après l'adolescence que Freud n'a pas identifiés, a déterminé quatre niveaux de développement supplémentaires au delà de la puberté.

Un troisième aspect développé par Erikson concerne l'interaction de l'individu avec son environnement social. Celui-ci produit une série de huit *crises psychosociales* majeures, que l'individu doit surmonter pour parvenir à une éventuelle *identité du moi* et à un certain niveau d'équilibre psychologique. Freud n'ayant pas défini le concept de *crise* d'une manière précise, Erikson l'a fait. Enfin, il a représenté les concepts de développement sous forme de tableau ou de matrice, ce qui permet de clarifier l'interaction et la corrélation existant entre divers aspects du développement. Un de ces tableaux a été reproduit dans la figure 9.1.

Parmi les apports les plus précieux d'Erikson au domaine du développement de l'enfant, nous retiendrons sa proposition que l'individu au cours de son développement passe par huit *crises psychosociales.* Ces dernières figurent dans la colonne A de la figure 9.1. Chaque crise ou stade est défini en termes de conflit ou d'opposition entre deux caractéristiques de la personnalité. Ainsi, la *confiance* se bat pour vaincre la *méfiance* dans la personnalité du tout-petit. Au stade suivant, *l'autonomie* lutte pour l'emporter sur le *doute* et la *honte.* Six autres crises marquent les six stades subséquents de croissance psychosociale, tendant vers la totale identité du moi et la maturité psychologique, caractéristiques de l'adulte.

Bien que les traits conflictuels soient présentés sous une forme absolue, ils sont en fait constitutifs d'une échelle graduée des étapes du développement de la personnalité. Par exemple, la «confiance complète» apparaît à une extrémité et la «méfiance complète» à l'autre. Entre ces extrêmes existent des niveaux différents qu'un individu peut atteindre.

Tableau 9.1 — Développement psychosocial selon Erikson

	Colonne A	*Colonne B*	*Colonne C*	*Colonne D*	*Colonne E*
Stades	*Crise psychologique*	*Etendue des relations significatives*	*Modalités psychosociales*	*Stades psychosexuels de Freud*	*Ages approximatifs*
I	Confiance versus méfiance	mère ou substitut maternel	recevoir, donner en retour	oral-respiratoire, kinesthésique (incorporatifs)	0-1
II	Autonomie versus honte/doute	parents	retenir, laisser aller	anal-urétral, musculaire (rétentif, éliminatif)	2-3
III	Initiative versus culpabilité	famille de base	faire, faire “comme si” (jeu)	génital infantile, locomoteur, intrusif, inclusif	3-6
IV	Travail versus infériorité	voisins et camarades d'école	terminer les choses, mettre les choses ensemble	latence	7-12 environ
V	Identité versus diffusion	groupe de pairs et groupes extérieurs; modèles de leadership	être soi-même ou ne pas être; partage de soi-même	puberté et adolescence	12-18 environ
VI	Intimité et solidarité versus isolement	associés en amitié, sexe, compétition, coopération	se perdre et se retrouver soi-même dans l'autre	maturité génitale	de 20 à 30 ans env.
VII	«Générativité» versus stagnation	travail partagé avec la maisonnée	réaliser, prendre soin de		de 30 ans à 50 ans env.
VIII	Intégrité versus désespoir	humanité; mon espèce	être, après avoir été; accepter de ne pas être		au-delà de 50 ans

Adapté d'Erikson, 1959, p. 166.

Ainsi, chaque personnalité présente un mélange de confiance et de défiance personnelles aussi bien qu'un mélange de confiance et de défiance envers les autres et le monde en général. Ceci explique qu'une manière possible de décrire la configuration de la personnalité d'un enfant ou d'un adolescent consisterait, pour Erikson, à identifier le niveau de l'échelle où celui-ci se situe à un moment donné.

Avant de considérer chaque stade en particulier, nous examinerons les autres colonnes de la figure 9.1 afin que les rapports entre ce matériel et les crises psychosociales soient clairs. La colonne B reprend la liste toujours croissante des personnes avec lesquelles l'enfant qui grandit entre en relation. La crise particulière à laquelle l'enfant ou l'adolescent fait face à un moment donné (colonne A) se résout au moyen de l'interaction avec les personnes ou l'environnement social identifiés dans la colonne B. Dans la colonne C, on trouve les actes qui monopolisent l'attention de l'enfant à chacune des crises du développement et la colonne D indique quelle étape psychosexuelle est en rapport avec chaque action donnée. Par exemple, durant le stade oral freudien de la première enfance, le bébé se concentre sur les actes (modalités psychosexuelles) de donner et de recevoir. Au stade psychosexuel de la puberté (stade 5), la jeune personne concentre ses efforts sur l'acte d'apprendre à être elle-même et sur celui de partager cette nouvelle expérience avec les autres.

Tout en gardant ce canevas à l'esprit, essayons maintenant de considérer d'une manière plus détaillée les huit crises ou phases psychosociales successives d'Erikson (Erikson, 1959, pp. 65-98).

Confiance/méfiance

Erikson a proposé qu'un sentiment de confiance, défini comme l'acte d'être capable de prédire son propre comportement et celui des autres et d'en dépendre, dérive principalement des expériences vécues au cours de la première année d'expérience. En d'autres termes, l'attitude fondamentale d'un enfant par rapport à sa dépendance vis-à-vis du monde se construit sur les rapports que l'enfant établit durant le stade oral ou stade incorporatif, où le fait de porter de la nourriture ou des objets à la bouche est de première importance. La personne la plus importante dans la vie de l'enfant à cette période est la mère ou son substitut. Le point particulier de l'échelle *confiance-méfiance* que l'enfant atteindra dépendra dans une grande mesure de la qualité de ses rapports avec la figure maternelle pendant sa première année de vie. Si le besoin de nourriture de l'enfant, son besoin d'exercer ses gencives, ses lèvres et son mécanisme de succion sont fréquemment frustrés, celui-ci commencera certainement sa vie aux niveaux de l'échelle situés près de la défiance. Si la qualité des rapports affectifs à ce moment est pauvre, avec une mère qui le rejette affectivement bien que répondant à ses besoins physiques, le sentiment de confiance sera altéré. Ceci établit des bases peu solides pour le rapport entre confiance et défiance sur lequel l'enfant devra édifier le reste de sa vie.

Quant à la permanence des dommages causés à ce stade précoce, Erikson répond que la manière dont cette première crise est résolue durant la période clé n'est pas nécessairement inaltérable. Les dommages qui atteignent le sens de la confiance et qui ont leur origine dans une relation peu satisfaisante entre l'enfant et la mère pendant la première année de vie, peuvent être en quelque sorte réparés dans les années suivantes si l'enfant profite d'un environnement social qui le met particulièrement en confiance. Cependant, les dommages ne sont pas complètement effacés par les expériences positives subséquentes. De même, le tout-petit qui adopte une attitude de confiance aveugle durant sa première année peut être ébranlé s'il fait, par la suite, des expériences qui ne lui apportent pas ce climat de confiance, même si elles proviennent de personnes qui comptent pour lui. Il continuera cependant à avoir confiance en d'autres personnes grâce au passage positif qu'il a connu pendant la crise de *confiance-défiance* de sa jeune enfance. Les mêmes principes d'influence à long terme proposés pour cette première période sont valables également pour les autres *crises* auxquelles l'enfant fait face à des stades ultérieurs de croissance.

Autonomie/honte et doute

Parallèlement au second stade psychosexuel de Freud, Erikson a proposé qu'il existait une crise psychosociale qui, comme le stade anal, se déroule au cours de la deuxième année de vie. Ce second stade est influencé par le système musculaire qui se développe chez l'enfant, désormais en mesure d'expulser ou au contraire, de retenir les choses, particulièrement les déchets que produit son corps. Evacuer ces déchets non seulement le soulage, mais encore, lui donne un sentiment de puissance, à cause du contrôle qu'il a sur ses sphincters.

Selon Erikson, ce nouveau sentiment de puissance ressenti par l'enfant, constitue la base qui lui permet de développer son sens d'autonomie, qui peut être définie comme la faculté de faire des choses par et pour lui-même. En même temps, il court le risque de trop vouloir en faire et il s'attire, par conséquent, les reproches de ceux qui l'entoure. Donc, l'enfant a besoin au cours de cette période d'un équilibre entre (1) la fermeté de ses parents qui doivent créer un environnement qui l'empêchera de dépasser des limites données et (2) la flexibilité et la patience des adultes proches qui l'aideront à acquérir à son rythme, le contrôle de ses sphincters. Sous un contrôle extérieur trop strict qui exigerait que l'enfant contrôle ses sphincters prématurément, celui-ci ferait face «à une double rébellion et à une double défaite», n'ayant pas non plus le pouvoir de contrôler l'attitude de ses parents (Erikson, 1959, p. 68). Il pourrait alors rechercher la satisfaction en régressant à des activités orales (succion du pouce, pleurnicheries, demande constante d'attention) ou encore simuler des progrès en devenant hostile et volontaire. Il se peut qu'il prétende même avoir atteint le contrôle de ses sphincters en rejetant l'aide des autres bien que, en réalité, il n'ait pas les capacités nécessaires pour se montrer aussi indépendant.

Erikson a proposé que les parents qui imposent des habitudes trop strictes de propreté à un enfant de deux ans peuvent en faire un adulte obsédé au possible, avare et méticuleux tant en amour qu'en tout ce qui concerne son énergie, son temps et son argent. Ce comportement obsessionnel chronique s'accompagne d'un sentiment omniprésent de doute et de honte. Au contraire, un entraînement à la propreté progressif et modéré peut aider l'enfant à développer un sens du contrôle de soi, sans pour autant perdre l'estime de sa personne et produire ainsi un adulte doté d'un sens d'autonomie puissant, mais socialement acceptable (Erikson, 1959, p. 68).

Initiative/culpabilité

Pendant les quatrième et cinquième années de sa vie, l'enfant acquiert une plus grande maîtrise du langage et une mobilité stable qui lui permet de se déplacer et de manipuler les objets plus aisément. En conséquence, son imagination se développe et embrasse désormais «tellement d'éléments qu'il ne peut s'empêcher de craindre, à cause de choses dont il a rêvé et qu'il a élaborées dans ses pensées. Néanmoins, en dépit de tous ces obstacles, il doit émerger avec un *sens d'initiative* intact qui servira de base pour des sentiments d'ambition et d'indépendance difficiles à atteindre, mais non point irréalisables» (Erikson, 1959, p. 75).

C'est l'époque du *conflit d'Œdipe*, période pendant laquelle la conscience se développe et sert de frein aux initiatives. La peur que causent les impulsions vers le sexe opposé est à l'origine de sentiments de remords. Si l'enfant doit traverser cette période avec succès, il a besoin des directives et des conseils de ses parents et de ses professeurs qui sont conscients des obstacles auxquels il fait face. Ceci permet «un apprentissage progressif de l'initiative qui constitue un vrai sens d'entreprise». (Erikson, 1959, p. 82). Ces qualités physiques et mentales que l'enfant possède désormais et qui ne sont pas entachées de remords lui permettent d'affronter la vie en toute confiance.

Travail/infériorité

Tout au long de la période de latence freudienne précédant la puberté, l'enfant veut se consacrer à des activités qu'il juge dignes d'attention; il désire s'engager dans ces activités en compagnie de ses pairs. Selon Erikson, dès l'école primaire, les enfants ont besoin de se livrer à des jeux où l'on «fait semblant», mais se lassent éventuellement de ces situations et se livrent à d'autres activités qu'ils jugent plus valables. Ils veulent se mettre en valeur en produisant quelque chose et avoir ainsi la satisfaction d'avoir accompli un travail ou une œuvre par leur persévérance.

Si les adultes proposent aux enfants des tâches que ceux-ci sont en mesure d'accomplir et qu'il estiment valables et intéressantes et s'ils leur donnent les directives nécessaires pour mener ces activités à bien, les enfants auront de meilleures chances de surmonter la période de latence et d'en sortir avec un esprit d'initiative développé. Cependant, si un enfant n'a pas résolu son *conflit œdipien* ou si sa vie de famille ne l'a pas bien préparé à la vie de l'école, la période de latence peut produire les résultats opposés, c'est-à-dire créer chez l'enfant un sentiment d'impuissance et d'infériorité. Des sentiments d'infériorité peuvent se développer suite au fait que des tâches que l'enfant accomplit et maîtrise sont minimisées par son professeur et ses camarades de classe. De plus, selon Erikson, l'enfant peut avoir certaines aptitudes qui, n'ayant pas été développées ni activées pendant la période de latence, peuvent «se développer ou plus tard ou jamais» (1959, p. 87).

Identité/diffusion de l'identité

Parmi tous les stades de croissance, l'adolescence, et plus particulièrement le début de l'adolescence, ont surtout retenu l'attention d'Erikson. Pendant les premières années d'adolescence, avec la puberté, le corps se développe rapidement et croît d'une manière insolite. Ces changements troublent profondément la jeune fille et le jeune homme. De même, leur rôle social prend de nouvelles formes, et le point de vue qu'ils avaient de leur personne pendant l'enfance est dépassé car il ne répond plus à leur nouvelle apparence ni aux nouveaux sentiments qu'ils éprouvent envers le sexe opposé. De plus, les attentes de leurs parents et de leurs pairs sont différentes pendant cette période de transition entre l'enfance et la jeunesse. La confusion que ces bouleversements provoquent chez le jeune adolescent a été dénommée par Erikson *crise d'identité.*

Pendant cette période, les résultats des années d'expérience doivent conduire à une intégration heureuse des pulsions de base de l'individu avec son héritage physique et intellectuel ainsi qu'avec les opportunités qui lui sont désormais offertes. En fait, le développement de l'enfant qui s'est étalé sur les douze premières années environ doit maintenant se synthétiser, pour lui procurer un sens d'identité du moi ou «auto-définition».

> *Le sens d'*identité du moi *est donc le sentiment accru d'un niveau de stabilité intérieure et d'un sens de continuité qui correspondent à la perception que les autres ont de vous. Ainsi donc, l'estime de soi (...) devient la conviction que l'on passe par des étapes effectives devant conduire à un futur tangible, ce qui développe chez l'individu une personnalité définie à l'intérieur d'une réalité sociale qu'il comprend* (Erikson, 1959, p. 89).

De plus, le jeune adolescent doit acquérir un certain discernement et une compréhension du monde réel, en reconnaissant que sa manière d'aborder la réalité est une variante acceptable de la manière dont les individus gèrent leur vie avec succès.

Le grand danger de cette période est ce qu'Erikson a appelé «la confusion de rôle ou diffusion d'identité» (1963, p. 271; 1959, p. 92). Le jeune ne se connaît pas lui-même et ne sait pas ce qu'il représente pour les autres. Pour pallier ce sentiment diffus d'identité, les adolescents peuvent aussi s'identifier à outrance à des héros, des groupes divers ou encore des causes particulières; ils peuvent momentanément perdre leur propre individualité. Ils s'entraînent l'un l'autre pendant ces années de confusion dans de vagues occupations, en s'imitant les uns les autres, que ce soit au niveau vestimentaire, langagier ou encore idéologique, et même dans le choix de leurs idoles et de leurs ennemis. Ils se montrent fréquemment intolérants envers ceux qui n'appartiennent pas à leur groupe. Dans leur recherche d'identité, ils entrent souvent en conflit avec leurs parents, leurs frères et sœurs et d'autres personnes qui sont proches d'eux, tout en livrant à nouveau «plusieurs des batailles des années précédentes, même s'ils ont besoin pour ce faire de transformer, même artificiellement, des gens parfaitement bien disposés en adversaires» (Erikson, 1963, p. 261).

Les jeunes qui parviennent à résoudre ces problèmes des années d'adolescence en sortent avec un sentiment profond de leur propre individualité, la conviction qu'ils sont recevables par leur société. Ceux qui ont échoué dans leur traversée de l'âge de la *crise d'identité* continuent à faire montre dans les années ultérieures de comportements immatures, comme l'intolérance, le traitement cruel infligé à des individus «différents», une identification ou soumission aveugle à des héros ou idoles, etc.

Trois stades adultes

Erikson a étendu la description du développement psychosocial au-delà de l'adolescence, contrairement à Freud qui n'a pas offert un schéma complet de l'évolution de la personnalité humaine. Erikson a présenté trois nouveaux stades, dépeignant ainsi les conflits importants auxquels les adultes font face, durant leurs jeunes années, dans leur âge moyen et plus tard. Comme notre propos est l'étude de la croissance jusqu'aux années d'adolescence, nous nous limiterons à mentionner la nature des crises rencontrées à ces différents niveaux.

La transition entre l'adolescence et l'âge adulte s'accompagne d'une *crise d'intimité* et de distanciation *envers l'auto-absorption*, en d'autres termes, c'est la crise d'intimité et de solidarité contre l'isolement. Pour Erikson, le jeune qui émerge de l'adolescence avec un sens raisonnable de sa propre identité est à présent prêt à établir une intimité sexuelle et intellectuelle désintéressée avec un compagnon du sexe opposé. Le jeune dont l'identité est stable est également préparé à défendre ses droits et son individualité contre des attaquants. Erikson appelle cette capacité d'auto-défense «distanciation». C'est, d'après sa définition, la faculté de pouvoir «réfuter, isoler, et si nécessaire, détruire les forces et les gens dont l'essence semble menacer l'*intégrité de son moi*» (1959, p. 95). Les jeunes qui échouent à ce stade sont incapables d'établir des relations intimes avec un compagnon; ils sont donc maintenus dans une condition d'auto-absorption.

Pendant le second stade adulte, le conflit psychosocial oppose la *productivité* à la *stagnation* (ou la productivité à l'auto-absorption). Les partenaires sexuels qui découvrent la vraie génitalité (la possibilité de parvenir à l'orgasme avec un partenaire du sexe opposé) souhaitent combiner leurs personnalités en produisant et en prenant soin d'une progéniture. C'est là la condition qu'Erikson a appelée *générativité* ou *productivité*. De tels partenaires ne sont plus seulement préoccupés de leur seul bien-être.

Au stade suivant de l'âge adulte, la crise porte sur *l'intégrité* contre le *désespoir/dégoût*. La personne plus âgée qui est parvenue à un niveau d'intégrité de soi est celle qui a accepté son mode de vie propre et «qui est prête à défendre la dignité de son style de vie particulier en dépit de toute menace physique ou économique» (Erikson, 1959, p. 98).

Ce sont donc là, les huit stades de développement tels que conçus par Erikson dans sa théorie des stades psychosociaux. Depuis l'introduction de son schéma en 1959, il y a régulièrement apporté des améliorations. Par exemple, dans *Insight and Responsability* (1964), il a étendu sa théorie de développement positif du moi en décrivant une série de vertus humaines qu'il a identifiées comme étant des «qualités de puissance» :

> *je (...) veux parler d'Espoir, de Volonté, de Motivation, de Compétence comme étant les rudiments des vertus acquises pendant l'enfance; de Fidélité comme la vertu de l'adolescence par excellence; et d'Amour, de Sagesse et d'Attention envers les autres, comme les vertus centrales de l'âge adulte* (Erikson, 1964, pp. 113-115).

Ces vertus, dit-il, sont l'expression d'une intégration de la maturation de croissance des stades psychosexuels et psychosociaux que nous venons de présenter. Chaque vertu bénéficie d'un moment de développement et appartient à un stade donné de la hiérarchie de croissance épigénétique. Par exemple, Erikson a postulé que la vertu de l'*espoir* se développe pendant la première enfance, que celle de *volonté* apparaît vers deux ou trois ans et que celle de *directivité* se développe pendant les années préscolaires entre trois et six ans. De plus, chaque vertu se construit à partir de celles qui ont été développées avant elle. «La volonté ne peut pas être entraînée tant que l'espoir n'est pas stabilisé, l'amour ne peut pas non plus devenir réciproque tant que la fidélité ne s'est pas affirmée» (Erikson, 1964, p. 115). La signification qu'Erikson attribue à ces vertus ainsi que leurs rapports avec les stades psychosexuels et psychosociaux sont présentés dans le tableau 9.2.

Rôle de l'hérédité et de l'environnement

Quand un théoricien suggère que des traits comme l'espoir, la fidélité, la sagesse accomplissent leur développement essentiel durant des périodes spécifiques, universelles pour tous les individus, on se demande quel rôle jouent l'hérédité et l'environnement dans ce processus. Tout d'abord, le théoricien veut-il dire par là que tous les enfants héritent d'un mécanisme de régulation du temps, qui détermine à l'avance l'ordre selon lequel les traits de caractère se développent ? On se demande aussi si le théoricien sous-entend que la forme réelle que prend chaque trait est héréditaire et que, par conséquent, l'environnement social de l'enfant a peu ou pas d'effet sur la nature de l'espoir, de la fidélité, de la sagesse arborés plus tard par sa personnalité ?

Erikson répondrait oui à la première question et non à la deuxième. Il soutient dans sa théorie que le *principe épigénétique* établit l'ordre approximatif selon lequel des préoccupations psychosexuelles ou psychosociales particulières apparaissent et se manifestent. Cependant, il considère que la forme qu'un trait particulier adopte n'est pas déterminée par la nature génétique de l'enfant. Au contraire, la manière dont une tâche psychosociale est résolue et celle dont les caractéristiques de la personnalité d'un enfant ou d'un jeune se forment dépendent de son interaction avec les institutions sociales de sa culture particulière. Donc, Erikson postule que le moment crucial pour le développement de l'espoir se situe pendant la première année pour tous les êtres humains, et dit encore que le degré d'espoir ou d'optimisme que l'enfant atteindra est déterminé par la manière dont celui-ci est traité durant cette même période. Un tel traitement varie grandement d'une société à une autre et d'une famille à une autre. En fait, Erikson accorde un rôle prépondérant

Tableau 9.2 — Stades dans le développement des vertus

	Colonne A	*Colonne B*	*Colonne C*	*Colonne D*
Stades	*Stades psychosexuels de Freud*	*Crises psychosociales d'Erikson*	*Vertus d'Erikson ou qualités dominantes*	*Ages approximatifs*
I	Oral-respiratoire	Confiance versus méfiance	*Espoir* : la ferme conviction que des souhaits fervents peuvent être exaucés en dépit des “sombres besoins et des rages qui marquent les débuts de l'existence”	0-1
II	Anal-urétral	Autonomie versus honte, doute	*Volonté :* la détermination d'exercer à la fois le libre choix et la restriction personnelle en dépit de la honte et du doute éprouvés pendant l'enfance	2-3
III	Génital Infantile	Initiative versus culpabilité	*But :* le “courage d'envisager et de poursuivre des buts valables sans être inhibé par la défaite des fantaisies infantiles, par la culpabilité et par la peur inhérente de la punition”	3-6
IV	Latence	Travail versus infériorité	*Compétence* : le libre usage de l'adresse et de l'intelligence à effectuer des tâches “sans être handicapé par l'infériorité infantile”	7-12 environ
V	Puberté et adolescence	Identité versus diffusion	*Fidélité* : libre support des loyautés assumées en dépit des contradictions dans les systèmes de valeurs	12-18 environ
VI	Maturité génitale	Intimité et solidarité versus isolement	*Amour :* mutualité de dévotion – surmontent toujours les antagonismes inhérent dans une fonction divisée	de 20 à 30 ans env.
VII		«Générativité» versus intériorisation	*Soin :* souci des obligations générées par l'amour, la nécessité ou l'accident	de 30 ans à 50 ans env.
VIII		Intégrité contre désespoir	*Sagesse :* attitude détachée envers la vie et face à la mort	50 ans et au-delà

Adapté d'Erikson, 1964, pp. 115-134.

aux influences sociales et culturelles en ce qui concerne la forme que prennent les différents traits psychosociaux au cours du développement de l'enfant.

L'importance du jeu

L'importance des institutions sociales dans le façonnement de la personnalité de l'enfant a été soulignée dans une extension plus récente de la théorie d'Erikson, décrite dans *Toys and Reasons* (Erikson, 1979). Le thème de cet ouvrage est le jeu humain, le terme *jeu* étant pris dans un sens très large. Selon Erikson, l'enfant est engagé dans le jeu lorsqu'il utilise son imagination pour élaborer des modèles mentaux inspirés de situations tirées du monde qui l'entoure. Ces modèles sont des visions créées par l'enfant, en vue d'extérioriser ses sentiments face aux multiples stimuli déroutants qui lui viennent de l'extérieur. A chacun des stades du développement, de telles visions sont en fait un moyen pour l'individu de résoudre le conflit psychologique auquel il fait face.

Trois des caractéristiques du jeu doivent être particulièrement soulignées, d'après Erikson. Tout d'abord, le jeu n'est pas une activité limitée à la période de l'enfance, mais bien une activité qui s'étend au cours de l'existence. Ces jeux ne sont ni des actes imaginatifs, uniquement distrayants, ni de simples passe-temps. Au contraire, s'y adonner pendant des moments de travail ou de loisirs, révèle la constante «propension humaine à créer des situations modèles dans lesquelles les situations du passé sont revécues, le présent représenté et renouvelé et le futur anticipé» (Erikson, 1977, p. 44).

L'enfant joue donc quand il construit une structure avec des blocs ou quand il représente avec des poupées une rencontre dans la vie de famille, mais le physicien joue aussi quand il façonne un modèle de l'univers, et le général d'une armée joue quand il prépare une stratégie ou une bataille ou qu'il fait la guerre en fonction des «règles du jeu».

Bien que l'objectif psychologique du jeu soit de permettre à l'individu d'organiser et de maîtriser sa propre existence, celui-ci ne peut pas réaliser cet objectif s'il est mené dans un environnement solitaire. L'aspect social est, en effet, l'une des caractéristiques intrinsèques de la plupart sinon de tous les jeux. Selon les vues d'Erikson, les modèles imaginatifs et les images mentales par lesquels un individu se représente dans son monde ont besoin d'être partagés et ratifiés par les autres. L'enfant qui grandit ne peut parvenir à un sentiment d'identité ou à une perception positive de lui-même dans l'isolement, mais par des échanges entre son imagination créatrice et celle de personnes qui sont importantes pour lui dans son environnement. Pour un enfant d'âge préscolaire, cet échange peut se concrétiser par une construction avec des jouets et des blocs, en présence d'un observateur compréhensif. Dans le jeu dramatique spontané avec ses pairs, l'enfant voit sa situation-modèle affirmée et précisée par d'autres enfants qui participent à la dramatisation d'une manière qui fait sens pour eux tous : ils ont produit une vision commune de leur monde. Les jeux des enfants d'âge scolaire sont aussi des microcosmes, des mondes miniatures imaginés, comprenant des rôles précis, des objectifs, des buts, des limites de temps et d'espace, des règles qui déterminent le bon ordre des choses. Les jeux des adultes sont pareils et se présentent sous forme d'événements sportifs ou de passe-temps dans des clubs ou encore sous forme de manœuvres en politique nationale ou dans la guerre (Erikson, 1977, pp. 53-64).

Enfin, dans toute société, au fur et à mesure que le temps s'écoule, les visions dominantes communes adoptent une configuration assez stable. Chaque individu ou chaque génération ne crée pas une vision du monde entièrement nouvelle. Les modèles dominants deviennent ainsi traditionnels, rituels et ceux qui partagent cette vision d'eux-mêmes à l'intérieur de leur monde sont convaincus que leurs vues sont les meilleures. Pour perpétuer de tels modèles, les institutions de la société, la famille, l'église, l'école, les clubs, les médias, les organisations juridiques et économiques et le gouvernement interviennent afin d'enseigner ces points de vue et coutumes aux jeunes générations. Ainsi, chaque groupe perpétue une culture, c'est-à-dire une perspective du monde et des rites, différente de celle que proposent d'autres communautés.

Alors que les gènes biologiques hérités distinguent l'espèce humaine d'autres espèces, comme les chimpanzés ou les colibris par exemple, c'est l'ensemble des institutions socialisantes dans une culture donnée qui est à la base des différences existant entre les membres de cette société et ceux qui appartiennent à une autre. Ces groupes divers, chacun marqué par des signes rituels et les attitudes de sa propre culture, sont ce qu'Erikson a appelé des «pseudo-espèces». «Par pseudo-espèces, nous voulons parler de ce sens de différences irréversibles existant entre la culture d'un individu et celle des autres et qui est à l'origine des différences majeures existant entre les populations humaines» (Erikson, 1977, pp. 76-77).

Des différents aspects du jeu, celui sur lequel Erikson a particulièrement mis l'accent dans *Jeux et Raison* est celui de la *ritualisation*. Il a inclus différentes formes de ritualisation à ses stades du cycle de vie, décrivant chacune de celles-ci depuis ses débuts, pendant l'enfance et l'adolescence, jusqu'à son schéma final au cours de l'âge adulte. La figure 9.1 représente l'ontogénie de la ritualisation, décrite dans ce qui suit.

Erikson a appelé le début du rituel, pendant l'enfance, «la mutualité de la reconnaissance» ou «la reconnaissance mutuelle», car les premières interactions sociales du bébé sont provoquées par ses besoins, sur lesquels ses parents et en particulier sa mère se penchent. Au moyen de ce rituel de soins donnés à l'enfant (les gestes de la mère, son sourire, les surnoms qu'elle donne à l'enfant), un mode de reconnaissance mutuelle et d'affirmation de l'identité se développe. Ce rituel tiendra lieu de fondement pour d'autres rituels subséquents qui marqueront d'autres étapes de la vie : le rapport entre professeur et élèves, entre chef de club ou de gang et membres du groupe, entre hommes d'état et citoyen, entre Dieu et le vrai croyant. Erikson propose que les hommes naissent avec un besoin d'affirmation mutuelle et d'approbation, et que l'absence de celles-ci peut faire un tort radical au tout jeune enfant (Erikson, 1977, p. 88). Cette ritualisation rassure l'individu, par sa familiarité et la réciprocité qu'elle établit entre celui-ci et un objet, une personne ou une dévotion. Parmi les institutions de la société adulte, la religion organisée est un bon exemple de ce type de ritualisation.

Le second aspect qui se développe vers deux ou trois ans, en relation avec l'apprentissage du contrôle des sphincters, est celui de la discrimination entre *bien* et *mal*. Dès ce moment, le rituel impliqué dans l'élaboration des jugements se développe jusqu'à atteindre sa version la plus sophistiquée à l'âge adulte, comme démontré dans les procédures de plaidoyers judiciaires.

Le troisième type de ritualisation réside dans le jeu dramatique de l'enfant d'âge préscolaire quand le sens du remords, issu du *conflit œdipien*, amène l'enfant à chercher une réponse à son problème par des situations dramatiques imaginaires. Dans son expérience clinique, Erikson a observé des enfants qui jouaient et imaginaient une intrigue où les conflits se résolvent finalement. Ces éléments *intrigue, conflit, résolution* constituent aussi des versions de ritualisation sophistiquées chez l'adulte et sont présentés sur scène, au cinéma, à la radio et à la télévision. Le drame qui frappe est une vision de la réalité, condensée dans l'espace et le temps et donc l'audience fait une expérience «tout à fait personnelle et en même temps miraculeusement commune» (Erikson, 1977, p. 102).

Un quatrième élément de ritualisation, qui intervient pendant les années d'école primaire (six à douze ans), est celui de la «performance méthodologique». C'est la période où l'on assigne à l'enfant une série de tâches qui le préparent à développer talents et habitudes de travail dans les domaines agricole, industriel, commercial ou littéraire, acquisitions qui lui permettront de participer, plus tard, à la vie économique et industrielle de la société. A ce stade, l'enfant découvre qu'il peut obtenir de la satisfaction en accomplissant, avec une certaine compétence, les tâches formelles qui lui sont assignées. Ce «rôle de travail que nous commençons à envisager pour nous-mêmes, à la fin de l'enfance, est, dans des conditions favorables, le rôle le plus rassurant de tous, car il nous apprend à maîtriser nos talents et nous permet de nous reconnaître nous-mêmes dans des travaux tangibles» (Erikson, 1977, p. 106).

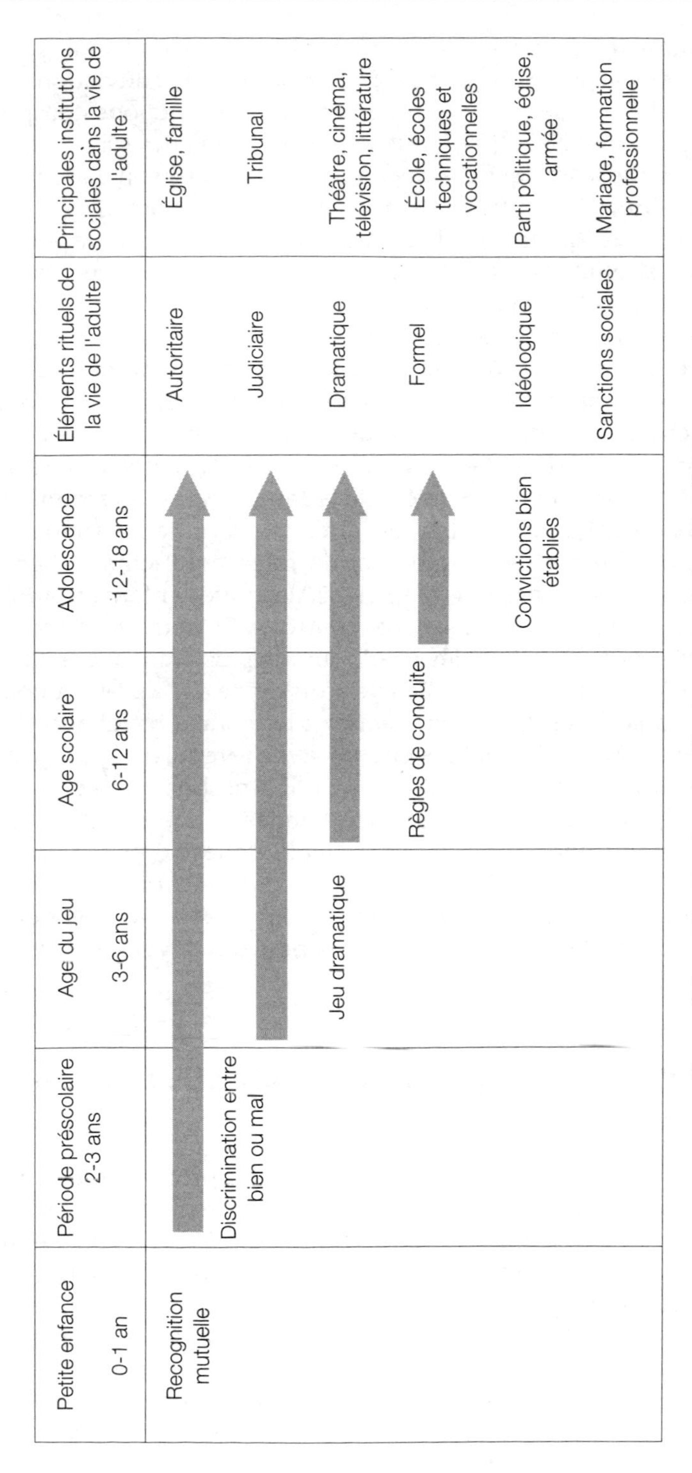

Petite enfance 0-1 an	Période préscolaire 2-3 ans	Age du jeu 3-6 ans	Age scolaire 6-12 ans	Adolescence 12-18 ans	Éléments rituels de la vie de l'adulte	Principales institutions sociales dans la vie de l'adulte
Recognition mutuelle					Autoritaire	Église, famille
	Discrimination entre bien ou mal				Judiciaire	Tribunal
		Jeu dramatique			Dramatique	Théâtre, cinéma, télévision, littérature
			Règles de conduite		Formel	École, écoles techniques et vocationnelles
				Convictions bien établies	Idéologique	Parti politique, église, armée
					Sanctions sociales	Mariage, formation professionnelle

Figure 9.1 — Stades dans le développement des ritualisations

Un cinquième élément qui intervient au moment de l'adolescence est l'adoption, par le jeune qui grandit, d'un ensemble de convictions qui sont liées entre elles d'une manière cohérente. Ces convictions comprennent l'identité psychosociale qu'il avait jusque-là, et la structure de la culture adulte ainsi que les exigences qui en découlent. Erikson a identifié deux variétés de rituels pendant ces années. Tout d'abord, il y a les *rites spontanés* par lesquels les adolescents «ritualisent» leurs rapports avec leurs pairs et affirment leur sous-culture comme distincte de celle de l'enfance ou de celle de l'âge adulte. Ensuite, il existe les *rites formels*, tels que l'obtention du diplôme de fin d'études ou l'adhésion à l'Eglise, qui représentent le passage au statut d'adulte et l'adoption des valeurs des aînés. La consolidation des convictions pendant l'adolescence conduit au développement des idéologies mûres de la vie d'adulte.

Le stade final, dans l'évolution de la vie d'adulte, est celui de la *sanction des générations* parce que le jeune, parvenu au statut d'adulte, est officiellement autorisé par des rituels, comme le mariage et la paternité, à assumer l'enseignement de rôles productifs et bénéfiques pour de nouvelles générations d'enfants. Alors que l'enfant et l'adolescent étaient des objets de rituels sous contrôle, le nouvel adulte devient maintenant celui qui établit les rites pour les plus jeunes. L'évolution de la ritualisation pendant les années de croissance est à présent complète.

L'insatiable désir d'Erikson d'enrichir le modèle psychanalytique l'a poussé, à nonante ans, à publier encore, avec le recul dû à son grand âge, ses vues sur la croissance. Cette fois-ci, il a proposé un compte-rendu rétrospectif, considéré comme un éclaircissement sur les stades de développement, partant de la phase finale de la vie et retournant à la naissance (Erikson, 1982). Dans cet ouvrage récent, il renouvelle sa confiance en la théorie psychanalytique, comme étant la méthode la plus profitable pour découvrir les mécanismes du développement de la personnalité.

Applications pratiques et perspectives de recherche

Dans l'ensemble, les applications pédagogiques proposées au chapitre 8 pour la théorie freudienne sont les mêmes pour l'extension de la psychanalyse établie par Erikson. Comme la théorie de Freud, le modèle d'Erikson a guidé les méthodes éducatives en général, influencé l'éducation préscolaire et généré des techniques de thérapie pour les enfants rencontrant des difficultés. Mais, en particulier, la description d'Erikson de *la crise d'identité* a influencé l'attitude des parents envers les adolescents et encouragé le personnel scolaire sur l'ajustement social et sur la compréhension de soi et des autres (Tyler, 1986). Un inventaire des stades psychosociaux *(Psychological Stage Inventory)* dérivé du modèle d'Erikson a été utilisé lors de recherches sur l'insertion des enfants et des jeunes dans différentes sociétés (Rosenthal, Moore et Taylor, 1983; Gray, Ispa et Thornbury, 1986; Sandor et Rosenthal, 1986). De nombreuses techniques de thérapie ont aussi bénéficié des études d'Erikson sur la lutte menée par les jeunes pour découvrir leur identité (Rose, 1986; Pickar et Turi, 1986). Dans le commentaire qui suit, Anthony témoigne de l'influence des travaux de ce chercheur.

> *Erikson (...) est un analyste de l'enfance qui a librement expérimenté dans le domaine de la psychologie des adultes et s'est senti à l'aise dans tous les stades du développement humain. Sa théorie psychosociale basée sur le modèle psychanalytique pourrait aisément être classifiée comme une psychologie psychanalytique qui se bat encore pour voir le jour. Grâce à ces aspects historiques, anthropologiques, littéraires, artistiques, le système d'Erikson a rendu la psychanalyse plus acceptable au grand public* (1986, p. 81).

Les perspectives de recherche décrites au chapitre 8 pour le modèle psychanalytique s'appliquent également à la théorie d'Erikson. De plus, nous pouvons identifier d'autres sujets de recherche dans le nouveau domaine créé par Erikson, allant au delà de la théorie freudienne. Les questions suivantes ne sont que quelques-unes de ces possibilités.

Les crises identifiées par Erikson à chacune des étapes de la croissance de l'enfant sont-elles les préoccupations essentielles de tous les enfants passant par le même stade, ou se peut-il que le type et l'ordre de ces crises varient d'une société à une autre ou d'un enfant à un autre ? Dans quelle mesure le type dominant de «jeu» identifié par Erikson pour chacun des stades se retrouve-t-il dans toutes les cultures ? Et, si ce type dominant y figure, quelles sont les similarités et les différences retrouvées au sein de diverses cultures et entre les individus d'une culture donnée, dans les activités qui constituent la forme typique d'un tel *jeu* ? On peut aussi se demander ce qui cause ces similitudes et ces différences et pourquoi ces normes diffèrent d'une société à une autre ?

Au niveau du développement psychosexuel et psychosocial, quels types de déviation retrouve-t-on chez des enfants appartenant à des cultures variées et à des familles différentes ? Quelles attitudes les adultes desdites cultures ont-ils face à de telles déviations ? Dans diverses sociétés, quelles sanctions sont appliquées aux enfants et quelle aide leur donne-t-on quand ceux-ci s'écartent des normes ? On peut aussi essayer de comprendre pourquoi ces sanctions sont appliquées ou, au contraire, pourquoi on aide les enfants de cette manière plutôt que d'une autre ? Au fur et à mesure que se succèdent les générations, quels changements dans les attitudes typiques d'une société donnée concernant les normes et les déviations ont lieu et quels facteurs sont à l'origine de ces changements ? Quels conflits surgissent entre les générations (grands-parents, parents, enfants) à cause de ces changements ?

La version psychanalytique d'Erikson : appréciation

Puisque la théorie d'Erikson est une extension du modèle psychanalytique et puisque, en général, elle souscrit aux même principes essentiels, l'évaluation faite pour la théorie freudienne à la fin du chapitre 8 est applicable pour la plupart des aspects du modèle proposé par Erikson. Par conséquent, plutôt que de répéter l'évaluation du chapitre 8, nous proposerons une appréciation des idées et contributions propres à Erikson. Il est important de noter que celui-ci, tout comme Freud, occupe encore de nos jours une place prépondérante dans l'enseignement de la psychologie. Nous avons récemment consulté quatorze manuels très populaires sur le développement de l'enfant et nous avons noté que les auteurs les plus fréquemment cités sont Piaget, Skinner et Erikson. Knapp (1985), après avoir consulté vingt-quatre ouvrages d'introduction à la psychologie de l'enfant, a conclu que les auteurs les plus étudiés étaient, dans l'ordre : Freud, Piaget, Skinner, Bandura, Erikson.

Erikson est reconnu pour ses définitions détaillées des divers stades psychologiques et pour son étude de la crise d'identité. Il a également été apprécié pour ses contributions significatives quant à la méthodologie de recherche psychanalytique. Freud avait été critiqué pour sa naïveté en anthropologie; on lui reprochait d'avoir basé sa théorie sur un échantillonnage étroit de personnalités pour émettre l'hypothèse que les thèmes du comportement névrotique et le mode de pensée qu'il retrouvait chez ses clients étaient la réplique exacte des manifestations propres au reste des humains. En effet, les critiques se sont demandé dans quelle mesure des patients rencontrés à la fin du XIXe siècle dans une clinique psychiatrique de Vienne, dont la clientèle se composait de femmes de la haute bourgeoisie juive, pouvaient représenter le public en général. Erikson, à l'opposé de Freud, a basé ses spéculations sur un échantillonnage géographiquement assez vaste. Il était certes européen, mais il a aussi, au cours de sa longue carrière, participé activement à l'analyse de cas particuliers à la clinique psychologique de Harvard, au suivi d'enfants souffrant de névroses au département de psychiatrie de l'Université de Yale. Il a, en outre, étudié des adolescents normaux de la Californie du Nord, des Indiens Sioux et Yrok, et de nombreux autres groupes d'américains. De plus, il a le mérite d'avoir concentré son attention sur le développement normal, particulièrement sur le développement normal du *moi équilibré,* dans des relations sociales personnelles.

Erikson a également contribué au développement de la psychohistoire, qui est l'analyse du développement psychologique de l'individu à partir des écrits de cette personne, de discours qu'elle aurait faits et sur base de rapports établis par d'autres sur la vie de cette personne. Les plus célèbres analyses de ce genre réalisées par Erikson ont sans doute été les biographies de Martin Luther (1958) et de Gandhi (1969). Son but était d'identifier, dans ces ouvrages, les rapports entre l'histoire de la vie des grands leaders et «le moment historique de leur émergence» (Erikson, 1975, p. 10). En particulier, il a concentré son étude sur «la puissance de guérison inhérente à un moi naissant» (Erikson, 1958, p. 8).

Ce même intérêt qu'il portait à l'influence de l'environnement social au sens large sur le développement de la personnalité a conduit Erikson à rechercher une manière d'élucider et de vérifier les impressions recueillies à partir d'une interview psychanalytique. Il considéré les techniques de recherches utilisées en sociologie et en anthropologie comme susceptibles d'aider les cliniciens à reconnaître l'importance de l'environnement social où les données sont recueillies :

> *Finalement, l'évidence clinique ne doit pas être changée en nature, mais bien judicieusement clarifiée, comme le font les études sociologiques, au moyen d'une compréhension aiguë de la position dans la société et dans l'histoire, du psychothérapeute aussi bien que du patient* (Erikson, 1964, p. 80).

Il est important de noter que le modèle d'Erikson continue à intéresser les chercheurs se livrant à des études empiriques, tout autant que ceux qui se préoccupent d'études théoriques. Les recherches que ces travaux ont inspirées ces dernières années comprennent : des études comparatives sur le concept de «self» (Tuttman, 1988); des études comparant le développement progressif du «self» aux stades de développement d'Erikson (Hamacheck, 1985); une étude sur l'ajustement social d'adolescents australiens appartenant à différents groupes ethniques (Rosenthal, Moore, et Taylor, 1983); une étude vérifiant la validité du modèle d'Erikson parmi des Blancs et des Noirs de l'Afrique du Sud (Ochse, et Pluy, 1986); des études sur la crise d'identité de la dernière période de l'adolescence et ses rapports avec le concept de perception de soi (Dusek, Carter, et Levy, 1986); une extension de la formulation d'Erikson sur le développement du moi (Cole et Levine, 1987); une reconceptualisation des cycles du développement d'Erikson (Logan, 1986); et une étude sur l'explication du concept d'*intimité* selon Erikson (Franz et White, 1985).

Tous les points sus-mentionnées doivent être, dans une évaluation de cette théorie, inscrits au crédit d'Erikson. Dans la colonne des débits figurent les mêmes problèmes de validation et de vérifiabilité décrits dans l'appréciation de la théorie de Freud. Par exemple, tous ne considèrent pas l'explication proposée aux crises psychosociales d'Erikson comme convaincante. Quelques-uns des problèmes inhérents à ce type d'explication sont repris par les questions suivantes : la plus grande évidence supportant la théorie d'Erikson ne se vérifie-t-elle pas surtout à partir de ses interprétation d'un choix de cas cliniques, individuels lorsqu'ils concernent des personnages tels que Luther et Hitler, ou de groupes visant par exemple les Indiens Sioux ? Et n'est-il pas possible qu'un autre théoricien trouve une série d'exemples aussi convaincants que ceux qui supportent les crises psychosociales, pour proposer que celles-ci se manifestent dans un tout autre ordre que celui décrit par Erikson ? Par exemple, pourquoi la crise d'autonomie contre la honte apparaît-elle nécessairement au cours de la deuxième année de l'existence ? Ne pouvons-nous pas facilement observer des comportements à d'autres âges, comportements susceptibles d'être interprétés comme des symptômes d'un crise d'autonomie, tel que, par exemple, le grand désir d'indépendance qui semble marquer les années d'adolescence ?

Ces interrogations, ainsi que celles que nous avons déjà mentionnées sous le titre «perspectives de recherche», font partie des questions auxquelles les méthodes d'investigations d'Erikson n'ont pas encore donné de réponses adéquates. Comme le système de Freud et, pour des raisons pratiquement identiques, le modèle d'Erikson a posé des problèmes lors des tentatives d'expérimentation et d'observations contrôlées dont il a fait l'objet, en vue de vérifier la validité de ses composantes et de ses principes.

En conclusion, les écrits d'Erikson sur le développement ont entraîné de nombreuses discussions dans les cercles de psychologues et ont forcé l'admiration de nombre de lecteurs qui, sur base de leur propre expérience, considèrent ses propositions comme vraies. Cependant, l'adhésion à un grand nombre de ses propositions, comme beaucoup de celles de Freud, relève d'un acte de foi, foi dans les talents interprétatifs et dans l'autorité du théoricien plutôt que dans l'évidence expérimentale qui aurait pu conduire plus sûrement les lecteurs aux mêmes conclusions. Cependant, force est de reconnaître que cette critique pourrait être tout autant adressée à bien d'autres théoriciens du développement.

Cinquième partie

La genèse et le développement de la pensée et du langage

La matière de cette cinquième partie traitera de (1) la psychologie de l'enfant selon Piaget, (2) des modèles soviétiques du développement proposés par Vygotsky, (3) de la théorie du traitement de l'information adaptée au développement de l'enfant et (4) des propositions de Kohlberg sur l'évolution du raisonnement moral. Ces diverses approches ont toutes traité du rapport existant entre pensée et langage; les trois dernières sont en outre liées d'une manière ou d'une autre au modèle de Piaget.

Vygotsky a, comme ce dernier, entamé ses recherches dans les années 1920, pour aboutir toutefois à une tout autre interprétation du développement du langage chez l'enfant. Les théoriciens du traitement de l'information, quant à eux, ont reproduit en langage informatique certains stades de développement mental décrits par Piaget et testé en particulier ses postulats sur la sériation et la conservation. Kail et Pelegrino expliquent que, sans être absolument identiques, les deux modèles coïncident, ajoutant même que «la théorie du traitement de l'information comble certaines lacunes du modèle piagétien» (1985, p. 139). Kohlberg enfin, pour élaborer ses stades de raisonnement moral, s'est fondé sur les études piagétiennes relatives au jugement moral des enfants.

Les théoriciens que nous avons retenus dans cette cinquième partie ne sont pas les seuls à avoir traité du développement de la pensée et du langage, mais se sont, nous semble-t-il, plus que d'autres intéressés à cette question.

Le chapitre 10 qui suit, reprend l'essentiel de la théorie de Piaget (1896-1980). Ce psychologue suisse a proposé un nouveau modèle du développement mental de l'enfant, fondé sur de nombreuses recherches relatives à l'évolution de la pensée humaine, de la naissance à l'adolescence. De 1921 jusqu'à sa mort, il ne cessa de publier articles et ouvrages traitant du processus de pensée de l'enfant. Il s'intéressa également à l'évolution des rêves et des jeux, au développement des symboles, à la formation du jugement moral, à la nature des changements perceptifs, mais aussi à la manière dont l'intelligence se développe, dont les nombres sont conçus, à l'idée que se font les enfants des causes des événements physiques... Piaget a étudié toutes ces questions à la lumière de son modèle de base d'évolution de la pensée intellectuelle. La diversité et l'ampleur de ses recherches de même que son influence sur la recherche justifient pleinement que nous lui accordions une grande importance dans notre exposé.

La théorie de Vygotsky, présentée au chapitre 11 domina la psychologie développementale en Union Soviétique pendant plus d'un demi-siècle. Le monde occidental, lorsqu'il en prit enfin connaissance – les travaux de Vygotsky avaient été censurés dès sa mort en 1934 – lui réserva un accueil très favorable. La perspective soviétique nous est apparue intéressante à deux égards : en tant qu'exemple d'une théorie du développement inspirée de la philosophie socio-politique marxiste sur laquelle se fondait l'état soviétique d'une part, ensuite pour le caractère innovateur et original de la démarche de ses chercheurs.

Un troisième modèle de développement, proposé au chapitre 12, s'inspire d'un paradigme général de traitement de l'information sur lequel les psychologues ont concentré leurs recherches ces dernières années. L'engouement récent des développementalistes pour ce modèle, par ailleurs utile pour comprendre la fonctionnement précis de l'esprit de l'enfant, est en grande partie lié aux progrès fulgurants de la technologie informatique.

Certaines théories mettent l'accent sur un domaine particulier de la pensée plutôt que sur les processus de pensée en général. Le modèle de développement par étapes, proposé par le psychologue américain Lawrence Kohlberg, cherche à expliquer le mécanisme d'évolution du jugement chez l'enfant et chez l'adulte. Ceci constituera le propos de notre chapitre 13.

10

La théorie du développement cognitif de Piaget

Dès l'adolescence, Jean Piaget (1896-1980) s'était passionné pour la biologie, en particulier pour les bases biologiques de la connaissance. A 21 ans il était titulaire d'un doctorat, obtenu à Neuchâtel, sa ville natale et auteur de plus d'une vingtaine de publications en biologie. Ces premières recherches ont grandement influencé sa théorie du développement de l'intelligence. Son doctorat achevé, Piaget élargit son champ d'investigation en s'intéressant de près à la psychologie avec laquelle il avait déjà pu se familiariser dans des cliniques suisses et à la Sorbonne, à Paris. Lors de ce séjour (1919-1921), il eut l'occasion de participer à la mise au point d'une standardisation des tests évaluant les aptitudes mentales des enfants dans le cadre de l'école-laboratoire d'Alfred Binet, un spécialiste en la matière. A cette époque, ce n'était pas tant les résultats positifs de ces tests que le processus de pensée qui amenait les enfants à donner telle ou telle réponse qui préoccupait Piaget. A tel point qu'il y consacra désormais ses recherches, et ce, jusqu'à sa mort. Il créa l'épistémologie génétique. En effet, la question qui sous-tendait sa démarche n'était pas «comment sont les enfants» mais «comment la connaissance se développe chez les humains ?» ou plus précisément comment la relation entre le sujet *connaissant* et le connu évolue, avec le temps. Les termes *épistémologie* (théorie de la connaissance) et *généti-*

que (relatif à la genèse ou au mode de développement) définissent donc adéquatement sa méthode d'investigation.

Notre exposé de l'œuvre de Piaget envisagera successivement : (1) ses méthodes de recherche, (2) sa conception de la connaissance, (3) sa théorie du processus d'acquisition de connaissance chez l'enfant, (4) les stades de croissance intellectuelle, (5) les mécanismes d'assimilation, d'accommodation et d'équilibration, (6) les applications pratiques et perspectives de recherche engendrées par ce modèle et (7) son évaluation. Nous terminerons ce chapitre par une approche de quelques post-piagétiens notoires.

Il sera, de plus, à nouveau question de l'influence piagétienne lorsque nous traiterons des tendances actuelles en psychologie du développement, avec la perspective néo-piagétienne, représentée, entre autres, par Case, Fisher et Mounoud.

La méthode clinique de Piaget

Lors de son stage au laboratoire de Binet, Piaget mit au point la technique de base qui devait devenir le pilier de sa méthodologie pour les cinquante années à venir. Son approche, connue sous le nom de *méthode clinique*, consistait à mettre un enfant à l'épreuve et observer ensuite comment il parvenait à une solution. Pour les enfants très jeunes, les tests s'effectuaient généralement au moyen d'objets qu'ils pouvaient voir et manipuler, par exemple une masse d'argile qui peut être modelée ou encore deux verres d'eau de tailles différentes. Aux enfants de trois ou quatre ans, capables d'utiliser le langage, l'observateur posait des questions sur les solutions qu'ils avaient trouvées. Les tests destinés aux adolescents consistaient essentiellement en épreuves verbales.

Contrairement à d'autres expérimentateurs, Piaget ne s'est pas référé systématiquement à un questionnaire rigide : ainsi, une fois le contact établi par l'une ou l'autre question convenue, il poursuivait l'entretien par d'autres demandes d'informations plus précises, destinées à éprouver le processus de pensée à l'origine de la réponse initiale. La raison d'être de cette méthode résidait dans le fait que tous les enfants, selon Piaget, n'interprètent pas une question donnée de la même manière. On teste ainsi la compréhension de l'enfant, et le cas échéant, on peut présenter le problème sous une autre forme.

Dans l'exemple qui suit, Paul, huit ans, est interrogé à propos de fleurs (primevères et autres variétés) que l'expérimentateur a placées devant lui. Ce test permettra de découvrir comment Paul classe les objets dans un groupe générique (fleurs), puis en sous-catégories (primevères, violettes, tulipes). Au moment où cette conversation commence, Paul a déjà reconnu trois types de catégories : primevères jaunes, primevères et fleurs en général (adapté de Inhelder et Piaget, 1964, p. 107).

Expérimentateur : Peut-on mettre une primevère dans la catégorie des fleurs sans en changer l'étiquette ?
Paul : Oui, une primevère est une fleur.
Expérimentateur : Puis-je mettre une de ces fleurs (une tulipe) dans la boîte des primevères ?
Paul : Oui, c'est une fleur comme les primevères.
(Mais quand l'examinateur met en fait la tulipe avec les primevères, Paul change d'idée et la remet avec les autres fleurs).
Expérimentateur : Peut-on faire un plus gros bouquet en utilisant toutes les fleurs ou en mettant ensemble les primevères ?
Paul : C'est la même chose; les primevères sont des fleurs n'est-ce pas ?
Expérimentateur : Si je ramasse toutes les primevères, y aura-t-il encore des fleurs ?
Paul : Oh oui, il y aura encore des violettes, des tulipes et d'autres fleurs.
Expérimentateur : Bien. Supposons que je ramasse toutes les fleurs, y aura-t-il encore des primevères ?
Paul : Non, les primevères sont des fleurs; vous les ramasserez aussi.
Expérimentateur : Y a-t-il plus de fleurs ou plus de primevères ?
Paul : Le même nombre, les primevères sont des fleurs.
Expérimentateur : Compte les primevères.
Paul : Quatre.
Expérimentateur : Et les fleurs ?
Paul : Sept.
Expérimentateur : Est-ce le même nombre ?
Paul (étonné) : Les fleurs sont plus nombreuses.

La démarche de Piaget consiste ainsi en une observation préalable des réactions des enfants par rapport à leur entourage. Sur base de celle-ci, il développe des hypothèses sur les types de structures biologiques et mentales qui sous-tendent les réactions observées. Il traduit enfin ses hypothèses, sous forme d'épreuves qu'il soumet aux enfants, afin de comprendre leur processus de pensée en vue de valider ses hypothèses. A l'issue de nombreuses années d'expériences, de multiples tests ont été effectués, puis reconsidérés ultérieurement par de nombreux chercheurs en vue de poursuivre les recherches de Piaget.

La conception de la connaissance chez Piaget

La redéfinition du terme «connaissance» constitue un prérequis indispensable pour la compréhension de la théorie de Piaget. Il est utile, pour mieux saisir le sens particulier de ce terme dans la vision piagétienne, de passer en revue quatre idées communément admises sur la nature de la *connaissance* et sur son développement.

Il est communément admis que la connaissance consiste en un ensemble d'informations ou de croyances qu'une personne a acquises, soit au cours de sa scolarité, soit par son expérience vécue; c'est là une conception de la connaissance en tant que collection d'informations.

Il est également convenu que les connaissances d'une personne sont le reflet de l'enseignement qu'elle a reçu ou de ce dont elle a été témoin. Ainsi, si deux personnes dotées toutes deux d'une bonne vue assistent à un événement depuis un même point d'observation, on estime que leur connaissance de cet événement sera, à peu de choses près, identique.

Le sens commun considère également que nos connaissances s'enrichissent, peu à peu, grâce aux expériences quotidiennes. Des fragments d'information viennent s'insérer dans les différentes catégories de notre organisation mentale, chacune de celles-ci relevant d'un aspect spécifique de notre existence.

Enfin, dès que nous faisons appel à notre mémoire, il est indiscutable que la connaissance qui en resurgira sera, à peu de choses près, telle que lors de son acquisition première.

Piaget s'inscrit en faux contre ces idées reçues : ainsi, loin de considérer la connaissance comme un ensemble d'informations apprises ou acquises, il la conçoit comme un processus; *savoir* quelque chose signifie pour lui *agir* sur cette chose, l'action étant alors soit physique soit mentale, soit l'une et l'autre simultanément. La connaissance qu'un enfant de deux ans a d'une balle consiste pour celui-ci à la ramasser, la presser avec ses doigts, à l'envoyer et la regarder rebondir au loin. A mesure qu'ils évoluent, les enfants perfectionnent cette méthode de connaissance physique directe et gagnent en maturité intellectuelle, ce qui les dispense peu à peu du passage obligé par le contact avec un objet pour le *connaître*. Ils sont alors à même de produire des images mentales et des symboles (mots, figures mathématiques) qui représentent des objets ou des relations. Pour un enfant plus âgé, la connaissance s'identifie donc peu à peu à une activité mentale : il est à même de «penser» à des choses, en effectuant des «actions mentales» à partir d'objets symboliques (Piaget, Apostel et Mandelbrot, 1957, pp. 44-45). La perspective piagétienne envisage donc la connaissance comme une succession d'actions et non comme une concentration d'informations.

De même, Piaget tenta de redéfinir la conception de la *perception*. D'après lui, l'enfant ne recueille pas une image objective de la réalité, mais une vision déformée par son mécanisme perceptuel, soumis aux influences conjuguées (1) de ses expériences passées et (2) de son niveau de maturation interne. Ainsi, deux enfants ne pourront jamais «connaître» un objet exactement de la même manière, puisqu'ils n'auront pas le même passé, ni un niveau de maturation rigoureusement identique.

Mais, si *la connaissance* est un processus d'action sur les perceptions plutôt qu'un ensemble d'informations, qu'est-ce que la *mémoire* et

Tableau 10.1 — Croissance de certains aspects de la connaissance

Petite enfance	*Enfance préscolaire et moyenne*	*Adolescence*
Égocentrisme versus objectivité		
Absence de distinction entre le Moi et l'environnement	Distinction partielle entre le Moi et l'environnement	Différenciation claire entre le Moi et les objets de l'environnement
Permanence de l'objet (conservation)		
Manque de reconnaissance (et de construction) des objets dont la localisation a changé	Reconnaissance (et construction) de la permanence de l'objet quand la localisation change. Absence de reconnaissance des qualités qui restent inchangées quand l'objet est transformé.	Reconnaissance (et construction) des parties inchangées (conservées) de l'objet quand les objets sont transformés.
Fonction symbolique		
Manque de reconnaissance (et de construction) du fait qu'une chose représente quelque chose d'autre	Reconnaissance (et construction) de la fonction symbolique à travers les actes d'imitation tels des gestes, un jeu, un dessin, une répétition vocale.	Reconnaissance (et construction) des symboles et des signes complexes oraux et écrits.
Intériorisation de l'action		
Adaptation à l'environnement seulement par des actes physiques	Début d'action intérieure sur les objets (manipulation interne) en les observant.	Accomplissement plus rapide et plus complet d'une adaptation en manipulant les objets de l'environnement, leurs classes et leurs rapports.
Catégories et rapports		
Absence de reconnaissance des classes d'objets et des rapports existant entre eux	Reconnaissance des classes et rapports entre objets que l'on peut directement toucher, voir ou entendre	Reconnaissance de classes et de rapports non seulement entre les objets directement perçus, mais aussi entre (1) les objets et les événements imaginaires et (2) les classes et rapports entre les systèmes eux-mêmes.

comment fonctionne-t-elle ? Piaget admet que les résultats d'expériences passées peuvent être conservés, et réutilisés au besoin. Il a également convenu que leur nombre augmente avec le niveau de maturation et l'expérience. Mais, d'après lui, le fait de *se souvenir* ne consiste pas seulement à faire revenir du fond de la mémoire des images du passé et à les placer dans le champ de la conscience. Il considère plutôt cela comme un *rappel intériorisé* ou une *reconstitution du passé* qui s'opère au niveau de la mémoire active (Piaget, 1946, pp. 5, 261). Le souvenir serait donc une reproduction du processus originel de connaissance et non une simple répétition de celui-ci : cette «reconstitution du passé» est censée tenir compte des modifications ultérieures qui se sont produites, tant sur le plan des expériences que sur celui de la maturation intellectuelle de l'enfant.

Il y a donc lieu de considérer *la connaissance* au sens piagétien du terme, comme un processus d'action physique ou mentale sur les objets, images et symboles réinterprétés par l'enfant. La perception des objets relève de l'expérience directe; images et symboles peuvent émaner tant du «monde réel» que de la mémoire. La croissance mentale ou développement de l'intelligence se manifeste entre autres par les efforts constants de l'enfant pour étendre et parfaire sa connaissance, donc son répertoire d'actions mentales. En d'autres termes, «toute connaissance est toujours en devenir et consiste à passer d'une moindre connaissance à un état plus complet et plus efficace» (Piaget, 1970, p. 13).

Il existe un principe bien établi selon lequel le niveau de connaissance de l'enfant s'améliore à mesure qu'il avance en âge. Cependant, la manière dont cette évolution s'effectue, le moment où elle intervient et les raisons pour lesquelles ce changement s'opère restaient inconnus, jusqu'à ce que Piaget tente d'apporter des explications à ce phénomène. Nous y reviendrons par la suite. Le tableau 10.1 illustre divers comportements auxquels il s'est intéressé. Nous utiliserons différemment les termes *reconnaissance* et *construction* dans notre exposé, la *construction* reproduisant plus fidèlement la conception piagétienne de la connaissance en tant que processus actif de production.

Après avoir présenté les grandes lignes du développement intellectuel selon Piaget (Piaget et Inhelder, 1969), nous allons tenter d'identifier les mécanismes qui rendent ce développement possible.

Les mécanismes du développement

D'après Piaget, tout comportement ou toute pensée de l'organisme – dans ce cas, celui de l'enfant – vise à parfaire son adaptation à l'environnement qui lui est propre. Ces instruments d'ajustement, ou «schèmes», peuvent être d'ordre biologique ou mental, ou les deux à la fois :

> *Un schème est la structure ou l'organisation des actions, telles qu'elles se transfèrent ou se généralisent lors de la répétition de cette action en des circonstances semblables ou analogues* (Piaget et Inhelder, 1966, p. 11).

Le mouvement de préhension du nourrisson est donc un schème, c'est-à-dire une organisation physique d'actions qu'il peut répéter, développer pour saisir un biberon, un hochet ou le rebord de son berceau. De même, une jeune adolescente établissant une sériation constituera par là un schème, une organisation mentale d'actions, cette fois. Elle pourra l'appliquer en choisissant une série de nombres, en classant des pulls d'après leurs couleurs ou en déterminant un classement parmi de jeunes hommes en fonction de leur taille et de leur attrait physique. Un schème peut donc aller du plus simple – un bébé mettant son pouce en bouche – au plus complexe, conduire une voiture ou résoudre des équations à quatre inconnues; de plus, il comporte toujours un aspect émotionnel. Ainsi lorsque Piaget parle de *schèmes affectifs*, il n'y a pas lieu de considérer ceux-ci comme distincts des structures mentales; il souligne «simplement par là l'aspect affectif de schèmes qui sont par ailleurs également intellectuels» (Piaget, 1945, p. 222).

Les schèmes du nourrisson – consistant plutôt en réflexes tels que téter, pleurer, éternuer, plier les membres – sont limités en nombre. Peu à peu cependant, d'autres actions sensori-motrices se développent à partir de ceux-ci. Au cours de la première année, des schèmes intellectuels identifiables apparaissent, pour se multiplier au cours des années suivantes. Le développement de l'enfant en termes de *schèmes* peut ainsi être représenté par une multiplication de *schèmes* qui s'entremêlent en un canevas de plus en plus élaboré. Piaget a tenté s'expliquer ce processus en termes de *«mécanisme d'assimilation»* et de *«mécanisme d'accommodation»* que nous allons à présent décrire.

Le rôle de l'assimilation

L'enfant a régulièrement recours, pour satisfaire ses besoins et par là s'adapter à son environnement, à des schèmes tels que nous les avons décrits plus haut. Lorsque c'est le cas, il évalue dans quelle mesure les schèmes qu'il a déjà en mémoire correspondent à la structure apparente de son milieu environnant. Dès qu'il parvient à l'harmonie avec ce milieu, il a terminé son adaptation. Un jeune garçon de douze ans qui dessine l'itinéraire allant de l'école à son domicile doit faire intervenir les structures d'action dont il dispose pour venir à bout de cette tâche. De même, une élève du secondaire à qui l'on explique l'intrigue de Hamlet doit intégrer ces idées à des schèmes qu'elle avait en mémoire afin de comprendre le texte et de pouvoir *construire* mentalement les apports de cette leçon.

Faire coïncider les stimuli environnementaux avec des schèmes mentaux pré-existants ne se résume pas à assimiler une réalité objective, mais nécessite également des efforts de la part de l'enfant qui intervient pour modifier les événements de manière à ce que ceux-ci correspondent aux schèmes qu'il a déjà intériorisés.

Piaget a nommé *mécanisme d'assimilation* ce processus qui consiste, pour une personne, à assimiler et à comprendre les événements du monde, en faisant coïncider les spécificités de ces événements aux schèmes pré-existant dans son esprit. Pour Piaget, «assimiler un objet à un schème signifie conférer à cet objet une ou plusieurs significations» (Piaget, Jonckheere et Mandelbrot, 1958, p. 59).

Le rôle de l'accommodation

Il est cependant fréquent que la structure perçue des événements ne corresponde pas adéquatement aux schèmes disponibles chez l'enfant, même après avoir eu recours à un remodelage de cette structure. Il peut en découler que la rencontre avec l'environnement ne soit pas retenue par l'enfant. Ainsi, un père tentant d'apprendre à sa petite fille à dessiner avec une perspective visuelle parvint finalement à la conclusion «qu'elle ne pouvait pas le faire du tout et qu'elle ne parvenait pas à comprendre le mécanisme en question».

Il peut également résulter de cette inadéquation une association précaire entre l'environnement perçu et les schèmes disponibles. Il ne s'agit pas à proprement parler d'un rejet mais bien d'une insatisfaction suite à l'effort entrepris pour obtenir une concordance.

> *Les objets nouveaux qui se présentent à la conscience n'ont pas de qualités propres et isolables (...) ils sont vagues, nébuleux parce que inassimilables, et créent alors un malaise duquel émergera tôt ou tard une différenciation nouvelle des schèmes d'assimilation* (Piaget, 1963, p. 129).

C'est donc à ce niveau que les schèmes, sous l'influence des réalités perçues de l'environnement, sont transformés ou multipliés. En effet, un air tiré du répertoire de mélodies connues de l'enfant est modifié pour devenir une variation du thème original, une variation qui s'adapte mieux aux sons du monde extérieur. Piaget a dénommé *mécanisme d'accommodation* ce processus d'altération des schèmes pré-existants permettant l'assimilation d'événements a priori incompréhensibles.

Un événement nouveau n'est jamais tout à fait analogue à ceux qui, antérieurement, ont contribué à la formation de schèmes. Toutefois, les principes d'assimilation et d'accommodation, deux des processus innés appelés par Piaget *invariants fonctionnels* neutralisent ce problème; ainsi, le premier remodèle l'apport environnemental pour qu'il cadre avec les schèmes existants, tandis que le second complète les schèmes ou les modifie pour les ajuster aux données environnementales qui ne peuvent être ignorées ou déformées. Dès que l'adaptation au monde est ainsi réalisée, un mécanisme interne opère une réorganisation de l'être biologique de l'enfant, afin de mettre au point une structure des schèmes qui garantisse à celui-ci une personnalité équilibrée.

> *On sait que chaque opération intellectuelle est toujours relative à toutes les autres et que ses propres éléments sont eux-mêmes régis par la même loi. Chaque schème est ainsi coordonné à tous les autres, et constitue lui-même une totalité à parties différenciées. Tout acte d'intelligence suppose un système d'implications mutuelles et de significations solidaires* (Piaget, 1963, pp. 13-14).

Le développement de l'enfant, tel que conçu par Piaget, peut être comparé à une symphonie qui se complexifie : les mélodies multiples qui la constituent sont les schèmes issus de la recherche d'un équilibre entre assimilation et accommodation. Le filtrage de l'information forme la dite *assimilation*; tandis que la modification des schèmes internes pour adapter ceux-ci à la réalité est appelée *accommodation*. L'intrication des différents thèmes aboutit à la réalisation d'un tout coordonné.

Piaget a lui-même résumé ce processus en ces termes :

> *L'adaptation est un équilibre entre l'assimilation et l'accommodation* (1963, p. 12).

> *L'*accord de la pensée avec les choses *et l'*accord de la pensée avec elle-même *expriment ce double invariant fonctionnel de l'adaptation et de l'organisation. Or ces deux aspects de la pensée sont indissociables : c'est en s'adaptant aux choses que la pensée s'organise elle-même et c'est en s'organisant elle-même qu'elle structure les choses* (1963, p. 14).

Facteurs de causalité

Quels sont les facteurs ou forces déterminants dans la manière dont ce système d'adaptation et d'organisation opère tout au long du développement de l'enfant ? Pour quelle raison un enfant acquiert-il un schème particulier plutôt qu'un autre à tel ou tel stade de son développement ? Dans quelle mesure l'environnement, par rapport au facteur héréditaire, influence-t-il davantage la qualité et le rythme de formation des schèmes ?

L'hypothèse de Piaget selon laquelle quatre facteurs de causalité sous-jacents sont à la base de la formation des schèmes et du développement en général constitue un essai de réponse. Il s'agit de : (1) l'hérédité et la maturation interne, (2) l'expérience physique avec le monde des objets, (3) la transmission sociale par l'éducation et (4) l'équilibration de ces forces.

Hérédité

Dans ce débat relatif au rôle de la nature et à celui de l'environnement, Piaget était mis au rang des interactionnistes par beaucoup d'auteurs, avec raison sans doute. En effet, loin de privilégier l'hérédité ou l'environnement dans la détermination des causes du développement, il considère plutôt ces deux forces comme étant complémentaires l'une de l'autre.

Quelle est l'importance de la nature dans la théorie de Piaget ? Pour lui, l'hérédité garantit au nouveau-né un bagage initial auquel il pourra recourir pour affronter les problèmes ultérieurs et elle prédétermine les étapes qui marqueront le développement de l'enfant : en effet, chaque changement sur le plan de la maturation peut occasionner l'apparition de nouveaux schèmes qui n'auraient pu se développer plus tôt. Leur réalisation est toutefois tributaire des expériences vécues par l'enfant dans son environnement. La maturation interne est donc une condition nécessaire, mais non suffisante, pour assurer la progression du développement.

Les éducateurs et les parents ont surtout retenu, parmi les découvertes de Piaget, les niveaux d'âge auxquels la maturation requise pour développer des schèmes particuliers est atteinte. Nous l'avons vu : un enfant ne pourra acquérir un savoir particulier s'il n'a pas le niveau de maturité correspondant. La raison probable pour laquelle le père a échoué dans sa tentative d'apprendre à sa petite fille à dessiner en tenant compte de l'effet de perspective est qu'elle n'avait pas encore acquis la maturation nécessaire pour développer les schèmes requis.

D'autre part, Piaget (1973, p. 27) a considéré que les efforts de quelques psychologues pour dissocier les effets de l'hérédité de ceux de l'environnement étaient vains.

Expérience physique

Contrairement à la plupart des théoriciens, Piaget a dégagé deux grandes catégories d'expériences auxquelles l'enfant peut être confronté dans son environnement. Il s'agit de l'*expérience physique*, qui est une expérience directe et spontanée des objets du monde extérieur, et de la *transmission sociale* qui consiste en une communication de connaissance, c'est-à-dire l'éducation au sens large du terme.

Piaget s'est surtout intéressé à l'expérience directe, au cours de laquelle l'enfant manipule directement, c'est-à-dire qu'il fait appel à ses sens pour prendre connaissance d'objets. De là, il développe sa propre conception des propriétés des choses et de leur fonctionnement. Pour Piaget, ce n'est pas l'observation passive des objets qui favorise le développement logique de l'enfant ou son intelligence, mais bien l'ensemble des conclusions qu'il tire de ses expériences, lesquelles influencent les objets qui sont à l'origine des faits observés : voir une plume, une brique ou un morceau d'argile ne sera d'aucune utilité à l'enfant; par contre, les faire intervenir dans une expérience contribuera à élaborer un processus nouveau pour lui. Ces objets *participent* donc physiquement ou symboliquement aux *expériences* dont quelques exemples sont proposés ci-après :

(1) Une plume de poule et un boulon sont lâchés simultanément à même hauteur.

(2) Une brique est placée dans un seau rempli d'eau, tandis qu'un morceau de bois de même dimension est placé dans un autre seau d'eau.

(3) On confectionne des formes différentes à partir de trois blocs d'argile : une boule, une crêpe, un serpent.

(4) Un enfant essaie de couper un morceau de bois, d'abord avec des ciseaux, puis avec une scie.

Ces types d'expériences contribuent à l'aspect du développement intellectuel qualifié par Piaget (1963, p. 2) de «spontané» ou «psychologique». Il considère que le développement de l'intelligence vraie dépend de ce que l'enfant apprend par lui-même. Bien qu'une telle expérience physique sur l'action des objets soit essentielle pour favoriser la croissance mentale, elle est cependant, à l'image de la maturation, insuffisante pour provoquer à elle seule ce développement.

Transmission sociale

La transmission sociale recèle une valeur éducative au sens large, en ceci que c'est le milieu extérieur qui transmet des connaissances à l'enfant. Cet aspect revêt une certaine importance, sans toutefois parvenir à exercer une influence totale sur le développement mental; en effet, celui-ci dépend de la maturation et de l'expérience directe qui, toutes deux, préparent les schèmes qui permettent l'assimilation de ce que les parents, l'école et le milieu social en général tentent d'inculquer à l'enfant. Toutefois, la transmission des connaissances participe à ce que Piaget a dénommé, l'aspect «psychosocial» du développement cognitif (1973, p. 2).

Equilibration

C'est là le garant du bon fonctionnement et de l'intégration harmonieuse des expériences maturationnelles directes et des influences de transmission sociale. Piaget (1973, p. 29) a confirmé son importance, précisant que des processus de régulation et de compensation sont nécessaires pour aboutir à une certaine cohérence d'ensemble.

Nous avons pu établir que tant le type de connaissances que l'enfant acquiert en termes de schèmes mentaux que le moment où cette opération s'effectue sont tributaires d'aspects aussi divers que la maturation, l'expérience physique, la transmission sociale et l'équilibration générale qui régissent les stades de développement cognitif établis par Piaget. Ces stades qui balisent la croissance des enfants, tels que les envisage la théorie piagétienne, nécessitent une étude plus approfondie.

Niveaux et stades de développement

Nous l'avons fait remarquer au chapitre deux, l'une des questions clés, en psychologie génétique, concerne la manière dont tout développement s'opère : est-ce continûment par des ajouts à peine perceptibles, ou au contraire, par à-coups ? Et, dans ce dernier cas, quels critères le théoricien applique-t-il pour identifier ces différents stades ?

Piaget, en bon développementaliste, a considéré que la croissance se poursuit de manière régulière. Toutefois, en considérant dans son ensemble le processus du développement, il a été en mesure d'y distinguer certains points de repères, lesquels marquent pour l'enfant le terme d'une phase de son développement et son accès à une autre, plus élaborée.

Il serait simpliste de ramener l'apport de Piaget à l'énumération d'une série de stades de développement. Il a en fait identifié plusieurs séries, chacune d'elles en rapport avec un aspect différent de la personnalité ou de la vie mentale. Ainsi, une série présente les étapes successives de compréhension de la causalité physique; une autre, celles conduisant à l'imitation et au jeu; d'autres, les niveaux menant à la compréhension des nombres, de l'espace, du mouvement, et à l'élaboration d'une conception morale et d'un sentiment de justice. Mais, sous-jacent à ces changements spécifiques, figure un schéma général de développement sensori-moteur et intellectuel qui, dans ce qui suit, constituera notre propos.

Piaget et ses disciples ne sont pas unanimes quant au nombre de stades et sous-stades qui interviennent dans le processus de développement. Quelques auteurs proposent trois grands moments, d'autres quatre, tandis que certains vont jusqu'à en présenter cinq. Dans l'exposé qui suit, nous avons choisi de présenter la conception piagétienne de l'évolution sous l'une de ses représentations les plus courantes, c'est-à-dire subdivisée en quatre niveaux ou périodes majeurs, eux-mêmes répartis en sous-périodes, appelées stades; ce qui permet de déterminer : (1) la période sensori-motrice, (2) la période de pensée pré-opérationnelle, (3) la période des opérations concrètes et (4) la période des opérations formelles. L'enfant passe ces divers stades; ce qui lui permet de passer de l'état de nourrisson égocentrique, incapable de prendre connaissance concrètement parlant de son environnement, à celui d'adolescent jouant aisément de la logique et du langage pour manipuler intellectuellement son milieu et apte à interpréter avec plus de réalisme le fonctionnement du monde qui l'entoure.

Quoiqu'un âge chronologique soit fixé pour chacune des quatre périodes envisagées, il ne s'agit là que d'un indice relatif, comme le reconnaissait Piaget lui-même (Piaget, 1973, pp. 10-11) : en effet, pour lui un stade ne correspond jamais exactement à un âge chronologique précis. Cependant, l'ordre dans lequel ces stades apparaissent est invariable, c'est-à-dire que pour atteindre un niveau de développement donné, certains pré-requis sont indispensables. Donc, pour Piaget, l'être humain élabore peu à peu une hiérarchie de structures mentales.

Niveau 1 La période sensori-motrice (de la naissance à deux ans)

Au cours de ses deux premières années de vie, le jeune enfant est incapable de bien exprimer ses pensées. Il faut donc évaluer son développement intellectuel par la manière dont il perçoit (voit, entend, sent, goûte, touche) son environnement et en fonction de la manière dont il agit ensuite sur le milieu extérieur (comportement moteur). Les observations de Piaget sur les enfants de cet âge lui ont permis d'isoler six stades au cours de la période sensori-motrice (Piaget et Inhelder, 1966, pp. 7-14).

Le *premier stade* (de 0 à 1 mois) montre le bébé s'adaptant à son environnement grâce à des réflexes innés. C'est en effet d'instinct qu'il suce, pleure, respire, tousse, urine, défèque et gigote (motricité globale).

Le *deuxième stade* (1 à 4 mois) est marqué par l'acquisition progressive d'actions adaptatives résultant de son expérience. Au cours du premier stade, les fonctions d'assimilation et d'accommodation se confondaient, tandis qu'ici elles commencent à se dissocier à mesure que le bébé modifie et adapte ses schèmes d'actions sensori-motrices en fonction des réponses de son environnement. Il commence donc à *accommoder* ses schèmes : «Par exemple, lorsque l'enfant suce systématiquement son pouce, non plus par hasard, mais par une coordination entre la main et la bouche, on peut parler d'accommodation acquise» (Piaget, 1963, p. 49).

A ce niveau, l'enfant se plaît à répéter une même action inlassablement : celle de prendre, puis de laisser tomber un même objet, par exemple. Ces actions, appelées *réactions circulaires primaires* ont constitué pour Piaget la preuve que l'apprentissage de nouvelles associations et l'acquisition de connaissances en général ne s'imposent pas d'emblée, via l'environnement, à l'esprit de l'enfant. Au contraire, le développement intellectuel, même au cours de la période sensori-motrice, implique des «relations découvertes et même créées au cours de la recherche propre de l'enfant» (Piaget, 1963, p. 55). L'activité répétitive de l'enfant n'est donc pas gratuite, mais bien destinée à préserver ou à redécouvrir un acte ou une aptitude. En d'autres termes, elle a un sens pratique, en ceci qu'elle offre à l'enfant l'opportunité de développer son champ d'expériences.

Au troisième stade (4 à 8 mois) l'enfant commence à se percevoir comme un être distinct du monde extérieur. Il agit à présent de manière intentionnelle. Ce n'est qu'à la dernière étape qu'il pourra mener ses projets à bien; cependant durant ce troisième stade, l'enfant répètera inlassablement un acte d'abord accompli par hasard et qui lui a apporté une certaine satisfaction. Les *réactions circulaires primaires* observées au deuxième stade se limitaient à des comportements purement égocentriques, indépendants de toute conscience du milieu extérieur. A présent, la conduite répétitive caractérisée par des *réactions circulaires secondaires*, suggère qu'une prise de conscience de l'environnement affleure, car le comportement de l'enfant vise à reproduire des faits qui viennent de se produire par hasard. Ainsi, lorsqu'il parvient à frapper un hochet mobile, il prouve qu'il est capable de distinguer sa main du hochet et d'autres objets; ce n'est donc plus par hasard qu'il touche ou frappe le hochet, mais bien volontairement.

Le *quatrième stade* (8 à 12 mois) marque l'émergence de vrais actes d'intelligence. L'enfant prend véritablement conscience de la présence de personnes et d'objets. Ainsi, il cherche les objets qui sont sortis de son champ de vision, ce qui prouve que s'est développé en lui le concept de *permanence de l'objet*. Avant cela, lorsqu'un jouet était déplacé, pour l'enfant il semblait avoir disparu, tandis qu'un autre jouet apparaissait ailleurs, et ce, même si le déplacement du jouet en question s'effectuait en sa présence. En plus de reconnaître la permanence des objets, le tout-petit commence à comprendre la relation de cause à effet. Il peut donc prévoir une situation et adapter ses actes en vue de parvenir à un résultat particulier. Son comportement peut à présent être qualifié «d'intentionnel» et marque le début de l'intelligence pratique qui consiste à se fixer des objectifs et à utiliser les schèmes disponibles comme moyens pour les réaliser (Piaget et Inhelder, 1966, pp. 12-13).

Au cours du cinquième stade (12 à 18 mois), l'enfant devient capable de *réactions circulaires tertiaires*. Alors que les réactions circulaires primaires (1 à 4 mois) étaient de simples actes répétitifs, les réactions circulaires secondaires (4 à 8 mois) étaient la répétition intentionnelle d'actes jugés gratifiants par l'enfant la première fois qu'ils se sont produits et qu'il a décidé de répéter même dans d'autres conditions, appliquant ainsi des moyens connus à des situations nouvelles. Les *réactions tertiaires,* quant à elles, ne sont pas des reproductions exactes d'un acte original, mais consistent plutôt dans la répétition de faits originaux sous une forme modifiée. L'enfant d'un an, selon Piaget (1963, p. 234) «recherche, par une sorte d'expérimentation, en quoi l'objet ou l'événement est nouveau. En d'autres termes, il va non seulement subir, mais encore provoquer les résultats au lieu de se contenter de les reproduire sans plus, une fois qu'ils se seront manifestés par hasard».

Avant ce cinquième stade, les actes d'intelligence consistaient essentiellement en une application des schèmes existants à de nouvelles situations, c'est-à-dire à l'assimilation à des schèmes déjà acquis de nouveaux événements, desquels on ne retenait que les caractéristiques des objets et événements similaires aux schèmes préexistants. A présent, l'enfant accorde davantage d'attention à la manière dont les nouveaux objets et événements diffèrent de ses constructions mentales actuelles et il utilise le processus d'accommodation en vue de remodeler les schèmes dont il dispose et en construire d'autres, plus appropriés. Les réactions circulaires tertiaires impliquent donc une «assimilation reproductrice avec accommodation différenciée et intentionnelle» (Piaget, 1967, p. 113).

«L'application des moyens connus aux situations nouvelles» qui marquent le cinquième stade a été étudiée par Piaget (1963, p. 235) pour expliquer le cas d'un enfant qui, assis sur le plancher, cherche à atteindre un jouet hors de portée. Dans ses tentatives pour atteindre le jouet en question, il tire au hasard l'extrémité du petit tapis sur lequel celui-ci est posé, un acte qui est, soit accidentel, soit un stratagème pour atteindre son but. Quand il se rend compte que ce geste a rapproché le jouet de lui, il tire à nouveau, intentionnellement cette fois, ce tapis, s'en servant comme d'un instrument pour parvenir à ses fins. (Piaget et Inhelder, 1966, p. 13).

Relation avec l'objet. C'est là l'un des apports essentiels de Piaget à la recherche sur le développement de l'enfant. Il étudie, dans cet aspect de sa théorie, la manière dont l'enfant se situe lui-même par rapport aux objets extérieurs, de même que sa perception des rapports que ces objets entretiennent les uns par rapport aux autres. Au début de l'existence, l'univers du nourrisson se limite exclusivement à son propre corps et à ses actions. Pour lui, les objets n'existent pas, si ce n'est sous forme de «tableaux non substantiels» comme les appelle Piaget; ils apparaissent vaguement pour se décomposer ensuite et ne plus resurgir, si ce n'est sous une forme altérée (Piaget et Inhelder, 1966, pp. 15-16). De même, pour le bébé, les différents sens ne produisent pas d'informations de manière simultanée. Ainsi, être pris dans les bras de sa mère pour être nourri sera perçu comme une succession de positions différentes et de pressions ressenties à divers endroits du corps. Le contact des lèvres avec le mamelon, les bruits de voix, les variations d'intensité de la lumière, l'absorption de lait sont vécus comme des sensations isolées, sans rapport entre elles. Cette conception de l'univers propre au jeune enfant ne lui permet pas de percevoir les rapports de cause à effet entre les objets. Même aux stades plus avancés de sa maturation, alors que l'enfant commence à percevoir les objets comme étant distincts de lui-même et permanents dans le temps et dans l'espace, sa conception de l'effet de causalité demeure égocentrique : rien ne se produit dans le monde qui ne résulte de ses propres désirs et actions. Ce n'est que progressivement qu'il sera à même de comprendre le concept de causalité objective.

Nous venons de le voir, la *relation avec les objets* joue un rôle important dans le développement de l'enfant. C'est en ce sens que Piaget a innové, en mettant l'accent au cours de ses recherches, sur la perception qu'ont les enfants de la permanence des objets, de la position que ces objets occupent dans le temps et dans l'espace et des relations causales existant entre eux.

Au *sixième stade* ou stade final (18 à 24 mois) de la période sensori-motrice, la présence des objets n'est plus nécessaire à l'enfant pour résoudre tel ou tel problème, car il est désormais capable de se les représenter et de les combiner mentalement. Son imagination s'est développée. Ainsi, à cet âge, un enfant qui veut atteindre un jouet situé hors de sa portée se servira d'un bâton ou d'un autre objet longiligne qu'il a sous la main pour le rapprocher de lui et en prendre possession. Un enfant plus jeune serait peut-être parvenu lui aussi à prendre le jouet, s'il avait eu à ce moment le bâton en main : il aurait sans doute fait tomber le jouet par hasard, sans avoir toutefois réfléchi, en associant mentalement le bâton et la distance le séparant du jouet, au stratagème qu'il allait utiliser. La réalisation de ce type de procédé rend l'intelligence sensori-motrice «susceptible d'entrer dans les cadres du langage pour se transformer, avec l'aide du groupe social, en intelligence réfléchie» (Piaget, 1963, p. 310).

Niveau 2 La période de pensée préopératoire (environ deux à sept ans)

Une redéfinition préalable du terme «opération», tel que Piaget l'entendait, s'impose ici, afin de mieux comprendre le principe de «pensée opératoire» introduit par ce deuxième niveau.

Les *opérations*, dans le système de Piaget, sont des moyens de manipuler des objets entre eux. Par exemple, en ordonner certains en fonction de leur dimension ou encore les classer par couleur constituent des opérations. Si les objets sont visibles comme c'est le cas, par exemple, pour des blocs colorés ou des chevaux, les manipulations opérées par un déplacement physique, par l'observation ou en pensée sur une disposition spatiale possible sont appelées *opérations concrètes.* Lorsque des opérations concrètes sont converties en propositions verbales relatives aux rapports existants ou potentiels entre ces objets et que ces propositions sont essentiellement d'ordre mental, l'activité intellectuelle que celles-ci requièrent prend le nom d'«opérations formelles» (Piaget, 1969). Elles apparaissent au quatrième niveau de développement intellectuel.

Une *opération*, cependant, ne se limite pas à une simple manipulation d'objets. En fait, comme son nom l'indique, la «pensée préopératoire», caractérisant les activités mentales de la plupart des enfants de moins de sept ans, est limitée. En effet, pour figurer au rang des opérations, les actions doivent être *intériorisables, réversibles et coordonnées* en systèmes dont les lois sont générales. Comme Piaget l'a expliqué, les *opérations* sont des actions, car celles-ci sont réalisées sur des objets avant de pouvoir être reprises par des symboles. Elles sont intériorisables, car elles peuvent avoir lieu mentalement, sans pour autant perdre leur identité d'actions. Elles sont réversibles, contrairement aux actions matérielles qui sont irréversibles. Enfin, puisqu'elles ne sont pas isolées, ces actions peuvent s'organiser en structures complètes. Leurs caractéristiques apparaîtront plus clairement aux stades ultérieurs du développement intellectuel, lorsque nous présenterons des situations où les enfants font montre d'une pensée opératoire.

Le niveau préopératoire comprend deux périodes. La première, qui va de deux à quatre ans environ, est caractérisée par un usage purement égocentrique du langage et par une grande dépendance par rapport à la perception pour résoudre les problèmes qui se posent. Au cours de la seconde, qui va de cinq à sept ans environ, un langage plus social et plus axé sur la communication apparait de même qu'un développement d'une pensée à caractère intuitif.

Avant d'étudier ces deux stades en détail, il est important de souligner que Piaget attribue au langage un rôle essentiel dans le développement de l'intelligence de l'enfant de deux à sept ans. Il y remplit trois rôles : (1) il permet à l'enfant de communiquer avec les autres, lui offrant ainsi l'opportunité de socialiser ses actions; (2) il lui permet d'organiser mentalement certains mots, sous forme de pensées, en un système de signes et surtout (3) il permet à l'enfant d'intérioriser des actions, ce qui le libère du passage, jusque-là obligé, par la manipulation physique des objets pour résoudre les problèmes auxquels il est confronté. L'enfant peut se représenter des objets mentalement et les utiliser pour faire des expériences, tout en étant moins limité dans le temps et l'espace. Il peut de plus en plus penser à des objets qui sont hors de son champ de vision ou relégués dans le passé. Il est désormais en mesure d'organiser mentalement différentes combinaisons d'objets, à titre expérimental, en un délai de temps beaucoup plus court que ne l'aurait requis une manipulation physique de ceux-ci.

Langage égocentrique (premier stade). Au cours de la période allant de deux à quatre ans, l'enfant enrichit considérablement son vocabulaire. Il se met à parler «beaucoup» et dispose, pour ce faire, de deux types de langage. Le premier peut être qualifié de «communication sociale». Il l'utilise, par exemple, pour demander à ses parents de lui apporter un jouet, pour dire à sa sœur de lui rendre sa poupée...

La seconde forme de langage dont l'enfant dispose est la plus importante : elle est de type égocentrique et consiste à produire des paroles et à prêter attention et écouter. Il s'agit généralement d'un flot de considérations qui commentent son activité à un moment précis et qui ne sont pas destinées à communiquer quoi que ce soit à qui que ce soit. Etant donné que ce type de production langagière est souvent observé dans des situations sociales, par exemple, parmi des enfants qui jouent, il est parfois considéré comme une forme de communication sociale. Cependant, après vérification, il apparaît que chacun se parle à soi-même, sans même écouter les autres. Pour cette raison, Piaget a qualifié un tel langage de *monologue collectif.* A la base de ce phénomène, selon Piaget, réside l'extrême égocentrisme de l'enfant. L'enfant envisage le monde en fonction de sa propre perspective et peut donc difficilement comprendre le point de vue d'autrui. Ceci explique qu'il n'essaie pas de comprendre ce que les autres disent, ni de leur répondre en fonction de l'avis qu'ils viennent d'exprimer.

Pour vérifier cette hypothèse, Piaget a observé des enfants au stade préopératoire, alors qu'ils tentaient d'expliquer quelque chose à un autre enfant et a ensuite noté, à partir du comportement de ce dernier, dans quelle mesure l'explication ou les directives transmises avaient été comprises. Ses observations ont révélé que l'enfant chargé de transmettre l'information avait d'énormes difficultés à se mettre dans la situation de son interlocuteur et à lui présenter l'explication d'une manière qui lui soit plus accessible (Piaget et Inhelder, 1966, pp. 95-96).

L'habilité langagière croissante de l'enfant favorise son développement mental, sans toutefois libérer sa faculté de raisonnement de l'influence de la perception immédiate. Les enfants, entre deux et cinq ans, se fondent sur ce qu'ils voient ou entendent directement, plutôt que sur leurs souvenirs, pour résoudre les difficultés auxquelles ils sont confrontés. Ils déduisent, de leur confrontation avec un objet, ce qu'ils perçoivent de manière immédiate et non ses caractéristiques permanentes stockées dans leur mémoire. A cet âge, ils sont limités par ce que Piaget a appelé *centration.* Mis en présence d'un stimulus visuel, un enfant concentre son attention sur un aspect particulier de ce stimulus et le considère comme caractéristique unique de celui-ci. Il est incapable de considérer simultanément deux dimensions, telles la hauteur et la largeur. Par exemple, s'il y a une même quantité d'eau dans deux verres de dimensions identiques, l'enfant de quatre ans dira qu'ils contiennent la même quantité de liquide. S'il voit verser l'eau de l'un de ces deux verres dans un autre, plus haut et plus fin, il concentrera son attention sur une seule dimension, la hauteur et conclura que le grand verre contient plus d'eau. Il est cependant évident que la *centration* n'est pas le seul facteur à l'origine de cette erreur de jugement. D'autres traits de la logique immature de l'enfant y participent aussi. Par exemple, au niveau préopératoire, il ne comprend pas non plus le principe de *compensation*, selon lequel deux dimensions d'un objet peuvent se combiner pour que l'une des dimensions compense l'autre et vice-versa. Ainsi, la plus grande largeur du premier verre compense sa hauteur moindre.

Pensée intuitive (deuxième stade). Vers cinq ou six ans, l'enfant parvient au niveau de la *pensée intuitive*, située à mi-chemin entre la dépendance complète par rapport à la perception et la sujétion totale vis-à-vis de la pensée logique. Les caractéristiques de cette phase transitoire apparaissent clairement lors des situations suivantes : ainsi, si l'on aligne six jetons rouges sur une table et que l'on demande à l'enfant de mettre autant de jetons bleus sur la table qu'il y en a de rouges, à quatre ou cinq ans, un enfant réalisera un alignement de jetons bleus d'une longueur approximativement semblable à celle de la ligne rouge, sans veiller à ce qu'il y ait exactement six jetons bleus. Mais, un enfant plus âgé d'un an ou deux, alignera six jetons bleus face aux six jetons rouges placés sur la table, illustrant par là les progrès effectués, en l'espace d'un an ou deux, dans la reconnaissance de quantités équivalentes. Toutefois, certaines lacunes subsistent dans sa logique, car, si l'on espace les jetons rouges pour former une ligne plus longue, à six ans, l'enfant pensera encore que le nombre de jetons rouges et de jetons bleus n'est plus semblable (figure 10.1). Pour employer la terminologie piagétienne, nous dirons que l'enfant n'a pas reconnu que le nombre de jetons a été *conservé*, c'est-à-dire qu'il est resté invariable, bien que la longueur des deux lignes ait été modifiée (Piaget, 1967, p. 142).

Une autre expérience de Piaget illustre le caractère transitoire – entre la dépendance à l'égard de la perception des objets et celle par rapport à la logique, aux principes qui gouvernent les opérations – de la pensée de l'enfant durant ce stade de compréhension intuitive. Trois perles – une rouge, une bleue, une jaune – sont enfilées sur une tige qui traverse un tube en carton (figure 10.2). On demande à un enfant d'observer l'ordre des perles, avant de les glisser dans ce tube opaque. On lui demande ensuite de prédire dans quel ordre les perles vont réapparaître à l'autre bout du tube. Tous les enfants peuvent répondre correctement, cependant, si on leur demande dans quel ordre les perles réapparaîtront si on les fait sortir par où elles sont entrées, l'enfant de quatre ou cinq ans hésitera à

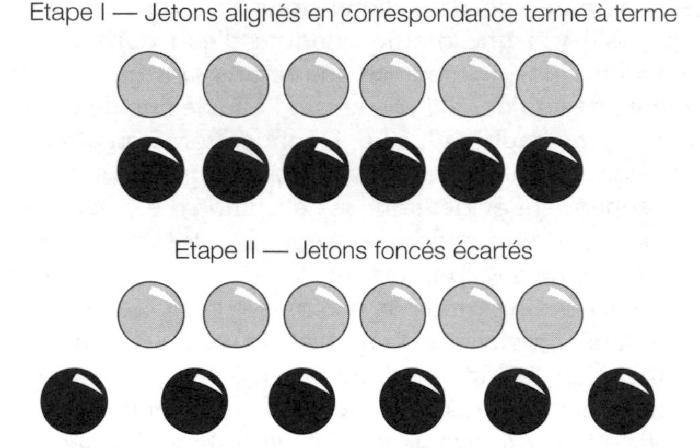

Figure 10.1 — Une expérience de Piaget sur la conservation

répondre. Il aura des difficultés à comprendre pourquoi l'ordre des perles s'inverse dans ce cas. De plus, si l'on fait tourner le tube et son contenu de 180 degrés et qu'on demande à l'enfant de 4 à 7 ans dans quel ordre les perles apparaîtront, il ne sera pas en mesure de répondre correctement. Si on le laisse libre de réaliser lui-même cette expérience, il parviendra à saisir les modifications qu'entraîne ce changement d'orientation du tube; en poursuivant, il admettra que si l'on fait exécuter deux demi-tours au dispositif, l'ordre d'émergence sera le même qu'à l'origine. Cette compréhension du phénomène ne sera toutefois qu'intuitive. La preuve en est que, même après expérience, l'enfant ne sera pas plus à même qu'auparavant de préciser dans quel ordre les perles réapparaîtront, après avoir fait pivoter le matériel de trois demi-tours. (Piaget, 1950, pp. 135-136).

Ce stade intuitif se caractérise par une plus grande *décentration*, l'enfant étant davantage capable de comprendre qu'un événement peut être le résultat d'une pluralité de facteurs. Il est sur le point d'accomplir un progrès majeur dans le domaine de la pensée logique.

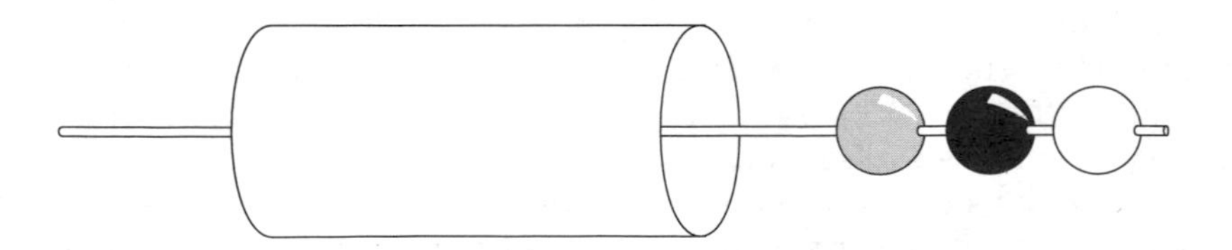

Figure 10.2 — Epreuve dite de rotation de trois perles enfilées dans un tube

C'est donc entre deux et sept ans que l'enfant connaît des changements importants au niveau de la pensée opératoire. Il maîtrise aisément le langage oral qui lui sert non seulement de mode de communication avec autrui, mais aussi pour penser à haute voix. Vers sept ans, il va développer le langage en tant qu'instrument de communication, pour peu à peu délaisser les monologues. Il progresse également dans la résolution intuitive de problèmes lorsque les objets concernés se trouvent devant lui. Il devient moins égocentrique, en ceci qu'il reconnaît que les objets ont une existence et une permanence qui leur sont propres, indépendamment de ses désirs ou actions. Qui plus est, il reconnaît la permanence d'une substance, même lorsque son aspect est modifié : ainsi, il admettra que de l'eau, versée d'un bol dans un grand verre, est encore de l'eau; qu'une boule d'argile, même roulée en serpent, demeure la même argile. Cependant, l'enfant au stade pré-opérationnel est encore dans un processus de transition vers cette «décentration», car il ne reconnaît pas encore que le volume, la masse et le poids se conservent. Vers sept ans, bien qu'il comprenne mieux le fonctionnement de l'univers, il est cependant encore fortement dépendant de sa perception propre, des phénomènes plutôt que de la logique inhérente aux principes qui gouvernent ces mêmes phénomènes.

Niveau 3 La période des opérations concrètes (de sept à onze ans environ)

A ce niveau, l'enfant devient capable de réaliser des opérations qui sont directement en relation avec des objets. Par la suite, il apprendra à résoudre des opérations de manière abstraite. (Piaget et Inhelder, 1966). L'emploi du terme *concret* ne signifie pas nécessairement que l'enfant doit toucher réellement des objets réels pour résoudre un problème, mais signifie que le problème donné porte sur des objets identifiables, qui sont directement perçus ou imaginés. Ce n'est qu'à la période des opérations formelles que l'enfant pourra enfin progresser dans la résolution de problèmes affranchis de tout rapport avec des objets spécifiques. Pour illustrer cette différence, voici deux énoncés de problème, le premier étant destiné à un enfant au stade des opérations concrètes et le second à un adolescent, au stade plus avancé des opérations formelles :

Stade concret : Si Alice a deux pommes et que Caroline lui en donne trois de plus, combien de pommes Alice aura-t-elle en tout ?
Stade formel: Imagine qu'il y ait deux quantités qui ensemble forment un tout. Si nous augmentons la première quantité et que le tout demeure le même, qu'arrive-t-il à la deuxième quantité ?

Bien que l'enfant n'ait plus besoin de voir les objets pour résoudre ce problème, il semble clair que la présence des objets eux-mêmes ou de leur représentation pourront l'aider.

Dans notre brève introduction, nous avons défini ce qu'était l'*opération*, telle que l'entendait Piaget. Pour Piaget, l'action d'un enfant n'est qualifiée d'*opération*, que si elle est intériorisée, réversible et coordonnée en des systèmes généraux. De plus, ces opérations ne sont pas le propre d'un enfant, mais communes à tous les individus d'un même niveau d'intelligence. Finalement, une opération aide l'enfant, non seulement dans son raisonnement personnel, mais aussi dans ses «échanges cognitifs» qui rassemblent les informations et les combinent diversement (Piaget et Inhelder, 1966, pp. 76-77).

Le terme *intériorisable* tel que repris par Piaget suggère qu'une action peut être effectuée mentalement; il précise qu'elle peut aisément être inversée. Par exemple, deux groupes de pommes qui ont été additionnés l'un à l'autre pour former un seul groupe peuvent, par soustraction, retrouver leur état antérieur. «Additionner» constitue donc une opération. Par contre, explique Piaget, écrire de gauche à droite est une simple action et non une opération, car on ne peut inverser le processus d'écriture de l'enfant sans qu'il ait développé un ensemble complet de nouvelles actions (1953, p. 8).

Il existe deux types de transformations réversibles : *l'inversion*, où «+A» devient «–A» (l'addition devient ainsi une soustraction ou encore la multiplication se transforme en division) et la *réciprocité*, où A<B est mis en rapport avec B>A (la largeur du bol d'eau compense son manque de hauteur et la hauteur du verre compense son manque de largeur). Lorsqu'un objet est modifié dans une transformation qui peut être qualifiée d'opératoire, le système n'en est pas modifié fondamentalement : certains traits demeurent constants. La compréhension de cette constance ou invariance des objets a été retenue par Piaget sous l'appellation de «principe de conservation». Donc le schème ou l'idée qu'un enfant retient d'un objet permanent consiste en une combinaison de traits qui caractérisent l'objet et subsistent même lorsque celui-ci est déplacé ou manipulé. On peut évaluer dans quelle mesure le point de vue de l'enfant correspond à la logique adulte en étudiant les aspects des objets qu'il sera en mesure de conserver au cours d'un processus de transformation. De nombreuses situations particulières élaborées par Piaget dans sa méthode clinique sont destinées à tester les notions de conservation; ces recherches ont démontré que les aspects particuliers dits *conservés* retenus par un enfant dépendent de son âge, ou plus précisément de son niveau développemental.

On présente, par exemple, deux morceaux d'argile de même dimension et de même forme à un enfant; ensuite, l'un des deux morceaux est modelé en forme de serpent. L'enfant de sept ans admet que la matière a été conservée, mais ce n'est qu'à neuf ou dix ans qu'il réalise que le poids du morceau d'argile a également été conservé. De même, il faut attendre l'âge de onze à douze ans pour qu'un enfant découvre la conservation du volume qui se produit lors de l'immersion d'un objet dans l'eau, par le biais de la mesure du déplacement observé (Piaget et Inhelder, 1966, p. 78). C'est donc pendant cette période dite «des opérations concrètes», soit de sept à onze ans environ, que les enfants maîtrisent les opérations mentales qui peuvent être appliquées à leur monde concret et découvrent peu à peu les propriétés des objets et les transformations que ceux-ci peuvent subir.

Ces progrès ne se limitent pas à une meilleure connaissance des notions de conservation et de réversibilité, mais s'accompagnent également d'une plus grande capacité de synthèse, ce qui permet ainsi à l'enfant de comprendre en quoi deux dimensions ou plusieurs événements interagissent pour produire un résultat donné. Son attention ne s'en tiendra plus uniquement à la hauteur ou à la largeur d'un verre ou d'un bol, il tiendra compte également des deux dimensions, il reconnaîtra leur interaction. De même, lorsqu'on lui présentera douze jetons de bois (neuf rouges, trois blancs), l'enfant ne dira plus qu'il y a plus de jetons rouges que de jetons de bois si on lui demande lesquels, des jetons rouges ou des jetons de bois sont en plus grand nombre. Au niveau des opérations concrètes, il comprend donc à présent que la couleur et le matériel de construction sont deux catégories distinctes et il ne sera plus limité dans son raisonnement en focalisant son attention sur la seule notion de couleur ou de matière. Il est aussi à même d'établir un classement d'objets en fonction d'un critère établi comme, par exemple, la dimension, le nombre ou la hauteur.

Jusque-là l'enfant ne retenait d'un objet que son état initial statique, et son état final après une transformation; au niveau des opérations concrètes, il peut cette fois comprendre la *transformation* en tant que processus. Par exemple, l'enfant moyen de trois à quatre ans qui est au stade préopératoire pense qu'il y a plus d'argile dans cinq petites boules qu'il n'y en a dans la grosse boule à partir de laquelle les cinq autres ont été modelées. Même lorsque la transformation et le processus inverse, qui consiste à reconstituer une grosse boule à partir des cinq petites, sont réalisés devant ses yeux, l'enfant de quatre à cinq ans continue à prétendre qu'il y a plus d'argile dans les cinq petites boules. Ce n'est qu'entre six et huit ans, que les enfants admettent que la quantité reste la même, avant et après les transformations subies.

L'égocentrisme dont fait preuve l'enfant plus jeune s'efface lorsque plus âgé, il atteint des stades plus avancés du développement cognitif pour se tourner vers une plus grande socialisation, rendue possible depuis qu'il maîtrise mieux le langage. L'enfant de sept à onze ans fait preuve d'une vision plus objective de l'univers; il est également capable de mieux percevoir le point de vue d'autrui.

De même, au cours de cette période, il va accéder à une meilleure compréhension du phénomène de cause à effet.

Ceci peut s'illustrer par une expérience consistant à jeter un caillou dans un récipient d'eau (Piaget, 1930, pp. 169-172). Si l'examinateur demande à un enfant de six ans ce qui se passera lorsque la pierre sera jetée dans l'eau, l'enfant répond que l'eau montera *«parce que c'est lourd»*. Si l'examinateur lui demande ce qu'il adviendra du niveau de l'eau au cas où il y met le caillou qu'il tient suspendu à un fil, l'enfant répondra que l'eau ne montera pas *«parce que ce n'est pas assez lourd»*.

A ces questions un enfant de dix ans répondra que *«l'eau montera par ce que le caillou prend de la place»*. Si l'examinateur lui demande ensuite ce qui va se passer au cas où l'on met un morceau de bois dans l'eau, il répond que celui-ci flottera et que l'eau *«montera parce que le bois aussi prend de la place»*. A la question de savoir lequel des deux, du caillou (petit) ou du morceau de bois (gros) est le plus lourd, il répondra que c'est le caillou le plus lourd. Cependant, interrogé à ce propos, il répondra encore que *«le caillou prend moins d'espace, il fera moins monter l'eau»*.

Ainsi parvenu au seuil de l'adolescence, l'enfant sera apte à distinguer la cause des événements physiques auxquels il sera confronté et prêt à résoudre non seulement des problèmes concrets, mais aussi des problèmes d'un ordre purement théorique.

Niveau 4 La période des opérations formelles (de onze à quinze ans environ)

La pensée de l'adolescent n'est plus limitée à son environnement «immédiat». Il est capable de se représenter les conditions d'un problème – passé, présent ou futur – et d'émettre des hypothèses quant aux issues diverses auxquelles celui-ci pourra logiquement donner lieu. L'énoncé d'un problème évoquant une rivière remontant une colline, heurtera la logique d'un enfant de douze ans tandis qu'un adolescent parvenu à la fin de la période des opérations formelles admettra cette même condition hypothétique d'un courant d'eau ascendant et pourra l'appliquer dans sa résolution du problème proposé.

Un autre exemple cher à Piaget met encore en évidence la différence existant entre l'enfant qui s'arrête aux opérations concrètes et celui qui a atteint le niveau des opérations formelles : il fait intervenir le principe de la *transitivité*, par lequel une relation entre deux éléments ou objets est reportée sur d'autres éléments reliés logiquement aux deux premiers. On considère que l'enfant a maîtrisé ce concept de transitivité s'il reconnaît que $A=B$ et que $B=C$, alors $A=C$; ou encore, que si $A<B$ et $B<C$, alors $A<C$. Par exemple, on pose à l'enfant la question suivante : «Edith est plus claire que Suzanne; Edith est plus brune que Lily, laquelle des trois est la plus

brune ?» Piaget (1950, p. 149) a pu établir que peu d'enfants de moins de douze ans pouvaient résoudre ce problème. La plupart raisonnaient comme suit : «Edith et Suzanne sont claires, Edith et Lily sont brunes, par conséquent Lily est la plus brune, Suzanne est la plus claire et Edith est entre les deux». Ce n'est que vers quinze ans qu'un adolescent devient capable de répondre correctement à cette question.

Avant l'adolescence, les enfants sont donc encore tributaires de leur propre perception des objets. Lorsqu'intervient la période des opérations formelles, ils deviennent capables de s'engager dans une forme de «pensée pure qui est indépendante de l'action», de cette action qu'ils voient ou accomplissent eux-mêmes (Piaget, 1967, pp. 158-159). Les adolescents peuvent émettre des hypothèses et en tirer des conclusions, ou encore comprendre des théories générales et les combiner pour résoudre des problèmes. En effet, vers quinze ans, la capacité mentale de l'adolescent a évolué vers une certaine maturité qui lui confère des qualités intellectuelles propres aux adultes.

Certains pourraient comprendre par là que pour le modèle piagétien, le développement intellectuel s'achève à la mi-adolescence. En fait, pour Piaget, cela sous-entend que la structure de la pensée est complète sans être pour autant entièrement remplie. Des expériences ultérieures viendront au cours de l'adolescence et de l'âge adulte, remplir ce cadre, par des schèmes additionnels plus complexes et par une connaissance accrue. Piaget suggère donc que l'adulte en sait plus que l'adolescent, bien que celui-ci maîtrise toutes les formes de logique naturelle connues de l'adulte.

Pour Piaget, la différence marquante entre la pensée de l'adolescent et celle de l'adulte réside dans l'égocentrisme dont fait montre le premier. Fort de ses formes de pensée nouvellement acquises, celui-ci s'attend à ce que le monde soit «logique» et accepte mal que les gens réagissent de manière arbitraire. Il se mue alors en réformateur ou en critique de la génération qui le précède et se prédit ainsi qu'à ses pairs, un avenir heureux, dont il aura pu gommer les aberrations actuelles. Cet égocentrisme et cet idéalisme se mueront peu à peu en projets plus réalistes et plus sociaux au fur et à mesure que le jeune s'intégrera au monde du travail ou qu'il s'astreindra à une activité professionnelle. «L'adolescent entre dans l'âge adulte au moment où il entreprend un travail réel pour, du réformateur idéaliste qu'il était, devenir un réalisateur. En d'autres termes, le travail éloigne la pensée des dangers du formalisme, pour la ramener à la réalité» (Inhelder et Piaget, 1958, p. 346).

Ce passage de l'adolescence à la vie d'adulte achève la description des différentes mutations de l'intellect au cours des vingt premières années de la vie.

Etude de quatre concepts clés

Après cette introduction au système de Piaget, nous allons approfondir quatre concepts fondamentaux de sa théorie, à savoir l'épistémologie génétique, les stades ou périodes de développement, les invariants fonctionnels et l'équilibration.

Epistémologie génétique

Au début de ce chapitre, nous avons défini l'*épistémologie génétique* comme l'étude de l'évolution des rapports entre «celui qui connaît» et «la chose connue» au fur et à mesure que les années passent. Nous avons précisé que les recherches portant sur le développement cognitif des enfants sont dues à une initiative de Piaget, peu enclin à classer les enfants par catégories d'âges en fonction de leur point de vue sur le monde qui les entoure. Il préférait recourir à des questions d'ordre épistémologique. Cette démarche originale de même que ses découvertes sur le mode de fonctionnement mental de l'enfant a donné lieu à de très nombreuses publications. Certaines personnes en ont conclu que l'*épistémologie génétique* et les propositions avancées par Piaget ne sont, en fait, qu'une seule et même chose. Jacques Vonèche, qui occupe la chaire de Piaget à l'Université de Genève, pour éviter toute confusion, a redéfini l'épistémologie génétique en ces termes; selon lui, elle doit être :

> *débarrassée de la malheureuse fusion qu'elle a subie, au cours de ces dernières années, avec l'effort particulier effectué par Piaget pour orienter cette discipline dans une direction particulière (...) En plus de limiter l'épistémologie génétique aux seuls travaux de Piaget, tant les philosophes que les scientifiques s'égarent, en voulant faire fusionner l'épistémologie de Piaget avec sa psychologie. Nombreux sont ceux qui considèrent que l'épistémologie génétique est le nom donné par Piaget à sa théorie du développement intellectuel de l'ontogénie humaine alors qu'il semble évident qu'un scientifique comme lui, doté d'une telle érudition historique et d'un tel esprit critique, n'aurait pu confondre la psychologie développementale avec l'épistémologie génétique* (Vonèche, 1985).

Par conséquent, l'approche choisie par Piaget ne constitue qu'une méthode parmi d'autres, pour étudier «les mécanismes de croissance de la connaissance», depuis que James Mark Baldwin a employé, pour la première fois le terme d'*épistémologie génétique* en 1906 (Baldwin, 1906, 1908, 1911). Et, comme Vonèche l'a souligné, l'épistémologie génétique et la psychologie génétique sont deux disciplines distinctes, bien qu'il existe des rapports entre elles. La *psychologie génétique* peut être définie comme une observation de l'évolution de l'intelligence ou du comportement d'un membre d'une espèce au cours de son existence. *L'épistémologie génétique*, quant à elle, fait intervenir non seulement la question du développement de l'intelligence, mais également des problèmes d'ordre philosophique, tels, par exemple, les questions portant sur la nature de l'être (l'ontologie), la manière dont la connaissance doit être définie et le type d'évidence admissible pour établir la validité de la connaissance.

La théorie que nous avons présentée plus haut est celle de la psychologie du développement cognitif de Piaget et non pas sa version complète d'épistémologie génétique. Cependant, il est utile de préciser en quoi certaines de ses hypothèses sur l'épistémologie ont influencé ses méthodes de recherche et ses conclusions théoriques. Par exemple, contrairement aux sophistes, Piaget n'a pas admis que le monde réel est construit à partir de l'expérience. Au contraire, il a considéré qu'il existe un «monde réel» distinct de l'individu qui l'appréhende; au fur et à mesure que les enfants se développent, la ressemblance entre le monde réel et la conception qu'ils s'en font s'affine. De même, il s'est distingué pour sa définition originale de la connaissance comme une force dynamique agissant physiquement ou mentalement et non comme un ensemble de croyances communes aux membres d'une société donnée ou comme une réserve individuelle d'informations. De plus, Piaget a avancé que l'emploi de méthodes scientifiques modernes visant à obtenir des preuves vérifiables constitue le mode de recherche privilégié de l'épistémologie génétique. Pour lui, ce domaine de recherche constitue un vaste champ interdisciplinaire, au progrès duquel les psychologues développementaux participent, en même temps que d'autres scientifiques :

> *La première règle de l'épistémologie génétique est donc une règle de collaboration : son objet étant l'étude du développement des connaissances, il s'agit, pour chaque question particulière, de faire coopérer des psychologues du développement en tant que tels, des logiciens qui formalisent les étapes ou états d'équilibre momentané de ce développement, et des spécialistes de la science relative au domaine considéré; s'y joindront naturellement des mathématiciens assurant la liaison entre la logique et ce domaine particulier, ainsi que des cybernéticiens, pour établir le rapport entre psychologie et logique* (Piaget, 1970, p. 16).

Stade de développement

Pour ceux qui critiquent Piaget, les termes *stades, étapes, niveaux, périodes et phases* de développement sont souvent interchangeables. De plus, comme nous l'avons vu au début de ce chapitre, un plateau principal dans le développement peut tout aussi bien s'appeler *niveau* ou *phase* et un sous-plateau, *étape, stade* ou *sous-stade*. Quel que soit le terme utilisé, l'hypothèse sous-jacente qui subsiste est celle de l'existence, au cours du développement des enfants, de périodes de changements apparents qui alternent avec des périodes de stabilité.

Bien que tous les adeptes de la théorie du développement par stades s'accordent pour reconnaître cette alternance, rares sont ceux qui considèrent que ce soit là la seule caractéristique de ce type de théorie. La plupart des chercheurs pensent en effet que d'autres qualités sont nécessaires à un modèle de développement pour que ces périodes stables puissent mériter le titre de stades. Ainsi, Piaget considère que les stades doivent remplir cinq autres conditions : ils doivent être : (1) universels, (2) se présenter en séquences invariables, (3) être transformables et réversibles, (4) être continuellement en évolution et enfin, (5) correspondre à une phase d'équilibre.

(1) *Universalité*. Les stades sont identiques pour tous les membres de l'espèce. Un comportement commun à quelques enfants ne pourra donc être considéré comme universel. Il le sera s'il se retrouve chez tous les enfants, quelles que soient leur culture ou l'époque à laquelle ils vivent.

(2) *invariabilité*. Piaget, comme la plupart des développementalistes, estime qu'un ensemble de comportements ne constitue pas nécessairement une hiérarchie de stades à moins que chacun ne passe par ces mêmes phases et exactement dans le même ordre de succession. Par exemple, si quelques enfants parvenaient au stade de la pensée opératoire formelle immédiatement après être passés par la phase sensori-motrice, tandis que d'autres enfants feraient la démarche inverse, l'ensemble des types de pensée sensori-motrice, préopératoire et formelle proposé par Piaget ne pourrait alors être considéré comme une série de stades, tous devant nécessairement les aborder dans le même ordre.

(3) *Transformabilité et réversibilité*. Lorsqu'il parvient à un nouveau stade, l'enfant va non seulement considérer ses expériences à venir en fonction de celui-ci, mais il va également reconsidérer les problèmes résolus dans le passé à la lumière des découvertes propres à ce nouveau stade. En fait, l'enfant qui a réellement progressé au stade de la pensée opératoire formelle ne peut régresser pour penser à nouveau en termes de pensée pré-opérationnelle ou concrète. Par exemple, après avoir, lors du stade des opérations concrètes, découvert le principe de compensation (c'est-à-dire que la largeur d'un bol compense son manque de hauteur, ce qui lui permet de contenir le même volume d'eau qu'un verre très haut), les enfants ne limitent plus leur attention à une dimension unique d'un récipient, lorsqu'on leur demande quelle quantité ou quel poids d'une substance peuvent être

contenus dans des récipients variés. Dès lors, les enfants ne s'étonnent plus du résultat d'expériences qui les surprenaient auparavant, telles que le transfert d'un liquide dans des verres de formes différentes. La naïveté des premières années a fait place à une forme de pensée plus complexe, propre à la deuxième enfance.

(4) *Evolution graduelle.* L'accession à un nouveau stade n'est pas immédiate mais progressive pour Piaget : elle s'opère graduellement, jusqu'à ce que le comportement de l'enfant présente les caractéristiques du nouveau stade en nombre suffisant pour considérer l'accession au niveau suivant comme accomplie. Ainsi, les enfants ne perçoivent pas simultanément les concepts de conservation de substance, de quantité, de masse ou de volume des objets; ces découvertes s'échelonnent sur plusieurs années.

(5) *Equilibre.* L'enfant a organisé ses formes de pensée en un tout cohérent qui lui permet d'agir sur le monde; son nouveau stade de développement cognitif est ainsi parvenu à un état de stabilité et d'équilibre.

Bien que le système de stades conçu par Piaget requière que les conduites de l'enfant répondent aux cinq critères considérés, il ne suppose pas que ceux-ci passent par les stades à la même vitesse ni que tous les enfants parviennent, le cas échéant, au plus haut degré. Au contraire, il s'attend à voir des différences individuelles dans le rythme de progression des enfants et il a noté que certains d'entre eux ne parviendraient jamais au niveau des opérations formelles ou, dans le cas d'un retard mental sévère, ne dépasseraient même pas les niveaux sensori-moteur ou préopératoire.

Si les cinq caractéristiques précédentes peuvent apparaître claires à un niveau conceptuel, certaines d'entre elles posent problème, au niveau du vécu de l'enfant. Par exemple, il existe des différences considérables dans les méthodes utilisées par les enfants pour résoudre divers types de problèmes. Ainsi, en mathématiques, il est courant que les enfants comprennent le principe de la conservation du nombre et de la longueur avant celui de l'espace et du volume. D'autre part, les différences qui peuvent apparaître, au niveau du stade de raisonnement, entre un domaine comme celui des mathématiques par exemple, et un autre comme celui du raisonnement moral sont encore plus marquées. Ceci nous amène à nous demander dans quelle mesure les phases de développement mental décrites par Piaget constituent une description valable de l'évolution de la pensée dont les stades pourraient s'insérer à juste titre dans un système général unique.

Piaget a utilisé la notion de développement graduel pour expliquer l'absence de coordination dans les processus de pensée intervenant dans la vie des enfants. Il a proposé l'idée de *décalage horizontal* pour désigner ce retard apparent qui fait que l'enfant n'applique pas à tous les aspects de la vie un mode de pensée qui, selon lui, caractériserait un stade unique. Par exemple, durant la phase des opérations concrètes, lorsqu'un enfant voit une boule de pâte à modeler divisée en cinq petites boules, il ne comprend pas immédiatement que la substance et le poids ont été conservés, tandis que le nombre de boules est passé de 1 à 5. En fait, les enfants comprennent le principe de la conservation de la substance (l'argile demeure l'argile) avant celui de la conservation du poids. De là, l'idée d'un *décalage horizontal* entre le moment où l'enfant applique un nouveau stade de pensée à certains aspects de la vie et celui où il utilise ce même type de raisonnement pour expliquer d'autres situations nouvelles. Reste à savoir si ce *décalage horizontal* est une explication valable des différences observées dans la manière dont les enfants appliquent un niveau particulier de pensée à différents aspects de la vie, y compris les différentes matières offertes à l'école. Nous y reviendrons à la fin de ce chapitre.

Pour Piaget, le *décalage vertical* consiste pour un enfant à faire intervenir de plus en plus de modes de pensée complexes dans son explication d'un phénomène ou dans la résolution d'un problème auquel il est confronté. Reprenons l'expérience des perles et du tube présentée plus haut; un enfant en âge préscolaire peut renverser le tube et être, par conséquent, capable de prédire l'ordre dans lequel les perles colorées émergeront du tube bien qu'il ne puisse expliquer pourquoi. Un enfant de l'école primaire, par contre, pourra dire dans quel ordre les perles se présenteront et ce, sans retourner le tube, mais il pourra aussi expliquer comment il a pu résoudre ce problème. Donc, un jeune enfant qui a atteint le niveau de pensée opératoire est à même d'expliquer par quel principe abstrait il peut trouver dans quel ordre les perles se présentent, indépendamment du nombre de rotations que l'on imprime au tube. Le *décalage vertical* fait donc référence au déplacement d'un mode de pensée particulier vers une diversité de formes de raisonnement qui se perfectionnent à mesure que l'enfant mûrit. Alors que la notion de *décalage horizontal* semblait quelque peu contradictoire avec la théorie générale de Piaget, le concept de *décalage vertical* se combine particulièrement bien avec le modèle de développement par stades.

Invariants fonctionnels

La théorie de Piaget explique comment les structures de pensée des enfants varient d'un stade de développement à un autre et comment, tout au long de leur développement, les schèmes inhérents à ces structures évoluent, en augmentant en nombre, en précision et en interconnexions. Cependant, tous les aspects de la structure mentale ne sont pas nécessairement affectés par ces changements, certains restant immuables. Piaget les a dénommés *invariants fonctionnels*, mettant ainsi l'accent sur leur caractère stable, mais aussi sur le fait qu'il s'agit là de processus ou de fonctions, plutôt que de structures.

Parmi ces fonctions figurent «l'adaptation» et «l'organisation». Au cours de leur vie, les gens s'adaptent à leur environnement et réorganisent leurs schèmes intérieurs, de manière à assurer leur survie. Trois autres fonctions invariables – les mécanismes d'assimilation et d'accommodation, et l'équilibration – sont utilisées en vue de promouvoir les deux premières; ceci mène à l'instauration d'un cycle sans fin d'assimilation, d'accommodation et à l'établissement d'un état temporaire d'équilibre, vite troublé par des événements qui nécessitent une nouvelle assimilation... Parmi les *invariants* cités, le concept d'équilibration est le moins bien défini, c'est pourquoi nous allons l'examiner plus en détail.

Equilibration

L'une des raisons pour lesquelles la notion d'équilibre ou son synonyme d'*équilibration* est difficilement compréhensible réside dans le fait que Piaget semble l'avoir utilisée pour désigner des concepts différents à des moments variés. Il semblerait que l'*équilibration* renvoie à une progression vers un état d'équilibre, état que l'organisme conserve jusqu'à ce que des conditions particulières viennent le troubler. Ainsi, cet équilibre ne constitue donc pas un état de repos final, mais un nouveau point de départ (Piaget, dans Battro, 1973, p. 57). Cette explication plutôt sommaire ne suffit cependant pas à signaler les diverses acceptions que Piaget a données à ce terme. Les exemples suivants, extraits de traductions anglaises de ses publications, en donnent un aperçu (Piaget, dans Battro, 1973, pp. 49, 56-58) :

> *L'équilibre est le point de jonction entre le possible et le réel.*
>
> *Les structures mentales peuvent être interprétées comme le résultat d'un processus autonome d'équilibration.*
>
> *Les états les mieux équilibrés correspondent à un maximum d'activités et à un maximum d'ouverture aux échanges.*
>
> *Le système est en équilibre quand les opérations dont le sujet est capable constituent une structure dont les opérations peuvent se dérouler selon deux directions (par stricte inversion ou négation ou par réciprocité).*

De plus, Piaget a tenté de modifier son idée première relative à l'*équilibration* en lui adjoignant des adjectifs tels que «momentanée», «semi-permanente», «permanente» et «opérationnelle». Loin d'aider les lecteurs, ces variations ont encore ajouté à la confusion préexistante.

Miller (1983, pp. 75-76) a voulu justifier cette utilisation particulière du terme *équilibration* en expliquant que Piaget s'était, pour ce faire, fondé sur trois phases de l'existence : (1) les rencontres qu'à un moment précis l'enfant fait avec l'environnement et ses tentatives pour maîtriser ces expériences en assimilant, en s'accommodant et en atteignant finalement un état de résolution satisfaisant appelé *équilibration* (2) la dernière étape d'un stade, qui assure graduellement la transition avec un autre stade plus avancé, lui garantissant ainsi une certaines sécurité et (3) le processus par lequel une meilleure adaptation et une meilleure organisation sont atteintes au cours de la série entière des périodes de développement, de la naissance à l'adolescence.

Il apparaît qu'à maintes reprises, Piaget semble avoir considéré l'*équilibration* comme une puissance coordinatrice inexplicable permettant à toutes les parties du système de développement de fonctionner en harmonie.

Applications pédagogiques de la théorie

Au cours de ces vingt dernières années, les écrits de Piaget ont exercé une influence croissante sur les pratiques éducatives de par le monde. Piaget lui-même a souvent proposé des applications pédagogiques de son modèle. Cependant, la majeure partie de celles-ci ont été réalisées par des disciples. A titre d'exemple, nous présentons ici des méthodes de la théorie de Piaget, portant sur : (1) le choix des objectifs d'apprentissage, (2) l'organisation des programmes scolaires, (3) le choix des matières pour chaque niveau scolaire, (4) l'évaluation du fonctionnement intellectuel des enfants et (5) la méthodologie d'enseignement.

Le choix des objectifs d'apprentissage

En vue de définir des objectifs d'apprentissage pour les élèves, les éducateurs se fondent généralement sur la tradition ou étudient quels sont les besoins prioritaires des enfants en matière de culture, en fonction du milieu dans lequel ils évoluent.

Dans ce contexte, l'utilisation du mot *tradition* fait référence aux matières enseignées dans le passé : les adultes considèrent que les faits, concepts, talents et valeurs qui leur ont été inculqués étant enfants valent encore pour les nouvelles générations. C'est là une approche conservatrice de la sélection d'objectifs, puisqu'elle met l'accent sur la sauvegarde de valeurs traditionnelles.

Une autre pratique consiste à étudier la société actuelle et à tenter de prévoir les changements qui l'affecteront dans les années à venir. Sur base d'une telle analyse, les éducateurs déterminent quels types de connaissances, de talents, de valeurs aideront l'enfant ou le jeune en devenir à être heureux et à devenir un membre actif de cette société. Cet ajustement socio-personnel permet à l'individu de se fixer des objectifs qui lui permettront de satisfaire ses propres besoins dans une culture en perpétuelle évolution. Cette méthode peut faire appel à certaines valeurs du passé, mais en fait surtout intervenir de nouvelles, issues des changements qui se sont produits dans la société.

Une troisième approche, distincte des deux premières, s'inspire de la théorie de Piaget. Pour bien la comprendre, nous devons considérer une fois encore la distinction que Piaget établit entre le développement spontané ou psychologique et le développement psychosocial de même que son opinion sur l'interaction entre les facteurs de l'hérédité et ceux de l'environnement.

Comme nous l'avons déjà expliqué, plusieurs facteurs déterminent le moment où l'enfant se développera, en passant par les niveaux de réactions sensori-motrices, puis ceux qui correspondent aux opérations concrètes et formelles. Le *premier* d'entre eux, la *maturation intérieure* du système nerveux – c'est-à-dire le moment où les qualités nécessaires à un niveau donné de fonctionnement cognitif apparaissent – est établi par la nature, soit le plan génétique pré-établi de l'enfant. Mais le potentiel en matière d'évolution que procure cette maturation ne peut se réaliser si l'enfant ne peut effectuer des expériences qui valorisent celui-ci. Nous l'avons déjà mentionné, Piaget a donné à cette expérimentation *(le second facteur)* le nom de *développement psychologique* ou *spontané*. Le *troisième facteur* en réfère à un mode d'instruction plus formelle, à savoir celle qui est proposée à l'école. Pour être performant, ce troisième facteur doit nécessairement être précédé des deux premiers. Piaget le désignait sous le nom de *développement psychosocial.*

La conception piagétienne de la croissance intellectuelle est à la base de l'approche développementale utilisée pour sélectionner les objectifs pédagogiques. Dans cette perspective, l'école n'a plus comme mission d'enseigner des faits et concepts particuliers, ou de proposer des solutions à des problèmes d'ajustements sociaux personnels. Au contraire, son but est de promouvoir le développement optimal de la faculté de pensée propre à chaque niveau de développement. Le but d'une telle méthode est que l'enfant, à l'adolescence, puisse appliquer ce processus de pensée opératoire formelle de manière à pouvoir résoudre les problèmes auxquels il est confronté dans la vie quotidienne. Il apprend donc des faits et concepts sélectionnés non pas pour leur valeur potentielle, mais bien pour leur effet stimulant au niveau particulier de développement cognitif auquel il se trouve à un moment donné.

L'organisation des programmes scolaires

La théorie de Piaget non seulement propose un modèle de sélection des objectifs, mais suggère également dans quel ordre ces objectifs et les tâches d'apprentissage qui leur sont associées doivent se présenter. Ainsi, lorsqu'ils s'interrogent sur des phénomènes scientifiques et mathématiques, les enfants qui se situent au niveau préopératoire ne peuvent considérer qu'une dimension à la fois, par exemple la longueur ou la largeur d'un objet. Au niveau des opérations concrètes, ils peuvent comprendre l'interaction simultanée de ces deux dimensions. Ce n'est qu'après avoir atteint le niveau des opérations formelles qu'ils peuvent envisager l'action conjuguée de plus de deux variables. Une progression semblable a pu être observée dans le domaine des jugements moraux ou éthiques :

> *Au stade égocentrique, dans la logique des sentiments, le moi devient la dimension unique autour de laquelle les sentiments et l'interaction sociale évoluent. Le second, le stade sociocentrique, correspond à la période des opérations concrètes au cours de laquelle on observe des interactions avec les normes du groupe de pairs comme autre dimension. Le stade allocentrique est multidimensionnel comme celui des opérations formelles. L'individu peut s'interpréter comme étant lui-même une dimension dans une matrice comprenant des principes abstraits et des normes sociales comme autres dimensions* (Biggs, 1976, p. 157).

La perception du principe de conservation des objets physiques est également représentative de cet ordonnancement dans l'apprentissage : ainsi, l'enfant a d'abord l'intuition de la conservation de la quantité (l'espace qu'un objet semble prendre). Ce n'est que plus tard qu'il parviendra à saisir le concept de poids, puis de celui de volume.

Tout ceci pourrait suggérer aux responsables des programmes scolaires un ordre fondé sur la psychologie, selon lequel les enfants seraient confrontés à différentes tâches d'apprentissage adaptées à leur niveau de développement particulier. L'école traditionnelle impose à l'enfant d'acquérir la connaissance des concepts de masse, de poids, de volume, d'espace, de temps, de causalité, de géométrie, de vitesse et de mouvement à un moment où leurs capacités intellectuelles ne s'y prêtent pas (Elkind, 1976, p. 196). Un programme élaboré à partir de la théorie de Piaget et d'autres études empiriques du genre pourrait corriger un tel manque de coordination entre le développement de l'enfant et les activités d'apprentissage proposées par l'école.

Choix des matières pour les différents niveaux scolaires

Les études de Piaget précisent encore à quel âge chaque étape d'une séquence donnée est susceptible d'apparaître. Par exemple, le principe de la conservation des substances semble être perçu aux environs de sept ans par la plupart des enfants, celui du poids vers neuf ans, et celui du volume vers onze ou douze ans (Phillips, 1975, p. 100).

Ces âges clés sont plus ou moins semblables d'un enfant à un autre et d'un groupe ethnique ou socio-économique à un autre. Les différences qui peuvent intervenir au niveau de l'âge sont apparemment dues aux différences dans les facteurs de causalité primaires qui, d'après Piaget, sous-tendent le développement : le plan pré-établi de maturation intérieure, l'expérience personnelle de l'enfant avec le monde et l'éducation qu'il reçoit. Certains enfants ont plus d'occasions de vivre des expériences directes bénéfiques et de recevoir une meilleure instruction; d'autres sont plus favorisés sur le plan génétique et leurs progrès sont donc plus rapides. Une certaine flexibilité est donc nécessaire dans le choix d'objectifs pédagogiques conformes à la théorie de Piaget. Si un objectif donné correspond à un niveau spécifique de la hiérarchie scolaire, cela ne signifie pas pour autant que tous les enfants sont prêts à l'aborder simultanément. Souvent, les responsables du programme scolaire évaluent dans quelle mesure une séquence de développement cognitif convient davantage aux années préscolaires, au premier ou au second niveau de l'école primaire. De même, ils savent si un objectif éducatif est plus accessible pour les élèves du premier ou du deuxième cycle de l'école secondaire.

Piaget, non content d'avoir délimité les grandes étapes de développement cognitif que nous avons déjà identifiées, a décrit le développement de domaines conceptuels distincts, par exemple, la compréhension des nombres, le raisonnement moral, l'idée de causalité et de conservation des aspects physiques d'un objet. Bien que la manière dont s'effectue le développement à l'intérieur de chacun de ces domaines soit semblable, la progression des étapes peut varier de l'une à l'autre. En d'autres termes, il existe une certaine hétérogénéité dans l'évolution des séquences. Ce manque de coordination apparaît, par exemple, dans la logique que les enfants utilisent pour expliquer leurs jugements moraux ou éthiques, logique qui accuse en général un retard d'un ou deux ans par rapport au niveau de logique qu'ils ont atteint à propos des phénomènes physiques. On ne sait pas encore si ce retard est dû uniquement au fait que les enfants sont confrontés à un plus grand nombre de leçons et d'expériences relatives aux événements physiques, qu'aux questions morales ou si quelque facteur de maturation y contribue également. Barbel Inhelder, la collaboratrice la plus proche de Piaget l'a écrit :

> *La succession générale des stades semble avoir été confirmée par tous les auteurs, mais le rapport entre les différentes tâches et les sous-structures qui apparemment requièrent la même structure mentale est loin d'avoir été adéquatement explorée; de plus, les résultats expérimentaux sur ce point sont difficiles à interpréter* (Inhelder, 1968, p. vii).

Les implications d'une telle découverte, pour ceux qui élaborent les programmes scolaires, semblent évidentes. Se limiter à l'utilisation des stades généraux de développement de Piaget en tant que modèles pour intégrer les activités d'apprentissage à la structure des niveaux scolaires n'est pas suffisant. Il importe également de proposer des activités en fonction des différents types de séquences qui sont abordés. Par exemple, les activités pour favoriser un niveau donné de jugement moral devraient être proposées dans le cadre de classes plus avancées par rapport à celles où l'on fait des activités destinées à atteindre un niveau semblable en mathématiques ou en sciences.

Il est cependant possible d'utiliser la même idée générale tant à un niveau inférieur qu'à un niveau supérieur et de respecter encore les objectifs du modèle de Piaget. Par exemple, Peel (1976, p. 181) a recommandé d'adopter un plan en spirale pour enseigner les sciences physiques et les sciences sociales aux adolescents. En appliquant un tel programme, les élèves avancés d'une classe secondaire peuvent revenir à des sujets déjà étudiés trois ou quatre ans auparavant. Le bien-fondé de cette approche, selon Piaget, réside dans le fait que les élèves ne revoient ou ne répètent pas leurs expériences préalables puisque, entre-temps, la *qualité* de leur intelligence a changé. Tandis qu'un enfant au début de l'école secondaire ne proposait que des explications partielles et limitées d'un phénomène, le jeune de terminale est capable d'appliquer un plus grand répertoire conceptuel et une forme plus mûre d'interrogation intellectuelle à ce même phénomène (Peel, 1976, p. 181).

Evaluation du fonctionnement intellectuel

Les adeptes de Piaget sont réservés vis-à-vis des tests traditionnels d'intelligence qui évaluent le développement cognitif des enfants et leur aptitude à accéder à une nouvelle étape d'une séquence d'apprentissage donnée. Pour eux, ces tests d'intelligence déterminent dans quelle mesure un enfant peut donner une réponse correcte à des questions proposées, sans révéler quels sont les processus de pensée de celui-ci. Ils considèrent donc que ce type de tests ne parvient pas à révéler le niveau de développement cognitif d'un enfant à un moment donné. C'est pourquoi, les partisans de Piaget préfèrent recourir à une évaluation du mode de pensée cognitive des enfants fondée sur : (1) la manière dont ces derniers résolvent les problèmes tels que ceux décrits par Piaget dans ses expériences et (2) le niveau de raisonnement des élèves d'après l'évaluation des professeurs établie à partir d'observations pratiquées lors des activités menées régulièrement en classe (Elkind, 1976, pp. 171-194).

La défiance à l'égard des tests standardisés d'intelligence a incité deux chercheurs de l'Université de Montréal, Monique Laurendeau et Adrien Pinard, à élaborer une nouvelle échelle de développement mental qui tente de combiner les avantages de la méthode de Piaget (profondeur et flexibilité dans la conduite de l'enquête) avec ceux des méthodes psychométriques traditionnelles (standardisation du questionnaire) (Phillips, 1975, p. 162). Contrairement à des tests comme le Stanford-Binet ou le «Wechsler Intelligence Scale», cette échelle n'exige pas que tous les enfants répondent nécessairement aux mêmes questions. De plus, la manière dont un enfant répond à une question peut influencer la nature des questions qui lui seront posées par la suite. Enfin, l'expérimentateur n'est pas seulement intéressé par le nombre de réponses exactes données par l'enfant, mais également par les réponses «incorrectes» obtenues : celles-ci importent tout autant, puisqu'elles révèlent le mode de pensée du sujet. En résumé, le projet de Laurendeau et Pinard représente une extension de la théorie de Piaget dans le domaine de l'évaluation formelle de l'intelligence.

Méthodologie de l'enseignement

Il est communément admis, dans le cadre d'une méthodologie de l'enseignement inspirée de Piaget, de définir ainsi les deux tâches essentielles du professeur :

(1) il lui faut déterminer le niveau donné du développement de l'enfant au regard des différents aspects que le programme est censé favoriser;

(2) il doit proposer à l'enfant des activités d'apprentissage qui l'amèneront à un niveau supérieur pour le type particulier de développement sensori-moteur ou cognitif que le programme doit développer.

En d'autres termes, l'image du professeur considéré comme un puits de science est à proscrire. On attend de l'enseignant qu'il puisse guider activement ou diriger les formes de pensée de ses élèves tout en leur fournissant les opportunités de découvrir et d'explorer par eux-mêmes.

Tous les éducateurs n'utilisent pas les mêmes procédés pour atteindre cet équilibre entre aide active et permission passive. Furth et Wachs, qui ont présenté leur école expérimentale comme se situant dans la lignée du système de Piaget, ont recommandé dans *Thinking goes to School* (1975) que le professeur propose une série d'activités qui permettront à l'élève de passer efficacement au niveau subséquent de développement. Cette méthode nécessite que l'on propose une structure ou une direction au travail de l'élève, tout en le laissant libre de mener à bien l'activité en question à son gré ou de ne pas participer du tout, le cas échéant.

> *Le professeur dans notre école sait qu'il ne peut rien faire de plus que présenter ou offrir l'opportunité et laisser l'enfant libre de bien l'utiliser. Il peut guider, faciliter et encourager, mais dans l'analyse finale, c'est l'enfant lui-même qui initie son développement intellectuel* (Furth et Wachs, 1975, p. 46).

Une version quelque peu différente du rôle du professeur, toujours issue d'un programme basé sur le modèle de Piaget, est donnée par Elkind (1976) qui a identifié trois modes d'apprentissage, chacun présentant une combinaison différente des mécanismes d'assimilation et d'accommodation définis dans le schéma de développement de Piaget. Il a appelé le premier mode *apprentissage opératoire*. Celui-ci intervient lorsque l'intelligence de l'enfant est activement engagée dans le matériel avec lequel il interagit (Elkind, 1976). En manipulant celui-ci, l'enfant peut aboutir à des résultats contraires à ceux qu'il prévoyait; ceux-ci l'obligent à tirer de nouvelles conclusions à propos de ses interventions sur les objets.

> *L'apprentissage opératoire, en plus de faciliter le développement des opérations mentales, favorise aussi l'apparition de l'intelligence pratique. L'intelligence pratique est constituée par les opérations et les connaissances dont l'enfant a besoin pour évoluer dans le monde de tous les jours. Une grande partie (...) en est inconsciente* (Elkind, 1976, p. 114).

Un autre mode d'apprentissage est dit *figuratif*. Il consiste pour l'enfant à acquérir «des aspects de la réalité» qu'il ne peut redécouvrir ou reconstruire lui-même, et qu'il lui faut donc «copier en grande partie» (Elkind, 1976, p. 114). L'exemple type de ce mode d'apprentissage est l'acquisition du langage, c'est-à-dire le vocabulaire, la syntaxe, la prononciation et les gestes qui caractérisent chaque type de culture. A ce niveau, le professeur intervient de manière active, en vue d'enseigner, au sens propre, et donc plus traditionnel du terme.

Le troisième mode d'apprentissage est *connotatif* et vaut surtout au cours des années d'adolescence. C'est «la conceptualisation consciente par l'individu de ses processus de pensée, ce que l'on a appelé l'intelligence réflexive. L'apprentissage connotatif est spécialement concerné par la construction de significations et par l'établissement de connexions entre concepts et symboles figuratifs. Ce n'est rien d'autre que l'effort de l'enfant pour donner un sens à son univers» (Elkind, 1976, pp. 115-116).

Pour promouvoir l'apprentissage opératoire, le professeur peut apporter des objets ou animaux divers en classe, et poser des questions qui incitent les élèves à en découvrir les caractéristiques. Cependant, dans une large mesure, les élèves seront laissés libres de découvrir l'objet par eux-mêmes.

Dans le type d'apprentissage figuratif, le professeur fournit des modèles et donne des démonstrations et des explications; par exemple, il résoudra correctement une opération d'arithmétique ou utilisera la phonétique pour expliquer la prononciation de mots nouveaux, rencontrés lors d'une lecture. Avec l'apprentissage connotatif, le professeur encourage les élèves à faire des découvertes et à utiliser l'habilité qu'ils ont acquise, mais son rôle principal est d'aider les enfants à montrer tout ce qu'ils sont capables de faire (Elkind, 1976, p. 231). En d'autres termes, le professeur les invite à s'exprimer au maximum de leurs possibilités.

Que les professeurs adoptent la version de Furth et de Wachs ou celle de Elkind, toutes deux basées sur des méthodes éducatives issues de la théorie de Piaget, ils doivent pouvoir enseigner dans un environnement qui rende les activités individuelles ou par groupes restreints possibles. Les tables, les bureaux, les chaises doivent être mobiles; différents centres d'intérêt doivent être disponibles dans la salle de classe afin que des enfants appartenant à des niveaux de développement différents puissent mener à bien des activités diverses et utiliser du matériel éducatif qui favorise leur passage à un niveau cognitif supérieur.

En résumé, le modèle théorique de Piaget de même que les résultats de ses recherches empiriques suggèrent différentes méthodes éducatives contribuant au développement sensori-moteur et cognitif des enfants et des jeunes.

Perspectives de recherche

Une revue générale des ouvrages de psychologie et des revues parus au cours de ces vingt dernières années atteste que le modèle de Piaget a surpassé tous les autres dans la stimulation de la recherche. Ce succès semble dû à divers facteurs.

En premier lieu, il faut retenir la diversité des études de Piaget consacrées aux aspects de la vie de l'enfant, ce qui a donc ouvert des champs d'investigation aux chercheurs de tous horizons. Il a également mis au point des pratiques originales permettant aux observateurs avertis de tirer des conclusions sur la manière dont l'esprit des enfants opère à différents niveaux de développement, contribuant par là à l'élaboration de nouvelles techniques d'investigation. Ces nouvelles approches ont amené d'autres chercheurs à comparer la manière dont les enfants réussissent, d'une part, les tests traditionnels d'intelligence et, d'autre part, les *tâches* de Piaget et à se demander quelles étaient les implications de tels résultats pour la définition du concept d'*intelligence*.

Deux autres aspects des travaux de Piaget sont à l'origine de nombreuses études. Il s'agit (1) de l'échantillon limité d'enfants européens qui lui ont permis de mener à bien ses premières spéculations et (2) du fait pour lui d'avoir défini des niveaux d'âge assez spécifiques, correspondant aux différents stades du développement intellectuel. En effet, d'autres chercheurs ont tenté de vérifier dans quelle mesure les résultats proposés par Piaget restaient valables pour des enfants appartenant à des cultures différentes. A cet égard, les études relatives aux mécanismes de *conservation* effectuées dans d'autres sociétés et dans des milieux différents se sont révélées particulièrement fructueuses comme nous le verrons à la fin du chapitre.

D'autres types de recherches se sont développés à partir des questions dont nous avons fait mention lors de notre étude des concepts clés de la théorie de Piaget. Parmi celles-ci figure la définition de chacune des significations particulières que Piaget a attribuées au terme équilibre et la reconnaissance de ces caractéristiques dans le comportement des enfants. D'autres recherches portent sur le fonctionnement du processus d'équilibration ou encore sur l'évaluation du passage définitif à un nouveau stade de croissance, puisqu'il existe un manque de coordination apparente dans la vitesse à laquelle différents aspects du développement mental progressent. Un simple concept, comme celui de *décalage*, semble insuffisant pour expliquer ce manque de coordination. De plus, comment déterminer le moment où les mécanismes d'*assimilation* et d'*accommodation* sont activés chez un enfant donné ? Si ces concepts doivent être dotés d'une valeur fonctionnelle pour s'adapter aux enfants et guider leur développement, comment est-il possible de les repérer dans le comportement de ceux-ci ?

D'autres théoriciens du développement ont essayé de vérifier la validité de certaines autres assertions de Piaget quant à l'influence éventuelle de l'instruction sur la maturité mentale des enfants. Ils ont, par exemple, essayé de savoir si les enfants doivent vivre par eux-mêmes des expériences avec les phénomènes naturels pour que l'enseignement qui leur est prodigué à ce propos leur soit bénéfique. D'autre part, l'instruction peut-elle hâter le passage ou l'arrivée à un nouveau stade de développement mental ?

Nous présenterons par la suite d'autres expériences menées par des théoriciens qui s'inspirent du modèle de Piaget, pour l'étendre davantage encore (Bruner, 1964; Case, 1985; Pascual-Leone, 1976; Valsiner, 1987,

1989; Zimmerman, 1983). Klaus Riegel fait partie de ces chercheurs qui ont ainsi élargi le modèle de Piaget pour faire évoluer la psychologie du développement. Il a qualifié sa théorie de «dialectique» et a reproché à Piaget d'avoir limité les stades de développement intellectuel à la période des opérations formelles. Riegel a accepté les stades de Piaget, mais a proposé un schème dialectique selon lequel un ensemble de forces psychologiques luttent contre d'autres influences pour produire le développement de l'adolescent au-delà de sa quinzième année (1973, pp. 346-370).

Les questions que nous venons d'évoquer, de même que bien d'autres issues elles aussi des travaux de Piaget, ont été à l'origine d'une multitude de recherches menées au cours des cinquante dernières années et on s'attend à ce qu'elles en génèrent bien d'autres encore dans le futur. Entre 1983 et 1990, nous avons répertorié dans la revue américaine *Psychological Abstracts* 721 articles relatifs aux recherches de Piaget, dont 104 mettaient l'accent sur la structure et l'essence même de sa théorie.

La théorie de Piaget : évaluation

Comme dans les chapitres précédents, nous nous servirons des neuf critères d'évaluation proposés au début de notre exposé pour apprécier le modèle de développement élaboré par Piaget. Celui-ci a sans conteste dominé la recherche dans le domaine de la psychologie de l'enfant tout au long de ce siècle. Aucune théorie du développement n'a à ce point stimulé les recherches empiriques ni suscité autant de débats et discussions dans le monde académique comme le rapportent les travaux des chercheurs des écoles néo- et post-piagétiennes.

Par conséquent, la théorie de Piaget obtient un très bon résultat pour le critère 8, à savoir la stimulation de nouvelles découvertes. La valeur de ses contributions est reconnue tant par ses adeptes que par des chercheurs appartenant à d'autres traditions. Par exemple, Hilgard et Bower, considérant le point de vue piagétien de la théorie de l'apprentissage, ont écrit que :

> *L'un des problèmes qui limitent la psychologie en tant que science est le manque de découvertes de phénomènes réellement nouveaux (...) En conséquence, il est intéressant de noter que le principe de conservation, comme l'ont présenté Piaget et ses associés, représente une des 'découvertes' réelles parmi ces autres observations expérimentales* (Hilgard et Bower, 1975, p. 327).

Cependant, au cours des années 90, l'œuvre de Piaget a atteint une phase que traversent presque toutes les théories du développement. En règle générale, une théorie du développement voit le jour grâce à sa formulation, puis à sa publication dans un livre ou une revue. D'abord, cette nouvelle proposition connaît peu ou pas de succès, la plupart des chercheurs souscrivant déjà à un modèle préexistant. Cependant, au fur et à mesure que les adhérents de la nouvelle théorie en font l'éloge et que les applications et les expériences empiriques se multiplient, le nombre de partisans augmente. Plus tard, quand la théorie atteint son apogée, elle est soumise à la critique des professionnels qui mettent ses hypothèses à l'épreuve et soumettent sa logique à un examen minutieux. Ainsi, si des faiblesses dans la clarté de ses définitions ou dans sa capacité à expliquer et à prédire le comportement de l'enfant subsistent, le public perdra confiance. Par conséquent, le statut de la théorie baissera et de nouvelles alternatives apparaîtront pour expliquer la maturation et le comportement de l'être en devenir. Tel a été le destin de la théorie piagétienne qui semble avoir décliné quelque peu au cours de ces dernières années. Brainerd écrit que pendant les années 80, on a observé :

> *(...) un déclin rapide de l'influence de la théorie piagétienne orthodoxe – un fait reconnu par les piagétiens aussi bien que les non-piagétiens. Jusque dans les années 70, les idées piagétiennes ont dominé la scène de la même manière qu'à une certaine époque les idées de Freud l'avaient fait pour la psychologie anormale. Depuis lors, cependant, tout a changé dramatiquement. Les objections empiriques et conceptuelles à la théorie sont devenues si nombreuses qu'on ne peut plus la regarder comme une force principale dans les recherches développementales et cognitives, bien que son influence reste profonde sur les sujets apparentés comme l'éducation et la sociologie* (1983, p. vi).

D'autres observateurs, tout en admettant des lacunes dans la formation du modèle de Piaget, reconnaissent les contributions du théoricien suisse. Case (1985, p. 24), par exemple, a conclu que :

> *Piaget a joué pour le développement intellectuel le même rôle qu'a joué Darwin pour l'origine des espèces. Il a recueilli de nombreuses données empiriques sur le comportement intellectuel humain. Il a développé et incorporé de nombreuses idées préexistantes dans un cadre qui n'a pas seulement expliqué ces notions, mais encore, mené à la découverte d'une grande variété de données. Enfin, il nous a offert des vues nouvelles sur l'homme et une perspective d'une grande portée sociale dont l'influence a dépassé sa discipline particulière et ses données originelles».*

Quelles que soient les causes du récent déclin de popularité de sa théorie, Piaget a innové en matière de connaissance du développement cognitif et a incité des milliers de chercheurs à développer et affiner ses idées. Ces

Tableau 10.2 — La théorie de Piaget

Comment la théorie de Piaget répond-elle aux critères ?

	Les critères	*Très bien*		*Assez bien*	*Très Mal*
1.	Reflète le monde réel des enfants		X		
2.	Se comprend clairement			X	
3.	Explique le développement passé et prévoit l'avenir		X		
4.	Facilite l'éducation			X	
5.	A une logique interne	X			
6.	Est économique	X			
7.	Est vérifiable			X	
8.	Stimule de nouvelles découvertes	X			
9.	Est satisfaisante en elle-même			X	

nouvelles études ont souvent mis en doute certaines de ses conclusions, offrant par là aux critiques l'opportunité de créer de nouvelles alternatives au modèle traditionnel de Piaget (Bruner, 1964; Pascual-Leone, 1976; Dason, 1977; Gelman et Gallistel, 1978; Zimmerman, 1983; Case, 1985; Mounoud, 1986). Aucun théoricien de la psychologie du développement n'a à ce point stimulé la recherche empirique dans le domaine de la psychologie de l'enfant; ceci explique que nous lui avons attribué le maximum pour le critère de fertilité.

Pour le premier critère, relatif à l'exactitude de la description du monde réel tel que le perçoivent les enfants, la théorie de Piaget se distingue par le grand nombre d'études empiriques sur lesquelles elle se fonde. Cependant, sur certains points, elle reste imprécise, ainsi pour la question des différences individuelles existant entre les enfants. Piaget a surtout mis l'accent sur les agissements de l'enfant *moyen* et bien qu'il ait soulevé la question des différences individuelles, il ne s'est pas intéressé à leurs origines. Il est vrai qu'il a estimé que le milieu social d'un enfant affecte le rythme de passage aux différents stades de développement, mais il n'a pas étudié en détail la manière dont les différents facteurs ou agents de l'environnement social influencent l'acquisition des différentes aptitudes. A ce propos, Zigler écrivait : «rien de ce qu'il propose ne permet d'évaluer les effets ou tout simplement l'état de l'organisme ou encore la nature des différences dans l'environnement qui occasionnent les différences individuelles dans le développement» (1965, pp. 361-362). Zimmerman (1983, p. 4) quant à lui, considère que :

> *Piaget accorde peu d'attention à l'effet des dimensions sociales de l'environnement – l'individu et le comportement collectif – sur le raisonnement des enfants. Les concepts qu'il a étudiés, ayant été en grande partie non sociaux dans leur essence (par exemple, les notions*

d'espace et de nombre, les concepts de temps et de conservation et les mathématiques), avaient moins de chance de faire partie d'un environnement dynamique.

Pour sa valeur explicative des faits passés et sa capacité de prévoir le futur (critère 3), la théorie de Piaget atteint un niveau assez élevé, grâce à la diversité des types de comportements cognitifs qu'elle aborde et parce qu'elle propose un portrait assez fidèle de l'enfant moyen. Piaget a émis l'hypothèse que la succession des stades de développement mental est le même pour tous les enfants, quelle que soit la société à laquelle ils appartiennent; et des enquêtes menées dans plusieurs pays ont démontré l'exactitude de ses propos, dans une certaine mesure (Piaget, 1973, p. 7; Sigel et Hooper, 1968; Dason, 1977). Il a ensuite remarqué que l'écart dans le rythme de passage d'un stade à l'autre peut atteindre jusqu'à deux ans entre les enfants moyens d'une culture donnée et ceux d'un autre environnement (Piaget, 1973, pp. 25-27). Cette théorie est donc en mesure de prédire avec exactitude le type et la succession de comportements cognitifs qu'on peut observer chez les enfants, mais elle n'a pas fourni d'explications pour justifier les déviations par rapport à la moyenne.

Si on la considère pour sa valeur pédagogique (critère 4), la théorie de Piaget se révèle être d'un grand intérêt pour les enseignants qui, de plus en plus, se sont servis de la description des stades de développement pour déterminer l'ordre dans lequel ils proposent les activités cognitives, en particulier en mathématiques et en sciences physiques, pour chacun des niveaux scolaires. Les éducateurs utilisent aussi les tâches de Piaget – les tests qu'il a utilisés sous forme de problèmes dans sa méthode clinique – pour évaluer à quel niveau de leur développement se situent les enfants, et pour leur fournir des opportunités de se familiariser avec les processus de pensée propres aux différents stades établis par la théorie (Furth et Wachs, 1975; Tronick et Greenfield, 1973; Piaget, 1970b). De plus, des conférences annuelles organisées pour d'autres professionnels soucieux eux aussi du bien-être de l'enfant ont fait l'objet d'une série de publications traitant des applications du modèle piagétien à la pédiatrie et au domaine social (Magary, Poulsen, Levinson et Taylor, 1977; Poulsen et Luben, 1979). Par conséquent, le modèle de Piaget va bien au-delà de simples recommandations limitées à l'éducation des enfants dans le domaine cognitif.

Ce modèle omet cependant une série d'autres problèmes qui laissent les parents, les professeurs, les pédiatres et les assistants sociaux dans l'embarras. Ceux-ci se traduisent par des expressions telles que : *manque de confiance en soi, cercle limité d'amis, facilement frustrés, trop facilement influencés par de mauvais camarades, manquant d'objectifs valables et de buts dans la vie.* Il est vrai que l'œuvre de Piaget n'est pas d'un grand secours dans des situations de ce genre. Mais, il l'a fréquemment souligné, son domaine se limite à celui de l'épistémologie génétique, les problèmes sus-mentionnées n'occupent pas une place prépondérante dans cette discipline. Toutefois, après avoir pesé le pour et le contre, nous avons estimé que Piaget pouvait se situer entre les mentions «très bien» et «modérément bien» de notre échelle de valeurs.

Les travaux de Piaget sont relativement clairs (critère 2) si ils sont considérés avec attention. Les nombreux exemples de réponses d'enfants choisis à dessein par Piaget pour illustrer ses propos en augmentent la clarté. Cependant, quelques lecteurs trouvent certains de ses concepts et explications assez nébuleux. Par exemple, Deutsch (1943, pp. 129-145), l'un des premiers à avoir reproduit l'étude de Piaget relative aux idées des enfants sur la causalité, n'a pu, à l'époque, identifier les distinctions établies par Piaget pour un certain nombre de catégories d'explications causales qu'il avait intégrées à sa description du phénomène.

De nombreuses propositions de Piaget semblent faciles à comprendre, par exemple, les mécanismes d'assimilation et d'accommodation, les différents aspects du concept de conservation, le caractère général des niveaux de développement de l'enfant et sa proposition sur l'universalité de la séquence des stades. Cependant, cette clarté disparaît quand le lecteur cherche une définition précise de ce que sont la *structure cognitive* et les modes d'opération de l'*équilibration* ou encore s'il essaye de trouver un accord conceptuel entre la notion de *stades* et celle de *décalage horizontal*. Brainerd (1983, p. ix) constate ainsi que :

> *On trouve partout des interprétations en conflit et, ce qui est plus important, on ne sait pas comment mesurer les variables pertinentes. Autrefois, il était à la mode de supposer que les postulats de Piaget, comme ceux de la physique des quanta, étaient simplement trop difficiles à comprendre pour l'intellect moyen et que de longues études poussées dissiperaient le brouillard conceptuel. Mais, comme le brouillard ne s'est pas encore dissipé, l'on commence à croire que la théorie est tout simplement difficile à pénétrer.*

Nous devons aussi noter une certaine «circularité» peu satisfaisante dans diverses explications de Piaget, comme c'est le cas par exemple, lorsqu'il suggère dans une publication «A» que l'*équilibration* explique la *réversibilité* et dans une publication «B» que la *réversibilité* explique l'*équilibration* (Piaget dans Battro, 1973, pp. 56-57). En conclusion, nous estimons que certains aspects de la théorie de Piaget auraient pu être présentés plus clairement, c'est pourquoi nous lui donnons une note intermédiaire pour ce critère.

Il reste à voir dans quelle mesure cette théorie est vérifiable (critère 7). De nombreux aspects du modèle de Piaget sont présentés de façon à ce qu'il soit possible de déterminer leur validité au moyen d'expérimentations. Ceci est vrai pour les stades de développement, leur enchaînement et leur rythme d'apparition. Cependant, plusieurs concepts inhérents à la théorie ne sont pas, à proprement parler vérifiables. Parmi ceux-ci figurent les concepts de *schèmes* et de *mécanismes d'assimilation* et *d'accommodation.* Il se peut que Piaget les ait simplement proposés comme un ensemble possible de constructions de l'esprit, utiles à l'élaboration d'une théorie sur le fonctionnement des comportements physiques et mentaux. Cependant, lorsqu'il les a fait intervenir, Piaget semblait réellement convaincu que ces *schèmes* et *mécanismes d'assimilation* et *d'accommodation* étaient représentatifs du fonctionnement de l'esprit humain. Il en résulte que nous avons situé le modèle de Piaget légèrement supérieur à la moyenne pour le critère de vérifiabilité.

Par ailleurs, nous n'avons pas repéré de faille majeure dans l'économie de la théorie et celle-ci est jugée cohérente et économique (critères 5 et 6). Case (1985, pp. 23-24) soutient que les éléments fondamentaux du modèle sont :

> *un système qui est à la fois sophistiqué, cohérent et intimement relié (...) Etant donné la grande diversité des phénomènes qu'il a expliqués, il est remarquable qu'il utilise si peu de concepts et de postulats.*

Finalement, nous trouvons la théorie assez satisfaisante dans son ensemble (critère 9). En dépit des réserves émises plus haut, nous sommes convaincus que la majeure partie des concepts sous-tendant la théorie de Piaget sont valables et exacts.

A la lumière de ses découvertes, nous avons acquis une meilleure compréhension des différents processus et mécanismes de pensée chez les enfants et les jeunes et estimons, par conséquent, pouvoir travailler plus efficacement avec eux. C'est pourquoi, nous considérons que, dans son ensemble, la théorie de Piaget figure parmi les modèles de développement de l'enfant les plus satisfaisants.

Travaux se situant dans une perspective post-piagétienne

Nous proposerons dans ce qui suit quelques exemples de recherches inspirées des travaux de Piaget et relativement récentes, puisqu'elles ont été menées en Europe, aux Etats-Unis et dans un bon nombre de pays en développement au cours de ces trente dernières années. Ces études qui, dans l'ensemble reprennent les idées fondamentales de Piaget, y apportent cependant certaines clarifications par rapport au modèle de base et remettent en cause certaines de ses conclusions.

Expériences interculturelles

Pour Piaget, la succession des stades de développement est régie par une logique immuable. Bien qu'il admette que l'âge d'accession à un stade puisse dépendre du cadre socio-culturel, il considère que le processus de développement garde, quant à lui, un ordre constant. Pourtant plusieurs expériences, menées pour la plupart par ses propres disciples, révèlent un certain nombre d'exceptions spécifiquement culturelles laissant à penser :

1. *que tous les enfants du monde n'évoluent peut-être pas de la même façon;*
2. *que les tests mis au point pour les occidentaux ne sont peut-être pas universels.*

Magali Bovet au cours de recherches effectuées en Algérie sur le principe de conservation avec un groupe de cinquante et un enfants illettrés, constate l'échec des enfants de 6/7 ans et de 8/9 ans et la réussite de ceux de 7/8 ans et de 9/10 ans. Ces résultats tendraient à prouver qu'il n'y a pas un passage systématique par une étape intermédiaire d'acquisition de la conservation. En effet, les enfants qui réussissent à 7/8 ans semblent régresser à 8/9 ans (Bovet, 1974). De même les observations de Hydse, Boosong, Dasen et De Lemos, portant sur la compréhension de ce même phénomène de conservation chez les enfants arabes, somaliens, thaïlandais et aborigènes australiens, montrent que la règle piagétienne selon laquelle la compréhension de la conservation de la quantité précède celle du poids n'est pas toujours vraie (Cohen, 1981).

Deregowski et Serpell (1971), demandant à des enfants écossais et zambiens de classer des jouets et des photos de jouets, s'aperçoivent que les petits écossais se débrouillent mieux avec les photos. Que faut-il en déduire ? La logique de Piaget est-elle toujours aussi évidente ? Pour tenter de répondre à cette question, voyons les travaux de Cole (Cole, 1975; Cole et Scribner, 1974). Au cours de travaux effectués au Libéria avec les enfants de la tribu Kpelle, il constate que les résultats que ceux-ci obtiennent dépendent du matériel utilisé et des techniques employées. Les expériences de J.J. Goodnow (1979) viennent confirmer cette observation. Brown et Desforges, en établissant l'analyse critique des recherches interculturelles, soulignent les carences de la théorie de Piaget qui se devrait d'être structurellement plus solide, et moins sensible aux variations. Pour Cole, il ne fait pas de doute que l'échec des aborigènes ou des Kpelles aux prises avec un matériel qui leur est inconnu est surtout révélateur de l'échec de la théorie. Au cours d'une expérience de mémorisation effectuée chez les Kpelles, Cole s'aperçoit que les résultats de ces derniers sont inférieurs à ceux des Occidentaux, étant donné qu'en

Occident, les associations de mots font office de moyens mnémotechniques, un mot en appelant un autre, etc. Cette logique sémantique fait défaut aux Kpelles et Cole doit, pour améliorer leurs résultats, intégrer les mots à retenir à des légendes. Il en arrive, avec Bruner (Cole et Bruner, 1971), à qualifier la pensée occidentale d'impérialiste, celle-ci jugeant les autres cultures en fonction de ses propres critères, selon un niveau qu'elle a déterminé pour elle et qu'elle considère comme universel.

Pour Piaget, l'acquisition du principe de conservation est une étape indispensable à l'atteinte du niveau logique. Pourtant Heron rapporte qu'en Zambie, en Yougoslavie et en Papouasie, les enfants réussissent en classe sans avoir maîtrisé le processus de conservation (Heron, 1971; Heron et Dowel, 1978). L'expérience de Greenfield sur la conservation des liquides avec les enfants Wolof du Sénégal démontre également l'inefficacité de tests qui devraient être adaptés à tout type de culture. Ainsi, ces enfants considèrent que la disparition de l'eau est due à l'action de l'expérimentateur. Mais, lorsque P. Greenfield adapte l'expérience en leur demandant de verser l'eau eux-mêmes, une fois encore, les résultats sont très encourageants.

Peut-on conclure, avec Piaget, que nombreux sont ceux qui, dans des cultures non occidentales, n'atteignent jamais le stade des opérations formelles ? Quand bien même cela serait, est-il si courant de rencontrer dans la culture occidentale des individus fonctionnant en permanence au niveau des opérations formelles ? L'importance octroyée par Piaget à la logique formelle dans les problèmes qu'il traite est relativement exagérée. De plus, les expériences interculturelles ont montré que la réalité contredit souvent ses conclusions péremptoires. Il est important de retenir, quoi qu'il en soit, que l'ordre dans lequel les enfants «devraient», d'après lui, aborder les étapes n'est pas toujours respecté et qu'il peut y avoir mûrissement intellectuel sans maîtrise effective des étapes. La théorie de Piaget semble effectivement manquer de rigueur dans ses applications interculturelles.

Remise en cause de la théorie des stades de Piaget

Bower et la permanence des objets chez le nouveau-né

D'après Piaget, le nouveau-né ne cherche pas à retrouver un objet que l'on retire de son champ de vision. L'objet qui a disparu est considéré comme n'ayant jamais existé. T. Bower n'est pas du même avis et observe au cours de ses expériences des faits apparemment contradictoires. En effet, en étudiant le mouvement des globes oculaires du nourrisson, Bower constate que celui-ci répète la trajectoire habituelle d'un objet, qui a été dissimulé, après un certain nombre de passages effectués dans son champ visuel. Souvent aussi, son regard retourne au point initial A, à la recherche de l'objet qui n'est pas réapparu en B. Si cette attitude peut être observée dès l'âge de deux mois, à quatre mois, le nombre de bébés adoptant ce comportement passe à 69 %. Des «réactions de surprise» sont également prises en compte, sous la forme d'enregistrements des pulsations cardiaques des bébés. Enfin, en filmant ceux-ci dans l'obscurité grâce à une caméra infrarouge, Bower note que ceux-ci tâtonnent à la recherche de leurs jouets familiers. Il déduit de ces expériences que la conscience de la permanence des objets apparaît bien plus tôt que ne l'estimait Piaget. Barraclough constate que les bébés de six mois ne maîtrisent pas la notion de position dans l'espace et s'attendent à trouver en un point *X* un objet censé réapparaître en *Y*. Il s'associe ainsi à Bower pour réfuter la position piagétienne selon laquelle les tout-petits ne s'intéressent plus à un objet, une fois qu'il a disparu de leur champ de vision (Bower et Wishart, 1972; Bower, 1977).

Fantz et la perception des formes

Le bébé sourit si on lui montre un dessin représentant un visage humain; ce n'est pas le cas si on le met en présence d'autres figures dessinées (Fantz, 1961). Faut-il en déduire qu'un nouveau-né peut faire la différence entre l'humain et le non humain ? Si oui, comment peut-il établir cette distinction ? Enfin, quel crédit accorder alors aux recherches de Piaget qui postulent que la conscience des êtres vivants apparaît après celle des objets ?

Conscience des autres et relation duelle de Bruner

L'égocentrisme du bébé cher à Piaget est remis en question par Bruner qui constate que, dès la naissance, une relation privilégiée s'établit entre le bébé et sa mère. En effet, pour modifier l'attention de sa mère le bébé, vers sept mois, peut aller jusqu'à imiter certains comportements s'inscrivant dans un jeu relationnel. Ces échanges sont à la source de l'apprentissage des règles cognitives et sociales. Comme Bruner, Trevarthen constate que le bébé communique très tôt avec sa mère. Ainsi, mettant l'accent sur les relations du tout-petit avec les objets, Piaget a négligé les relations sociales et affectives qui seraient peut-être la clé du développement de la pensée (Cohen, 1981).

Hughes, Flavell et Maratsos face au phénomène de décentration

A en croire Piaget, l'égocentrisme de l'enfant jusqu'à ses sept ans fait obstacle à tout véritable échange verbal. De même, il est incapable jusqu'à cet âge de saisir le point de vue d'autrui et participe plutôt à ce que le psychologue a appelé un *monologue collectif.* Cependant Martin Hughes de l'Université d'Edimbourg, se fondant sur son expérience avec des poupées représentant des policiers, démontre que de très jeunes enfants sont capables de se décentrer. Hughes privilégie deux aspects de son expérience : il explique d'abord avec soin aux enfants ce qu'il attend d'eux, ensuite procède à un test dans un contexte qui leur est familier. Devant le succès obtenu, il refait le *test du paysage alpin* de Piaget, qui consistait à faire choisir aux enfants une photographie représentant le paysage tel qu'il serait vu d'un des sommets, en s'étant assuré au préalable que les enfants comprennent ce qu'il leur demande. Il obtient alors des résultats tout à fait concluants. Il semble donc bien qu'un enfant de trois ans soit tout à fait capable de se décentrer, en dépit de limitations langagières évidentes (Hughes, 1975).

Les expériences de Flavell et celles de Maratsos confirment ces résultats, puisque les enfants s'y révèlent capables de décrire des jouets à un adulte «aveugle» ou d'aider un panda en difficulté bien que celui-ci ne puisse parler. Ces enfants de deux et trois ans ont donc conscience des différences de point de vue et les expliquent de façon simple. La différence qui apparaît par rapport aux expériences menées par Piaget semble provenir de la manière dont les problèmes sont expliqués et proposés. Sa conception de la période prélogique est apparemment critiquable.

Réflexions de Bryant sur la période préopératoire

Peter Bryant, professeur à l'Université d'Oxford, adapte le matériel pour tester la logique des enfants au stade préopératoire et obtient de très bons résultats, là où Piaget avait échoué. Il remplace d'abord les longueurs abstraites utilisées par Piaget par cinq bâtons de longueurs différentes. Il substitue ensuite à l'appareil des Kendler pouvant faire apparaître une bille ou une balle selon le bouton sur lequel on appuie, un matériel plus simple. Il remet ainsi en cause les techniques et procédés par lesquels Piaget avait démontré que les enfants de moins de sept ans ne possèdent pas certaines capacités logiques (Cohen, 1981).

Les expériences de conservation : différents points de vue

Le principe de conservation est l'une des pierres angulaires de l'œuvre de Piaget. Dès 1941, il déclarait que c'est là «une condition nécessaire à toute activité rationnelle». Cette affirmation est confirmée par l'expérience : d'abord celle des transvasements, puis celles des baguettes et des bonbons. Pour celle-ci, on aligne deux baguettes considérées comme étant égales. Si l'on décale l'une d'elles, les enfants de moins de sept ans considèrent que celle-ci est plus longue. Il en va de même si l'on aligne dix bonbons parallèlement à dix pièces de monnaie. L'expérimentateur en ôte une et agence les neuf autres de manière à ce que les deux rangées soient toujours de même longueur; pour les enfants, il n'y a rien de changé. James McGarrigle répète ces expériences en faisant intervenir non plus l'expérimentateur, mais un méchant nounours, afin que les enfants surveillent attentivement les agissements de ce trouble-fête qui déplace les baguettes, verse l'eau ou enlève un bonbon. Ce subterfuge permet d'améliorer les résultats du test pour les enfants de quatre à six ans.

A propos de la conservation du nombre, Pierre Gréco précise que les enfants savent qu'il y a plus de bonbons que de pièces, mais qu'ils ne font pas intervenir cet élément dans leur appréciation des longueurs : ils ont la notion de «quotité» et non celle de «quantité». En effectuant une expérience sur base de six cartes ornées de figures formées de points et alignées deux à deux, R. Gelman constate que les enfants ne se trompent pas dans leur évaluation s'il y a deux ou trois points par figure (R. Gelman et Gallistel, 1978). Si l'on ajoute des points, ils se fient à leur perception et ils se trompent. Parmi ces trois rangées de cartes, elle demande alors aux enfants de choisir celle qui, seule, diffère des autres. En les informant de leurs succès ou de leurs échecs, elle poursuit l'exercice jusqu'à ce qu'ils apprennent et réussissent à reconnaître la rangée qui a le moins de points. Un apprentissage est donc possible, car les enfants sont capables de comprendre les règles en jeu.

David Elkind, reprenant le test des pièces de monnaie, montre aux enfants une rangée de cinq pièces assez serrées, puis la même rangée avec les pièces plus espacées. Même des enfants de quatre ans lui répondent que le nombre de pièces n'a pas varié. Par contre, si les deux rangées sont présentées ensemble, les enfants pensent que la plus longue des deux contient davantage de pièces. Piaget, considère qu'ils sont victimes de leur perception, tandis que Elkind y soupçonne un conflit entre la logique des sens et celle de l'analyse (Elkind, 1967, 1976). Il suffit de leur faire comprendre les lois de l'analyse, comme l'a montré Gelman, pour que les résultats s'améliorent. Un enfant aurait donc accès aux notions de nombre et de quantité bien plus tôt que ne le laissait entendre Piaget. La période des opérations concrètes n'est pas le moment clé où s'effectuent des démarches logiques, celles-ci pouvant être réalisées bien plus tôt. De même, la maturité biologique n'est pas nécessairement le facteur indispensable à l'apparition de différentes capacités mentales.

Allant à l'encontre de la théorie d'une période préparatoire où la pensée serait préconceptuelle, les résultats obtenus par Povey et Hill et par Harris (1975) sur des enfants de deux à quatre ans montrent bien que ces derniers peuvent avoir un raisonnement assez élaboré, quand on le leur permet ou quand ils y sont obligés. Ils peuvent, par exemple, distinguer différents types d'arbres et leur attribuer des qualités propres (un chêne a des glands mais reste un arbre) et sont capables de raisonner logiquement quand il s'agit de dire si un liquide donné est du lait ou non (Si c'est du lait, c'est blanc; si ce n'est pas blanc, ce n'est pas du lait). Contrairement aux idées de Piaget sur le principe de conservation, les quelques expériences résumées ici semblent prouver que la logique de l'enfant dépend en grande partie des moyens mis à sa disposition. La maturation, qui selon Piaget ne peut être accélérée, semble aller à un rythme plus rapide quand on apprend aux enfants à comprendre et quand les méthodes sont bien choisies.

En résumé, les différentes recherches qui remettent en question le modèle théorique de Piaget font apparaître l'enfant dans un état de conflit intellectuel constant et nous le présentent comme un être qui dispose de structures logiques, même pendant la période préopératoire. De plus, les recherches décrites dans cette section revalorisent le monde social et les rapports entre les êtres, ce qui nous amène à critiquer Piaget pour n'avoir pas suffisamment tenu compte de ce type de relations dans sa théorie. Ces théoriciens sont aussi arrivés à la conclusion que l'importance du contexte socio-culturel remet en cause le découpage piagétien du développement cognitif.

En attendant, la réflexion sur le contenu des travaux de Piaget et l'analyse d'autres recherches dérivées de son modèle continuent, rendant ainsi hommage aux importantes contributions qu'il a apportées au domaine de la psychologie de l'enfant (Pascual-Leone, 1976; Pascual-Leone et Goodman, 1979; Not, 1989; Modgil et al., 1983; Fisher, 1980; Fisher et Canfield, 1986; Mounoud, 1986; Piaget et al., 1987; Case, 1985; 1986; 1991). Une étude de quelques théoriciens se situant dans une perspective néo-piagétienne sera présentée au chapitre 18 dans la section sur les nouvelles tendances en psychologie du développement.

11

Vygotsky et la tradition soviétique

Au cours des années qui ont suivi la révolution russe, vers la fin de la Première Guerre mondiale, les psychologues soviétiques ont eu pour mission d'élaborer une théorie du développement humain qui soit compatible avec les visées marxistes sur lesquelles le nouvel état était fondé. Dans les années 20, Semenovich Vygotsky (1896-1934), un professeur de littérature, releva ce défi de manière satisfaisante. Ses premières recherches, menées entre 1915 et 1922, touchaient à la problématique de la création artistique (Vygotsky, 1971). En 1924, il s'engagea dans des études fondées sur la psychologie développementale, l'éducation et la psychopathologie, poursuivant ses recherches à un rythme accéléré, jusqu'à ce qu'il meure de tuberculose, en 1934, à l'âge de 38 ans.

Quoique sa carrière de psychologue ait été brève, Vygotsky fut très apprécié en Union Soviétique, surtout pour avoir établi un fondement socio-politique à sa discipline, fondement sur lequel pouvaient venir se greffer différentes formes d'investigations psychologiques. Pour établir son modèle, il s'est inspiré de «la thèse marxiste-léniniste qui soutient que toutes les activités cognitives humaines fondamentales prennent forme dans une matrice de l'histoire sociale et constituent ainsi un produit du développement socio-historique» (Luria, 1976, p. v).

En d'autres termes, d'après Vygotsky, les possibilités intellectuelles et modes de pensée propres à un individu ne sont pas prédéterminés par des facteurs innés, telles l'intelligence héritée ou les capacités mentales.

Ces modes et niveaux de pensée sont le produit des institutions propres à la culture dans laquelle l'individu se développe. En accord avec ceci, Luria explique :

Il ressort que la pensée pratique prédominera dans les sociétés qui sont caractérisées par la manipulation pratique des objets et que les formes abstraites d'activité théorique apparaîtront dans des sociétés technologiques qui induiront davantage un mode de pensée abstrait et théorique. Le parallélisme entre développement individuel et social produit une forte tendance à interpréter toutes les différences comportementales en termes de théorie du développement (1976, p. xiv).

Partant de ce principe, l'histoire de la société dans laquelle un enfant est élevé et le développement propre à cet enfant, lié aux expériences de celui-ci dans cette société, sont des facteurs déterminants dont l'action conjuguée détermine la manière dont l'individu sera capable de penser. De plus, les modes avancés de pensée, telle la pensée conceptuelle par exemple, doivent être transmis à l'enfant au moyen de mots, de sorte que le langage devient graduellement un instrument dans le processus de développement des modes de pensée.

Fort de ces hypothèses de base, Vygotsky rédigea *Pensée et Langage* peu de temps avant sa mort. En 1936, deux ans après sa publication, le livre fut interdit en Union Soviétique, suite à des discussions internes à la communauté psychologique de ce pays. A l'issue de ces conflits, le livre fut remis en circulation, mais ne fut traduit en anglais qu'en 1962, ce qui permit enfin la diffusion, l'étude et l'évaluation de la théorie de Vygotsky dans les pays de langue anglaise. Au cours des années 70, d'autres travaux de Vygotsky et de ses adeptes furent traduits en anglais, ce qui acheva de le consacrer comme théoricien à part entière et comme un praticien habile dans l'application des résultats de ses recherches à l'amélioration de l'éducation des enfants et de l'enseignement en général (Cole, 1977; Luria, 1976; Vygotsky, 1978; Valsiner, 1988).

Le présent chapitre portera sur les contributions théoriques de Vygotsky, non seulement en tant qu'artisan principal de la psychologie développementale dans les premières années du régime communiste, mais aussi parce que ses propositions continuent d'animer des débats en psychologie contemporaine. Alexandre Luria (1902-1977), un développementaliste russe de renommée mondiale, écrivit ceci :

Vygotsky était un génie. Après plus d'un demi-siècle en science, je suis incapable de nommer une autre personne qui approche, même de loin, son incroyable habileté analytique et sa perspicacité. Toute mon œuvre n'est rien de plus que le développement de la théorie psychologique qu'il a construite (Jaquette du livre de Vygotsky, 1978).

Dans cet exposé sur l'œuvre de Vygotsky figureront successivement : (1) une description des influences qui se sont révélées déterminantes dans l'élaboration de cette théorie, de même qu'une étude des liens existant entre la philosophie sociale marxiste et les vues de Vygotsky sur le développement de l'enfant, (2) une description des principaux linéaments de la théorie de Vygotsky sur la relation de la pensée et du langage, (3) les généralisations qu'il propose concernant le développement de l'enfant, (4) un bref aperçu des tendances générales de la psychologie développementale soviétique de 1920 à 1980 environ, (5) les applications pratiques de la théorie de Vygotsky, (6) les recherches qu'elle a inspirées et (7) une évaluation de celle-ci. Nous terminerons par un bref aperçu de la théorie de Brown et par quelques perspectives plus récentes sur le développement du langage.

Les grandes lignes d'influence de la théorie de Vygotsky

Trois caractéristiques principales ont marqué le travail de Vygotsky, à savoir : (1) un sincère dévouement à la philosophie sociale marxiste et une conviction que le développement psychologique était intimement lié aux idées de cette philosophie, (2) une profonde connaissance des travaux des plus éminents psychologues européens et américains, (3) une grande rigueur dans l'élaboration des méthodes de recueil et d'interprétation des données.

La théorie de Vygotsky et le marxisme

Karl Marx (1818-1882) et Friedrich Engels (1820-1895), deux philosophes allemands de la politique économique, pour élaborer leur théorie des sociétés évoluant vers un communisme utopique, se sont fondés sur trois hypothèses principales, à savoir : l'activité crée la pensée, le développement procède par échanges dialectiques et enfin, le développement est un processus historique à l'intérieur de contextes culturels.

1. Marx postulait que le comportement des individus évoluant dans des environnements sociaux particuliers était responsable à la fois des différences dans les rôles et privilèges entre les classes sociales, des modes de pensée particuliers et également du contenu des esprits. Il pensait que la conscience personnelle (attitudes, conception de la réalité, aptitudes psychologiques) se forme à partir des activités de production et de distribution propres à ces mêmes individus. Marx déclarait que :

> *Dans la production sociale de leur vie, les hommes entrent dans des relations définies indispensables et indépendantes de leur volonté, des relations de production qui correspondent à une période de développement bien définie de leurs forces de production matérielle (...) Le mode de production de la vie matérielle conditionne le processus de la vie sociale, politique, et intellectuelle en général. Ce n'est pas la conscience des hommes qui détermine leur existence, mais au contraire, leur existence sociale qui détermine leur conscience* (Marx, 1859, cité par McLellan, 1977, p. 389).

Vygotsky partage cette conviction, ainsi sa théorie du développement dépeint-elle l'enfant engagé dans des situations actives, puis élaborant des modes de pensée particuliers sur base de celles-ci. Ainsi, la pensée ne crée pas l'action, c'est l'inverse qui se produit. Le développement mental est le processus par lequel l'enfant assimile les résultats de ses transactions avec l'environnement.

2. Marx prétendait que les sociétés se développent sous l'action d'un processus de résolution des confrontations dialectiques. Comme chez Hegel, sa formule dialectique relative à la pensée logique consistait en une opposition de la thèse et de l'antithèse, suivie d'une synthèse résolvant le conflit dans une conclusion. Marx a considéré que ce concept dialectique était à l'origine du développement des sociétés. Par exemple, le système social de production et de distribution des biens (tel celui de la société agricole féodale avec ses seigneurs et ses serfs) étant bien établi (thèse), le progrès technologique, c'est-à-dire la révolution industrielle, a provoqué des conflits à l'intérieur de ce système (antithèse). Ces conflits ne pouvaient être résolus que par la transformation de la structure sociale existante en une nouvelle structure, celle du capitalisme. Seulement, une fois celui-ci en place, de nouveaux conflits apparaissent qui le rendent inadéquat. La solution préconisée par Marx consiste alors en une transformation du système économique et socio-politique de façon à former une collectivité de production et de distribution des biens. Parmi les différentes confrontations dialectiques impliquées dans un tel développement de la société, celle retenue par Marx dans sa théorie du matérialisme dialectique concerne la lutte des classes.

Vygotsky a appliqué la formule dialectique au développement de l'enfant, en postulant qu'au fur et à mesure que ce dernier est confronté aux choses de la vie, il prend conscience du fait que la façon d'agir qu'il croyait bonne (thèse) n'est pas toujours fiable, parce qu'inadaptée aux conditions de la nouvelle situation (antithèse). L'enfant doit donc trouver une nouvelle méthode de résolution qui puisse s'adapter à ces conditions (synthèse). Ainsi, le développement de l'enfant consiste en un flux ininterrompu de conflits dialectiques et de résolutions. Cependant, celles-ci sont intériorisées, de façon à former un savoir psychophysiologique de

plus en plus élaboré. Ce savoir se mue alors en un ensemble de techniques, d'attentes, de sens, avec lequel l'enfant pourra aborder les problèmes auxquels il sera confronté par la suite.
3. Marx considérait le développement social comme un processus d'évolution. En effet, sous l'impulsion du progrès technologique, les sociétés passent de la féodalité au capitalisme, pour finalement arriver à une structure socialiste de la production et de la consommation des biens matériels. Comme il l'a soutenu dans *Le Manifeste Communiste*, «tous les rapports de propriété qui existaient par le passé ont été continuellement modifiés par l'histoire, à la suite de changements dans les conditions historiques» (Marx, 1847, cité par McLellan, 1977, p. 231). L'histoire d'une société ne serait donc qu'une succession de changements délibérés, appelée développement. L'expression «histoire en devenir» fait ainsi référence aux échanges dialectiques, à quelque moment qu'ils se produisent. C'est à l'analyse de tels processus de changement que nous comprenons comment la société se développe. La culture d'une société donnée (son mode de vie), à un moment donné de son évolution, n'est pas seulement le résultat de l'histoire de cette société, elle est aussi la base contextuelle de son développement futur.

Vygotsky a adopté ce point de vue historico-culturel pour établir sa théorie du développement de l'enfant. Comprendre comment et pourquoi les enfants se développent nécessite une compréhension claire de la nature des antécédents historiques de leur culture, puisque dans leur environnement ils doivent faire face à des opportunités et à des demandes spécifiques à cette culture. De plus, l'histoire du développement ontogénétique propre à un enfant, c'est-à-dire la succession de ses confrontations dialectiques passées, prédétermine la manière dont celui-ci sera paré pour résoudre les situations problématiques à venir.

En résumé, la théorie du développement humain de Vygotsky est une synthèse d'hypothèses s'inscrivant adéquatement dans le cadre de la théorie marxiste sur laquelle est construite la société soviétique.

Vygotsky et la recherche psychologique internationale

Vygotsky a pu mener à bien son travail en particulier grâce à sa parfaite connaissance des événements passés et présents dans le monde de la psychologie en Europe de l'Ouest et en Amérique du Nord. Valsiner en fait état en ces termes :

> *Malgré son rejet catégorique du behaviorisme américain et russe, la contribution active de Vygotsky à la psychologie est profondément enracinée dans le courant psychologique de son époque. La psychologie allemande de la Forme (Gestalt) l'a fortement influencé (...) La*

> *théorie de champ de Kurt Lewin apparaît à point nommé dans ses écrits (...) Il va plus loin que Binet dans son travail sur la mémoire et il suit Piaget tout en le critiquant (...) Il était très ouvert aux idées importantes développées par Freud et par les autres psychanalystes* (1988, p. 121).

Pour comprendre l'ambiance qui régnait parmi les psychologues à l'époque de Vygotsky, nous devons rappeler deux courants opposés de la pensée humaine qui étaient en vogue à l'orée du XXe siècle.

Le premier se référait à la conception traditionnelle de la pensée issue de la psychologie des facultés. Les psychologues de la fin du XIXe et du début du XXe siècle étudiaient l'esprit et ses fonctions au moyen de l'introspection, c'est-à-dire par un auto-examen approfondi de l'esprit, en vue d'en dégager les processus de perception, de pensée, de mémoire, de sentiments et autres.

Le second courant, contrairement au premier, consistait en un effort d'étude scientifique et objective de l'homme, basé sur les méthodes physiques des sciences exactes. En Amérique, ce mouvement fut connu sous le nom de behaviorisme, car ses leaders postulaient que l'étude exacte de l'homme se limitait à l'observation de son comportement observable (behavior) tel qu'il est mesuré et enregistré par des scientifiques étrangers à l'individu lui-même. Les behavioristes de l'époque disaient que ce qui avait été appelé pendant des années «pensée» était en réalité un comportement parlé inarticulé. Les adeptes de ce mouvement avaient donc délaissé l'esprit et ses fonctions, en faveur de la seule analyse des faits observables accomplis par l'homme.

Vygotsky émis des critiques à propos de l'une et l'autre de ces deux écoles. Il a rejeté l'introspection comme base méthodologique d'une théorie psychologique scientifique, mais a également condamné l'attitude behavioriste de mise à l'écart de l'esprit :

> *Parce que la psychologie ignore le problème de la conscience, elle se bloque l'accès à des investigations de problèmes compliqués de comportement humain. L'élimination de la conscience de la sphère de la psychologie scientifique a pour conséquence principale, la rétention du dualisme (esprit/corps) et du spiritualisme de l'ancienne psychologie subjective* (1962, p vi).

Les techniques de recherche de Vygotsky

Après avoir identifié ses hypothèses de base (l'activité génère la pensée, et le développement résulte d'échanges dialectiques dans les contextes historico-culturels), Vygotsky s'est mis en quête de méthodes appropriées pour mener sa recherche empirique. En effet, d'après lui, les méthodes d'investigation traditionnelles des psychologues intéressés par les mécanismes de réponse n'étaient pas adaptées à l'étude du développement mental de l'enfant. Il n'était pas possible de déterminer les processus de pensée de ceux-ci en se contentant de les confronter à un stimulus (un questionnaire), pour ensuite mesurer la marge séparant les réponses ainsi obtenues d'une norme donnée. Une telle méthode ne fait que vérifier si l'enfant donne ou non la réponse attendue. Vygotsky voulait faire apparaître la structure des événements intervenant dans les actes et les pensées d'un enfant qui tente d'accomplir une tâche et, tandis que ce processus d'accomplissement est en cours, il voulait savoir en quoi cette structure événementielle pouvait affecter son développement mental. Ce qui intéressait Vygotsky n'était donc pas de savoir si la réponse était juste, mais bien d'établir quel processus d'élaboration avait mené à cette réponse. Au cours de sa recherche de méthodes d'investigation adéquates, il a fait l'éloge de la méthode clinique de Piaget, beaucoup plus valable, d'après lui, que les méthodes traditionnelles relatives au mécanisme de réponse. Pour ses propres recherches empiriques cependant, il a placé l'enfant dans des situations de résolution de problèmes qu'il a lui-même imaginées. (Valsiner, 1988, pp. 128-140).

La méthode de la *double stimulation* imaginée par Vygotsky s'inspire de la recherche psychiatrique menée en France par Pierre Janet et des expériences gestaltistes de l'allemand Kohler testées sur des singes. Cette méthode consiste à placer un enfant dans un cadre de résolution de problème contenant plusieurs objets formant une structure complexe de stimuli. Quelques-uns de ces objets ont été choisis par l'expérimentateur, tandis que d'autres font partie de la situation expérimentale par hasard. L'enfant a un objectif à atteindre, qui peut être défini à l'avance par le chercheur ou simplement déterminé par l'enfant en fonction de la nature du contexte. Il aura pour tâche de trouver comment atteindre son objectif au moyen des seuls objets mis à sa disposition dans le cadre expérimental. L'expression «double stimulation» fait référence aux types de stimuli rencontrés pendant l'accomplissement de la tâche, le stimulus-objet et le stimulus-moyen. L'enfant doit prendre les objets en main (il est stimulé par eux) et établir des plans d'utilisation de ceux-ci en vue de parvenir à ses fins. L'objectif de l'expérimentateur est de découvrir comment l'enfant agit et réfléchit au cours de l'expérience. Pour ce faire, il suit le cours des actions de l'enfant, est à l'écoute de ses commentaires. Ensuite, sur base de cette séquence d'actions et de remarques de l'enfant, il peut se faire une idée du mode de développement intellectuel mis en œuvre par l'enfant durant la résolution du problème.

Il est intéressant de voir en quoi l'approche de Vygotsky diffère de celle des autres expérimentateurs en ce qui concerne l'étude de l'enfant. Un des modèles traditionnellement utilisé fait appel à la diversité des stimuli-réponses : on présente un stimulus à l'enfant et l'on enregistre la réaction.

Nombre de tests prennent cette forme, y compris ceux qui mesurent l'intelligence, les résultats scolaires, l'agilité, les valeurs, les attitudes et bien d'autres facteurs encore. Les travaux qui se fondent sur des questionnaires et entretiens relèvent également du mode d'investigation qui repose sur la diversité des stimuli-réponses. Quoique ces techniques puissent révéler les connaissances ou croyances du sujet à un moment donné, elles ne disent rien de la manière dont celles-ci se sont développées.

Une seconde structure expérimentale, sous sa forme primitive, consiste en un prétest, un traitement, et un post-test. La variable dépendante ou variable-réponse est caractérisée par le résultat de l'expérience de l'enfant. Le rapport du score obtenu dans le post-test avec celui du prétest est d'un intérêt primordial pour l'expérimentateur. Cependant, ces données ne se retrouvent ni dans l'approche du double stimulus de Vygotsky ni dans la méthode clinique de Piaget. Pour ces derniers, en effet, la variable dépendante, ou conséquence de l'expérimentation, réside dans l'enregistrement des séquences d'actions de l'enfant et dans le commentaire qui les accompagne. Leurs résultats sont qualitatifs. Pour ces développementalistes comme Vygotsky et Piaget, les inférences effectuées sur le développement au cours d'un test de résolution de problème et pendant des actes et des pensées ne peuvent pas être chiffrées, réparties en moyennes, puis interprétées grâce aux méthodes d'analyse différentielle ou autres.

Il est important de remarquer que les méthodes de Vygotsky ne se sont pas limitées aux expériences au cours desquelles le chercheur tentait de déterminer chez l'enfant, la structure de la pensée en cours de développement. Comme Piaget, Vygotsky et d'autres psychologues soviétiques ont également étudié les capacités intellectuelles normales et les idées développées par les enfants et ont ensuite tenté de déterminer quels types d'expériences développementales les avaient engendrées.

Valsiner (1988, p. 140) estimait que :

> *La contribution la plus importante de Vygotsky à la psychologie développementale réside dans ses efforts pour doter cette discipline d'une stratégie méthodologique permettant une étude empirique du phénomène développemental (...) Cela implique l'analyse empirique du processus de développement, soit "ouverte" (par exemple, en analysant le dynamisme avec lequel les sujets résolvent le problème expérimental à l'intérieur d'un cadre et avec des ressources données), soit "fermée" comme dans le cas d'efforts pour analyser le processus développemental d'un phénomène déjà existant qui utilise une information disponible).*

Le développement de la pensée et du langage

Au cours de ses recherches, Vygotsky s'est proposé d'analyser les processus de pensée conscients, mais il l'a fait au moyen de mesures nouvellement créées, qui ne dépendaient ni de l'introspection ni «du spiritualisme».

Il a choisi d'étudier, en particulier, les rapports entre la pensée et le langage et a tenté de déterminer laquelle, de trois possibilités, représente idéalement la relation développementale entre pensée et langage. D'abord, la pensée est-elle identique au langage, comme l'avançaient les behavioristes quand ils suggéraient que penser c'est parler en silence ? Ou la pensée est-elle indépendante du langage et autosuffisante, comme de nombreux partisans de l'introspection semblaient le croire, le langage n'étant qu'un simple instrument pour communiquer des pensées aux autres ? Enfin, troisième possibilité, la pensée et le langage sont-ils des fonctions séparées qui peuvent fusionner et s'influencer mutuellement ?

Pour répondre à ces questions, Vygotsky a (1) analysé un grand nombre d'études sur la pensée et le langage, réalisées par des psychologues et des anthropologues d'horizons divers et (2) mené lui-même des recherches sur la pensée et la parole auprès d'enfants, d'adolescents et d'adultes en Union Soviétique. Il a présenté les résultats de ses études sous forme de trois ensembles de conclusions expliquant le développement du langage. Le premier groupe porte sur le développement de la pensée conceptuelle, le second sur le développement du langage et le troisième sur les rapports existant entre ces deux premiers éléments. Nous développerons ces conclusions dans ce qui suit, en considérant toutefois les trois ensembles dans l'ordre inverse, c'est-à-dire en commençant par les rapports entre la pensée et le langage.

Rapport entre le développement de la pensée et le développement du langage

Vygotsky a généralement considéré que la pensée et le langage de l'enfant apparaissent indépendamment l'un de l'autre. On pourrait les représenter sous forme de deux cercles qui ne se touchent pas. L'un représente la pensée non verbale, l'autre la parole non conceptuelle. Au fur et à mesure que l'enfant grandit, les cercles se rencontrent et se chevauchent (figure 11.1). La jonction des deux représente la pensée verbale, ce qui signifie que l'enfant a commencé à acquérir des concepts auxquels il a associé des mots; concept étant ici compris comme une abstraction, une idée qui ne représente pas un objet particulier, mais plutôt certaines caractéristiques de divers objets.

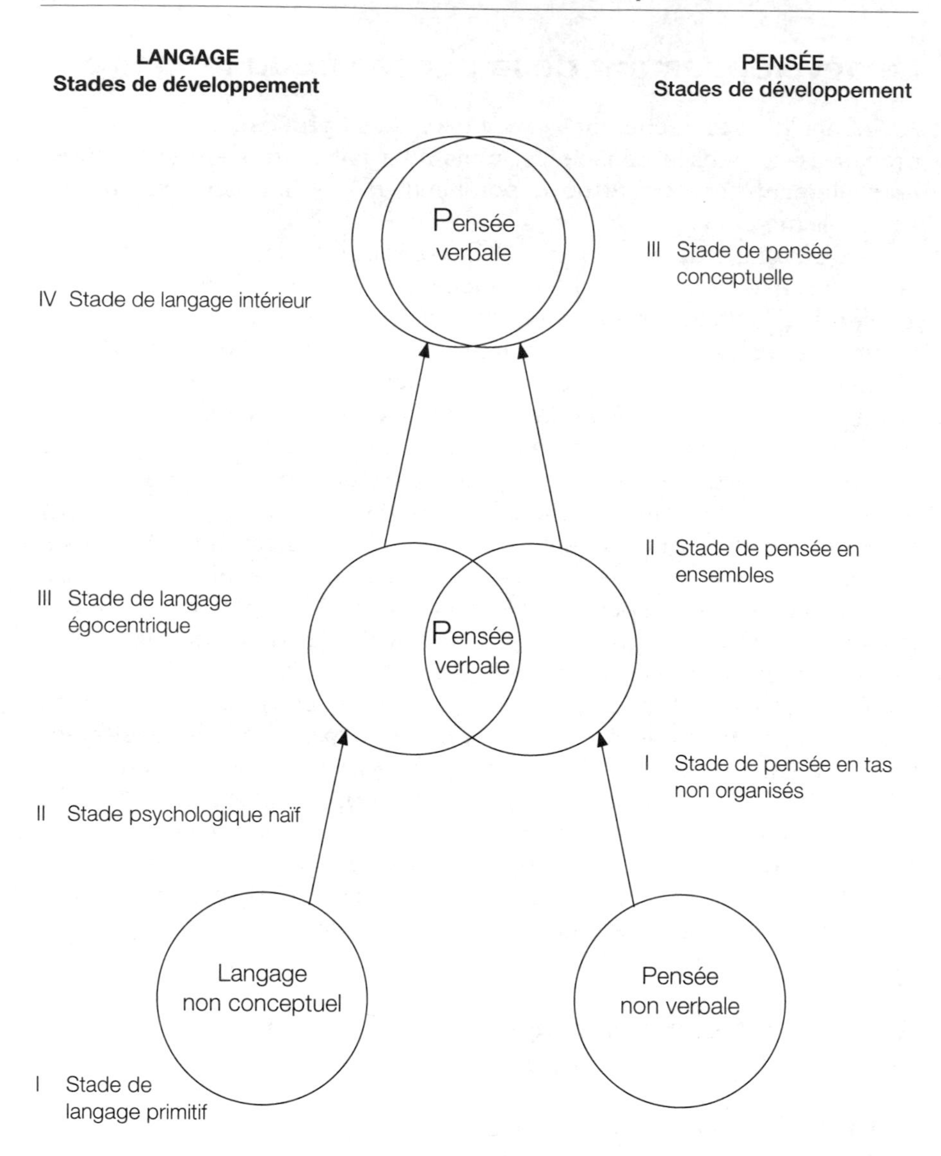

Figure 11.1 — Le mécanisme d'interaction entre la pensée et le langage selon Vygotsky

Les deux cercles ne s'identifient jamais complètement. Quoique leur intersection s'accroisse au fil du développement (particulièrement dans un environnement culturel stimulant), il subsiste toujours une partie de pensée non verbale et une partie de langage non conceptuel. La pensée non verbale chez l'adulte peut, par exemple, se manifester lorsqu'il est habile dans la manipulation. Le langage non conceptuel peut consister à chanter une vieille chanson, réciter un poème ou répéter un numéro de téléphone mémorisé. Il s'agit là d'«activités mentales» qui ne s'intègrent pas au type que Vygotsky a nommé pensée verbale.

La figure 11.1 illustre les relations existant entre la pensée et le langage au cours du développement, mais la coordination réelle entre les deux cercles est probablement bien plus complexe que cela. Vygotsky a admis que le schéma d'interaction n'était pas très clair; il a cependant précisé que :

> *Les progrès au niveau de la pensée et ceux au niveau du langage ne sont pas parallèles. Leurs deux courbes de croissance se croisent et se recroisent. Elles peuvent se redresser et aller de pair, elles peuvent même fusionner pendant un certain temps, pour cependant toujours se séparer ensuite. Ceci s'applique à l'ontogénie comme à la philogénie* (1962, p. 33).

Vygotsky s'opposait aux théoriciens selon lesquels la maturation intérieure de l'enfant pouvait le conduire à une pensée conceptuelle avancée, indépendante de ce qu'on lui enseigne. Tout en admettant le rôle de la maturation intérieure dans le développement, Vygotsky estimait que l'éducation linguistique, tant informelle que formelle, donnée à l'enfant, influence grandement le niveau conceptuel de pensée qu'il atteindra. Si l'environnement linguistique dans lequel évolue l'enfant (conversation directe, communication de masse) est dominé par un langage pauvre, il sera limité dans sa capacité de penser. Inversement, un environnement offrant des concepts variés et complexes permettra aux enfants d'apprendre à penser de façon complexe et variée dans tous les cas où leur équipement biologique initial (organes des sens, système nerveux central) n'est pas déficient.

Elargissant ces considérations théoriques, Vygotsky a suggéré que les stades par lesquels la pensée et le langage d'un enfant évoluent sont les mêmes que ceux par lesquels l'humanité a évolué depuis des millénaires. Ainsi, étudier le développement ontogénétique ne nous aide pas seulement à comprendre l'évolution de la pensée et du langage chez l'enfant, mais constitue également une méthode d'étude du développement phylogénique de l'espèce.

Les stades dans le développement du langage

Vygotsky a pu déduire de ses recherches que le développement de la parole procède par les mêmes étapes et est régi par des lois identiques à celles qui président à d'autres opérations mentales qui ont recours aux signes, par exemple, compter ou mémoriser à l'aide de procédés mnémotechniques (Vygotsky, 1962, pp. 46-47).

Il a nommé le premier de ces quatre stades, le *stade primitif* ou *naturel*. Il correspond à la période qui précède celle où le cercle du langage chevauche celui de la pensée consciente et va de la naissance jusqu'à environ deux ans, selon Vygotsky. Il se caractérise par trois fonctions non intellectuelles de la parole : d'abord des sons, représentant un exutoire émotionnel, tels que des cris de douleur ou de frustration, le gazouillis exprimant le contentement. Ensuite, dès le deuxième mois, à ces bruits émotionnels s'adjoignent d'autres sons qui peuvent être interprétés comme des «réactions sociales» en réponse à la voix ou à l'apparence des autres personnes, comme le rire et des sons inarticulés divers. Au troisième niveau de parole dépourvue de pensée apparaissent les premiers mots de l'enfant, qui sont des substituts aux désirs et aux objets qu'il veut identifier. Ces mots sont appris par conditionnement, c'est-à-dire par leur association fréquente, par les parents, les frères et sœurs ou autres, à des objets.

Vers deux ans, le stade primitif se termine et la seconde période, celle de la *psychologie naïve*, commence. L'enfant découvre que les mots peuvent avoir une fonction symbolique et il le manifeste en demandant fréquemment le nom des choses. Il n'est plus simplement conditionné par les autres dans son identification des objets et des actions, mais il entreprend activement d'obtenir cette information par lui-même. En conséquence, son vocabulaire s'accroît à un rythme rapide. Avec l'apparition du stade naïf, les cercles du langage et de la pensée commencent à fusionner.

Durant cette seconde période, l'enfant fait montre d'un début d'intelligence pratique en reconnaissant les caractéristiques de son environnement et en commençant à employer des outils pour atteindre certains objets désirés. Cependant son langage est considéré comme naïf parce qu'il utilise correctement des structures grammaticales sans connaître les règles qui régissent leurs fonctions.

L'expérience acquise par l'utilisation du langage en relation avec les objets de son environnement permet à l'enfant d'atteindre un troisième niveau, le stade du *langage égocentrique*. Ce dernier constitue l'essentiel du langage de l'enfant en âge préscolaire, particulièrement dans les situations de jeu. Il se concrétise par un monologue ininterrompu qui accompagne les activités de l'enfant, qu'il soit seul ou en compagnie d'autres enfants. Cette forme de langage ne nécessite pas de réponse, étant donné qu'elle ne s'adresse à personne, sinon à celui qui parle. Ce phénomène reconnu a été diversement interprété par de nombreux chercheurs. Pour certains, le langage égocentrique serait une sorte d'accompagnement de la pensée et de l'activité de l'enfant qui joue. Vygotsky, quant à lui, y a vu un nouvel outil de pensée, essentiel non seulement pour l'apprentissage du langage, mais encore parce que ce que l'enfant se dit à lui-même influence ce qu'il pensera; ainsi les deux actions se conjuguent pour produire ensemble une pensée conceptuelle ou verbale.

Pour vérifier cette hypothèse, Vygotsky a imaginé d'introduire des «problèmes» pendant les activités de jeu de très jeunes enfants. Par exemple, au cours d'une activité de dessin, les crayons manqueraient ou le papier serait trop petit ou trop grand. Des observateurs ont ainsi remarqué que le langage égocentrique à ces occasions était plus présent que lorsque les enfants n'étaient pas confrontés à de tels problèmes (Vygotsky, 1962, pp. 16-17). Vygotsky en a conclu que le langage égocentrique n'est pas seulement un relâchement de tension ou un accompagnement inexpressif de l'activité, mais encore un outil important «de pensée dans le vrai sens du terme, c'est-à-dire dans la recherche et la planification de la solution d'un problème» (1962, p. 16).

D'après lui, le langage égocentrique ne disparaît pas nécessairement lorsque l'enfant atteint l'âge de sept ans. Il considère plutôt le déclin du langage égocentrique comme l'annonce du quatrième stade de sa théorie du développement, le stade de *croissance intérieure*, au cours duquel l'enfant apprend à manipuler le langage «dans sa tête», sous forme du langage non articulé, au moyen de la mémoire logique qui fait intervenir des signes intérieurs pour résoudre des problèmes. Tout au long de sa vie, l'individu usera à la fois du langage «intérieur» et du langage «extérieur» comme outils de pensée conceptuelle ou verbale.

En résumé, depuis leur naissance jusqu'à l'âge de 7/8 ans, le langage des enfants passe par quatre stades. Le processus commence avec le langage non intellectuel, sans pensée, qui se développe ensuite en langage naïf, puis en langage égocentrique avant d'atteindre le langage intérieur qui est soudé avec la pensée conceptuelle. Après avoir ainsi détaillé le développement du langage, nous pouvons retracer l'évolution de la pensée telle que l'a décrite Vygotsky.

Les stades du développement de la pensée conceptuelle

Deux étapes majeures caractérisent l'étude du développement de la pensée conceptuelle d'après Vygotsky : (1) l'établissement d'un test, qui révèlerait le processus mis en œuvre par une personne confrontée à la nécessité de créer un concept, suivi de l'application de ce test à des enfants, des adolescents et des adultes et (2) une comparaison entre le modèle de développement établi par ce test et ceux d'autres psychologues. Le but de cette comparaison est de déterminer dans quelle mesure les différences observées, après avoir administré des tests à différentes tranches de population, reflètent les changements dans les processus de pensée qui interviennent au cours du développement.

L'instrument mis au point par Vygotsky (connu sous le nom de «blocs de Vygotsky») pour tester ses sujets est ingénieux. Dans toute l'évaluation du processus de formation de concepts, l'obstacle réside dans l'identification de concepts nouveaux que les enfants doivent produire en situation expérimentale, en veillant bien à ce qu'ils ne les connaissent pas encore. En particulier, il faut s'assurer que les enfants ont maîtrisé le concept et qu'ils n'ont pas seulement mémorisé un mot qui fait penser erronément qu'ils *connaissent* celui-ci.

Vygotsky a résolu ce problème en construisant un ensemble de vingt-deux blocs de bois de différentes couleurs, formes, hauteurs et dimensions. Ces caractéristiques varient, de sorte qu'aucun bloc n'est tout à fait pareil à un autre. Sur la surface de base de chaque bloc est inscrit l'un de ces quatre mots absurdes : *lag, bik, mur, cev*. Indépendamment de la forme ou de la couleur de ceux-ci, *lag* apparaît sur tous les blocs hauts et grands, *bik* sur tous les blocs grands et plats, *mur* sur les blocs hauts et petits, et *cev* sur tous les blocs petits et courts. Chaque test commence quand l'examinateur étale les blocs devant l'enfant dans un mélange confus; il retourne alors un bloc et demande à l'enfant de choisir tous les blocs qu'il estime être de la même espèce, c'est-à-dire ceux qui portent la même inscription. Quand l'enfant a fait son choix, l'examinateur retourne à dessein l'un des blocs choisis par erreur et montre à l'enfant qu'il ne porte pas le bon mot. L'enfant est invité à refaire l'exercice à plusieurs reprises, jusqu'à ce qu'il ait résolu le problème. Trouver la solution correcte requiert de l'enfant qu'il reconnaisse que le mot donné représente un concept composé de deux dimensions du bloc : sa hauteur et sa longueur. Comme aucun mot simple du langage ne représente ce «concept combiné», l'enfant ne peut l'avoir vu ou mémorisé avant l'expérience (Vygotsky, 1962, pp. 56-57).

Tout au long de l'expérience, l'examinateur observe attentivement toutes les combinaisons choisies par l'enfant, car la nature de chacune de celles-ci reflète la stratégie de pensée à laquelle il a recours. Utiliser le problème des blocs avec des sujets d'âges différents a permis à Vygotsky d'établir une hiérarchie consistant en trois stades majeurs par lesquels les enfants passent pour atteindre la vraie pensée conceptuelle; ils se situent entre les années préscolaires et la mi-adolescence.

La pensée conceptuelle est en fait un moyen d'organiser son propre environnement en faisant appel à l'abstraction et en nommant une qualité commune à deux phénomènes ou plus. Les étapes principales dans l'organisation intellectuelle des phénomènes perçus sont : (1) groupement d'objets en tas non organisés (2) répartition d'objets en ensembles complexes et (3) début de pensée au moyen de concepts réels. Mais, même lorsque l'adolescent acquiert la faculté de penser conceptuellement, il n'abandonne pas complètement les deux premières formes de pensée; elles sont simplement moins sollicitées, mais réapparaissent à l'occasion. Les trois stades et sous-stades de pensée proposés par Vygotsky sont les suivants :

Stade 1 : pensée basée sur des groupements non organisés

Durant cette période, des objets sont regroupés; parfois même, un nom est donné au groupe, sur base de ces associations de hasard élaborées à partir de la perception de l'enfant.

Sous-phase 1-a : *Groupement par tâtonnement.* Les groupes sont créés tout à fait au hasard.

Sous-phase 1-b : *Organisation par champ visuel.* L'enfant donne un nom à une série d'objets qu'il a regroupés sur base de leur localisation dans le temps ou l'espace.

Sous-phase 1-c : *Tas reformé.* L'enfant établit d'abord des regroupements sur la base des deux premières sous-phases, puis, insatisfait, tente de reformer ces agencements en modifiant la disposition des éléments qui les constituent. Mais les objets restent dissemblables dans leur essence.

Stade 2 : pensée basée sur des groupements en ensembles complexes

Des objets isolés sont réunis dans l'esprit de l'enfant non seulement par des impressions subjectives, mais encore par des liens réels existant entre ceux-ci. Ceci manifeste un détachement par rapport à la pensée égocentrique et une progression vers une plus grande objectivité. Dans de tels ensembles, les liens entre les diverses composantes sont «concrets» et «factuels» plutôt qu'abstraits et logiques. Cinq types de groupements se succèdent au cours de ce même stade de pensée.

Sous-phase 2-a : Ensembles *associatifs* basés sur tout lien observé par l'enfant, par exemple, la couleur, la forme, la proximité des objets les uns par rapport aux autres.

Sous-phase 2-b : *Regroupements* complexes effectués plutôt sur base d'un contraste que d'une ressemblance. Par exemple, un couteau, une fourchette, une cuillère, un plat, une tasse et une soucoupe constitueraient un groupe de collection complexe.

Sous-phase 2-c : Ensembles en *chaîne* comprenant la réunion d'items particuliers pour lesquels un lien significatif n'est nécessaire qu'entre un maillon et le suivant (comme dans le jeu de domino). Par exemple, un grand bloc vert peut être lié à un grand bloc rouge, puis un petit bloc rouge et rond peut être suivi par un bloc rond et jaune de taille moyenne.

Sous-phase 2-d : Ensembles *diffus* contenant des sous-ensembles au sein desquels règne une flexibilité dans le critère qui rassemble les éléments isolés. L'enfant peut, par exemple, mettre des triangles ensemble, puis leur rajouter un trapèze dont les pointes lui rappellent celles du triangle.

Sous-phase 2-e : Ensembles de *pseudo-concepts* qui, à première vue, semblent être des groupements basés sur la vraie pensée conceptuelle. Cependant, lorsqu'il est interrogé, l'enfant montre qu'il n'est manifestement pas encore capable de raisonner valablement sur les conditions de groupement. Ainsi, s'il a mis tous les blocs rouges ensemble et que l'expérimentateur a retourné deux blocs pour montrer qu'ils ne portent pas le même nom (un est *mur* et l'autre est *bik*), l'enfant est incapable d'abandonner son idée première pour chercher une autre caractéristique qui puisse réunir les blocs en question. La pensée pseudo-conceptuelle est un passage transitoire entre la pensée par ensembles et la pensée basée sur de vrais concepts.

Vygotsky a établi une distinction importante entre les pseudo-concepts et les vrais concepts. La vraie pensée conceptuelle requiert que l'enfant groupe spontanément des objets à partir de caractéristiques abstraites qu'il perçoit, et non pas sur la base de dénominations préétablies qu'on lui a appris à utiliser lors d'autres activités de regroupements. Vygotsky a expliqué que de là provient le fait que beaucoup d'adultes croient, à tort, que les enfants pensent conceptuellement. A ce propos, il écrivait :

> *Les pseudo-concepts prédominent sur tous les autres ensembles dans la pensée de l'enfant d'âge préscolaire pour la simple raison que, dans la vie réelle, les ensembles correspondant aux significations des mots ne sont pas spontanément développés par l'enfant : les lignes le long desquelles se développe un ensemble complexe sont pré-déterminées par le sens qu'un mot possède déjà dans le langage des adultes* (1962, p. 67).

Stade 3 : pensée basée sur des concepts

Pour parvenir à ce stade final, deux voies du développement de la pensée ont convergé : ce sont la synthèse et l'analyse, ce qui rend la pensée conceptuelle possible.

La première fonction impliquée dans la pensée complexe est la répartition par ensembles ou la synthèse de phénomènes qui présentent des aspects communs. La deuxième voie conduisant à la pensée conceptuelle suit le processus de séparation ou d'analyse des phénomènes en les dissociant ou en faisant abstraction de certains de leurs elements. D'apres Vygotsky, ces deux processus, *unir* et *séparer*, interviennent au cours du développement de l'enfant. Nous avons déjà évoqué le processus de synthétisation. Nous allons, à présent, aborder celui de l'abstraction ou de l'analyse.

Au cours de ses expériences, Vygotsky a situé le début de l'abstraction au moment où les enfants identifient certaines ressemblances entre les objets. Par exemple, ils choisissent deux blocs qui sont à la fois hauts et jaunes ou à la fois courts et verts. Mais, comme une telle paire de blocs diffère aussi pour sa forme ou sa dimension, le processus d'abstraction de l'enfant est quelque peu incomplet. A cet âge en effet, l'enfant néglige les différences et met l'accent sur les similarités qu'il a tout d'abord identifiées. Au stade suivant de l'abstraction, il sélectionnera une caractéristique simple au moyen de laquelle il pourra grouper les objets par exemple, il choisira uniquement des blocs verts ou bien des grands blocs. Vygotsky a indifféremment regroupé ces différents types de sélections sous l'appellation de *concepts potentiels.*

L'enfant parvient à l'étape finale de la pensée conceptuelle lorsqu'il établit une nouvelle combinaison de traits purement abstraits, une synthèse, stable et convaincante dans son esprit et cette synthèse «devient le principal instrument de la pensée» (Vygotsky, 1962, p. 78). L'enfant, devenu maintenant un jeune adolescent, considère son environnement en termes de synthèse et d'analyse. Cependant, même parmi les adolescents, la pensée conceptuelle a un caractère instable, moins cependant pour des situations concrètes mettant en cause des objets existants que pour des situations exclusivement verbales. De fait, il n'y a pas d'interruption brutale entre un mode de pensée et un autre. Tandis que l'enfant commence à parvenir à la pensée conceptuelle, son mode de réflexion en ensembles complexes continue quoiqu'il diminue en fréquence. Un individu, même adulte, n'est jamais un penseur conceptuel à part entière.

Tout au long de ce processus de développement mental, le langage a servi d'outil ou de médiateur pour l'activité de pensée. L'opération intellectuelle de la formation des concepts, selon Vygotsky (1962, p. 81), «est guidée par l'utilisation de mots comme moyens de centrer activement l'attention, d'abstraire certains traits, de les synthétiser et de les symboliser par un signe».

Comme nous l'avons vu, après avoir mené ses expériences avec les blocs et établi sa hiérarchie des actes mentaux conduisant à la vraie formation de concepts, Vygotsky a étudié le développement linguistique des enfants en se basant sur les processus de pensée des peuples les moins occidentalisés et sur la nature des langues en tant que telles. La comparaison des résultats de ses propres expériences avec la documentation professionnelle traitant du même sujet l'a convaincu que les stades tels qu'il les avait décrits étaient la représentation exacte du développement de la pensée conceptuelle. Il en a même conclu qu'une part significative de la problématique «pensée/langage» avait été résolue.

Ce sont là les lignes générales de la théorie de Vygotsky. Cependant, beaucoup considèrent ce modèle comme une théorie inachevée, bien qu'y figurent force détails, et que chaque proposition soit étayée par une masse d'évidences empiriques. Comme l'a écrit Jerome S. Bruner (dans Vygotsky, 1962, p. viii), le livre *Pensée et Langage* est plus «programmatique que systématique». Vygotsky aurait trouvé les pièces d'un jeu sans permettre à sa théorie ou «programme» de prendre la forme d'un assemblage final.

Considérations importantes sur le développement

A côté de son étude sur le développement de la pensée et du langage, Vygotsky a développé quelques notions particulières qui mettent d'autres aspects de sa théorie en lumière. Suivent ci-dessous quelques-unes de ses descriptions des diverses formes possibles du développement de l'enfant au seuil de l'adolescence.

Structures et fonctions

A chaque niveau de développement, la manière dont l'enfant interagit avec le monde est déterminée par les *structures* de sa personnalité à ce moment précis. Une structure donnée prédispose l'enfant à agir d'une manière particulière. Par *fonction*, Vygotsky entend, semble-t-il, la manière dont l'enfant interprète le monde et lui répond. Les premières structures que l'on trouve chez le nourrisson et le tout-petit sont qualifiées d'*élémentaires*. Elles ont leur siège dans les réflexes conditionnés et inconditionnés, dans la nature biologique de base de l'individu et leurs fonctions «sont totalement et directement déterminées par la stimulation de l'environnement» (Vygotsky, 1978, p. 39). A mesure que l'enfant grandit, il parvient à de nouvelles étapes, au cours desquelles de nouvelles structures sont érigées, créant par là même des potentialités pour de nouvelles fonctions. Vygotsky a appelé celles-ci les «structures élevées», celles qui émergent dans le processus du développement culturel et utilisent des signes (langage) et des outils. Alors que les fonctions élémentaires consistent dans la réaction de l'enfant aux stimuli de l'environnement, dans le cas des «structures élevées, le motif central est la stimulation auto-générée, c'est-à-dire la création et l'utilisation de stimuli artificiels qui deviennent les causes immédiates du comportement» (Vygotsky, 1978, p. 39). L'enfant plus âgé «pense» aux choses à faire et il emploie désormais langage et outils dans la poursuite de la réalisation de ses besoins.

Vygotsky a émis l'hypothèse selon laquelle, à mesure qu'un enfant évolue d'une structure plus élémentaire vers une autre plus complexe, le processus, à chaque étape du développement, comporte la même séquence d'événements :

Le stade initial est suivi par la destruction de la première structure, la reconstruction et la transition vers des structures de type plus élevé (...) Des fonctions psychologiques plus élevées ne se superposent pas comme un second étage aux processus élémentaires; elles représentent de nouveaux systèmes psychologiques (Vygotsky, 1978, p. 124).

La mémoire

En accord avec les concepts des niveaux de structures et de fonctions plus ou moins élevées, Vygotsky a défini deux types de mémoire distincts. Le plus bas, correspondant aux structures élémentaires et qui domine le comportement intellectuel du jeune enfant, a été appelé *mémoire naturelle*. Celle-ci consiste pour une personne à retenir des images mentales d'expériences réelles et d'objets. De telles «traces mémorielles» qui rassemblent des images et des sons dans l'esprit ont été révélées par des études basées sur l'enregistrement photographique des événements par les jeunes enfants. La *mémoire naturelle* est la plus fondamentale des formes de cognition : elle est «la caractéristique définitive des premiers stades» du développement mental (Vygotsky, 1978, p. 51).

Contrastant avec la mémoire naturelle, la *mémoire abstraite* implique que l'enfant maîtrise désormais les signes qui constituent le langage. Les objets et les événements peuvent être symbolisés par des mots ou des chiffres et ces symboles peuvent eux-mêmes être utilisés pour former de nouvelles significations. L'enfant plus âgé développe des concepts en découvrant une qualité commune à des événements variés et en comprenant les principes qui régissent les rapports existant entre différents concepts. Pour l'adolescent, se souvenir n'est pas simplement un rappel d'images. Comme Luria (1976, p. 11) l'a expliqué, «alors que le jeune enfant pense en se souvenant, un adolescent se souvient en pensant».

La perception

A mesure que l'enfant se développe, sa perception progresse d'une forme naturelle à des formes élaborées dont le langage est le médiateur. L'enfant qui ne parle pas encore semble percevoir seulement les domaines visuel et auditif qui sont immédiatement présents. Puis, à mesure que le langage s'acquiert, l'enfant gagne davantage de contrôle sur ses actes et sur la manière dont il perçoit. Vygotsky en a conclu que la fonction principale de la parole chez l'enfant était d'appliquer des noms aux choses pour déterminer ainsi l'objet de son environnement et imposer ainsi un peu de ses propres structures à ce domaine sensoriel naturel. L'enfant accompagne ses premiers mots de gestes expressifs, compensant manifestement par le mouvement ses déficiences dans le langage et en communication.

A un stade plus avancé du développement, les fonctions de la parole en tant qu'instrument de synthèse produisent des formes de perception plus complexes. La parole libère l'enfant du champ immédiat de vision :

> *Les éléments indépendants dans le champ visuel sont simultanément perçus; dans ce sens, la «perception visuelle est intégrale». D'un autre côté, la parole requiert un processus ordonné. Chaque élément est étiqueté séparément et connecté alors dans une structure de phrase, «rendant le langage essentiellement analytique»* (Vygotsky, 1978, p. 33).

Ces quelques exemples résument de manière significative le point de vue de Vygotsky qui considérait l'acquisition du langage comme essentielle au développement de processus cognitifs plus évolués. Et, en accord avec sa vision marxiste de l'environnement social, il mettait en avant l'aspect décisif de la culture linguistique dans laquelle un enfant est élevé pour son rôle déterminant dans l'orientation et l'étendue de son développement intellectuel. L'histoire d'une société particulière et l'expérience individuelle de l'enfant au sein de cette culture façonnent ses aptitudes cognitives.

Principaux thèmes de la théorie développementale soviétique

Davidov (1985), à l'issue d'une étude reprenant les points forts des travaux des psychologues soviétiques de la première moitié de ce siècle, a surtout retenu le rôle crucial de l'activité à chaque stade du développement de l'enfant. Par *activité*, nous entendons le fait, pour une personne, d'entreprendre une action qui a pour but d'agir sur le monde et dont le produit peut être transformé dans la structure de l'intellect de l'individu. Plus spécifiquement, un enfant s'engage dans un type particulier d'interaction sociale avec d'autres individus appartenant à la même culture que lui; cette activité est accompagnée par le langage ou par d'autres signes qui représentent l'activité. Les signes alors intériorisés modifient certaines des structures mentales de l'individu qui, en retour, produisent de nouvelles fonctions psychiques lui permettant d'interagir avec le monde.

A la base d'une telle théorie réside le concept de la hiérarchie des types d'activités; une *activité dominante* ou *activité directrice* domine la hiérarchie de chacun des stades du développement. Aussi, chaque période du développement humain est régie par une activité directrice particulière. Le changement d'une activité dominante occasionne une modification dans la perception et annonce la transition d'un stade à un autre. Une activité directrice est caractérisée comme suit : (1) elle est le facteur principal qui détermine une période donnée dans le développement psychologique de l'enfant, (2) c'est dans les limites de cette activité que des fonctions psychiques particulières émergent et (3) c'est à partir de cette activité que se constitue l'activité dominante du stade ultérieur.

Cette notion d'activités successives dominantes témoignant que des changements interviennent au cours des années a été décrite sous forme d'une série de stades développementaux dont la version la mieux connue est présentée par Vygotsky et Elkonin (Davidov, 1985; Elkonin dans Cole, 1977, pp. 538-563). D'après ce modèle, il existe six niveaux de croissance, répartis comme suit :

1. *Contact intuitif et émotionnel entre enfant et adultes* (petite enfance, de la naissance à 1 an). Les types fondamentaux de développement psychologique produites par ce contact incluent, d'une part, un besoin d'interaction avec les autres et une attitude émotionnelle envers eux et, d'autre part, l'acte de préhension des objets et une série d'activités perceptuelles.
2. *Activité de manipulation d'objets* (première partie des années préscolaires, de 1 à 3 ans). Les enfants manipulent les objets et, grâce à leur interaction avec les adultes, développent un certain niveau de compétence langagière ainsi qu'une pensée visuelle et perceptive.
3. *Activité de jeux* (deuxième phase des années préscolaires, de 3 à 7 ans). L'enfant s'engage dans des fonctions symboliques et fait intervenir son imagination créatrice dans ses activités en même temps qu'il développe une certaine compréhension de la coordination sociale et de la gestion des entreprises de groupe.
4. *Activité d'apprentissage* (années d'école élémentaire, de 7 à 11 ans). Les enfants développent des approches théoriques pour appréhender le monde des choses, une fonction qui les oblige à considérer les lois objectives de la réalité et chercher à discerner les pré-requis psychologiques de la pensée théorique abstraite (opérations mentales intentionnelles, schèmes mentaux pour la solution de problèmes, pensée réfléchie).
5. *Activité de communication sociale* (début de l'adolescence, de 11 à 15 ans). Les adolescents acquièrent à ce niveau les capacités de communication nécessaires pour résoudre les problèmes de la vie de tous les jours, mais aussi pour comprendre le point de vue d'autrui et se soumettre consciemment aux règles sociales.
6. *Activité d'apprentissage vocationnel* (adolescence, de 15 à 17 ans). Le jeune développe des intérêts cognitifs et vocationnels nouveaux; il comprend les éléments du travail de recherche et il élabore des projets de vie.

Lors du passage d'un stade de développement à l'autre, la stabilité des modes de pensée de l'enfant et la nature de ses interactions avec le monde est discontinue. Des moments de crise peuvent surgir quand une activité principale cesse de dominer les intérêts de l'enfant et que celui-ci tente d'aborder les prérequis de l'activité suivante qui occupera désormais un rôle primordial. Aussi le développement est-il composé de cycles de stabilité alternant avec des crises transitionnelles.

Davidov (1985) a identifié cinq types d'intérêts majeurs qui focalisent de plus en plus l'attention des développementalistes soviétiques. Ce sont : (1) les concepts de base du développement humain et la manière dont l'intellect des individus évolue, (2) la manière dont le développement historique d'une société peut influencer le développement intellectuel des individus qui la composent, (3) la création d'une théorie complète du développement intellectuel qui intègre les activités principales des stades successifs du développement, (4) l'utilisation de méthodes d'étude applicables à toutes les périodes critiques de développement et (5) l'étude du développement intellectuel des personnes d'âge moyen et plus âgées.

Applications pratiques

Dans une organisation où tous les aspects, qu'ils soient scientifiques, structurels, artistiques, pédagogiques, sociaux sont destinés à promouvoir des objectifs socio-politiques marxistes/léninistes, les psychologues développementalistes ont nécessairement dirigé leurs efforts vers la résolution des problèmes de société. Vygotsky et ses collègues ont, semble-t-il, adhéré à ce programme avec enthousiasme en appliquant les résultats de leurs études à l'amélioration du sort des handicapés physiques et mentaux, en alphabétisant la population, en améliorant les méthodes d'instruction dans les écoles en augmentant le niveau de fonctionnement intellectuel des groupes défavorisés de la société (Luria, 1976) et en promouvant de meilleures pratiques éducatives en général.

Dans leur formulation des fondements théoriques de ces entreprises à visée pratique, Vygotsky et ses collègues se sont souvent écartés des vues européennes et américaines, comme l'illustre l'exemple suivant, relatif au test d'aptitude. Traditionnellement, on porte un jugement sur le niveau développemental d'un enfant sur base de ses réponses à des tests d'aptitude et d'intelligence et sur la manière dont il réagit face aux tâches piagétiennes. Cette évaluation informe l'éducateur quant à l'orientation à donner à son instruction : une performance satisfaisante démontre que l'enfant atteint le niveau de pensée nécessaire pour aborder un type d'apprentissage donné; au contraire, si le développement intellectuel est apparu insuffisant pour poursuivre la tâche d'apprentissage proposée, celle-ci est alors reportée à une date ultérieure.

Cependant, Vygotsky s'opposait à cette procédure et a considéré qu'il était important de proposer à l'enfant deux épreuves développementales afin de déterminer dans quelle mesure une certaine forme d'apprentissage lui serait malgré tout profitable. Le niveau le plus bas, qu'il a appelé le *niveau réel* de développement, correspondait à celui établi par des tâches piagétiennes qui indiquent le stade de développement déjà atteint. Mais Vygotsky estimait qu'il ne s'agissait pas là d'un bon indicateur de la manière dont un enfant peut apprendre quelque chose de nouveau avec l'aide d'un instructeur. A côté du développement qui a été atteint subsiste celui qui poursuit son évolution et cet apprentissage potentiel n'est pas révélé adéquatement par les tests traditionnels. Il se révèle plutôt durant le processus d'éducation de l'enfant au gré des observations effectuées, comme lorsque celui-ci répond à des questions importantes ou suite aux suggestions d'un bon instructeur. Des études menées par Vygotsky et ses collaborateurs ont vérifié cette hypothèse, ce qui les a conduits à identifier un deuxième niveau développemental situé au-delà du «niveau réel» : la *zone de développement proximal* :

> *C'est la distance entre le niveau développemental réel tel qu'il est déterminé par la résolution indépendante de problèmes et le niveau de développement potentiel tel qu'il est déterminé au cours de résolutions de problèmes, sous le contrôle d'adultes ou en collaboration avec des pairs plus avancés* (Vygotsky, 1978, p. 86).
>
> *La zone de développement proximal définit ces fonctions qui ne sont pas encore mûres mais en voie de maturation, fonctions qui mûriront à l'avenir, mais qui sont présentement à un stade embryonnaire. Ces fonctions pourraient être appelées «les boutons» ou les «fleurs» plutôt que les «fruits» du développement. Le niveau de développement réel caractérise le développement mental antérieur alors que la zone de développement proximal caractérise le développement mental ultérieur* (Vygotsky, 1978, pp. 86-87).

Une telle notion d'aptitude, quand elle est appliquée à des situations d'enseignement concrètes, influence de manière significative les choix de l'éducateur quant au type d'activités d'apprentissage qu'il propose aux enfants. Fort de ces connaissances, il va opter pour des activités d'apprentissage qui stimuleront le développement proximal.

Perspectives de recherche

Le nombre considérable de questions à débattre découlant des théories soviétiques résulte de l'interaction de plusieurs facteurs. Le premier en importance se rapporte aux hypothèses fondamentales sur la nature du rapport entre l'homme et la société sous un régime marxiste. D'après la plus marquante de celles-ci, l'état actuel de développement d'un individu est déterminé par son histoire développementale, influencée surtout par les forces de l'environnement plutôt que par l'hérédité. Une autre hypothèse de base dérive de la croyance marxiste selon laquelle l'évolution de la société est produite par une confrontation dialectique de forces. Lorsque cette dernière s'applique aux individus, la progression de l'intelligence humaine peut être interprétée comme étant le résultat de la confrontation entre les tendances mentales et les résolutions subséquentes de conflits par l'enfant qui parvient à un stade plus avancé de la pensée. Les psychologues soviétiques, sur base de telles hypothèses, ont cherché à identifier les types de forces, présentes dans l'environnement, qui sont les plus influentes dans l'avancement du développement mental.

Un second facteur pratique qui affecte continuellement la nature de la recherche soviétique consiste à avoir recours à la science du développement humain pour faire progresser la révolution sociale marxiste. Cet objectif qui revient à maximiser le rôle des individus dans l'avancement de la cause de la révolution a encouragé les développementalistes à multiplier leurs études expérimentales avec des enfants, tant lors de situations réelles variées qu'en laboratoire.

Un troisième facteur fait référence à l'ingéniosité remarquable de scientifiques tels Vygotsky qui ont considéré le comportement des enfants sous diverses perspectives et qui ont ainsi proposé de nouveaux éclairages à des comportements qui avaient été interprétés différemment par les précédentes générations de psychologues. Par exemple, l'idée que le *jeu* implique des situations imaginaires n'était pas nouvelle à l'époque de Vygotsky, mais il a innové par la manière dont il a perçu cette faculté d'imagination en relation avec d'autres aspects ludiques. Ses études sur le jeu des enfants l'ont convaincu que celui-ci n'est pas toujours agréable (comme, par exemple dans le cas où l'enfant perd une course), mais qu'il a néanmoins toujours pour but de satisfaire des besoins. Il a émis l'hypothèse que l'enfant fait appel au jeu au moment où il commence à avoir des aspirations irréalisables. Son immaturité et les pressions sociales l'empêchent de satisfaire directement ses besoins, il crée donc des situations imaginaires dans lesquelles ses désirs peuvent être concrétisés sous forme de jeu. Vygotsky a encore suggéré qu'il n'existe pas de jeu sans règles et que l'imagination et les règles sont indissociables des caractéristiques du jeu. De même que toute situation imaginaire pour le jeune enfant contient des règles sous une forme voilée, «chaque jeu contient une situation imaginaire sous une forme cachée. Le passage de jeux comportant une situation imaginaire ouverte et des règles cachées à une autre forme de jeux ayant des règles apparentes et des situations imaginaires cachées indique qu'il y a eu une évolution du jeu chez l'enfant» (Vygotsky, 1978, p. 96).

Lorsqu'un théoricien émet de telles considérations à propos du jeu, il ouvre la voie à de nouvelles pistes de recherche. Il est vrai que toutes les formes de ce que nous appelons intuitivement «*jeu*» impliquent à la fois des conditions imaginaires et des règles. Mais, s'il en est ainsi, comment et pourquoi celles-ci varient-elles d'un niveau d'âge à un autre ? Quelles exigences, en termes de fonctions intellectuelles, les formes du jeu impliquent-elles ? Dans quelle mesure les enfants inventent-ils de nouveaux types de jeux ou des variations sur des jeux déjà existants et pourquoi innovent-ils de la sorte ? Le jeu est-il réellement l'activité principale des années préscolaires dans toutes les cultures ? Et au delà de ce stade, quel rôle le jeu assure-t-il en tant qu'activité subsidiaire et pourquoi ? Le jeu fonctionne-t-il différemment d'une société à l'autre, est-il tributaire des différences entre les sociétés dans leurs niveaux de développement historique (la chasse et la cueillette par rapport à l'agriculture, l'agriculture par rapport à l'industrie, le capitalisme par rapport au communisme) ?

De même, d'autres propositions théoriques des soviétiques ont ouvert de nouveaux champs d'investigation sur les relations entre la pensée et le langage, sur l'influence de l'usage d'un mode linguistique élaboré ou non sur les formes de pensée cognitive et sur l'effet du niveau développemental d'une société sur le début de la puberté ou celui de l'âge adulte, pour ne citer que quelques exemples.

Depuis que les écrits de psychologues soviétiques ont été diffusés à l'extérieur du bloc communiste dans les années 60 et 70, les développementalistes du monde entier s'y sont plongés, en quête de sujets de recherche. Il semble probable que cette influence des modèles soviétiques sur la communauté psychologique internationale va se poursuivre, en particulier grâce aux récents changements intervenus sur la scène politique européenne au cours de ces dernières années.

La théorie de Vygotsky : une évaluation

Les neuf critères d'appréciation présentés au chapitre 1 vont nous permettre d'évaluer la théorie de Vygotsky.

Celle-ci obtient une appréciation élevée pour la précision avec laquelle elle reflète le monde réel de l'enfant (critère 1). Elle propose en effet les résultats d'expériences menées par Vygotsky avec des enfants de tous âges, de même que les conclusions d'études effectuées dans d'autres pays. Nous aurions attribué une cote plus élevée au critère 1 si sa théorie avait été davantage supportée par des données issues d'études spécifiquement mises au point pour vérifier ses hypothèses (1) au moyen de méthodes expérimentales, à côté des méthodes auxiliaires utilisées, tels que «les blocs de Vygotsky» et (2) sur des enfants provenant d'environnements culturels plus diversifiés.

La théorie est clairement décrite (critère 2) particulièrement dans sa version en langue anglaise, qui semble avoir bénéficié d'une restructuration par les traducteurs.

Le modèle de Vygotsky explique le passé et prédit les formes que prendront le développement de la parole et de la pensée chez les enfants en général. Cependant, elle ne procure pas (tout au moins sous la forme décrite dans *Pensée et Langage*) un moyen d'analyser l'influence spécifique des facteurs de causalité, ce qui permettrait d'évaluer le progrès vers la pensée conceptuelle d'un enfant particulier. C'est pourquoi nous ne lui avons octroyé qu'une cote moyenne pour le critère 3.

Des implications pratiques pour l'éducation de l'enfant (critère 4) figurent dans les ouvrages de Vygotsky sous forme de suggestions pour l'enseignement des concepts scientifiques. Mais, comme plus haut, nous estimons que sa théorie, en tant que méthode pédagogique, est limitée par le fait qu'elle ne précise pas de quelle manière les facteurs de causalité se combinent dans la vie d'un enfant donné pour déterminer le développement intellectuel qui lui est propre. D'où le résultat moyen que nous lui avons attribué pour ce quatrième point.

Nous n'avons pas trouvé d'inconsistance dans le modèle de Vygotsky (critère 5) et sa théorie semble économique (critère 6), en ce sens qu'elle ne propose pas de mécanismes théoriques complexes pour rendre compte de phénomènes qui pourraient être expliqués de manière simple. Nous pensons, cependant, qu'un plus grand nombre d'éléments et une meilleure explication de leurs modes d'interactions auraient été nécessaires pour expliquer les résultats obtenus lors du test effectué avec des blocs. Cependant, comme l'a observé Bruner, la théorie telle qu'elle apparaît dans *Pensée et Langage* est «plus programmatique que complète et systématique». A la mort de Vygotsky, elle était encore à l'état de simple structure. Notre estimation moyenne pour ce critère 6 résume notre opinion selon laquelle la théorie est économique dans son ensemble, mais pauvre en détails.

Nous pensons, en ce qui concerne la vérifiabilité (critère 7), que toutes les hypothèses et propositions de Vygotsky, de même que ses stades de développement peuvent être contrôlés d'une manière expérimentale afin de déterminer si tous sont effectivement valides.

En tant qu'instigatrices de nouvelles découvertes (critère 8), les propositions théoriques de Vygotsky sont apparemment reconnues en Union Soviétique (Luria, 1976, pp. V, 11-12; Vygotsky, 1962, pp. IX-X). Depuis la diffusion de son œuvre dans les pays de l'Ouest, de nouvelles études et des projets de recherche publiés hors de l'Union Soviétique ont vu le jour. Pendant une période de près de vingt ans, de 1964 à 1982, la revue américaine *Psychological Abstract* rapportait seulement trente-quatre articles dérivant du modèle de Vygotsky. De 1983 à 1990, plus de cent vingt articles inspirés de cette théorie ont été publiés. Les propositions de Vygotsky semblent exercer une influence croissante sur la communauté psychologique mondiale, ce qui explique la cote élevée que nous lui avons attribuée pour ce critère.

Tableau 11.1 — La théorie de Vygotsky

Comment la théorie de Vygotsky répond-elle aux critères ?

Les critères	Très bien	Assez bien	Très Mal
1. Reflète le monde réel des enfants		X	
2. Se comprend clairement	X		
3. Explique le développement passé et prévoit l'avenir		X	
4. Facilite l'éducation		X	
5. A une logique interne	X		
6. Est économique		X	
7. Est vérifiable	X		
8. Stimule de nouvelles découvertes	X		
9. Est satisfaisante en elle-même		X	

En conclusion, en dépit de quelques réserves, nous estimons que la théorie de la pensée et du langage de Vygotsky est assez satisfaisante (critère 9). Comme indiqué précédemment, nous terminons ce chapitre par une présentation de la théorie de Roger Brown et de quelques scientifiques qui ont mené des recherches importantes au cours de ces vingt ou trente dernières années, dans le domaine de l'acquisition du langage.

Les idées de Brown sur l'acquisition générative du langage

Pendant des siècles, on a considéré le langage humain, écrit ou parlé, comme étant un moyen d'avoir une vue privilégiée sur les opérations de l'esprit. Guidés par ce même point de vue, nous avons fait figurer dans cette partie consacrée au développement cognitif un bref résumé de la théorie de Roger Brown.

En 1957, Noam Chomsky, professeur de linguistique à l'Institut de Technologie du Massachusetts, publiait les *Structures syntaxiques* provoquant un certain émoi dans le monde des psycholinguistes. Il faut dire qu'avant cette publication, la plupart des analyses portant sur les formes des phrases n'étaient envisagées qu'en fonction de ce qu'on appelle à présent la grammaire traditionnelle. Pour Chomsky, ces analyses traditionnelles n'étaient pas très utiles pour expliquer le processus de pensée par lequel les individus génèrent des phrases pour se faire comprendre. Il a constaté qu'on pouvait exprimer une même idée de plusieurs façons sans déroger aux règles grammaticales. Il a ainsi été amené à penser que, sous des énoncés sémantiquement identiques quoique structuralement différents, il devait y avoir une structure de base particulière, une *structure profonde*, à partir de laquelle toute phrase serait créée. En analysant toutes sortes de phrases (structures superficielles), Chomsky a élaboré un ensemble de règles grâce auxquelles les gens pourraient extraire de la structure profonde les chaînes de mots dont ils ont besoin pour exprimer leurs idées. Cet ensemble de règles est connu sous le nom de *grammaire transformationnelle*.

Depuis les années 60, presque toutes les théories sur l'acquisition du langage tiennent compte de cette *structure profonde* et de l'ensemble de règles par lesquelles chacun génère sa propre séquence de règles. Des recherches ont été effectuées dans toutes les langues et des théories antagonistes ont vu le jour. Roger Brown (né en 1924) de l'Université de Harvard est à son tour descendu dans l'arène, pour constituer son propre corpus d'énoncés d'enfants, proposer un modèle d'acquisition du langage et établir des comparaisons critiques entre sa théorie et celles d'autres chercheurs.

Mise au point de la théorie de Brown

Pour mener ses recherches, Brown s'est fondé exclusivement sur la capacité des enfants à générer du *langage parlé* plutôt que sur leur capacité à comprendre un discours, à lire ou à écrire. En se limitant à l'aspect de la production du discours, il se désintéressait de la *compétence* du locuteur. Selon lui, les enfants ont un niveau de compétence qui leur permet de dire beaucoup plus que ce qu'ils expriment; il n'y a pourtant aucun moyen de mesurer le *non-dit* de leurs discours. Dans le domaine de la production du discours, Brown s'est surtout intéressé aux problèmes de la syntaxe et de la grammaire, c'est-à-dire plus particulièrement à ce qui détermine les enfants à choisir et à assembler certains mots plutôt que d'autres. Par contre, il a omis les questions relatives à la production du vocabulaire et à la phonologie.

Méthodes de recherche et unités de mesure

Pour développer son analyse de l'extension de la grammaire des enfants, Brown devait déterminer sur quels critères il se fonderait pour évaluer le développement. Il a finalement adopté comme unités de mesure, la longueur de l'énoncé et son élément de base, le morphème. Un *morphème* est le groupe de lettres constituant le plus petit élément de sens identifiable. Par exemple, le mot «parle» est un morphème, mais les mots «parler» et «parlant» sont chacun constitués de deux morphèmes, puisque les terminaisons *er* et *ant* ajoutent un sens nouveau au mot-racine.

Le discours d'un enfant de neuf à vingt mois est habituellement formé d'un morphème par énoncé. En psycholinguistique, on appelle «mot-phrase» ou holophrase l'utilisation d'un morphème pour remplacer une phrase entière. Comme la syntaxe et la grammaire se basent sur la combinaison de morphèmes pour former des syntagmes et des phrases, Brown a reporté son attention sur des enfants un peu plus âgés dont les énoncés avaient une longueur moyenne d'un morphème et demi. Il a étudié leur développement jusqu'à ce qu'ils parviennent à produire des énoncés moyens d'à peu près cinq morphèmes. Il a divisé le champ de développement en cinq périodes, dont les *longueurs moyennes de production verbale* (L.M.P.V.) sont assemblées comme suit :

Périodes :	I	II	III	IV	V
L.M.P.V.	1.75	2.25	2.75	3.50	4.00

Brown a suivi les progrès de trois enfants vivant à Boston. Leurs conversations ont été enregistrées pendant trois ans à différents moments, principalement lorsqu'ils étaient chez eux, au cours d'activités quotidiennes typiques de leur âge. Il en a tiré trois conclusions assez évidentes. D'abord, la longueur moyenne de production verbale (L.M.P.V.) paraît être un bon critère, car elle a permis de constater que le taux de développement linguistique de chaque enfant croît d'une manière logique. En deuxième lieu, les différences individuelles observées dans le cours de l'évolution tout au long des différents stades sont plus grandes que les différences notées à l'intérieur de chaque période. En fait, Brown, en étudiant l'aspect grammatical des échantillons reçus a trouvé «un ordre invariant remarquable dans les choses qu'ils disent» (Brown, 1973, p. 57). Enfin, les frontières entre les périodes ne sont pas très claires, et surtout, il n'y a pas de «stades» de développement du langage au sens où l'entend Piaget et pas d'interruption lors du passage d'une période à l'autre.

Brown s'est fixé comme objectif d'analyser les données reçues afin de découvrir quelles sont les règles ou la méthode qu'un enfant utilise à l'intérieur de chaque période pour générer un discours. Pour lui, les écarts que font subir les enfants à la structure du langage des adultes ne sont pas le fruit du hasard. Au contraire, il croit, comme la plupart des psycholinguistes, que les discours des enfants sont révélateurs de la manière systématique dont ceux-ci assemblent leurs mots pour dire ce qu'ils pensent. Cela a permis à Brown d'élaborer une *grammaire* pour chacune des cinq périodes, laquelle constitue les fondements de la plupart de ses conclusions.

De récentes recherches menées dans d'autres langues ont permis à Brown de généraliser sa théorie de base et d'élargir ses conclusions. Par exemple, il a constaté que les plus jeunes enfants, ceux de la période I, utilisent souvent un style *télégraphique*, omettant certains éléments appartenant à la catégorie des morphèmes (articles, prépositions, auxiliaires, etc.) qui ne sont pas nécessaires à la signification globale qu'ils essayent de faire passer. D'après Brown, la construction de ce langage télégraphique dépend de quatre variables : la fréquence, le relief perceptif, le contexte verbal et le rôle sémantique. La *fréquence* fait appel au nombre d'occasions qu'a eues l'enfant d'entendre les morphèmes lors de leur utilisation par les autres. Seul un niveau minimum de fréquence doit être atteint avant qu'un enfant puisse adopter un mot. Le *relief perceptif* caractérise la facilité avec laquelle un mot ressort dans la phrase, soit par sa position, soit par son accentuation. Le *contexte verbal* fait référence au fait que la forme d'un mot changera en fonction des mots qui l'entourent, et, bien entendu, il est important pour l'utilisation correcte des règles de grammaire. Certains déterminants contextuels sont difficiles à apprendre et n'apparaissent pas dans les discours des très jeunes enfants. Le *rôle sémantique* est l'importance acquise par le morphème, rôle sémantique qui donne sa signification de base à l'énoncé. Le sens dépend habituellement des noms et des verbes, c'est pourquoi d'autres mots moins importants sont ignorés dans les premières structures de discours.

Quelques caractéristiques des périodes de développement

Nous avons déjà mentionné les cinq périodes de développement établies par Brown, pour des enfants ayant entre dix-huit mois et quatre ans, sur base de la longueur moyenne de production verbale (L.M.P.V.). Quoique ces périodes soient artificielles et ne se réfèrent pas à des changements significatifs du développement, il a fait en sorte d'en isoler certaines caractéristiques, afin de pouvoir distinguer les *performances* types de chaque période.

Ainsi, pendant le période I, les énoncés sont de style télégraphique et ne cherchent qu'à communiquer de façon rudimentaire le sens global. Le concept d'ordre des mots se développe de manière intéressante durant cette période. Pendant la période II, on observe l'apport progressif de ce que Brown appelle les «petits mots et réflexions», c'est-à dire les prépositions, les pluriels et les possessifs, quelques formes verbales, etc. Les données de Brown montrent qu'il faut attendre la période V pour que les enfants accèdent à une utilisation correcte des morphèmes qui figuraient déjà dans leurs discours aux périodes II et III. Par un processus graduel et complexe, l'enfant parviendra à maîtriser les formes qui feront de son discours celui d'un adulte. Il tâtonne avant de comprendre les structures sous-jacentes et les règles grammaticales et celles qu'il applique sont variables.

Brown s'est fondé tant sur les résultats de ses propres travaux que de ceux d'autres chercheurs pour avancer l'hypothèse que l'ordre d'acquisition de certains morphèmes est le même, quel que soit l'individu. Il en a conclu que les principaux facteurs déterminant l'ordre selon lequel un morphème s'intègre au discours consistent en une accumulation de formes grammaticales et sémantiques de plus en plus complexes. Entre les périodes I et V, trois phénomènes intrinsèquement liés se développent : (1) les énoncés deviennent plus longs, (2) ils sont porteurs de significations de plus en plus nuancées, (3) et cela parce qu'ils combinent les morphèmes dans des structures de plus en plus complexes. Ce facteur de complexité croissante est à l'origine des similitudes qui apparaissent dans l'ordre d'acquisition du langage entre des individus d'origines et de langues différentes.

La différence principale qui se remarque chez les enfants à propos de l'acquisition de la *grammaire* est le rythme auquel ils évoluent dans une séquence commune de périodes. Brown a encore observé que la *fréquence* avec laquelle un enfant entend une structure grammaticale n'influe que très peu sur la façon dont la structure de son discours évolue (Brown, 1973, p. 368). L'hypothèse de Brown est que la majeure partie de ces différences est due à ce que les psychologues appellent l'*intelligence générale*. Il a donc attribué un grand rôle à la maturation génétiquement programmée dans le développement de la compétence linguistique. Piaget – qui a soutenu – contrairement à Chomsky ou à Brown que l'intelligence précède le langage, a cependant reconnu la valeur des contributions de ce dernier en écrivant : «Pour ce qui est du noyau fixe inné du langage, j'ai été très frappé par les travaux de Roger Brown» (Piaget cité par Cohen, 1981, p. 151).

Une évaluation des travaux de Brown

Brown n'a pas prétendu créer une théorie à part entière de l'acquisition du langage, mais il est quand même instructif de comparer son travail à celui des autres chercheurs présentés jusqu'ici. Puisqu'il satisfait à la plupart des critères d'évaluation, nous avons situé son travail au-dessus de la moyenne. En effet, sa théorie est tout à fait compréhensible, et ses observations détaillées ajoutées aux études annexes qu'il a menées, rendent son modèle aisément vérifiable. Ces études ont été effectuées dans des environnements où l'on pouvait observer les enfants s'exprimant dans une langue naturelle, aussi les généralisations qui ont été faites reflètent-elles fidèlement leur réalité. Cependant, il faut préciser que ses résultats ne proposent pas une représentation exhaustive de tous les facteurs qui sous-tendent l'acquisition du langage et qu'il n'a pas proposé d'applications pratiques dans le domaine de l'éducation. Enfin, le travail de Brown sur l'acquisition générative du langage est très valable, ce qui explique qu'il a incité d'autres psycholinguistes à aller de l'avant dans la recherche du développement du langage. En particulier, notons les travaux de L. Bloom et ceux de Clark qui se sont révélés très influents dans les années 70.

Recherche sur l'acquisition du langage : nouvelles tendances

Au cours de ces dix dernières années, des progrès importants ont été effectués dans le domaine des recherches sur l'acquisition du langage. Cependant, nous ne pouvons par parler là d'un mouvement tout à fait original, car ces recherches se situent pour une grande partie dans la lignée des écoles théoriques des trois grands spécialistes du langage, à savoir Piaget, Vygotsky et Chomsky.

La théorie syntactique des principes et paramètres de Chomsky a donné naissance à une abondance de recherches, visant à établir l'existence de types spécifiques de connaissance grammaticale innée (Hyams, 1886). L'ouvrage, édité par Roeper et Williams, *Parameter Setting* (1987) est particulièrement représentatif des productions inspirées de Chomsky. De même, les contributions volumineuses de Pinker à propos du concept d'«apprentissage et cognition» (1984, 1989) se situent dans l'héritage chomskien.

Dans la lignée de Vygotsky se rangent surtout les recherches qui soulignent le rôle de la réalité sociale et des valeurs culturelles dans le processus d'acquisition du langage. Ainsi, les travaux de Heath comparent l'acquisition du langage chez les blancs et les noirs américains (1983), tandis que Ochs étudie le rapport entre culture et développement du langage chez les enfants de Samao (1988). Le livre de Schieffelin et de Ochs (1986) vise à présenter une vue exhaustive du rapport entre socialisation et langage (1986); Scheffelin (1990) analyse quant à lui l'aspect social du langage chez les Kalulis. Mentionnons encore le volumineux ouvrage de Wertsch (1985), qui propose une synthèse de travaux récents dérivés de la perspective vygotskyienne : discours adulte-enfant, zone de développement proximal, techniques de narration et de résolution de problèmes...

Les recherches sur la cognition et le langage semblent s'éloigner de plus en plus d'une perspective strictement piagétienne. Parmi les chercheurs qui s'intéressent à cet aspect, citons Bowerman (formes grammaticales) et Gopnik et Meltzoff (développement lexical). Les travaux importants de Slobin (1985) qui prônent l'existence d'un concept cognitif universel et la notion de «principes opératoires», portent sur l'étude de l'acquisition du langage dans différentes langues et dans plusieurs cultures. Slobin apparaît ainsi comme un nouveau chef de file, en ceci qu'il est capable de regrouper les recherches en langage et cognition et de les placer dans un contexte interlinguistique et interculturel.

12

Théorie du traitement de l'information

La théorie du traitement de l'information est apparue au cours de ces trente dernières années; son fonctionnement s'inspire de celui d'un ordinateur et se fonde sur l'hypothèse selon laquelle cette machine peut effectuer le même type d'opérations que le cerveau humain. Il semble donc évident que les efforts effectués pour stimuler les processus mentaux au moyen d'ordinateurs peuvent se révéler extrêmement utiles dans la découverte de la nature des opérations mentales de l'être humain en vue d'essayer de déterminer leur mode de développement chez les enfants et les adolescents.

Pour expliquer le comportement des enfants, la théorie du traitement de l'information tente de décrire d'une part, ce qui se passe au moment où l'enfant reçoit des impressions de l'environnement par ses sens (principalement les yeux et les oreilles) et d'autre part, le moment où il y réagit par un comportement tel que parler, écrire, manipuler un jouet, etc. Cette procédure a souvent été comparée à l'utilisation d'un ordinateur. Les données sont entrées dans celui-ci *(entrée/input)*; elles sont ensuite traitées à l'intérieur de la machine (*traitement*); puis les résultats sont imprimés sur papier ou apparaissent sur un moniteur ou écran *(sortie/output)*. Alors que la première et la troisième étapes sont directement observables, le stade intermédiaire où ont lieu les opérations internes effectuées par l'ordinateur ne l'est pas. Analyser la nature du travail qui s'exécute pendant qu'un ordinateur fonctionne relève du mystère, à moins d'être informaticien. La plupart d'entre nous en sont réduits à émettre des hypothèses quant à ce qui se passe dans un ordinateur en phase de fonctionnement.

Ce problème d'analyse est essentiellement le même que lorsqu'on essaie d'étudier les enfants à la lumière de la théorie du traitement de l'information. Seuls les stimulations d'entrée (environnement observable) et le comportement final (actions observées) d'un enfant peuvent être directement analysés par un témoin. Bien que l'enfant puisse, par introspection, être témoin de certaines opérations intermédiaires et rapporter ce qu'il croit «penser», l'évidence suggère qu'une telle démarche ne conduit qu'à une description incomplète et inexacte. Non seulement l'interprétation de l'enfant sur ses propres processus de pensée est inadéquate, mais de plus, même l'analyse que font les adultes de leurs propres opérations mentales apparaît comme incomplète et tout aussi inexacte car *penser* est une activité complexe dont les éléments ne sont pas immédiatement apparents dans la conscience.

Il revient donc aux théoriciens du traitement de l'information de spéculer sur la nature du traitement qui a lieu dans la séquence intermédiaire du processus concerné. C'est ce segment qui, au fil du temps, a successivement été désigné par des termes aussi divers que *esprit, moi, personnalité, organisme, boîte noire* par des scientifiques qui tentaient de définir les composantes du mécanisme interne de pensée utilisées pour manipuler l'information et de déterminer comment ces éléments interagissent pour produire le comportement de l'enfant.

Nous avons présenté la théorie du traitement de l'information comme un modèle univoque consistant en un ensemble unique de caractéristiques admises par tous. Cependant, tel n'est pas vraiment le cas. Kail et Bisanz (1982, p. 47) ont proposé que le traitement de l'information, du moins dans son état actuel, est à juste titre considéré comme un schéma de travail et non comme une théorie, car sous cette rubrique figurent une multitude de modèles divers élaborés au cours de ces vingt dernières années. Les nombreux théoriciens du traitement de l'information ne s'accordent pas sur le type d'éléments qui composent le système de pensée de l'individu, ni sur la manière dont ces différents éléments s'influencent mutuellement (Anderson, 1983; Baddeley, 1986, 1990). Quoiqu'il soit hors du propos de ce chapitre de présenter toutes les variantes d'une telle théorie, celui-ci a cependant pour but de présenter certains éléments, largement acceptés, et d'identifier les questions clés dont les théoriciens débattent encore.

Comme nous l'avons fait remarquer précédemment, il n'est pas rare que les théoriciens du développement humain s'en réfèrent aux premières propositions d'une théorie donnée comme à un *modèle classique* ou *standard*, qui s'oppose aux versions *néo, post* ou *révisées*, caractéristiques de versions plus récentes ou dérivées de ladite théorie. Ainsi en ce qui concerne la théorie du traitement de l'information, les formes pionnières, apparues dans les années 60 et 70 sont à présent connues comme le *modèle classique* et les travaux de Broadbent, par exemple, sont représentatifs de la nature de ces premières propositions théoriques. Celles-ci sont ainsi nettement différenciées de versions publiées ultérieurement (Baddeley, 1986; Kail et Pellegrino, 1985; Ashcraft, 1989; Pylyshyn, 1989).

La théorie du traitement de l'information laisse à penser qu'à tous les âges, les individus traitent l'information de la même manière; en d'autres termes, l'aspect évolutif de la théorie est souvent négligé. Le fil conducteur de cet ouvrage étant l'enfant, les discussions qui vont suivre mettront surtout l'accent sur la manière dont celui-ci traite l'information aux différents stades de son développement. Nous aborderons d'abord la *théorie classique* en insistant sur : (1) l'action conjuguée des composantes du modèle et (2) les moyens d'investigation mis en œuvre pour cette approche, puis (3) les nouveaux développements annexés à la théorie de base, (4) le rapport entre *traitement de l'information* et *développement*, (5) les applications pratiques du modèle ainsi que les perspectives de recherche qu'il a suscitées et nous terminerons par (6) une appréciation générale de la théorie.

Composantes du modèle classique de traitement de l'information

La notion générale de l'individu fonctionnant comme un processeur d'informations n'est pas nouvelle. L'Histoire rapporte que l'on a toujours spéculé sur la manière dont s'effectue la perception des informations issues de l'environnement et sur la manière dont les individus s'en souviennent et arrivent à une décision. Ce qui est nouveau, c'est que les recherches modernes ont apporté une plus grande précision à la description des éléments constituant probablement le système de traitement d'information, ainsi que de leur mode d'opération.

Ce système est constitué de quatre éléments principaux :

(1) les *organes des sens* tels les yeux, les oreilles, les papilles du goût et les nerfs sensibles de la peau, qui reçoivent les impressions de l'environnement;

(2) la *mémoire à court terme,* qui retient un nombre très limité de renseignements pendant une période très courte;

(3) la *mémoire à long terme,* qui conserve une somme considérable d'informations, parfois indéfiniment;

(4) le *système musculaire,* stimulé par l'influx nerveux, qui permet d'exécuter les actes moteurs comme parler, lire, courir, travailler, etc.

Le système contient aussi des fonctions ou processus à l'intérieur de chacun de ces groupes d'éléments, ainsi qu'un mécanisme d'interaction entre les diverses composantes en présence.

A première vue, on pourrait considérer que le système opère de manière assez simple : les informations reçues de l'environnement pénètrent dans la mémoire à long terme; là, elles sont conservées jusqu'à ce qu'elles soient nécessaires à l'action; à ce moment, elles seront rappelées pour déterminer l'acte moteur à exécuter ou à éviter. Cependant, parce qu'une telle séquence est trop simple pour expliquer la manière dont les gens pensent et se comportent dans la réalité, les théoriciens ont proposé des modèles bien plus complexes pour représenter ces réseaux d'interactions. Différents types d'informations participent à un va-et-vient incessant parmi les éléments du système et ne sont pas limités à un seul passage unidirectionnel allant des organes des sens aux muscles. La description qui va suivre est une variante possible d'un tel réseau de traitement d'informations : elle fait intervenir une jeune fille de dix-huit ans qui tente de choisir un itinéraire pour se rendre dans une ville située à trois cents kilomètres de l'endroit où elle se trouve. Mais, avant de décrire la manière dont cette jeune fille traiterait l'information, nous considérerons d'abord les différentes composantes du système, selon les vues du *modèle classique*. Cette version n'est pas le produit d'un théoricien en particulier, mais est, au contraire, un modèle établi sur base du travail de plusieurs chercheurs. Elle s'inspire largement des contributions de Broadbent (1958, 1970) et des premiers travaux de Baddeley visant principalement à établir l'existence de deux types de mémoire, ainsi que du modèle de Atkinson et Shiffrin (1968). Elle comporte également certaines améliorations apportées au modèle dans les années 70 et 80 (Baddeley et Hitch, 1974; Klahr et Wallace, 1976; Kail et Bisanz, 1982; Baddeley, 1986). Le système hypothétique ainsi constitué est présenté schématiquement dans la figure 12.1.

Système sensoriel

La partie située à l'extrémité gauche du schéma dans la figure 12.1 représente le monde extérieur. Le grand rectangle bordé d'une ligne noire représente la personne. Les relations entre l'individu et l'environnement se font par l'intermédiaire des organes des sens, qui servent de circuit d'entrée ou de «fenêtres sur le monde» et par le système musculaire qui permet d'agir sur le milieu extérieur et qui fait office de canal de sortie. En vue de simplifier l'explication, la figure 12.1 ne comprend que trois modalités sensorielles, à savoir les yeux, les oreilles et les récepteurs de pression qui se trouvent sous la peau, communément appelés «toucher» ou «sens tactile». Bien que les organes de perception des odeurs, du goût,

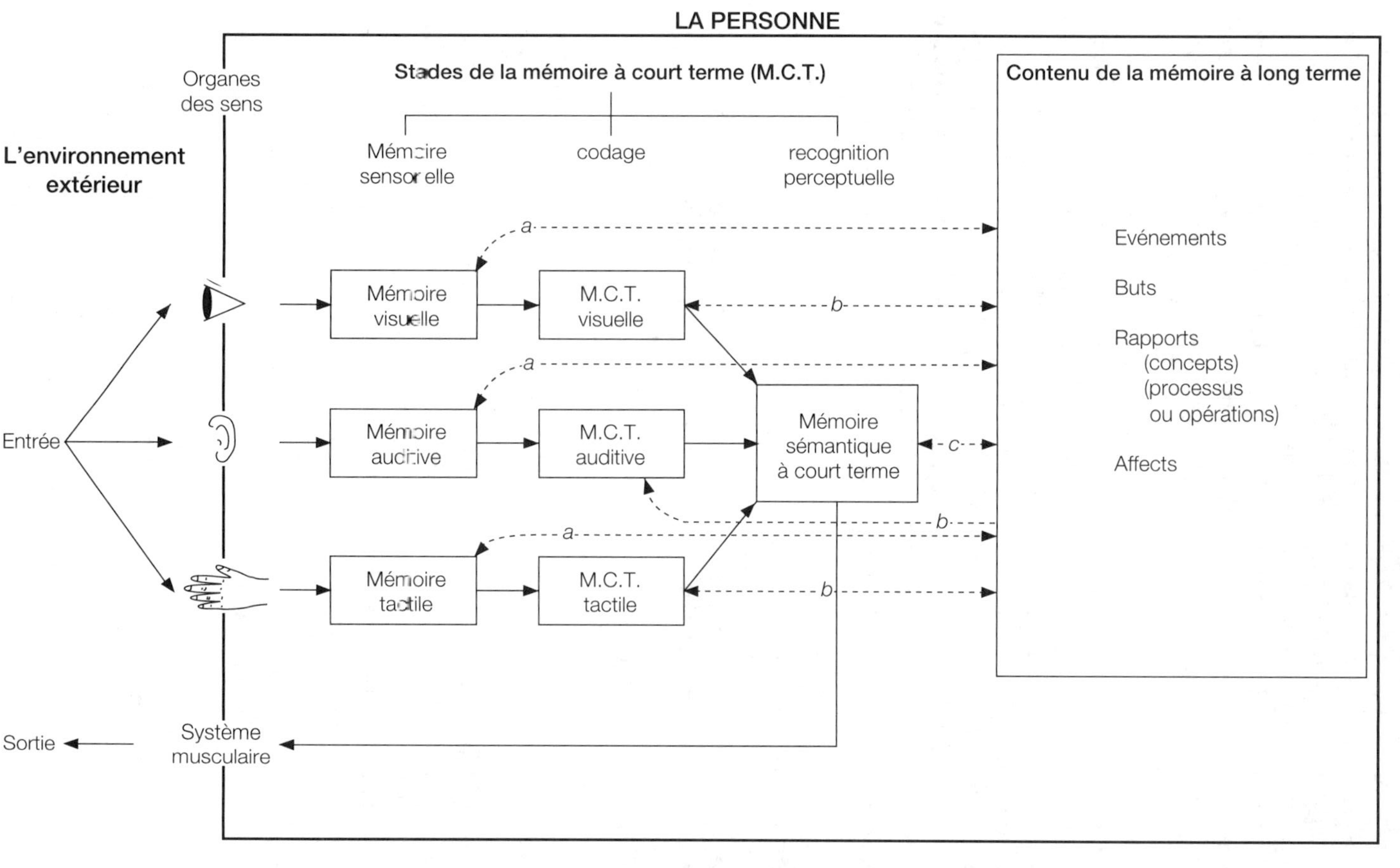

Figure 12.1 — Une version du système de traitement de l'information chez l'homme

de la température, de la douleur et de la position du corps ne figurent pas dans le diagramme, nous reconnaissons qu'ils fournissent eux aussi au système des informations issues de l'environnement.

Chaque organe des sens est de toute évidence un instrument spécialisé, en ceci qu'il n'est réceptif qu'à un type particulier de stimulation de l'environnement. Les yeux ne reçoivent qu'une petite fraction du spectre très vaste des ondes lumineuses; les oreilles, qu'une infime partie des ondes sonores et les récepteurs tactiles, une portion des influx qui entrent en contact avec la peau. Les organes des sens recueillent donc des impressions de l'environnement d'une manière tellement sélective qu'ils filtrent bien plus d'informations transmises par le monde qu'ils n'en laissent pénétrer dans le système humain de traitement. Cependant, les savants sont parvenus à étendre les capacités réceptives des sens de l'homme en créant des machines qui émettent des rayons infra-rouges, des ondes radio, des ondes cosmiques, des rayons-x, des ultra-sons et qui reproduisent d'autres phénomènes du même genre sous forme de stimuli visuels et auditifs perceptibles par les individus.

Mémoire à court terme

Les stimuli recueillis par les organes des sens sont tout d'abord traités par ce que différents théoriciens ont appelé indifféremment, *mémoire à court terme, mémoire primaire, mémoire active.* Cette forme de mémoire comporte trois étapes :

Mémoire sensorielle

La première phase, appelée mémoire sensorielle, apparemment située au sein de l'organe considéré, est un stade de stockage provisoire de sensations et une forme non sélective de mémoire pour tout ce qui se situe dans son champ de réceptivité et qui touche à l'organe concerné. La mémoire sensorielle de l'œil retient ainsi toutes les impressions lumineuses qui la frappent; celle des oreilles retient toutes les ondes sonores qui aboutissent à l'ouïe et les récepteurs sensoriels du toucher gardent toutes les sensations qui stimulent la peau. Le nom donné à ce stade primaire de la sensation révèle que la mémoire est encore à ce stade sous une forme primitive. Le stockage d'informations est seulement temporaire; les sensations visuelles se dissipent en moins d'une demi-seconde, les sensations auditives semblent perdurer une ou deux secondes avant de s'estomper (Klahr et Wallace, 1976, p. 174). Durant cette conservation momentanée des stimuli, un échange s'opère entre la mémoire sensorielle et la mémoire à long terme (ce mouvement est indiqué par les lignes en pointillés dans la figure 12.1). Pour clarifier la nature de cet échange, il est nécessaire d'en savoir un peu plus quant au contenu de la mémoire à long terme.

Dans cette version de la théorie du traitement de l'information, la mémoire à long terme est le lieu de stockage des idées ou des *constructions mentales* dérivées des expériences passées du sujet. Cet ensemble d'idées a été dénommé *base de connaissance* de l'individu. A chacun des trois stades de la mémoire à court terme, un échange ou transaction (a, b et c dans la figure 12.1) intervient entre le stade particulier de la mémoire à court terme et la mémoire à long terme. La transaction informe cette dernière sur la nature de l'information reçue au point de jonction et lui permet de décider quel aspect des stimuli, issus d'une phase de la mémoire à court terme, est à filtrer; lequel doit être transmis à l'étape suivante. Nous considérons que pendant l'échange «a», la mémoire sensorielle a identifié certaines caractéristiques de base des stimuli comme, par exemple, la distinction entre la silhouette d'un individu et le sol sous ses pieds, et a envoyé des informations sommaires à l'étape suivante du processus. Un exemple adapté à l'aspect auditif reviendrait ainsi à distinguer une voix du fond sonore constitué par un ruisseau qui coule, des oiseaux qui gazouillent, des feuilles qui bruissent et un camion qui passe.

Codage

Le deuxième stade est celui de *codage* et de réorganisation de l'information de la mémoire sensorielle sous une forme utilisable au troisième stade. Cette notion de *codage* reflète une hypothèse clé de la théorie du traitement de l'information, à savoir que les impressions des sens ne sont pas recueillies ou stockées dans la mémoire sous leur forme originelle. Au contraire, elles sont converties en codes, en symboles ou en représentations utilisables par le système nerveux. C'est lors de ce second stade que l'opération de codage est effectuée, grâce à la transaction «b» d'où proviennent les instructions sur la manière dont l'information de base du stade 1 doit être symbolisée pour être utilisée au stade 3. Comme on le voit dans la figure 12.1, le stade 2 de la mémoire à court terme continue à être scindé en fonction des modalités sensorielles grâce auxquelles les stimuli ont été reçus à l'origine. Le stade 2 de la mémoire est ponctuel et donc est incapable de retenir beaucoup d'informations.

Mémoire sémantique

Cette troisième phase est appelée mémoire *sémantique* parce que, à ce niveau, le matériel codé à partir de chacun des trois canaux de la phase

2 est combiné, puis comparé à des éléments sélectionnés de la mémoire à long terme pour générer la transition «c». C'est donc là une phase de reconnaissance perceptive, qui permet au sujet d'identifier l'information de ses souvenirs et expériences passés accumulés dans la mémoire à long terme.

Diverses études sur la qualité des informations qu'un individu peut conserver temporairement dans la mémoire sémantique laissent à penser que l'adulte moyen peut garder présentes à l'esprit sept unités d'information à la fois, quoique certaines personnes parviennent à en garder neuf, tandis que d'autres ne s'en remémorent que cinq ou six simultanément (Miller, 1956). Une *unité d'information* (chunck) peut être définie comme une portion de l'ensemble de connaissances, qui est toujours activée ou désactivée en un tout (Kail et Bisanz, 1982, p. 59). Celui-ci peut être simple, comme par exemple le nom d'une personne, ou complexe, comme un concept ou un système composé d'un réseau d'éléments.

Lorsque l'on considère que sept unités d'information peuvent être présentes dans l'esprit au même moment, il est important de se rappeler la distinction qui existe entre *mémoire à court terme* et *conscience immédiate*. Des expériences menées par Sternberg (1969) ont suggéré que, quoique l'individu soit à même de rappeler à la fois sept unités mémorielles, la quantité qu'il utilise consciemment à un instant donné lui apparaît comme une seule unité, comme un ensemble.

Mémoire à long terme

Nous estimons que la mémoire à long terme a deux fonctions principales : (1) diriger l'opération du système complet de traitement de l'information et (2)stocker du matériel codé dérivé des expériences passées de l'individu. Là où la mémoire à court terme est très limitée, la mémoire à long terme peut, semble-t-il, accommoder une somme infinie d'informations. Et comme leurs noms l'indiquent, la mémoire à court terme retient pour un temps très bref, tandis que la mémoire à long terme peut retenir beaucoup d'informations, pour un temps apparemment illimité.

Structure de la mémoire à long terme

Dans cette version de la théorie, le matériel codé et stocké dans la mémoire à long terme est de différents types : *faits isolés, objectifs, relations et rapports* (comprenant des *concepts*, des *processus)* et des *affects.*

Un *fait isolé* est la trace du souvenir d'une personne ou d'un objet spécifique lié à un incident particulier du passé. Il s'oppose au concept en ce qu'il est limité à un temps et un lieu donnés.

Un *objectif* est le but qu'un individu essaie d'atteindre. Les *objectifs* constituent donc des forces motivantes du système de traitement de l'information, car ils focalisent sur certains éléments par rapport à d'autres.

Les *relations* ou *rapports* indiquent une connection entre deux éléments de la mémoire, elles peuvent être de différents types, parmi lesquels l'un des plus importants est le concept.

Un *concept* est défini comme une abstraction de caractéristiques spécifiques communes à plusieurs individus ou à plusieurs objets ou incidents du passé. Un terme particulier est assigné à l'abstraction ou concept ainsi formé. Un autre type de relation est la *comparaison* entre deux concepts. Par exemple, la relation entre les concepts «carré» et «cercle» est définie par la manière dont le carré et le cercle diffèrent et se ressemblent.

Quelques rapports peuvent être dits «de causalité» lorsqu'un concept est produit par un autre. De nombreux *rapports de causalité* sont complexes, parce que résultant de plus d'une condition initiale (cause supposée), celles-ci se combinent pour produire le résultat (l'effet supposé). Le temps qu'il faudra pour faire bouillir de l'eau est fonction, par exemple, de la quantité d'eau, de la température initiale de celle-ci, de la nature et de l'intensité de la source d'énergie, de la forme du récipient, de la pression atmosphérique, etc.

Un *processus* est un autre type de rapport, qui consiste en la réalisation d'une séries d'étapes en vue d'atteindre un résultat. La série d'opérations requises pour multiplier 27 par 64, pour définir une hypothèse, pour traduire un diagramme en phrases, pour interpréter une carte ou conduire une voiture... constituent des processus.

Les *affects* sont des émotions telles que les évoquent des mots tels que colère, pitié, affection, frustration, attraction ou déception. Dans la mémoire à long terme, certains types d'affects ou nuances émotionnelles sont souvent associés à des faits, des buts et des rapports.

Il est certain que la constitution de la mémoire à long terme est d'un intérêt particulier pour les théoriciens du traitement de l'information. Cependant, ceux-ci ne sont pas les seuls à se demander quelles en sont les composantes structurales. Pour expliquer comment ces dernières interagissent, les théoriciens ont communément recours à la métaphore du «filet de pêche», dont chaque maillon ou intersection représente une trace individuelle de la mémoire (comme un fait ou un concept par exemple) et dont les torons multiples, partant tous du point nodal, conduisant à d'autres événements ou concepts que l'individu a associés avec le souvenir du nœud originel. Il est cependant évident que le réseau mémoriel inhérent aux dédales de la pensée humaine est infiniment plus complexe qu'un simple filet de pêcheur (Anderson, 1983).

Modes d'interactions entre la mémoire à long terme et la mémoire à court terme

L'une des formes principales d'interactions entre ces deux types de mémoire est celle qui consiste à faire correspondre les stimulations reçues de l'environnement avec le contenu de la mémoire à long terme. La reconnaissance perceptuelle au stade de la mémoire sémantique à court terme advient lors de la rencontre d'éléments récemment codés, avec d'autres éléments codés, identiques ou ressemblants dans la mémoire à long terme. C'est à ce moment que la personne «comprend l'entrée sensorielle» ou «se rend compte de ce qu'elle signifie», à l'issue de cette association satisfaisante. En d'autres termes, la personne assigne une signification existant dans sa mémoire à long terme à chaque nouvelle rencontre sensorielle.

Le fait de prendre une décision ou de solutionner un problème s'effectue au moyen de transactions entre la mémoire sémantique à court terme et la mémoire à long terme. Certaines informations venues de l'environnement entrent dans la mémoire à court terme, mais des éléments issus de la mémoire à long terme (incidents, buts, rapports, affects) y pénètrent aussi. Etant donné que la mémoire à court terme a une capacité très limitée, son contenu varie sans cesse tout au long d'un processus de résolution de problème. Des transactions extrêmement rapides s'effectuent constamment entre les deux types de mémoire, produisant le courant de conscience qui constitue la vie mentale dont la personne a pleine connaissance.

Influences sur la mémoire à long terme

En accord avec la notion du sens commun d'après laquelle l'on se souvient de ce que l'on a appris dans le passé, il apparaît que la quasi-totalité du contenu de la mémoire à long terme est constituée d'expériences préalablement faites par l'individu. Mais, comme le révèlent les études expérimentales, ces souvenirs, en tant que traces codées d'expériences, ne subsistent pas dans la mémoire sous leur condition originelle, mais sont réajustées au fil du temps et en fonction d'autres connaissances nouvellement acquises.

La combinaison des composantes de la mémoire à court terme et de la mémoire à long terme constitue le système humain de connaissance. Kail et Bisanz ont conclu que :

> *En dépit des divergences entre différentes théories, la plupart des théoriciens tombent d'accord sur les propriétés générales du système humain de connaissance.*

(A) Il n'y a théoriquement pas de limites à la somme de connaissances pouvant être emmagasinées.

(B) La connaissance ne se perd pas : l'oubli reflète l'incapacité d'y accéder immédiatement.

(C) On peut accéder à la majeure partie de la connaissance par des approches et des procédés multiples, ce qui reflète l'idée que celle-ci est riche en maillons qui s'entrelacent.

(D) La connaissance est caractérisée par une sorte «d'économie cognitive» : toutes les connaissances de quelqu'un sur un concept X ne sont pas nécessairement directement associées avec ce concept X (...) Au contraire, une partie de cette connaissance n'est disponible qu'indirectement par inférence.

(E) Un processus peut opérer par lui-même aussi bien qu'il peut le faire à partir d'autres représentations et processus (1982, p. 50).

Système musculaire

Envisageons à présent le maillon final de la chaîne du traitement de l'information, à savoir le résultat comportemental manifesté sous forme d'actes tels que, parler à un camarade, monter un escalier, appuyer sur la pédale de frein, rédiger un devoir, etc. C'est ici qu'intervient la question de savoir comment une décision venue de la mémoire sémantique immédiate se traduit en action dans le monde concret ? Selon nous, chaque décision prise dans la mémoire sémantique immédiate provoque une réponse codée venue de la mémoire à long terme qui, à son tour, engendre des directives qui activent les muscles appropriés. Ces directions codées sont transmises au moyen du système nerveux afférent à la partie musculaire concernée, afin que le geste soit effectivement accompli. Le cycle du traitement de l'information est ainsi bouclé.

Cependant, il est nécessaire de noter qu'une action extérieure ne découle pas nécessairement de tous les processus de traitement d'information. Parfois, comme nous le savons tous, nous pouvons mémoriser des événements, acquérir de nouvelles connaissances et y attacher une attention particulière, changer d'idée ou réfléchir tout simplement, sans pour autant agir d'une manière qui serait observable par les autres. Cependant, les changements qui interviennent chez l'individu même lorsqu'il n'y a pas d'action, se manifesteront plus tard, car ils affecteront les rapports que la personne entretiendra ultérieurement avec l'environnement.

Les phénomènes centraux : attention, perception et mémoire

Les considérations qui précèdent nous amènent à penser que les théories du traitement de l'information sont particulièrement appropriées pour expliquer les rapports existants entre trois phénomènes très intéressants dans le domaine de la psychologie, à savoir l'attention, la perception et la mémoire.

Déjà avant William James, les psychologues tentaient de définir le mécanisme de l'attention (James, 1890, pp. 402-404). A l'instar d'autres théoriciens, celui-ci définit *l'attention* comme une opération active et intentionnelle, car les gens recherchent des stimuli précis au lieu de se souvenir d'impressions passivement reçues de l'environnement. Ils s'efforcent de choisir ceux-ci, sélectivement, en focalisant leur attention sur certains éléments, dont ils font une analyse consciente, tout en en ignorant d'autres. Une telle sélectivité est nécessaire, du fait que le mécanisme de direction de l'attention chez l'homme a une capacité limitée et ne peut opérer que sur un point à la fois. Pour justifier de telles observations les théoriciens ont proposé que le mécanisme du traitement de l'information inclut : (1) des filtres qui empêchent le système d'être surchargé, (2) des réserves de stockage, comme le suggèrent les stades initiaux de la mémoire à court terme. Ils ont aussi mentionné les cycles d'interaction intervenant entre la mémoire à court terme et la mémoire à long terme, ce qui explique le processus de filtrage des stimuli et la manière dont une signification est assignée aux impressions reçues du système sensoriel.

Le phénomène de *perception* dans lequel s'inscrit l'acte de l'attention englobe, en général, toutes les étapes du traitement de l'information, depuis les stimuli reçus de l'environnement jusqu'au stade de la mémoire sémantique. Plusieurs théoriciens ont évoqué l'existence de différents stades pour expliquer le processus de perception, et certains ont émis l'hypothèse que l'étape la plus marquante de ce phénomène est celle qui intervient au niveau des organes des sens. D'autres ont considéré que l'étape qui a lieu dans le cerveau au niveau de la mémoire sémantique primait. Ces discussions restent ouvertes, dans la mesure où personne jusqu'ici n'a pu faire l'unanimité parmi les spécialistes du traitement de l'information (Yttal, 1981, pp. 986-987).

Comme nous avons pu le constater, certains auteurs ont tenté d'expliquer le réseau d'opérations de la *mémoire* en émettant l'hypothèse de l'existence de subdivisions, telles que la mémoire à court terme et la mémoire à long terme, et en identifiant une série de facteurs qui affectent le stockage et le recouvrement de l'information. D'autres auteurs ont rejeté la présence de telles composantes et ont évoqué, en lieu et place de celles-ci, des différences de niveaux et de profondeur du traitement (Craik et Lockhart, 1972). En fait, une multiplicité d'explications du fonctionnement de la mémoire subsistent. Le livre de Kail et Spear (1984) propose une étude comparative des recherches les plus élaborées effectuées aux Etats-Unis sur le sujet. L'anglais Baddeley semble être le chef de file actuel des théoriciens de la mémoire et de la mémorisation (Baddeley, 1986, 1990; Baddeley et Bernsten, 1989). D'après lui, la mémoire à long terme ne peut plus être considérée comme un ensemble monolithique; elle présente une pluralité de concepts explicatifs des différents modes d'interactions possibles intervenant parmi les composantes du système. A ce propos, il écrit :

> *Une étude cognitive compréhensive sur la mémoire se doit de tenir compte de la manière dont la mémoire humaine semble être divisée en sous-systèmes qui diffèrent considérablement dans leurs caractéristiques. Il est improbable qu'un modèle théorique de l'apprentissage humain puisse avoir du succès sans que ces variations ne soient prises en considération* (Baddeley et Bernsen, 1989).

Un exemple du système en fonctionnement

En guise d'exemple, nous appliquerons les éléments de la théorie du traitement de l'information à l'analyse de la situation d'une jeune fille dont nous avons parlé précédemment. Agée de dix-huit ans, elle avait décidé de se rendre dans une ville située à trois cents kilomètres de l'endroit où elle se trouve.

Alors qu'elle arpente le quartier d'affaires de sa ville natale, sa mémoire à long terme avertit les trois stades de sa mémoire à court terme de son objectif général (faire un voyage), ainsi que de la marche à suivre(stratégies) pour réaliser ce projet. Cette stratégie, élaborée à partir de ses expériences passées et stockées dans sa mémoire à long terme, consiste à (1) trouver une carte de l'endroit, (2) chercher sur la carte les différents itinéraires pour atteindre cette ville, (3) comparer ceux-ci, en fonction de certains critères comme la distance à parcourir, les conditions de la route, l'intensité du trafic, la sécurité et l'attrait du paysage. Tandis qu'elle marche dans la rue, elle considère son environnement, en vue de trouver un endroit où se procurer des cartes routières. Son attention visuelle est captée par l'enseigne d'une agence de voyages. A ce moment, ce signe particulier est un «stimulus marquant», car en tant que donnée sensorielle, il correspond à un rapport stocké dans sa mémoire à long terme (agence de voyage = cartes et informations routières). La décision d'entrer dans l'agence (une décision prise dans la mémoire à court terme sémantique) extrait de la mémoire à long terme de la jeune fille une série d'opérations qui activent son système nerveux afférent qui, lui-même, commande les mouvements musculaires nécessaires afin qu'elle puisse marcher et entrer dans l'agence.

Un autre processus allant de la mémoire à long terme à la mémoire à court terme déclenche sa recherche pour choisir la carte appropriée. Ensuite, le déchiffrage de la carte est guidé par un processus d'analyse, qui vient d'être transféré de la mémoire à long terme à la mémoire à court terme. La stratégie développée dans le passé à partir de ses expériences de lecture de cartes est composée d'une série d'étapes comprenant la localisation de la légende qui définit les symboles utilisés pour différents types de route, les distances, les points cardinaux, les grandes et les petites villes. Pour s'aider dans le processus visuel de lecture de la carte, la jeune fille se sert de la modalité tactile en suivant le tracé de chaque route au moyen de son index droit. Simultanément, elle écoute un employé de l'agence répondre à sa question relative aux conditions de trafic des différentes routes. Elle reçoit en fait, par la même occasion, des données visuelles, tactiles et auditives qui sont codées dans sa mémoire sémantique et qui l'influenceront dans son choix de la route à suivre.

Cet exemple illustre comment les événements de tous les jours peuvent être interprétés à partir de la théorie du traitement de l'information. Les principales méthodes de recherche qui ont abouti à ce genre de propositions théoriques sont présentées ci-dessous.

Modes d'investigation

Les théoriciens du traitement de l'information ont eu recours à deux méthodes de recherche pour générer et améliorer leurs propositions. Tout d'abord, ils ont utilisé des sujets humains au cours d'expériences destinées à étudier la manière dont un réseau de lumière réfléchie stimule les récepteurs nerveux des yeux, quelle quantité d'informations peut être adaptée par la mémoire à court terme et comment ce matériel est encodé pour le stockage dans la mémoire à long terme.

La seconde méthode d'investigation utilise des informations comparables à celles qui précèdent, mais consiste essentiellement à utiliser des ordinateurs pour stimuler les opérations mentales humaines. Les théoriciens qui travaillent dans le domaine florissant de l'intelligence artificielle estiment que s'il est possible de programmer un ordinateur pour produire des types de solutions identiques à ceux que des humains appliqueraient à un problème, un pas décisif aura été fait vers la compréhension des processus de la pensée humaine. En ceci, les théoriciens présument que si un programme d'ordinateur est confronté à un problème identique à celui proposé à un être humain et qu'il donne les mêmes résultats que ce dernier, le programme contient probablement le même type de composantes et d'étapes de traitement que celles qui opèrent dans le système nerveux humain.

Pour appliquer ce raisonnement à la recherche relative au développement intellectuel des enfants, deux conditions sont nécessaires : il faut (1) préparer une série de programmes d'ordinateur dont chacun simulerait avec exactitude les processus de pensée des enfants à un stade particulier de leur développement mental, (2) expliquer les moyens par lesquels un programme donné peut se transformer en un autre programme plus avancé de la même série. Jusqu'à présent, les théoriciens engagés dans ces travaux ont mieux réussi dans la première tâche que dans la seconde. Par exemple, Klahr et Wallace (1976) sont parvenus à mettre au point des simulations sur ordinateur assez satisfaisantes que pour reproduire le stade pré-opérationnel et celui des opérations concrètes de Piaget dans les domaines d'inclusion de classe, de conservation et de transitivité. Cependant, ces deux chercheurs ont admis qu'ils sont encore incapables de fournir une description adéquate de la manière dont l'enfant effectue la transition entre le stade de la pensée pré-opérationnelle et celui des opérations concrètes. Il est donc nécessaire de poursuivre les recherches dans ce domaine.

Après un rapide survol du modèle de base de la théorie du traitement de l'information, nous allons brièvement présenter quelques théoriciens (Kail, 1984; Kail et Pellegrino, 1985; Aschcraft, 1989; Pylyshyn, 1989) qui ont entrepris de reconsidérer quelques concepts qui posaient problème dans la version classique.

Modifications apportées à la théorie classique

La plupart de ceux qui critiquent les modèles classiques du traitement de l'information reprochent à cette théorie d'être incomplète et de proposer une image déformée du développement humain. Notre objet est de décrire les perfectionnements apportés à la théorie classique du traitement de l'information depuis les années 70 et de tenter de déterminer quelles autres conditions de l'expérience humaine devraient être prises en considération dans des modèles futurs soucieux de rendre compte plus fidèlement du développement cognitif. Notre discussion s'organise autour des deux questions suivantes : (1) Quelles modifications ont été récemment apportées au modèle classique du traitement de l'information ? (2) Quelles suggestions pour l'amélioration de la théorie du traitement de l'information, la comparaison entre humains et ordinateurs est-elle susceptible d'apporter ?

Perfectionnements récents de la théorie classique

Zimmerman, passablement déçu par les premiers modèles cybernétiques d'ordinateurs, a remarqué que «le livre de Neisser intitulé *Cognitive Psychology*, paru en 1967 et largement lu, faisait une description, dans l'ensemble favorable, de la version cybernétique du traitement de l'information. Cependant, dans *Cognition and Reality* de 1967, au titre significatif, ce même auteur désavoue les modèles cybernétiques de la pensée humaine, à cause de leur capacité limitée à décrire la complexité des relations réciproques existant entre les gens et leur environnement proche» (1983, p. 3).

Ainsi pour rendre la théorie du traitement de l'information sensible aux différentes conditions environnementales, les modèles révisés doivent-ils représenter des contextes plus précis que «l'environnement extérieur» trop général que l'on retrouve dans la figure 12.1.

D'autres défauts de la théorie classique ont été épinglés par Ashcraft (1989, p. 64) pour chacun des sept thèmes spécifiques de la psychologie cognitive repris ci-dessous. Chacun d'eux modifiera donc, en quelque sorte, le tableau des fonctions cognitives représenté à la figure 12.1, ou devra démontrer par un exemple comment ces fonctions opèrent.

L'attention

Le phénomène de l'attention figure bien dans les modèles standards, mais, d'après les critiques, son importance n'est pas suffisamment soulignée dans la plupart des premières versions de la théorie. Puisque l'attention joue un rôle clé dans le transfert de l'information, depuis les mémoires sensorielles jusqu'aux mémoires à court terme et de travail, sa fonction essentielle dans toute opération mentale, même quand elle est seulement partiellement consciente, doit être mise en évidence.

Dimension consciente et dimension automatique

Une analyse de l'effort conscient mis en jeu pour accomplir un acte mental quelconque laissera à penser que les processus mentaux peuvent être mesurés *du plus conscient* à *l'entièrement automatique*. Les actions simples deviennent automatiques avec l'habitude, en ce sens qu'aucun effort intentionnel n'est plus requis pour les accomplir. Par exemple, un conducteur débutant doit se concentrer sur chaque mouvement de la chaîne des actes sensori-moteurs allant du démarrage à la conduite dans le flot de la circulation urbaine. Pour un conducteur expérimenté, cette suite de décisions devient entièrement automatique. Pour qu'une théorie du traitement de l'information soit complète, elle doit incorporer au nombre de ces caractéristiques, le double aspect d'une dimension consciente et automatique sous-tendant les processus mentaux qui génèrent l'action.

Traitement séquentiel et en parallèle

Quand quelqu'un travaille sur un problème complexe ou apprend quelque chose de nouveau, l'information est traitée en séquences, c'est-à-dire étape par étape. Cependant dans le cas de tâches simples, routinières, deux actes au moins peuvent être menés en parallèle, comme dans le cas de cet automobiliste expérimenté qui écoute la radio et discute avec un ami pendant qu'il conduit sur l'autoroute. Les modèles classiques du traitement de l'information avaient tendance à présenter toute activité cognitive et motrice comme séquentielle alors que les nouveaux développements accordent de l'importance à cette notion de tâches accomplies parallèlement.

Processus de compréhension conceptuelle et empirique

D'autres chapitres visent à familiariser le lecteur avec les théories empiristes et structuralistes. Les empiristes, tels que Skinner et les contextualistes, considèrent que notre compréhension du monde est en majeure partie déterminée par l'environnement, c'est-à-dire par la nature des événements dont nous sommes les témoins. Un tel processus de compréhension dépend donc de «données». Au contraire, les structuralistes tels que Piaget, Case, Mounoud accordent une plus grande importance à la manière dont les interprétations résultant de rencontres avec l'environnement sont organisées par l'intellect. Les individus imposent un sens à l'événement dont ils sont témoins, on dit alors que leur processus de compréhension est «conceptuel». Ashcraft suggère que ces deux processus opèrent dans le système cognitif, compte tenu de la relation particulière existant entre un stimulus et les structures de la mémoire qui déterminent le processus dominant à un moment donné.

> *Alors que les processus dépendant de données sont peu aidés, sinon pas du tout, par le stock d'informations déjà connues, les processus conceptuels reposent essentiellement sur de telles informations. Ainsi un processus conceptuel utilise des informations déjà mémorisées pour accomplir une tâche, quels que soient les enjeux de la situation concernée; les processus dépendant de données utilisent uniquement les informations venant des stimuli* (Ashcraft, 1989, p. 64).

Les théories de traitement de l'information pourraient de manière profitable intégrer à leurs composantes le processus de compréhension dépendant de données et le processus conceptuel.

Représentation de la connaissance

Comme nous l'avons précisé, la manière dont l'expérience est stockée dans la mémoire à long terme reste encore inconnue. Différents théoriciens tentent encore de répondre à cette question, sans parvenir à trouver un terrain d'entente. Tulving (1972) propose de distinguer la *mémoire sémantique* de la *mémoire épisodique*. Anderson (1983) suppose l'existence d'une *mémoire déclarative* (événements, faits, concepts qui représentent la nature des choses) et d'une *mémoire de production* (savoir procédural et opérations, c'est-à-dire comment faire les choses). Il semble évident que toute version correcte du traitement de l'information se doit d'inclure de telles conceptions de la représentation de la connaissance.

Savoir implicite et inférences

Les premiers modèles ont trop souvent négligé la manière dont le savoir implicite, c'est-à-dire le stock d'informations déjà disponibles dans la mémoire à long terme, mène à des inférences qui viennent agrémenter le sens des stimuli de l'environnement. Une explication de la manière dont fonctionnent les systèmes de savoir implicite et d'inférence pour déterminer notre compréhension des choses pourra trouver sa place dans les théories du traitement de l'information.

Métacognition

Le dernier élément de la liste d'Ashcraft est la *métacognition*, c'est-à-dire la conscience que nous avons de la manière dont fonctionne notre système cognitif et la surveillance que nous exerçons sur lui. Ce facteur, souvent négligé dans plusieurs des premières théories portant sur le traitement de l'information, est un élément clé des nouveaux modèles.

Après avoir présenté les sept traits distincts de la liste d'Ashcraft, nous pouvons à présent envisager deux manières de les utiliser pour résoudre le problème posé par la nature du développement cognitif. Ceux-ci peuvent d'abord nous aider dans notre estimation de la manière dont le processus cognitif de l'enfant se développe au fil des ans. Les rapports entre le développement et la nature du traitement de l'information seront considérés ultérieurement. Nous pouvons aussi utiliser ces caractéristiques pour modifier les représentations graphiques des modèles de traitement de l'information.

Représentation graphique de ces composantes additionnelles

Refondre les modèles du traitement de l'information en une nouvelle forme graphique requiert une approche quelque peu différente de celle utilisée dans la figure 12.1. Celle-ci propose l'une des représentations possibles. La première notion sur laquelle se fonde cette approche est qu'un diagramme statique ne peut illustrer un système qui varie au gré des différents contextes environnementaux, au gré de la dimension consciente et automatique et des différents types de savoir implicite. Un minimum de deux diagrammes sont donc nécessaires pour faire comprendre comment de telles variables peuvent affecter les processus cognitifs, mais il est clair qu'il serait préférable d'en savoir davantage encore, en vue de proposer de nouvelles combinaisons possibles d'éléments. Les deux diagrammes de la figure 12.2 peuvent être commentés sur base d'un exemple, de manière à clarifier les conditions qui distinguent l'incident A de l'incident B :

> La petite Daphné, âgée de quatre ans, est emmenée au zoo pour la première fois, par son père. Ils achètent du pop-corn que celle-ci mange, en allant d'une espèce animale à une autre.
>
> *Incident A :* Daphné s'arrête devant l'enclos des girafes et cesse de mastiquer son pop-corn. Elle regarde fixement la maman girafe et son girafeau. *Qu'est-ce que c'est ?* demande-t-elle. *C'est une girafe, qui vient d'Afrique* répond son père. La petite fille détaille l'animal de la tête aux pieds. *Tu n'en a jamais vu dans un livre d'images ?* demande le père.
>
> Daphné secoue la tête et continue à regarder.
>
> *Incident B* : Plus tard, alors qu'ils passent devant l'enclos des coyotes, Daphné regarde les deux animaux qui se trouvent sous un arbre et dit entre deux bouchées de pop-corn : *On dirait Ranger.* Ranger est le nom du berger allemand appartenant aux personnes habitant l'une des maisons voisines de celle de Daphné. Cette fois, au lieu de s'arrêter pour fixer les animaux, Daphné continue à marcher et à manger son pop-corn.

L'interprétation du comportement de l'enfant représentée à la figure 12.2, nous permet d'avancer que la rencontre de la petite file avec la girafe (incident A) était fortement tributaire des données, et réclamait une plus grande attention consciente. Le déroulement de la rencontre était aussi séquentiel car Daphné s'est arrêtée de manger et de marcher pour

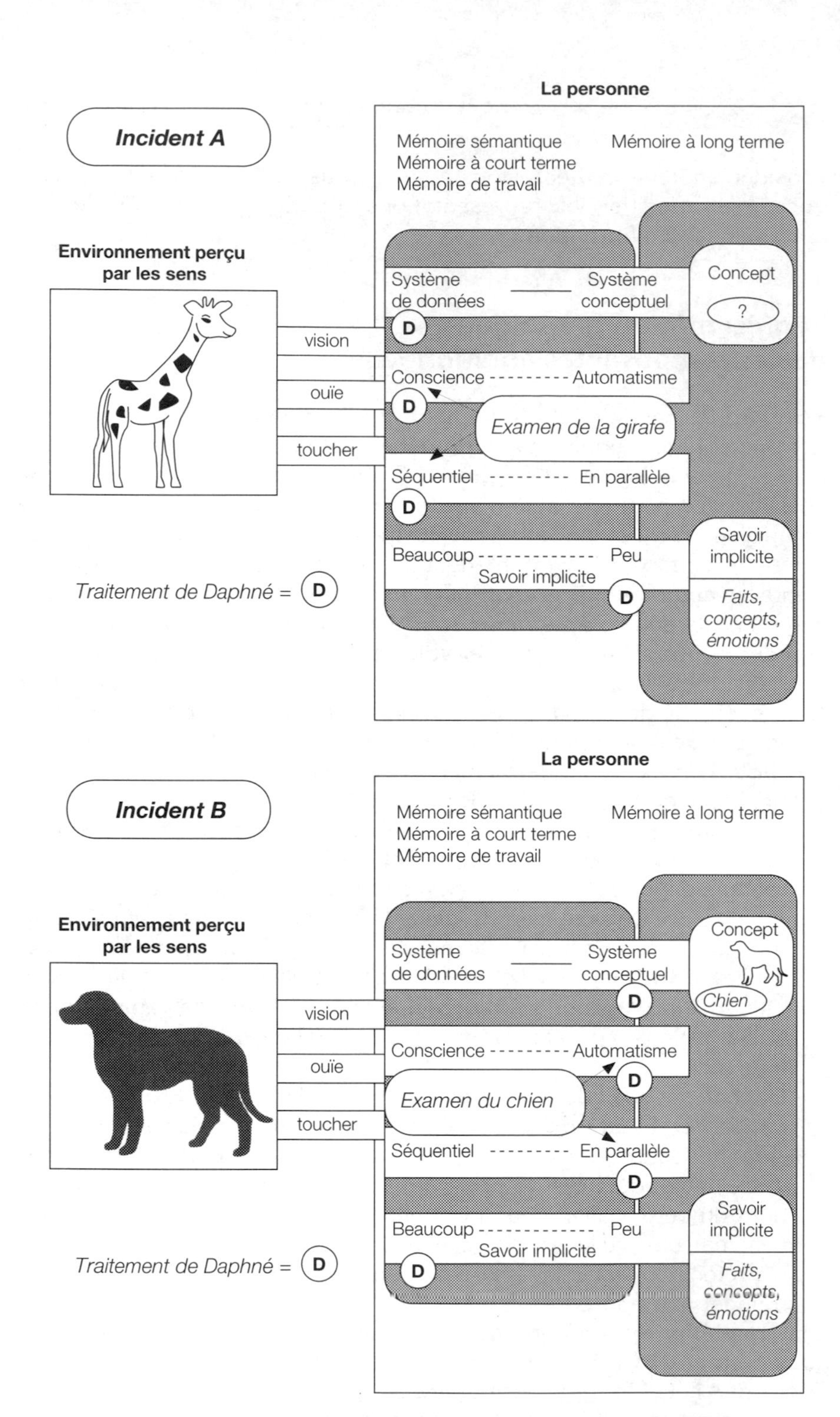

Figure 12.2 — Une version d'un système de traitement de l'information chez un enfant pendant une visite au zoo

examiner les girafes et elle n'a pu faire intervenir le savoir implicite, puisqu'elle n'avait en mémoire aucun concept pouvant se rattacher à la vision de cette créature tachetée au long cou. La rencontre avec le coyote (incident B), au contraire, dépendait davantage de la conceptualisation, puisque Daphné avait en mémoire une représentation correspondante, que le stimulus a pu activer. Cette rencontre laissait également intervenir un certain automatisme, parce qu'elle ne demandait pas d'attention consciente, l'animal paraissait familier. Enfin, elle était soutenue par le savoir implicite, c'est-à-dire la connaissance des caractéristiques de Ranger. Tout cela a donné la possibilité à Daphné d'engager un processus en parallèle, lui permettant simultanément de regarder l'animal, et de continuer à marcher en mangeant du pop-corn. Comparé au modèle graphique de la figure 12.1, la forme revisée du diagramme de la figure 12.2 reflète plus fidèlement la manière dont les différences entre les stimuli environnementaux influencent le traitement de l'information.

Etude comparée des ordinateurs et des humains

A côté des thèmes d'Ashcraft existent d'autres traits pertinents des modèles de traitement de l'information, qui comparent les ordinateurs aux hommes. Un tel exercice permet d'identifier les précautions à prendre pour interpréter la cognition humaine en termes d'opérations informatiques et également ce qu'il y aurait lieu de modifier dans le matériel et le logiciel pour stimuler plus adéquatement les modes de pensée de l'enfant.

Un exemple simple de comparaison de ce type est représenté par le classement du tableau 12.1, qui confronte une série de caractéristiques des ordinateurs actuels à des caractéristiques humaines. Nous nous limiterons ici à considérer seulement douze de celles-ci, qui semblent particulièrement significatives pour le propos qui nous intéresse, à savoir la connaissance sur un modèle cybernétique.

Les scientifiques spécialisés dans le domaine de l'intelligence artificielle utilisent des comparaisons du type de celles qui figurent dans le tableau 12.1 en vue de simuler, beaucoup plus fidèlement par l'ordinateur, le processus de pensée humaine. Plus ils agiront dans ce sens, plus les théories du traitement de l'information reposant sur le modèle cybernique seront fidèles dans leur tentative de reproduction du processus de pensée humaine. Cependant, en attendant la mise au point d'ordinateurs plus sophistiqués, les théoriciens du développement qui se basent sur les structures cybernétiques pour recréer les fonctions cognitives de l'enfant peuvent aisément étendre leurs théories au-delà des possibilités de l'informatique actuelle, de manière à pallier les différences existant entre machines et humains, comme l'illustre le classement du tableau 12.1.

Tableau 12.1 — Etude comparée des ordinateurs et des hommes

L'ordinateur	L'homme
Source de stimulation	
Attend les données de l'environnement.	Cherche les données dans l'environnement. mais reçoit également des données de l'environnement.
Mobilité	
Est immobile et ne peut se mouvoir seul, sauf s'il est intégré à un robot mobile. Même dans ce cas, ses mouvements restent assez limités.	Se déplace de façon autonome et peut avoir des perspectives différentes de son environnement. Grande adaptabilité et flexibilité des ses mouvements.
Niveau de standardisation	
Très standardisé. Avec un certain type d'ordinateur, les structures et les fonctions de tous les modèles sont identiques. L'influence des conditions de l'environnement (température, durée d'utilisation, techniques de l'opération) est assez limitée. Donc, il suffit de connaître les caractéristiques d'un modèle de ce type pour prévoir le fonctionnement de n'importe quel autre modèle. Le fonctionnement d'un ordinateur reste toujours le même quel que soit le contexte où il se trouve.	La standardisation se limite aux caractéristiques de "la nature humaine" à n'importe quel stade de développement. Cette nature humaine permet des variations de fonctionnement entre les différents individus. Même les jumeaux monozygotes qui ont un pontentiel génétique identique, diffèrent trés vite l'un de l'autre sous l'action de différents environnements. Connaître les caractéristiques d'un membre de l'espèce n'offre que des données approximatives quand il s'agit de découvrir les caractéristiques d'un autre membre, même si ceux-ci ont le même âge. De plus les fonctions chez un individu varient souvent d'un contexte à un autre.
Conditions de mémorisation	
Statique, conserve les données dans l'état où elles ont été reçues.	Actif, modifie ce qui est conservé, soit en enregistrant de nouvelles données, soit sous l'influence d'altérations biologiques ou sous l'influence du temps qui passe.
Nature des programmes pour le traitement de l'information	
Stables. Les programmes ne se modifient pas. Sauf exceptions rares, ils doivent être changés par un opérateur extérieur.	Actif. Les programmes de traitement se restructurent eux-mêmes en permanence selon les données et selon les modifications biologiques de l'organisme. Un individu peut apprendre d'un autre individu comment modifier les programmes. Il peut aussi découvrir lui-même comment modifier son propre programme.
Détérioration	
Peut être détérioré par accident ou par l'usure des matériaux de construction. Cela peut entraîner une perte de la mémoire et un traitement défectueux.	Peut être détérioré par accident ou par l'usure des «matériaux de construction». Cela peut entraîner une perte de la mémoire et un traitement défectueux.

Entretien de la structure	
Peut contrôler l'état de plusieurs de ses fonctions propres et signaler les fonctionnements défectueux ou les composantes abîmées. En général, ne peut pas se réparer.	Peut contrôler l'état de plusieurs de ses fonctions propres et signaler les fonctionnements défectueux ou les composantes abîmées. Peut souvent se réparer lui-même, quoique le processus de réparation mette hors d'usage certaines fonctions pendant quelque temps.
Entretien de l'efficacité opérationnelle	
S'arrête de fonctionner quand sa capacité est saturée. Ne souffre ni de l'ennui, ni du manque de motivation, ni de la fatigue, ni de troubles émotionnels.	S'arrête de fonctionner en cas de surmenage et est particulièrement sujet à l'ennui, au manque de motivation, à la fatigue et aux troubles émotionnels.
Etendue et éventail des fonctions	
Limité à un ensemble restreint de programmes. Comparé aux humains, il a de pauvres capacités pour créer de nouvelles solutions.	S'étend à une bien plus grande variéte de programmes que ceux qui sont disponibles dans les ordinateurs actuels, surtout ceux concernés par la créativité en littérature, en sciences sociales, et dans les arts.
Vitesse de traitement	
Plus rapide que l' homme pour accomplir des opérations ordinaires et pour stocker de grandes quantités de données dans la mémoire à long terme.	Plus lent que l'ordinateur pour calculer et stocker de grandes quantités de données dans la mémoire à long terme.
Complexité de traitement	
De loin plus précis que l'homme pour combiner, comparer, calculer, résumer et fournir les résultats d'une grande quantité de données suivant les régles de la logique.	Beaucoup plus compétent que l'ordinateur pour manipuler des variables qui n'ont pas été clairement définies ou prévues à l'avance et dont le "poids" (degré d'importance pour arriver à une solution) n'a pas été spécifié. Ces fonctions cognitives sont désignées par les termes : intuition, estimation, supposition, imagination, prédiction.
Conditions de fonctionnement pendant la durée de vie	
Constantes, excepté de rares pannes des composantes du matériel ou des fautes humaines touchant le logiciel, accidentelles (erreurs de programmation) ou intentionnelles (virus).	Très inefficace au début. Généralement l'efficacité s'améliore de façon marquée au cours des 2 ou 3 premières décades (30 ans), pour ensuite régresser en ce qui concerne quelques fonctions. Les autres fonctions restent constantes ou faiblissent graduellement au cours des 30 années suivantes. Finalement, vers 60 ou 70 ans, les détériorations varient en importance d'un individu à l'autre.

Un défaut, peut-être le plus grave, des modèles cybernétiques actuels censés être analogues aux processus de pensée de l'enfant réside dans ce qui a été proposé comme la «condition de fonctionnement pendant la durée de vie de l'unité». Les modèles cybernétiques ne montrent pas comment les capacités sensori-motrices et cognitives évoluent systématiquement avec le temps. En effet, les stimulations informatiques, du moins jusqu'à présent, sont immuables, aussi faudrait-il bien plus que les éléments contenus dans les modèles cybernétiques appliqués aux théories du développement, pour rendre compte des progrès qui s'effectuent depuis la petite enfance jusqu'à l'adolescence. Des recours extérieurs au monde informatique sont nécessaires pour expliquer les changements intervenus dans les sources de stimulation de l'enfant, la mobilité, la mémoire, la standardisation (étendue des différences individuelles), etc.

En bref, la comparaison entre les ordinateurs et les hommes peut être utile pour savoir quelles sont les caractéristiques humaines à retenir pour effectuer les stimulations dans les modèles cybernétiques. Elle permet également de trouver comment on pourrait élargir les théories du développement humain basées sur leurs pendants cybernétiques, de manière à pouvoir concilier les différences existant entre humains et ordinateurs.

Traitement de l'information et développement

En menant des expériences avec des enfants d'âges différents et en effectuant des simulations informatiques complémentaires, les chercheurs, au cours de ces dernières années, ont accumulé une somme importante de données à propos des modifications affectant le traitement de l'information par les humains au fur et à mesure que ceux-ci avancent en âge. Quelques exemples de données résultant de ces études sont repris ci-dessous. Ils sont répartis comme suit : (1) les entrées sensorielles et la mémoire à court terme, (2) la mémoire à long terme et (3) les interactions entre ces deux types de mémoire.

Apport sensoriel et mémoire à court terme

Une différence fondamentale entre le nourrisson et un enfant plus grand concerne les forces qui déterminent les faits de l'environnement auxquels l'enfant fait attention. Les stimuli de l'environnement qui focalisent véritablement l'attention de l'enfant résident dans tout ce qui a trait à la nouveauté. Le tout jeune enfant a peu d'expérience du monde et trouve de la nouveauté dans des faits devenus communs pour un enfant plus âgé.

Nous voyons dans le comportement du jeune enfant qui se développe que l'attention (...) implique des réactions automatiques (...) C'est-à-dire que les premières réactions d'un tout petit enfant peuvent être expliquées parce que son attention est automatiquement captée par des stimulations sensorielles, bien plus que ne le sont celles de l'enfant plus âgé ou de l'adulte (Horton et Turnage, 1976, p. 203).

Mackworth a divisé le processus de développement de l'attention en trois stades principaux. Au premier niveau, le tout jeune enfant porte son attention sur les objets visuels et auditifs nouveaux de son environnement car :

Sa tâche est de construire des modèles internes; tout ce qu'il voit est nouveau. Pendant le reste de sa vie, il continuera à construire de tels modèles, mais son attention sera davantage orientée vers une comparaison entre de nouvelles expériences et les modèles déjà assimilés (1976, p. 145).

Le second stade va de un an environ à quatre ou cinq ans. L'enfant commence à développer un certain niveau de reconnaissance pour des schèmes particuliers, mais continue à être intéressé par ceux qui sont nouveaux. Cependant, il a tendance à négliger certains éléments importants pour parvenir à la décision appropriée. De plus, la nature de ses réponses est changeante, celles-ci sont même parfois contradictoires, car «son attention est d'abord retenue par un détail, puis par un autre... Donc, sa plus grande faiblesse réside dans l'absence de coordination entre les éléments qu'il est capable de percevoir et les règles qu'il est en mesure d'utiliser» (Vurpillot, 1976, p. 231).

Au troisième stade, l'enfant plus âgé ou l'adolescent a un plus grand contrôle cognitif sur les phénomènes d'attention. Il réagit moins hâtivement et attend pour ce faire d'avoir plus de données. Il est aussi plus à même de sélectionner les détails importants, de modifier son jugement en fonction des résultats préalables et d'utiliser les particularités des événements et même de les changer si nécessaire.

Bref, l'enfant qui grandit tend de plus en plus à se fixer des objectifs et recherche intentionnellement des situations où investir son attention afin d'atteindre ceux-ci. Nous avons vu que la mémoire sémantique à court terme chez l'adulte moyen peut intégrer sept unités d'information, une qualité qui, semble-t-il, n'était pas innée, mais qui, au contraire, a été acquise durant les années d'enfance. D'après certaines recherches, à dix-huit mois, l'enfant moyen ne peut stocker qu'une seule unité d'information, quatre unités à l'âge de cinq ans, puis enfin sept à l'adolescence. De tels changements dans la capacité de la mémoire à court terme permettent d'expliquer les différences de pensée et de comportement observées chez des enfants de différents niveaux d'âge. Par exemple, des enfants âgés de un et deux ans utilisent communément un mot simple pour représenter une idée globale qu'un enfant plus grand décrirait en plus de mots (phénomènes d'holophrasisme). Farnham-Diggory (1972, p. 62) a proposé que «la capacité restreinte de groupements que possède l'enfant de dix-huit mois semble être à la base de sa production d'holophrases». Le nombre supérieur de groupements qu'il peut faire intervenir contribue à l'amélioration des opérations de la mémoire à court terme, au fur et à mesure qu'il grandit.

Mais d'autres facteurs contribuent également à une plus grande efficacité dans le fonctionnement des opérations de la mémoire à court terme telle, par exemple, la structure des groupements mémoriels. Un groupement qui représente un concept comme celui de «transport», par exemple, draine un champ sémantique plus large, car il englobe plusieurs phénomènes, qu'un autre groupement qui représente une chose ou un fait isolé, tel que «la robe de maman». Un groupement qui fait référence à une opération complexe, telle la succession d'étapes nécessaires pour monter à bicyclette le long d'un chemin sinueux, sera plus riche que celui qui représente le collage d'un timbre-poste. De plus, une chaîne d'actions pratiquées intensément et de manière régulière et qui, par conséquent, constitue un processus automatique peut être considérée comme un groupement unique. La première action ou idée de la chaîne suffit à évoquer le reste de la séquence, sans que l'individu soit tenu de réfléchir intentionnellement aux éléments subséquents du processus. Ainsi, quand la chaîne entière peut être représentée par un groupement unique, les espaces résiduels de la mémoire à court terme sont donc disponibles pour d'autres groupements d'informations. D'après cette théorie, cette plus grande complexité de groupements chez l'enfant plus âgé favorise chez cet enfant un fonctionnement de la mémoire à court terme supérieur à celui de l'enfant plus jeune.

La capacité du système de traitement d'un enfant au niveau de sa mémoire à court terme influence également la nature de ce qui l'intéresse dans son environnement. Les tout jeunes enfants sont attirés par des stimuli simples, par des formes géométriques, car ils n'ont pas les capacités nécessaires pour appréhender des formes complexes. Certains chercheurs ont proposé que la supériorité des enfants plus grands sur les plus jeunes en ce qui a trait à leur performance mémorielle n'est pas une question de capacités, mais trouve plutôt son origine dans la plus grande quantité de connaissances dont disposent les plus grands et dans leur plus grande facilité à utiliser des moyens mnémotechniques, comme la répétition et le groupement d'éléments dont ils doivent se rappeler (Chi, 1976, p. 559).

Changements s'opérant dans la mémoire à long terme

Bien que les changements au niveau des organes des sens et de la mémoire à court terme puissent expliquer en partie les différences intervenant dans le traitement de l'information à différents niveaux d'âge, les changements dans la mémoire à long terme interviennent pour une grande part dans l'apparition de ces différences. Les changements se répartissent, semble-t-il, en grandes catégories : (1) les altérations dans les structures nerveuses déterminées par la maturation génétique et (2) les changements dans la base de connaissance résultant d'une plus grande expérience. Il semble que ces deux catégories ne soient pas indépendantes, mais plutôt complémentaires. En d'autres termes, la maturation graduelle des tissus nerveux et les changements qui en découlent permettent à l'individu de profiter davantage de ses interactions avec l'environnement. En retour, au fur et à mesure que le temps passe, le type de connaissances que la personne accumule peut hâter ou retarder la maturation des structures électrochimiques qui constituent le système nerveux.

La différence développementale la plus évidente entre la base de connaissance d'un jeune enfant et celle d'un autre plus âgé semble être la quantité d'éléments qui y sont stockés et utilisés pour interpréter les stimuli de l'environnement et résoudre des problèmes. L'enfant plus âgé a en général recueilli un plus grand nombre de traces mémorielles et dispose d'un plus grand nombre de possibilités d'associations entre différents éléments. La connaissance du jeune enfant peut être comparée à un tissu de trame assez lâche, tissé de quelques fils représentant des traces mémorielles et cousu de points très simples. Par contre, la mémoire à long terme de l'adolescent ressemble davantage à une grande étoffe d'un tissage très serré, formant un dessin complexe. C'est à la fois le nombre d'éléments et leur schéma de connections qui déterminent la complexité d'un groupement de connaissances lorsque celui-ci se manifeste dans la mémoire sémantique immédiate.

De plus, le nombre de processus et d'étapes qui interviennent successivement dans l'accomplissement d'un objectif augmente numériquement et en complexité avec la maturité développementale. Par exemple, si on demande à des enfants de mémoriser un numéro de téléphone ou une liste de noms, les plus jeunes ne pourront recourir qu'à un procédé unique : la répétition. Comme l'a noté Flavell (1977) : «la répétition n'est certainement pas la forme de stratégie mnémotechnique la plus efficace pour celui dont le système de traitement de l'information est sophistiqué et adaptable». Ceci explique que les adolescents ne se limiteront pas à répéter les éléments isolés, mais les regrouperont en fonction d'un élément commun tel, par exemple, leur séquence alphabétique ou ordinale. Les adolescents peuvent aussi à dessein les associer à d'autres éléments préexistants de leur mémoire, par exemple, en comparant un numéro de téléphone au leur ou à une date historique connue.

Il importe également de noter que les enfants plus âgés peuvent reconnaître plus facilement qu'un élément appris dans un environnement particulier est applicable à un autre; la faculté de généraliser au delà d'une situation pour résoudre de nouveaux types de problèmes progresse avec l'âge. A propos de l'acquisition par les enfants de stratégies de mémorisation plus efficaces, Hagen, Jangeward et Kail (1975, p. 73) ont reconnu le rôle de l'apprentissage en observant :

> *Il semble (...) y avoir un stade de transition pendant lequel l'enfant peut utiliser une stratégie dans certaines conditions ou peut apprendre à l'utiliser pendant une session d'entraînement relativement brève. Cependant, la stratégie n'est pas utilisée spontanément et ne montre pas de caractéristique durable ou générale (...) Apparemment, l'apprentissage, qu'il se fasse par une expérience spontanée, par l'éducation informelle ou formelle, est critique pour le développement de l'utilisation de stratégies.*

En bref, les stratégies mémorielles ne sont pas innées et n'appartiennent pas nécessairement à un moment donné de l'existence; elles sont, au contraire, acquises par l'expérience. Le moment où apparaissent des stratégies mnémoniques semble dépendre de la maturité du système nerveux de l'enfant et des expériences particulières qu'il a faites et qui lui permettent d'élaborer ses propres stratégies.

Rapport entre les composantes du système

Comme l'illustre les figures 12.1 et 12.2, la mémoire à long terme s'engage dans une série de transactions au cours des différentes phases de la mémoire à court terme. De même, les éléments variés de la mémoire à court terme interagissent continuellement. La complexité de ces interactions constitue l'un des facteurs qui rendent la théorie du traitement de l'information si insaisissable. Le commentaire de la figure 12.1 suggère que les sensations d'entrée ne sont pas perçues ou stockées sous la forme originelle qui avait stimulé l'organe du sens; elles sont plutôt traduites sous forme d'un code qui facilite la perception et le stockage. Ce codage comprend, semble-t-il, différents stades transitoires et pourrait varier en fonction du niveau développemental du système cognitif de l'individu. Ainsi, il serait directement lié au niveau d'habileté verbale. Par exemple, les expériences au cours desquelles il est demandé à des sujets d'écrire les chiffres qu'ils entendent montrent que ceux-ci transforment d'abord les unités de son mentalement en mots avant de reproduire les stimuli originaux en traçant des chiffres conformément aux descriptions verbales qu'ils ont stockées dans leur mémoire (Kaufman, 1974, p. 533). Les enfants plus âgés ont une meilleure maîtrise, qui les aide à codifier plus aisément les stimuli en mots. C'est là une explication sommaire des rapports complexes nécessaires à une description correcte de la perception et du stockage de l'information.

L'interaction entre la mémoire à court terme et la mémoire à long terme est également actualisée par la différence de vitesse dans l'accomplissement des phénomènes, en fonction de l'âge du sujet. Des études suggèrent que, même si des enfants d'âges différents ont recours à des procédures mentales identiques pour résoudre un problème, les plus âgés le feront plus rapidement. La raison en est, peut-être, que l'expérience des enfants plus âgés les aide dans le traitement des composantes du système en vue d'en tirer un message.

Ces quelques exemples de recherches sur le développement qui ont utilisé les paradigmes du traitement de l'information ont abouti aux conclusions suivantes : avec l'âge, les différents aspects des processus mentaux de l'enfant se combinent davantage, les opérations s'effectuent de plus en plus rapidement et le système, dans son ensemble, augmente en complexité.

Le développement de l'enfant et les thèmes d'Ashcraft

Le recours aux thèmes d'Ashcraft est également possible pour identifier certains autres changements qui interviennent dans la nature du processus de traitement de l'information au cours du développement de l'enfant. A la question : «Qu'est-ce qui se développe au fur et à mesure que l'enfant grandit ?», il répondrait que le développement, de la petite enfance à l'adolescence, est marqué par une progression des opérations mentales et psychomotrices qui sont désormais plus automatiques que conscientes, plus traitées parallèlement que successivement et plus conceptuelles que tributaires de données. Il faudrait encore ajouter à cela que, au fil du temps, le savoir implicite des enfants s'étend, de façon à ce qu'ils puissent établir des déductions de plus en plus complexes et précises. Leurs techniques de métacognition se complexifient, et la connaissance stockée dans la mémoire à long terme est représentée par des structures plus perfectionnées et plus compliquées. Les enfants acquièrent également plus de self-contrôle, ce qui leur permet de concentrer leur attention.

Ces résultats n'ont pas seulement suscité un intérêt théorique, mais ont également été à l'origine d'un grand nombre d'applications pratiques, comme nous le verrons par la suite.

Applications pratiques

Les applications les plus marquantes de la théorie du traitement de l'information s'insèrent dans des modèles pédagogiques où elles se révèlent utiles à plusieurs égards. D'abord, le modèle informe l'instructeur de l'existence des différents stades qui composent le processus par lequel les enfants reçoivent les informations de l'environnement, les transmettent à la mémoire et les en ressortent au besoin pour résoudre des problèmes. La description de cette séquence peut suggérer au professeur les activités les mieux adaptées à chacun des stades. Une partie de cette expérience consiste pour l'éducateur à aider les enfants à analyser leurs propres actes de perception, de stockage et de rappel afin qu'ils puissent avoir un contrôle conscient du processus. Par exemple, on peut encourager chez les enfants des techniques qui développent la mémoire comme la répétition, le groupement, l'association simple ou multiple, les acronymes et les comptines. De cette manière, promouvoir la métaperception et la métamémoire des enfants revient à leur enseigner «à apprendre à apprendre».

De plus, des recherches qui décrivent le rythme auquel les diverses composantes du système d'information se développent peuvent aider les parents et les professeurs à décider quel type d'apprentissage les enfants sont à même d'acquérir aux différents stades de leur développement. Par exemple, des études de ce genre ont pu déterminer à quel âge l'enfant moyen est capable d'apprendre une technique mnémonique (mnémotechnique) particulière comme, par exemple, la création de mots clés pouvant être associés aux éléments que le sujet doit se rappeler. Un nombre croissant de rapports de recherche propose également la manière dont ces procédés mnémotechniques doivent être enseignés et la méthode d'évaluation de la maîtrise que les enfants ont acquise. (Ashcraft, 1989; Brown et DeLoache, 1978: Hagen, Jongeward et Kail, 1975).

La théorie du traitement de l'information est également appliquée de manière valable en tant que guide pour diagnostiquer et traiter les difficultés d'apprentissage des enfants. Le diagnostic est établi suivant le mécanisme de fonctionnement de chaque composante au moyen de tests, d'observations dirigées en situation d'apprentissage et d'interviews de l'enfant. Ces méthodes d'évaluation sont ensuite utilisées pour estimer dans quelle mesure le mécanisme de traitement d'information de l'enfant fonctionne efficacement. Sur base de ces tests, un professeur ou un psychologue essaie de déterminer dans quelle partie du système se situe la cause du problème d'apprentissage de l'enfant. Les organes des sens sont-ils défectueux, provoquant des troubles de la vue ou une mauvaise audition ? L'enfant est-il vraiment motivé lorsque les stimuli de l'apprentissage lui sont présentés ? Le stimulus tel qu'il est reçu par les organes des sens a-t-il été déformé, codé de manière incorrecte, ou effacé durant l'échange entre la mémoire à court terme et la mémoire à long terme, créant, par exemple, des troubles dyslexiques ou de compréhension quantitative ? Ou encore, le stimulus ayant été perçu correctement a-t-il été stocké d'une manière qui ne permettait pas un rappel de l'information ? Ou bien, toutes les conditions préalables étant satisfaites, un système défectueux de transmission de messages aux muscles a-t-il empêché l'enfant de traduire en gestes les résultats de son apprentissage, comme c'est apparemment le cas pour certains enfants souffrant de troubles nerveux et musculaires ?

Au moyen de cette procédure de diagnostic, on parvient à déterminer quelles composantes du système ou quels rapports entre les composantes sont défectueux. C'est alors que des méthodes appropriées pour traiter ces dysfonctionnements peuvent être appliquées. Elles peuvent consister en procédures d'éducation spéciale, en intervention médicale ou en une combinaison des deux (Thomas, 1989c).

Perspectives de recherche

Pour les chercheurs ambitieux, les pistes à suivre et les questions à résoudre ne manquent pas dans la théorie de l'information. Uttal (1981, pp. 986-987), à l'issue d'une énumération exhaustive des études effectuées à propos de la perception visuelle, a conclu que : «En dépit du grand nombre de recherches empiriques réalisées sur la perception, l'étendue de notre ignorance dans certains domaines (...) est surprenante quand on va en dessous de la surface (...)»

Pour appuyer ses propos, il a précisé que, malgré l'existence de moyens technologiques ultra sophistiqués en électrophysiologie, les scientifiques ne parviennent pas encore à expliquer comment l'action d'un réseau de neurones peut être transformée en l'expérience consciente de ce qu'un individu vient de percevoir. De même, ils ne sont toujours pas en mesure d'expliquer comment une personne peut se représenter une scène qui est seulement suggérée, sans qu'aucun élément du stimulus n'apparaisse dans son environnement présent. De plus :

> *Nous en savons encore très peu sur les mécanismes et processus par lesquels les dimensions multiples (telles une vue du haut, une vue du bas, une de côté et l'objet en mouvement) sont intégrées pour influencer collectivement le résultat perceptif* (Uttal, 1981, p. 987).

Situés au même niveau de complexité figurent les problèmes de développement, c'est-à-dire les questions relatives aux changements qui ont lieu avec le temps et auxquelles la théorie du traitement de l'information n'a pas encore apporté de réponses. Les différents groupes de questions qui vont suivre évoquent certains des problèmes qui restent à résoudre.

En ce qui concerne les organes des sens, existe-t-il des périodes critiques ou sensibles dans le développement de l'enfant, où certaines forces particulières de l'environnement favorisent la précision optimale de ces organes ? Si c'est le cas, à quel moment ces périodes apparaissent-elles, pour chaque catégorie de sens ? Quelles différences individuelles se produisent d'un enfant à l'autre au cours d'un tel développement et quelles en sont les causes ? Si un enfant a manqué une période critique, ce qui se traduit par des déficiences sensorielles, comment celles-ci peuvent-elles être corrigées ou comment en minimiser les effets ? Quelle est la proportion de filtrage de stimuli qui s'effectue au niveau même de l'organe des sens, au fur et à mesure que le sujet grandit ?

De quelle manière une intention surgit-elle dans l'esprit et comment celle-ci évolue-t-elle à mesure que l'enfant se développe ? Quel impact les stimuli de l'environnement exercent-ils sur l'attention d'un individu au fil de son évolution et quelle est la part déterminée par les stimuli qui trouvent leur origine chez l'enfant lui-même ? Les mécanismes qui régissent la faculté d'attention varient-ils d'une culture à l'autre et de quelle manière ?

Laquelle de la théorie de la mémoire à court terme ou de celle de la mémoire active est la plus exacte ? Quels changements interviennent dans la manière dont l'enfant code des stimuli pour favoriser leur stockage dans la mémoire à long terme ? Le nombre d'unités d'information qui peuvent coexister dans la mémoire à long terme augmente-t-il avec l'âge, ou les progrès dans la résolution des problèmes sont-ils le fait d'une simple amélioration dans les stratégies perceptuelles et mémorielles ? Au contraire, est-ce la combinaison d'un plus grand nombre de facteurs, de meilleures stratégies et d'une plus grande base de connaissances qui accroît l'efficacité intellectuelle ?

Laquelle, parmi les versions des modèles de mémoire à long terme, est la plus exacte ? Quelle est la nature exacte des échanges qui s'effectuent entre la mémoire à court terme et la mémoire à long terme ? En quoi des activités éducatives spécifiques à différents stades de croissance influencent-elles la capacité de l'enfant à se souvenir et à résoudre des problèmes ? En quoi celles-ci affecteront-elles les performances de l'enfant devenu adolescent, puis de l'adulte et comment cela est-il possible ?

Toutes ces questions, de même que des problèmes qui en découlent, sont au centre des préoccupations des chercheurs qui ont choisi d'étudier le développement de l'enfant à la lumière de la théorie du traitement de l'information.

La théorie du traitement de l'information : appréciation

Pour évaluer cette théorie, nous avons recours, comme précédemment, aux neuf critères présentés au chapitre 1. Pour le premier de ceux-ci, notre appréciation est très positive parce que (1) la théorie du traitement de l'information se fonde sur un nombre important de recherches empiriques et (2) des simulations par ordinateur de la pensée et du comportement des enfants se servent de recherches de ce genre pour établir les composantes et les rapports inclus dans les programmes d'ordinateur.

La théorie reçoit aussi une cote élevée pour sa clarté (critère 2), les ouvrages rédigés à propos du traitement de l'information proposant des définitions des termes utilisés, illustrant celles-ci à partir d'exemples issus de travaux de recherche ou d'observation. Néanmoins, certains points demeurent obscurs; l'incapacité des théoriciens d'expliquer ce qu'ils proposent n'est pas ici mise en cause, mais bien la complexité des problèmes qu'ils exposent. Ils admettent fréquemment n'être pas satisfaits des solutions qu'ils apportent à certains problèmes. Si les explications théoriques des phénomènes observés sont inadéquates, la théorie restera par conséquent nécessairement quelque peu obscure. Parmi les questions difficiles à résoudre figurent la structure et le fonctionnement de la mémoire à long terme, le processus de codage des stimuli de sensations et la manière dont l'attention d'un individu peut être captée.

La théorie est, semble-t-il, explicative du passé et à même de prévoir le futur (critère 3) pour les aspects du développement de l'enfant qu'elle aborde, à savoir les organes des sens, l'attention, la perception et les opérations de la mémoire. Le théoricien est en mesure d'expliquer les éléments qui sont intervenus au niveau du psychisme enfantin et d'expli-

Tableau 12.2 — La théorie du traitement de l'information

Comment la théorie du traitement de l'information répond-elle aux critères ?

Les critères	Très bien	Assez bien	Très Mal
1. Reflète le monde réel des enfants	X		
2. Se comprend clairement	X		
3. Explique le développement passé et prévoit l'avenir	X		
4. Facilite l'éducation	X		
5. A une logique interne	X		
6. Est économique	X		
7. Est vérifiable		X	
8. Stimule de nouvelles découvertes	X		
9. Est satisfaisante en elle-même		X	

quer le statut actuel de ses composantes. La théorie permet également d'établir des prédictions sur le futur, en posant les fondements d'une estimation de ce qui, dans les années à venir, influencera le fonctionnement des sens, le système de perception et la mémoire. Les recherches menées en matière de traitement de l'information ont donné accès à une mine d'informations sur les organes des sens, la perception et la mémoire. Ce qui explique que des prédictions sur le développement futur de ceux-ci peuvent être avancées avec une certaine assurance.

Cependant, il est vrai que les prévisions relatives à l'enfant moyen à un âge donné sont plus sûres que celles que l'on établit à propos d'un enfant en particulier. Avant de rendre des jugements plus précis à propos des systèmes individuels, il est nécessaire de mener des recherches complémentaires en vue d'expliquer les différences individuelles existant au niveau des composantes ou du processus du traitement de l'information.

En tant qu'auxiliaire de l'éducation des enfants, ce modèle théorique mérite, nous semble-t-il, un bon résultat parce que les recherches empiriques afférentes intègrent des suggestions spécifiques relatives aux comportements potentiels d'enfants d'âges différents et sur la manière de promouvoir leur développement optimal. Les parents et professeurs peuvent tirer de cette source inépuisable de données de multiples informations quant aux soins à prodiguer aux organes des sens, à la manière d'orienter l'attention des enfants vers des activités constructives et aux stratégies à adopter pour améliorer la mémoire et les procédés de rappel de l'information.

Nous n'avons pas trouvé d'incohérences inhérentes à la théorie du traitement de l'information; une cote élevée lui a donc été attribuée pour le critère 5. De même, les composantes du système ainsi que les relations existant entre elles, ne sont pas compliquées à l'excès. C'est pourquoi nous considérons que pour son caractère économique (critère 6), cette théorie mérite un résultat élevé.

Dans une large mesure, les éléments proposés par le système du traitement de l'information, de même que les interactions entre ceux-ci, semblent être vérifiables, du moins en théorie (critère 7). Quelques concepts (tels ceux de mémoire à court terme et de mémoire à long terme, ainsi que les composantes de chacune de ces fonctions supposées) n'ont pas encore été définis d'une manière assez précise que pour bien déterminer comment il serait possible de les isoler et de mesurer leurs interactions, en particulier en recourant à la technologie informatique. Tout reste donc à faire pour tester la véracité de cette théorie dans le détail.

La cote élevée que nous lui avons attribuée pour son influence sur l'apparition de nouvelles découvertes semble justifiée par la quantité croissante de recherches relatives aux organes des sens, au codage des stimuli de l'environnement, aux processus de mémorisation, aux problèmes de rappel d'informations, aux mécanismes qui dirigent l'action des muscles et les simulations par ordinateur de ces différentes fonctions qui sont entreprises depuis peu. Ainsi, comme nous l'avons noté, il existe à présent un grand nombre de variantes et de sous-modèles dérivés de la forme classique de la théorie du traitement de l'information, travaux qui eux-mêmes constituent de nouvelles sources à l'origine desquelles peuvent naître d'autres découvertes sur le développement (Ashcraft, 1989; Posner, 1989).

Suite à ces considérations, nous pouvons conclure que le modèle du traitement de l'information est très satisfaisant (critère 9). Par sa structure intégrée cohérente, il est à même d'expliquer des phénomènes aussi disparates que les stimuli de l'environnement, le fonctionnement des organes des sens, l'attention et la perception, la mémoire et le comportement observable. Toutefois, nous n'avons pu lui donner le maximum, car ce n'est que tout récemment que de nouveaux modèles ont abordé des questions clés, telles, par exemple, la manière dont différents environnements influent sur les processus mentaux et la question des relations existant entre les opérations mentales, conscientes et inconscientes. De plus, les chercheurs de la nouvelle école n'ont pas encore accordé assez d'attention au rôle des émotions et à celui des forces motivantes sous-jacentes qui sont à l'origine de certains objectifs humains. Ces questions méritent, en effet, d'être intégrées formellement à la théorie de base, si celle-ci doit proposer un reflet fidèle de la pensée et du comportement humain. Cependant, en dépit de ces quelques imperfections, ce modèle est nettement à l'avant-garde des recherches sur le phénomène de la cognition humaine.

13

La théorie du développement moral de Kohlberg

Jusqu'à présent, dans cette partie consacrée à la genèse et au développement de la pensée et du langage, nous avons abordé une théorie générale du développement intellectuel (Piaget), une théorie traitant de la relation entre la pensée et le langage (Vygotsky) et une théorie générale portant sur les mécanismes du traitement de l'information. Ces modèles peuvent être qualifiés de «macro-théories», en ce sens qu'ils sont conçus pour expliquer différents aspects du développement humain. Le modèle théorique que nous considérons ici se limite à un aspect spécifique du développement, à savoir le jugement moral. Il s'agit donc d'une «micro-théorie», au même titre que d'autres modèles qui envisagent des aspects déterminés du développement comme, par exemple, le jeu, la perception visuelle, la perception auditive, la mémoire, la créativité, l'apprentissage de la lecture, etc. Plusieurs chercheurs estiment que ces types de théories ont une grande valeur parce qu'ils fournissent des explications plus précises et des prédictions plus justes que les modèles qui se proposent de présenter des principes généraux applicables à toutes les facettes du développement.

Dans ce chapitre, nous présenterons les travaux de Lawrence Kohlberg (1927-1987), psychologue et professeur de pédagogie à l'Université de

Harvard. Cependant, en guise de préliminaire, il serait utile de considérer les différentes acceptions attribuées au mot «moral» par les théoriciens (Siegel, 1982; Gilligan, 1988; Cortese, 1990), ainsi que le sens particulier que lui attribuait Kohlberg lui-même.

Faits, valeurs et moralité

Avant toute chose, nous définirons le terme générique de *valeur* dont le sémantisme englobe celui de «moral». Nous rappellerons aussi la définition du mot *fait* proposée au chapitre 1, et nous établirons la différence existant entre *fait* et *valeur*.

Les *faits* sont des informations objectives, des observations et mesures publiquement vérifiables. Par ailleurs, les *valeurs* sont des opinions sur l'aspect souhaitable de quelque chose, ce «quelque chose» pouvant être une personne, un objet, un événement, une idée, un type de comportement... Les *énoncés de faits* traduisent l'importance des faits, leur intensité et peut-être leurs rapports avec d'autres faits. Les *jugements de valeur* établissent si oui ou non quelque chose est bon ou mauvais, bien ou mal, approprié ou non. Dans le présent chapitre, nous nous concentrerons sur les *valeurs* et non sur les *faits* bien que de nombreuses valeurs discutées feront figure de faits.

Le mot *moral*, au sens où nous l'entendons ici, dérive du terme générique de *valeur*. Nombre d'entre elles ne sont pas des valeurs morales. Il y a par exemple les *valeurs esthétiques*, relatives à un point de vue artistique. Celles-ci, lorsqu'elles s'appliquent à un jardin de fleurs, un poème, une peinture ou un spectacle, se manifestent sous forme d'expressions telles que «plaisants pour les yeux» ou encore «une métaphore bien tournée». Une autre catégorie regroupe les *valeurs techniques* qui portent sur le degré d'efficacité d'un système ou sur la manière dont ses composantes sont agencées. Il y a également des *valeurs de prudence*, qui prescrivent à un individu les relations sociales qu'il doit avoir et la quantité de temps et d'énergie qu'il lui faut investir afin de recevoir le maximum de bénéfices. Par exemple, une fillette considère qu'il n'est pas prudent de dire à son professeur qu'il a mauvaise haleine et un garçon estimera qu'il vaut mieux éviter de jouer au ballon, alors que son père lui a demandé de tondre le gazon.

En quoi les jugements moraux se distinguent-ils des types de valeurs que nous venons de présenter ? D'après Kohlberg :

> *Contrairement aux jugements de prudence ou d'esthétique, les jugements moraux tendent à être universels, inclusifs, consistants et basés sur des fondements objectifs, impersonnels ou idéaux* (1968b, p. 490).

Ainsi, selon Kohlberg, dire à son compagnon «Ne triche pas au test de math parce qu'hier on a attrapé Eddie qui copiait !» n'est pas un jugement moral. Il ne s'agit que d'un jugement de prudence puisqu'il n'est pas universel et qu'il ne s'applique pas à toutes les situations de copiage; il n'est pas non plus basé sur des fondements impersonnels ou idéaux. Au contraire, il y a jugement moral, si un jeune du lycée déclare qu'«on doit bannir la peine de mort parce que personne n'a le droit de prendre la vie de quelqu'un d'autre, quelles que soient les circonstances». Ce jugement est universel et s'applique à toutes les situations, car il est fondé sur des convictions idéales.

Qu'entend-on par *valeurs morales*? Il semblerait a priori que la réponse à cette question soit simple. Mais le problème se révèle être bien plus complexe si l'on considère que plusieurs théoriciens ont proposé leur propre définition de ce qui se rapporte au domaine moral : ainsi, pour Piaget, la moralité consiste en un *système de règles*, l'essence de la moralité se trouvant dans le respect que l'individu acquiert pour ces règles (1932). Au contraire, pour Kohlberg, le domaine de la morale reprend l'idée de *justice* et les différentes conceptions que les individus en ont à différents niveaux d'âge. Le niveau le plus élevé de développement moral est celui qui repose sur le principe de *justice universelle* (1984).

Siegel prône également l'idée de justice pour tous qu'il appelle *sens d'équité*. Ce principe représente le point culminant du développement moral chez l'enfant, qui doit être en mesure de «concevoir, d'une manière consistante et sans contradiction, les intérêts et les intentions des autres» (Siegel, 1982, p. 5). Turiel (1980, pp. 71-72) considère que Piaget et Kohlberg ont improprement confondu *concepts moraux* et *conventions sociales*. Pour lui, les questions morales se limitent aux actes qui peuvent causer un tort physique ou psychologique à autrui, de même qu'à ceux qui affectent le bien-être général des individus. Par ailleurs, les conventions sociales sont déterminées par un système social qui peut, avec le consentement de ses membres, modifier ses règles sans pour autant affecter le bien-être des individus. Il n'en va pas de même pour les préceptes moraux.

En accord avec le point de vue de la théorie de l'apprentissage social, Maccoby (1968, p. 229) s'oppose aux propositions émises par Piaget, Kohlberg ou Turiel, en avançant que les valeurs morales sont des opinions «partagées à l'intérieur d'un groupe social sur ce qui est bien et juste». Située à l'opposé du concept d'*universalité* proposée par Kohlberg, cette perspective est connue sous le nom de *relativisme culturel* ou *relativisme social*. Ces vingt ou trente dernières années, de nombreux chercheurs ont admis que le milieu culturel exerce une influence sur le développement moral des individus. Plus récemment, Cortese (1990), dans son ouvrage intitulé *Ethnic Ethics*, a avancé que *ethnicité* et *culture* sont intimement liées et que l'étude des mécanismes d'interaction entre ces facteurs est essentielle à l'analyse du raisonnement et du comportement moral chez des individus appartenant à des groupes ethniques et culturels différents.

Les travaux de Gilligan et de ses disciples sur le développement moral des femmes offre une nouvelle perspective du concept de «moralité» (Gilligan, 1982; Gilligan, Ward et Taylor, 1988). Ces recherches tendraient à prouver que les hommes et les femmes basent leurs jugements moraux sur des principes différents. Gilligan admet que les décisions morales des hommes sont guidées par les notions de *justice universelle* et de *vérité objective*, comme le proposerait Kohlberg. Mais elle a abouti à la conclusion que les femmes ont une orientation psychologique différente et basent leurs décisions morales sur leur sens de compassion pour les autres. La conception morale de la femme «est basée sur sa compréhension du concept de responsabilité et sur son sens des rapports humains» (Gilligan, 1982, p. 19). Les travaux de Gilligan sont encore sujets à controverse, car, à côté des contributions importantes qu'ils ont apportées au domaine du développement moral, ils constituent une critique sévère de la psychologie traditionnelle, qui aurait trop tendance à négliger certains aspects tels que le sexe et les influences culturelles.

Ce bref exposé de divers points de vue relatifs au domaine de la morale ne se voulait pas exhaustif. Il avait plutôt pour objet de souligner que la définition du développement moral reste sujette à caution. Certains avancent cependant que Kohlberg serait le chef de file des chercheurs spécialisés dans le domaine du développement humain, mais également le théoricien le mieux considéré dans le domaine du développement moral.

Nous aborderons son approche en considérant les fondements de sa théorie d'abord et sa méthodologie de recherche, ensuite. Après l'analyse de sa théorie relative aux stades de développement moraux, nous étudierons le rôle que Kohlberg attribue aux interactions de l'homme avec l'environnement. Nous présenterons ensuite les caractéristiques de ces stades, ainsi que leurs implications pédagogiques. Enfin, nous considérerons les perspectives de recherche que cette théorie a pu ouvrir et nous l'évaluerons en fonction des critères décrits dans le premier chapitre.

Les fondements de la théorie

La théorie de développement moral de Kohlberg retrace les étapes par lesquelles les enfants développent leur jugement moral. Celles-ci «représentent une scission ou une différenciation entre les valeurs morales et les jugements sur d'autres types de valeurs et d'appréciations» (Kohlberg, 1968a, p. 410). Si l'enfant parvient au stade le plus élevé de jugement moral, à l'adolescence, il basera son appréciation des questions morales sur le principe de justice. Pour Kohlberg, le jeune base donc ses opinions sur le *droit des individus* et il considère qu'un acte est mauvais si ledit acte viole ce droit. Kohlberg ajoute à cela que cette conception est fondée sur les principes d'*égalité* et de *réciprocité*, en vertu desquels les gens sont égaux en termes de rapports d'échange et en fonction d'un système de récompense basé sur le mérite de chacun. Le terme *justice* implique que la loi est impartiale et qu'elle s'applique à tous de la même manière, dans le but de préserver les droits des individus (Kohlberg, 1967, pp. 173-176).

Le développement moral est en général considéré comme un aspect de la socialisation en tant que processus par lequel les enfants apprennent à se conformer aux attentes de la culture dans laquelle ils grandissent. Dans le cas des valeurs morales, les enfants non seulement tentent de s'y conformer, mais s'efforcent également de les intérioriser. Par conséquent, ils les reçoivent comme étant correctes et représentatives de leurs propres valeurs personnelles. Une *valeur* est considérée comme étant *intériorisée* et non plus imposée par un milieu extérieur lorsque l'enfant se comporte bien dans des occasions où on l'invite à s'écarter de la règle alors que son comportement ne risque pas d'être découvert, puni ou récompensé.

Ceux qui ont tenté de retracer le développement de la moralité chez les enfants ont généralement mis l'accent sur le *comportement observé*, les *sentiments de culpabilité* et les *fondements du jugement moral*.

Dans le cas du *comportement observé*, la question posée par le chercheur est la suivante : l'enfant fait-il montre de plus d'honnêteté, d'intégrité et de sens de justice au fur et à mesure qu'il grandit ? Des études approfondies sur l'honnêteté chez les enfants et les jeunes ont apporté des réponses négatives ou non concluantes à cette question (Hartshorne et May, 1928-1930). Les enfants et les adolescents semblent davantage tenir compte, dans leur comportement, de critères de prudence (Quelles sont les chances d'être découvert ?) ou de pressions sociales (Est-ce que le groupe désapprouvera ?), plutôt que d'un sens de l'honnêteté interne et croissant. Par conséquent, Kohlberg a rejeté le comportement observable comme un critère valable de développement moral.

Une seconde approche de l'étude de l'intériorisation des règles met l'accent sur la manière dont *le remords* se développe avec l'âge. Cette émotion fait référence aux actes d'anxiété auto-critiqués et auto-pénalisés et au regret qui suit la transgression d'une règle ou de valeurs culturelles. Ici, l'hypothèse de base est que l'enfant obéit afin d'éviter le sentiment de remords. Selon Kohlberg (1968a, p. 484), cette hypothèse repose sur le concept de *conscience* tel qu'il est conçu par la psychanalyse et sur les théories d'apprentissage. D'après sa conclusion, malgré le fait que des études utilisant les techniques projectives révèlent une plus grande tendance au remords dans les années précédant la puberté, on n'a pu réussir à prédire d'une manière probante dans quelle mesure les enfants résisteront vraiment à la tentation. La théorie de Kohlberg n'a donc pu se fonder sur l'observation et l'analyse des sentiments de remords et de culpabilité pendant les années d'enfance et d'adolescence. Au contraire, son œuvre se concentre sur une troisième approche, qui consiste à retracer les bases des jugements de l'enfant sur les questions morales.

A l'analyse du *raisonnement moral*, la question qui survient est celle-ci : l'enfant a-t-il intériorisé un standard moral et peut-il justifier son jugement, que ce soit vis-à-vis de lui-même et des autres ? C'est là le type d'approche utilisé vers le début des années 30 par Piaget et qui entre-temps a été amélioré par d'autres chercheurs, entre autres Kohlberg, lequel peut être considéré comme le meilleur chercheur en ce domaine pour les trente années qui viennent de s'écouler. Pour lui, la question importante n'est pas, pour l'enfant, le fait d'agir honnêtement ou non, ou encore, celui de se sentir coupable ou non d'avoir enfreint des règles. Au contraire, la question du développement moral a pour base un niveau de raisonnement donné que l'enfant utilise pour évaluer un comportement moral.

Les méthodes de recherche de Kohlberg

Les études sur lesquelles les propositions théoriques de Kohlberg reposent consistent dans la description d'une série d'incidents, chacun comprenant un dilemme moral. On demande ensuite à l'enfant de choisir quelle serait la solution la mieux appropriée dans chacun des dilemmes, et d'expliquer son choix. Voici un exemple caractéristique de cette méthode, connu sous le nom de *problème de Heinz.*

> *Madame Heinz était sur le point de mourir, atteinte d'une forme spéciale de cancer. Les médecins pensaient qu'un médicament très rare pouvait la sauver. Le pharmacien qui a découvert ce médicament le vendait pour dix fois le prix que cela lui coûtait pour le préparer. Monsieur Heinz n'avait pas assez d'argent pour acheter le médicament. Il a essayé d'emprunter de l'argent à des personnes qu'il connaissait, mais il n'a pu obtenir qu'à peu près la moitié de la somme réclamée par le pharmacien. Heinz a dit à ce dernier que sa femme se mourait et lui a demandé de lui vendre le médicament à meilleur marché ou bien de lui donner l'option de payer la différence à une date ultérieure. Le pharmacien a refusé en disant qu'il avait découvert le médicament et qu'il comptait s'en servir pour gagner beaucoup d'argent. Heinz était donc très découragé et se demandait ce qu'il pouvait faire pour sauver sa femme. Finalement, il a cambriolé la pharmacie et a volé le médicament dont sa femme avait besoin. La question qu'on se pose est la suivante : le mari avait-il le droit de voler*

le médicament ? Si oui, pourquoi et si non, pourquoi pas ? (Adapté de Kohlberg, 1971, p. 156).

Les réponses données sont donc étudiées par Kohlberg et ses collègues pour déterminer auquel des six stades développementaux de jugement moral correspond le jugement rendu par l'enfant ou l'adolescent. Analyser et évaluer ces réponses ne se limite pas seulement à les comparer à des réponses objectives considérées comme correctes. Au contraire, le système d'évaluation requiert un apprentissage et implique de l'analyste une part de subjectivité.

Kohlberg a proposé ces tests à un échantillon de septante-cinq adolescents américains au cours des années 50; il les a à nouveau interrogés par la suite en vue de découvrir un schéma systématique de changements intervenant à mesure que les sujets avançaient en âge. De plus, épaulé par ses collaborateurs, il a tenté de dégager les facteurs culturels qui influencent le développement des jugements moraux. Non content d'interroger des sujets appartenant à la classe moyenne, Kohlberg et ses assistants ont appliqué ces tests à d'autres adolescents issus d'un milieu social défavorisé. Ils ont également eu recours à des jeunes au Mexique, en Thaïlande, dans des kibboutz en Israël, en Malaisie, en Turquie, en Thaïlande et ailleurs. Kohlberg en a conclu que les stades de développement moral identifiés sont universels – présents dans toutes les cultures – mais que le pourcentage de jeunes parvenus à un stade moral donné à un âge spécifique varie d'une société à l'autre. La nature de ces différences sera détaillée dans la suite de notre exposé.

Niveaux et stades de développement moral

Dans le système de Kohlberg, *se développer* du point de vue du jugement moral consiste à passer par trois niveaux de développement. D'un niveau *pré-moral* ou *pré-conventionnel*, on accède à un niveau *conventionnel* impliquant la conformité aux règles de la société, puis à un niveau supérieur qui transcende les conventions, niveau basé sur des principes moraux que l'individu a lui-même définis et acceptés. Ce niveau supérieur est parfois appelé *post-conventionnel* ou *autonome*. Chacun des niveaux comprend deux stades, comme l'illustre le tableau 13.1.

A côté des six étapes qu'il a identifiées, Kohlberg décrit une trentaine de thèmes à propos desquels les gens prennent des décisions morales. Une personne révèle son stade dominant de jugement moral à partir du moment où elle exprime ses opinions sur n'importe lesquels de ces aspects. A l'issue de ses tests moraux proposés aux enfants et aux adolescents, Kohlberg a conclu que, en général, une personne se situe au même stade moral pour juger différents événements et valeurs de la

Tableau 13.1 — Description des différents stades de jugements moraux

I. ***Niveau pré-conventionnel*** (ou niveau pré-moral). Cas de quelqu'un qui se conforme aux règles de la société concernant le bien et le mal, mais par rapport aux conséquences physiques ou hédonistes encourues ou attendues (punition, récompenses, échange de bons procédés) et en raison du pouvoir d'une autorité qui impose les lois.

Stade 1. *Punition et obéissance*. Une action est considérée comme bonne ou mauvaise d'après la punition qui la sanctionne ou la récompense qui la gratifie. Si l'individu sait qu'il va être puni, l'action est mauvaise et il ne la fera pas. Si au contraire il n'encourt pas de punition, l'action peut être accomplie, quelque soit la portée humaine ou la valeur de l'acte.

Stade 2. *L'orientation instrumentale naïve*. L'action convenable satisfait, comme tout autre instrument le ferait, les besoins individuels et éventuellement les besoins des autres. Ainsi, comme sur le marché, on s'attend à ce que les relations humaines rapportent quelque chose. Elles sont basées sur un sens de réciprocité et de justesse, sur le mode d'expression «un petit service en vaut un autre». Elles ne reposent pas sur la reconnaissance, l'honnêteté ou la justice.

II. ***Niveau conventionnel***. Cas de quelqu'un qui se conforme aux attentes de sa famille, de son milieu ou de son pays. Elle soutient et justifie activement l'ordre social existant.

Stade 3. *Bon garçon, gentille fille*. Cas de celui dont les actes plaisent aux autres ou les aident et sont approuvés par eux. Pour la première fois, l'intention de l'individu devient importante («l'enfant veut bien faire»). L'approbation est gagnée en étant sympathique.

Stade 4. *Le choix de la loi et de l'ordre*. Une personne fait ce qu'il faut, parce qu'elle fait son devoir, se montre respectueuse envers l'autorité, et respecte l'ordre social actuel pour lui-même.

III. ***Niveau post-conventionnel, niveau des principes, niveau autonome***. Concerne ceux qui essaient de reconnaître les valeurs universelles valables, sans se soucier de savoir si une autorité ou un groupe souscrit à ces valeurs et en dépit du fait qu'ils soient liés ou non avec l'autorité ou le groupe.

Stade 5. *Le choix du contrat social*. Généralement, il implique des sous-entendus légalistes et utilitaires. Le comportement moral est défini en termes de droits individuels généraux et d'après des standards qui ont été examinés de façon critique et pour lesquels la société a donné son assentiment. C'est la moralité «officielle» de la constitution américaine et du gouvernement des Etats-Unis. Les valeurs personnelles et les opinions sont alors relatives et il y a des procédures pour atteindre un consensus et pour changer les lois pour des raisons d'utilité sociale (plutôt que de garder des lois figées parce que non violées, comme dans le cas du stade 4).

Stade 6. *Choix des principes éthiques universels*. Les jugements moraux d'un sujet sont basés sur des principes universels de justice, sur la réciprocité du respect des droits de l'homme, l'égalité de ces droits et le respect de la dignité des individus. Le droit est défini par la conscience individuelle en accord avec le choix personnel et les convictions éthiques communément partagées.

vie. Par exemple, le jugement d'une jeune femme sur la valeur de la vie humaine, son attitude face au principe de dire la vérité et son opinion sur les droits et obligations des personnes se rapportent à un même stade moral.
Les trente thèmes de la vie courante ont été regroupés en trois grandes catégories : (1) les modes de jugements d'obligation et de valeur, (2) les éléments d'obligation et de valeur et (3) les normes et institutions sociales sur lesquelles portent ces jugements. Les principaux aspects repris dans chacune de ces catégories sont universels selon Kohlberg, puisqu'on les retrouve dans toutes les cultures. Quelques exemples repris à chacune des catégories (1971, p. 166) figurent ci-dessous.

Modes de jugement d'obligation et de valeur

Jugements sur : (a) le bien et le mal, (b) le droit, (c) le devoir et l'obligation, (d) le sens de la responsabilité, (e) les louanges ou les blâmes, (f) les punitions ou les récompenses, (g) les valeurs non morales, comme par exemple la bonté, (h) la justification et les explications fournies à propos de ces jugements.

Eléments d'obligation et de valeur

(a) prudence (conséquences désirables ou indésirables pour soi-même), (b) bien-être social (conséquences désirables ou indésirables pour les autres), (c) amour, (d) respect, (e) justice en tant que liberté, (f) justice en tant que principe d'égalité, (g) justice en tant que réciprocité et contrat.

Normes et institutions

(a) normes sociales, (b) conscience personnelle, (c) rôles et questions ayant trait au domaine affectif, (d) questions d'autorité et de démocratie (division du travail), (e) libertés civiles (droits à la liberté et à l'égalité des hommes, citoyens ou membres d'un groupe), (f) justice ou actions en dehors des droits fixés (confiance, réciprocité, contrats entre personnes), (g) justice punitive, (h) valeur de la vie, (i) sens de propriété, (j) sentiment de vérité, (k) rôle joué par le sexe.

Pour illustrer la manière dont l'un des aspects peut être interprété en termes de stades du développement moral, considérons un incident relatif à la valeur de la vie (item h de la troisième catégorie) et considérons les réactions de trois garçons face à la situation présentée. L'incident met en cause un médecin qui doit décider si, oui ou non, il doit satisfaire par pitié une patiente qui lui demande d'être euthanasiée parce qu'elle est en proie à des douleurs intenses.

Un garçon de 13 ans : *Peut-être qu'il serait bon de la sortir de sa souffrance; ce serait mieux pour elle. Mais son mari ne serait pas d'accord; ce n'est pas comme pour un animal. Si un animal familier meurt, vous pouvez vivre sans lui; ce n'est pas quelque chose dont vous avez vraiment besoin. Certes, vous pouvez prendre une nouvelle femme, mais ce n'est pas vraiment la même chose.* (Cette réponse est évaluée au stade 2 – la valeur de la vie est un moyen de satisfaire son possesseur ou autres bénéficiaires.)

Un garçon de 16 ans : *Non, il ne devrait pas [la tuer]. Son mari l'aime et veut la garder. Il ne pourrait pas souhaiter qu'elle meure prématurément. Il l'aime beaucoup trop pour cela.* (Cette réponse est évaluée au stade 3 – la valeur de la vie est basée sur l'empathie et l'affection des membres d'une famille pour la malade.)

Un autre garçon de 16 ans : *Le médecin n'a pas le droit de supprimer une vie; aucun humain n'en a le droit. Il ne peut pas créer la vie; il ne devrait pas la détruire.* (Cette réponse est évaluée au stade 4 – la vie est sacrée par rapport à un ordre catégorique ou religieux de droits et de devoirs. (Kohlberg, 1967, pp. 174-175))

En résumé, notons que les six stades de Kohlberg constituent un mouvement partant d'un niveau où les décisions morales sont mêlées à d'autres jugements de valeur et où les règles varient en fonction des événements, pour parvenir à d'autres niveaux plus élevés, où les valeurs morales (justice et réciprocité) sont distinctes des autres valeurs et où les principes universels s'appliquent à toutes les situations. Ce mouvement, allant d'une règle particulière à une règle universelle, est illustré par la valeur attribuée à la vie, aux différents stades de développement moral. Au stade 1, seule la vie des personnes importantes est valable; au stade 3, seule celle des membres de la famille compte; tandis qu'au stade 6, toute la vie est appréciée moralement d'une manière uniforme (Kohlberg, 1971, p. 185).

L'interaction de la nature et de l'environnement

Kohlberg a adopté une position intermédiaire en soutenant que les stades moraux d'un enfant ne sont ni le fruit du seul héritage génétique ni celui des seuls facteurs de l'environnement. Il propose que quatre éléments principaux interagissent pour déterminer le progrès qui sera accompli par une personne dans la hiérarchie des stades et le moment où chaque individu atteindra ces différents stades. Le premier de ceux-ci, qui recèle une forte composante génétique, est le *niveau de raisonnement*, tel qu'il est utilisé dans le système cognitif de Piaget. Le second, un facteur reprenant des composantes génétiques et environnementales, est la *motivation*, qui fait référence aux besoins et aux désirs de l'enfant. Les deux autres facteurs dépendent exclusivement de l'environnement. Il s'agit de l'opportunité pour l'enfant d'apprendre des rôles sociaux et de la forme de justice prévalant dans les institutions sociales qui lui sont familières.

Pour comprendre comment ces facteurs interagissent, considérons-les dans le détail :

1. Niveau de développement cognitif et logique

Dans le domaine de la pensée logique de l'enfant, Kohlberg s'inscrit dans la lignée piagétienne. L'un des fondements de son modèle théorique est la notion qu'il est dans la nature de l'enfant de passer par les stades de développement cognitif identifiés par le psychologue suisse. De plus, il estime que pour parvenir à un stade particulier de raisonnement moral, l'enfant doit avoir satisfait au pré-requis de niveau cognitif proposé dans le système de Piaget.

Pour appuyer ses propos, Kohlberg a proposé à un même groupe d'enfants d'exécuter des tâches de pensée logique et ses propres tests d'incidents moraux. Il a découvert, à l'issue de cette expérience que les enfants qui échouaient à un niveau donné des tâches de Piaget n'atteignaient presque jamais le niveau de raisonnement moral parallèle à celui de ces tâches. Par contre, les enfants qui se trouvaient dans les limites supérieures du développement moral venaient pratiquement toujours à bout des tâches d'un niveau parallèle ou inférieur au modèle de Piaget. Kohlberg en a conclu que le type de pensée logique représenté par la hiérarchie de Piaget constitue les fondements du type de raisonnement moral employé et mesuré par ses propres situations de décisions morales. Cette composante de pensée logique opère alors comme facteur maturationnel ou facteur de croissance naturelle et constitue peut-être le plus puissant des quatre facteurs qui, d'après Kohlberg, déterminent le niveau de raisonnement moral de l'enfant.

Si le stade était la seule composante du jugement moral, dès que l'enfant atteindrait un stade cognitif donné, ses jugements moraux s'aligneraient au même niveau. Mais tel n'est pas le cas. Il existe souvent un fossé entre ces deux pôles, le développement moral se situant en retrait de plusieurs niveaux par rapport à la capacité cognitive. La cause de ce retard est due, selon Kohlberg, aux trois autres facteurs qui interviennent sur le niveau de maturité mentale.

2. Facteur de volonté ou de désir

Alors qu'il est toujours dans les intérêts de l'individu de raisonner au plus haut niveau qui lui soit accessible pour établir des jugements moraux, certaines personnes capables d'atteindre le stade 6 peuvent ne pas le faire, parce qu'elles ne veulent pas finir martyrs comme Socrate ou Martin Luther King. Donc un jeune peut avoir le niveau de raisonnement des stades 5 ou 6, sans les utiliser, parce qu'il estime cela inutile, ou risqué. Par conséquent, une partie des décalages perçus entre le niveau cognitif et le stade moral peut s'expliquer par le mécanisme des émotions, des désirs et de la volonté. Cependant, Kohlberg estime que ce facteur de «volonté» joue un rôle mineur dans la détermination des stades de jugement moral. L'influence des trois autres facteurs sur le développement du raisonnement moral est plus importante (Kohlberg, 1971, pp. 188-190).

3. *Imitation sociale*

Kohlberg, en accord avec de nombreux psychologues, considère que les enfants se socialisent en apprenant à imiter leur entourage. L'interaction sociale permet de se mettre dans la peau des autres et de percevoir la vie dans la perspective d'autrui. Les enfants apprennent encore ainsi à se voir de la manière dont les autres les voient. Par conséquent, la découverte des rôles sociaux, les processus d'identification et d'empathie par rapport aux autres permettent à l'enfant de devenir un être social à part entière.

Dans le domaine de la socialisation, le développement du jugement moral «est basé sur la sympathie pour les autres aussi bien que sur la notion que le juge moral doit adopter la perspective du *spectateur impartial* ou celle des autres en général» (Kohlberg, 1971, p. 190). La manière dont l'enfant apprend à accepter les autres dépend dans une large mesure des conditions de son environnement social. Certains environnements encouragent davantage la découverte des rôles sociaux et, par conséquent, favorisent l'imitation et la progression des enfants dans la hiérarchie du jugement moral. D'autres environnements limitent les opportunités d'apprendre des rôles sociaux différents et restreignent donc les opportunités d'avancement dans le développement moral, qui peut ne jamais atteindre les stades 4 ou 5.

Kohlberg a suggéré que les différences d'opportunités dans l'apprentissage social sont, semble-t-il, à l'origine de différences dans le développement du jugement moral de sujets issus de cultures différentes ou de milieux sociaux différents au sein d'une même société.

> *Dans quatre cultures différentes, on a trouvé que le jugement moral des enfants de classe moyenne était plus avancé que celui d'enfants des classes défavorisées. Ce n'est pas parce que l'on encourage chez les enfants des classes moyennes un certain mode de pensée qui serait exclusif à ce groupe; il semble, au contraire, que les classes ouvrières encouragent le même mode de pensée. Cependant, ces enfants sem-*

blent suivre la même séquence, mais moins rapidement et moins profondément que ceux des classes favorisées (1971, p. 190).

D'autres études menées par les collaborateurs de Kohlberg ont montré que les enfants les plus populaires dans leur groupe de jeu étaient de loin plus avancés dans leur jugement moral que des enfants moins populaires ou peu sociables. Ces différences s'expliquent en partie par les opportunités dont les enfants bénéficient ou non d'assumer des rôles différents dans leur famille. Une plus grande acceptation des rôles sociaux est favorisée au sein des familles où l'on discute des décisions à prendre, où l'on confie des responsabilités à l'enfant, où l'on souligne les conséquences des actions des autres, où la communication entre les membres de la famille est bien établie et où il règne un climat émotionnel chaleureux.

Certains considèrent que le plus capital de ces éléments familiaux est le degré de chaleur et d'affection que l'on y trouve ainsi que les possibilités d'identification qui y sont offertes. Kohlberg pense que ce n'est pas tout à fait le cas. Apparemment, une certaine chaleur dans ses contacts avec les autres est nécessaire à l'enfant ou à l'adolescent pour qu'il se sente un membre à part entière du cercle social. Cependant, «le facteur qui est de loin le plus important est que l'environnement fournisse des opportunités d'assumer des rôles, et non pas que l'enfant reçoive beaucoup d'affection de la part du groupe» (Kohlberg, 1971, p. 191).

4. Structure de justice

Le quatrième facteur qui contribue au développement du jugement moral est la structure de justice propre aux institutions et aux groupes sociaux avec lesquels l'enfant interagit. De telles entités sociales comprennent la famille, le voisinage, les groupes de jeu, l'école, l'église, la communauté en général, la nation et les médias qui procurent des opportunités inattendues d'assumer des rôles.

A tous les stades du développement moral, l'individu est plus ou moins concerné par le bien-être des autres, mais c'est seulement à partir du stade 5 que cet intérêt se fonde sur ce que Kohlberg considère comme étant les principes de *vraie justice*, c'est-à-dire d'égalité et de réciprocité. Le principe d'égalité implique que nous «traitons les requêtes de chaque individu sans tenir compte de la personne elle-même» (Kohlberg, 1967, p. 169). Le principe de réciprocité signifie l'égalité dans l'échange, à savoir : «punition pour ce qui est mauvais, récompense pour ce qui est bon et échange contractuel».

Dans une société donnée, les groupes ou institutions avec lesquels l'enfant est intimement lié au cours de son développement varient dans leur structure. Une école publique à laquelle l'enfant est obligé de se rendre à cause des lois régissant l'éducation obligatoire n'est pas comparable à une université à laquelle un jeune s'inscrit volontairement. Un groupe de jeu de quartier n'a rien à voir avec une maison de correction. Une compagnie de scouts n'est pas une famille. Une famille dominée par un père autocrate diffère d'une autre au sein de laquelle on encourage les enfants à prendre des décisions et des responsabilités et où ils sont récompensés s'ils satisfont aux engagements qu'ils se sont eux-mêmes imposés. Ainsi, Kohlberg pense que les enfants qui participent à des groupes sociaux opérant à un haut niveau d'égalité et de réciprocité atteindront des niveaux plus élevés de jugement moral que des enfants qui appartiennent à des groupes sociaux basés sur des structures de justice inférieures.

En résumé, dans le modèle de Kohlberg, le stade dominant de jugement moral chez un enfant ou jeune résulte de l'interaction de quatre composantes : son niveau de maturation cognitive et logique, sa volonté, les opportunités qui lui sont proposées d'expérimenter d'autres rôles et les modes dominants de réglementation des principaux groupes sociaux dont il fait partie.

Les trois caractéristiques des stades moraux

Un grand nombre de sociologues modernes et de «relativistes moraux» pensent que les principes moraux varient d'une culture à une autre et qu'il est impossible d'expliquer logiquement les différences entre cultures. Ceci peut facilement revenir à dire que les valeurs morales d'une culture sont aussi valables que celles d'une autre, car chaque culture a droit à son propre système de valeurs. Sur base de cette assertion, nous concluerons qu'une personne est moralement développée et bien équilibrée lorsqu'elle se conforme aux valeurs dominantes de sa société. Mais un «relativiste moral» n'a aucune raison de limiter cette ligne de logique au niveau de la société. Si c'est là son choix, il peut transposer cette idée au niveau des individus, auquel cas il pourrait dire que chaque individu a le droit d'adopter son propre code éthique puisqu'il est impossible de prétendre que le code d'un individu particulier est meilleur que celui d'un autre.

Cependant Kohlberg n'est pas un relativiste. Il considère que le développement moral ne dépend pas des idées dominantes de justice prônées par une société particulière. Au contraire, les stades développementaux qu'il a identifiés sont : «universels, intégrés et invariables».

Par *stades universels*, il entend que les stades sont représentés dans toutes les sociétés. A l'origine, Kohlberg pensait que dans chaque société, on pouvait trouver des individus représentatifs de chacun des six stades. Mais par la suite, il a remis en cause l'existence même du stade six, en se demandant si celui-ci pouvait jamais être atteint (Colby, Kohlberg, Gibbs et Liebermen, 1983, p. 5). Cependant, il est vrai que le stade moral dominant, pour une société dans son ensemble ou pour un groupe d'enfants d'un certain niveau d'âge, diffère d'une culture à l'autre : l'une peut opérer principalement au stade 2 de raisonnement moral, l'autre au stade 4. Mais cela ne signifie pas que les modes de pensée morale diffèrent fondamentalement de l'une à l'autre. Au contraire, les différences résultent du fait que les enfants d'une culture donnée atteignent les niveaux successifs de la hiérarchie morale à un rythme différent de celui des enfants d'une autre société. Les différences de rythme peuvent être dues en partie à des différences génétiques entre les deux groupes, mais résultent plus sûrement d'une part, de la nature des opportunités sociales offertes aux enfants et d'autre part, des variations dans le code des deux cultures. Pour Kohlberg, les mêmes stades de raisonnement moral se retrouvent dans toutes les sociétés, bien que le nombre de personnes situées à chacun de ces stades puisse varier comme l'illustre la figure 13.1, qui compare les jugements moraux de garçonnets issus des classes moyennes des Etats-Unis et du Mexique à ceux d'autres garçonnets du même âge vivant dans un village isolé de Turquie. Les niveaux d'âge considérés sont : dix, treize et seize ans. Comme les schémas l'indiquent, à seize ans un nombre donné de garçons se situent à chacun des six niveaux de la hiérarchie dans chacun des deux groupes. Cependant, un plus grand pourcentage d'américains et de mexicains sont, à chaque tranche d'âge, situés à des stades plus élevés.

Par *stades intégrés*, Kohlberg sous-entend que, face aux diverses situations auxquelles elle est confronté dans la vie, les décisions morales d'une personne se ramènent à un même niveau de développement. Il serait insolite, en effet, qu'une personne opère au stade 1 à propos de l'honnêteté, au stade 3 pour ce qui a trait à la liberté et au stade 6 lorsqu'il serait question de la notion de responsabilité. En effet, les jugements dans tous les domaines tendent à se regrouper au même niveau (stade 1, 2, 3 ou 4).

Par *stades invariables,* Kohlberg précise que tout individu doit nécessairement passer par chacun des stades dans un même ordre. Cette invariabilité, selon Kohlberg, s'explique par le fait que chaque niveau se compose d'éléments appartenant au stade précédent et d'un ou deux éléments nouveaux.

Ces principes d'universalité, d'intégration, de non-variabilité et les quatre déterminants du développement moral que nous avons présentés ont d'importantes implications dans les applications pratiques de la théorie de Kohlberg.

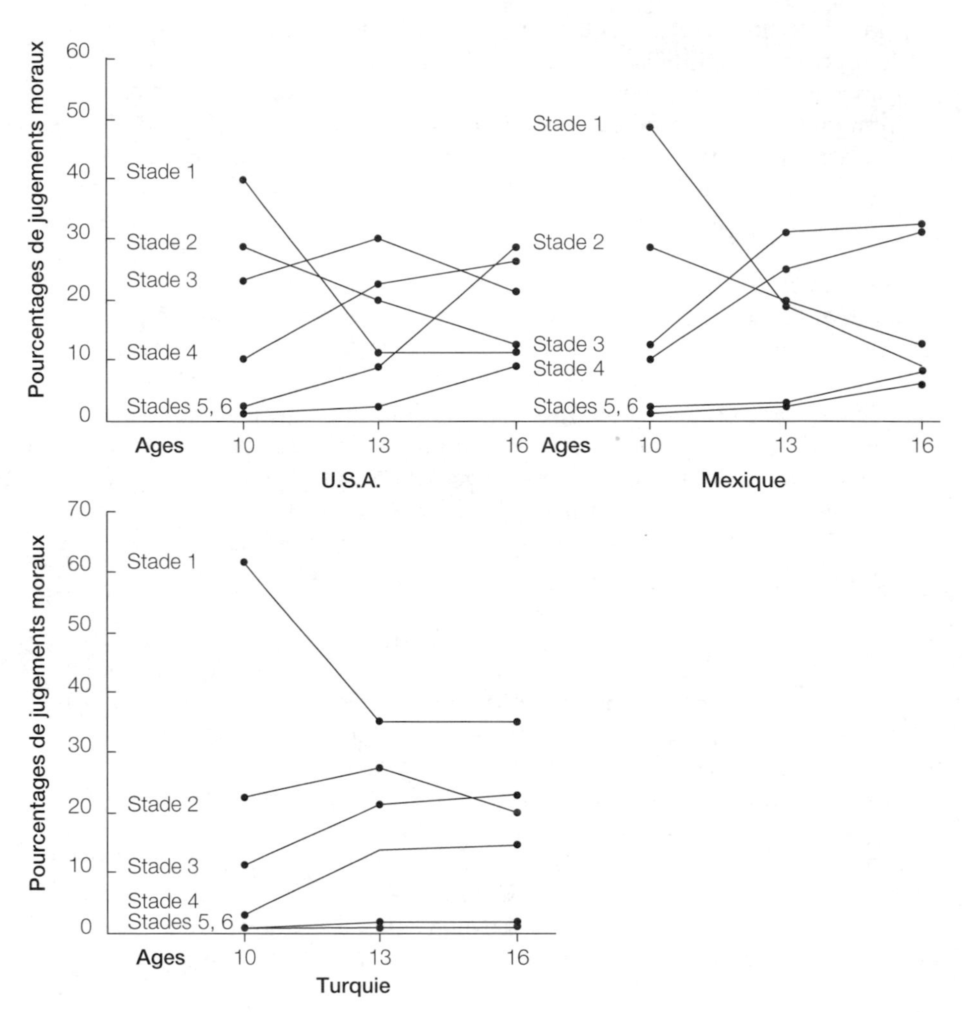

Figure 13.1 — Les jugements moraux dans trois sociétés (Kohlberg et Kramer, 1969, p. 104)

Applications pratiques : élaboration de programmes d'éducation morale

Si la théorie de Kohlberg est correcte, quelle forme d'éducation morale doit-elle adopter ? Avant de répondre à cette question, il est utile de s'intéresser de plus près à un concept que Kohlberg a emprunté à la théorie cognitive de Piaget, à savoir «l'équilibration» ou recherche de l'équilibre. Dans le système de Piaget, un enfant se satisfait de réponses simplistes et peu élaborées à ses questions relatives aux relations entre les choses (1) jusqu'à ce qu'il atteigne un âge donné de maturation interne et (2) jusqu'à ce qu'il ait fait suffisamment l'expérience d'activités relatives à cette question. A ce moment, il commence à se sentir satisfait et quelque peu désorienté, car il a l'intuition d'une différence entre les schèmes existants (ou sa conception de la réalité) et une réalité nouvellement perçue. Cette dissonance brise son équilibre cognitif et sert de prétexte pour changer d'opinion et «s'accommoder», c'est-à-dire parvenir à nouveau à un niveau «d'équilibration».

Kohlberg a appliqué ce même principe d'équilibration au développement du jugement moral. Lorsque l'enfant est assez mûr du point de vue cognitif et qu'il a bénéficié de suffisamment d'opportunités d'apprentissage de rôles sociaux au sein de groupes offrant des structures de justice valables, il est alors amené à progresser vers des stades plus avancés de jugement moral, par l'intermédiaire de problèmes et dilemmes moraux. En d'autres termes, l'éducation morale consiste à mettre l'enfant ou l'adolescent face à des dilemmes moraux à un moment où ce dernier y est préparé tant socialement que sur le plan de la maturité.

Ci-dessous figure un modèle d'éducation morale conçu en fonction du système de Kohlberg. Il faut préciser que l'éducation morale ne vise pas à inculquer une échelle particulière de valeurs prévalant dans une société donnée. Au contraire, son but est de stimuler le développement de l'enfant, du premier au dernier stade, stades reconnus comme étant universellement valides. Ce que le professeur doit attendre de l'enfant ou de l'adolescent sur le plan moral à un moment donné de la croissance se fonde sur le niveau de développement cognitif repris à la méthode de Piaget et sur les opportunités dont l'enfant dispose pour adopter différents rôles au sein des groupes sociaux qu'il fréquente. Le type de réglementation rencontré dans les groupes auxquels l'enfant participe et la motivation pour atteindre un niveau moral plus avancé interviennent également.

La méthodologie adoptée par le professeur consiste d'abord à proposer des tests de décisions morales aux élèves et à demander ensuite à plusieurs d'entre eux de justifier leurs réponses. Ce processus permet de déterminer dans quelle mesure le jugement de certains élèves peut être considéré comme moralement plus avancé par rapport à celui des autres. Le professeur lui-même peut discuter ces arguments à un niveau plus avancé. Ce débat d'arguments a pour objet de produire un certain déséquilibre chez les jeunes qui sont dans une phase transitoire et de contribuer à modifier leur mode de pensée en vue de favoriser leur passage à un niveau moral supérieur.

Kohlberg a eu recours à ce qu'il a lui-même appelé «le test de la communauté juste» en tant que variante d'application pratique de son modèle théorique. Cette approche consiste à utiliser les incidents réels vécus par les élèves dans leurs activités coutumières à l'école pour les éclairer dans leurs choix moraux. La méthode est basée sur un concept de Dewey selon lequel l'éducation réside dans la vie elle-même et n'est pas un apprentissage pour la vie. L'aspect novateur de l'approche de la *communauté juste* de Kohlberg consiste à lier ses stades de développement moral à un tel système. A ce propos, Hersh, Miller et Fielding écrivaient :

> *La tâche du personnel n'est pas d'imposer un niveau de raisonnement plus élevé, mais bien de présenter la plus solide forme de raisonnement que les élèves sont capables de comprendre et de continuellement les encourager à exercer leur meilleure forme de jugement pour arriver à des décisions communes. Quand ceci est réalisé, les élèves sont sûrs de leurs décisions et prennent des mesures pour que celles-ci soient exécutoires; c'est alors que l'on peut dire que l'école fonctionne comme une communauté juste* (1980, p. 154).

En résumé, Kohlberg s'oppose à deux types de systèmes d'éducation morale existants : (1) «le système de moralisation que les professeurs utilisent quand les enfants n'observent pas certaines régulations administratives mineures» et (2) «l'effort pour inculquer les valeurs de la majorité, comme le reflète en particulier certains stéréotypes vagues de ce que devait être le caractère moral» (Kohlberg, 1967, p. 169). En lieu et place de ces deux systèmes, il en recommande un qui stimule « le développement naturel du jugement moral de chaque enfant ainsi que ses capacités à utiliser son propre jugement moral pour contrôler son comportement». L'objectif est d'aider chaque enfant à «s'engager dans l'étape suivante vers laquelle il tend plutôt que de lui imposer un schème qui lui est étranger» (Kohlberg, 1967, p. 169).

Perspectives de recherche

Depuis la diffusion de la théorie de Kohlberg, en 1958, nombre d'études ont tenté de reproduire ses résultats à partir d'échantillonnages d'enfants de cultures et d'âges différents. Dans certains cas, son hypothèse de structure en stades a pu être vérifiée, tandis que d'autres résultats jetaient le doute sur le caractère universel, intégré et invariable desdits stades (Kurtines et Greif, 1974). Plusieurs études longitudinales au cours desquelles des groupes d'enfants ont été interrogés sur une période de plusieurs années ont également révélé des anomalies dans l'ordre des stades moraux établi par Kohlberg (Holstein, 1976; White, Bushner et Regnener, 1978). Reste à savoir si Kohlberg était dans l'erreur en avançant que son modèle intègre des stades universels ou si, au contraire, les anomalies apparues au cours des autres études résultent de défauts dans les méthodes d'interview et de calcul utilisées. Afin de résoudre ce problème, Kohlberg et ses disciples ont récemment modifié leurs techniques d'interview et ont révisé le système d'évaluation. Ces changements, appliqués au début des années 80, sont basés sur une révision substantielle des six stades originaux. Par exemple, le stade 6 ne figure plus dans les nouveaux manuels étant donné que sur les vingt années au cours desquels cinquante-huit garçons ont subi les tests dits «classiques» :

> *Aucun des sujets interviewés dans l'échantillonnage longitudinal ne semblait intuitivement appartenir au stade 6, en partie parce que les dilemmes ne permettaient pas de différencier les stades 5 et 6. La question de savoir si le stade 6 doit être considéré ou non comme un stade psychologique naturel du développement moral ne sera résolue que lorsque des recherches utilisant des dilemmes moraux et des techniques plus appropriées seront conduites avec un groupe de personnes ayant eu la chance de s'être développées au-delà du stade 5* (Colby, Kohlberg, Gibbs et Lieberman, 1983, p. 5).

Les résultats des vingt années d'étude utilisant le système d'évaluation appelé «New Standard Issue Scoring» ont abouti à des conclusions appuyant l'hypothèse des stades tels que ceux présentés dans le modèle de Kohlberg. Les sujets interrogés, adolescents au moment des premières démarches, avaient la trentaine lors du test final et ont mis en œuvre un même niveau de raisonnement moral lors de leur confrontation à différents types d'incidents; de plus, ils «se sont développés selon une séquence régulière sans sauter aucun stade et sans non plus régresser» (Colby, Kohlberg, Gibbs et Lierberman, 1983, p. ii).

Le schéma de Kohlberg n'a cessé de donner lieu à de nouvelles recherches, menant non seulement à un raffinement de sa théorie, mais également à la création de variantes par rapport à son modèle d'origine. Par exemple, E. Turiel (1977) a mené une série d'études qui l'ont amené à conclure que les opinions morales se développent selon les stades de Kohlberg, mais que les conventions sociales évoluent en fonction d'une hiérarchie de stades complètement différente. La proposition de Turiel est étayée par des recherches complémentaires menées par L.P. Nucci (1982), qui a prôné le recours à des méthodes pédagogiques spécifiques pour promouvoir le développement du raisonnement moral des enfants qui soient distinctes des procédures destinées à développer le raisonnement relatif aux conventions sociales.

De plus, de nombreuses autres questions portant sur le champ d'investigation de Kohlberg restent ouvertes. Par exemple, quels stades de développement moral pourraient être identifiés si les chercheurs n'utilisaient pas comme Kohlberg, l'égalité et l'accord contractuel comme valeur morale ultime ? Qu'en serait-il si la valeur choisie comme le plus haut degré de moralité était la compassion, l'auto-sacrifice ou la non-violence ? Les enfants se développeraient-ils, par rapport à ces vertus, de la même manière qu'ils le font par rapport aux notions d'égalité et de justice de Kohlberg ?

Les gens ordinaires définissent-ils les questions morales dans leur vie quotidienne comme le décrit Kohlberg dans sa théorie ? Dans quelle mesure les dilemmes moraux communs à une société sont-ils identiques à ceux d'une société différente ? Est-ce que les principaux dilemmes moraux que les enfants rencontrent dans leur vie de tous les jours diffèrent d'un âge à un autre ? Si oui, pourquoi et si ce n'est pas le cas, quelle en est la raison ? Ce sont là quelques-unes des questions soulevées par Kohlberg et les autres théoriciens de l'évolution des valeurs morales, questions qui attendent d'être résolues.

Comme nous l'avons précisé au cours de l'introduction de ce chapitre, l'étude du développement moral est un sujet d'actualité, qui reste fort controversé. Il semble évident que les nouvelles bases établies au cours des années 80 et 90 permettront d'élargir les perspectives de recherche dans ce domaine, tout en tenant compte des réalités socio-culturelles. Gilligan (1982, 1988) et Cortese (1990) sont deux chercheurs qui ont proposé de reconceptualiser les études de psychologie en général et celles du développement moral en particulier pour y intégrer le sexe, la culture et l'ethnicité, entre autres variables susceptibles d'influencer les tendances et les comportements moraux de l'être humain. D'autres chercheurs, comme Thomas par exemple (1986, 1989, 1992), insatisfaits des modèles existants se sont donné pour tâche d'élaborer de nouvelles théories explicatives du développement moral.

La théorie de Kohlberg : une appréciation

Si l'on évalue le modèle de développement moral proposé par Kohlberg à la lumière des critères proposés au chapitre 1, sa théorie apparaît dans l'ensemble assez valable pour ce qui a trait au *raisonnement moral*. Cependant, son modèle est beaucoup moins pertinent lorsqu'il s'agit d'évaluer les *comportements moraux* passés, présents et à venir.

Son modèle fournit des explications valables à propos des jugements moraux passés et permet de prévoir les jugements futurs des enfants (critère 3). Il permet non seulement d'établir des prédictions sur le type de raisonnements que tiendra l'enfant moyen, mais il propose encore quatre déterminants du développement moral qui peuvent être appliqués à des enfants particuliers. Cependant, nous avons attribué deux résultats différents pour ce critère afin de préciser qu'il a été démontré que le modèle de Kohlberg fait piètre figure lorsqu'il s'agit de prédire le comportement moral. Le niveau de jugement moral d'un individu n'est pas nécessairement révélateur du comportement moral qu'il adoptera dans une situation de vie réelle, où de multiples facteurs interviennent pour influencer le comportement d'une personne. Kohlberg lui-même a admis que les valeurs morales que les individus expriment verbalement à propos de l'honnêteté n'ont rien à voir avec la manière dont ils agissent (1969) et que les gens qui trichent condamnent la tricherie tout autant que ceux qui ne trichent pas (1970). Straugham a montré que le fait, pour Kohlberg, d'avoir accordé si peu d'attention aux rapports complexes existant entre *jugement moral* et *action morale*, a lui-même limité ses contributions au domaine des recherches sur le développement moral (1985, p. 156).

Le schème d'éducation morale fondé sur la théorie de Kohlberg propose des directives spécifiques pour l'éducation des enfants (critère 4). De nombreuses méthodes élaborées à partir de son modèle sont utilisées dans de nombreuses écoles aux Etats-Unis et dans un certain nombre d'autres pays, pour tenter de communiquer aux enfants et aux adolescents la forme la plus élevée de raisonnement moral que leur niveau de développement mental est en mesure d'atteindre. C'est pourquoi nous lui avons attribué un bon résultat pour ce quatrième critère.

De même, la théorie semble être foncièrement consistante (critère 5) et économique (critère 6). Elle a également stimulé de nombreuses nouvelles recherches et découvertes, particulièrement axées sur la manière dont le jugement moral se développe au sein des différentes cultures existantes (critère 8). On attribue à Kohlberg la présentation de nombreuses perspectives nouvelles sur le développement moral et l'existence de «quelques réflexions sérieuses et originales sur la pensée morale» et «de preuves qui devraient obliger les psychologues à considérer les aspects cognitifs de la moralité comme une influence importante sur le comportement» (Alston, 1971, p. 284). Nous avons relevé dans l'index des périodiques en psychologie développementale allant de 1974 à 1990

Tableau 13.2 — La théorie de Kohlberg

Comment la théorie de Kohlberg répond-elle aux critères ?

Les critères	*Très bien*	*Assez bien*	*Très Mal*
1. Reflète le monde réel des enfants		X	
2. Se comprend clairement		X	
3. Explique le développement passé et prévoit l'avenir	X		
4. Facilite l'éducation	X		
5. A une logique interne	X		
6. Est économique	X		
7. Est vérifiable	X		
8. Stimule de nouvelles découvertes	X		
9. Est satisfaisante en elle-même	X		

quelque deux cent vingt études relatives au modèle de Kohlberg, ce qui démontre l'intérêt constant manifesté pour ses travaux.

Pour sa clarté (critère 2), nous donnerons à cette théorie un résultat mitigé. Les nombreux exemples spécifiques que Kohlberg a tirés des réponses données par les enfants aux dilemmes moraux ont permis de se familiariser avec le langage propre à ce domaine de recherches et de distinguer les différents stades. Des termes tels que *orientation relativiste instrumentale* ou *orientation de contrat social légaliste* sont explicités par des exemples repris aux réponses obtenues auprès des enfants. Cependant, d'après certains avis éclairés, d'autres mots clés n'ont pas fait l'objet de ce genre d'éclaircissements; ainsi, R.S. Peters (1971, pp. 246-248) a mis Kohlberg en échec pour avoir été imprécis dans sa définition de certains termes, tels que les *traits de caractère* (par exemple, honnêteté, courage, détermination) qu'il a indûment comparés aux *principes* (sens de justice, par exemple). La même critique a été réitérée pour la distinction que Kohlberg a établie dans une culture donnée entre «forme» et «contenu» du raisonnement moral. Il a avancé que le «contenu» des jugements moraux peut varier d'une culture à l'autre, mais que «la forme» la plus élémentaire des jugements ne varie pas. Cependant, lorsque ces deux concepts sont analysés en détail, il semble qu'il n'ait pu isoler des critères pertinents pour différencier ces deux caractéristiques.

Kohlberg, c'est là l'intérêt de sa démarche, a basé son modèle sur les données recueillies lors de ses enquêtes auprès de nombreux enfants (critère 1). Cependant, on se demande dans quelle mesure il s'est montré réaliste quand à l'étendue des décisions morales qu'il a analysées. Sa théorie se fonde sur les propos recueillis auprès d'enfants et de jeunes auxquels avaient été soumis des dilemmes moraux. Kohlberg voulait que les sujets réfléchissent, afin de pouvoir mesurer leur niveau de raisonnement; il a donc volontairement proposé des cas qui n'offraient pas de solutions évidentes par rapport aux valeurs culturelles reconnues par l'enfant interrogé. Cependant, comme W.P. Alston (1971, p. 284) l'a souligné, ces dilemmes-là ne représentent qu'une part minime des décisions journalières qu'un individu doit prendre. Donc, pour Alston, la méthodologie employée a nécessairement obligé Kohlberg à négliger l'ensemble des jugements que les jeunes font ordinairement. Ces «jugements habituels» sont aisés parce que le système de punitions et de récompenses propre à une culture a façonné le «caractère» d'un individu, de sorte que la solution des problèmes moraux en paraisse évidente et qu'aucune autre solution ne puisse entrer en compétition avec celle qui est suggérée par l'habitude. Alston considère que cette faille dans les méthodes de recherche de Kohlberg a perturbé le point de vue du théoricien sur l'importance des habitudes ou des traits de caractère et des émotions dans la détermination de la pensée et du comportement moral.

Si Kohlberg n'a pas proposé ce que l'on pourrait appeler des *incidents typiques* ou *types*, cela semble résulter de la méthode très peu systématique qu'il a utilisée pour sélectionner ses dilemmes moraux. Pour sa thèse de doctorat rédigée en 1958, il avait établi neuf dilemmes moraux que de jeunes sujets devaient résoudre. Il est dommage que ces mêmes incidents aient été reproduits dans la quasi totalité des études ultérieures menées par Kolhberg et ses disciples. Sur base des réactions des sujets à ces neuf dilemmes (en réalité, sur base des opinions formulées à partir du dilemme de Heinz et d'un ou deux autres incidents), les chercheurs ont tiré des conclusions quant au niveau de développement moral atteint par ces personnes. Nous estimons qu'une sélection de dilemmes moraux aussi limitée n'est pas représentative des conflits moraux auxquels nombre d'entre nous font face dans la vie réelle et par conséquent,qu'elle est inapte à établir un jugement sur le niveau de raisonnement moral atteint par une personne. Thomas (1989a) a critiqué Kohlberg et ses disciples pour n'avoir pas élaboré un système plus solide et proposé des modèles de dilemmes qui seraient représentatifs de la vie morale des sujets. Tout ceci justifie l'appréciation assez négative que nous devons donner à la théorie de Kohlberg pour ce critère.

Enfin, Kohlberg a été critiqué pour avoir proclamé le principe de justice comme étant le seul indice du plus haut stade de pensée morale. Il ne semble pas avoir proposé de raisons valables lui permettant de placer le principe de justice en position de force par rapport aux autres vertus qui auraient pu être retenues, par exemple, la sympathie, la compassion pour les autres, le courage, l'intégrité ou l'autonomie. Comme Peters l'a écrit, les découvertes de Kohlberg :

> *(...) sont d'une importance indiscutable, mais il existe un grave danger qu'elles puissent être confondues avec une théorie générale de développement moral. Une telle théorie générale présupposait un traité d'éthique générale et Kohlberg lui-même serait le premier à admettre qu'il a peu fait pour développer les détails d'une telle théorie basée sur une éthique universelle. Et, sans une telle théorie, la notion de développement moral est très peu substantielle* (1971, pp. 263-264).

La théorie de Kohlberg, comme les autres modèles que nous avons considérés, s'est donc attiré tant les louanges que les critiques. Mais quelles que soient ses lacunes, elle demeure la plus stimulante et la plus fertile des théories de développement moral dans les cercles psychologiques et philosophiques modernes. Pour cette raison, nous lui avons octroyé une cote assez satisfaisante pour l'ensemble de ses contributions à la recherche (critère 9).

Sixième partie

La psychologie du comportement : principes d'apprentissage explicatifs du développement

Certains psychologues rejettent les théories qui reposent largement sur des *éléments mentaux*, tels que l'«âme», l'«ego», la «conscience», la «répression», l'«épigenèse», l'«assimilation»... Ils ne sont pas convaincus de l'existence de ces éléments et de leurs prétendues fonctions, tout au moins pas sous la forme qu'en proposent les théoriciens les mieux connus. Un autre problème réside dans les contradictions relevées dans les travaux de différents chercheurs à propos de la nature de ces éléments, ainsi que de leurs fonctions respectives. Il est tout aussi clair que personne n'a jamais vu ou directement mesuré des éléments tels que l'esprit ou l'inconscient, ce qui est à l'origine de difficultés méthodologiques. De plus, si, en effet, les voies de l'esprit sont difficilement pénétrables, comment pouvons-nous établir laquelle, parmi les diverses théories proposées, est juste ?

Ces questions ont incité le psychologue américain, John B. Watson (1878-1959) à lancer le mouvement connu sous le nom de *behaviorisme* ou *psychologie du comportement* (1914, 1919). Watson et ses adeptes ont conclu qu'il n'était pas profitable de se livrer à des spéculations sur ce que peuvent être l'esprit d'une personne et son inconscient. Ils ont proposé en lieu et place de ceci, une démarche plus objective et scientifique, à savoir l'observation du comportement des individus dans différentes conditions et dans des environnements variés. Ces observations peuvent alors être organisées, analysées et énoncées comme principes explicatifs du comportement. En bref, les adeptes de cette orientation théorique avancent que l'objectif principal de la psychologie est d'identifier les conditions observables qui influencent tant le comportement humain que celui d'autres organismes.

Depuis les premiers plaidoyers de Watson en faveur de la *psychologie du comportement* (1914), le mouvement compte de nombreux partisans et s'est étendu à plusieurs sous-groupes, particulièrement aux Etats-Unis. Au cours de cet exposé, plusieurs formes de *behaviorisme* qui portent sur la psychologie génétique seront envisagées. Le chapitre 14 met l'accent sur le conditionnement opérant de B.F. Skinner et sur les applications de cette approche au développement de l'enfant établies par Bijou et Baer. Il propose également quelques variantes élaborées plus récemment par des partisans du *behaviorisme libéral*, les néo-behavoristes, qui se sont donné pour tâche de rapprocher ce mouvement des formes modernes de la psychologie cognitive.

Le chapitre 15 décrit la théorie de l'apprentissage social, en particulier telle qu'on la trouve dans les écrits d'Albert Bandura et présente quelques contributions inspirées des travaux de Kendler, de Sears et de Rotter. La théorie de l'*apprentissage social,* contrairement au behavorisme original de Watson et de Skinner, basé sur le principe S-R (un stimulus produit une réponse), reconnaît l'activité cognitive tout en mettant l'accent sur l'analyse d'un comportement observable. Elle est considérée comme un modèle S-O-R, c'est-à-dire, comme un modèle qui tient compte de ce qui ce passe dans l'organisme (O) et qui agit pour transformer un stimulus (S) en réponse (R).

Le *contextualisme*, un modèle qui a pris forme assez récemment, d'abord grâce aux travaux de Riegel, mais surtout lors de la publication des recherches de Valsiner à la fin des années 80, est considéré par nombre de psychologues comme un dérivé de la théorie de l'apprentissage social. Cependant, nous avons choisi de placer notre étude du contextualisme dans le cadre des nouvelles tendances de la psychologie développementale.

Avant toute chose, nous estimons qu'il est important de reconnaître qu'il existe un certain niveau de confusion lorsqu'il est question de psychologie du comportement, à cause de l'existence d'un grand nombre de variantes dérivées de la théorie originelle. Logue rapporte que, déjà dans les années 20,

Roback avait identifié plus de dix-sept sous-classes du behaviorisme qu'il regroupait en quatre catégories principales :

> *le behaviorisme structural (qui met l'accent sur les mécanismes présents dans divers organismes), le behaviorisme fonctionnel (qui porte sur les relations entre un organisme et son environnement), le psychobehaviorisme (qui reconnaît que la conscience et l'introspection ont, tout comme le comportement, un rôle à jouer dans le domaine de la psychologie) et le behaviorisme «nominal» (dont les partisans comme McDougall s'appellent behavioristes, mais dont les théories n'incluent rien du modèle original de Watson)* (1985, p. 177).

Plus récemment, différentes formes de *behaviorisme* ont été qualifiées de modèle *original, classique, standard, strict, extrême, méthodologique, métaphysique, modifié, radical, libéral, opérant, éclectique, social, paradigmatique, cognitif, sain, subjectif, vrai ou de interbehaviorisme* (Lee, 1988, p. 81; Logue, 1985, pp. 176-177). Il existe non seulement une pluralité de termes pour désigner les mêmes phénomènes, mais encore, chaque auteur est libre de les utiliser à sa manière. Par conséquent, il importe de prêter attention aux détails du modèle d'un théoricien particulier, afin de bien comprendre le sens de ses écrits.

Il nous faut également remarquer que de nombreuses objections ont été soulevées quant à la valeur des deux formes principales adoptées par la psychologie du comportement : celle basée sur le principe S-R et celle qui repose sur les modèles S-O-R. La critique principale émise à l'encontre de ces théories est qu'elles réduisent les enfants à l'état de machines qui ne réagissent que lorsqu'elles sont stimulées par l'environnement. Lee écrivait à ce propos :

> *Les théories qui reposent sur le principe de stimulus/réponse nous laissent penser que connaissant la nature d'un stimulus, nous pouvons prévoir la réponse et que sachant quelle est la nature d'une réponse donnée, nous pouvons reconstituer la nature du stimulus (...) Cette formulation traite actions et sentiments comme des réponses mécaniques à des stimuli et elle perçoit les individus comme des robots ou des machines* (1988, pp. 151-152).

De nombreux chercheurs préféraient au contraire que les différentes théories dérivées de l'école behavioriste considèrent les enfants comme des initiateurs de leur propre comportement. Ainsi, un modèle qui reposerait sur des relations du type O → E → O → R ou encore sur un rapport du type O ↔ E = R leur conviendrait davantage et indiquerait mieux la nature du rôle actif joué par l'individu qui rencontre un environnement donné. Ces conflits d'opinion expliquent pourquoi les propositions théoriques dérivées du modèle behavioriste continuent à proliférer.

Au cours de notre exposé, nous nous servirons des expressions *psychologie du comportement, psychologie de réaction, psychologie objective et behaviorisme* comme de variantes interchangeables pour désigner les mêmes phénomènes et principes d'apprentissage.

14

Le conditionnement opérant de Skinner

Au moment où sa carrière prit fin en 1990, aucun chercheur américain en psychologie n'était plus connu que Burrhus Frederic Skinner, né en 1904. Ce professeur de l'Université de Harvard a connu la célébrité suite à l'application originale mais controversée de sa théorie de l'apprentissage en vue de résoudre des problèmes d'éducation, d'ajustement personnel et d'adaptation sociale. Lee explique pourquoi B.F. Skinner est le psychologue du comportement qui semble avoir eu le plus d'influence dans la deuxième moitié de ce siècle. Il a non seulement créé le conditionnement opérant, mais encore :

> *Il a, plus que tout autre psychologue, exploré d'une manière exhaustive et explicite les implications d'une psychologie par des contingences diverses* (Lee, 1988, p. 79).

De même Catania et Harnard ont écrit que :

> *B.F. Skinner est peut-être, parmi tous les psychologues contemporains, celui qui est le plus honoré et le plus attaqué, le mieux connu et le moins bien représenté, le plus cité et le moins compris* (1988, p. 3).

Vers le milieu des années 50, il a popularisé certains moyens d'apprentissage, tels la machine à enseigner et des manuels d'enseignement programmé (Skinner, 1972). Vers la fin des années 60, l'approche de modification du comportement utilisée avec les personnes handicapées s'est largement inspirée de la doctrine de Skinner. Son œuvre intitulée *Beyond Freedom and Dignity* recommande un plan de contrôle social par conditionnement opérant, qui devrait produire une société de plus en plus paisible, ordonnée, coopérative et efficiente (Skinner, 1971). La théorie a également connu une influence importante dans le domaine de la psychologie du développement de l'enfant. Dans un autre ouvrage intitulé *Upon Further Reflection*, publié en 1987, il propose quatorze essais courts, visant à éclaircir différents aspects de sa théorie restés obscurs, et d'autres que, d'après lui, les critiques avaient mal interprétés. Ces articles reflètent trois aspects de sa personnalité : le philosophe scientifique, l'expérimentaliste et le visionnaire utopiste.

Dans ce chapitre, nous retracerons les grandes lignes du système de Skinner et nous en décrirons les applications essentielles à la compréhension du développement et du comportement de l'enfant. Nous présenterons également les travaux de Sidney W. Bijou et de Donald M. Baer, deux pionniers de l'application de la psychologie du comportement de Skinner à l'analyse du développement de l'enfant. Ce chapitre s'achèvera avec une brève présentation de quelques perspectives récentes dans le domaine de la psychologie objective.

La nature du conditionnement opérant

Les origines du *behaviorisme* de Skinner remontent à une expérience menée par Pavlov. Au début du XXe siècle, le physiologiste russe, Ivan Petrovich Pavlov (1849-1936) a démontré ce qui serait plus tard appelé le *conditionnement classique* : en plaçant un stimulus – de la viande – sur la langue d'un chien, il a provoqué chez l'animal une salivation immédiate (appelée *réflexe inconditionné*). Puis au cours d'une série d'expériences, il a fait sonner une cloche chaque fois qu'il donnait de la viande à l'animal. Après avoir administré l'aliment plusieurs fois de la sorte, il a remarqué qu'il pouvait faire saliver le chien sans viande, mais en faisant sonner la cloche. Celle-ci devenait ainsi le *stimulus conditionné*, qui provoque un réflexe *conditionné* : la salivation. Le conditionnement classique consiste donc à substituer un nouveau stimulus à un ancien en présentant d'abord les deux stimuli simultanément, et à abandonner ensuite le premier stimulus, en permettant ainsi au nouveau de provoquer la réaction originale. Les travaux de Pavlov ont inauguré l'ère de la psychologie S-R ou Stimulus-Réponse.

Les behavioristes américains ont adopté ce concept comme modèle d'explication du comportement humain, sans devoir spéculer sur le fonctionnement du système nerveux central d'un organisme. Il n'était donc plus nécessaire de chercher à déterminer la nature de l'esprit et de l'âme pour expliquer les actes des individus. En observant quels étaient les stimuli à l'origine d'un type particulier de réponses, les psychologues étaient en mesure d'expliquer le comportement humain.

Les premiers psychologues du comportement ont souvent rencontré des difficultés pour isoler, de manière certaine, le stimulus qui était à l'origine des réponses observées. Ils ont ainsi été amenés à supposer l'intervention des stimuli qu'ils ne pouvaient vraiment identifier. Vers 1930, Skinner apporta une solution à ce problème en proposant qu'il n'y avait pas seulement un type de conditionnement, mais bien deux. L'un consistait dans la relation classique S-R telle que présentée par Pavlov. L'autre, de loin la plus fréquente dans le comportement humain, fut appelée par Skinner *conditionnement opérant* ou *instrumental* : dans ce cas, le comportement (la réponse) peut être émis sans qu'aucun stimulus observable ne l'ait provoqué.

Par exemple, un pigeon en cage fait ce que font d'ordinaire les pigeons, c'est-à-dire marcher et becqueter. Un bébé dans un berceau agite ses bras et ses jambes d'une manière désordonnée. D'après Skinner, il importe peu d'identifier le stimulus qui a provoqué le comportement de l'un et l'autre; il est beaucoup plus important d'examiner les *conséquences* de ces mouvements car ce sont elles qui contrôlent les actions. Par *conséquences*, on sous-entend que le fait de picorer, pour les pigeons, et de s'agiter, pour le bébé, apportent une certaine satisfaction à leur organisme. Le pigeon a faim et actionne par hasard un levier en plastique qui libère les grains dans la cage où il se trouve, cette conséquence qui le rassasie peut renforcer la tendance de l'animal à becqueter à nouveau le levier ultérieurement. Après plusieurs expériences, le pigeon deviendra de plus en plus habile, c'est-à-dire qu'il réduira graduellement le délai nécessaire pour trouver le levier qu'il actionnera directement lorsqu'il aura faim. Nous dirons donc que le pigeon a appris à picorer le levier et que cette acquisition résulte d'un phénomène dont la conséquence a permis d'assouvir sa faim.

Skinner propose donc que tous ou presque tous les comportements résultent d'un conditionnement classique ou d'un conditionnement opérant. Mais, d'après lui, ce dernier type de comportement devient de plus en plus fréquent avec l'âge. Si les conséquences s'avèrent satisfaisantes, les actions seront répétées par l'individu dans une situation identique. Si les conséquences sont plutôt pénibles ou simplement inutiles, les actions auront moins de chance d'être reproduites dans le futur. Les circonstances qui sont gratifiantes renforcent les tendances à l'action; les conséquences désagréables diminuent le désir d'agir à nouveau de la même manière de sorte que les comportements non renforcés pourront même disparaître complètement.

Ce sont là les bases du conditionnement classique et du conditionnement opérant. Cependant, cette introduction est très succincte et nous avons fait usage ici de termes que Skinner et ses adeptes estimeraient imprécis et fallacieux. Par exemple, ils réprouveraient l'emploi de mots tels que «gratifiant», dont la signification implique un sentiment qui n'est pas immédiatement identifiable et qui est considéré comme la cause d'un comportement donné. Nous avons toutefois utilisé ce terme, et d'autres du même genre, tout comme l'a fait Skinner, parce qu'ils sont familiers et qu'ils permettent d'expliquer certains concepts plus aisément qu'en recourant exclusivement aux définitions behavioristes.

Il nous faut aussi souligner que Skinner n'a pas prétendu élaborer une théorie. Il dit plutôt être un empirique qui a recueilli des faits observables du comportement, qu'il a résumés en termes de principes. Cependant, dans un sens large, et selon les critères établis au chapitre 1, les formulations de Skinner méritent l'appellation de *théorie* (Skinner, 1974, pp. 18-20). Il a créé le concept de *conditionnement opérant* ou instrumental, attirant ainsi l'attention sur l'importance des conséquences dans le contrôle des actes qui les ont immédiatement précédées. En d'autres termes, l'acte est la force opérante ou l'instrument qui amène au jour la conséquence.

Les types de conséquences

Ce que la plupart des gens considèrent comme une *récompense* est dénommé *renforcement* par les behavioristes. Une conséquence constitue un *renforcement positif* au cas où, par la suite, dans une situation semblable, elle augmente la fréquence de l'acte. Par exemple, si un bébé est nourri juste après avoir agité son hochet, il aura tendance à agiter ce hochet la prochaine fois qu'il aura faim. Cela signifie que la nourriture obtenue a renforcé positivement le fait d'agiter le hochet.

La conséquence d'une action est appelée *renforcement négatif* si cette action met fin à une situation désagréable. Par exemple, une institutrice crie pour que ses élèves gagnent leur place et restent tranquilles. L'acte de s'asseoir la fait taire. Cet état de tranquillité est pour les enfants «un renforcement négatif» pour le fait de s'asseoir. Par la suite, il est probable que les enfants s'assiéront plus rapidement, le fait de s'asseoir ayant établi une première fois, une agréable atmosphère de calme qui mettait fin à une situation désagréable (les cris du professeur).

Les renforcements positifs et négatifs sont donc les uns comme les autres renforçants. Ils augmentent la probabilité que l'enfant répète le même acte dans des circonstances à venir. C'est un renforcement positif s'il engendre une conséquence plaisante. C'est un renforcement négatif s'il met fin à une conséquence déplaisante, telle que le bruit ou la critique.

La *punition* constitue un troisième type de conséquence. Les conséquences sont dites punitives si elles réduisent la tendance de l'enfant à reproduire un même comportement dans le futur. La punition, comme le savent les parents et professeurs, est censée décourager la répétition de certains actes. Elle consiste, soit à imposer quelque chose de désagréable (fessée, devoirs supplémentaires), soit à ôter quelque chose d'agréable (suppression de certains privilèges). Mais la punition n'est pas le seul moyen d'écarter des actes indésirables. Une autre méthode consiste tout simplement à ne pas les renforcer. Par exemple, si un enfant louche à l'école en vue d'attirer l'attention et si personne ne fait mine de s'intéresser à sa grimace, on peut s'attendre à ce que cette attitude disparaisse spontanément, parce qu'elle n'aura pas déclenché les conséquences désirées. En bref, l'*extinction* du comportement se produit.

Des études menées par quelques psychologues du comportement ont permis de conclure que la punition ne supprime que momentanément l'expression des comportements indésirables, elle ne les élimine pas. Ces chercheurs ont encore avancé que lorsque l'agent punitif est absent, les comportements indésirables se reproduisent. Cependant, des analyses plus récentes de l'influence de la punition ont amené d'autres théoriciens à nier son caractère temporaire : ils ont au contraire conclu que la punition peut être aussi efficace que le *non-renforcement*, et par là favoriser la disparition d'actes indésirables (Hildard et Bower, 1975, pp. 223-225).

Les éléments abordés ci-dessus représentent les structures de base du conditionnement opérant. Si les conséquences des actes ont valeur de renforcement, alors les actes seront appris et réapparaîtront lorsque, par la suite, l'enfant se retrouvera dans des conditions semblables. Ces *actions renforcées* deviennent des habitudes et forment un schéma de comportement qui peut être appelé *style de vie* ou *personnalité* de l'enfant. Les conséquences qui n'ont pas de valeur de renforcement – punition ou simple non-renforcement – aboutissent à la disparition de ces comportements du répertoire d'actions de l'enfant.

La notion d'apprentissage chez Skinner

Dans cet exposé, nous avons utilisé le terme d'*apprentissage* pour indiquer que l'enfant fait montre habituellement d'un certain comportement face à une situation donnée. Cependant, il existe une manière plus précise de considérer l'apprentissage à la lumière du conditionnement opérant : l'accent n'y est pas mis sur la manière dont nous amenons le sujet à adopter un comportement initial donné, mais sur l'influence qu'ont, sur ce comportement les conséquences qui en résultent. Dans cette perspective, l'apprentissage n'est pas perçu comme la première manifestation d'un comportement, mais plutôt comme le processus qui en amène la répétition constante. Par exemple, une fillette de neuf ans ne rentre à la maison qu'une fois sur dix lorsque sa mère lui dit «c'est l'heure de rentrer, Sandrine». Le taux de réponse positive est de 10 % seulement. Sandrine montre de temps à autre que le comportement attendu fait partie de son répertoire, mais ne réagit pas uniformément en présence de ce stimulus. Cependant, sa mère peut influencer le taux de réponses positives de sa fille en agissant sur les conséquences de celles-ci.

Skinner a apporté des contributions particulièrement utiles à l'étude de ces conséquences sur le comportement en proposant différents types de programmes de renforcement. Par exemple, les effets sur la performance diffèrent quand le *renforcement continu* (récompense à chaque fois que l'acte désiré se produit) est utilisé préférentiellement par rapport au *renforcement intermittent* (récompense occasionnelle). De plus, chaque programme de renforcement intermittent amène des résultats spécifiques. Un rythme de renforcement fixe (récompense toutes les trois ou cinq fois que la réponse désirée est obtenue) donne lieu à un résultat différent de celui qui consiste à récompenser à intervalles fixes (récompense toutes les deux ou cinq minutes). Ce type de programme de renforcement, combiné avec une série d'autres effets, peut donner lieu à une pluralité de comportements différents (Hilgard et Bower, 1975, pp. 216-217). Par exemple, lorsqu'un élève de huit ans apprend à lever la main pour demander la parole, il peut être récompensé chaque fois qu'il lève la main. Mais une fois que cette habitude sera bien établie, une récompense intermittente suffira probablement pour l'empêcher de disparaître.

En résumé, dans la perspective skinnérienne, le développement de l'enfant est un processus par lequel les acquisitions deviennent de plus en plus complexes et précises à l'issue des conséquences qui résultent des comportements qu'ils ont adoptés. Le rôle des parents et des maîtres consiste donc à : (1) obtenir des enfants qu'ils émettent des comportements désirables et (2) faire en sorte que ces comportements désirables soit renforcés et que le comportement indésirable disparaisse, faute de renforcement ou suite à une punition.

Renforcement conditionné et chaîne de réponses

On a souvent reproché au modèle de conditionnement opérant son aspect simpliste. Les critiques admettent que cette théorie peut expliquer certains actes simples, mais prétendent qu'elle n'est pas à même d'expliquer les activités complexes, ni la pensée créative. Cependant, Skinner a proposé plusieurs mécanismes susceptibles selon lui d'éclairer n'importe quel comportement, que l'action soit, comme le disent les non-behavioristes, mentale ou physique.

Le premier est décrit dans le principe du *renforcement conditionné* : une conséquence (appelée *stimulus*) qui n'est pas originellement *renforçante* peut le devenir par son association répétée avec une autre conséquence, elle-même réellement renforçante (Keller et Schoenfield, 1950, p. 232). En d'autres termes, si une mère nourrit son bébé chaque fois qu'il a faim et satisfait ainsi son besoin de nourriture, après de nombreuses répétitions de cet acte, la seule apparition de la mère, porteuse ou non de nourriture, va devenir satisfaisante. La mère a maintenant un pouvoir de *renforçateur.* Elle est devenue une source de *renforcement conditionné* ou secondaire. Sa seule présence et les actes associés au geste initial de nourrir (son sourire, par exemple) peuvent maintenant être utilisés pour renforcer ou apprendre d'autres comportements. De plus, lorsque l'enfant qui grandit arrive à dire «mam» parmi ses gazouillis, le sourire de sa mère sert à renforcer l'émission du son «mam». Ainsi, les chances pour que l'enfant prononce à nouveau le son «mam» en présence de sa mère sont accrues.

Un enfant, au cours de sa croissance, élabore un stock de renforcements conditionnés qui peuvent servir de récompenses à ses actions; nombre de ces renforcements secondaires se généralisent à d'autres actions. Cela signifie que le renforçateur non seulement consolide l'acte original mais, étant associé à de nombreuses actions, en vient à consolider n'importe quel autre acte avec lequel il est mis en rapport. Pour les adolescents, l'argent est une source de renforcement solide et généralisé qui peut être employée pour consolider différents types de comportements. Pour tous, une phrase telle que «c'est la bonne façon de faire» est un exemple de *renforçateur* généralisé, lié à de nombreux comportements. F.S. Keller et W.N. Schoenfield expliquent ci-dessous, les principes qui régissent les cas présentés ici :

> *Une fois établi, un renforcement secondaire est indépendant et non spécifique; il ne renforcera pas seulement la même réponse qui a produit le renforcement original, mais renforcera aussi une réponse nouvelle non liée à la première. De plus, il le fera même en présence d'un motif différent. Par le processus de généralisation, beaucoup de stimuli (...) acquièrent une valeur renforçante, positive ou négative* (1950, p. 260).

Le *façonnement* ou modelage (shaping) et la *procédure d'apprentissage d'une chaîne de réponses* (chaining) sont deux autres stratégies qui participent à l'acquisition des comportements complexes. Le *façonnement* consiste à renforcer au début n'importe quelle approche maladroite effectuée par l'enfant, d'un acte raffiné souhaité. Alors, lorsqu'une forme approximative du comportement a été bien établie, elle peut être modelée par étapes progressives en réclamant des réalisations de plus en plus précises avant d'octroyer un renforçateur, et ceci jusqu'à atteindre la forme finale voulue. Par exemple, lorsque l'enfant apprend à frapper une balle, nous le féliciterons d'abord pour la manière dont il balance son bâton, qu'il réussisse ou non à frapper la balle. Au fur et à mesure que sa technique s'améliore, nous ne le féliciterons plus pour n'importe quel mouvement, mais seulement pour ceux qui atteignent la balle. Lorsqu'il parviendra à frapper la balle presque à chaque mouvement, nous nous limiterons à applaudir aux coups qui expédient la balle dans l'aire qui lui fait face et non ceux qui l'envoient de côté ou derrière lui. Ce procédé qui impose des limites de plus en plus précises à l'acte récompensé permet à l'enfant de développer son habileté à frapper la balle jusqu'à ce qu'il puisse l'orienter dans des directions et à des distances déterminées. De la même manière, le façonnement aide à élargir le vocabulaire et à raffiner le comportement verbal d'un enfant, lorsque ses expressions langagières sont influencées par les réactions positives ou négatives de son environnement.

La procédure d'apprentissage d'une chaîne de réponses permet à une personne d'exécuter une série d'actes individuels conditionnés pour composer une activité complexe. Ce programme débute au maillon terminal de la chaîne plutôt qu'à son début : le maillon précédent est accroché au maillon qui l'a immédiatement précédé et qui a déjà été renforcé. Prenons ici comme exemple l'acquisition des règles de savoir-vivre lors du repas. L'enfant a envie, à la fois, de manger et d'avoir l'approbation de ses parents. On permet d'abord à l'enfant de se nourrir, puis on lui dit «C'est bien» lorsqu'il utilise sa fourchette plutôt que ses doigts pour porter la nourriture à sa bouche. Lorsque l'enfant saura se servir d'une fourchette, on lui imposera un nouvel apprentissage : il devra utiliser le couteau pour couper de la viande en morceaux suffisamment petits pour pouvoir les porter à sa bouche avec sa fourchette avant d'être félicité pour sa bonne conduite. Après cela, il lui faudra apprendre à placer sa serviette sur ses genoux. Ces trois actions seront désormais nécessaires pour qu'il reçoive des compliments. Grâce à cette méthode, un ensemble d'habitudes ou de maillons conditionnés peuvent être assemblés en une activité complexe.

Pour nous résumer, le mécanisme de renforcement permet de comprendre non seulement les actes simples, mais encore, d'après certains psychologues du comportement, les processus de renforcement secondaire et de généralisation de stimuli. De même, le façonnement et la procédure d'apprentissage d'une chaîne de réponses peuvent expliquer toutes sortes d'activités complexes. De plus, les behavioristes avancent qu'il n'est pas nécessaire d'élaborer consciemment ces processus, ils apparaissent spontanément dans le comportement de tous les individus.

La portée de la théorie de Skinner

La théorie de Skinner peut être considérée comme un modèle général puisqu'elle s'applique à décrire les principes généraux sous-tendant le phénomène d'apprentissage et qu'elle explique différents aspects du comportement. Cette théorie n'est pas limitée à un environnement culturel spécifique; elle est censée expliquer les mécanismes de développement dans toutes les sociétés. Ses principes s'appliquent à tous les niveaux d'âge, de la période prénatale à la vieillesse. Enfin, elle prétend expliquer toutes les variétés de comportement : physique, mental, social, émotionnel. Les deux premiers points n'ont pas suscité trop de critiques, le troisième a été au centre d'un débat houleux et, par conséquent, réclame une attention particulière.

Comme nous l'avons noté plus haut, la psychologie objective était, à l'origine, une réaction contre le *mentalisme*, qui considérait que les actes humains sont causés par des idées ou des sentiments prenant naissance dans l'*âme* ou l'*esprit*, facultés non observables. Le behaviorisme s'opposait également aux méthodes de recherche des mentalistes, lesquelles consistaient en une introspection d'un philosophe s'interrogeant sur la nature de ses propres idées et émotions et proposant ensuite des éléments et fonctions de l'esprit qui contrôleraient ses pensées et affects.

Les premiers psychologues du comportement, tels Watson et Max Meyer, ont avancé que si la psychologie est vraiment appelée à devenir une science, elle doit se concentrer uniquement sur des faits objectifs et sur des informations publiquement rapportées. Des fonctions comme la pensée, l'esprit ou les sentiments ne devraient pas avoir de place dans cette science du comportement humain. Cependant, les détracteurs de la psychologie du comportement estiment que c'est un non-sens de nier l'existence de phénomènes aussi évidents que la pensée et les sentiments, uniquement parce que ces facultés ne sont pas directement perçues par les personnes autres que celle qui pense et sent. Ainsi, pendant un demi-siècle, les psychologues du comportement ont été accusés de proposer une psychologie simpliste et déspiritualisée. Mais, Skinner, tout en reconnaissant ces faiblesses des premiers modèles behavioristes, refusa d'admettre qu'elles puissent valoir pour ses travaux. Aussi, pour se différencier des autres, a-t-il établi deux dénominations :

(1) le *behaviorisme méthodologique* pour identifier ceux qui ignorent l'existence des pensées et des sentiments et

(2) le *behaviorisme radical* pour identifier sa propre position, qui reconnaît que les pensées et les sentiments sont des «actes privés» normaux et accepte l'introspection comme un mode légitime d'investigation (Skinner, 1973, pp. 13-18).

D'après Skinner, la faille du mentalisme (tel qu'il est pratiqué par les puritains, Rousseau, Freud, Piaget et beaucoup d'autres) consistait à ne mettre l'accent que sur les actes mentaux. Ce qui explique que les partisans de cette théorie ont négligé l'analyse des stimuli externes et de leurs conséquences qui d'après lui, sont des éléments qui expliquent vraiment les actions humaines. Mais, malgré sa critique du modèle mentaliste, Skinner n'a pas pour autant aveuglément embrassé la position du behaviorisme méthodologique qui est celle de Watson et, plus proche de nous, celle de J.R. Kantor. Skinner a plutôt critiqué le behaviorisme méthodologique pour avoir versé dans l'excès contraire :

> *En tenant compte seulement des événements extérieurs, il s'est écarté de l'observation personnelle et de la connaissance de soi. Le behaviorisme radical restaure une sorte d'équilibre. Il ne préconise pas que tous les chercheurs tombent d'accord sur une vérité absolue. Par conséquent, il est en mesure de considérer les événements qui prennent place dans le monde privé à l'intérieur même de l'individu. Il n'appelle pas ces événements inobservables et il ne les écarte pas comme étant subjectifs. Il questionne simplement la nature de l'objet observé et la fiabilité des observations* (Skinner, 1974, pp. 16-17).

Skinner admet donc l'existence des pensées et des sentiments, mais il considère que les techniques pour les mesurer ne sont ni bien développées ni fiables. Par conséquent, il trouve préférable de s'appuyer surtout sur une analyse des conditions du milieu extérieur et des réactions observables des individus, de manière à comprendre l'histoire génétique et environnementale d'un être humain donné. Il n'estime pas nécessaire la création de mots tels que *esprit* ou *conscience* pour expliquer la vie intérieure d'une personne. Il avance que «ce qui est senti ou observé introspectivement n'est pas un monde immatériel, une conscience, un esprit ou vie mentale isolée mais bien le corps même de l'observateur (1974, p. 17)». En d'autres termes, Skinner ne divise pas l'individu de la manière traditionnelle, qui oppose les aspects de la vie physique à ceux de la vie mentale. Il considère que l'individu constitue un tout, une entité. Certaines actions peuvent être observées par des personnes extérieures au sujet (comportement observable) et d'autres actions peuvent n'être appréhendées que par l'individu au moyen de l'introspection (comportement caché).

Hérédité et environnement

Les partisans de la psychologie du comportement ont souvent été critiqués pour avoir sous-estimé le rôle de l'hérédité dans le développement. Skinner a répondu à cette critique en établissant une distinction entre la conception des behavioristes «méthodologiques» et son point de vue. Il y a quelques dizaines d'années, Watson a prétendu qu'il pouvait prendre n'importe quel enfant en bonne santé et l'élever de manière à le façonner comme il l'entendait, pour qu'il devienne médecin, avocat, artiste, mendiant ou voleur. Skinner a rejeté ces considérations et a mis en avant ce qu'il considère comme une vision plus juste des contributions potentielles de l'apport génétique et des influences environnementales.

Pour comprendre le point de vue de Skinner, nous devons d'abord préciser qu'il considère que la pulsion fondamentale qui détermine le comportement, tant humain que non humain, est l'instinct de survie. Toutes les actions visent à promouvoir la survie de l'individu comme celle de l'espèce. Les hommes, de même que les représentants des autres espèces, héritent de potentialités biologiques qui servent parfois à augmenter, parfois à limiter leurs chances de survie dans des environnements divers. Les potentialités dont une personne hérite ont été déterminées depuis les origines par la survie des mieux adaptés; c'est le principe de sélection naturelle de Darwin. Ces traits sont reproduits chez des descendants qui se distinguent eux aussi par un degré d'instinct de survie élevé. Ceux à qui ces mêmes caractéristiques faisaient défaut se sont éteints sans descendance.

Pour les besoins de cette analyse, il est utile de diviser les caractéristiques génétiques en deux catégories (quoique dans la pratique celles-ci se confondent). Le premier type de caractéristiques convient aux environnements stables et le second aux milieux variables et imprévisibles. Dans un environnement stable, les conditions de vie – climat, prédateurs et maladies – restent inchangées sur une période de temps assez longue. Dans un tel milieu, sur une période couvrant plusieurs siècles, une espèce peut hériter directement de caractéristiques qui favorisent sa survie, par exemple, une épaisse fourrure blanche qui se confond avec la neige arctique ou un instinct qui l'avertit de l'approche des prédateurs. Mais il est fréquent que les conditions de l'environnement changent d'année en année, parfois même d'un jour à l'autre. En ce cas, il serait vain d'hériter d'un réflexe ou d'une caractéristique physique spécifique. Il est préférable, au contraire, d'hériter des capacités d'adaptation aux variations de l'environnement. En d'autres termes, une espèce peut hériter de la capacité d'apprendre à tirer des conséquences d'un comportement donné. Skinner considère ce type d'héritage comme étant l'élément le plus précieux que les humains tirent de leur capital génétique. Le très haut niveau de l'intelligence humaine et son adaptabilité résultent d'un potentiel génétique remarquablement sensible au conditionnement opérant.

Skinner s'est abstenu d'identifier la nature spécifique des traits de personnalité dont l'individu pouvait, d'après lui, hériter, mais aussi, des types de comportements acquis car selon lui, les recherches en la matière ne peuvent pas encore offrir de réponses précises. Mais il a avancé que plusieurs traits que d'autres théoriciens, tels Gesell et Freud, attribuent à l'hérédité, sont en réalité appris par le truchement du conditionnement opérant. Ainsi, il a conclu que :

> *Les causes génétiques peuvent devenir une espèce de lieu de décharge; tel aspect du comportement qui, à un certain moment échappe à l'analyse en termes de contingences de renforcement, est susceptible d'être attribué à l'héritage génétique et nous sommes enclins à accepter l'explication parce qu'accoutumés à ne pas dépasser le niveau de l'organisme* (1974, p. 44).

Skinner ne prend pas parti dans la controverse *nature/environnement* et rejette l'affirmation des behavioristes méthodologiques selon laquelle la personnalité humaine est complètement malléable, prête à se couler dans le moule proposé par les «contrôleurs des renforcements». Dans son roman, *Walden Two* qui met en scène une communauté imaginaire, Skinner décrit une société où tous les enfants évoluent dans un environnement à peu près semblable jusqu'à l'âge de dix ans, car tous sont élevés dans des centres communautaires plutôt que dans leur famille durant cette étape de leur vie. Pourtant, malgré cet environnement commun, les enfants vivant à *Walden Two* font montre d'écarts d'intelligence significatifs, différences, «presqu'aussi grandes que celles rencontrées dans la population du dehors. Ceci semble être tout aussi vrai pour d'autres capacités» (Skinner, 1984, p. 104).

Skinner a ainsi émis l'hypothèse que le capital génétique explique un certain nombre de différences chez les enfants. Il ne peut donc être qualifié d'environnementaliste à part entière. Cependant, il semble assigner un rôle plus important aux forces de l'environnement que ne le font les autres théoriciens déjà considérés dans le présent ouvrage.

Les étapes de l'éducation de l'enfant

Au cours des chapitres précédents, nous avons pu voir que les théories du développement sont ordinairement réparties en théories de développement en stades et en modèles de croissance continue. Les premières dépeignent généralement le développement de l'enfant comme une série d'étapes ou phases. A un certain âge, l'enfant se transforme : il cesse d'être une certaine personne pour en devenir une autre. Puis, pendant un certain temps, il conserve les caractéristiques de cette nouvelle personnalité jusqu'à ce que, à nouveau, il évolue vers un nouveau palier ou phase de développement.

Contrairement à cette notion de changement soudain par paliers successifs, le modèle de développement continu dépeint la croissance comme un processus graduel où les changements sont presque imperceptibles. Dans l'un ou l'autre cas, l'enfant de six ans sera manifestement différent de celui qu'il était à trois ans. Mais ceux qui rejettent la théorie des stades estiment que le résultat du comportement de l'enfant de six ans se limite à une accumulation d'infimes altérations qui se sont succédées depuis l'âge de trois ans.

Les théories d'évolution par stades ont fréquemment été soutenues par des investigateurs qui considèrent que l'hérédité joue un grand rôle dans le développement, tandis que les modèles de type continu ont été conçus par ceux qui privilégient l'importance de l'environnement. Toutefois ces rapprochements ne sont pas systématiques : ainsi, la croissance graduelle pourrait tout aussi bien être attribuée à un plan génétique, et les stades pourraient très bien résulter de brusques changements dans les forces de l'environnement. Cependant, cette tendance dominante se confirme encore, puisque la théorie de Skinner rejoint le type de modèles qui rejettent la notion de progression par stades.

Skinner conçoit le développement comme une séquence continue et croissante d'actes conditionnés; il avance (1) qu'il est plus exact de considérer les phases du développement comme étant imperceptibles et (2) qu'il n'est pas profitable de se concentrer seulement sur ce qu'il advient à un stade particulier et d'ignorer la raison pour laquelle quelque chose se produit. En d'autres termes, sa critique est double : elle rejette cette conception d'un développement psychologique s'effectuant par à-coups séparés par des plateaux, mais elle met également en lumière les limites des modèles développementalistes et structuralistes, qui ne parviennent pas à expliquer pourquoi ces changements se produisent si ce n'est en se référant à la maturation interne. L'intérêt de Skinner s'est porté sur le contrôle qui peut être effectué sur le développement, et non seulement sur la description des changements lorsque ceux-ci interviennent.

Donc, dans ses publications, Skinner ne s'est guère préoccupé de décrire les caractéristiques des enfants d'âges différents. Il a toutefois accordé une attention particulière à ce qu'il a appelé des *phases de traitement environnemental* destinées à favoriser un développement optimal, pour lesquelles il décrit des méthodes pédagogiques applicables à différents niveaux d'âge, en vue de promouvoir le bien-être et le bonheur des enfants. Pour décrire ces méthodes, nous nous inspirons de deux publications de Skinner parues vers le milieu de sa carrière académique. La première est un article d'un numéro du *Ladies Home Journal* de 1945 décrivant une bulle climatisée dans laquelle Skinner et son épouse auraient élevé leur fille nouvellement née (Skinner, 1972, pp. 567-573). La deuxième est le roman *Walden Two* (1948), plus particulièrement les chapitres relatifs aux méthodes d'éducation utilisées dans cette communauté imaginaire. Nous mettons celles-ci au centre de l'exposé qui va suivre.

L'éducation idéale

Selon Skinner, dans le système idéal d'éducation, les enfants ne sont pas élevés dans leur propre famille, mais dans des centres communautaires jusqu'à ce qu'ils aient atteint la puberté. Vers treize ans, les adolescents, individuellement ou par paires, installent leur propre résidence dans le complexe d'appartements qui abrite les adultes de cette ville rurale imaginaire.

Les vingt premières années de la vie à *Walden Two* se subdivisent en cinq étapes d'éducation : (1) un stade de crèche pour les enfants de la naissance à 1 an; (2) un stade de maternelle pour les enfants âgés de 1 an à 2 ans; (3) un stade de seconde enfance groupant les petits de 3 à 6 ans; (4) un stade de troisième enfance de 7 à 13 ans; (5) le stade de l'adolescence après 13 ans.

La philosophie de base qui sous-tend cette période de vingt ans est qu'il est important de satisfaire les besoins des enfants aussi rapidement et aussi complètement que possible dans leurs plus jeunes années. Alors, très progressivement, les contraintes de la vie normale sont introduites à un rythme scientifiquement contrôlé, pour s'assurer que les enfants peuvent dominer ces difficultés sans en garder de sentiments négatifs. Ce système de conditionnement opérant contrôlé est conçu pour encourager «les émotions productives et renforçantes telles l'amour et la joie (...) Les sentiments de peine et de haine et les surexcitations de la colère et de la peur ne correspondent pas aux besoins de la vie moderne et sont stériles et dangereuses». A *Walden Two*, de telles émotions de même que la jalousie et l'envie qui «engendrent l'insatisfaction» sont presque inconnues (Skinner, 1948, p. 83).

L'objectif initial de procurer à l'enfant un environnement agréable qui présente de plus en plus de difficultés est destiné à éviter les «émotions qui rongent le cœur de ceux qui ne sont pas préparés». Les enfants élevés à *Walden Two* ont non seulement la satisfaction d'entretenir des relations sociales plaisantes, mais encore, deviennent des travailleurs beaucoup plus efficients «parce qu'ils peuvent s'atteler à un travail sans souffrir les peines et douleurs qui affligent bien vite la plupart d'entre nous. Ils ont de nouveaux horizons, car ils sont protégés des émotions caractéristiques des frustrations et de l'échec» (Skinner, 1948, pp. 90-91).

C'est là la stratégie générale de l'éducation de l'enfant prônée par Skinner. Durant les cinq premières années de la vie, les adultes veillent à ce qu'aucun besoin important ne reste insatisfait, de sorte que la vie de l'enfant commence pratiquement sans anxiété ni frustration. A *Walden Two*, ce n'est que par la suite que les jeunes apprennent à dominer les frustrations qui s'accroissent graduellement et «apprennent à connaître les maux du cœur et les milliers de chocs naturels dont notre chair a hérité» (Skinner, 1948, p. 93). Nous considérons à présent les méthodes utilisées à *Walden Two* pour organiser l'environnement de manière à produire des résultats aussi admirables.

De la naissance à 1 an

Les nourrissons à *Walden Two* ne restent pas à la maison avec leurs mères mais sont réunis dans une crèche où chaque bébé a son berceau fermé et l'air conditionné. Ce berceau protecteur procure à l'enfant un climat sain, qui le libère des entraves de vêtements et de couvertures et des germes de l'environnement. Le bébé, vêtu d'un simple lange, se couche, s'assied, rampe librement sur un matelas recouvert d'un plastique facile à nettoyer. Il joue avec des hochets et des modules suspendus au plafond du berceau. Les murs sont insonorisés et protégés des changements de température et de lumière. La propre fille de Skinner, Deborah, a séjourné onze mois dans ce genre de berceau : il en a retenu ceci :

> *Les yeux, les oreilles et les narines du bébé demeurent frais et propres. Un bain hebdomadaire suffit tout en veillant à ce que le visage et la région de la couche soient fréquemment lavés (...) Elle jouit d'un long sommeil profond et ses habitudes d'alimentation et d'élimination sont extraordinairement régulières.*
> *L'une des objections les plus communes [de nos amis] était que nous étions en train d'élever une «mollassonne» qui ne serait pas préparée pour le monde réel. Mais, au lieu de devenir une hypersensible, notre bébé a acquis une sérieuse tolérance (...) Elle n'est pas gênée par les vêtements qu'elle porte à l'heure du jeu, elle n'est pas effrayée par des bruits violents ou soudains, elle n'est pas frustrée par des jouets qu'elle ne peut atteindre (...) Une maîtrise de difficultés quelconques peut être obtenue par l'apprentissage de la tolérance par dosage contrôlé plutôt que d'une manière accidentelle. Certainement, il n'y a aucune raison d'ennuyer un enfant durant toute sa petite enfance, simplement dans le but de le préparer à ce qui l'attend plus tard* (Skinner, 1972, pp. 570-572).

A *Walden Two*, les parents viennent à peu près chaque jour pour voir l'enfant, le sortir de sa «boîte» et jouer avec lui un moment. Mais, cette attention personnelle et cette démonstration d'affection ne sont pas seulement offertes par les parents, mais aussi par ceux qui ont la responsabilité de la crèche. Le but de ce partage de responsabilité est de permettre à l'enfant d'imiter de nombreux modèles qui se combinent pour former «une sorte d'adulte idéal et heureux. L'enfant peut ainsi éviter les idiosyncrasies d'un parent isolé» (Skinner, 1948, p. 119).

De 1 à 2 ans

A *Walden Two*, lorsque les enfants ont près d'un an, on les sort de leurs cellules individuelles et de la crèche pour les placer en garderie. Celle-ci est composée de plusieurs petites salles de jeux dont les meubles sont adaptés à la taille des enfants. L'équipement est à leur portée et chacun d'eux a son armoire dans une salle d'habillage. Ils dorment dans de petites chambres climatisées, vêtus de leur seul lange, sur des matelas recouverts de plastique d'un entretien facile. A l'heure du jeu, ils sont souvent nus ou vêtus de petites culottes.

L'éducation (on devrait dire l'élevage) des enfants est régie par les principes déjà observés à la crèche. Les besoins des enfants sont immédiatement satisfaits et aussi complètement que possible de manière à ce qu'ils ne connaissent ni la frustration, ni l'anxiété, ni la peur. Cela ne signifie cependant pas que l'enfant ne vivra pas d'expériences susceptibles de provoquer des frustrations; en effet, les spécialistes qui programment le plan éducatif de l'enfant y introduisent des expériences potentiellement décourageantes «à environ six mois aussi soigneusement que nous introduisons n'importe quelle autre situation émotionnelle» (Skinner, 1948, p. 100). Par exemple, quelques-uns des jouets qui sont donnés à l'enfant sont destinés à développer sa persévérance. Le personnel de la garderie est réparti de manière équilibrée entre hommes et femmes, de manière à «éliminer tous les problèmes freudiens qui naissent de la relation asymétrique avec le parent de sexe féminin» (Skinner, 1948, p. 120).

De 3 à 6 ans : *seconde enfance*

Cette période se caractérise par une subdivision entre deux parties, fondée sur les modalités du coucher. Chaque enfant âgé de trois à quatre ans a désormais la responsabilité de son lit dans un dortoir, et on lui apprend à porter des vêtements régulièrement. A cinq ou six ans, les enfants emménagent dans un complexe d'alcôves, chacune étant meublée comme une chambre normale, que se partagent trois ou quatre enfants avec leurs lits et leurs effets personnels. Ils sont censés acquérir peu à peu de plus en plus de responsabilités dans l'entretien de leur logement. L'horaire est soigneusement aménagé, de telle sorte que les bases d'une conduite éthique soient virtuellement acquises à l'âge de six ans.

De 7 à 13 ans : *troisième enfance*

A l'âge de sept ans, les enfants abandonnent les alcôves pour un complexe de petites chambres conçues chacune pour abriter deux enfants. Régulièrement, les compagnons de chambre sont intervertis pour que les enfants apprennent à vivre avec différents types d'individus. Ils ne mangent plus dans une salle réservée aux enfants, mais fréquentent le restaurant des adultes.

Il est impossible de distinguer l'éducation formelle de l'éducation informelle à *Walden Two* puisque les enfants sont instruits au moyen d'un programme de conditionnements pré-établis, quel que soit l'endroit où ils se trouvent : dans leur logement, dans la cour de récréation, dans les ateliers de la communauté, dans les laboratoires, studios, salle de lecture ou dans les champs. Très tôt dans leur vie, on attribue aux enfants des tâches précises, de telle sorte qu'ils en viennent à avoir un intérêt particulier dans la vie de la communauté. Les organisateurs de *Walden Two* prétendent que leur système d'éducation est de loin supérieur à celui d'une cité typique parce que les éducateurs ne s'y évertuent pas à imiter le style éducatif familial ou à bouleverser les habitudes culturelles et intellectuelles que les enfants pourraient avoir acquises hors de l'école. Dès les premiers mois qui suivent la naissance de l'enfant, la communauté s'appuie sur la curiosité et les besoins naturels de celui-ci pour l'inciter à apprendre. Le behavioriste fait appel à la pulsion humaine «de contrôler l'environnement (...) Nous n'avons pas besoin de motiver en créant de faux besoins (...) Promettre le paradis et menacer de l'enfer est généralement admis comme également improductif» (Skinner, 1948, p. 87, pp. 101-102).

Ce système éducatif ne propose pas de niveaux différents puisque «tout le monde sait que les talents et capacités ne se développent pas au même rythme chez tous les enfants» (Skinner, 1948, p. 97). Ils sont encouragés à faire des progrès rapides dans tous les domaines scolaires, car il ne faut pas qu'ils s'attardent en classe lorsqu'ils ont déjà maîtrisé un sujet. Des matières comme l'anglais, les sciences sociales ou les sciences naturelles ne sont pas enseignées. De préférence, on leur enseigne des procédés d'apprentissage et de réflexion, et puis seulement, la géographie, la littérature, les sciences, etc., en utilisant les fondements solides établis en matière de raisonnement : logique, statistique, méthode scientifique, psychologie et mathématiques. Les enfants qui ne font pas montre d'une aptitude particulière pour un type d'apprentissage donné ne sont pas obligés de s'y attarder. En d'autres termes, les éducateurs de *Walden Two* «ne perdent pas de temps en essayant d'enseigner ce qui n'est pas assimilable» (Skinner, 1948, p. 97).

De 13 ans à la post-adolescence

Au moment où l'enfant atteint la puberté et devient sexuellement mûr, *Walden Two* ne lui impose pas de reporter la gratification sexuelle jusqu'à l'âge de vingt ans ou plus : l'adolescent trouve «une expression immédiate et satisfaisante de ses impulsions naturelles... très différente du secret et de la honte dont chacun de nous se souvient comme étant attachés aux questions sexuelles à une époque ou une autre» (Skinner, 1948, p. 111). Lorsque les adolescents sont amoureux, ils se fiancent et consultent le conseiller matrimonial qui se préoccupe alors de leurs centres d'intérêts, de leur rendement scolaire et de leur état de santé. Si des différences trop importantes se marquent dans le couple, au niveau intellectuel ou dans leur caractère, on leur recommande de ne pas se marier, ou tout au moins de retarder le mariage. Mais ceux qui semblent bien assortis sont encouragés à s'unir et ont des enfants vers quinze ou seize ans. La satisfaction précoce de leurs besoins sexuels, combinée avec leur entrée précoce et progressive dans le monde du travail, rendent la période de l'adolescence «brève et sans heurts».

Pour leur logement, les adolescents emménagent alors, au moins temporairement, dans des chambres du complexe d'appartements pour adultes, où ils vivent habituellement par deux. Au moment du mariage, ou lorsque bon lui semble, chacun peut procéder à la construction d'une chambre plus spacieuse, ou encore rénover une chambre existante inoccupée. En effet, au cours des dernières années de l'adolescence, le jeune acquiert graduellement le statut d'adulte, sans passer par la longue période de stress bien connue des adolescents américains.

Cette présentation «idéale» laisse perplexe; ainsi, nombreux sont ceux qui se demandent si la «boîte-berceau» de Skinner ne serait pas une utopie qui ferait plus de tort que de bien à ceux qui y seraient confinés. De plus, s'il est vrai que les Skinner avaient placé leur fille Deborah dans une telle bulle pendant onze mois, qu'est-il advenu d'elle ? Forbes et Block (1990, p. 247) rapportent que celle-ci est devenue «une artiste de grand talent, mariée à un spécialiste en sciences politiques (...) Julie, la fille ainée des Skinner, qui n'avait pas été placée dans la bulle (...) est devenue professeur de psychologie éducationnelle à l'Université d'Indiana (...) et a élevé ses deux filles dans la bulle-berceau».

Les apports de Bijou et de Baer au behaviorisme radical

Parmi les théoriciens du développement de l'enfant les plus célèbres qui ont suivi le modèle de Skinner de très près figurent Sidney Bijou et Donald Baer. L'apport le plus marquant de ces deux auteurs a consisté à adopter les trois périodes de développement suggérées pas J.R. Kantor (1959), et à illustrer dans le détail la manière dont le behaviorisme traditionnel peut expliquer les changements observés chez les enfants à chacun de ces niveaux de développement. Ces stades successifs sont respectivement qualifiés d'universel, de fondamental et de social. Le *stade universel* va de la période prénatale jusqu'au moment où le comportement symbolique et le langage s'établissent, vers deux ans. La croissance des tout-petits dans toutes les sociétés est à peu près semblable durant les premières années, d'où l'appellation «d'universel». Quoique l'enfant subisse l'influence de l'environnement et les conséquences de ses actions, le plus grand déterminant du comportement à ce niveau est la maturation biologique. Les stimuli de l'environnement jouent donc à cette période un rôle très limité dans le contrôle des «réactions simples et auto-préservantes» de l'enfant et dans le développement d'autres comportements destinés «à maintenir les nécessités biologiques de la vie» (Bijou et Baer, 1965, pp. 2-3). Les causes des ressemblances communes à toutes les sociétés chez les enfants appartenant à ce stade sont principalement le résultat des bases biologiques communes à l'espèce humaine et qui constituent le pôle de l'attention pendant l'enfance. De plus, les environnements sociaux et physiques sont à peu près pareils d'une culture à l'autre « non seulement à cause de la similarité des limitations imposées par une immaturité biologique extrême, mais aussi à cause de l'uniformité réelle rencontrée en termes de pratiques éducatives appliquées avec les nourrissons» (Bijou et Baer, 1965, p. 179).

Le *stade fondamental* de développement vaut pour les enfants de deux à six ans. Pendant cette période, le développement biologique est suffisamment stable pour satisfaire les besoins de base de l'enfant, qui est plus apte à interagir avec son environnement et à s'investir davantage dans des comportements psychologiques. Ces modes d'action acquis durant les années préscolaires dépendent en grande partie du type d'environnement social que la famille procure, quoiqu'une partie des caractéristiques de l'enfant soit encore déterminée par la structure biologique issue de son héritage génétique. A ce stade, la structure de la personnalité est façonnée par le type d'opportunités et de soins que les parents et d'autres membres de la famille prodiguent habituellement à l'enfant: C'est à ce moment que l'enfant acquiert les différentes formes de comportement de base.

Le *stade social* ou troisième période du développement commence au moment où l'enfant entre à l'école primaire et se poursuit pendant sa scolarité. Durant cette période, une multiplicité d'influences provenant du milieu culturel interviennent pour modifier et étendre le schéma de base d'actions et la structure de la personnalité qui se sont édifiés en fonction de l'héritage biologique de l'enfant et des méthodes d'éducation de son milieu familial.

Bijou et Baer ont ainsi montré en quoi le conditionnement classique et le conditionnement opérant peuvent expliquer les similarités et les différences entre les enfants à ces trois stades du développement.

Réponses à la critique

Non content d'avoir proposé une application du behaviorisme radical à l'interprétation des stades du développement, Bijou a également répondu aux critiques qui considèrent que la psychologie du comportement en tant que théorie d'apprentissage n'est pas à même d'expliquer le développement de l'enfant, ni les causes qui sous-tendent le développement en général. Il a encore répondu aux critiques selon lesquelles le behaviorisme radical réduit l'enfant à un organisme passif et qui considèrent les applications pratiques du conditionnement comme étant nocives pour l'être qui grandit. Ainsi, en réponse à la première de ces critiques, Bijou affirme que bien que le behaviorisme sous sa forme actuelle soit incomplet et, par conséquent, encore immature, il est cependant une «approche compréhensive incluant toutes les composantes essentielles d'un système» (Bijou, 1979, p. 4). Plus particulièrement, le behaviorisme moderne :

(1) est fondé sur une philosophie clairement exprimée que «l'objet de la psychologie est l'interaction continuelle entre un organisme agissant et les événements physiques et sociaux qui peuvent être observés objectivement (...) Par conséquent, le réductionnisme, ou l'analyse des interactions psychologiques en termes de processus biologiques, physiques ou chimiques est totalement rejeté» (Bijou, 1979, p. 4);
(2) est une théorie *générale* dont les critères de base peuvent expliquer : le renforcement ou l'affaiblissement des relations entre l'enfant et son environnement; les changements des capacités et possibilités; la manière dont un enfant se souvient ou oublie; le transfert de l'apprentissage d'une situation acquise à une autre; la motivation, l'émotion et le conflit;
(3) a établi une méthodologie de recherche propre;
(4) dispose d'une méthode précise pour transformer des recherches de base en applications pratiques.

D'autres critiques ont encore prétendu que le behaviorisme radical n'explique pas adéquatement les causes qui sous-tendent les actions de l'enfant parce qu'il n'identifie pas les événements du passé qui ont contribué à former la personnalité présente de l'enfant. En réponse à cela, Bijou argue que les behavioristes ne négligent pas l'histoire développementale de l'enfant. Cependant, ce qui importe, ce ne sont pas tant les événements passés eux-mêmes que la manière dont ceux-ci ont façonné les aptitudes et les attitudes de l'enfant telles qu'elles existent au moment considéré. Puisque les psychologues du comportement considèrent que l'étude des événements passés ne peut les informer avec exactitude sur les traces que ceux-ci ont laissées dans la vie présente de l'enfant, ils optent pour une observation systématique du sujet, de manière à déterminer l'importance des conséquences actuelles dans «l'histoire interactionnelle de l'enfant; c'est-à-dire que nous apprenons ce que les événements spécifiques dans son environnement fonctionnel signifient pour lui» (Bijou, 1979, pp. 5-6).

Une autre critique fréquemment émise à l'encontre des psychologues behavioristes est qu'ils considèrent les enfants comme des objets passifs manipulés par les forces environnementales, des objets «qui doivent être stimulés. Donc (...) la personne n'est pas perçue comme jouant un rôle actif et contributif dans son développement» (Lerner, 1976, p. 279). Bijou estime que cette critique vaut éventuellement pour le behaviorisme original de Watson, mais non pour le behaviorisme radical. Selon le behaviorisme moderne, dans toute interaction avec l'environnement, l'enfant a recours à ses propres réponses et stimuli internes, prédéterminés par sa structure génétique et son histoire personnelle. De plus, à mesure que l'enfant se développe, il réagit de mieux en mieux aux stimuli et aux facteurs de l'environnement qu'il a lui-même produits, de telle sorte qu'il s'engage de plus en plus dans une certaine auto-gestion. Mais cela ne signifie pas pour autant que le comportement de l'enfant est orienté vers quelque but interne, tel que, par exemple, la réalisation de soi, proposée dans la théorie de Maslow (chapitre 16) ou encore la pensée opérationnelle formelle exposée dans le modèle de développement cognitif de Piaget (chapitre 10) (Bijou, 1979, pp. 7-8).

Modification du comportement

L'une des applications les plus populaires de la psychologie du comportement semble être l'utilisation du conditionnement opérant pour le contrôle ou la *modification du comportement.* Les parents ont recours à cette méthode pour intégrer leurs enfants à la vie sociale, les professeurs l'utilisent pour tenter de maintenir un certain contrôle sur leurs élèves, et les thérapeutes, pour atténuer les habitudes indésirables et les phobies de leurs patients. Cependant, de nombreuses objections ont été soulevées, selon lesquelles ces pratiques seraient manipulatrices, qu'elles violeraient les droits humains, et que, souvent, elles seraient nocives pour ceux qui en sont l'objet. Bijou a répondu à cela que les principes considérés n'ont rien d'inhumain, mais qu'il s'agit plutôt de principes situés à la base de tout comportement humain ou autre. Par conséquent, le recours conscient et systématique à ces principes ne constitue pas un acte de méchanceté ou d'exploitation, mais plutôt une preuve de bon sens, car il augmente l'efficacité dans le contrôle du comportement que parents, éducateurs et thérapeutes visent habituellement. Quant aux problèmes éventuels qui peuvent en résulter, Bijou avance qu'ils valent «pour l'application pratique de n'importe quelle découverte scientifique quand celui qui l'applique n'est pas adéquatement formé à la tâche en question» (Bijou, 1979, p. 9).

Finalement, les critiques ont prétendu que la psychologie behavioriste est utile seulement pour analyser les formes élémentaires d'apprentissage stimulus-réponse, mais qu'elle ne convient pas, par exemple, pour évaluer la complexité du développement du langage enfantin ou pour résoudre des problèmes, ou encore pour aborder des activités créatrices. A cela, Bijou répond que le behaviorisme radical est une science nouvelle, encore incomplète, mais dont les perspectives prometteuses pourront sans doute expliquer ces phénomènes en termes d'interactions observables entre les enfants et leur environnement.

Applications pratiques

L'apport de la psychologie comportementale sous ses formes modernes a été marquant quant à ses implications pédagogiques de même que dans le domaine de la thérapie. Particulièrement, le modèle de Skinner a servi de base pour élaborer les manuels d'enseignement programmé et les machines à enseigner qui ont connu un grand succès au début des années 60. Skinner a encouragé le recours à des *programmes d'apprentissage linéaires* qui procèdent par petites étapes logiques d'informations que l'on propose au débutant, qui doit répondre à chaque question (remplir le blanc d'une phrase incomplète, par exemple). Le sujet obtient immédiatement une évaluation du degré d'exactitude de sa réponse et, par conséquent, de son apprentissage. Skinner avait l'intention d'agencer les étapes d'une manière tellement logique et graduelle que l'élève parviendrait presqu'immanquablement à une bonne réponse grâce au renforcement (feedback), destiné à fortifier la permanence de chaque maillon du couple stimulus-réponse. Les principes de ce premier modèle d'instruction programmée sont employés de nos jours dans nombre de programmes d'apprentissage conçus pour les micro-ordinateurs, qui jouent désormais un rôle très important, en classe comme en famille. De même, le mouvement international de *mastery learning* s'est inspiré largement des principes de Skinner pour établir, en partie, sa méthodologie (Block et Anderson, 1975; Block et al., 1989; Keller et Sherman, 1974).

Dans le courant des années 80, Skinner reprochait aux enseignants américains ce qu'il appelait «la honte du système éducatif américain». Il pensait pouvoir pallier l'inefficacité de l'apprentissage scolaire en doublant la somme des connaissances à assimiler sans surcroît de temps ni d'effort. Pour ce faire, il proposait d'abord une redéfinition des objectifs de l'enseignement, ensuite qu'il soit permis à chaque étudiant d'avancer à son propre rythme, et enfin de résoudre la question de la motivation par l'utilisation d'un matériel d'enseignement programmé. En effet pour Skinner, ce problème résulterait, pour une grande part, de la psychologie cognitive, en vogue dans les centres nationaux de formation d'enseignants. Il aurait voulu remplacer celle-ci par la théorie du conditionnement opérant, en vue de permettre aux enseignants de dispenser un enseignement plus efficace (Skinner, 1984).

La théorie de Skinner a également grandement contribué aux techniques de modification du comportement décrites au chapitre 15. L'efficacité de ces méthodes a été démontrée par une quantité considérable de recherches empiriques (Kazdin, 1981, pp. 34-57). Par exemple, certaines découvertes dans les domaines préscolaire, élémentaire ou dans celui de l'éducation spéciale «ont indiqué que quand un professeur accorde n'importe quel type d'attention à une conduite inappropriée, ce comportement tend à s'accentuer (renforcement); quand il dirige son attention vers un comportement sociable désirable (renforcement) et ignore totalement le comportement indésirable, ce dernier a tendance à décroître (extinction)» (Bijou, 1985).

Les applications pratiques du behaviorisme en éducation et en thérapie ont bénéficié d'une audience internationale avec l'apparition d'organisations telles que «The Association for the Advancement of Behavior Therapy» et «The International Association of Behavior Analysis». Des cours sur le behaviorisme et des programmes de recyclage basés sur ce modèle ont été introduits tant aux Etats-Unis d'Amérique, qu'en Grande Bretagne, au Brésil, en Allemagne Fédérale, au Pérou, en Australie, en Colombie et Nouvelle Zélande. Ils commencent également à faire leur apparition dans certains pays en voie de développement, en particulier dans le cadre de l'établissement de programmes d'éducation spéciale.

Perspectives de recherche

Les deux orientations de recherche principales issues du behaviorisme radical et de ses variantes sont : (1) le raffinement et l'application des techniques de modification du comportement et (2) les analyses comportementales de ces fonctions complexes qui, d'après les critiques, ne peuvent être expliquées par des paradigmes du behaviorisme radical.

Les questions touchant à la modification du comportement qui continuent à stimuler les chercheurs sont les suivantes : Quelles sont les récompenses les mieux adaptées pour les enfants d'âges différents et de personnalités différentes ? Quel est le programme de renforcement le plus efficace pour maintenir un comportement désiré chez des enfants de différents âges ? Quels sont les éléments qui, dans deux contextes donnés, vont intervenir sur la manière dont un apprentissage acquis dans un environnement influencera un comportement dans l'autre? Quelle est exactement la nature de la punition, par rapport au renforcement ? A quel point les différentes formes de punition sont-elles utiles pour modifier le comportement des enfants et quels effets secondaires, désirables ou non peuvent en résulter ? Si un enfant a acquis un apprentissage en étant récompensé d'une manière particulière (un jouet ou une friandise), aura-t-il toujours besoin de cette récompense matérielle pour manifester ce comportement appris, ou la récompense extérieure peut-elle être abandonnée par la suite, le comportement désiré se maintenant spontanément ?

Dans le domaine des comportements humains complexes, une série de thèmes ont été abordés par des chercheurs adeptes du behaviorisme radical, parmi lesquels les mécanismes de résolution de problèmes (Grimm, Bijou et Parsons, 1973; Skinner, 1969); le comportement créatif (Holman, Goetz et Baer, 1977); la conceptualisation et l'abstraction (Schilmoeller et Etzel, 1977); le développement moral précoce (Bijou, 1976); et l'auto-direction (Ballard et Glynn, 1975). Ces études seront certainement poursuivies dans les années à venir. Les recherches dérivées du behaviorisme sont loin de s'essouffler, et il est probable que de nouvelles variantes du modèle de base apparaissent, comme l'annoncent les modifications apportées aux formes les plus célèbres du behaviorisme que nous présentons dans la dernière section de ce chapitre (Staats, 1975; Staats, 1983; Chaplin, 1987; Lee, 1988; Kleinginna et Kleinginna, 1988).

Le conditionnement opérant de Skinner : appréciation

Le modèle de Skinner recueille des appréciations très positives pour la quasi totalité des critères proposés au chapitre 1. Son modèle est décrit clairement (critère 2), ayant l'avantage sur les théories mentalistes de ne pas faire intervenir d'éléments non observables tels que l'*ego* ou la *conscience*, notions dont les caractéristiques sont difficiles à définir. Le behaviorisme est une psychologie objective qui obtient un résultat élevé pour sa clarté et sa précision.

Comme l'atteste *Walden Two*, de même que l'apprentissage programmé et les programmes de modification du comportement que les éducateurs et les thérapeutes ont adoptés au cours de ces dernières années, la théorie de Skinner constitue un guide pédagogique détaillé. Pour son influence encore marquante de nos jours dans le domaine de l'éducation, ce modèle mérite une cote très élevée au niveau du critère 4

Le modèle de Skinner se fonde sur la vérification empirique de comportements observables et les mécanismes inhérents à l'apprentissage sont relativement simples; cette théorie présente donc une certaine consistance interne (critère 5) et est facilement vérifiable (critère 7), ce qui explique les bons résultats obtenus pour ces critères.

Tableau 14.1 — La théorie de Skinner

Comment la théorie de Skinner répond-elle aux critères ?

	Les critères	*Très bien*	*Assez bien*	*Très Mal*
1.	Reflète le monde réel des enfants		X	
2.	Se comprend clairement	X		
3.	Explique le développement passé et prévoit l'avenir		X	
4.	Facilite l'éducation	X		
5.	A une logique interne	X		
6.	Est économique		X	
7.	Est vérifiable	X		
8.	Stimule de nouvelles découvertes	X		
9.	Est satisfaisante en elle-même	X		

Par ailleurs, la psychologie du comportement s'est révélée très influente, comme l'illustrent les nombreux modèles dérivés du schéma de base élaboré par Watson et Skinner. Elle a également encouragé nombre de chercheurs à se livrer à des études expérimentales rigoureuses de même qu'à de nombreuses applications pédagogiques; ainsi l'instruction programmée et la modification du comportement prennent leurs racines dans cette théorie. Qui plus est, d'autres théories du développement se sont inspirées de certains de ses principes comme nous le verrons par la suite. Aussi avons-nous considéré que le modèle de Skinner méritait une note très élevée pour avoir stimulé tant de nouvelles découvertes (critère 9).

Cependant, de sévères critiques ont été émises à l'encontre de la théorie de l'apprentissage, considérée par certains comme étant simple et économique à l'excès, voire même jusqu'à en être non réaliste (critère 6). D'où la cote modérée attribuée pour ce critère, de même qu'aux critères 1 et 3. En effet, cette simplification excessive a mis en doute la manière dont la théorie reflète le monde réel des enfants (critère 1) et la manière dont elle explique le passé et prédit le futur (critère 3). Skinner, a par exemple, été accusé d'avoir étendu les conclusions dérivées d'expériences effectuées sur des animaux aux êtres humains, sans vraiment tenir compte des différences intellectuelles entre les espèces. Ainsi, Noam Chomsky (1967), une figure de proue dans le domaine de la psycholinguistique, a avancé que Skinner a été imprécis dans son analyse de termes d'usage courant tels que *vouloir, aimer et planifier* en référence à son modèle de conditionnement opérant. Chomsky a également rejeté l'hypothèse de Skinner selon laquelle les enfants ne font que répéter les mots ou les phrases qu'ils entendent et qui leur ont apporté un renforcement. De plus, Chomsky prétend que les enfants élaborent pour eux-mêmes, via un processus mental invisible, une grammaire structurale qui sous-tend la signification apparente de leurs phrases. Cette grammaire structurale intérieure permet à l'enfant de reconnaître les similitudes de signification dans des phrases apparemment dissemblables.

L'explication du concept de créativité par Skinner a également provoqué des mécontentements. Beaucoup de psychologues qui admettent que le renforcement, le non renforcement ou la punition peuvent inciter une personne à adopter définitivement ou à abandonner un comportement, pensent cependant que Skinner esquive le problème relatif à la source du comportement initial. Il ne s'interroge pas sur l'origine des comportements nouveaux ou uniques. Est-il exact d'appeler *comportement non dirigé* ce que fait le pigeon dans sa cage, sans se demander pourquoi il choisit de marcher et picorer, plutôt que patiner ou tousser ? Comment naissent une brillante symphonie ou un roman ou encore une théorie scientifique ? Tout psychologue qui accorde plus de crédit au comportement mental non observable et à l'activité cognitive peut avancer que les quelques principes du conditionnement de Skinner ne parviennent pas à offrir une explication adéquate des actes novateurs et des activités créatives.

Outre les objections techniques formulées plus haut à l'endroit du behaviorisme radical, d'autres critiques ont été adressées à Skinner sur le plan religieux ou simplement humain. De fait, la vie semble tout simplement étrangère aux principes de Skinner. Stevick, partant d'une perspective chrétienne, a conclu à propos de *Walden Two* que ces procédés scientifiques concernant le comportement :

> *éliminent toute opportunité d'accomplissement de liberté, d'amour, de don de soi, d'engagement, d'auto-discipline, de loyauté, de mémoire, de créativité et d'espérance. L'importance de la politique, l'intégrité des arts, la chaleur et le réconfort de l'intimité humaine, tout est perdu (...) La plus précieuse chose chez l'homme est son humanité.* Walden Two *en recommande l'abandon délibéré* (1968, p. 28).

En réponse à cela, Skinner répondrait probablement que le behaviorisme radical, qu'on le veuille ou non, ne fait que décrire avec véracité la manière dont l'individu agit.

Si nous devions ajouter un critère d'adaptabilité à nos neuf niveaux d'évaluation proposés à la fin du chapitre 1, nous pourrions dire qu'*une théorie est meilleure quand sa structure permet des ajustements au fur et à mesure que se présentent de nouveaux problèmes qu'elle n'aurait pas pu résoudre sous sa forme originale*. Les critiques du behaviorisme radical pourraient en ce cas estimer que le modèle de Skinner manque d'adaptabilité en raison de sa rigidité et de celle des autres partisans du behaviorisme opérant. Mahoney (1979, p. 1376) a suggéré que :

> *le behaviorisme orthodoxe ou radical peut avoir perdu de son emprise sur la psychologie scientifique à cause de son objectivisme dogmatique et de son intolérance. Une intolérance d'ailleurs de plus en plus forte à mesure que son emprise diminuait (...) Cependant je m'empresse d'ajouter que cette remarque ne concerne que le behaviorisme orthodoxe ou radical et non pas les variantes les plus libérales appliquées à la thérapie; elle ne s'applique pas non plus à l'une ou l'autre forme de (...) behaviorisme qui se montre créative et novatrice dans le domaine des méthodes expérimentales et des modèles conceptuels.*

Nous croyons d'une part que les différentes critiques adressées au modèle de Skinner sont, dans une certaine mesure, justifiées et pensons, d'autre part, que la théorie de l'apprentissage conserve de grandes qualités. Ce point de vue mitigé se retrouve dans la cote modérée du critère 9, qui tient compte à la fois des mérites et des limites de celle-ci. Nous terminerons notre étude par une brève description de quelques contributions récentes qui réactualisent les recherches sur la psychologie du comportement.

Améliorations apportées aux théories du comportement

Quoique le nombre de psychologues se réclamant de la psychologie du comportement ait considérablement diminué depuis les années 50, il y a parmi les partisans actuels du mouvement d'ardents novateurs qui se sont donné pour tâche d'affiner et d'élargir la théorie.

Nous proposons ci-dessous trois directions parmi les plus représentatives des recherches en cours.

Contingences à plusieurs variables

Dans son livre intitulé *Beyond Behaviorism*, Lee (1988, pp. 61-62) explique que :

> *Une contingence est une relation de cause à effet entre un comportement et le résultat qui en découle (...) Lorsque vous dépassez la vitesse autorisée, vos chances de recevoir une contravention augmentent; lorsque vous parlez, vous entendez votre propre voix; (...) [ainsi] le comportement est nécessaire pour que le résultat se produise. Une relation causale est donc au cœur de la contingence, car c'est du comportement que viendra la différence. Autrement dit, le comportement engendre ce qui sans lui ne pourrait arriver ou prévient ce qui*

aurait pu arriver (...) Le behaviorisme radical qui n'est autre que la philosophie de la psychologie opérante présuppose que la plupart de nos actions sont élaborées et entretenues par des contingences dont nous ne sommes pas conscients. De cela découle que celles dont nous sommes apparemment conscients ne constituent qu'une partie infinitésimale de l'ensemble des contingences.

Les actions ne sont que les résultantes de contingences inéluctables selon Lee, qui dépeint chacun de nos actes selon un schéma hypothético-déductif (*comportement* → *conséquence* ou *moyen* → *résultat*). Ainsi donc ces contingences sont perçues comme les unités fondamentales du behaviorisme opérant et par là même de la psychologie en tant que science. «La psychologie de l'action implique que durant notre vie nous recherchons certaines fins et que nous varions les moyens d'atteindre ces fins, que cela soit conscient ou non» (Lee, 1988, p. 151). L'on en déduit que l'entièreté de la vie psychologique d'un être se trouve enserrée dans l'ensemble des contingences qui appartiennent au répertoire des possibilités de comportements de cette personne. Le développement de l'enfant n'est donc que le processus d'accumulation d'un répertoire sans cesse grandissant d'actions, c'est-à-dire d'unités *moyens* → *fin*.

On a reproché à la psychologie du comportement sa simplification excessive de l'analyse des activités humaines, sur base de conclusions d'expériences de laboratoire effectuées sur des sujets non humains tels que rats, pigeons, ... En élargissant les résultats obtenus dans de telles conditions à la prédiction du comportement humain, on aboutit généralement à des résultats erronés. En diagnostiquant ces cas problématiques, certains behavioristes ont supposé que la difficulté se trouve dans le nombre limité d'éléments inclus dans l'énoncé de la probabilité. Par exemple, une contingence dont l'énoncé se limite à deux éléments ne peut offrir qu'une seule description du comportement et de la conséquence. Ce type d'énoncé ne vaut habituellement que pour une certaine catégorie d'événements : «Si vous vous brossez les dents avec une pâte dentifrice parfumée à la menthe, vous garderez à la bouche le goût de la menthe» (Lee, 1988, p. 61). Mais même une situation aussi simple que celle-ci peut être faussée, par exemple, dans le cas d'une infection des papilles gustatives. Sidman (1986) a alors proposé avec d'autres chercheurs que les contingences à plusieurs variables soient adoptées pour prendre en compte de façon plus efficace plusieurs types de comportements. Ainsi une contingence à quatre éléments se présenterait sous forme d'un comportement, de deux conditions environnementales, et d'un résultat. «Si vous faites de l'exercice de façon intensive, quand la température dépasse les 38 degrés centigrades et qu'il y a un taux d'humidité de plus de 90 %, vous augmentez le risque de vous trouver mal». Cet énoncé peut avoir cinq variables si on lui ajoute l'âge de l'individu «Si avez plus de septante ans... et que vous faites...».

Cette idée de faire résulter les événements d'une combinaison de facteurs de causalité n'a rien de novateur. La causalité multiple entre en jeu à chaque fois que quelqu'un dit, à propos d'un facteur tel que la température atmosphérique, qu'il est «une cause nécessaire mais non suffisante». De même, le fait qu'un enfant grandisse dans un quartier défavorisé n'est pas «la» cause de son appartenance à un gang, mais l'une des nombreuses causes qui y ont contribué. L'application du concept de contingences à plusieurs variables peut donc permettre d'expliquer avec plus de précision pourquoi les gens adoptent tel ou tel comportement dans différentes situations.

Altruisme et égoïsme en tant que traits de caractère

John B. Watson aurait considéré l'étude des traits de caractère comme étant étrangère à la vraie psychologie. Or l'étude des traits cachés de la personnalité fait de nos jours partie intégrante des travaux de psychologie du comportement. Ainsi, Sober (1989), dans la revue *Behaviorism*, présente une analyse philosophique de l'égoïsme et de l'altruisme en tant que forces motivantes du comportement humain. Il concède qu'il y a des caractères plus égoïstes (introvertis) et d'autres plus altruistes (tournés vers les autres). Il conclut ensuite qu'aucun comportement dirigé vers les autres n'est le résultat d'un seul facteur, qu'il soit égoïste ou altruiste. Contre toute attente, un acte, qu'il soit considéré comme altruiste ou égoïste, est influencé par une combinaison des préférences de l'individu, à tel point que dans chaque situation particulière, les intérêts personnels et l'intérêt pour les autres s'équilibrent mutuellement ou entrent en conflit. *S'équilibrer mutuellement* signifie que l'action assure à la fois le bien-être de la personne et celui des autres; *entrer en conflit* signifie que cette action sacrifie, soit des besoins personnels, soit ceux des autres. En cas d'équilibre mutuel, nous ne pouvons savoir si le caractère d'un individu est égoïste ou altruiste, puisque le même acte satisfait autant les besoins de celui qui agit que ceux des bénéficiaires de l'action. C'est seulement en cas de conflit que l'on peut se prononcer sur la tendance d'un caractère. «En effet, il ne faut pas négliger la possibilité que les altruistes agissent rarement de manière altruiste. Cela ne veut pas dire qu'ils se comportent en égoïstes. Le fait est que les altruistes se trouvent rarement dans le type de situation qui exige qu'ils sacrifient leur propre bien-être à celui des autres (Sober, 1989, p. 101)». Comme Sober, de nombreux behavioristes de toutes tendances ont intégré des concepts cognitifs à leurs analyses des actions.

Des points de vue compatibles

Les psychologues behavioristes et cognitifs ont généralement une attitude hostile les uns envers les autres, se reprochant réciproquement une logique spécieuse, un manque d'exactitude dans les prédictions et des méthodes de collecte d'informations et d'analyse peu probantes. Quoiqu'on constate dans les publications professionnelles l'existence de tels affrontements (Oliller, 1988; Moore, 1990; Skinner, 1986, 1985; Stemmer, 1989), un nombre croissant d'articles reconnaissent à la fois la valeur des théories behavioristes et celle des théories de la cognition. Cet esprit de tolérance se retrouve dans la déclaration de Schnaitier (1987) qui considère que les modèles mentaux ne constituent pas une alternative aux explications behavioristes, mais une source explicative différente et complémentaire.

Schnaitier pense, en effet, que la théorie du comportement et la théorie cognitive n'ont pas les mêmes objectifs. L'objet du behaviorisme, est, dit-il, d'établir un rapport entre un comportement et le contexte dans lequel il a lieu. Au contraire, l'objet de la théorie cognitive est d'établir le schéma de fonctionnement du mécanisme interne grâce auquel les organismes vivants adoptent un certain comportement dans un contexte donné. C'est à peu près de la même manière que Mishkin et Appenzeller (1987) réconcilient les prétendues différences existant entre la théorie behavioriste et celle de la cognition, en ce qui concerne les interprétations des habitudes, de l'apprentissage et du comportement. Ils suggèrent que l'apprentissage peut être construit à partir de deux systèmes assez différents, dont l'un s'occuperait de l'origine des habitudes non cognitives (le behaviorisme) et l'autre de l'origine de la mémoire cognitive (le mentalisme).

D'une manière sensiblement différente, Kleinginna et Kleinginna (1988) ont conclu à partir de leur étude historique sur la psychologie objective que les expérimentateurs se référant aux perspectives behavioristes, fonctionnalistes et cognitives, ont élargi leur domaine de recherche et reconnaissent que ces systèmes présentent plus de ressemblances que de différences, tant du point de vue théorique que pratique. Cette dernière prise de position a provoqué un débat houleux, où l'actuelle psychologie de la cognition ne serait qu'une version déguisée de la psychologie du comportement (Chaplin, 1987; Martindale, 1987). Les spécialistes eux-mêmes débattent encore la proposition de A.C. Catania relative à un *behaviorisme synthétique* qui regrouperait à la fois le langage, les procédés des psychologues du comportement et ceux des théoriciens de la cognition, de façon à résoudre des problèmes posés par leurs différences et restés jusque là sans solution (Paniagua, 1986).

En conclusion, les formes actuelles de la psychologie du comportement accordent de plus en plus d'attention aux modèles cognitifs, qui tiennent le haut du pavé dans le domaine du développement de l'enfant depuis plusieurs années. Mais, avant d'achever ce chapitre, nous jugeons important de présenter le point de vue de Arthur W. Staats, théoricien qui offre encore un autre éclairage sur les questions débattues jusqu'ici.

Le point de vue de Staats

Arthur W. Staats, à côté d'importantes contributions et précisions apportées au modèle de base (1963, 1964, 1968, 1971), a tenté plus récemment (1975, 1983) de résoudre les conflits existant entre behaviorisme traditionnel et théoriciens d'autres bords en esquissant les grandes lignes d'une théorie unifiée de psychologie qui regrouperait divers modèles jusque là tenus pour être incompatibles. Il recours au terme *paradigme* pour désigner une unité conceptuelle et établit ensuite une distinction entre *théorie pré-paradigmatique et théorie paradigmatique.* D'après Staats, le domaine de la psychologie était jusqu'ici *pré-paradigmatique,* en ceci qu'il regroupait une série de théories valables pour expliquer certains phénomènes, mais non valides si on tentait de les appliquer à d'autres questions relatives au domaine psychologique. Pour y remédier, il propose l'élaboration d'un modèle unifié ou *paradigmatique,* qui serait un modèle de psychologie sociale du comportement et qui intégrerait différentes théories contemporaines sous forme d'une hiérarchie à plusieurs niveaux. Dans son ouvrage intitulé *Psychology's Crisis of Disunity* (1983), Staats présente non seulement une analyse des fondements philosophiques qui justifient une telle approche, mais suggère également une méthode et la marche à suivre pour parvenir à cette forme d'unification. Il se distingue pour avoir été le premier théoricien à s'être fixé pour objectif la création d'un modèle unifié en psychologie. Il a cependant souligné que nombre de détails restent à mettre au point avant de parvenir à une théorie dotée d'un potentiel heuristique réel. En effet, d'après lui, ce modèle n'en est qu'à ses débuts et «un seul individu, durant une vie professionnelle (...) ne sera pas en mesure de construire une théorie unifiée (1983, p. 328)».

Staats a encore considéré différents domaines psychologiques au regard des contributions qu'ils étaient susceptibles d'apporter à une théorie unifiée et les a situés dans une hiérarchie à plusieurs niveaux interconnectés. Son hypothèse de base est que tout domaine psychologique actif apportera sa contribution au modèle général. Au premier niveau de cette hiérarchie, il place : (1) les mécanismes biologiques de l'apprentissage, suivis dans l'ordre ascendant par (2) la théorie de base de l'apprentissage, (3) les principes d'apprentissage chez l'être humain, (4) les principes sous-tendant le développement de l'enfant, (5) la personnalité, (6) les techniques permettant d'évaluer la personnalité d'un individu, (7) la psychologie sociale, (8) la psychologie anormale, (9) la psychologie clinique, (10) la psychologie éducationnelle, (11) la psychologie organisationnelle (Staats, 1983, pp. 321-322). Ainsi, les contributions du behaviorisme traditionnel n'apparaissent dans cette hiérarchie qu'aux niveaux 2 et 3. Ce choix de Staats signifierait-il que la psychologie objective est désormais dépassée lorsqu'il s'agit d'expliquer le comportement et le développement de l'enfant ? Sous-entendrait-il par là que les théories cognitives sont plus efficaces que la psychologie du comportement en matière de recherche du développement humain ? Staats répond à cela que :

> *Le niveau de la* théorie de base de l'apprentissage *et celui des* principes d'apprentissage ont *besoin d'être davantage développés avant qu'on soit en mesure de les appliquer d'une manière productive à la compréhension du comportement humain. Le niveau qui suit doit pouvoir établir la nature des principes généraux sur lesquels repose le développement de l'enfant. Le développement complexe chez l'humain dépend non seulement des principes d'apprentissage de base, mais encore des talents que l'individu a en lui et qui lui permettent d'accomplir une tâche donnée. Un enfant peut être parfaitement normal en ce qui concerne ses possibilités d'apprentissage (...) [mais] pour apprendre à lire, il doit avoir (...) un riche répertoire linguistique* (1983, p. 324).

Tout en reconnaissant que l'intégration et la hiérarchisation de tant de phénomènes complexes constituent une tâche difficile, Staats considère cette démarche comme essentielle à la constitution d'une théorie psychologique heuristique et unifiée.

> *On peut s'attendre à ce qu'une structure théorique unifiée permette aux spécialistes en psychologie d'avoir une vue générale de* leur *science. Ceux-ci, en vertu même de cette structure théorique générale, pourront davantage établir un rapport entre leurs travaux et ceux des d'autres théoriciens dont les recherches s'inscrivent dans des domaines psychologiques différents. Cette seule démarche serait déjà – de par ce qu'elle représente – une contribution importante* (Staats, 1983, p. 333).

15

La théorie de l'apprentissage social

Certains auteurs ont jugé utile de répartir les psychologues du comportement en deux groupes : les S-R et les S-O-R (Woodworth, 1929). Comme nous l'avons vu dans l'introduction de la sixième partie, S-R désigne les modèles qui privilégient les stimuli observables et les réponses, sans se préoccuper des réactions internes de l'individu qui interviennent entre les deux phénomènes. Par contre, S-O-R fait référence aux modèles choisis par les behavioristes, soucieux de savoir ce qui se passe dans l'organisme (O) au moment où le stimulus se traduit par une réponse. Les théoriciens identifient diversement la fonction «O». Quelques-uns l'appellent *variable intervenante*, d'autres *pensée*, d'autres encore *traitement d'information*.

En regard de ces distinctions, tant John B. Watson que B.F. Skinner appartiennent au premier groupe. Cependant, la plupart des psychologues modernes spécialistes du comportement marquent une préférence pour le second et plusieurs d'entre eux rejoignent le sous-groupe de la théorie de l'apprentissage social. Toutefois, ces deux groupes de chercheurs s'accordent pour reconnaître le rôle primordial des réponses de l'environnement – plus particulièrement, des renforcements – dans le processus d'apprentissage et dans la détermination des traits de personnalité qu'un individu acquiert.

La théorie de l'apprentissage social tire son nom de l'importance qu'elle attribue aux variables sociales en tant qu'éléments déterminants du comportement et de la personnalité. Elle propose de modifier quelque peu la pratique du behaviorisme original, qui se fonde sur des principes issus pour une grande part d'études effectuées sur l'apprentissage animal et l'apprentissage humain et réalisées au moyen d'expériences menées sur un sujet unique. Les théoriciens de l'apprentissage social vont quant à eux baser nombre de leurs principes sur des études fondées sur l'interaction de deux individus ou sur les rapports existant entre plusieurs sujets. En résumé, ce modèle théorique a tenté de proposer à la fois (1) une synthèse équilibrée entre le mentalisme (connu sous le nom de psychologie cognitive) et les principes de modification de comportement et (2) une analyse des influences sociales sur le développement humain. E.R. Hilgard et G.H. Bower (1975, p. 599) l'ont considéré comme «une distillation sélective de ce qui est probablement un consensus, une position de modération sur plusieurs questions d'importance pour toutes les théories d'apprentissage et pour la technique de modification du comportement».

Ce chapitre évoque l'importance des contributions apportées par la théorie de l'apprentissage social. Il aborde en particulier le modèle d'Albert Bandura, le psychologue social le mieux connu, mais propose également une brève analyse des travaux de Sears, de Kendler et de Rotter. Les modèles de développement proposés ici sont considérés comme des variantes du behaviorisme, chaque théoricien ayant souscrit à plusieurs des principes énoncés par Skinner et d'autres psychologues du comportement. Mais, chacun d'eux se réfère également à certaines notions qui peuvent être considérées comme des variations ou comme des extensions par rapport au conditionnement opérant tel que nous l'avons considéré dans le chapitre 14. Nous nous attarderons quelque peu au cours de ce chapitre sur différentes modifications que les psychologues de l'apprentissage social ont apportées au behaviorisme.

Contributions de Bandura

Bien qu'Albert Bandura (né en 1925), psychologue de l'Université de Stanford, reconnaisse la valeur de plusieurs principes behavioristes, il rejette les théories traditionnelles S-R, en particulier les aspects relatifs au rôle de l'imitation dans le développement de la personnalité. Quatre domaines particuliers pour lesquels Bandura conteste les principes des behavioristes radicaux tels que Skinner, sont d'une certaine importance, il s'agit de :
(1) la manière dont un enfant acquiert un nouveau comportement dont il n'avait jamais fait montre auparavant (un aspect que les disciples de

Skinner ont des difficultés à expliquer), (2) la nature des étapes clés impliquées dans le processus d'apprentissage par imitation, (3) la manière dont les conséquences (le renforcement ou la punition) influencent les actions futures et (4) le processus de développement des comportements complexes.

L'origine de nouveaux comportements

D'après la notion communément acceptée S-R, un enfant apprend, par exemple, à parler en émettant d'abord une série de sons inarticulés dont certains sont mieux accueillis par les personnes qui l'entourent. Après plusieurs expériences de ce genre, les sons deviennent conditionnés, c'est-à-dire associés aux objets qu'ils représentent dans le langage d'une culture particulière. Une heureuse association entre des sons et des objets explique l'acquisition par les enfants de quelques mots simples. Cependant, Bandura et quelques autres partisans de l'apprentissage social estiment que ce processus fortuit ne peut suffire pour permettre l'assimilation de milliers de mots et de la syntaxe complexe par l'enfant en quelques années.

Les théoriciens de l'apprentissage social avancent que l'essentiel de l'apprentissage de l'enfant provient de l'imitation de modèles de son entourage. Bandura utilise des expressions telles que *imitation* (modeling), *apprentissage par observation* ou *apprentissage vicariant*, pour insister sur le fait que l'enfant augmente son répertoire d'actions en voyant ou en entendant son entourage adopter tel comportement donné, sans nécessairement devoir agir lui-même (Bandura, 1969, pp. 118-120). Donc, d'après les théoriciens de l'apprentissage social, les nouveaux comportements de l'enfant ne sont pas nécessairement spontanés ou dus au hasard et acquis grâce à des renforcements. Au contraire, l'enfant cherche volontairement à reproduire ce qu'il a observé. Dans quelques cas, l'apprentissage nécessite un seul essai, et cette première tentative est parfaite. Dans d'autres cas, la première tentative n'est qu'une esquisse de l'action désirée et doit être affinée par des essais complémentaires avant que l'enfant ne puisse parvenir à un niveau de comportement considéré comme satisfaisant par les agents de renforcement de son environnement.

Tout en admettant l'importance de l'imitation, quelques théoriciens émettent l'hypothèse que le processus ne s'établit que lorsque les tentatives de l'enfant sont directement renforcées chaque fois qu'il essaie de reproduire une action observée. Cependant, Bandura et d'autres chercheurs ont apporté des preuves appuyant l'hypothèse selon laquelle l'enfant apprend, même lorsque le renforcement n'est que vicariant. Quand le petit Marc, âgé de six ans, remarque que son ami Henri a été récompensé pour avoir dit «s'il vous plaît» afin d'obtenir quelque chose, il va apprendre à dire également «s'il vous plaît» dans des circonstances analogues.

L'idée selon laquelle les enfants s'imitent entre eux n'étonne personne, tant elle semble tomber sous le sens. Parents, éducateurs, moniteurs et même la police utilisent communément les principes d'imitation et de façonnement pour instruire et aider les enfants à acquérir de nouvelles connaissances et aptitudes. Cette méthode se reflète dans des expressions telles que «essaie de cette façon» ou «laisse-moi te montrer» ou «je te montre comment faire», ou «lis donc les explications». Mais plus controversé et moins évident, est le rôle de l'apprentissage fortuit ou incident.

La question de *l'apprentissage incident* est constamment débattue entre les théoriciens de l'apprentissage. La question-clé du débat est la suivante : un individu peut-il apprendre ce qu'il voit ou entend si cela ne correspond pas pour lui à un besoin qu'il cherche déjà à satisfaire ? Beaucoup de théoriciens répondent par la négative à cette question. D'après eux, une personne n'apprend que ce qui répond à un besoin qu'elle cherche à satisfaire. Les éléments de l'environnement qui ne se révèlent pas essentiels à la satisfaction de ce besoin sont négligés et ne sont pas retenus. D'autres chercheurs ajoutent que sans renforcement, direct ou indirect, l'enfant n'acquerra pas de nouvelles techniques et connaissances (Hilgard et Bower, 1975, pp. 134-136).

Cependant, Bandura et les autres adeptes de la théorie de l'apprentissage social ont mené des expériences qui suggèrent que *l'apprentissage incident* intervient tout au moins dans certains cas. Des enfants qui ne cherchent pas à satisfaire un besoin apparent ou qui ne sont pas immédiatement récompensés peuvent effectivement mémoriser les résultats d'observations fortuites et les utiliser ultérieurement à un moment plus approprié. Selon Bandura, l'erreur commise par les psychologues qui n'admettent pas un tel apprentissage provient d'une confusion entre *apprentissage* et *performance*. De nombreuses expériences ont, en effet, rattaché l'absence d'apprentissage à un manque de renforcement, mais Bandura a souligné que les gens ne présentent pas nécessairement tout ce qu'ils ont pu apprendre à partir d'un modèle si cela ne semble pas procurer de récompenses en suffisance dans une situation donnée. En d'autres termes, les théoriciens de l'apprentissage social avancent que par rapport à une situation vécue, chacun de nous est capable de présenter une série de réactions variées et que plusieurs réponses peuvent être données à une question posée. Dans certaines situations, toutes les réponses peuvent être également plausibles; dans d'autres, certaines réponses peuvent paraître plus appropriées et ce sont les seules que nous donnons publiquement, c'est ainsi que les autres individus ne soupçonnent pas que nous gardons une série d'autres réponses secrètes.

Bandura avance encore que les enfants n'adoptent pas subitement un certain comportement; au contraire, pour eux, tout nouveau comportement est le résultat de l'observation de l'environnement extérieur. Mais, que dire de l'enfant qui «crée» un comportement nouveau qu'il n'a jamais vu avant ? Les behavioristes radicaux semblent une fois de plus considérer ce comportement nouveau comme étant le fruit du hasard ou, tout au plus, comme découlant de petites associations entre divers comportements déjà acquis. Cependant, les théoriciens de l'apprentissage disciples de Bandura rendent compte des actions nouvelles en concluant que :

> *Quand ils sont en face de divers modèles, les observateurs calquent rarement leur comportement sur une seule source; de même qu'ils n'adoptent pas forcément tous les attributs de leurs modèles, même quand il s'agit de modèles préférés. De préférence, ils combinent des aspects de plusieurs modèles dans de nouveaux amalgames qui diffèrent des sources individuelles (...) Des observateurs différents adoptent des combinaisons variées de caractéristiques différentes* (Bandura, 1977, p. 48).

Donc, pour la théorie de l'apprentissage social, un nouveau comportement résulte de la combinaison par l'enfant de différents segments de comportements qu'il a observés, observations qui intègrent tant les faits dont il a été le témoin direct que ceux qu'il a rencontrés au cours de ses lectures ou dans des récits ou informations orales qu'il aura recueillis dans son entourage.

Le schéma d'imitation

Les chercheurs ne sont pas encore parvenus à expliquer parfaitement le mécanisme de l'apprentissage par observation. Cependant, certaines des conditions qui l'influencent ont pu être identifiées. Pour Bandura, un enfant apprend lorsqu'il observe ou entend un modèle parce que l'information acquise l'aide à décider si ce comportement observé peut aider ou, au contraire, gêner la satisfaction future de ses besoins. Il mémorise cette information sous une forme symbolique. Ce processus d'apprentissage par imitation comprend cinq fonctions principales : (1) attention; (2) codage d'informations; (3) stockage dans la mémoire; (4) actions motrices. Une cinquième fonction sous-tend les quatre autres, à savoir la motivation (Bandura, 1977, pp. 22-29).

Lorsqu'un enfant observe un modèle, il doit d'abord prêter attention aux données pertinentes de la situation stimulante et négliger les aspects du modèle et de l'environnement qui sont fortuits et n'affectent en rien la performance qu'il tente de reproduire. L'échec de l'enfant dans l'exécution correcte de la performance, en particulier au cas où est celle-ci est complexe, est souvent dû à un manque de concentration au moment où il observait le modèle. Les éducateurs tentent de remédier à ce problème en éliminant toutes les variables superflues de l'environnement et en focalisant l'attention de l'enfant sur les aspects du modèle qui sont les plus importants dans la réalisation de l'acte en question.

L'apprentissage par imitation requiert également de l'enfant qu'il enregistre correctement dans sa mémoire une image visuelle ou un code sémantique de l'acte dont il vient d'être témoin. En l'absence d'un système de codage adéquat, l'enfant ne parvient pas à enregistrer ce qu'il a vu ou entendu. Les enfants plus âgés apprennent plus aisément par l'observation des performances des autres que les tout-petits. Cette supériorité des enfants plus âgés est due pour une bonne part à leur plus grande capacité d'utilisation des symboles. Bandura souligne (1977, p. 30) que le bébé est limité à l'imitation instantanée. Le très jeune enfant peut reproduire le geste ou le mot de l'adulte immédiatement, mais n'est plus en mesure de le faire après un certain laps de temps. Au fur et à mesure que l'enfant s'exerce à associer les mots et images à des objets ou des événements, il peut stocker ces symboles de manière à se les rappeler et à reproduire les événements à des échéances de plus en plus éloignées. En effet, le développement du langage et des schèmes qui permettent le codage des observations va permettre à l'enfant de mieux tirer parti des modèles qui l'entourent. Les observations doivent être codées pour être confiées à la mémoire et ces codes doivent permettre la transformation de la perception en actes observables. De fait, l'enfant se trouverait démuni si les symboles mémorisés ne pouvaient être reconvertis sous une forme conduisant à l'action.

Un troisième élément essentiel dans la répétition des actes réside dans la «permanence» de la mémoire. Quoique cette propriété reste encore assez obscure, il est établi que les souvenirs s'estompent et disparaissent avec le temps. Ainsi, une grande partie des observations effectuées par les enfants est oubliée, de sorte que certaines connaissances ne sont plus disponibles au moment où l'enfant devrait y recourir (Bandura, 1969, p. 202). Des méthodes *aide-mémoire*, telles que la répétition ou l'association d'idées, permettent de maintenir l'information stockée de manière à pouvoir la rappeler rapidement si besoin en est.

Le succès de l'apprentissage par imitation de modèles dépend également de la reproduction exacte des activités motrices observées. Il ne suffit pas, pour l'observateur, d'avoir une idée des actions à réaliser, ni de codifier et stocker adéquatement le schème mental; il lui faut également faire l'expérience de l'acte moteur et des sensations musculaires qui lui sont associées. En règle générale, il ne peut pas réussir au premier essai; aussi a-t-il besoin d'un certain nombre d'essais qui le rapprochent du comportement désiré. La réaction ou réponse de l'environnement lui permet de corriger les imprécisions de ses premières tentatives. L'efficacité de l'apprentissage découle en partie de la plus grande force musculaire et du plus grand contrôle moteur dont l'enfant plus âgé dispose. S'il était à même de saisir tous les détails de la performance observée et s'il pouvait codifier mentalement ces observations en images ou symboles verbaux, le tout jeune enfant ne parviendrait pas à reproduire les activités observées aussi bien que l'enfant plus âgé, son développement musculaire ne le lui permettant pas.

Le schéma d'imitation de modèles exige enfin de l'apprenant qu'il soit motivé pour réaliser les différentes étapes du processus. Dans la tradition behavioriste, cette motivation faisait partie intégrante du rôle crucial joué par les conséquences du comportement. L'interprétation de Bandura et d'autres théoriciens modernes de l'apprentissage social sur le *rôle des conséquences* se démarquant de celle des behavioristes radicaux, nous nous devons d'accorder une attention particulière à cet aspect du processus d'apprentissage.

Le rôle des conséquences

La théorie du conditionnement opérant de Skinner avance que dans une situation impliquant un stimulus donné, une personne dispose d'un choix de réponses possibles. La réponse qui sera retenue dépendra de la force respective des réponses en compétition dans le répertoire de l'individu. De plus, la force d'une réponse potentielle dépend de la fréquence avec laquelle celle-ci a été renforcée dans le passé, lorsque l'individu a été confronté à un problème semblable. Pour les behavioristes radicaux, la consolidation des réponses par le renforcement est systématique. Quand des actions sont récompensées, la consolidation de la réponse s'effectue naturellement, sans que l'individu ait à évaluer l'effet de son comportement. Il ne doit pas se dire constamment : «ceci a bien marché; je l'essayerai encore à l'avenir». En outre, d'après la théorie du conditionnement opérant, cette consolidation est plus efficace si les conséquences (renforcement ou récompense) surviennent le plus rapidement possible après l'acte, de manière à ce que cet acte et ces conséquences deviennent intimement connectés ou *conditionnés*. Cependant Bandura considère que cette interprétation sur la manière dont les conséquences influencent le comportement est discutable :

> *Bien que la question ne soit pas complètement résolue, il n'est pas évident que les renforcements façonnent automatiquement la conduite humaine (...) Un nombre important de preuves appuient la théorie selon laquelle le renforcement fait office d'opération informative et motivante, plutôt qu'il ne consolide automatiquement une réponse* (Bandura, 1977, p. 21).

En utilisant le terme d'*informative*, Bandura met l'accent sur le fait que les conséquences qui récompensent ou qui punissent indiquent à l'enfant en quelles circonstances il serait raisonnable d'adopter une attitude ou un comportement particulier dans le futur. Bandura ne croit pas, au contraire des behavioristes radicaux, qu'une conséquence exerce son influence en «remontant le temps», consolidant le comportement qui a précédé la conséquence renforçante. Il pense plutôt que celle-ci exerce son influence a posteriori, en informant l'enfant des conséquences de son acte, au cas où une situation identique se présenterait ultérieurement. Le point de vue de Bandura rend ainsi plus compréhensible la manière dont les enfants apprennent les modèles, si on le compare à celui des behavioristes radicaux qui soutiennent que les conséquences renforcent les actions déjà effectuées antérieurement par l'individu. La théorie de l'apprentissage conclut donc que l'enfant retire un enseignement non seulement de son propre comportement, mais également de l'observation des autres. Cette démarche peut lui fournir des informations semblables à celles que lui procurent les conséquences de son propre comportement, pourvu qu'il prête attention aux éléments significatifs de l'action observée.

Lorsque Bandura évoque l'aspect motivant des conséquences, il sous-entend que les enfants adopteront plus volontiers un comportement observé chez un modèle s'ils accordent de la valeur aux conséquences que celui-ci semble produire. Ainsi, un élève qui espère obtenir l'approbation de son instituteur et qui remarque que celui-ci apprécie les enfants qui se comportent bien sera soucieux d'agir de manière à obtenir la satisfaction désirée.

En conclusion, d'après Bandura, les conséquences ne renforcent pas ni ne consolident automatiquement la réponse qui a immédiatement précédé les conséquences. Pour sa part, il considère les conséquences comme des régulateurs du comportement futur : elles fournissent des informations sur les conséquences ultérieures possibles et incitent l'individu à adopter une attitude sélective en vue d'obtenir le résultat recherché.

Comportements complexes

Les idées de Bandura sur l'imitation se démarquent de celles des behavioristes radicaux et ses opinions sur la manière dont les comportements complexes sont acquis varient tout autant. A l'encontre des behavioristes traditionnels, il ne croit pas que l'enfant développe des comportements complexes par imitation d'un aspect du comportement observé, puis par une construction du schéma entier en recourant à l'accumulation d'éléments acquis successivement. D'après lui :

> *Les schémas de comportement sont typiquement acquis par larges segments ou dans leur intégralité plutôt que par processus lent et graduel basé sur un renforcement différentiel. En suivant les démonstrations par un modèle ou – quoiqu'à un degré moindre – en suivant les descriptions verbales du comportement désiré, celui qui apprend reproduit généralement plus ou moins l'intégralité du pattern de comportement même s'il ne peut produire une réponse manifeste et donc ne reçoit aucune récompense tout au long de la période d'apprentissage* (Bandura et Walters, 1963, p. 106).

Cependant, une fois que le nouveau comportement a été maîtrisé par observation, ses chances de figurer dans la personnalité de l'enfant sont régies principalement par les programmes de renforcement et de punition.

Un dernier aspect important de l'apprentissage par imitation du système de Bandura est la *nature des modèles.* Les études expérimentales viennent renforcer la notion du sens commun qui veut que le héros soit admiré et honoré. En effet :

(1) les enfants sont plus susceptibles de modeler leur propre comportement sur les faits et gestes de personnes qu'ils considèrent comme étant remarquables plutôt que sur les actions de personnes insignifiantes;

(2) les enfants adoptent plus volontiers les schémas de comportement de modèles de leur propre sexe que ceux d'individus du sexe opposé;

(3) les modèles qui sont récompensés par de l'argent, la renommée ou un statut socio-économique élevé sont plus souvent imités que ceux qui ne jouissent pas de ces privilèges;

(4) les individus qui sont pénalisés pour leur comportement ont peu de chances d'être imités;

(5) les enfants sont plus sensibles à l'influence de modèles qu'ils considèrent comme étant semblables à eux, par exemple pour leur âge ou leur statut social, qu'à celle d'individus qui leur semblent être très éloignés de la perception qu'ils ont de leur propre condition (Bandura et Walters, 1963, pp. 10-11, 50, 84, 94-100).

En résumé, l'imitation est conçue par Bandura comme un élément crucial dans le développement social de l'enfant car grâce à l'observation de modèles divers, celui-ci peut adjoindre des possibilités nouvelles à son répertoire de comportements. De plus, les expériences effectuées par ces modèles éclairent les enfants sur les circonstances dans lesquelles ils pourront plus favorablement mettre ces nouvelles options en pratique. Dans cette optique, nous pouvons concevoir le développement comme étant le processus qui permet à l'enfant : (1) d'étendre graduellement son répertoire de réponses et d'actions en observant les autres tout en essayant de reproduire lui-même les actions observées; (2) d'utiliser l'information obtenue par l'observation des conséquences pour le guider dans son choix de la réponse la plus appropriée à satisfaire ses besoins et obtenir des récompenses. Tout comme Skinner, Bandura ne divise pas le développement en différents stades, mais il considère le processus de croissance cognitive et sociale comme étant un accroissement progressif et un élargissement constant des possibilités de réponses à des situations de plus en plus différenciées.

Tout en gardant à l'esprit les vues de Bandura sur l'importance de l'apprentissage par l'observation, nous allons nous intéresser aux applications possibles de la théorie de l'apprentissage social au traitement de comportements déviants.

Normalité et déviance

Pour les applications pratiques de son modèle, Bandura a porté son choix sur la psychothérapie et le traitement de comportements antisociaux. Sa technique de traitement des déviances s'écarte des pratiques psychiatriques traditionnelles. Il a rejeté le concept médical de *déviance* qui considère la personne manifestant un comportement indésirable comme étant malade et à traiter. Bandura quant à lui, propose ce qui a été appelé la technique de *modification de comportement*. Il est convaincu qu'un acte «préjudiciable» à un individu ou qu'un comportement s'écartant largement des normes éthiques ou sociales généralement admises, n'est pas symptomatique de quelque maladie, mais bien de «la manière dont l'individu a appris à réagir aux exigences auto-imposées et à celles venant de l'environnement. Le traitement devient alors principalement un problème d'apprentissage social plutôt que de relever du domaine médical» (Bandura, 1969, p. 10).

Conformément à ce point de vue, Bandura traiterait un enfant dont le comportement social est indésirable en manipulant les conséquences de ses actes de manière à ce qu'il trouve plus profitable pour lui d'adopter un comportement plus acceptable pour tous. En simplifiant les principes de la discussion de Bandura, nous pouvons identifier quatre étapes principales dans le processus de modification du comportement :

1. Identifier le comportement spécifique que l'on désire que l'enfant adopte en lieu et place de son comportement indésirable actuel.
2. Tenter de faire manifester ce nouveau comportement désirable par l'enfant. Plusieurs méthodes sont possibles pour y parvenir : attendre que cela se produise spontanément, procurer un modèle, expliquer verbalement ce qu'est le comportement désiré, façonner ce nouveau comportement de manière progressive ou encore recourir simultanément à ces procédés divers.

3. Déterminer quels types de conséquences seront fortement renforçantes pour l'enfant et lesquelles seront punitives.
4. Manipuler les conséquences de sorte que le comportement désiré, au moment où il se produit, apporte un renforcement plus important que celui du comportement indésirable. En d'autres termes, établir un programme de renforcement ou de punition qui incite l'enfant à abandonner l'ancien comportement pour adopter le nouveau.

Ce procédé facile à résumer est souvent difficile à mettre en pratique. Cependant, il reste pour les théoriciens de l'apprentissage social le moyen le plus efficace pour modifier les actes déviants d'un enfant.

Les critiques de la technique de modification du comportement ont prétendu qu'il s'agissait là d'une approche naïve et superficielle, peu utile en psychothérapie ou pour contribuer à l'amélioration des traits de personnalité. D'après eux, chercher à modifier le comportement extérieur de l'enfant ne permet pas d'atteindre les causes sous-jacentes du comportement. Une telle critique se fonde sur l'idée selon laquelle des comportements, tels que sucer son pouce, piquer des crises de colères ou voler, sont les symptômes d'un désordre interne, inhérent à la personnalité et probablement «logé» dans l'inconscient. Bandura, en réaction contre cela, a souligné que l'apprentissage psychodynamique, tout comme l'apprentissage social, est à la recherche de ces causes sous-jacentes. Cependant, les deux écoles diffèrent dans leur méthode pour déterminer l'origine de la cause profonde d'un comportement.

Les psychanalystes suggèrent que «les causes» d'un comportement sont des conflits réprimés, «enfouis» dans l'inconscient parce que l'enfant n'a pas été capable de les résoudre aux premiers stades psychosexuels du développement. Par conséquent, le thérapeute pénètre dans la psyché du patient pour identifier quels événements du passé ont produit ces conflits, et il tente alors d'aider le patient à soulager consciemment ces événements et à les replacer dans une perspective mentalement saine. Une telle analyse, d'après le thérapeute, libère le patient de ses symptômes et le désordre de la personnalité s'en trouve guéri.

Les thérapeutes qui utilisent l'apprentissage social recherchent quant à eux les causes sous-jacentes du comportement dans l'environnement immédiat de l'enfant. Pour eux, le mot «cause» fait référence aux conséquences satisfaisantes que le comportement déviant de l'enfant continue à lui procurer. Ce comportement «regrettable» persiste parce qu'il est gratifiant ou parce que l'enfant ne connaît aucun autre moyen d'obtenir des conséquences qui s'avéreraient plus satisfaisantes. la tâche du thérapeute consiste alors à appliquer les quatre étapes de la technique de *modification du comportement* décrite précédemment.

Dans la théorie psychodynamique, comme dans celle de l'apprentissage social, il est possible de *soigner le symptôme* seul, sans atteindre la *cause véritable.* Cependant, le sens de cette phrase diffère tout à fait, selon qu'il se rattache à l'une ou l'autre théorie. Dans l'approche psychanalytique, cela revient habituellement à punir ou récompenser l'enfant de manière à ce qu'il abandonne un comportement donné. Cela peut également vouloir dire que l'on propose à l'enfant une suggestion post-hypnotique pour provoquer l'arrêt du comportement. Cependant, dans la visée psychodynamique, un tel traitement se limite à supprimer le symptôme particulier sur lequel le traitement a mis l'accent. Mais comme les causes sous-jacentes – les conflits refoulés – n'ont pas été touchés, d'autres symptômes vont apparaître ultérieurement.

Dans la théorie de l'apprentissage, *traiter simplement le symptôme* signifie que le thérapeute n'a pas considéré toutes les situations dans lesquelles la réponse déviante de l'enfant intervient. Par exemple, un garçon de dix ans a des accès de colère chez lui, dans le voisinage, en classe et dans la cour de récréation dès qu'il est contrarié. Selon les théoriciens de l'apprentissage social, tout comme les psychologues du comportement, ce schéma d'action est maintenu par ce que les gens cèdent en définitive aux demandes de l'enfant pour «éviter des embarras». Pour éliminer ces accès de colère en classe, le professeur peut, par exemple : (1) ne pas céder aux exigences de l'enfant; (2) l'aider à observer des «modèles» qui utilisent des techniques telles que le raisonnement et la discussion au lieu d'accès de colère pour obtenir ce qu'ils désirent et (3) récompenser les tentatives du garçon pour recourir à ces techniques plus raisonnables. Cependant, ce comportement indésirable, s'il peut être réduit à l'école, peut persister à la maison ou dans le voisinage, les conséquences du comportement n'ayant pas été modifiées dans ces autres milieux. Les critiques de l'approche comportementale pourraient ainsi prétendre que ce traitement du problème en classe n'a atteint que les symptômes et non la cause du comportement déviant. Mais les théoriciens de l'apprentissage social répondront à cela que si les conséquences de ces accès de colère dans les quatre environnements – classe, maison, voisinage, et cour – étaient altérées, ceux-ci disparaîtraient complètement et le problème serait résolu.

Cependant, les Freudiens et leurs collègues psychodynamiques pourraient encore avancer qu'il est possible que les accès de colère disparaissent dans tous ces milieux, mais qu'un nouveau comportement qui leur est substitué pourrait bien, à son tour, être déviant. Par exemple, l'enfant qui n'obtient pas satisfaction par des accès de colère peut se retirer du groupe et se mettre à bouder. Le psychanalyste prétendra alors que ceci est tout simplement une *substitution de symptômes* et qu'une forme de déviance en a remplacé une autre, la cause inconsciente n'ayant été ni atteinte, ni résolue. Le thérapeute de l'apprentissage social dira probablement que le garçon de dix ans a appris une hiérarchie de réponses possibles, la plus haut placée de celles-ci étant la crise de colère.

Si les conséquences sont altérées de manière à ce qu'un tel comportement ne soit plus profitable, on peut alors s'attendre à ce qu'il fasse appel à une autre option prometteuse d'un résultat. *Prometteuse* fait ici référence à une réponse qu'il a observée ou qu'il a expérimentée personnellement et qu'il estime susceptible de lui apporter les résultats les plus statisfaisants dans des situations données. Souvent, ce deuxième comportement est également considéré comme indésirable. Le problème de comportement social n'est pas résolu pour autant et l'enfant est toujours considéré comme un enfant à problèmes.

Selon les théoriciens de l'apprentissage social, il ne s'agit pas là d'une question de substitution de symptômes; le problème réside dans la hiérarchie de réponses de l'enfant dont les options les plus prometteuses (du point de vue de l'enfant) sont toutes indésirables pour la société dans laquelle il vit. La thérapie ne consiste pas à «poursuivre» une cause inconsciente, mais plutôt à aider le sujet à apprendre un nouveau comportement, socialement approuvé et qui soit si satisfaisant qu'il ait une priorité sur toutes les réponses indésirables de son répertoire de réactions aux frustrations, tant à l'école qu'en dehors (Bandura, 1969, pp. 48-52).

Bandura souscrit donc à une interprétation des concepts de *normalité* et de *déviance* basée sur des références de groupe. Un enfant est dit *normal* ou *anormal* en fonction de la manière dont son comportement se compare à celui des autres membres d'un groupe désigné. Cette référence de groupe peut s'appliquer à tout groupement, qu'il s'agisse de catholiques, de jeunes américains de dix ans, d'enfants de 6ème. Un enfant peut être considéré comme *normal* lorsqu'il est comparé à un groupe donné, mais *déviant* par rapport à un autre. Donc, lorsque la question de *normalité* est soulevée, il est important d'identifier le groupe de référence utilisé.

Le principe de *groupe de référence* est important, non seulement pour déterminer le degré de *normalité* ou de *déviance* au cours du développement d'un enfant, mais aussi pour comprendre quelles tentatives de modification du comportement sont susceptibles de réussir ou d'échouer. Considérons un jeune élève du cours secondaire qui vole de l'argent et du matériel scolaire à ses compagnons et à son professeur. Les autorités scolaires considèrent ce comportement comme indésirable et cherchent à le modifier en altérant les conséquences de cet acte. On punit l'élève en le gardant à l'école par des retenues et on lui accorde certaines faveurs s'il reste un mois sans voler. Mais si les vols ne s'arrêtent pas, pour les théoriciens de l'apprentissage social, c'est parce que le garçon continue à être récompensé pour ses actions. Il peut persister dans son comportement déviant, par exemple parce qu'il continue à être encouragé par son propre groupe, le gang de ses pairs délinquants, dont l'approbation importe plus pour lui que celle des responsables scolaires. Ainsi, le comportement déviant ne peut être compris ou altéré sans que nous reconnaissions que les normes de groupes divers entrent souvent en conflit les unes avec les autres et que les récompenses dispensées par un groupe sont plus influentes que celles dispensées par un autre. Ceci confirme donc l'intérêt qu'il y a à identifier le groupe de référence ou les individus que l'enfant estime être les plus importants dans sa vie.

Finalement, la théorie de l'apprentissage social déconseille le recours à des étiquettes telles que *névrosé* et *psychopathe*, utilisées en psychiatrie traditionnelle et appliquées aux enfants qui adoptent un comportement antisocial. Ceux-ci ne doivent pas être considérés comme des malades mentaux. Au contraire, ceux qui soutiennent la théorie de Bandura prétendent que :

> *quelques principes simples d'apprentissage social peuvent expliquer à la fois le développement d'un comportement prosocial et celui d'un comportement déviant ainsi que les modifications de comportements orientées vers une plus grande conformité ou allant dans la direction d'une plus grande déviance* (Bandura et Walters, 1963, p. 221).

Ainsi, pour ces théoriciens, traiter un «enfant à problèmes» consiste à altérer les conséquences du comportement indésirable, et non pas à rechercher dans les profondeurs de la psyché de l'enfant en vue d'exhumer des conflits psychosexuels ou psychosociaux.

Conscience et contrôle personnel

Dans la théorie de l'apprentissage social, la *conscience* de l'enfant ou ses *valeurs morales* ne sont pas innées. Le nouveau-né vient au monde amoral; au moyen des mêmes schémas d'imitation et de conditionnement qui produisent ses autres facultés, il acquiert graduellement une échelle de valeurs et une capacité de contrôle personnel et d'autodirection. En d'autres termes, son caractère est appris et non hérité.

Les recherches dont Bandura fait état viennent soutenir son hypothèse selon laquelle le développement de l'auto-contrôle et de la conscience sont fortement influencés par les modèles que les enfants observent et par les schémas de renforcement direct qu'ils rencontrent, telles par exemple les mesures disciplinaires utilisées par les parents et les professeurs. La résistance de l'enfant aux tentations est directement liée dans un contexte expérimental donné à la manière dont le modèle dans la même situation, est récompensé ou puni. Les caractéristiques inhérentes aux modèles déterminent aussi l'adoption éventuelle par l'enfant de l'auto-contrôle manifesté par le modèle, le plus grand impact étant exercé par des modèles disposant de bonnes capacités, connaissant le succès et ayant du prestige.

Le moment où sont attribuées récompenses ou punitions est tout aussi important. Bandura suggère que beaucoup de parents modèleront la conscience de l'enfant – y compris ses sentiments de culpabilité et ses tendances à l'auto-punition – d'une manière plus réussie, en retirant certains privilèges plutôt qu'en recourant à des moyens tels que la fessée ou l'isolement. D'après lui, il est préférable de réserver ou de retirer certains privilèges renforçateurs à l'enfant, plutôt que de recourir à la violence, mais en ce cas il importe de tenir compte du facteur «temps». Habituellement, le parent retire cette récompense ou ce privilège jusqu'à ce que l'enfant avoue sa faute ou se punisse lui-même. Le privilège ou l'objet désiré lui est alors restitué. Mais, «les parents, la plupart du temps, administrent les stimuli aversifs quelque temps après que le comportement déviant ait eu lieu et ne font pas coïncider son arrêt avec les réponses auto-punitives de l'enfant» (Bandura et Walters, 1963, p. 221).

Cette façon de punir à retardement explique que l'enfant n'adopte pas nécessairement les types de contrôle personnel souhaités par ses parents. Certaines études ont aussi émis l'hypothèse que le retrait de privilèges favoriserait davantage le développement du self-contrôle de l'enfant, si les adultes qui l'entourent sont chaleureux et affectueux (Bandura et Walters, 1963, pp. 197-199).

Nous allons à présent nous intéresser aux travaux de Robert Sears, un néo-behavioriste lui aussi considéré comme un des précurseurs de Bandura pour ses recherches sur le comportement d'imitation. Une brève présentation des études des Kendler et de Rotter achèvera cet exposé.

Les contributions de Sears

Entre 1945 et 1965, nombre de néo-behavioristes ont reconsidéré les idées de Freud à la lumière de la théorie de l'apprentissage. Ce fut le cas de John Dollard et Neal E. Miller, psychologues à l'Université de Yale en 1950 lors de la publication de leur ouvrage intitulé *Personality and Psychotherapy* (Personnalité et psychothérapie), où ils ont expliqué comment le modèle de l'apprentissage néo-behavioriste pouvait justifier l'existence de certaines étapes de développement de l'enfant qui avaient été pressenties par Freud dans sa théorie des stades psychosexuels.

Plus tard, Robert R. Sears (né en 1908), successivement professeur à Yale, à Harvard puis à Stanford, a mené divers projets de recherche destinés à vérifier le rôle de certains concepts freudiens dans le développement de l'enfant. L'ensemble de sa théorie est complexe, mais d'un grand intérêt (voir Maier, 1978, qui en propose un résumé). Nous nous limiterons à en étudier un aspect particulier où Sears adapte une proposition freudienne à un modèle d'apprentissage social néo-behavioriste; à savoir le rôle du mécanisme d'ajustement du processus d'identification dans le développement social de l'enfant.

Comme Sears l'a expliqué, ses travaux ne visaient pas à vérifier la validité des concepts psychanalytiques. Ses recherches étaient plutôt conçues comme :

> *un contrôle d'une théorie comportementale qui a été suggérée par les observations psychanalytiques et construite à l'intérieur du cadre d'une structure théorique entièrement différente. Les hypothèses que nous avons proposées sont indépendantes et n'ont parfois aucun rapport avec les formulations psychanalytiques des théories d'identification* (Sears, Rau et Alpert, 1965, p. 242).

Pour Sears comme pour d'autres psychologues du comportement, les conséquences des actions des enfants déterminent les caractéristiques de l'environnement que ceux-ci choisissent d'adopter. Cependant, il a observé que la plupart des cheminements à l'issue desquels les enfants s'identifient à leurs parents ne résultaient pas d'une éducation parentale consciente et logique. Mais, si les parents ne récompensent ni ne punissent les comportements de leurs enfants en vue de modeler leurs actions sur un canevas admissible pour la société dans laquelle ils évoluent, les enfants en viennent-ils à adopter lesdits comportements ? Il est possible que les enfants le fassent spontanément par identification, c'est-à-dire en imitant un modèle. Lorsque l'identification est interprétée selon le paradigme S-O-R, on peut supposer qu'il s'agit d'un processus intermédiaire entre le «Stimulus» et la «Réponse» et que :

> *très tôt dans la vie, elle permet à l'enfant d'apprendre, sans que les parents aient à lui enseigner, ce qui crée un mécanisme d'autorécompense qui peut, dans certains cas, entrer en compétition avec des sources externes de renforcement* (Sears, Rau et Alpert, 1965, p. 2).

Pour justifier l'idée que l'enfant *se renforce* lui-même en calquant sa conduite sur celle d'un parent, Sears rappelle que le nourrisson dépend d'abord entièrement de sa mère pour satisfaire tous les besoins. Par la suite, d'autres besoins peuvent être satisfaits par le père et d'autres membres de la famille. L'enfant entretient donc d'abord une relation de dépendance vis-à-vis de ses parents, mais, au fur et à mesure qu'il se développe, les adultes occupés ont moins de temps à lui consacrer. Pour compenser cette perte, celui-ci, par un processus encore inexpliqué, commence à imiter l'un ou l'autre de ses parents. L'enfant se rend compte que cette attitude lui apporte quelques-unes des satisfactions initialement fournies par les parents. Ainsi, le processus d'identification permet à l'enfant de se récompenser lui-même.

Sears et ses collègues sont donc parvenus à inscrire le processus d'identification de Freud dans un paradigme behavioriste et ont émis une série d'hypothèses pour expliquer le fait que certains parents influencent leurs enfants d'une manière particulière à travers les modèles qu'ils leur proposent. Ces hypothèses ont alors été testées lors d'études effectuées sur des pratiques éducatives en usage dans différents types de familles américaines. A l'issue de celles-ci, Sears a conclu que les hypothèses étaient, tout au moins partiellement, vérifiées par les résultats obtenus. Cependant, un certain nombre de questions sont restées sans réponse, laissant cette équipe de psychologues dans la position de l'investigateur qui conclut que d'autres recherches sont indispensables pour résoudre les questions soulevées.

Les travaux des Kendler

Pendant plus de vingt-cinq ans, les Kendler, Howard H. Kendler (né en 1919) et Tracy S. Kendler (née en 1918) de l'Université de Californie à Santa Barbara ont travaillé à l'élaboration d'une théorie visant à analyser la manière dont les enfants perçoivent les ressemblances et les différences existant entre divers éléments de l'environnement. Le travail des Kendler constitue un bon exemple d'utilisation de l'*approche hypothético-déductive* chère aux behavioristes, laquelle permet l'élaboration de théories à partir de la formulation d'hypothèses testées par des procédés expérimentaux. Les Kendler ont d'abord testé le rôle de la faculté de discrimination dans l'apprentissage, travaux déjà entrepris par d'autres psychologues, qui étaient arrivés à des interprétations divergentes à l'issue de leurs recherches, avant de mettre au point leurs propres procédures de recherche en vue de parvenir à des résultats univoques.

Avant de décrire dans les grandes lignes les conclusions auxquelles Tracy et Howard Kendler sont parvenus, il importe de bien comprendre la signification de l'expression *expériences discriminatives*. Une expérience nécessite en règle générale que les sujets parviennent à déterminer lequel, parmi plusieurs choix proposés, est le meilleur dans une situation particulière. Le problème peut, par exemple, s'appliquer à un rat qui doit décider laquelle de deux voies mène à la nourriture, l'une étant marquée d'un cercle noir et l'autre d'un cercle blanc. Après plusieurs tentatives étalées sur quelques jours, le rat saura que l'allée marquée d'un cercle blanc conduit à la nourriture, que ce signe figure dans l'allée de droite ou de gauche. Il est possible d'élever le niveau de difficulté de cet exercice de discrimination en recourant, par exemple, à des stimuli à deux variables, comme la couleur et la forme de l'objet. Le rat devra apprendre que c'est la couleur (blanc) et non la forme (le cercle est maintenant devenu un carré) qui indique la voie à prendre pour trouver la nourriture. L'expérimentateur peut encore modifier la règle au milieu du jeu, après que les sujets semblent avoir trouvé les bonnes réponses. Ainsi, la réponse correcte peut être annulée (séquence inversée), si l'allée marquée de noir mène à la nourriture; ou bien, la réponse peut être transposée à l'autre dimension (séquence extradimensionnelle), la figure carrée constituant la bonne réponse, que celui-ci soit noir ou blanc.

Les néo-behavioristes ont ainsi mis à jour les multiples facettes de l'*apprentissage discriminatif* en faisant varier les caractéristiques du stimulus, en modifiant les règles et en recourant à des cobayes de types divers (rats, pigeons, singes, enfants, étudiants). Les résultats de ces tests leur ont permis d'élaborer des théories explicatives du mécanisme sous-jacent de cet *apprentissage discriminatif.* A partir de ces modèles, les scientifiques ont pu établir de nouvelles hypothèses leur permettant de déduire ce qu'il adviendrait d'une nouvelle expérience destinée à tester une question particulière restée sans réponse. Le discours scientifique est le suivant : «Si ma théorie est correcte, je dois être capable de mettre au point de nouveaux types de tests discriminatifs et les sujets devraient pouvoir répondre de la manière prévue». Au cours de ces nouvelles expériences, le chercheur vérifie dans quelle mesure les résultats répondent à ses attentes et décide, dans certains cas, de revoir ses propositions théoriques. Cette démarche est représentative de l'approche hypothético-déductive utilisée dans l'élaboration de certains modèles néo-behavioristes.

Le travail des Kendler occupe un statut particulier dans les ouvrages de psychologie parce que leurs tests ont été réalisés en collaboration avec des enfants et des étudiants plutôt qu'avec des animaux. Les sujets étaient récompensés quand ils faisaient la distinction entre différentes formes, dimensions, couleurs ou entre des reproductions d'animaux, de véhicules et de jouets. Les chercheurs ont ainsi conclu que de très jeunes enfants utilisent des méthodes à peu près semblables à celles des animaux pour établir une distinction et prennent leur décision en se fondant sur des caractéristiques qu'ils perçoivent dans les stimuli les plus marquants, telles la dimension, la forme ou la couleur. Mais lorsqu'ils entrent au jardin d'enfants ou à l'école primaire, leur faculté de discrimination leur permet de commencer à utiliser certains concepts. Cela revient à dire que l'enfant va développer des concepts et des symboles mentaux et y recourir en tant que médiateurs verbaux ou non pour parvenir à des décisions, au lieu de réagir immédiatement face aux stimuli. D'après les Kendler, la capacité de percevoir des ressemblances ou des différences entre certains éléments de l'environnement se développerait donc en deux temps : un premier stade de réaction directe et un stade ultérieur de médiation. (Ces découvertes présentent un net parallélisme avec celles de Piaget de Vygotsky).

Les études de ce genre ne sont jamais exhaustives; elles constituent une tentative d'estimation de certaines relations qui doivent continuellement être reprécisées et élargies au moyen d'hypothèses et d'expérimentations. Elles peuvent même aiguiller les chercheurs dans de nouvelles directions. Les Kendler ont ainsi cherché à établir une relation entre leurs résultats et les études de Feschwind consacrées au cerveau (Kendler et Kendler, 1975, pp. 191-247). Le développement des espèces allant des moins évoluées aux espèces supérieures (phylogenèse) et le processus de mûrissement du cerveau d'un enfant (ontogenèse) seraient donc parallèles aux stades de *l'apprentissage discriminatif* dans le modèle de développement par «médiation» décrit par les Kendler. Il serait donc possible d'apporter une explication neurologique raisonnable aux changements de comportement observés dans les modes d'apprentissage des enfants.

Les idées de Rotter sur l'apprentissage social

Julian B. Rotter, psychologue américain et auteur d'un ouvrage intitulé *Social Learning and Clinical Psychology* (Apprentissage social et psychologie clinique) (1945), a mis en lumière une perspective particulière du développement de la personnalité, inspirée de sources aussi diverses que la psychologie individuelle d'Alfred Adler, la théorie du champ de Kurt Lewin et les travaux des behavioristes Clark Hull, Edward L. Thorndike et E.C. Tolman (Rotter, 1982, pp. 1-2). Quoique la théorie de l'apprentissage social de Rotter ait connu beaucoup moins de succès que celle de Bandura, elle exerce encore une certaine influence sur les études du développement et sur la psychothérapie (Burke, 1983; Love et al., 1985). Pour donner une idée de l'approche de Rotter, nous présenterons ses conceptions en matière de renforcements, de besoins et d'attentes.

L'élément essentiel du système élaboré par Rotter est le concept de *renforcement* dérivé de la «loi de l'effet» de Thorndike, qui décrit l'influence produite par les conséquences d'un comportement sur un sujet confronté ultérieurement à des circonstances semblables à celles qui avaient produit ce comportement.

Le second principe fondamental de la théorie de Rotter a trait aux *besoins* : d'après lui, l'enfant est d'abord poussé à l'action par des besoins physiologiques tels que la faim, la soif, la chaleur, l'élimination des déchets, etc. Tandis que la satisfaction de ses besoins élémentaires dépend toujours (dans le cadre du conditionnement classique) des parents ou de ceux qui prennent soin de lui, l'enfant développe des *besoins appris* également appelés *besoins psychologiques* ou *motivations acquises*, parmi lesquels le besoin de plaire aux autres, le fait d'investir dans des relations sociales amicales ou le phénomène d'acquisition des caractéristiques et des valeurs des autres. Au fur et à mesure que l'expérience sociale de l'enfant s'élargit, les besoins psychologiques s'avèrent devenir de puissants motivateurs, indépendamment de leurs origines physiologiques. Il convient cependant d'ajouter que ces besoins psychologiques résultant d'interactions sociales propres à l'expérience particulière d'un enfant, peuvent différer d'une culture à l'autre, d'une famille à l'autre, et d'un enfant à l'autre (Rotter, 1982, pp. 58-61).

Le renforcement fait naître chez les enfants, une série d'*attentes* vis-à-vis de comportements futurs, porteurs, soit d'une récompense, soit d'une punition. Les enfants qui peuvent prédire en quoi leurs actions influenceront le résultat obtenu sont renforcés dans leur conviction d'être maîtres de leur destin (ils s'attendent à avoir une maîtrise interne du renforcement). Cependant, si l'expérience leur prouve que leur façon d'agir ne leur donne aucun pouvoir sur l'avenir, ils abandonnent alors leur destin à des facteurs externes tels que la chance, ou le pouvoir des autres. L'importante production d'ouvrages récents de psychologie relatifs au *lieu de contrôle*, se fonde sur cette conception des attentes dans le développement.

En résumé, le développement humain d'après Rotter consiste en une acquisition progressive par l'enfant de buts (besoins psychologiques), de compétences et d'attentes liés aux expériences que lui procure son environnement social particulier (c'est-à-dire aux comportements et aux renforcements qui en ont résulté). La personnalité de l'enfant à chacune des phases de son développement impliquera toujours ces buts, ces compétences et ces attentes. Le modèle de Rotter suggère encore qu'une psychothérapie pourrait être en quelque sorte établie sur mesure, à partir des renforcements et des attentes passés d'un patient, sans pour autant négliger les buts que celui-ci s'est fixés ainsi que les différentes techniques d'apprentissage dont il dispose. Julian B. Rotter a tenté de faire une synthèse des nouveaux développements dans le domaine de l'apprentissage social et des applications pédagogiques et thérapeutiques qui en ont découlé dans son ouvrage intitulé *The Development and Application of Social Learning Theory* (Le développement et les applications de la théorie de l'apprentissage social) (1982).

Applications pratiques

Nous avons déjà décrit les grandes étapes du processus de *modification du comportement* tel qu'il est pratiqué de nos jours dans de nombreuses écoles et cliniques. De plus, les applications pédagogiques décrites dans le chapitre consacré au behaviorisme radical valent également pour celles qui dérivent de l'apprentissage par modèles sociaux. Cependant, les applications possibles de la théorie de Bandura et des autres modèles d'apprentissage social dépassent largement les limites du conditionnement opérant. Nous avons sélectionné ci-dessous quelques travaux parmi plus de deux cents articles inspirés par le modèle de l'apprentissage social qui ont été répertoriés dans *Psychological Abstracts* de 1983 à

1990 : le traitement des problèmes auxquels les adolescents sont confrontés, problèmes qui concernent le SIDA (Flores et Thoresen, 1988), la délinquance juvénile (Hawkins et Weis, 1985), les grossesses (Hagenhoff et al., 1987), les difficultés d'apprentissage (Gresham et Elliot, 1989), la boulimie (Love et al., 1985), l'usage de la cigarette (Krohn et al., 1985), l'usage de la marijuana (Akers et Cochran, 1985), l'abus de l'alcool (Brook et Brook, 1985), le fait de conduire sous l'influence de l'alcool (Diblasio, 1988) et le mécanisme de construction d'identité sociale chez les jeunes Américains de couleur noire (Taylor, 1990).

D'autres études portent sur les intentions comportementales d'enfants hollandais face aux problèmes de santé (de Vries et al., 1988), l'agressivité des enfants Indiens Zapotec (Fry, 1988), le comportement violent dans les écoles allemandes (Petterman, 1987), les méthodes pour combattre l'usage des drogues illicites chez les Américains (Bush et Iannotti, 1985), l'identification sexuelle chez les enfants de la maternelle en Union Soviétique (Kolominskly et Meltsas, 1985) et le passage de l'homosexualité à l'hétérosexualité chez les garçons de la tribu Sambia en Papouasie (Baldwin et Baldwin, 1989).

Nous avons présenté quelques exemples de recherches récentes inspirées des principes de la théorie de l'apprentissage social; cependant, les applications pratiques de ce modèle au-delà des frontières ne sont pas récentes. Ainsi, Wolpe a créé, dans les années 70, la méthode d'inhibition réciproque qui est une technique de contre-conditionnement destinée à éliminer les phobies nées de mauvaises adaptations qui interfèrent avec le fonctionnement quotidien de l'individu. La technique de Wolpe se fonde sur l'hypothèse selon laquelle une personne ne peut être à la fois détendue et anxieuse parce que les systèmes nerveux et hormonaux responsables de ces deux réactions sont des fonctions diamétralement opposées. Le traitement de Wolpe consiste à apprendre à la personne à se relaxer lorsqu'elle vit une situation imaginaire ou réelle génératrice de peur. Ainsi, le rapport existant entre cette situation et la crainte irraisonnée devrait progressivement s'affaiblir, jusqu'à ce que cette dernière disparaisse (Wolpe, 1981). En Angleterre, Hans J. Eysenck, déçu par la psychanalyse en tant que psychothérapie, a développé une forme de traitement du comportement dérivée de la théorie de l'apprentissage social (Eysenck, 1959). Son approche comporte toutefois moins de composantes cognitives que les formes de thérapie plus récentes basées sur la psychologie du comportement.

Perspectives de recherche

Les questions soulevées par la théorie de l'apprentissage social rejoignent à bien des égards celles que pose le behaviorisme. Mais, les éléments cognitifs repris dans les modèles de l'apprentissage social constituent un nouveau champ d'investigations pour les psychologues du développement. En effet, les questions suivantes restent posées : Dans quelle mesure certains modèles constituent-ils des exemples valables pour l'enfant aux différents moments de son éducation ? La différence de sexe dans le type de modèle considéré comme le plus influent a-t-elle une importance et pourquoi ? De quelle manière les parents peuvent-ils agir en tant que modèles positifs et en tant que modèles négatifs (que les enfants peuvent volontairement éviter d'imiter) et pourquoi ? Quelle est l'influence des parents en tant que modèles, comparée à celle des professeurs ou des pairs de l'enfant, à ses différents stades du développement ? En quoi les enfants modifient-ils leurs critères de sélection des modèles qu'ils vont imiter, au fur et à mesure qu'ils grandissent ? Quelle influence ces modèles peuvent-ils avoir sur le développement de la créativité de l'enfant au fil des années ? En quoi des formes différentes de schémas d'imitation propres à des cultures spécifiques affectent-elles le comportement ?

Pour mener à bien un programme behavioriste à l'école, quelles sont les meilleures méthodes pour inciter des enfants de niveaux d'âge différents à adopter un comportement désiré pour la première fois ? En d'autres termes, quelle est la valeur effective, aux différents stades de la croissance, des techniques de renforcement suivantes : (1) le professeur présente le comportement désiré au moyen d'une démonstration, (2) les personnages admirés dans les films ou à la télévision ont adopté ce comportement, (3) plusieurs compagnons de classe se conduisent de cette manière, (4) le maître donne des instructions verbales détaillées, (5) l'enfant tente d'adopter ce nouveau comportement suite à quelques remarques émises par son professeur.

Pour les enfants présentant des problèmes d'ajustement psychologique, à quel point l'approche de la thérapie behavioriste est-elle efficace, comparée à d'autres techniques thérapeutiques ? Quels sont les meilleurs critères d'évaluation de ces différentes méthodes ? La thérapie basée sur les techniques de modification du comportement s'applique-t-elle à un niveau d'âge en particulier ? La théorie de l'apprentissage social vaut-elle également pour des enfants intellectuellement surdoués, pour ceux qui ont des capacités normales et pour ceux qui se situent au-dessous de la moyenne ? Et pourquoi ? Toutes ces questions constituent autant de nouvelles pistes de recherche suscitées par la théorie de l'apprentissage social.

La théorie de l'apprentissage social : une évaluation

La théorie de l'apprentissage social telle que proposée ci-dessus fonctionne selon les principes déjà considérés au chapitre 14 ; il ne semble donc pas nécessaire de passer en revue la totalité du processus d'évaluation utilisé pour évaluer le behaviorisme radical.

Les travaux de Bandura sur l'apprentissage social, comme ceux du système de Skinner, sont clairement décrits (critère 2); ils sont également vérifiables (critère 7) et mènent à des conseils pédagogiques pratiques (critère 4). De plus, comme le suggèrent les multiples applications de la théorie de Bandura, celle-ci a contribué à stimuler de nombreuses autres recherches et mérite un très bon résultat pour le critère de fertilité (critère 8). Nous considérons également que la théorie de l'apprentissage social est supérieure quant à la simplicité de ses explications (critère 6) car les versions de la théorie que nous venons de présenter dans ce chapitre, semblent moins confuses que la théorie du conditionnement opérant.

De plus, contrairement au modèle de Skinner, les théories de l'apprentissage social ne négligent pas autant l'activité mentale et elles ont laissé une place importante à la fonction imitative dans le développement de la personnalité. De plus, Bandura, Sears, Rotter et les Kendler ont basé leurs recherches sur l'observation d'enfants, et non d'animaux, évitant par là la critique adressée à l'époque à Skinner d'avoir tiré des conclusions simplistes sur le développement humain, en les fondant sur des expériences réalisées sur des rats et des pigeons. Pour toutes ces raisons, la théorie du comportement social reçoit une cote plus élevée que celle de Skinner, dans la mesure où la première reflète bien le monde réel des enfants, explique le passé et prédit le futur (critère 3).

Cependant, malgré tous ces avantages, la théorie de l'apprentissage social n'a pas fait l'unanimité auprès des personnes concernées par le développement de l'enfant. Parents et éducateurs en quête d'informations ne sont guère éclairés par un modèle de l'apprentissage qui décrit «la manière» dont les enfants apprennent plutôt que «ce qu'ils sont» à des

Tableau 15.1 — La théorie de Bandura

Comment la théorie de Bandura répond-elle aux critères ?

Les critères	*Très bien*			*Assez bien*	*Très Mal*
1. Reflète le monde réel des enfants			X		
2. Se comprend clairement	X				
3. Explique le développement passé et prévoit l'avenir			X		
4. Facilite l'éducation	X				
5. A une logique interne	X				
6. Est économique		X			
7. Est vérifiable	X				
8. Stimule de nouvelles découvertes	X				
9. Est satisfaisante en elle-même			X		

stades différents de leur vie (critère 1). Cette critique s'applique davantage au travail de Bandura qu'à celui de Sears et des Kendler, qui ont proposé quelques descriptions des caractéristiques de l'enfant à certains niveaux de développement. De plus, ceux qui considèrent le capital génétique d'un enfant et l'influence de la maturation interne comme facteurs essentiels du développement peuvent critiquer la théorie de l'apprentissage social, en ce qu'elle minimise l'influence de l'hérédité sur le développement.

Finalement, toutes les approches comportementales, y compris celles de la théorie de l'apprentissage social, ont été critiquées pour n'avoir pas accordé assez d'importance aux processus de pensée et de perception de soi. Les critiques ont avancé qu'un enfant qui se développe n'est pas simplement un mécanisme animé susceptible d'être programmé de manière à s'ajuster aux désirs des agents qui contrôlent son environnement. De plus, comme nous le verrons ci-après, certains suggèrent qu'un enfant est une personnalité unique avec des espoirs, projets et sentiments qui forment l'essence même de son humanité. Les différentes approches behavioristes semblent ignorer cet aspect propre à chaque individu.

Alors que la théorie de l'apprentissage social ne répond pas d'une manière satisfaisante à toutes les questions que se posent théoriciens, parents et éducateurs, elle est pourtant, parmi les diverses théories abordées, celle qui offre la description la plus fidèle de la manière dont les enfants acquièrent ce qui, dans leur personnalité, est *appris* plutôt qu'*hérité*. Ainsi, Hilgard et Bower ont conclu que :

> *La théorie de l'apprentissage social procure la meilleure synthèse de ce qu'une théorie moderne de l'apprentissage peut apporter à la solution de problèmes pratiques. Elle fournit aussi un cadre adéquat dans lequel on peut placer les théories sur les processus d'information relatives à la compréhension du langage, la mémoire, l'imagination et la résolution de problèmes. (...) Pour ces raisons, la théorie de l'apprentissage social apparaîtrait comme le modèle théorique du «consensus» à l'intérieur duquel de nombreuses recherches sur l'apprentissage (spécialement chez les humains) évolueront dans les années à venir* (1975, p. 605).

En nous basant sur l'impact que ce modèle a produit ainsi que sur les importantes contributions qu'il a apportées (critère 9), nous avons attribué à la théorie de l'apprentissage social un meilleur résultat qu'au behaviorisme radical de Skinner.

Septième partie

L'approche «humaniste» Le développement de l'être intérieur

La psychologie dite «humaniste» naît aux Etats-Unis en 1962 avec la formation d'une association, «The Association of Humanistic Psychology» et la publication d'une revue pédagogique, le *Journal of Humanistic Psychology*. Dans notre ouvrage, nous utiliserons l'expression de *psychologie humaniste* pour désigner cette théorie, aucune terminologie spécifique n'ayant été établie en français (Mahrer, 1991; Mahrer, interviews, 1991, 1993).

Le modèle humaniste du développement proposé au chapitre 16 rend compte du point de vue des chercheurs les plus actifs de cette école : Maslow, Buhler et Mahrer. D'autres versions de cette théorie figurent dans les publications de Gordon W. Allport (1961, 1968), d'Arthur W. Combs et de Donald Snygg (1959), de Earl C. Kelley (1962), de Rollo May (Reeves, 1977), de Fredrick S. Perls (1951), de Carl Rogers (1961, 1973) et d'autres auteurs qui publient régulièrement dans des périodiques tels que : *Journal of Humanistic Psychology, The Humanistic Psychologist, Journal of Phenomenological Psychology, Review of Existential Psychology and Psychiatry* et *Self and Society*.

L'approche humaniste, contrairement au système behavioriste, n'étudie pas les individus de l'extérieur, mais de l'intérieur. L'introspection y constitue la principale technique d'investigation, car les psychologues de cette école considèrent que l'essence d'un individu doit se retrouver non pas dans ses actes, mais dans ses pensées et ses sentiments vis-à-vis de son expérience personnelle. Cette analyse intérieure de la personnalité a toujours existé et s'est présentée sous des formes diverses, appelées tantôt humanisme ou existentialisme ou encore phénoménologie, mysticisme, etc. Les philosophes humanistes ont contribué à faire admettre que chaque personne est dotée d'une volonté libre, qui lui permet de faire des choix et de faire preuve de capacités créatives en tant qu'individu.

L'une de ces approches, née en Europe et connue sous le nom d'*existentialisme*, affirme que la réalité de la vie réside dans l'interprétation que chaque individu donne de sa propre existence. Les existentialistes ont souligné l'importance pour l'individu d'expérimenter à fond chaque moment de la vie. De même, les phénoménologues ont établi que la «vérité» de l'existence se situe dans l'expérience et non dans des descriptions objectives du comportement tel qu'il est mesuré et testé par les techniques expérimentales. Une variante de la *phénoménologie* a vu le jour au milieu du XXe siècle, à la faveur de la publication d'un ouvrage intitulé *Individual Behavior* (Comportement individuel), rédigé par deux psychologues américains, Combs et Snygg, qui attachaient une attention particulière à l'*être phénoménal*, c'est-à-dire à la pleine reconnaissance du *moi*.

Les psychologues humanistes «ne prétendent pas être objectifs quant à la méthodologie de recherche qu'ils emploient. Ils s'appliquent à la découverte de méthodes à l'intérieur du très subjectif échange dans les relations humaines, qui peut conduire à la connaissance d'un autre être humain» (Buhler et Allen, 1972, p. 24). Ceux qui considèrent la méthode expérimentale comme la meilleure source d'information sur le développement de l'enfant considèrent souvent que l'approche humaniste n'a pas les spécificités d'une vraie théorie de développement. Cependant, comme nous utilisons dans le présent ouvrage le mot *théorie* dans son acception la plus large, nous estimons que les vues humanistes relèvent du domaine de la psychologie, car elles envisagent plusieurs des questions relatives au développement humain que nous avons décrites au chapitre 2. La théorie développée au chapitre 16 n'a pas une portée univoque : il s'agit en effet d'un ensemble échafaudé à partir de fragments divers provenant d'auteurs comme Abraham Maslow, Charlotte Buhler et Alvin R. Mahrer, les deux premiers se ralliant généralement au point de vue des premiers psychologues humanistes, le troisième s'en écartant quelque peu, pour proposer une perspective plus évoluée, basée sur les recherches récentes effectuées dans ce domaine.

La théorie présentée ici explique nombre de phénomènes qui constituent chez chaque individu, l'*être intérieur*. Comme le décrit Hillner, ce modèle apparaît comme une conception du développement qui :

> *met l'accent sur la personne, sur la personnalité, sur le Moi, sur le concept de soi, en d'autres termes sur l'essence et l'existence. L'humanisme porte sur les phénomènes psychologiques comme la créativité, l'amour, l'estime de soi, la maturité, l'autonomie, l'identité, la responsabilité et l'adaptation. En tant que processus d'intervention et moyen thérapeutique, l'humanisme permet à l'individu de mieux comprendre et d'être plus réceptif, plus indépendant, plus ouvert, plus stable et mieux équilibré* (1984, p. 238).

Avant de passer à la description du modèle humaniste, il est utile d'émettre quelques considérations méthodologiques préalables. Cette variante de la psychologie se basant sur l'image qu'une personne a d'elle-même dans ses relations avec le monde extérieur, les méthodes de recherche qui font appel à des observateurs étrangers à l'individu en question y ont peu d'importance. En effet, ceux-ci éprouveraient des difficultés à établir des généralisations, à présenter des données normatives pour un groupe donné et à comparer différents types d'individus. Les méthodes utilisées par la plupart des théories étudiées précédemment pour évaluer la nature de l'*être intérieur* seront ici abandonnées : en effet, les chercheurs humanistes sont largement tributaires d'émotions et de perceptions individuelles, ce qui rend malaisées l'utilisation de formules et de catégories et la présentation de leurs résultats sous forme de graphiques ou de statistiques.

16

Les perspectives humanistes de Maslow, de Buhler et de Mahrer

Le mouvement représenté par les créateurs de l'association de psychologie humaniste, *The Association of Humanistic Psychology* (A.H.P.), au début des années 60, constituait d'abord une tentative pour focaliser l'attention sur le *développement du moi*. Simultanément, elle réagissait contre deux courants de pensée psychologique et fut surnommée «la troisième force» en psychologie par un professeur de l'Université Brandeis, Abraham Maslow (1908-1970). Les deux positions théoriques rejetées par cette nouvelle école étaient la *psychologie du comportement* et la *psychanalyse*. Le behaviorisme était accusé de réduire les individus à un système d'actes observables et de passer sous silence des aspects humains tels que les valeurs, les sentiments, les espoirs, la faculté de choix et la créativité, et ne considérait pas l'être humain comme une personne à part entière cherchant à atteindre des buts et en quête d'idéal (Maslow, 1968, 1970). La psychanalyse freudienne, quant à elle, a été critiquée pour avoir opté pour une représentation négative de l'humanité, pour avoir choisi de présenter un aspect morbide du comportement et pour avoir échoué dans sa tentative de définir la nature du développement chez une personnalité saine et positive.

La psychologie humaniste, telle qu'elle apparaît dans les options de base de l'Association, est caractérisée par :

(1) une focalisation de l'attention sur la *personne* qui fait les expériences et, par conséquent, un intérêt accru pour l'*expérience* en tant qu'instrument essentiel dans l'étude de l'homme. Les explications théoriques, tout comme le comportement observable, sont considérés comme secondaires par rapport à la valeur de l'expérience et sa signification pour l'individu.
(2) l'accent particulier qu'elle met sur les *qualités humaines*, telles que le choix, la créativité et la réalisation de soi, ce qui la différencie d'une perception de l'être humain en termes purement mécanistes et réductionnistes.
(3) une référence au *sens* dans le choix des problèmes à étudier et des procédures de recherche à employer. Elle s'oppose donc par là aux méthodes qui privilégient l'objectivité, aux dépens de la signification.
(4) l'intérêt tout particulier qu'elle accorde à la *dignité* et la *valeur intrinsèque de l'homme* et aussi au *développement du potentiel propre à chaque individu*. L'attention se focalise sur l'individu, alors qu'il découvre sa propre personnalité et la nature de ses relations avec d'autres personnes et groupes sociaux (Brochure de l'association A.H.P.).

Les théoriciens humanistes proposent effectivement une image positive et optimiste des humains et considèrent que la vie «doit être vécue subjectivement, comme elle se présente». Les idées issues de ce mouvement ne convergeaient pas nécessairement, de même que les avis des théoriciens qui participaient à ce mouvement. Ajoutons encore que ce modèle n'est pas une théorie spécifique au développement de l'enfant, car il concerne la plupart du temps l'adulte, ou la vie dans toute sa durée, sans établir de distinctions entre les différentes catégories d'âge. Cependant les écrits de plusieurs de ces psychologues, en particulier ceux de Mahrer permettent de trouver des réponses à bon nombre de questions relatives au développement de l'enfant.

Les trois théoriciens dont les travaux sont particulièrement utiles pour appréhender la psychologie humaniste sont Abraham Maslow (1908-1970), Charlotte Buhler (1893-1974) et Alvin Mahrer (né en 1927). Maslow a d'abord reçu une formation en psychologie expérimentale et en psychanalyse, mais il a estimé que ces deux disciplines n'accordaient pas une attention suffisante à ce qu'il considérait comme l'essence de la personnalité humaine, c'est-à-dire la conscience qu'une personne a de son *moi* et l'expérience immédiate que chacun a de la vie. Buhler, une psychologue européenne, a apporté ses premières contributions à la littérature sur le développement de l'enfant en Autriche, avant de s'établir aux Etats-Unis. Mahrer, d'origine tchécoslovaque, est actuellement professeur de psychologie à l'Université d'Ottawa, au Canada; il a étudié aux Etats-Unis. Il a d'abord travaillé comme psychanalyste, mais est peu à peu passé de la psychanalyse à une position «existentialiste-humaniste», qu'il a appelée «experiental psychotherapy» ou *psychothérapie expérientielle.* Comme nous le verrons, les opinions de Mahrer divergent en différents points de celles de Maslow et de Buhler et il admet «ne pas se sentir tout à fait chez lui en compagnie des psychologues humanistes typiques». Son ouvrage intitulé *Experiencing: A Humanistic Theory of Psychology and Psychiatry* (publié en 1978 et réimprimé en 1989), est celui qui semble articuler le mieux les idées propres à la psychologie humaniste; de plus, il y consacre une part importante à l'étude des changements qui se produisent dans la personnalité humaine au cours des différentes périodes du développement.

Il se révèle ainsi comme le nouveau chef de file du mouvement. Les dernières publications de Maslow et de Buhler datent du début des années 70. Mahrer est le seul à avoir contribué régulièrement pendant toute cette période à des améliorations théoriques, empiriques et pratiques dans les domaines de la psychologie humaniste et de l'*approche expérientielle* en psychothérapie. En particulier, notons que son modèle théorique et les techniques qui en dérivent semblent dominer la psychothérapie, au Canada et dans une certaine mesure aux Etats-Unis. Parmi ses récents travaux citons entre autres, *Dream Work in Psychotherapy and Self-Change* (1989b), *How to do Experiental Psychotherapy: A Manual for Practitioners* (1989c) et *The Integration of Psychotherapies: A Guide for Practicing Therapists* (1989d).

Dans l'exposé qui va suivre, nous allons traiter successivement : (1) de la nature originelle de l'enfant, (2) de l'importance des besoins et des buts, (3) de la nature du *Moi*, (4) des directions et des étapes de développement, (5) du développement sain, des maladies et déviances, (6) du rôle de l'hérédité et de l'éducation, (7) des applications pratiques, (8) des perspectives de recherche et (9) d'une évaluation de l'approche humaniste.

A la fin de ce chapitre, nous décrirons brièvement un modèle du développement de l'identité culturelle et raciale. Bien que cette proposition théorique ne se réclame pas directement de l'école humaniste, certaines similitudes marquantes nous ont incité à l'insérer dans cette section.

La nature originelle de l'enfant

Dans la plupart des versions de la théorie humaniste, la nature profonde déterminée biologiquement consiste en besoins de base, émotions et facultés qui sont neutres ou positives. Des caractéristiques considérées comme «mauvaises» telle que l'instinct de destruction, la cruauté et la malice ne sont pas innées, d'après Maslow (1968, pp. 3-4), mais sont :

> *des réactions violentes contre les frustrations occasionnées par nos besoins intrinsèques, nos émotions et capacités (...) Puisque cette nature profonde est bonne ou neutre plutôt que mauvaise, il est meilleur de la mettre au jour et de l'encourager plutôt que de la réprimer. Si on lui permet de guider notre vie, nous grandissons sains, productifs et heureux.*

Par conséquent, le but poursuivi par celui qui guide le développement de l'enfant doit être de favoriser l'expression de sa nature profonde. Cette tâche est difficile parce que l'essence de la personnalité de l'enfant est délicate et facilement endommagée par des expériences défavorables. Supprimer ou déformer l'expression de la nature profonde provoque malaises, maladies physiques ou déviation du comportement qui parfois se manifestent immédiatement, mais peuvent aussi n'affleurer que des mois ou des années après cette expérience néfaste. Cependant, même lorsque la personnalité intérieure est malmenée, elle continue à vivre dans les profondeurs de l'inconscient, luttant constamment pour s'exprimer. C'est ce processus qui, dans le langage de Maslow, porte le nom d'*actualisation*, c'est-à-dire le moyen par lequel on arrive à la *réalisation de son être* et à l'*accomplissement de soi.*

Quoique Buhler et nombre d'autres théoriciens admettaient sans doute la conception maslowienne de la nature originelle de l'enfant, Mahrer a émis une autre hypothèse à ce propos : il soutient que «l'enfant possède une nature de base qui, fondamentalement, est libre, spontanée, créative, aimante, active, persévérante et réalisatrice» (Mahrer, 1989a, p. 634). En plus de ces facultés inhérentes à la nature humaine, Mahrer a proposé ce qu'il considère comme un vrai concept «humaniste» de l'état originel de l'enfance, un état qu'il nomme *personnalité de base* ou *primitive.* Ce concept est une réminiscence de l'espace de vie ou champ psychologique de Lewin. Pour lui, la *personnalité de base* n'est pas seulement quelque chose qui naît avec l'enfant, mais une composition complexe (1) des caractéristiques physiques et des potentialités internes du nourrisson, (2) des convictions des parents sur ce que cet enfant devrait être, (3) des résultats des relations qui existent entre l'enfant et ses parents (Mahrer, 1989a, p. 619). Il émet également l'hypothèse que l'interaction de ces forces internes et externes détermine ce que l'enfant expérimente, ce qui fait que ce processus d'interaction est valablement identifié comme étant la *personnalité de base* ou l'*état originel* de l'enfant.

En résumé, la conception dominante, tant auprès des psychologues humanistes que des humanistes, est que la nature originelle de l'enfant résulte d'une lutte positive pour mettre en valeur une essence intérieure qui est bonne et constructive et pour parvenir à la pleine réalisation de soi. Mais d'autres théoriciens, tels que Mahrer par exemple, qui par ailleurs se rallient à ce mouvement, défendent une vision différente de ce que peut être la condition originelle de l'enfant. Ils tiennent compte de l'interaction entre la nature de base de l'enfant et les expériences réelles qu'il a vécues pour défendre leur position, ce qui nous semble être un point de vue plus réaliste.

Besoins et buts humains

Un concept clé auquel souscrivent les psychologues humanistes est que le comportement humain est d'abord motivé par la recherche de satisfaction d'une série de besoins. Cependant, tous les théoriciens ne s'accordent pas pour définir le terme *besoin* comme étant une force interne qui pousse l'individu vers la pensée et vers l'action. Quelques-uns lui préfèrent des termes tels que *souhaits, désirs, buts, pulsions ou potentiels* (Mahrer, 1978, pp. 20-23).

Pour différencier la conception humaniste du terme *besoins* de celle d'autres théoriciens, Maslow en distingue deux types. Le premier, qu'il a appelé *besoins liés à une déficience*, reprend les besoins «primaires» de nourriture, de boissons, d'une température agréable, de sécurité corporelle, de relations affectives, de respect et de prestige. Il prétend qu'un tel besoin se reconnaît par cinq caractéristiques observées objectivement chez une personne et par deux caractéristiques perçues subjectivement. Objectivement, un *besoin* existe (1) si l'absence de quelque chose crée un malaise, (2) si sa présence prévient ce malaise, (3) si son retour élimine le malaise, (4) si, en situation de libre choix, la personne qui en est privée le préfère à d'autres satisfactions possibles et (5) si ce «quelque chose» se trouve être inactif ou fonctionnellement absent chez une personne en bonne santé. Subjectivement, un besoin lié à une déficience est perçu comme (6) une aspiration ou un désir conscient ou inconscient, et (7) une absence ou une déficience (Maslow, 1968, p. 22).

A côté de ces besoins liés à une déficience qui sont également présents dans d'autres théories du développement, les psychologues humanistes font figurer un second ensemble de besoins d'*actualisation* ou de *réalisation de soi-même*. Cependant, ils ont eu des difficultés pour spécifier la nature de ce second groupe de besoins. Maslow a admis que :

> *La croissance, le sens de l'individualité, l'autonomie, l'accomplissement de soi, le développement personnel, la productivité, la réalisation de soi sont quasi synonymes, désignant un champ vaguement perçu plutôt qu'un concept clairement défini (...) Nous n'en savons vraiment*

pas encore assez au sujet de la croissance pour être capables de bien définir ce concept (1968, p. 24).

Cependant, dans une première tentative de définition, Maslow avait émis l'hypothèse que le besoin d'*actualisation de soi*, d'*accomplissement individuel* ou de *réalisation de son être* est une lutte menée par chacun pour réaliser ses potentialités, ses capacités et ses talents; c'est une recherche vers l'accomplissement d'une mission, d'une destinée, d'une vocation, qui peut mener à une meilleure connaissance de soi, une acceptation de sa propre personnalité et un «incessant cheminement vers l'unité d'intégration ou vers la synergie à l'intérieur d'une personne» (Maslow, 1968, p. 26). Le plus haut degré de développement chez l'être humain est alors la réalisation d'un tel accomplissement de soi. En commentant ce point culminant, Buhler et Allen (1972, p. 45) ont écrit : «Tous les psychologues *humanistes* conçoivent le but de l'existence comme étant le fait pour chaque individu d'utiliser sa vie pour accomplir quelque chose en quoi il ou elle croit».

Les besoins humains dans le système de Maslow forment alors une hiérarchie qui part des *besoins physiologiques* de base pour parvenir au summum, à la *réalisation de l'être intérieur*, à l'*actualisation de soi.* Maslow a proposé que les besoins primaires doivent être satisfaits avant de s'attarder aux besoins du niveau supérieur. En allant du sommet vers la base, ceux-ci peuvent être répartis en cinq catégories (Maslow, 1970, pp. 80-89) :

I *Besoin d'actualisation de soi ou de réalisation de son être* (self-actualisation need) : il consiste à atteindre ce qu'individuellement chacun est apte à atteindre. «Ce que quelqu'un peut être, il doit l'être. Il doit être "fidèle" à sa propre nature».
II *Besoin d'estime de soi* : il implique le respect et l'estime de soi-même, de même que l'estime des autres.
III *Besoin d'amour et d'appartenance* : ce désir touche la famille, les amis, les amants; il comprend l'affection, l'enracinement et l'intimité.
IV *Besoin de sécurité* : c'est le désir de sécurité et de stabilité qui libère de la peur, de l'anxiété et du chaos. Il intègre un besoin de structure, celui d'avoir des lois et des limites.
V *Besoins physiologiques* : ils regroupent les besoins de respirer, de se nourrir, de boire et la satisfaction des divers besoins qui permettent de réaliser l'équilibre ou l'homéostasie à l'intérieur du corps.

La nature de l'être intérieur

Tous les psychologues humanistes sont unanimes pour reconnaître l'importance du *moi*, c'est-à-dire de l'*être phénoménal*, et en font la préoccupation centrale du développement humain. Bien que ce *«moi»* apparaisse souvent dans le domaine de la psychologie, il n'est pas toujours décrit de la même manière par différents auteurs et sa signification varie même d'une fois à l'autre dans les écrits d'un même auteur. Arthur Combs et Donald Snygg (1959, p. 124) ont proposé que l'*être phénoménal* «n'est pas un simple conglomérat ou une addition d'aspects isolés du "moi" mais bien une inter-relation "gestaltique" de tous ces éléments. C'est l'individu tel qu'il semble être de son propre point d'observation». Par ailleurs, Rollo May a appelé le *moi* :

> *la fonction d'organisation à l'intérieur de l'individu (...) au moyen de quoi un être humain peut nouer des relations avec un autre; la conscience de son identité propre (...) en tant que sentiment intuitif et unité d'action (...) pas seulement la somme des "rôles" que quelqu'un remplit, mais encore la capacité qu'a chacun de savoir qu'il joue ces rôles; c'est le centre à partir duquel on se voit et d'où l'on se rend compte des différents aspects de soi-même* (cité dans Reeves, 1977, pp. 286-287).

Gordon Allport (1961, p. 110) décrit l'*être phénoménal* «comme une espèce de noyau à l'intérieur de soi. Et encore, ce n'est pas un noyau constant. Quelquefois, il s'étend et semble diriger tout notre comportement et notre conscience, d'autres fois, il semble se retirer complètement de la scène, nous laissant sans aucune connaissance de notre être». Pour sa part, Frederick Perls a appelé le moi, l'intégrateur, l'unité synthétique et «l'artiste de la vie». Et alors qu'il est «seulement un petit facteur dans l'interaction totale de l'organisme et de l'environnement (...) il joue le rôle crucial de découvrir les éléments clés qui influencent la manière dont nous nous développons». Il est comme le «système de contacts qui assure la liaison avec l'environnement à n'importe quel moment et il est flexible en ce qu'il change avec les besoins organiques dominants et les stimuli insistants venant de l'environnement; c'est le système de réponses; il diminue dans le sommeil quand il y a moins de nécessité à répondre» (Perle, Hefferline et Goodman, 1951, p. 235).

Alors que ces descriptions limitent ce «moi» au domaine du conscient, d'autres théoriciens, tel Earl Kelley, lui intègrent également des fonctions inconscientes :

> *Le moi consiste en une organisation d'expériences accumulées pendant toute une vie. Il est facile de voir, par conséquent, qu'une grande partie du moi a été reléguée dans l'inconscient ou a été oubliée. Ceci ne veut pas dire que ces expériences premières se sont perdues. Cela*

signifie simplement qu'elles ne peuvent facilement être rappelées à la conscience (1962, p. 9).

Maslow et Buhler, comme la plupart des théoriciens humanistes, admettent les principaux agents freudiens constitutifs de la personnalité : le *moi*, le *ça* et le *surmoi*, de même que les nombreux mécanismes instinctifs décrits par Freud, comme les pulsions et les réactions de défense, aussi bien que le processus primaire (recherche du plaisir immédiat) et le processus secondaire (le *moi* reconnaissant le monde réel et satisfaisant les demandes du *ça* à la lumière de la réalité). Mais, pour le psychologue humaniste, ces agents isolés, souvent antagonistes, tendent, à mesure que la personne mûrit en une unité compatible – le *moi essentiel* –, à s'intégrer. Ainsi, l'individu qui satisfait tous ses besoins, tant ceux de base que ceux participant à la *réalisation de son être* et à l'*accomplissement de soi*, verra sa tâche facilitée grâce à une synergie des éléments composites de sa personnalité (Buhler et Massarik, 1968, p. 19).

De même, les psychologues humanistes souscrivent souvent aux niveaux de conscience postulés par Freud, même s'ils n'incluent pas nécessairement le niveau inconscient dans leur concept du *moi essentiel*. Ils considèrent qu'une grande partie du comportement humain provient de motifs inconscients et que «ces portions de nous-mêmes que nous rejetons et réprimons, par peur ou par honte, ne disparaissent pas pour autant de l'existence» (Maslow, 1971, p. 158). Elles s'enfouissent dans l'inconscient. Cependant, ces auteurs rejettent l'idée de Freud selon laquelle le contenu de l'inconscient est principalement – sinon entièrement – antisocial, c'est-à-dire égoïste et réfractaire aux valeurs morales. Ils croient, au contraire, que dans l'inconscient résident également les racines de la créativité, de la joie et de la bonté.

Dans le discours humaniste, la conscience diffère quelque peu du *surmoi* punitif freudien dont le contenu provenait exclusivement des règles et des exigences imposées par l'environnement, en particulier celles des parents. Maslow a affirmé que, à côté des valeurs que l'enfant recueille auprès de son entourage, sa conscience dispose également d'une source génétique, une sorte de sentiment intrinsèque qui le guide dans la conduite qu'il convient d'adopter. Cette voix provient de la nature ancienne de l'homme et est liée aux formes primitives de vie. C'est un savoir inné propre au moi intérieur. Maslow pense que la culpabilité intrinsèque survient quand un individu sent qu'il a trahi sa propre nature profonde et qu'il a dévié de la voie d'auto-actualisation ou d'accomplissement de soi. Pour Maslow, la culpabilité intrinsèque est un sentiment désirable, car elle prévient l'enfant dès qu'il s'écarte de sa vraie destinée. Cependant, la culpabilité, si elle est due à des exigences déraisonnables de l'environnement, est rarement constructive et freine la recherche de l'identité de l'individu et la pleine réalisation de soi.

Les humanistes n'ont pas encore réussi à se mettre d'accord sur la nature de ce «moi» : s'agit-il d'une entité ou d'une série de «moi séparés», chacun d'eux étant appelé à jouer un rôle dans certaines conditions particulières ? P. Ouspensky a suggéré que :

> *La principale faute que nous faisons à propos de notre personne est que nous nous considérons comme "un", nous parlons toujours de nous-mêmes comme "je" et nous supposons que nous faisons référence à la même chose tout le temps (...) Nous ne savons pas que nous n'avons pas un seul "je" mais plusieurs "je" différents, connectés avec nos sentiments et nos désirs et que nous n'avons pas un "je" contrôleur. Ces "je" changent tout le temps; l'un supprime l'autre, ou en remplace un autre et toute cette lutte constitue notre vie intérieure* (1975, p. 3).

Plus récemment, cette notion de plusieurs *moi* a été exploitée par le psychiatre Eric Berne, dans des ouvrages tels que *Games People Play* (1967) et *What Do You Say After You Say Hello* (1972) qui ont connu un succès certain. Dans la théorie de Berne, les trois *moi* qui luttent en différentes occasions sont ceux qui expriment (1) les vestiges de l'enfance d'une personne, (2) une représentation interne du «parent» de la personne et (3) la personne elle-même en temps qu'adulte rationnel. Cependant, malgré l'absence d'un consensus à propos de la nature exacte du *moi*, tous les théoriciens humanistes s'accordent pour reconnaître ce concept comme étant au cœur du développement humain.

Directions et stades de développement

Comme nous l'avons précisé, la psychologie humaniste n'est pas une psychologie de l'enfant. Elle a été élaborée par des théoriciens soucieux d'aider les adultes à arriver à un meilleur ajustement personnel et social ou, en d'autres termes, à parvenir à une réalisation idéale de leur être. Par conséquent, l'attention de la plupart de ces psychologues ne s'est arrêtée à l'enfance que de manière fortuite. Notre tableau relatif aux stades de développement a donc été établi sur base de sources variées. En effet, la psychologie humaniste sous sa forme la plus connue n'est pas organisée en divers niveaux échelonnés de l'enfance à l'adolescence, en corrélation avec les âges chronologiques. Mahrer constitue toutefois une exception à cette règle, pour avoir identifié ce qu'il a appelé une série de «plateaux» dans le développement de la personnalité (1978, 1989a). Ceux-ci constituent le rapprochement le plus sensible de cette théorie avec les stades identifiés dans les modèles de développement de Piaget, de Freud, de Gesell ou d'Havighurst et justifie en partie pourquoi nous avons choisi de considérer ce modèle dans un livre consacré au développement de l'enfant.

En dépit de cette absence d'étapes de développement définies précisément au cours des vingt premières années de la vie dans la plupart des théories humanistes, Maslow et Buhler ont identifié au moins deux grands moments de changements, à savoir ceux de l'enfance et de l'adolescence. Dans la description de ces niveaux, Buhler distingue le développement biologique du développement psychologique. D'un point de vue biologique, elle a divisé les vingt-cinq premières années de la vie en deux périodes. Durant l'enfance, de 0 à 15 ans, il y a une croissance physique progressive, sans capacité reproductrice. Durant l'adolescence ou la jeunesse, de 15 à 25 ans, il y a une croissance continue, à laquelle viennent s'ajouter des capacités reproductives (Buhler et Massarik, 1968, p. 14).

Le développement psychologique peut aussi être scindé en deux segments généraux, *enfance* et *adolescence*, mais les distinctions n'y sont pas aussi nettes que dans le domaine biologique. Psychologiquement, l'enfant tend vers la réalisation de soi, vers l'accomplissement de buts de mieux en mieux définis et vers une meilleure intégration de ses besoins et valeurs. Ce développement du *moi* est en quelque sorte lié à la croissance biologique et, à ce niveau, le jeune enfant n'est pas encore capable d'assumer la pleine réalisation de son être. Le temps et l'expérience sont nécessaires pour qu'il parvienne à un plus grand degré de *réalisation de soi* ou *synergie*. Mais le temps à lui seul ne suffit pas. Le simple fait de vieillir ne lui garantit pas la réalisation de son être, ni un niveau élevé d'accomplissement. En effet, nombreux sont les adolescents et les adultes qui n'atteignent jamais ce niveau de maturité psychologique. Le passage de l'enfance à l'éclosion de l'adolescence procure donc des opportunités de mûrir, mais une telle maturation n'est pas systématique.

Buhler conclut que la première apparition d'un *moi conscient* survient quand le jeune enfant a entre deux et quatre ans. Pendant cette période, le comportement «je veux» prédomine à mesure que «l'enfant commence à découvrir son propre *moi* et la possibilité de se donner une direction qui lui soit propre» (Buhler et Massarik, 1968, pp. 30-31). La manière dont un enfant exprime cette prise de conscience de soi est très variable, ce phénomène ayant une double origine génétique et environnementale. «L'enfant doué d'un potentiel créatif commence ses premières tentatives de réalisation de soi alors qu'il a entre deux et quatre ans» (Buhler et Massarik, 1968, p. 32).

Tendances, orientations et forces motivantes

Au cours des huit et dix années suivantes, la personnalité de l'enfant évolue progressivement jusqu'à l'arrivée d'un changement psychologique marquant vers dix ou douze ans. A ce moment, selon Buhler, plusieurs forces motivantes apparaissent, orientations qui se précisent par la suite et marquent la personnalité de l'enfant de manière permanente.

Une première tendance concerne la dimension *constructive/destructive* qui caractérise l'attitude générale de la personne face à la vie, attitude qui se consolide pendant cette période du développement. Cette attitude peut tendre à établir des relations humaines positives et des plans optimistes pour le futur, ou elle peut chercher à détruire ces relations, ce qui conduit l'individu à agresser les autres et à se défier de l'avenir. La tendance dominante apparaît très nettement dans le comportement des enfants vis-à-vis de leurs parents, et particulièrement dans la manière dont les conflits entre enfants et parents sont résolus ou aggravés.

Une deuxième tendance réside dans la force motivante qui pousse les enfants à l'*accomplissement*. Le type d'efforts qui seront déployés pour parvenir à différents accomplissements dans la vie d'adulte et la forme que prennent ceux-ci chez un individu apparaissent clairement dès la puberté. Les *croyances* et les *valeurs*, basées sur autre chose qu'une acceptation aveugle, se développent tôt dans l'adolescence, en même temps que l'amour et d'autres formes d'engagements, que ce soit pour une cause noble ou envers d'autres personnes. Buhler estime que les liens d'intimité volontairement choisis et l'engagement dans une relation amoureuse ou sexuelle mutuellement partagée peuvent aboutir à «une extatique expérience d'unité (...) l'un des plus – sinon le plus essentiel – des buts poursuivis par une personne en voie de maturation». Maslow a qualifié ce sentiment d'unité comme étant un des *sommets expérientiels* (Buhler et Massarik, 1968, p. 37). Cette expression, fréquemment usitée en littérature humaniste, «identifie les plus merveilleuses expériences de notre vie, les moments les plus heureux, les moments d'extase et de ravissement» (Maslow dans R. Wuthnow, 1978, p. 57). La réalisation d'un nombre toujours croissant de ces «expériences de sommet» est, dans l'optique humaniste, un objectif majeur du développement humain.

Mais, malgré leur souci nouveau d'adopter des valeurs personnelles et de poursuivre des ambitions immédiates, les adolescents n'ont habituellement que des aspirations vagues et imprécises. Ils perçoivent la vie dans son ensemble, comme une succession d'années avec des possibilités d'intégration à tous les niveaux. «C'est un jeune exceptionnel que celui qui se demande quel est le but de la vie» (Buhler et Massarik, 1968, p. 42). Comme Buhler, d'autres auteurs de la veine humaniste considèrent l'adolescent comme un temps de prise de conscience et de recherche dans le domaine des valeurs et des buts à se fixer et comme une période d'engagement envers un objectif considéré comme valable. Cette période est également confuse. En ce sens, le psychologue humaniste typique admettrait les propos d'Erikson, qui affirme que l'adolescence est vécue comme une crise d'identité. Maslow a émis l'hypothèse que l'incertitude de beaucoup d'adultes, aux Etats-Unis quant à leurs propres valeurs a conduit plus d'un jeune à vivre non d'après des valeurs précises d'adultes mais d'après «des valeurs d'adolescents, lesquelles sont naturellement immatures, ignorantes et lourdement déterminées par des besoins confus d'adolescents» (Maslow, 1968, p. 206).

En résumé, alors que la plupart des psychologues humanistes reconnaissent au moins une enfance pré-pubertaire et une adolescence post-pubertaire en tant que stades distincts dans le développement de la personnalité, ils ne définissent pas de sous-catégories à l'intérieur de ces périodes; ils n'analysent même pas ces deux grandes périodes d'une manière systématique. Ils accordent seulement quelque attention aux notions de stades de développement en rapport avec l'âge.

Hiérarchie des plateaux

Comme nous l'avons déjà mentionné, Mahrer a proposé une séquence de cinq *plateaux* de développement qui décrivent comment l'enfant délaisse sa personnalité originelle pour se créer une identité propre et finalement, comment, à l'âge adulte, il a la possibilité d'atteindre un état de réalisation complète de soi et d'intégration (1989a, pp. 785-834). Dans cette hiérarchie du développement de la personnalité figure d'abord un *moi extérieur*, auquel succède un *moi intérieur* qui, à un moment donné, peut céder la place à un *nouveau moi intérieur*, qualitativement différent du premier et permettant à la personne de mener à bien des expériences de plus en plus variées et probantes. Cette dernière étape est aussi caractérisée par une expansion du niveau de conscience, par un désengagement vis-à-vis de l'identité première et par des relations soutenues et des rapports significatifs avec le monde extérieur.

Cependant, Mahrer a lié cette séquence de développement de la personnalité aux différents niveaux d'âge d'une manière assez évasive faute de données pour prouver l'existence des étapes qu'il a identifiées. A cet effet, il a écrit :

> *(...) nous pouvons seulement vérifier empiriquement le moment où se produit, chez la plupart des gens, la dissolution du champ primitif. Il existe très peu de données qui précisent quel est le nombre de personnes qui passent du premier plateau au second à deux mois, à deux ans, à six, quatorze ou vingt ans* (1989a, p. 798).

Afin de bien démarquer son système des modèles proposés par les autres théoriciens, Mahrer a établi un «schéma général de stades biosociaux et biopsychologiques de développement» et a avancé qu'il n'y a pas «de forces intrinsèques poussant l'enfant d'un plateau à un autre, pas de facteurs biologiques, pas de séquences intérieurement programmées, pas de lignes de développement culturelles, héréditaires ou neurophysiologiques» (1989a, pp. 788-790). Au contraire, il affirme que «les gens sont responsables de ce qu'un individu demeure sur un plateau ou en atteint un autre. Ces gens peuvent comprendre l'individu lui-même, sa famille, le groupe dans lequel il vit ou encore des étrangers importants» (1989a, p. 788).

Mahrer décrit les *plateaux* de développement comme une succession de trois luttes : la première permet d'acquérir le *sens du moi* ou l'*identité personnelle* durant l'enfance, la seconde de préserver sa propre identité malgré les pressions d'un environnement changeant, et la troisième, de perdre le sens d'un individualisme poussé pour parvenir à la réalisation suprême de l'être.

Cette progression commence après la naissance, avec la *personnalité primitive*, à savoir la situation de l'enfant qui évolue dans un domaine psychologique constitué par les parents et les autres personnes de son environnement qui ont une idée spécifique de ce que celui-ci doit être et qui adaptent leurs principes éducatifs en conséquence. Durant cette période, l'enfant n'a aucun sens du *moi* et est dépendant, pour son identité, de la manière dont les autres agissent envers lui : «ce que je suis est une fonction de comment les autres me voient» (Mahrer, 1989a, p. 791). L'enfant va passer de cette condition première au niveau suivant, où la manière dont il sera traité par les personnes responsables de son bien-être pourra varier : s'il n'est pas traité de manière constructive, il peut conserver sa *personnalité primitive* toute sa vie, se fiant toujours au monde extérieur, qu'il perçoit comme un reflet de son identité.

Epaulé par un entourage attentif, l'individu progresse donc vers le second plateau, où va se développer son *sens du moi*. Mahrer estime que pour certaines personnes cette prise de conscience se manifeste de manière précoce; elle se produit dans la plupart des cas vers le milieu de l'enfance, soit entre six et douze ans. Certains individus ne la vivent pas avant l'adolescence ou l'âge adulte, tandis que d'autres n'y parviendront jamais. D'après Mahrer, ce sens du moi apparaît «par morceaux, par petits accès et poussées» (1989a, p. 799).

Au troisième niveau, l'enfant devient un chercheur actif, il multiplie les expériences qui sollicitent ses potentiels de développement en vue de sélectionner certaines activités et d'organiser son monde de manière à favoriser la réalisation de nouvelles expériences. Loin d'être manipulé par son milieu, c'est lui qui façonne les situations qu'il vit et les met à profit pour réaliser ses objectifs propres. Tandis que lors de la troisième période on assistait à la naissance de capacités opérationnelles, le quatrième niveau mène au raffinement de celles-ci, laissant ainsi à l'individu la liberté d'expérimenter la vie dans sa profondeur et sa complexité.

Au cinquième niveau se situe le stade optimal de *l'intégration de soi* et de la *réalisation de son être*, un idéal de maturité, de justesse et de force «que seuls quelques individus peuvent espérer atteindre (...) : l'union du moi avec la réalité suprême ou le *moi universel*» (Mahrer, 1978, p. 833).

Comme nous venons de le voir, les travaux de certains psychologues humanistes peuvent receler quelques informations relatives au développement de l'enfant. Cependant, la plupart d'entre eux ne proposent généralement pas un schéma de *développement en stades*, mais bien une théorie qui suggère les directions prises par le développement, c'est-à-dire un plan de croissance suivi par les êtres humains, qui passent ainsi par des changements successifs.

Objectifs de développement

Pour savoir si un enfant se développe vraiment dans la bonne direction, il est essentiel de déterminer l'objectif poursuivi pour son développement. Maslow donne deux définitions d'un développement sain, l'une générale et l'autre plus spécifique. Dans la première, il considère que les gens sont motivés dans leur développement vers :

> *un processus continuel de réalisation de leurs potentiels, capacités et talents, ce qui apparaît comme l'accomplissement d'une mission (qu'elle soit appelée destinée ou vocation), comme un savoir accru et une acceptation de la nature intrinsèque d'une personne, comme une tendance incessante vers l'unité, l'intégration ou la synergie à l'intérieur d'un individu* (Maslow, 1968, p. 25).

Mais beaucoup de gens ont jugé cette définition trop imprécise et Maslow a donc proposé une description plus spécifique de la condition finale du développement sain en précisant les traits qui caractérisent une personne «actualisée», c'est-à-dire accomplie et pleinement réalisée, à savoir (Maslow, 1968, p. 26) :

(1) une perception supérieure de la réalité,
(2) une acceptation marquée de soi-même, des autres et de la nature,
(3) une grande spontanéité,
(4) une aisance remarquable dans la résolution de problèmes,
(5) une grande autonomie et une résistance à l'acculturation,
(6) un esprit d'indépendance et un désir d'isolement,
(7) une grande faculté d'appréciation et une richesse de réactions émotionnelles,
(8) des expériences plus nombreuses de sommets expérientiels,
(9) une identification marquée avec l'espèce humaine,
(10) de meilleures relations interpersonnelles,
(11) un caractère plus tolérant,

(12) une créativité remarquable,
(13) des changements importants dans le système de valeurs.

D'autres théoriciens humanistes, tout comme Maslow, ont donné leur propre vision du développement idéal. Par exemple, Combs (1962, pp. 52-62) a avancé que la personnalité vraiment équilibrée (1) donne de l'amour aux autres et se sent aimée d'eux, (2) est ouverte aux nouvelles expériences, (3) s'identifie comme étant très proche des autres et les traite de manière responsable et fiable et (4) dispose d'un «champ de perception riche», ce qui signifie que la personne est suffisamment bien informée sur le monde et qu'elle est à même de comprendre clairement les événements qui la touchent.

Carl Rogers (1973, p. 12) a décrit le développement correct comme passant d'un état de rigidité à un état de flexibilité, d'une vie statique à une vie active, de la dépendance à l'autonomie, d'un état de vie prévisible à celui de créativité imprévisible et d'une attitude de défense à une attitude d'acceptation de soi.

Développement sain et déviance

En lieu et place des mots *normal* et *anormal*, Maslow a utilisé les termes de *santé* et de *maladie* ou de *maturité* et d'*immaturité* du développement. De plus, il a distingué deux types d'immaturité : une forme *chronologique* et une forme *malsaine*. L'immaturité chronologique caractérise l'enfant tandis qu'il grandit; elle est attendue et même nécessaire, car elle s'intègre dans le processus d'un développement sain qui part d'un stade de faiblesse et d'ignorance pour parvenir à un stade adulte d'accomplissement de soi. Mais, lorsque les mêmes types de symptômes se retrouvent chez l'adulte, ils sont considérés comme malsains, car à ce niveau l'individu devrait être sage, bien intégré et pénétré de ses valeurs et de ses buts.

La *déviance*, c'est-à-dire le fait d'être différent des autres ou de s'écarter des normes, n'est pas nécessairement considérée comme malsaine. En fait, être *déviant* et exprimer ses talents selon des directives internes a été perçu par Maslow comme essentiel pour l'accomplissement personnel et la réalisation de soi. Si une personne adopte le comportement typique ou les normes d'une culture qui freinent l'expression de sa nature intérieure ou l'essence de sa personnalité, elle n'est alors pas considérée comme *normale*, dans le sens d'un développement harmonieux selon un schéma sain. Au contraire, dans le système de Maslow, elle est dite immature et mal développée car :

la principale source de maladie (quoique n'étant pas la seule) est perçue comme une frustration (des besoins de base (...) des potenti-

alités idiosyncratiques, de l'expression du moi et de la tendance de la personne à grandir selon son propre style et à son propre rythme) spécialement dans les premières années de la vie (Maslow, 1968, pp. 193-194).

Ce n'est donc pas la déviance par rapport au comportement commun ou typique d'une société qui est désapprouvée par le modèle humaniste, mais la déviance de l'être par rapport à ses propres potentialités. Un enfant qui ne «cadre pas avec sa culture» ou qui «se dresse contre la foule» est un enfant psychologiquement sain, d'après les standards humanistes, si la culture en question est mauvaise. Et par «mauvaise», Maslow entend une culture inhibée qui retarde le développement plutôt que de le favoriser. «Une "meilleure" culture satisfait les besoins humains de base et favorise l'accomplissement individuel. Une culture "plus pauvre" ne le fait pas» (Maslow, 1968, p. 211).

Nature et environnement

Pour le modèle humaniste, l'enfant naît doté de capacités particulières de développement et d'accomplissement personnel. Ceux-ci se réalisent grâce à des initiatives constructives, mais ces potentialités ne s'épanouissent que si elles sont convenablement entretenues durant les années de développement. Comme notre description du point de vue de Maslow l'a déjà suggéré, celui-ci a accordé un grand rôle à l'hérédité dans le développement de la personnalité. Pour lui, l'essence même de la personnalité est inscrite dans la structure génétique propre à chaque individu et est constituée d'un assemblage de talents et d'intérêts latents. L'environnement détermine alors comment cette identité ou ce «moi idiosyncratique» se développe et *se réalise*. Donc, bien que les théoriciens humanistes reconnaissent l'importance de l'aspect inné, ils accordent cependant une place particulière à la fonction de l'environnement social dans le façonnement de la personnalité réelle de l'enfant qui se développe. Le moi «est construit presque entièrement, si pas entièrement, en relation avec d'autres personnes. Alors que le nouveau-né possède l'équipement nécessaire au *développement du moi*, il existe une preuve évidente qui montre que rien qui ressemble à un moi ne peut être construit en l'absence des autres» (Kelley, 1962, p. 9). «Les gens découvrent leur concept du moi d'après les types d'expériences qu'ils ont connues dans la vie, non pas par racontars, mais par expérience» (Combs, 1962, p. 84).

Curieusement, d'une certaine manière, le concept maslowien du rapport entre nature et environnement se rapproche de celui des puritains, et sous un autre aspect, il est semblable à celui de Rousseau. Comme les puritains, Maslow considère que chaque personne est, d'une manière innée, vouée à jouer un rôle particulier. Selon les théories puritaines et humanistes, une mission décisive à la fin de l'enfance et de l'adolescence consiste à découvrir la nature de cette vocation ou, d'après Erikson, à découvrir sa propre identité. Le jeune puritain devait chercher son identité à travers la prière et la méditation. Dans la psychologie humaniste moderne, un jeune découvre sa vocation à travers ses relations avec un environnement social à la fois permissif, favorable au développement et réaliste, mais aussi en se fiant à son intuition.

Mais, à l'image de Rousseau, et s'écartant par là du modèle puritain, les théoriciens humanistes ont suggéré que les instincts naturels de l'enfant sont bons et qu'ils doivent être suivis. L'environnement devrait donc fournir des opportunités pour laisser la bonne nature s'épanouir, plutôt que de restreindre la liberté d'expression de l'enfant en lui imposant des interdictions bibliques, ou autres, destinées à combattre une mauvaise nature «orchestrée par le diable» ou d'autres instincts néfastes.

Applications pratiques

Les applications de la psychologie humaniste dans le domaine de la thérapie et de la psychiatrie sont nombreuses. Il existe en psychothérapie une série d'approches basées sur la «perspective du client», dont les méthodes et procédés s'inspirent de la théorie humaniste. Ici encore, notons l'importance des travaux de Mahrer, qui a tenté par tous les moyens d'appliquer la philosophie sous-jacente au modèle humaniste à diverses techniques de psychothérapie (Mahrer, 1989b, 1989c, 1989d).

Quoique les applications de l'école humaniste aient été, en règle générale, d'ordre thérapeutique et plutôt axées sur des activités destinées à promouvoir la prise de conscience et le développement d'une personnalité saine chez l'adulte, elle a toutefois inspiré une littérature abondante destinée à guider les pratiques pédagogiques applicables aux moins de vingt ans. Deux grandes tendances se dégagent de ces traités : la première consiste en conseils et avertissements généraux en matière d'éducation et la seconde, en activités spécifiques destinées à privilégier les objectifs humanistes du développement.

Voici quelques exemples de conseils prodigués par les psychologues humanistes :

> *Beaucoup d'amour maternel et de soins (...) semblent préparer l'enfant à des contacts émotionnels avec d'autres personnes et procurer assez de confiance pour encourager l'exploration de nouvelles situations (...) Parmi les plus grands bénéfices de la psychanalyse figure le fait qu'elle ait dévoilé les conséquences néfastes des exigences parentales excessives et de la discipline (...) En gros, il est admis que*

l'affection et la permissivité facilitent le développement d'enfants sociables et pourtant indépendants et que l'hostilité parentale a des effets débilitants (Buhler et Massarik, 1968, pp. 174-178).

Chaque fois que le comportement d'un élève suggère qu'il peut trouver profit à s'exprimer et à comprendre (tant émotionnellement qu'intellectuellement) ses sentiments, le maître doit utiliser des méthodes susceptibles de promouvoir une telle expression et une telle compréhension (Thomas et Brobaker, 1971, p. 260).

Nous savons tous trop bien qu'un parent ne peut modeler ses enfants à son gré. Les enfants se modèlent eux-mêmes. Le mieux que nous puissions faire et généralement le seul effet que nous puissions avoir, est de servir d'exécutoire pour l'enfant, lorsque la pression se fait trop forte (...) Les écoles devraient aider les enfants à regarder en eux-mêmes et, de cette connaissance de soi, faire découler un ensemble de valeurs (Maslow, 1971, pp. 169, 185-186).

Dès que l'enfant fait montre d'une pointe rudimentaire d'individualité, les figures parentales peuvent développer ce comportement par une (...) relation intégrative s'exprimant par la chaleur, l'amour, le rapprochement. Des relations "non intégrantes", la peur et la haine, la dépression et la colère, représentent une menace pour l'enfant qui fait un effort pour parvenir à un comportement donné (Mahrer, 1989a, pp. 698-699).

La foi de Maslow dans le bien-fondé des inclinations naturelles de l'enfant l'a incité à recommander un régime permissif, c'est-à-dire qu'il suggère que les parents commencent par satisfaire les besoins de l'enfant dès la naissance et ceci, avec le moins de frustrations possible durant la petite enfance. Mais, à mesure que l'enfant acquiert de la force et de l'expérience, les adultes doivent peu à peu cesser de répondre à ses besoins. Ils doivent organiser son environnement, de manière à ce qu'il s'autosuffise et fasse ses propres choix, car «il sait mieux que personne ce qui est bon pour lui» (Maslow, 1968, p. 198).

Cette méthode n'a pas pour but d'empêcher l'enfant qui grandit de ressentir la frustration, la douleur ou le danger. Mais, grâce à cette base solide de sécurité, d'amour et de respect établie durant les premières années, l'enfant peut être peu à peu confronté à des difficultés qui lui permettent de développer une certaine tolérance à la frustration. La réalisation de soi est en passe d'être atteinte quand l'enfant plus âgé et l'adolescent apprennent à reconnaître leurs forces et leurs limites, ainsi que les moyens d'élargir leurs capacités et de surmonter des difficultés. Ils y parviennent «en faisant des efforts exceptionnels, en rencontrant défis et difficultés et même en échouant» (Maslow, 1968, p. 200). Cette marche à suivre dans l'éducation de l'enfant (la nécessité de l'échec mise à part) ressemble curieusement à celle que propose Skinner dans *Walden Two*, ce qui tendrait à prouver que les enfants peuvent recevoir une éducation identique, alors que les points de vue théoriques qui la régentent sont tout à fait différents.

Quelques auteurs de la théorie humaniste ne s'en sont pas seulement tenus à des recommandations d'ordre général et ont décrit des applications spécifiques à leurs suggestions. Mahrer (1989a, pp. 766-771) a ainsi proposé une méthode pour mener le bébé d'une condition de "personnalité primitive" à celle d'un début d'identité de soi. Pour l'enfant de six à neuf mois, celle-ci consiste à jouer tous les jours pendant une demi-heure ou une heure. Cependant, c'est le bébé et non l'adulte qui oriente le jeu. Le rôle de l'adulte se limite à fournir les objets destinés à favoriser l'éveil de l'enfant : c'est en effet celui-ci qui va les mettre en marche, les arrêter et les manipuler, et non l'adulte. Ce dernier devra demeurer à une distance permettant une interaction avec l'enfant. Le bébé sera alors libre de ses mouvements, tandis que l'adulte concentrera son attention sur ses activités, en veillant soigneusement à ne pas les orienter et à ne jamais intervenir dans son jeu.

Pour les enfants et les adolescents en âge scolaire, certains auteurs ont proposé des activités d'apprentissage spécifiques. Celles-ci se retrouvent dans des exemples issus de l'éducation «confluente» («confluent education»), une variante du mouvement humaniste qui met l'accent sur les relations existant entre les aspects cognitifs et émotionnels de l'expérience. Ainsi, en vue d'aider l'enfant à mieux appréhender ses sentiments dans des situations de communication inhabituelles, on a suggéré de communiquer, par exemple, uniquement par les yeux ou uniquement avec les mains. Chaque enfant «ferme les yeux et explore avec la main, son propre visage et en palpe les différentes textures... puis il explore de même la face de son partenaire» (Brown, 1971, pp. 29-32). Une occasion de révéler les sentiments de confiance ou de méfiance est offerte lors de la «marche aveugle», qui implique que l'enfant marche les yeux bandés, guidé par un compagnon dans la salle ou dans l'école. Une autre activité susceptible d'apporter une prise de conscience de soi consiste à se concentrer sur diverses parties du corps, chaque élève «commençant par les orteils et progressant peu à peu jusqu'à la tête, observant toute sensation émanant de ces différentes parties du corps» (Brown, 1971, p. 35).

D'autres activités envisagées par les adeptes du développement humaniste proposent différentes méthodes pour simuler des expériences de solitude, d'affection, de responsabilité, d'anxiété, de fidélité, de préjugé, d'acceptation ou de rejet social, de confiance, d'insécurité, de dépendance émotionnelle ou d'indépendance, etc. Au cours de ces vingt dernières années, un nombre croissant d'activités de ce genre ont été intégrées tant aux programmes scolaires élémentaires et secondaires que dans l'éducation informelle.

Perspectives de recherche

Tout système psychologique consacré à l'expérience interne et dont la source d'information principale est l'introspection sera nécessairement confronté à des problèmes de communication et à la validation de ses propositions. Ce qu'une personne expérimente ou ressent ne peut être communiqué directement, mais peut seulement être révélé aux autres par un comportement publiquement observable ou au moyen de mots censés reproduire adéquatement une expérience subjective. Cette recherche de moyens visant à expliquer notre vie intérieure à autrui constitue, pour la psychologie humaniste un champ d'investigation idéal. Par exemple, une des questions clés est celle-ci : Quelle est la structure *du moi* ou *des moi* ? Nous l'avons dit, les définitions du *moi* qui sont proposées par les auteurs sont souvent confuses ou insolites. Il y a donc lieu de mettre au point des techniques de recherche appropriées pour résoudre les conflits relatifs à la nature du *moi*.

Un autre problème réside dans l'identification d'éléments observables et de corrélats comportementaux pour des concepts humanistes tels que *expérience de sommet*, *réalisation de soi* et *synergie*. Les partisans de l'approche humaniste ont eux-mêmes critiqué le mouvement pour avoir mis en avant des valeurs floues, poétiques, fragmentaires, sans fondement et non mesurables, mais admettent que celles-ci aident «les gens à devenir plus conscients d'eux-mêmes, plus accomplis, plus ouverts aux expériences, plus puissants, plus authentiques, sincères, joyeux et en contact avec eux-mêmes» (Alschuler et al., 1977, p. 30).

Quelques-uns de ces critiques ont entrepris de remédier à ces imprécisions en définissant d'abord en termes plus spécifiques le sens de telles interprétations et en élaborant ensuite des méthodes pour évaluer le statut des individus à la lumière de ces concepts. Parmi celles-ci, la mieux connue est sans doute le *Personnal Orientation Inventory* (L'inventaire d'orientation personnelle), un test consistant pour une personne à choisir, parmi cent cinquante paires d'assertions antinomiques, celle qui correspond le mieux à sa vie (Shostrum, 1966). Cette méthode permet de réaliser une dizaine d'évaluations différentes, à savoir la réalisation de soi, le sens de l'existence, la réactivité, la spontanéité, le respect de soi, l'acceptation de soi, le respect de la nature humaine, la synergie, le contrôle de l'agressivité et la disposition à l'intimité. Un nombre important d'études menées surtout dans les années 60 et 70 et ayant recours à cet inventaire ont suggéré que ce test constitue une mesure valable des concepts cités plus haut, quoique d'autres études ne soient pas parvenues à démontrer sa validité. Ainsi, Maddi, qui l'a critiqué a cependant conclu : «Néanmoins, le *Personal Orientation Inventory* (P.O.I.) semble être un filon prometteur dans l'investigation de larges champs de fonctionnement étroitement associés avec la position de Maslow et celles d'autres psychologues humanistes» (1972, p. 476).

D'autres théoriciens de cette approche ont mis au point des techniques destinées à évaluer deux autres hypothèses de base proposées par le modèle humaniste : la connaissance de soi et la prise de conscience. Leur méthode permet de clarifier les descriptions faites par les gens à propos de leurs expériences. Les réponses, évaluées par un système objectif de cotations, sont censées révéler le niveau de connaissance que les sujets ont de leur condition de vie (Alschuler et al., 1977, pp. 29-47). Un système se met donc en place, quoique d'une manière assez lente, pour définir les buts humanistes et les traits de la personnalité en vue de faciliter leurs communication et évaluation. Ces procédés d'évaluation, destinés aux adultes, sont applicables aux adolescents, mais pas aux enfants plus jeunes. Il s'ensuit que les techniques de mesure appropriées aux modes de pensée des enfants font encore défaut.

A côté des problèmes généraux présentés par la théorie humaniste, subsistent une multitude de questions relatives au développement. Par exemple, on peut se demander comment l'accomplissement de soi se manifeste chez les enfants d'âges divers. Autrement dit, comment un parent ou un éducateur sait-il dans quelle mesure *le moi* d'un enfant ou d'un adolescent se développe adéquatement ou non ? Comment un enfant identifie-t-il sa propre vocation, son «appel» ou sa mission dans la vie et quand cette réalisation est-elle susceptible d'arriver ? Comment apprécier le caractère désirable des rêves d'un enfant concernant son futur ? Quelles sont les forces de l'environnement qui influent le plus sur les objectifs à adopter par l'enfant qui grandit ? Y a t-il des stades distincts dans l'établissement des objectifs que se fixe l'enfant ? Si oui, quels sont les facteurs de causalité qui les sous-tendent ?

Une critique a prétendu que la théorie humaniste sous sa forme actuelle est construite sur des hypothèses qui ne valent que pour un segment de la société, de sorte que le modèle serait :

> *[applicable seulement] à ceux qui* possèdent *(c'est-à-dire ceux qui ont une situation économique suffisante) et complètement inapplicable à ceux qui "n'ont rien" (c'est-à-dire, selon les termes de Maslow, ceux qui sont trop occupés à réaliser leurs besoins primaires essentiels plutôt que des besoins plus élevés tels que la réalisation de soi). Là se trouve la contradiction dans la pratique de la psychologie contemporaine "humaniste" – une contradiction qui doit être résolue afin que la psychologie "humaniste" devienne une véritable "psychologie humaniste"* (Buss, 1976, p. 258).

Cette observation soulève de nouvelles questions qui requerraient l'attention sérieuse des chercheurs. Sans résoudre vraiment ce problème, d'autres théoriciens comme White et Parham (1990) et Helms (1990) y ont également fait allusion en discutant, par exemple, le degré de validité du modèle de «nigrescence psychologique» que nous présenterons brièvement dans une section ultérieure. Pour eux, comme pour d'autres qui croient en une forme de "développement optimal" qui refléterait un sens d'identité bien équilibré et une attitude d'intégration positive par rapport au monde extérieur, il est important de tenir compte du rôle des facteurs sociaux et économiques dans le façonnement de la personnalité des individus.

De plus, nombre d'autres théoriciens continuent à se demander comment les psychologues humanistes expliquent la socialisation des enfants qui grandissent dans des cultures différentes et cherchent à découvrir quelles sont les limites imposées par les conditions contextuelles à la réalisation de chaque être.

En conclusion, ceux qui, au-delà des témoignages personnels, cherchent à recueillir des preuves pour étayer les assertions humanistes devront résoudre de nombreuses questions avant de parvenir à leurs fins.

La théorie humaniste : une évaluation

Les points forts de l'approche humaniste résident dans l'attention qu'elle accorde aux sentiments qui font partie du monde réel (critère 1), dans son souci de respecter les espoirs de l'individu et ses plans pour le futur (critère 3) et dans ses applications à l'éducation de l'enfant et à la psychothérapie (critère 4).

Nos idées s'accordent avec celles des psychologues qui considèrent que le monde le plus important pour l'enfant ou l'adolescent est celui qu'il expérimente maintenant. L'attention que ces chercheurs accordent au *moi phénoménal* semble contrebalancer la lourde dépendance de la psychologie comportementale vis-à-vis des actions objectivement observées. La théorie humaniste cherche à élaborer des principes généraux qui sous-tendent différents aspects du développement, et ne se limite pas au seul domaine cognitif. Nous avons donné une cote assez élevée à ce modèle pour le critère 1 qui reflète la manière dont la théorie représente le monde réel. Cependant, en s'attachant uniquement aux principes généraux, elle a omis de définir les manières spécifiques dont un aspect, comme, par exemple, l'usage du langage, se développe par comparaison aux modalités de développement d'autres aspects, comme l'agilité physique.

L'approche humaniste a également mis l'accent sur les espoirs, les aspirations et les projets des personnes, aspects du développement qui ont été injustement négligés par la plupart des autres théories. Nous avons cherché à en tenir compte dans notre évaluation pour le critère 3. Cependant, la manière dont la théorie humaniste explique le passé nous semble imprécise, c'est pourquoi nous n'avons pu lui accorder le maximum.

Deux principes généraux de l'éducation de l'enfant que les théoriciens humanistes semblent reprendre à leur compte sont que l'adulte devrait (1) chercher à percevoir la vie du point de vue des perspectives émotionnelles et cognitives de l'enfant et, par là, devrait tenter de respecter et de comprendre son *moi phénoménal* et (2) respecter le droit de celui-ci, d'être un individu ayant ses intérêts, ses talents et ses émotions propres. Ces principes sont excellents pour l'éducation de l'enfant et surtout pour la psychothérapie; aussi avons-nous coté la théorie humaniste assez haut pour le quatrième critère. Mais, à nouveau, le résultat n'atteint pas le maximum, car nous estimons que le modèle ne présente pas la spécificité que parents et éducateurs recherchent dans leur quête de méthodes éducatives. Cette carence en directives spécifiques s'explique peut-être par la nature même de la théorie, qui met l'accent sur le caractère unique de chaque enfant.

Au fil de notre évaluation, nous avons considéré que la théorie humaniste ne se défend pas toujours aussi bien. Un problème réside dans la clarté du modèle (critère 2); ainsi, les auteurs de traités décrivent leurs idées en des termes dont le sens peut varier en fonction du lecteur. En effet, lorsqu'il est question d'*expériences de sommet*, de *réalisation de soi*, de *sens d'identité* et de *synergie*, comment savoir si, tous, nous avons vécu les mêmes expériences qui nous ont amenés à utiliser ces mots ? De même, quand nous prenons une décision, comment savoir lesquelles, parmi nos impulsions représentent notre "vrai" *moi intérieur*, celui qui mène à la *réalisation de l'être*, et quelles sont les autres valeurs, apprises

Tableau 16.1 — La théorie humaniste

Comment la théorie humaniste répond-elle aux critères ?

Les critères	*Très bien*			*Assez bien*			*Très Mal*	
1. Reflète le monde réel des enfants	X							
2. Se comprend clairement		X				X		
3. Explique le développement passé et prévoit l'avenir			X					
4. Facilite l'éducation	X							
5. A une logique interne		X				X		
6. Est économique		X				X		
7. Est vérifiable								X
8. Stimule de nouvelles découvertes					X			
9. Est satisfaisante en elle-même		X		X				

de l'environnement extérieur ? Cependant, les versions plus récentes de la théorie humaniste (Mahrer, 1989a; 1989b; 1989c; 1989d) semblent plus claires et proposent une plus grande cohésion que les premiers modèles, d'où la cote moyenne attribuée pour ce critère.

D'autres questions se sont posées, suite aux principes apparemment contradictoires évoqués par certains auteurs humanistes. Par exemple, Maslow écrivait que «pour les gens qui parviennent à la réalisation de leur être, il y a de fortes chances que leur égoïsme et leur désintéressement de soi fusionnent dans une méta-unité» (1968, p. 207). Son système considère les enfants comme immatures parce qu'ils se situent à des niveaux inférieurs dans l'échelle de satisfaction des besoins et dans l'échelle de maturité. Par ailleurs, il avance que «le niveau le plus élevé de maturité révèle une qualité infantile» (1968, p. 207). Si cela se vérifie, le processus par lequel ce résultat est obtenu devrait être expliqué plus clairement par les publications humanistes actuelles.

Par ailleurs, l'un des points forts de cette théorie, à savoir l'importance qu'elle accorde aux expériences individuelles, est à l'origine de l'une de ses plus grandes faiblesses : l'imprécision dans le processus de communication des expériences d'une personne à une autre. Ce même point fort contribue également au caractère non vérifiable de la théorie (critère 7). La difficulté réside ici pour une grande part, dans l'utilisation de l'introspection en tant que méthode de recherche principale. Quoique Maslow ait accepté les aspects objectifs et scientifiques de la recherche, il a toutefois critiqué l'adoption du behaviorisme et du positivisme logique en tant que moyen exclusif – ou même privilégié – pour la compréhension du développement humain. Il prétend que de telles approches mènent à une simple rationalité verbale, analytique et conceptuelle et qu'elles ignorent les aspects les plus significatifs de l'être qui vit les expériences. Par exemple, à propos de la motivation, Maslow écrivait que :

> *Le critère original de motivation, celui qu'utilisent tous les êtres humains (...) est le critère subjectif (...) Je suis motivé quand je sens un désir, un besoin, un attrait, un souhait ou un manque. Aucun état objectivement observable n'a encore été trouvé qui corresponde d'une manière satisfaisante à ces éléments subjectifs, c'est-à-dire qu'aucune définition comportementale de la motivation n'a encore été trouvée. Maintenant, nous devons naturellement continuer à chercher des correspondances objectives ou des indicateurs d'états subjectifs (...) Mais jusqu'à ce que nous les trouvions nous ne devons pas non plus négliger les données subjectives que nous possédons* (1968, p. 22).

La théorie humaniste se fonde sur les rapports individuels, mais fait également la part belle aux intuitions, fussent-elles des impressions ou des sentiments non logiques ou même illogiques, qui sont si souvent le reflet fidèle du «moi profond» :

> *Si notre espoir est de pleinement décrire le monde, il faut faire une place au processus pré-verbal, ineffable, métaphorique, primaire, aux modes de cognition intuitifs et esthétiques, car il y a certains aspects de la réalité qui ne peuvent être connus d'aucune autre manière* (Maslow, 1968, p. 208).

Cette attitude envers les sources d'informations relatives au développement de la personnalité influence la démarche et les méthodes utilisées par le psychologue humaniste pour son raisonnement. Dans les chapitres précédents, nous avons noté que le champ d'expériences et la vérification d'hypothèses déterminent dans quelle mesure les théories behavioristes sont pleinement ou partiellement vraies. Les psychologues humanistes se fient à leurs sentiments et à leur logique plutôt qu'à un ensemble de données pour valider leur théorie. Pour la grande majorité de ces psychologues, il semble suffisant de déclarer que «je sais que c'est ainsi que sont les choses parce que cela me semble sensé et que je sens en moi-même que c'est juste». Une telle affirmation ne pourrait satisfaire un behavioriste, un disciple de Piaget ou un psychanalyste.

Pour sa consistance interne (critère 5) et l'économie de ses explications (critère 6), nous avons attribué à la théorie humaniste une double cote. La cote assez basse va au modèle traditionnel, représenté surtout pas l'école de Maslow dont les derniers travaux ont paru il y a quelque trente ans et la cote assez élevée reflète l'apport des contributions plus récentes. Il semble évident que le modèle traditionnel manque de précision dans la définition de certains termes et dans la description qu'il propose des relations existant entre différentes variables. Nous ne sommes pas parvenus à donner une estimation précise de la consistance interne et de l'économie de l'explication du modèle humaniste original, dans la mesure où nous n'avons pu comprendre tous les éléments de sa structure interne. Les premiers écrits humanistes semblent avoir été rédigés dans un langage plus littéraire que scientifique; toutefois, la réthorique et l'enthousiasme ne peuvent en aucun cas pallier ce qui semble être une imprécision structurale de la théorie de base.

Cependant, comme indiqué précédemment, les travaux plus récents de Mahrer et de ses collègues ont contribué, semble-t-il, à orienter la théorie humaniste dans une direction moins philosophique et plus scientifique ces dix dernières années. Ces nouvelles versions apparaissent comme plus économiques et fondées sur un niveau de cohésion interne élevé (Mahrer, 1989a; 1989c; Mahrer et Gervaize, 1990).

Le champ d'investigation des psychologues humanistes n'est constitué que d'éléments jusque-là ressentis intuitivement; la théorie humaniste a donc contribué à la redécouverte du «moi», des sentiments et des aspirations de l'individu. En particulier, les propositions de Maslow sur la hiérarchie des besoins et sur l'accomplissement de soi ont innové. En vingt ans, les vues humanistes ont connu une audience de plus en plus grande et ont influencé la manière dont les pédagogues, parents, assistants sociaux, psychiatres et bien d'autres envisagent l'éducation des enfants (Brown, 1971, 1976; Fantini et Wernstein, 1968; Leff, 1978; Kunjufu, 1984). Les nombreuses études théoriques menées sur les notions d'*image de soi*, de *respect* et d'*estime de soi*, ainsi que les applications pratiques qui s'en sont inspirées, sont, pour une grande part, dues aux conceptions humanistes du développement (Purkey, 1970; Wylie, 1974; Rosenberg, 1979; Powell, 1990).

Cependant, nous estimons que l'attrait pour cette appréhension plus humaine de l'enfant aurait pu drainer un plus grand nombre d'innovations en matière de pédagogie. La lecture d'ouvrages, de journaux et périodiques spécialisés ne propose que quelques rares découvertes dues aux théoriciens de l'approche humaniste. En donnant un résultat modéré pour ce critère, nous n'avons pas l'intention de réduire la crédibilité de la théorie humaniste, mais bien de souligner qu'elle n'a pas favorisé, du moins jusqu'à nouvel ordre, l'éclosion d'une grande quantité de découvertes dans le domaine du développement de l'enfant.

Nous avons cependant positionné le huitième critère dans la zone médiane de l'échelle d'appréciation pour souligner l'apport assez important de cette théorie à la psychologie des adultes (entre 1974 et 1990) plus de trois cents articles ont été consacrés exclusivement aux adultes) et ses contributions à la recherche en psychothérapie. La théorie humaniste mérite également un certain crédit pour avoir tenté d'établir des liens avec les religions orientales et les modèles de développement qui en dérivent (Thomas, 1988; Muzika, 1990; Tart, 1990).

La théorie humaniste est donc particulièrement attrayante pour ceux qui se fient à leur intuition pour expliquer le développement de l'être intérieur. Le modèle standard est cependant peu convaincant pour qui réclame un raisonnement serré et un schème logique dont les éléments peuvent être vérifiés par des observations et des expériences. Notons toutefois que les psychologues humanistes ne prétendent pas avoir élaboré une théorie achevée du développement de l'enfant. Ils considèrent plutôt leurs propositions comme l'ébauche d'un modèle de la nature humaine qui soit un système psychologique global, unique et compréhensif» (Maslow, 1968, p. 189). Cependant, ces chercheurs estiment que leur approche contient plus de perspectives susceptibles de révéler l'essence de la personnalité humaine que des systèmes tels que le behaviorisme ou la psychanalyse.

En conclusion, malgré ses contributions au domaine de la psychologie, nous considérons que la théorie humaniste de base n'est que modérément satisfaisante; les versions plus récentes – en particulier, le modèle *expérientiel* de Mahrer – sont nettement plus avancées et bien plus prometteuses (critère 9).

Un modèle de développement d'identité culturelle

Nous avons choisi de présenter dans le cadre de ce chapitre un modèle qui reproduit le développement de l'identité culturelle et raciale chez les Noirs américains. Il est possible d'établir des rapprochements intéressants entre cette approche et la théorie humaniste. Toutes deux, en effet, étudient le développement de la personnalité et du sentiment d'identité, bien que le schéma de *nigrescence psychologique* soit propre à un aspect unique de la personnalité... le développement de l'identité raciale. Dans les deux cas, l'individu part du *moi*, issu d'un état de dépendance par rapport au milieu extérieur, pour parvenir à un stade ultime où il se crée une identité propre et où il fait preuve d'acceptation envers lui-même comme envers les autres. De même, dans les deux modèles envisagés, ce dernier niveau constitue plus un idéal qu'une réalité, car rares sont ceux qui parviennent à cet état d'accomplissement total de soi, d'entière réalisation de leur être et d'intégration significative au monde extérieur.

La proposition théorique présentée ici – le concept de *nigrescence psychologique* – s'insère dans la discipline spécifique qui étudie la psychologie des Noirs, générée à la fin des années 60 par le «Civil Rights Movement» aux Etats-Unis. Notons que cette branche s'inscrit dans un autre mouvement encore plus vaste, celui de la *psychologie ethnique* qui semble progresser assez rapidement dans nombre de pays où subsistent des minorités ethniques et culturelles.

Les recherches propres à *la psychologie des Noirs* portent principalement sur :

(1) l'étude du concept d'*africanité*, qui tente de retrouver la filiation psychologique et culturelle existant entre les Noirs Américains, les Antillais et les Africains, et l'influence de cet *Ethos* ou «philosophie de l'existence» propre aux Noirs sur le développement de la personnalité et sur le processus de socialisation des enfants et des adolescents qui s'y rattachent (Diop, 1979; Asante, 1980; Hale-Benson, 1986; Nobles, 1986; White et Parham, 1990);

(2) le domaine de la cognition, en vue de dégager les modes d'apprentissage spécifiques aux Noirs, et les applications pédagogiques qui en découlent (McAdoo et McAdoo, 1985; Berry et Asamen, 1989; Jones, 1990; Lomotey, 1990).

Le modèle présenté ci-dessous ne constitue que l'une des notions abordées par cette école.

La théorie de Cross : le modèle de nigrescence

Au début des années 70, Cross a proposé le modèle de *nigrescence* pour expliquer le développement de l'identité culturelle et raciale de Noirs américains. Le phénomène de *nigrescence* est le processus par lequel les individus de race noire s'identifient à leur groupe ethnique et à leur culture. D'après Cross et ses collègues, lorsqu'on considère les conditions sociales qui continuent de prévaloir aux Etats-Unis, il apparaît que l'identification avec leur groupe racial est le seul moyen qui permette aux Noirs de conserver un sentiment de leur identité qui soit positif. Cross, Thomas et, plus tard, Parham (White et Parham, 1990) ont distingué quatre stades dans le processus de *nigrescence psychologique :*

1. Un niveau de *pré-rencontre* où le monde extérieur, et en particulier le groupe dominant, détermine l'opinion que la personne a d'elle-même. L'individu à ce niveau, se connaît mal, rejette sa culture et les valeurs des Noirs, se déprécie, manifeste peu de respect envers lui-même et désire s'identifier à la culture blanche qu'il considère comme supérieure. Ce niveau est généralement associé à une auto-dévalorisation et à un dédain de soi.
2. Un niveau de *rencontre* : La rencontre consiste en un incident isolé ou une accumulation de situations négatives auxquelles l'individu est confronté. Ces incidents à caractère culturel et racial prennent généralement la forme d'un acte de discrimination ou de situations visant à l'exclusion ou l'exploitation de la personne concernée qui est amenée, par conséquent, à prendre position quant à son identité culturelle et quant à la situation des rapports raciaux dans la société américaine.
3. Un niveau d'*immersion* : A ce moment du développement de son identité culturelle, l'individu décide de s'identifier à son groupe ethnique et d'adopter les valeurs culturelles correspondantes. Durant cette période, il ne réagit favorablement qu'à ce qui touche à la culture noire et adopte un comportement «anti-Blancs». Tous les aspects de sa vie sont en général affectés par ce changement : depuis les vêtements, la nourriture jusqu'aux livres qu'il lit ou encore aux valeurs sociales qu'il décide d'adopter. L'individu développe à ce niveau une image très positive de sa personne et se tient en grande estime.
4. Un niveau d'*internalisation* : Comme dans le modèle humaniste, l'individu rejette son identité première et en développe une nouvelle, plus authentique, plus équilibrée, réceptive aux expériences humaines et aux valeurs culturelles des autres. Sûre d'elle-même, la personne est consciente de son identité raciale et culturelle. Elle s'accepte, s'assume et fait preuve d'un sens profond de sécurité intérieure et d'accomplissement de soi.

Pour montrer que le développement de l'identité culturelle n'est pas nécessairement linéaire, Parham, de l'Université de Californie, a introduit des variantes aux modèles de base, notamment les concepts de stagnation (l'individu ne progresse plus) et de régression (retour en arrière), ou encore le fait que l'intensité de l'expérience vécue au cours de chacune de ces phases varie en fonction de l'âge auquel on passe par un stade donné. Janet Helms, de l'Université de Maryland, a émis à ce propos de nombreuses considérations d'ordre méthodologique, y compris celle que les chercheurs qui se spécialisent en *nigrescence* ont un profil particulier. Elle a aussi élaboré une réplique de ce modèle consacrée aux Américains blancs.

Le modèle de *nigrescence psychologique* rejoint encore la psychologie humaniste par ses applications, qui relèvent principalement du domaine de la psychothérapie. En effet, ces notions théoriques sont employées pour aider les Noirs américains à développer une personnalité saine, caractérisée, d'une part, par un *moi* bien défini et, d'autre part, par l'acceptation de soi en tant que membre d'un groupe racial. Il est à noter que la race du conseiller ou du médecin peut constituer un élément décisif selon le stade auquel se trouve le patient.

L'avenir de la psychologie ethnique, si l'on en croit les travaux récents effectués aux Etats-Unis, réside dans les contributions qu'elle peut apporter à la psychothérapie, aux recherches sur le développement d'une personnalité saine, et dans les applications pédagogiques qu'elle pourrait inspirer.

Huitième partie

Nouvelles tendances

Cette dernière partie de notre ouvrage sera consacrée à la présentation de quelques théories qui ont vu le jour récemment et dont l'influence se ressent déjà dans les travaux de recherche, que ce soit en psychologie ou en pédagogie. Les porte-parole de ces modèles avancent qu'ils ont développé leurs nouvelles propositions en vue d'améliorer les modèles existants qui, selon eux, reflètent mal la complexité du développement humain.

Dans le chapitre qui suit, nous présentons, d'une part, le mouvement *contextualiste*, illustré par les travaux dialectiques de Riegel et la théorie historico-culturelle de Valsiner et, d'autre part, une brève description de l'*Ecopsychologie* ou *psychologie écologique* en nous référant au modèle de l'écologie du développement humain de Bronfenbrenner. L'hypothèse qui sous-tend ces mouvements est que les comportements coutumiers et les schémas de la personnalité de l'enfant sont, dans une très large mesure, façonnés par les divers environnements dans lesquels il évolue. Ces théories contribuent à faire progresser la psychologie, non seulement par leurs apports académiques, mais encore, parce qu'elles émettent des suggestions sur la manière dont les environnements de l'enfant peuvent être aménagés en vue de lui garantir un développement harmonieux.

La chapitre final de notre manuel envisage d'autres propositions théoriques qui, elles aussi, sont apparues ces vingt dernières années. Il décrit trois modèles de développement par étapes, à savoir les travaux de Case, de Fisher et de Mounoud, tous trois issus de l'école néo-piagétienne. Ces modèles constituent un complément et une variante au schème de Piaget puisqu'ils intègrent des aspects structuraux et fonctionnels et élargissent le champ des recherches en psychologie du développement. Les travaux les plus récents, en particulier ceux qui mettent l'accent sur les recherches interculturelles et sur la psychologie différentielle, semblent prescrire l'intégration des notions contextuelles aux théories de développement par stades. Ceci contribuerait à réduire le rôle prépondérant des facteurs de maturation dans les théories cognitives traditionnelles et viserait à créer une *psychologie contextualisée*, qui refléterait mieux la nature du développement humain, ainsi que le monde réel des enfants.

17

Le contextualisme et l'écopsychologie

Le contextualisme

Le recours à ce terme pour désigner des modèles de développement humain remonte à la fin des années 70 et s'est répandu dans les années 80. Ce mouvement récent, appelé *contextualisme*, n'a rien de vraiment novateur. Certains le considèrent comme un dérivé de la théorie de l'apprentissage social, tandis que d'autres le perçoivent comme une sous-catégorie de la psychologie écologique de Barker. Le contextualisme a pour hypothèse de base qu'il existe un processus d'interaction entre l'enfant, en tant qu'organisme psychobiologique, et son environnement physique et social. Cette notion d'équilibre entre une personne et un contexte constitue tout l'intérêt de cette nouvelle théorie. A ce propos, Lerner écrivait :

> *Dans le contextualisme, les changements développementaux sont une conséquence des rapports réciproques (bi-directionnels) entre un "organisme actif" et un "contexte actif". Comme le contexte change l'individu, celui-ci change le contexte. Ainsi donc, en agissant sur l'une des sources qui lui permet de se développer – en étant, à la fois,*

produits et agents de l'environnement – les individus affectent leur propre développement (1986, p. 26).

Le terme *contextualisme* lui-même n'est propre à aucune théorie spécifique du développement, mais représente un point de vue qui peut trouver une représentation dans plusieurs modèles. Ainsi, les théories de Klaus Riegel et de Jaan Valsiner sont utilisées ici pour expliquer les concepts qui sont à la base de ce mouvement. Les points forts de leurs modèles sont présentés ci-dessous et permettent de voir en quoi les théories contextualistes peuvent se ressembler ou différer. Notons encore que l'intérêt très vif manifesté au niveau mondial pour les recherches interculturelles s'avère prometteur pour les modèles contextuels.

La théorie dialectique de Riegel

La dialectique, telle que nous l'a proposée le philosophe allemand Georg Wilhelm Frederich Hegel (1790-1831), se réfère à un processus au cours duquel une assertion ou *thèse* est nécessairement opposée à une seconde proposition acceptable, mais en apparence contradictoire, l'*antithèse,* afin d'aboutir à un troisième terme, la *synthèse* qui, relevant d'un plus haut niveau de vérité résout toutes les contradictions antérieures.

Klaus F. Riegel a recouru à ce procédé de la dialectique générale pour expliquer le mécanisme du développement humain (1972, 1975, 1976, 1979). Il a d'abord estimé que les événements qui surviennent dans la vie d'un enfant et contribuent à son développement seraient perçus à la lumière de quatre facteurs, à savoir les dimensions *biologique intérieure, psychologique individuelle, sociologique culturelle et physique extérieure.* Pour décrire les mécanismes d'interaction qui mènent à des changements dans le développement, il s'est expliqué comme suit :

> *Une interprétation dialectique du développement implique que les interactions entre ces progressions d'événements ne sont pas toujours coordonnées ni synchronisées. A chaque fois que ces interactions sont déphasées ou contradictoires, il y a conflit ou crise. Dans cette conception dialectique, c'est l'incompatibilité et la tension existant entre ces interactions contradictoires [la thèse et l'antithèse de Hegel] qui devient la source d'un nouveau développement ou, plus exactement, qui provoque une progression rapide dans le développement. C'est au cours de l'évolution des actions et des pensées de coordination et d'intégration que la synchronie se forme et, de ce fait, que le progrès s'accomplit [la synthèse d'Hegel]. Cependant, même quand la synchronie est atteinte, de nouvelles contradictions apparaissent, créant une fluctuation d'incessantes contradictions et de changements dans le développement* (Riegel, 1976, p. 350).

Riegel a supposé que des incompatibilités dialectiques pouvaient survenir dans une dimension ou entre deux dimensions données. Par exemple, au cours de la progression biologique intérieure, une fillette de onze ans peut vivre l'expérience de ses premières règles (qui est un événement en contradiction avec l'image que cette enfant a d'elle-même). Aussi cette modification perturbe-t-elle son moi psychologique individuel. En même temps, les attitudes de la société (le sociologico-culturel) envers ce phénomène biologique peuvent également bouleverser le quotidien de la fillette en modifiant certains de ses comportements sociaux coutumiers, par exemple, l'obligation d'utiliser des tampons périodiques ou encore le fait d'éviter de se trouver dans les toilettes de l'école au même moment que d'autres élèves. La perturbation affecte ainsi trois des quatre facteurs précités suite au changement biologique interne de départ. La fillette est confrontée à la tâche développementale de réussir une synthèse convenable à partir de ces éléments contradictoires. Dans le système de Riegel, le développement consiste donc en modifications qui affectent une dimension (ou facteur), qui crée elle-même des conflits dans d'autres dimensions; ce qui nécessite une nouvelle synthèse des quatre facteurs pour parvenir à un développement adéquat (1976, 1979).

Riegel a mis les psychologues traditionnels en garde, afin qu'ils évitent de mettre en valeur des entités figées du développement, telles que des traits de caractère, des capacités, des aptitudes, des techniques, et des motivations secrètes. Il a soutenu que l'accent devrait plutôt être mis sur les interactions concrètes qui interviennent au cours des activités quotidiennes de l'enfant, car c'est là que s'effectuent en permanence les opérations dialectiques :

> *Une théorie dialectique du développement considère l'individu comme étant inscrit dans un processus permanent de changements provoqués par les interactions successives d'événements concrets supplémentaires* (Riegel, 1976, p. 394).
>
> *Les concepts de conflits et de contradictions doivent recevoir au moins autant d'attention que les concepts stabilisateurs d'accords et de solutions [de la théorie de Piaget]. Au lieu de diriger toute notre attention sur les mécanismes de résolution de problèmes et sur les réponses données, il est tout aussi important d'examiner la manière dont les problèmes sont créés et la manière dont les questions sont soulevées* (Riegel, 1976, pp. 349-350).

De telles affirmations sont riches pour les techniques de recherche utilisées par le paradigme contextualiste. Riegel a proposé des dialogues extraits de conversations de tous les jours pour expliquer cette notion d'échanges dialectiques de courte durée contribuant au développement. Dans ces dialogues, chaque participant donne son point de vue sur un sujet, écoute la réponse des autres, puis réplique, et ainsi de suite. De cette manière se constitue un réseau d'idées dont chaque participant ignorait l'existence avant le début de la séance. Les débats et les jeux de société interactifs peuvent remplir une fonction identique. Les critiques de Riegel à propos des objectifs et des méthodes d'investigation des psychologues de la cognition et des psycholinguistes en particulier sont justifiées. Il leur a reproché de fonder leurs analyses sur des descriptions formelles ou sur des systèmes de langage abstraits et leurs composantes (mots, morphèmes, lettres, phonèmes). D'après lui, il serait préférable que ces chercheurs s'intéressent aux aspects sociaux du langage, et plus particulièrement à la communication et à la construction de sens dans les dialogues (Riegel, 1976, p. 376).

Riegel a également étudié diverses techniques de recherche développées ces dernières années en vue de reconnaître les interactions dialectiques à long terme. En effet, les études effectuées sur des groupes d'enfants ayant grandi à des époques différentes ont montré que les différences d'environnement social d'une époque à l'autre peuvent être plus significatives que les facteurs de maturation considérés dans le passé comme seuls déterminants des caractéristiques de l'enfant (Riegel, 1976, p. 362). Il est nécessaire, d'après Riegel, de réviser les méthodes de recherche usuelles si l'on désire mener des investigations au moyen de son paradigme contextualiste et dialectique. Il s'est donc fait le défenseur de méthodes de recherche fondées sur les situations de vie réelle, sur des environnements *in situ*.

A l'examen du modèle dialectique de Riegel, il ressort que deux observations complémentaires sont à faire. La première est que son schème illustre bien le modèle contextualiste, puisqu'il dépeint le processus de développement comme résultant du jeu d'interactions entre plusieurs variables, le *sociologico-culturel* et le *physique extérieur* jouant un rôle déterminant dans ce processus. On pourrait alors s'interroger sur l'utilité des quatre dimensions proposées par Riegel, car quoiqu'elles semblent procéder d'une certaine logique dans la caractérisation des aspects du développement, elles présentent moins d'intérêt qu'un bon nombre d'autres schèmes d'analyse. L'un des problèmes du paradigme de Riegel, réside dans le fait qu'il est malaisé de bien discerner quelle dimension de la vie de l'enfant est concernée par un événement ou une influence donnés. Effectuer des recherches dans le vécu de personnes en particulier, de manière à dégager des différences entre les quatre dimensions qui affectent le développement de ces personnes, établir ensuite le diagramme de ces transactions pour enfin parvenir à s'accorder sur le choix d'une bonne méthode pour analyser ces cas individuels, eût été une entreprise bien plus ardue.

En conclusion, le modèle dialectique de Riegel présente trop d'imprécisions dans son état actuel (1975, 1979) pour être vraiment utile en pédagogie et permettre une évaluation de la cohérence interne de sa théorie ou de son degré de fécondité. Un rapide parcours des publications parues en psychologie dans les années 80, atteste que cette théorie n'a pas encore beaucoup affecté la recherche empirique, ni les pratiques en matière d'éducation. Jusqu'à présent, le schème de Riegel a permis de déceler les défauts de théories plus anciennes – celle de Piaget, par exemple – mais pas d'établir des programmes de recherche ou d'éducation. Riegel peut toutefois être considéré comme l'un des pionniers du contextualisme moderne.

La théorie historico-culturelle de Valsiner

Jaan Valsiner, de l'Université de Caroline du Nord aux Etats-Unis, a placé sa théorie sous la bannière du contextualisme parce que celle-ci s'est «développée à l'intérieur du cadre de référence socio-écologique de l'individu, tandis que la majorité des théories psychologiques sont bâties du point de vue du système de référence inter-individuel» (1987, p. 230). Son origine estonienne explique le fait que son modèle soit fortement imprégné d'un intérêt typiquement soviétique pour l'influence des facteurs historico-culturels sur le développement à l'intérieur de contextes sociaux (Valsiner, 1988b). Il s'est également inspiré de notions empruntées à Kurt Lewin, en particulier celles qui touchaient au *champ psychologique* de l'enfant fluctuant d'un événement à l'autre. Cette fluctuation laisse croire que :

> *l'enfant et ceux qui prennent soin de lui sont engagés dans des processus de négociations constantes qui font intervenir différentes* limites *dans leurs relations réciproques et aussi dans leurs rapports avec l'environnement global* (Valsiner, 1987, p. 231).

Ajoutons encore que cette théorie met l'accent sur une participation active de l'enfant dans le processus de croissance; Valsiner s'étant en ceci inspiré des vues de l'Américain James Mark Baldwin (1861-1934), du Suisse Jean Piaget (1896-1980) et du Russe Lev Vygotsky (1896-1934).

Valsiner attache peu d'importance aux capacités, attitudes ou compétences de l'enfant. Il consacre son étude aux interactions nées de l'enfant et de son environnement, interactions qui sont à l'origine de certains aspects de la personnalité apparemment persistants. Loin d'instaurer un ordre présumé stable du développement, il préfère mettre l'accent sur les aspects dynamiques et changeants des processus de croissance. Pour lui, il n'existe pas de ressemblance entre les enfants ni d'uniformité chez un enfant donné, car, selon les lois générales du développement, tant d'un enfant à l'autre qu'à l'intérieur d'un même enfant, il y a «variabilité de comportement et de pensée» (1987, p. 230).

Par conséquent, comme le suggère sa théorie de champ, les modifications observées dans les différents environnements avec lesquels chaque enfant se trouve en interaction coïncident avec les changements manifestés par cet enfant. Ainsi, les généralisations ou *lois de développement* qui sont destinées à être appliquées à un groupe d'enfants formé de filles de cinq ans ou de garçons de douze ans n'ont aucune valeur car «chaque enfant en cours de développement est un organisme en corrélation avec son environnement et a donc valeur de loi par lui-même» (Valsiner, 1987, p. 230).

Cette théorie s'articule autour de l'hypothèse selon laquelle l'ensemble des expériences que peut faire l'enfant est déterminé par l'environnement dans lequel il évolue, minute par minute, jour après jour, et que la nature de cet environnement est, en grande partie, contrôlée par ses parents, ses aînés, ses puéricultrices, professeurs... C'est parce que la succession des environnements rencontrés par un enfant diffère totalement de celle d'un autre enfant qu'il y aura des dissemblances entre leurs développements respectifs.

Quoique le modèle de Valsiner ne puisse ici être décrit en détail, son concept des trois *zones* mérite d'être retenu, en ceci qu'il reprend les points forts de la théorie. Il comporte d'abord une *zone de mouvement libre* (Zone of Free Movement-ZFM) formée d'un choix d'éléments disponibles qui permettent à l'enfant d'agir dans un milieu environnemental particulier et à un moment donné. Le terme *éléments* fait ici référence à ce qui constitue cet environnement, à savoir les objets (humains inclus) propres à ce milieu et les moyens par lesquels l'enfant peut entrer en interaction avec ces objets. Les différentes expériences qu'une zone de mouvement libre permet à un enfant de vivre dépendent des éducateurs qui sélectionnent les actions qu'ils considèrent comme favorables ou non à un développement harmonieux. Pour des raisons historiques, la façon de définir la *zone de mouvement libre* d'un enfant peut varier d'une société à l'autre. Par exemple, une plus grande diversité de choix de zones de mouvement libre existe dans la société multiculturelle anglaise actuelle, tandis qu'en Arabie Saoudite, où la culture islamique est très homogène, ceux-ci sont réduits.

Le second concept de base de la théorie de Valsiner est celui de *zone d'encouragement de l'action* (Zone of Promoted Action-ZPA); il représente les modes d'action que les éducateurs encouragent ou exigent à l'intérieur de la zone de mouvement libre. Bien entendu, il dépend de la culture et de la famille qu'une action soit plus ou moins adéquate ou plus ou moins acceptable, dans les contextes successifs dans lesquels un enfant évolue jour après jour.

La dernière des trois zones de Valsiner s'inspire directement de la théorie de Vygotsky (chapitre 11) : il s'agit de la *zone de développement proximal* (Zone of Proximal Development-ZPD), définie comme «un ensemble d'actions que l'enfant ne peut accomplir que lorsqu'il est aidé par une autre personne» (Valsiner, 1987, p. 233). En d'autres termes, avec l'aide d'un éducateur, l'enfant parvient à faire des choses qui dépassent ses compétences habituelles. Valsiner considère que, en faisant permuter les interactions de ses trois zones, on fait apparaître de nouvelles interprétations de plusieurs phénomènes relatifs au développement de l'enfant tels que, la permissivité des parents ou leur trop grande sévérité, les méthodes d'enseignement, les objectifs fixés, les règles du comportement, les stades de développement, etc.

Les facteurs historico-culturels, qui ont un rôle central dans le schème de Valsiner, opèrent à plusieurs niveaux. Au niveau le plus large, les gens d'une société donnée partagent les influences communes de *milieux physiques* (immeubles, montagnes, océans, déserts), d'*éléments de culture matérielle* (maisons, tentes, autos, chameaux, livres, postes de télévision), *de coutumes* (façons de se nourrir, formules de sociabilité, enseignement, cérémonies religieuses), de *corps de connaissance* (scientifique, sociale, religieuse, artistique) et de valeurs (morales, monétaires, esthétiques). La configuration de ces éléments culturels dans une société donnée est le fruit de l'évolution historique particulière à cet environnement social. Il faut ajouter que la manière dont les trois *zones de Valsiner* sont utilisées pour servir l'éducation des enfants dépend des caractéristiques culturelles propres à chaque société. Ceci explique que chaque groupe social détermine généralement des méthodes bonnes ou mauvaises pour les enfants, établissant par là ses propres critères d'éducation.

De la même manière que les caractères culturels d'une société prennent racine dans son histoire, les caractéristiques culturelles des parents et des maîtres sont liées à l'histoire de leur propre éducation dans cette société, et influencent les rapports de l'enfant avec son environnement. Valsiner avance que :

> *La mise en place d'objectifs par ceux qui décident des relations entre l'enfant et son environnement est assujettie aux antécédents culturels de ces individus* (1987, p. 143).

Considérons à présent la recherche du point de vue de Valsiner. Il est évident que sa théorie est très exigeante pour le chercheur : il lui faut utiliser des instruments «meilleurs» que les méthodes traditionnelles couramment utilisées en psychologie du développement, à savoir les tests de niveau et d'aptitude, les expériences de laboratoire, les traitements statistiques d'un groupe de données. De telles techniques sont inadéquates pour retrouver les conséquences qu'ont pu avoir, sur le développement d'un enfant, des environnements sans cesse fluctuants. Pour Valsiner, les méthodes de recherche les mieux adaptées à l'analyse contextuelle sont : (1) celles qui observent jour après jour les relations réciproques entre enfants et éducateurs (les interactions sont alors enregistrées ou filmées), (2) celles qui tiennent compte des commentaires des éducateurs et des enfants sur la manière dont ils ont vécu leur dernière rencontre et (3) celles qui, par le sondage ou par la recherche historique, collectent des informations sur les coutumes de la société susceptibles d'affecter les échanges entre éducateur et enfant. Des illustrations de ce type d'approches figurent dans les derniers travaux de Valsiner (1987, 1988a, 1989).

Nous achèverons cette section par une appréciation de ce modèle : nous estimons que la théorie contextuelle de Valsiner répond à son objectif, c'est-à-dire qu'elle propose une nouvelle perspective d'interprétation du développement de l'enfant. Les environnements qui influencent les enfants sont «arrangés» par ceux qui prennent soin d'eux : d'abord leurs parents, puis des éducateurs, qui eux-mêmes sont les produits de l'histoire culturelle d'une société particulière. Quant à l'aspect réaliste, nous trouvons que ce modèle reflète de manière convaincante le monde de l'enfance.

De plus, il est facile à comprendre, logique dans son déroulement interne et économique. Quoique la théorie n'offre par vraiment de conseils pour l'éducation des enfants, elle fournit aux éducateurs une méthode pour analyser les zones (de mouvement libre, d'encouragement à l'action et de développement proximal) qu'ils créent pour constituer les environnements à l'intérieur desquels l'enfant se développe. Du point de vue explicatif, la théorie semble plutôt conçue pour expliquer le passé que pour prévoir l'avenir, puisque les configurations des environnements qu'un enfant rencontrera plus tard sont très complexes et difficilement prévisibles.

Notons enfin que le modèle de Valsiner, bien que très récent, semble connaître un succès grandissant parmi les chercheurs spécialisés dans le développement humain, principalement aux Etats-Unis, mais également à l'étranger. Son influence se fait particulièrement sentir dans l'étude du développement de l'enfant au sein de contextes culturels spécifiques, comme le témoignent les deux derniers ouvrages qu'il a publiés : *Child Development within Culturally Structured Environments* (1988a) et *Child Development in Cultural Context* (1989).

La psychologie écologique : origines et développement

Avant de présenter la théorie de Bronfenbrenner, reconnu comme le principal représentant de cette école, il peut être intéressant de passer en revue quelques faits précurseurs en psychologie écologique ou d'autres aspects contemporains de ses travaux.

La psychologie de la Forme, ancêtre notoire de la *théorie écologique* ou ecopsychologie, s'est développée au début du XXe siècle, d'abord en

Allemagne, puis en Amérique du Nord. La théorie gestaltiste appliquée au développement de l'enfant le considère comme un tout, un organisme structuré. *Gestalt* signifie, en allemand, *forme* ou *configuration*, reflétant ainsi l'aspect global du point de vue adopté par ces théoriciens européens. Au contraire, l'associationnisme, dont le behaviorisme dérive partiellement, conçoit le développement comme un processus d'assemblages qui constitueraient peu à peu la personnalité ou composeraient le répertoire d'actions de l'enfant. Cependant, pour le théoricien de la forme, du champ ou de la globalité, le rôle d'un nouveau stimulus ou d'une nouvelle expérience ne se réduit pas à la seule adjonction d'un nouvel élément à la réserve d'actions ou de connaissances de l'enfant, laissant les éléments préexistants inchangés. Bien au contraire, chaque nouvelle expérience significative peut influencer les rapports existants entre plusieurs ou tous les éléments intervenus jusque-là dans la construction de la personnalité; c'est alors toute la configuration de l'individualité de l'enfant qui en est affectée.

La science aujourd'hui connue sous le nom de *psychologie écologique* ou *environnementale* ou encore d'*ecopsychologie* est en partie redevable aux travaux de Kurt Lewin et de ses collègues dans le courant des années 30 et 40, comme nous l'avons vu plus haut. Lewin a dénommé sa perspective gestaltiste, *psychologie topologique*, d'après une expression empruntée aux mathématiques, où la topologie désigne une partie de la géométrie spécialisée dans les rapports entre les espaces, plus particulièrement la distance existant d'un espace à l'autre et les obstacles s'élevant entre ceux-ci. Il est l'auteur de l'expression d'*espace vital*, en tant que principe englobant tous les faits susceptibles d'influencer le comportement d'un enfant à un moment donné. Comme nous l'avons déjà précisé, dans ce système, un fait ne constitue pas une observation objectivement vérifiable du monde réel, mais au contraire tout élément dans l'environnement de l'enfant qui affecte son comportement ou sa pensée individuelle. Ceci concerne tant les forces dont l'enfant est inconscient que les éléments qu'il admet comme étant réels.

Après la mort de Lewin en 1947, deux de ses collègues de l'Université de Kansas, Roger W. Barker et H.F. Wright, ont davantage mis l'accent sur l'aspect environnemental de la psychologie topologique en se spécialisant dans l'étude du rôle des forces de l'environnement dans l'espace vital de l'enfant (Barker, 1977). En biologie, le terme «écologie» désigne les relations réciproques existant entre une plante ou un animal, et son environnement. Ces chercheurs ont repris ce terme pour désigner leur propre méthode, qui étudie l'influence du milieu socio-culturel des enfants sur leur comportement et sur leur développement.

Barker (1968) a noté que la psychologie traditionnelle illustrait de manière significative ce en quoi les gens différaient les uns des autres, mais qu'elle restait très limitée dans sa description des importantes variations intervenant dans la pensée, les sentiments et l'action d'un enfant particulier au cours d'une journée ordinaire. D'après lui, une grande partie de celles-ci peuvent être mises sur le compte des environnements socio-écologiques ou des milieux comportementaux dans lesquels il évolue habituellement. En effet, pour les théoriciens écologiques, le comportement d'un enfant sera plus aisément compréhensible si nous connaissons le milieu dans lequel il se trouve à un moment donné, c'est-à-dire son environnement comportemental (behavior setting). Ainsi, un adolescent sera silencieux à l'église, tandis qu'il s'égosillera lors d'une partie de football.

Les éléments des «environnements comportementaux»

La théorie écologique va cependant bien au-delà de ces observations. Barker et ses collègues ont identifié une série de composantes de milieux comportementaux, de sorte que la nature du milieu spécifique dans lequel évolue un enfant puisse être analysée plus systématiquement. Par exemple, ils suggèrent qu'un milieu comportemental (tel qu'un cours d'histoire ou un déjeuner) comporte deux éléments principaux : il y aurait d'abord les *modèles standards de comportement* et ensuite le *milieu*, constitué à son tour de deux composantes.

La première est représentée par les objets matériels, comme les cartes murales au cours d'histoire, ou la table et l'argenterie du déjeuner. La deuxième composante fait intervenir les contraintes (un cours de quarante-cinq minutes, un dîner de deux heures). Le milieu intègre le comportement des gens à l'intérieur d'un cadre global. Il est qualifié de «circumjacent» en ceci qu'il englobe le comportement de tous les individus repris dans l'environnement donné; de telles notions ont été créées en vue d'aider les analystes écologiques à organiser leurs observations des milieux dans lesquels les enfants grandissent.

La psychologie écologiste ne constitue pas seulement un passe-temps intellectuel : elle s'avère utile pour répondre à des questions pratiques comme, par exemple, l'influence exercée par la taille des écoles sur le développement des adolescents. C'est là une des études les plus approfondies effectuées par ce groupe de chercheurs. A l'issue de sondages effectués dans plusieurs écoles du centre des Etats-Unis, Barker et ses collègues ont conclu que :

> *Le processus éducationnel (...) repose sur la participation, l'enthousiasme et la responsabilité. Nos découvertes et notre théorie indiquent un rapport négatif entre la dimension de l'école et la participation individuelle des étudiants. Ce qui semble arriver, c'est que, plus une école est fréquentée et plus ses environnements (de comportements)*

sont fortement peuplés, moins on a besoin des étudiants; ils deviennent superflus, inutiles (...) une école devrait être suffisamment petite afin d'éviter que ses étudiants ne soient inutiles (Barker et al., 1970, p. 42).

Le groupe a observé à juste titre que les élèves d'établissements de moindre importance s'engagent dans un plus grand nombre d'activités, prennent plus de responsabilités, ont plus d'occupations parascolaires importantes et sont plus motivés pour participer à des activités dites «de volontariat» que les étudiants qui fréquentent des lycées dont la population est plus nombreuse (Ross, 1985).

Ainsi, une grande partie des recherches effectuées en psychologie environnementale concernent les problèmes spécifiques aux urbanistes, aux architectes et aux services sociaux, à savoir la manière dont le comportement humain est affecté par l'encombrement des villes, le délabrement des vieux quartiers, la croissance des banlieues, la faible densité démographique des régions rurales, la disponibilité des ressources, la taille des institutions, etc. Ces tentatives pour comprendre l'influence des milieux physiques sur la vie des gens ont donné naissance à de nombreuses théories, parmi lesquelles un *modèle de surcharge informationnelle* qui soutient que les individus ont une capacité limitée pour traiter l'information; lorsqu'une stimulation excessive leur est communiquée par l'environnement, ils en ignorent les données périphériques, de façon à reporter toute leur attention sur l'essentiel. «Le résultat est que les réponses à ces stimuli périphériques non sociaux ou sociaux sont minimales ou inexistantes» (Fisher, Bell et Baum, 1984, p. 83). D'après une *théorie dite de la sous-stimulation*, une stimulation monotone de l'environnement génère l'ennui et moins de raisons d'agir. Un *modèle de contrainte de comportement* suggère que, lorsque les enfants sentent qu'ils ne maîtrisent plus leur environnement, ils adoptent des comportements susceptibles, d'après eux, de leur permettre de retrouver une autorité et une liberté d'action. Les développementalistes ont proposé de multiples tentatives d'explication des influences de l'environnement sur la vie des enfants. L'une des plus méthodiques est certainement celle de Bronfenbrenner, que nous allons examiner en détail.

La théorie de Bronfenbrenner : l'écologie du développement humain

Urie Bronfenbrenner, né en 1917, attribue au milieu dans lequel il a grandi, le mérite d'avoir attiré son attention sur le rôle primordial tenu par l'environnement physique et social de l'enfant au cours de son développement :

Mon père, qui était spécialiste en neuropathologie, travaillait dans un hôpital d'état s'occupant de ceux que l'on appelait des imbéciles, *et j'ai eu la chance d'avoir été élevé dans un tel contexte. En plus de son diplôme de médecin, mon père avait un doctorat en zoologie et il était naturaliste dans l'âme. le domaine de l'hôpital offrait à son attention un riche terrain biologique et social* (Bronfenbrenner, 1979, p. XI).

Tirant parti de sa situation, le jeune Bronfenbrenner a ainsi appris que le milieu ambiant des plantes et des animaux affecte leur croissance, de la même manière que l'environnement physique et social d'un hôpital peut agir sur le développement de ses pensionnaires. Il a par la suite consacré la majeure partie de son séjour à l'Université de Cornell à la recherche inter-culturelle; ses observations, effectuées tant en Nouvelle Ecosse qu'en Union Soviétique, en Chine, en Europe de l'Est et de l'Ouest, en Israël et aux Etats-Unis, l'ont mené à la conclusion suivante :

Considérée dans des contextes différents, la nature humaine, à laquelle j'avais tout d'abord pensé comme à un nom singulier, est apparue plurielle et pluraliste; et ceci parce que les différents environnements produisent des différences sensibles non seulement entre les sociétés, mais aussi à l'intérieur de chacune d'elles. Cette diversité de talents, de tempéraments, de relations humaines se marque particulièrement dans les manières dont la culture ou la sous-culture élève sa nouvelle génération (Bronfenbrenner, 1979, p. XIII).

Bronfenbrenner a également admis que les environnements dans lesquels vit l'enfant sont à ce point variés et diversifiés que comprendre l'impact qu'ils peuvent avoir dans son existence n'est pas tâche aisée. Aussi, afin de simplifier et systématiser ce travail de compréhension, a-t-il conçu la théorie de *l'écologie du développement humain*, dont les grandes lignes sont exposées ci-dessous.

Il définit tout d'abord *l'écologie du développement humain* comme étant :

l'étude scientifique de l'adaptation réciproque et progressive entre un être humain actif, en cours de développement, et les propriétés changeantes des milieux immédiats dans lesquels il vit, compte tenu que ce processus est affecté par les relations entre eux et par les contextes plus généraux dont ces milieux font partie (Bronfenbrenner, 1979, p. 21).

Dans les figures 17.1 et 17.2, nous avons voulu représenter les rapports établis par Bronfenbrenner entre les éléments de sa définition. L'unité de base du modèle d'analyse est le *microsystème*, c'est-à-dire «un modèle d'activités, de rôles et de rapports interpersonnels expérimentés par un sujet au cours de son évolution, dans un milieu donné, avec des caracté-

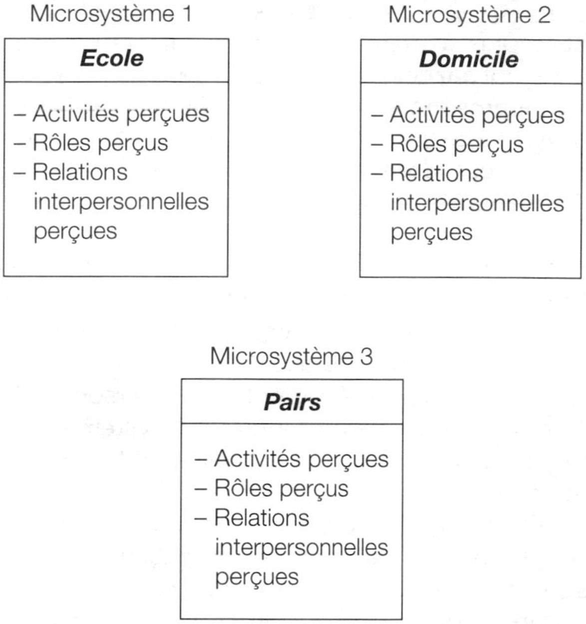

Figure 17.1 — Les microsystèmes d'expérience des enfants

ristiques physiques et matérielles déterminées (Bronfenbrenner, 1979, p. 22)». La figure 17.1 propose trois illustrations typiques de tels microsystèmes : l'école, le domicile et les endroits de rencontre habituels (Barker aurait appelé ces endroits des «milieux comportementaux» [1968; Schoggen, 1989]). Il importe de souligner que, dans le système de Bronfenbrenner, l'influence des milieux comportementaux sur le développement de l'enfant ne se fait pas par la *réalité objective* des activités, des rôles et des relations interpersonnelles évoqués plus haut. Cette influence est plutôt le fruit de la perception ou de l'interprétation de ces facteurs.

Bronfenbrenner rejoint le point de vue de Lewin, lorsqu'il considère que l'environnement phénoménologique, c'est-à-dire interprété ou expérimenté par l'individu, l'emporte sur l'environnement réel dans l'adoption d'un comportement donné. Bien sûr, poursuit-il, il est aberrant d'essayer de comprendre les actes des enfants uniquement à partir des propriétés objectives d'un environnement, sans savoir ce que celles-ci signifient pour eux dans ce milieu précis. Ensuite, il importe de savoir comment les personnes, les objets et les événements influent, dans cette situation, sur les motivations de l'enfant. Enfin, il faudrait reconnaître l'influence qu'exercent sur le comportement des éléments «irréels» issus de l'imagination de l'enfant, de ses fantasmes et de ses interprétations propres (Bronfenbrenner, 1979, pp. 24-25).

La nature même des composantes du microsystème implique que l'analyste est le plus à même de comprendre le comportement d'un enfant, en apprenant par celui-ci comment il perçoit les activités, les rôles, les rapports interpersonnels manifestés dans ce milieu, les *activités* faisant ici référence à ce que font les gens, et les *rôles*, aux actes présumés des personnes qui ont, dans la société, un rôle tel que celui de parent, d'enfant, de frère ou de sœur, d'enseignant, d'ami, d'entraîneur, etc. Quant aux *relations interpersonnelles*, elles font allusion à la manière dont les gens se comportent les uns envers les autres, lors de rencontres.

Bronfenbrenner a adopté le terme de *microsystème* pour exprimer sa conviction que les milieux comportementaux fournissent la plus petite unité d'analyse (micro) et que les trois composantes les plus significatives d'un milieu (activités, rôles, rapports interpersonnels) forment une gestalt, ou champ de comportement interactif (système), dans laquelle la modification d'une des composantes est susceptible d'affecter la configuration entière et de produire un changement dans la vie de l'enfant. Un problème méthodologique évident rencontré dans l'analyse du microsystème provient du fait que les composantes peuvent être fluctuantes puisqu'elles sont déterminées par des déplacements dans les activités en cours et par des réajustements, en fonction des rôles des participants et des relations. L'analyse du microsystème est donc aux prises avec une matière mouvante.

Trois phases d'influence étrangères au milieu comportemental immédiat ajoutent encore à la difficulté de comprendre le comportement d'un enfant dans un microsystème. Bronfenbrenner appelle *mésosystème* la première phase située au-delà du *microsystème;* il est symbolisé dans notre schéma 17.2 et délimité par un large trait noir.

> *Un mésosystème comprend les relations mutuelles existant entre deux ou plusieurs milieux dans lesquels le sujet en cours de développement évolue activement. Par exemple, pour un enfant, il s'agira des relations entre la maison, le travail, et le groupe de copains du quartier, alors que, pour un adulte, les relations se situeront entre la famille, le travail et la vie sociale* (Bronfenbrenner, 1979, p. 25).

Comme l'illustrent les flèches à double pointe, le réseau inter-relationnel associant les microsystèmes peut agir sur les perceptions et sur le comportement de l'enfant, quel que soit le milieu dans lequel il évolue. L'expérience vécue par l'enfant dans sa classe en constitue un exemple probant. Cette expérience,indépendamment du jour ou de l'heure, reste tributaire de ses impressions vis-à-vis des attitudes de ses parents et de ses camarades.

La phase suivante, extérieure au mésosystème, est *l'exosystème*, défini par Bronfenbrenner comme suit :

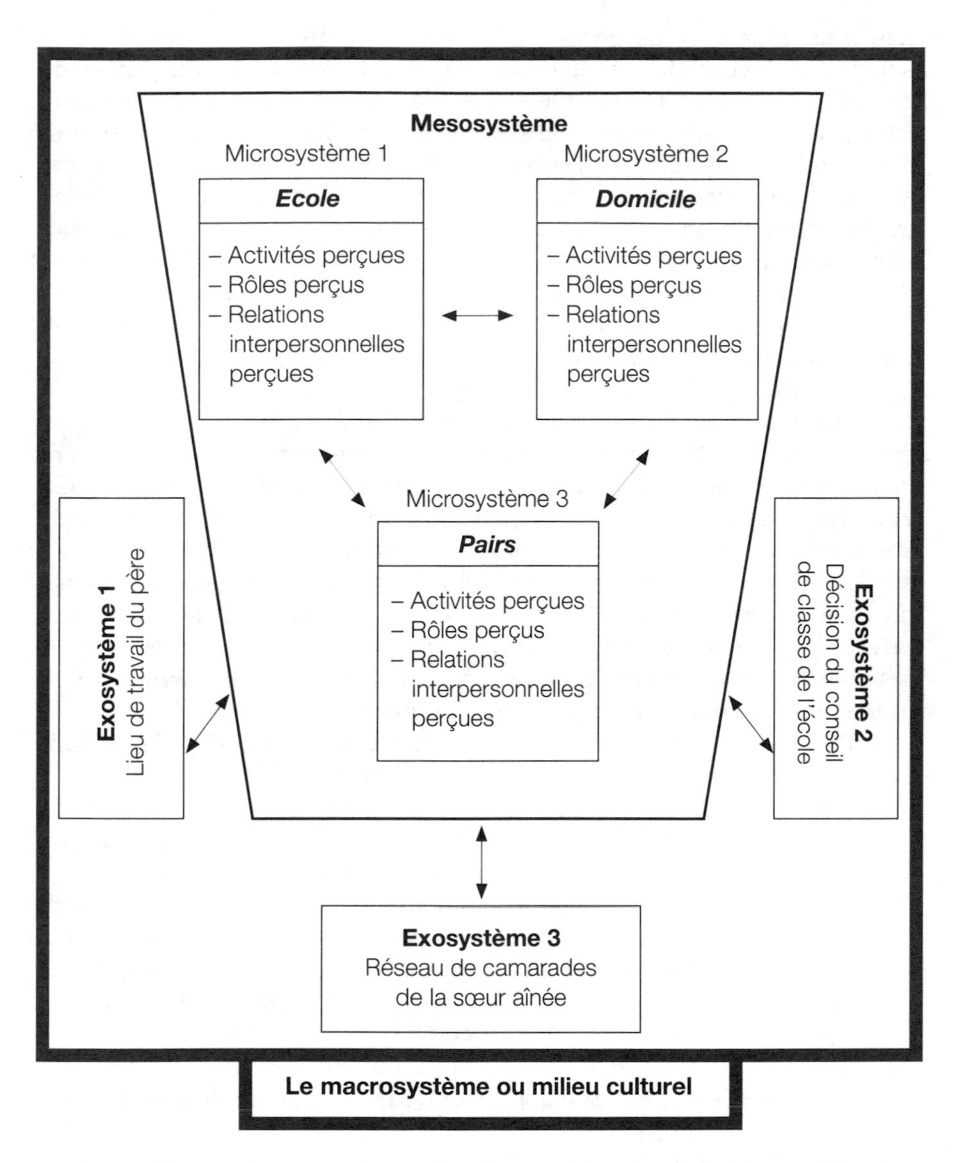

Figure 17.2 — Systèmes interreliés des expériences environnementales des enfants

Un exosystème fait référence à un ou plusieurs milieux comportementaux qui n'impliquent pas que le sujet soit actif, mais dans lesquels il se passe des événements qui affectent, ou sont affectés par, ce qui survient dans cet environnement où évolue la personne en développement (Bronfenbrenner, 1979, p. 25).

Les trois exosystèmes choisis pour illustrer cette description dans le schéma 17.2 sont : le lieu de travail du père, les décisions du conseil de classe concernant l'enfant et le réseau de camarades de sa sœur aînée. Ainsi, si le lieu de travail du père est proche du domicile, celui-ci pourra consacrer plus de temps à l'enfant. De même, le développement de cet enfant peut varier quelque peu si sa sœur aînée a des amis ou des activités qui la retiennent à l'extérieur. Enfin, si l'enfant a un rythme d'apprentissage lent et que le conseil de classe décide de placer ce type d'élèves dans des classes normales, son évolution scolaire peut en souffrir.

En définitive, l'ensemble des attitudes et des convictions partagées par la société dans son ensemble constituent la source d'influence la plus éloignée de l'expérience immédiate du sujet. Ce *macrosystème* est constitué par le milieu culturel représenté dans la figure 17.2 par la ligne épaisse contenant les micro-, meso-, et exosystèmes de l'environnement de l'enfant. Il reste à savoir en quoi ce modèle pourrait s'avérer utile aux chercheurs et aux autres personnes (parents, membres des services sociaux, dirigeants de mouvements de jeunes) qui tentent d'en savoir plus sur le développement des enfants. Il apparaît d'abord que ce modèle désigne les aspects de l'environnement de l'enfant qui devraient être privilégiés en vue de rassembler des informations ou des données. Ci-dessous figure un exemple de la manière dont plusieurs aspects d'un macrosystème donné s'influencent mutuellement :

(1) Le *milieu* comportemental du microsystème immédiat de l'enfant est la cour de l'école pendant la récréation.
(2) Les *activités*, les *rôles* et les *relations interpersonnelles* des participants de base dans ce milieu (par exemple, le surveillant ainsi que les garçons et les filles des deux équipes de football en action).
(3) Le *mésosystème* regroupe les influences diverses issues des autres microsystèmes sur les perceptions de l'enfant dans ce milieu comportemental. Il pourrait s'agir, dans ce cas, de souvenirs de réunions récentes et des réactions des parents aux bons ou aux mauvais résultats réalisés pendant le match.
(4) L'*exosystème* est représenté par le comité sportif de l'école qui établit les règles et par la longueur de la récréation, déterminée par l'emploi du temps scolaire.
(5) Le *milieu culturel* est présent dans l'approbation de la société vis-à-vis du respect des règles, le comportement du bon gagnant ou du bon perdant, le respect des ordres donnés et le fait de faire passer les intérêts de l'équipe avant ses intérêts personnels.

Un autre intérêt de cette théorie réside dans son utilisation de la notion de systèmes, qui implique qu'un analyste devrait non seulement rassembler des faits relatifs aux cinq composantes, mais aussi à leurs rapports réciproques. L'analyse des transactions devrait ainsi permettre de savoir quels éléments auraient influencé quels autres, la nature de cette influence (c'est-à-dire, ce qu'aurait fait A pour provoquer la réaction de B), jusqu'à quel point l'influence était réciproque (par exemple, si B a également eu une influence sur la réalisation de A ou sur ses caractéristiques) et enfin lequel, parmi ces éléments, semble avoir le plus d'influence (pouvons-nous dire que l'élément C a beaucoup d'effets, alors que ceux de D sont négligeables) ?

Il est évidemment impossible de représenter tout ceci sur un graphique. Pour que la tâche de l'analyste soit réalisable, le chercheur doit donc sélectionner les circonstances en prenant des «instantanés» écologiques ou en établissant des relevés sommaires des faits écologiques. Ces circonstances devraient être sélectionnées en fonction de leur effet significatif sur les capacités à long terme et les attitudes de l'enfant. Pour avoir un instantané justifié, Bronfenbrenner a suggéré le recours à la notion de *transition écologique*, une modification survenant à chaque fois que la position de l'enfant dans l'environnement écologique est perturbée par un changement de rôle, de milieu ou des deux simultanément. Nous pouvons en déduire qu'il y a des transitions majeures et secondaires.

Les transitions majeures comprendraient l'apprentissage de la marche et du langage vers dix-huit mois, l'entrée à l'école à l'âge de six ans, le déménagement et l'installation de la famille dans une autre ville, l'expérience du divorce des parents (Bronfenbrenner, 1979, pp. 26-27). Les transitions mineures sont moins dramatiques comme l'acné juvénile ou le cas d'un enfant de neuf ans dont la grand-mère a été placée dans une maison de repos pour une durée de six mois, mais elles laissent néanmoins des séquelles qui s'inscrivent dans le développement à long terme. Le chercheur a pour mission d'établir le diagramme de l'écologie de l'enfant avant et après le point de transition, en notant, à la fois, les facteurs qui ont concouru à amener la transition et les effets produits par celle-ci sur l'enfant.

Un point critique de la méthodologie de recherche mise au point par Bronfenbrenner est ce qu'il a appelé la *validité écologique*, c'est-à-dire le fait de savoir «jusqu'à quel point l'environnement vécu par les sujets au cours d'une recherche scientifique a les propriétés que le chercheur voudrait lui reconnaître» (Bronfenbrenner, 1979, p. 29). Son insistance sur ce point repose sur le fait que trop souvent, la recherche concernant les enfants est menée en laboratoire ou dans un milieu unique. De là sont émises des considérations relatives au développement, indépendamment du fait que les interprétations des enfants, leurs propres perceptions phénoménologiques, sont susceptibles d'être influencées par les diverses configurations d'environnements différents.

Cette notion de validité fait réfléchir. En effet, en premier lieu, les rapports de recherche devraient décrire les variables influentes des environnements et les chercheurs devraient limiter leurs conclusions au cas des enfants vivant dans des milieux écologiques similaires. Ensuite, l'analyse a pour but d'identifier la nature de la perception de l'environnement par l'enfant, plutôt que les caractéristiques objectives de l'environnement. La bonne méthode est donc celle qui reflète les interprétations phénoménologiques de l'enfant, et non celle qui se limite à identifier les caractéristiques observables du milieu. L'étude des perceptions de l'enfant constitue une tâche bien plus ardue que celle d'établir une simple description du milieu. Un tel travail ne peut être effectué que par des chercheurs dotés d'une bonne connaissance du milieu culturel et qui seraient donc à même de discerner des nuances de langage et des réticences dans les réactions des enfants.

Derek Freeman (1983), dans sa critique caustique du livre de Margaret Mead, *Coming of Age in Samoa* (1968), a accusé celle-ci d'avoir tiré des conclusions erronées à propos du développement des adolescents à Samoa, en ceci qu'elle n'aurait pas bien compris le milieu qu'elle décrivait et qu'elle aurait tenté de prouver une hypothèse plutôt que tenter de bien saisir le sens des remarques des adolescents en adoptant le point de vue du macrosystème. Bronfenbrenner et ses associés ont admis que les techniques de recherche actuelles ne peuvent pas encore tenir compte de la *validité écologique*. Il incombera aux développementalistes de mettre au point de telles techniques.

Un autre aspect remarquable du système de Bronfenbrenner réside dans le concept de *validité de développement*. Un changement observé dans la perception ou dans les activités de l'enfant au sein d'un milieu donné, pour être considéré comme valide sur le plan du développement, doit également se manifester dans d'autres milieux. En effet, les changements qui surviennent dans un cas unique, à un moment et à un endroit donnés, et qui n'apparaissent pas dans d'autres milieux écologiques ne peuvent pas être considérés comme développementaux en ceci qu'ils n'exercent pas un effet durable sur les attitudes et les capacités de l'enfant.

Après avoir identifié les composantes de sa théorie, Bronfenbrenner a effectué un relevé systématique des méthodes de recherche adaptées à son modèle. Dans son analyse, il décrit les études cliniques qui peuvent être menées dans des milieux naturels tels que les institutions d'enfants, les crèches ou les écoles maternelles. Cependant, il admet que :

> *Les expériences écologiques bien conçues ne sont pas faciles à trouver. J'ai dû inventer des exemples là où il n'y en avait pas. En outre, dans plusieurs cas, il y avait une pénurie non seulement de recherches pertinentes, mais aussi d'idées pertinentes. En conséquence, ce travail propose davantage d'hypothèses que de recherches véritables* (Bronfenbrenner, 1985, p. 42).

En bref, la capacité de cette théorie à générer une recherche large et fructueuse reste à démontrer.

Les applications pratiques

La théorie de l'écologie du développement humain est prometteuse à l'égard de la puériculture, des techniques éducatives, du travail social et de la pédiatrie. Il reste toutefois à établir des techniques adéquates en vue de parvenir à un champ d'investigations suffisamment étendu pour aboutir à des généralisations convaincantes sur les relations propres aux quatre systèmes de la théorie (micro, méso, exo et macro).

Rappelons ici que la théorie de Bronfenbrenner a pour objet les interprétations des environnements par les enfants plutôt que l'étude des caractéristiques objectives de ces environnements. La réalisation de changements constructifs dans les perceptions des environnements par les enfants constituerait une possibilité d'application pratique de cette théorie. L'amélioration de cette perception pourrait se faire (1) en modifiant les composantes préjudiciables d'un environnement (un microsystème) ou (2) en faisant passer l'enfant d'environnements inappropriés à des environnements favorables. Il serait également possible (3) de confier à d'autres microcosmes les responsabilités éducatives qui font défaut dans le microcosme habituel (changer le mésosystème), ou (4) de modifier les perceptions des environnements où l'enfant doit encore séjourner. Pour illustrer ce propos, considérons la situation d'un garçon dont le développement est contrarié par des parents négligents. Ces négligences se présentent sous forme d'une incompétence des parents pour l'enseignement d'une conduite sociale appropriée, d'une insuffisance de tendresse et de soutien affectif, et de reproches adressés à l'enfant. De telles négligences ne peuvent qu'aboutir à renforcer le comportement inadapté du garçon dans les microsystèmes extérieurs au foyer où il se montrera grossier, où il refusera d'endosser des responsabilités et où il attirera l'attention par un comportement prétentieux ou méprisant.

Les possibilités de modifier ces caractéristiques pourraient, par exemple, se traduire par un réajustement des méthodes éducatives par le biais de conseils prodigués aux parents, le placement de l'enfant en internat, ou par une prise en charge de l'enseignement du comportement social adéquat par le personnel de l'école, ce qui pallierait également le manque de soutien affectif. En vue de modifier sa perception de la vie familiale, il serait aussi possible de conseiller l'enfant afin qu'il accepte ses parents tels qu'ils sont, et qu'il puisse trouver des modèles étrangers à sa famille.

En résumé, la capacité de la théorie de Bronfenbrenner de produire des applications pratiques dépend du succès rencontré par les techniques des recherches écologiques pour révéler à quel moment, dans les quatre systèmes (micro, méso, exo, macro), les composantes oppositionnelles opèrent. Des dispositions peuvent alors être prises pour transformer les composantes à influences négatives en moyens, qui, de manière constructive, modifient la perception des environnements dans la relation que l'individu entretient avec lui-même.

L'écologie du développement humain : appréciation

Dans l'évaluation du système de Bronfenbrenner, nous avons ajouté à certains des neuf critères, la lettre P, pour *potentiel*; en effet, le passage de la théorie à la pratique n'est pas encore réalisable. En fait, nous trouvons la base de l'argumentation de Bronfenbrenner très convaincante à propos de l'influence des forces environnementales sur le développement de l'enfant. Nous approuvons sa volonté de nous faire prendre conscience que ces forces ne sont pas négligeables et de nous proposer un classement rigoureux de celles-ci en quatre systèmes étroitement imbriqués. Il serait toutefois nécessaire de disposer de consignes plus précises que celles de Bronfenbrenner, pour que le système proposé soit davantage opérationnel.

Les questions auxquelles nous sommes confrontés et qui demanderaient une réponse sont les suivantes :

a) L'établissement d'une *distinction entre les microsystèmes.*
   Comment savoir, en effet, où un microsystème prend fin et où commence un autre? Comment déterminer si une série d'événements est assez importante pour donner lieu à une recherche de l'interprétation qu'en fera l'enfant ?
b) L'*identification des rôles.*
   Il est établi que nous définissons un microsystème par son milieu physique dans une période de temps définie, comme, par exemple, le contexte d'un cours en salle de classe. Comment est-il possible d'identifier quelqu'un à un rôle, alors qu'une personne peut endosser plusieurs rôles ou passer d'un rôle à un autre ? Chacun de ceux-ci devrait-il être répertorié ? Dans la négative, en fonction de quels critères les rôles méritant d'être décrits seront-ils retenus ?
c) L'estimation de la *puissance des composantes du système.*
   Suivant une hypothèse sous jacente à la théorie, certains éléments du système pourraient exercer une plus grande influence sur les perceptions et sur le comportement de l'enfant. Quoique Bronfenbrenner ait proposé quelques principes généraux pour évaluer la puissance des éléments ou des sous-systèmes, le recours à cette méthode pour un cas spécifique reste aléatoire.

Tableau 17.1 — La théorie de Bronfenbrenner

Comment la théorie de Bronfenbrenner répond-elle aux critères ?

	Les critères	*Très bien*	*Assez bien*	*Très Mal*
1.	Reflète le monde réel des enfants	P	X	
2.	Se comprend clairement	P	X	
3.	Explique le développement passé et prévoit l'avenir	P		X
4.	Facilite l'éducation	P		X
5.	A une logique interne	X		
6.	Est économique	X		
7.	Est vérifiable	P		X
8.	Stimule de nouvelles découvertes	P	X	
9.	Est satisfaisante en elle-même	P	X	

P = statut potentiel; X = statut actuel

Notre but, en faisant ainsi état des ambiguïtés et des imprécisions de la théorie écologique, n'est pas de suggérer que le système manque de valeur potentielle. Au contraire, le fait de mentionner la lettre P face à plusieurs des critères illustre la valeur que nous accordons à son potentiel, dans la mesure où les actuelles imprécisions pourraient être rectifiées. En fait, cette version de la psychologie écologique étant nouvelle dans le domaine du développement de l'enfant, les exemples concrets manquent pour illustrer ses applications ou pour vérifier ses hypothèses. Le nombre des hypothèses qui pourraient être vérifiées s'avère minime. Cependant, comparés aux théories de Freud, de Piaget, de Vygotsky, de Skinner et de Bandura, le modèle écologique et ses contributions à la psychologie développementale sont résolument tournés vers l'avenir.

La théorie, à son stade actuel, mérite, selon nous, un résultat excellent pour sa logique interne et sa sobriété ou son économie (critères 5 et 6). En effet, les composantes du modèle ne semblent pas se contredire et elles ne se révèlent pas trop complexes en tant que méthodes d'évaluation des phénomènes qu'elles sont censées expliquer. Par contre, nous avons donné la cote la plus basse au critère 7, car la théorie en est encore à un niveau d'abstraction trop élevé. Ce n'est que lorsque des hypothèses spécifiques sont clairement énoncées pour des aspects particuliers du modèle que des tests empiriques en vue de confirmer ou d'infirmer ces perspectives sont envisageables.

Une cote assez basse a également été attribuée à cette théorie à propos de sa capacité d'explication du passé et de prédiction du futur (critère 3), suite aux diverses imprécisions méthodologiques déjà mentionnées. Le développement passé doit être expliqué de manière convaincante et le développement futur doit être prévisible; pour ce faire, des méthodes précises doivent exister, d'abord pour identifier les forces des composantes significatives dans chaque système (micro, méso, exo, macro), et ensuite pour établir un schéma des interactions entre les composantes et les systèmes. Une telle précision n'est apparemment pas encore le fait du système de Bronfenbrenner,or la pertinence d'une théorie pour l'éducation des enfants (critère 4) se mesure à sa capacité d'explication et de prédiction.

Notre évaluation du critère 8 («permet de nouvelles découvertes»), tient compte des nouvelles perspectives proposées par Bronfenbrenner dans l'élaboration de son système, ainsi que d'autres travaux s'inspirant de cette même philosophie (Schoggen, 1989). Cependant, nous avons également tenu compte du fait que la théorie n'en est encore qu'à ses balbutiements, ce qui empêche d'autres chercheurs de vraiment l'adopter pour des recherches pratiques. Elle ne peut donc pas encore donner lieu à des critiques approfondies qui pourraient mener à des perspectives originales au regard d'autres informations et modèles existants.

Nous avons jugé ce modèle assez bon au niveau de la clarté (critère 2), car quoique la structure de base soit aisément compréhensible, quelques aspects restent encore à préciser. A propos du critère 1, à savoir la fidélité avec laquelle la théorie rend compte du monde réel de l'enfant (critère 1) notre expérience suggère que les facteurs environnementaux qui y sont représentés sont tous importants dans le développement des enfants. Mais les carences d'informations à propos de la manière dont les diverses composantes interfèrent dans le développement d'un enfant, nous ont amené à considérer temporairement cette théorie comme irréaliste.

Comme l'indique le «statut potentiel» élevé attribué à la plupart des critères d'évaluation de la théorie écologique du développement humain, nous estimons qu'une fois ces problèmes d'imprécision résolus, le modèle de Bronfenbrenner pourra constituer un outil appréciable pour expliquer et prédire le rôle de différents environnements dans le développement des enfants. Ce modèle ouvrira de nouveaux horizons dans le domaine de la psychologie développementale.

18

L'avenir des théories de développement par stades

Traditionnellement, les théoriciens décrivent le cours du développement de trois manières différentes : (1) en terme de direction, c'est-à-dire qu'ils suivent les progrès du développement d'un état initial à un état final (2) suivant un processus de croissance ou encore (3) selon une hiérarchie de niveaux. Quelques chercheurs ont adopté l'un ou l'autre de ces points de vue, certains en ont combiné plusieurs.

Kurt Lewin (1889-1947) et Heinz Werner (1890-1964), comptent parmi ceux qui ont pensé en termes de direction. Chacun d'eux a établi un certain nombre de paramètres de croissance suivant lesquels, s'il faut se fier à leurs analyses, le développement progresse naturellement : Lewin, par exemple, tient compte du principe de *différenciation*. Werner quant à lui, considère qu'il y a progression allant du *syncrétique* (le global, le général, l'indistinct) vers le *discret* (le multiple, le divers).

Les théoriciens qui voient dans le développement un processus de croissance continue comptent entre autres dans leurs rangs tant les behavioristes et ceux qui s'intéressent à l'apprentissage social que les partisans des théories du traitement de l'information ou de la psychologie écologique. Pour eux, les opérations qui produisent le changement développemental comptent plus encore que la direction du développement.

La troisième méthode de description du développement envisage la croissance sous forme d'une série de stades. Les phases de développement proposées par Gesell, Havighurst, Freud, Erickson, Piaget et l'école soviétique en constituent de bons exemples. Ce chapitre a pour objectif de faire progresser les théories par stades, en décrivant les principes de base de quelques modèles récents, et de faire une estimation de leurs perspectives pour l'avenir.

Le développement par stades : trois théories récentes

Les théories de développement par stades qui sont régulièrement présentées ne sont presque jamais absolument novatrices; en effet, elles constituent pour la plupart des variantes de modèles déjà existants. C'est le cas des trois théories décrites ci-dessous, issues directement du modèle de Piaget, c'est-à-dire qu'on y décèle les tentatives de leurs auteurs pour corriger les imperfections majeures du modèle de Piaget. Ces théories sont dites récentes parce qu'elles ont fait leur apparition au cours des années 80. Avant de considérer le contenu de ces modèles, nous pouvons, à toutes fins utiles, redéfinir les notions de *structure* et de *stade*.

Les questions de savoir ce qui se développe à l'intérieur de l'être humain et de quelle manière, comme le sous-entendent les concepts de stade et de structure, sont toujours au centre de nos préoccupations (Levin, 1986; Case, 1991). Quoique les spécialistes du développement ne s'accordent pas quant à la définition à accorder au mot *structure*, nous pensons que la plupart d'entre eux admettraient la définition suivante : *une structure cognitive est une grille d'interprétation appliquée par l'individu pour donner du sens aux stimuli venant de l'environnement.* Robbie Case (1986, p. 58) a défini une telle structure comme étant «un mécanisme organisateur avec lequel les enfants viennent au monde» et qui se transforme de manière prévisible avec l'âge. Le développement intellectuel des enfants peut dès lors s'interpréter comme une succession d'altérations progressives dans leurs structures cognitives, c'est-à-dire dans leur grille mentale de compréhension du monde.

K.W. Fisher et R.L. Canfield (1986) ont montré que les changements intervenant dans ces structures peuvent s'effectuer diversement, par exemple, en vivant une expérience émotionnelle forte (conversion religieuse, mauvais traitements pendant l'enfance), suite à des expériences d'apprentissage et par progression de la maturité du système nerveux de l'enfant. La maturation étant principalement sous contrôle de l'horloge génétique héritée par l'enfant, elle constitue le type de changement structural habituellement qualifié de *développemental*. C'est un changement structural commun à tous les enfants, qui sert de fondement aux théories des stades appliquées au développement de l'enfant. Les théoriciens qui s'intéressent à ce processus sont dit *structuralistes*, étant donné leur désir de prouver que le développement dépend étroitement de l'influence de la génétique sur les structures physiques et mentales grâce auxquelles l'organisme interprète les événements de l'environnement.

Comme pour la structure, il y a eu – et il y a encore et toujours – une terrible polémique à propos de la signification du terme *stade* (Levin, 1986). En ce qui nous concerne et dans un premier temps, la définition suivante pourra convenir :

> *Un nouveau stade de développement cognitif est atteint quand il y a eu un changement marqué dans les structures cognitives portant sur différents domaines de pensée, quand la nature du changement est la même pour des enfants d'âge à peu près égal et quand les nouvelles structures continuent à fonctionner pendant un certain temps.*

Un changement brutal dans les structures mentales de l'enfant est ainsi suivi d'un *plateau*, c'est-à-dire d'une période assez longue au cours de laquelle aucune modification n'intervient. Dans ce contexte, le terme *domaine* peut faire référence au langage, aux fonctions mathématiques, à l'explication de phénomènes physiques, à la conscience de soi, etc.

Les trois théories décrites dans ce chapitre montrent comment cette notion générale de stade peut être précisée et étoffée. Ci-dessous, pour chaque modèle, nous décrirons les facteurs qui sont à l'origine de son élaboration et présenterons ses traits distinctifs, ses implications profondes, et enfin ses forces et ses faiblesses.

Le modèle des quatre stades de Case

Dans le courant des années 80, Robbie Case (1984, 1985, 1986) de l'Institut d'Education à Ontario, au Canada, publiait une nouvelle version de la théorie du développement cognitif fondée sur une série de recherches empiriques. Certains des concepts et méthodes d'investigation qu'il avait utilisés étaient empruntés à ses prédécesseurs, parmi lesquels figurent Baldwin (1895), Piaget (1963), Bruner (1964), Pascual-Leone (1976), Klahr et Wallace (1976). Le but que se fixait Case était d'aplanir plusieurs des difficultés rencontrées dans les modèles préexistants :

> *Ma propre position (...) peut être qualifiée de néo-piagétienne. Comme Piaget, je crois qu'une progression de structures mentales de plus en plus sophistiquées est le moyen le plus approprié pour représenter le fonctionnement intellectuel des enfants à différents stades du développement. De plus, comme lui, je crois que la forme profonde et la complexité de ces structures sont constantes à n'importe quel âge et*

qu'elles s'appliquent également à différents domaines du développement (s'il a été offert aux enfants des opportunités d'apprentissage dans ces domaines spécifiques). Cependant, contrairement à Piaget, je pense que pour représenter adéquatement les structures mentales, il est nécessaire d'utiliser davantage le type de concepts développés dans les modèles de traitement de l'information et de simulation par ordinateur, plutôt que ceux issus de la logique symbolique. Il est évident que cette différence dans la manière dont les structures mentales des enfants sont conceptualisées conduit à des différences dans le processus de conceptualisation de transition en stades (Case, 1984, p. 20).

Dans ses grandes lignes, la structure de sa théorie, est comparable aux schèmes de Piaget avec les périodes sensori-motrice et pré-opérationnelle, et celles des opérations concrètes et formelles. Cependant, Case a donné aux trois derniers stades des noms qui lui semblaient correspondre de manière plus précise aux différents processus de la pensée de l'enfant, depuis la plus petite enfance jusqu'à l'adolescence. Comme le montre la figure 18.1, il a substitué les mots *relationnel, dimensionnel* et *vectoriel* aux expressions «pré-opérationnel», «opération concrète» et «opération formelle» de Piaget.

A plusieurs reprises, Case fait l'éloge de l'analyse détaillée de Piaget relative à la phase de croissance allant de la naissance à 18 mois. Il reconnaît que le terme «sensori-moteur» s'adapte particulièrement bien aux fonctions intellectuelles du nouveau-né. Néanmoins, d'après lui, la phase suivante, celle de la petite enfance qui va à peu près de deux à cinq ans, ne peut être appelée pré-opérationnelle :

La période qui va de deux à cinq ans n'est pas simplement annonciatrice du stade des opérations concrètes. c'est un stade important par lui-même, avec sa propre succession de structures opératoires et son système opérationnel (1985, p. 116).

En appelant cette période *relationnelle,* Case veut montrer que, dès deux ans et jusqu'au moment d'entrer au jardin d'enfants, les enfants développent des capacités mentales leur permettant d'établir un lien entre les phénomènes qu'ils peuvent observer.

D'après son analyse, la période suivante qui va de cinq à onze ans se caractérise par la capacité des enfants à organiser mentalement les phénomènes en leur associant des valeurs de dimensions opposées, telles que chaud/froid, loin/proche, plus/moins, long/court, haut/bas, fréquent/rare, vieux/jeune, etc. C'est ainsi que le terme *dimensionnel* a remplacé l'expression «opération concrète» de Piaget.

Ensuite, Case a pensé que le terme *vectoriel,* beaucoup plus précis, remplacerait adéquatement l'expression «opération formelle», de ma-

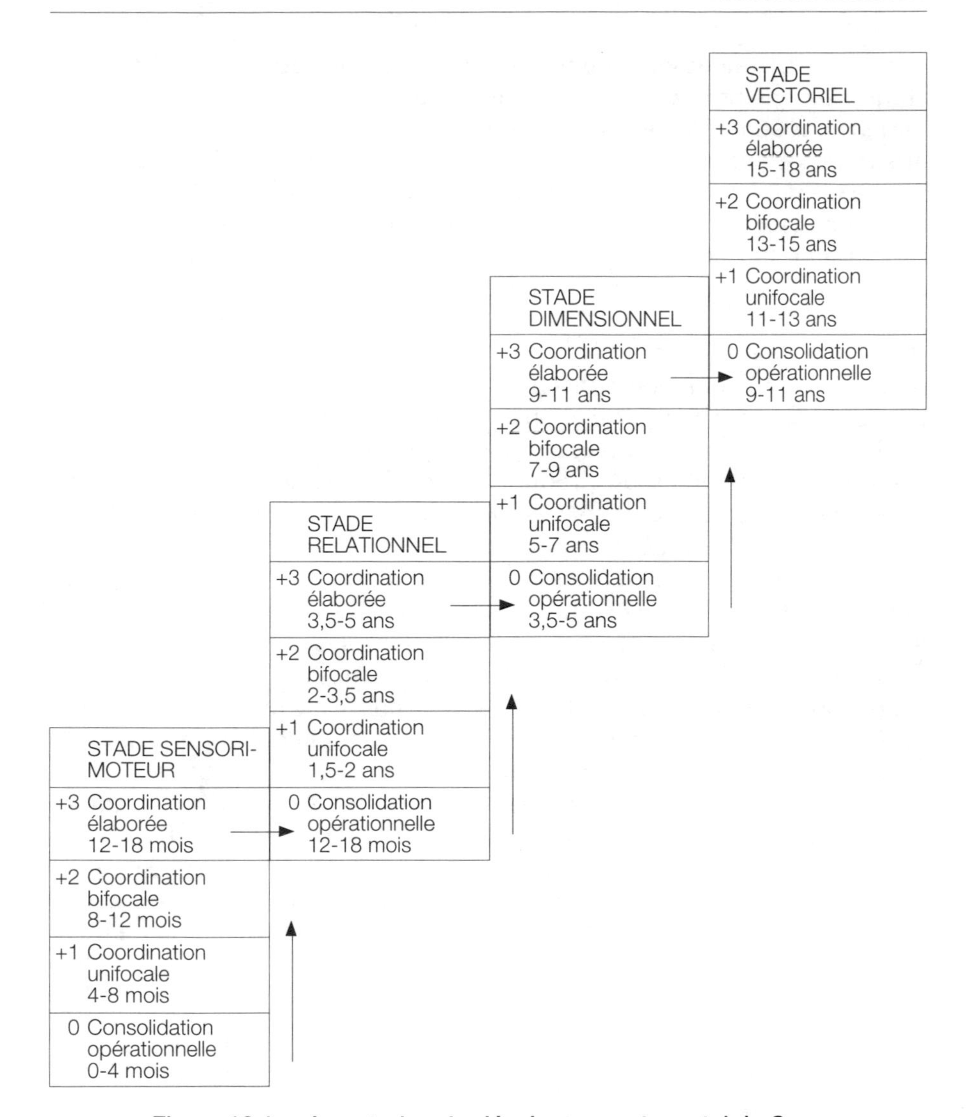

Figure 18.1 — Les stades du développement mental de Case (adapté de Case, 1985, p. 413)

nière à rendre compte de la capacité qu'ont les enfants de plus de onze ans à expliquer ou à prévoir les résultats des interactions de deux ou plusieurs dimensions. Par exemple, le processus de pensée vectorielle est nécessaire pour prévoir comment un balancier peut réagir à des poids différents, à différentes distances de son axe. Dans le cadre d'une cour de récréation, ce problème trouve son application dans la balançoire ou la bascule. L'appréciation de l'interaction du poids et de la distance peut être assez complexe quand il s'agit de l'établir avec exactitude, en tenant compte de certaines inconnues. Case pense qu'au cours de ce quatrième stade «les enfants ne fixent plus leur attention sur chacune des deux dimensions séparément. Ils se concentrent plutôt sur une dimension plus abstraite : celle qui résulte de l'opposition des dimensions» (1985, p. 108).

La clé de voûte de la théorie de Case réside dans le fait qu'à chaque stade correspond une succession de sous-structures qui font avancer le processus réflexif de l'enfant du moins élaboré vers le plus sophistiqué des modes d'opération. Ces sous-structures communes aux quatre stades principaux sont : *la consolidation opérationnelle, la coordination unifocale, la coordination bifocale et la coordination élaborée.* Comme l'illustre la figure 18.1, la phase de *consolidation opérationnelle* correspond pour l'enfant à une bonne assimilation des données du stade antérieur plutôt qu'à l'acquisition d'un nouveau mode de pensée. Pour cette raison, Case a attribué la valeur «0» au premier stade. En revanche, les trois sous-structures suivantes au cours desquelles s'opère l'acquisition de techniques mentales obtiennent respectivement des valeurs de 1, 2, et 3.

Au niveau de la sous-structure de *coordination unifocale*, l'enfant est capable de tenir compte de plusieurs facteurs individuels, mais il ne peut se concentrer que sur une chose à la fois dans ses efforts pour résoudre un problème, tel qu'un mouvement sensori-moteur (de quatre à huit mois), une relation (d'un an et demi à deux ans), une dimension (de cinq à sept ans), et une interaction causée par deux dimensions opposées (stade vectoriel, de onze à treize ans).

Cependant, à mesure qu'il gagne maturité et expérience, l'enfant accède au sous-stade de la *coordination bifocale*, stade durant lequel son attention peut prendre en compte simultanément deux facteurs différents pour résoudre un problème, par exemple : deux mouvements sensori-moteurs pour des enfants de huit à douze mois, l'établissement de deux

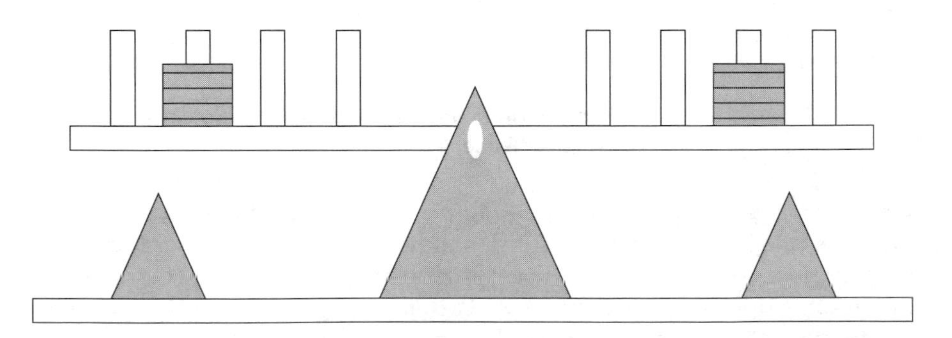

Figure 18.2 — Balancier pour tester les patterns de raisonnement d'enfants d'âge scolaire (adapté de Case, 1985, p. 104. Publié la première fois dans «Trois aspects du développement cognitif», de R.S. Siegler, *Cognitive Psychology*, 1976, vol. 4, pp. 481-520)

relations pour ceux de deux à trois ans et demi, deux dimensions de sept à neuf ans et enfin deux interactions de dimensions opposées, dans le stade vectoriel, pour des enfants de treize à quinze ans. De cette manière, à la période finale de la *coordination élaborée* d'un stade, les enfants sont à même de coordonner, de manière élaborée, deux facteurs ou plus afin de résoudre un problème.

Quoique nous ne puissions décrire en détail la progression de chaque stade, un exemple repris au *stade dimensionnel* suffira pour illustrer le processus de pensée utilisé par les enfants dans un test de balancier employé par Siegler (1976). Des enfants de trois ans et demi à dix ans sont d'abord mis face à un balancier momentanément immobilisé sur son axe. Quatre piquets sont placés à intervalles réguliers de chaque côté de l'axe et les enfants disposent d'un assortiment de poids en forme d'anneaux pouvant être enfilés sur les piquets (figure 18.2). Le test consiste à prévoir les réactions du balancier en fonction du nombre d'anneaux qui seront placés sur les différents piquets ou tiges disposés le long de ce balancier. Les enfants de cinq à sept ans faisant partie du groupe de coordination unifocale s'intéressent à l'aspect de poids, c'est-à-dire qu'ils sont surtout attentifs au nombre d'anneaux placés. En fait, ils procèdent en comptant les anneaux placés de chaque côté de l'axe, pour savoir où il y en a plus. Ils déclarent ensuite que ce côté fera pencher le balancier lorsqu'il sera libéré.

A la structure suivante, celui de la coordination bifocale, les enfants de sept à neuf ans résolvent le problème en faisant intervenir deux dimensions. En premier lieu, ils repèrent le côté qui porte le plus d'anneaux, ensuite ils cherchent à voir de quel côté les anneaux sont le plus éloignés de l'axe. Si les poids sont également répartis de chaque côté du balancier, les enfants concluent que la partie du balancier comptant au moins un anneau sur le piquet le plus éloigné de l'axe est celle qui s'inclinera. En cas de distribution inégale, le côté le plus lourd serait, bien sûr, celui qui porterait le plus d'anneaux. A la troisième sous-structure, celle de la coordination élaborée, les enfants de neuf à onze ans utilisent additions et soustractions pour résoudre des problèmes faisant intervenir des combinaisons complexes de poids et de distances qui ne pourraient être résolus par des enfants opérant encore dans les deux premières sous-structures.

A plusieurs niveaux, le schème de Case a fait progresser la théorie du développement en tenant compte de phénomènes qui n'avaient pas été correctement expliqués par les modèles antérieurs. Par exemple, comme nous l'avons vu au chapitre 10, le fait que les enfants comprennent les conservations de matière, de quantité, de poids et de masse, à des moments différents plutôt qu'en une seule fois, remet en question l'existence d'un mode de pensée unique, celui des opérations concrètes, qui couvrirait toutes les années de la scolarité élémentaire. Le terme de *décalage horizontal* utilisé par Piaget permet d'identifier une telle contradiction, sans pour autant proposer d'explication valable à ce phénomène. La notion de sous-structure intégrée aux stades principaux a permis à Case de rationaliser cette contradiction et d'apporter une explication au phénomène de *décalage*. C'est-à-dire que dans le premier stade de coordination unifocale où l'enfant de cinq à sept ans se concentre sur des facteurs séparés, tels que les dimensions de hauteur, de largeur, de poids, de masse, chacune de ces dimensions peut se développer à un moment différent. Ce n'est qu'à la troisième sous-structure de la coordination élaborée que toutes les perceptions distinctes sont reprises dans un mode de pensée générale qui commande lui-même un large champ d'activités mentales.

Appréciation

En conclusion, bien que ce résumé présente quelques-uns des traits principaux du schème de Case, il est trop succinct pour prétendre rendre compte de la logique qui rend cette théorie pertinente, compréhensible et vérifiable. Le nombre de preuves empiriques sur lesquelles il se fonde montre bien que le schème reflète assez fidèlement le monde de l'enfance. Finalement, Case a été bien inspiré en reconnaissant les limites de son travail, allant jusqu'à se demander si son groupe de structures horizontales (les sous-structures et leurs caractéristiques) était le modèle le plus représentatif du travail mental de l'enfant. Il écrivit ainsi en ce sens :

> *C'est seulement avec le temps qu'on pourra évaluer si le modèle que j'ai présenté est viable. Cependant, si l'on doit expliquer les aspects aussi bien généraux que spécifiques des transitions en stades, il me semble qu'il n'y a que deux options possibles. Ou bien, on peut proposer un modèle spécifique de changements structuraux qui agissent à l'intérieur de limites systémiques, comme je l'ai moi-même fait, ou bien, on peut choisir un modèle général de transformation structurale, comme chez Piaget et y ajouter un schéma des facteurs spécifiques qui accélèrent ou retardent l'application de cette structure de base à des situations sociales ou physiques particulières* (1984, p. 40).

Les autres difficultés qu'il considère comme n'étant pas encore résolues concernent l'espace de stockage de la mémoire à court terme, le nombre de transitions propres à la période préscolaire et les rapports existant entre les développements cognitifs et émotionnels de l'enfant aussi bien que ceux qui existent entre leur savoir déclaratif et procédural (Case, 1985, pp. 420-424).

En résumé, le modèle de Case a permis à celui-ci, non seulement de faire le point sur le raisonnement tenu par l'enfant face à des objets inanimés, mais aussi de réinterpréter le développement du langage de l'enfant et sa façon d'envisager les interactions sociales. Il semblerait que sa théorie soit très prometteuse lorsqu'il s'agit d'intégrer simultanément les dimensions sociale et cognitive du développement. De plus, puisqu'il était conçu comme une théorie générale sur le développement de l'intelligence, le modèle de Case a apporté des améliorations à plusieurs aspects de l'étude du développement cognitif et ses propositions relatives au caractère opérationnel du fonctionnement mental constituent une contribution importante au domaine de la psychologie de l'enfant (Case, 1991).

La théorie des acquisitions de Fisher

Kurt W. Fisher, professeur de psychologie à l'Université de Denver, a proposé une théorie des mécanismes cognitifs qui «traite le développement cognitif comme la construction d'une structure hiérarchique d'acquisitions spécifiques» (1980, p. 477). Il serait trop long d'expliquer en détail le modèle de Fisher, aussi l'avons-nous ici réduit à l'essentiel. Nous décrirons ses travaux dans les grandes lignes, en vue de comprendre sa méthode de recherche.

Dans la théorie des acquisitions de Fisher figurent deux processus de base : le *niveau optimal de développement cognitif* d'un individu et le *processus d'acquisition d'aptitudes* de la personne :

> *Le* niveau optimal *est la limite supérieure des capacités générales de traitement d'informations d'une personne, c'est-à-dire les formes d'acquisitions les plus complexes que cette personne est en mesure de contrôler. Sur une longue période, le niveau optimal de l'individu augmente, ce qui produit des changements dans le type d'aptitudes dont la personne peut disposer. Ces changements sont caractérisés par une série de niveaux de développement hiérarchiquement organisés. Les* processus d'acquisition d'aptitudes *déterminent la manière dont les aptitudes sont acquises – c'est-à-dire comment la personne passe d'une aptitude spécifique dans un contexte donné à une acquisition plus complexe et plus générale. Ces processus sont définis en termes d'un ensemble de règles de transformation qui précisent la manière dont une aptitude donnée peut être transformée ou réécrite pour former une nouvelle acquisition* (Fisher et Pipp, 1984, p. 47).

Au début, Fisher considérait les travaux de Piaget et de Skinner au même titre que ceux des psychologues du traitement de l'information ou que ceux des théoriciens de l'apprentissage des aptitudes. Cependant, il s'est rendu compte que Piaget privilégiait beaucoup trop le processus de maturation interne de l'enfant au détriment des contextes environnementaux, tandis que Skinner faisait exactement l'inverse. Fisher décida donc de mettre au point son propre modèle, qui constituerait un équilibre harmonieux entre nature et éducation :

> *En théorie, on définit toujours les acquisitions en tenant compte à la fois de l'organisme et de l'environnement. Par conséquent, les aptitudes sont caractérisées par des structures qui ont les mêmes propriétés que celles décrites par les psychologues s'occupant plutôt de physiologie et qui sont soumises aux mêmes lois fonctionnelles que celles définies par les psychologues environnementaux* (K.W. Fisher, 1980, pp. 478-479).

Les acquisitions évoquées ici par Fisher sont les techniques dont l'enfant dispose pour agir sur son monde. Celles-ci peuvent être motrices (mouvements physiques observables), perceptuelles (construction de sens pour ce qui est observé) ou mentales (manipulation de concepts et de percepts). Dans une certaine mesure, les acquisitions de Fisher sont comparables aux schèmes de Piaget et au conditionnement opérant de Skinner.

Comme Piaget et Case, Fisher a représenté le développement comme allant des actes sensorimoteurs les plus rudimentaires de l'enfance à la manipulation de systèmes abstraits dans les premières années de l'âge adulte. Cependant, plutôt que de décrire un tel développement sous forme d'une série de stades, Fisher a choisi de le représenter comme un mouvement en dix niveaux, eux-mêmes regroupés en trois étages (tableau 18.1).

Comme illustré dans le tableau 18.1, à l'intérieur de chacun de ces trois étages – sensorimoteur, représentationnel, abstrait – le développement cognitif est représenté par *quatre types de catégories :* (1) les sets uniques, (2) les associations de sets, (3) les systèmes et (4) les systèmes de systèmes. Un *set*, dans l'acceptation que lui donne Fisher, est «une source de variations sous le contrôle d'une personne» agissant mentalement ou physiquement sur les choses (K.W. Fisher, 1980, p. 486). Dans l'étage sensorimoteur, un *set* est quelque chose de très simple, par exemple le passage à l'action de l'enfant. Les *sets* appartenant aux étages plus avancés sont plus complexes et concernent, par exemple, la représentation mentale qu'a l'enfant des types d'actions les mieux adaptés pour jouer le rôle du docteur ou de la mère.

Le *premier niveau* d'un étage est constitué de sets uniques. Cela signifie que l'enfant peut agir (percevoir, concevoir, réfléchir) seulement sur un set et non pas sur la relation d'un set avec un autre. Le tout petit enfant peut suivre des yeux le mouvement d'un jouet passant devant son

Tableau 18.1 — Les niveaux du développement des aptitudes cognitives de Fisher

	Etages et niveaux cognitifs	Ages d'apparition
	Premier étage : Sensorimoteur	
Niveau 1	sets sensorimoteurs uniques	plusieurs mois après la naissance
Niveau 2	sets sensorimoteurs associés	milieu de la première année
Niveau 3	systèmes sensorimoteurs	fin de la première année / début de la seconde
Niveau 4	systèmes de systèmes sensorimoteurs	premières années préscolaires
	Deuxième étage : Représentationnel	
Niveau 4	sets représentationnels uniques	premières années préscolaires
Niveau 5	sets représentationnels associés	dernières années préscolaires
Niveau 6	systèmes représentationnels	école élémentaire
Niveau 7	systèmes de systèmes de représentation	premières années de lycée
	Troisième étage : Abstrait	
NIveau 7	sets d'abstraction uniques	premières années de lycée
Niveau 8	sets d'abstraction uniques	dernières années de lycée
Niveau 9	systèmes abstraits	début de l'âge adulte
Niveau 10	systèmes de systèmes abstraits	début de l'âge adulte

berceau; il est également capable d'atteindre et d'attraper; mais il n'établit pas de relation entre le fait de voir, d'atteindre ou d'attraper le jouet. Combiner la vision de l'objet et le geste pour l'attraper relève du *second niveau*, celle de l'association de sets ou *mapping*, c'est-à-dire le fait de pouvoir relier un set à un autre. Le mapping des enfants les plus âgés peut consister, au cours d'un jeu imaginaire, dans l'intégration et la combinaison de deux rôles, celui de la mère et celui du docteur s'entretenant à propos du traitement envisagé pour le patient (une poupée).

Lorsqu'il atteint le *troisième niveau*,l'enfant peut mettre en relation, non seulement un, mais deux aspects de chaque action formant un système. Parvenu à l'étage sensorimoteur, le petit enfant peut évaluer la distance et la vitesse d'un jouet en mouvement, afin d'ajuster son geste préhenseur. L'enfant plus âgé qui joue au docteur peut coordonner différents aspects du rôle médical à différents aspects du rôle de la mère pour produire une activité ludique beaucoup plus complexe. Enfin, c'est lorsqu'il parvient au *quatrième niveau* que l'enfant est à même de relier un système à un autre. Ainsi, l'enfant qui a atteint cette quatrième phase comprend que :

tout objet est en fait le point de convergence d'un certain nombre de systèmes sensorimoteurs différents; c'est-à-dire qu'un objet peut être utilisé (...) pour produire plusieurs types d'actions. La capacité de comprendre les objets comme des agents indépendants de l'action se développe au niveau quatre (K.W. Fisher, 1980, p. 493).

Comme l'illustre le tableau 18.1, le *quatrième niveau* de chaque étage sert à l'élaboration de l'étage suivant. La capacité de percevoir les relations existant entre deux systèmes d'actions sensorimotrices (regards, sons, sensations tactiles, mouvements) est un premier pas effectué dans l'ordre de la représentation mentale de valeurs telles que celles du poids, de la longueur et de la largeur. Ce n'est que dans les dernières années préscolaires que l'enfant pourra ainsi corréler (mapping) deux de ces propriétés caractérisant des objets. A l'école élémentaire, sa capacité de concevoir ces valeurs comme opérant dans des systèmes progresse, de telle sorte que :

A partir du niveau six dans l'échelle d'acquisition d'aptitudes, quelqu'un peut comprendre presque toutes les catégories de conservation dont Piaget et ses collègues ont fait état (...) mais ne peut pas intégrer ces conservations séparées dans un concept abstrait de conservation (K.W. Fisher, 1980, p. 495).

C'est seulement au niveau sept que l'on rencontre pareilles intégrations, car là, «dans un *set* abstrait, l'enfant peut abstraire une valeur intangible caractérisant de larges catégories d'objets, d'événements, ou de gens» (K.W. Fisher, 1980, pp. 494-495). Au collège et au lycée, l'individu connecte un set abstrait à un autre avec un niveau de complexité croissant concevant les sets abstraits comme des systèmes uniques ou interconnectés. Les jeunes qui en sont au niveau dix peuvent discuter en toute connaissance de cause de l'influence de la force de gravité sur les marées, du mouvement des planètes et des voyages dans l'espace, de la relation entre l'offre et la demande dans les systèmes économiques capitalistes et communistes, du rapport existant entre la structure grammaticale des langages et leur structure profonde et des théories du développement de l'enfant.

En remplaçant le mot *stade* par le mot *étage*, Fisher était, semble-t-il, désireux d'éviter toute confusion découlant d'une utilisation antérieure du mot *stade*. Contrairement aux stades de Piaget, les niveaux et les étages ont été définis par Fisher d'une manière assez souple. Le facteur génétique humain commun à tous les enfants les mène au degré de maturation voulu pour les faire passer par les mêmes *étages* et par les mêmes niveaux. Les expériences environnementales propres à chacun ainsi que leur structure génétique particulière déterminent des différences parmi les enfants, tant au niveau des aptitudes qu'ils acquièrent – du moment où ils les acquièrent – qu'à celui de l'ordre dans lequel ils les acquièrent. Par exemple, le développement de deux enfants peut varier, suite à des différences observées au niveau de l'époque d'apprentissage, des méthodes d'instruction auxquelles ils sont soumis et de l'environnement affectif dont ils bénéficient au cours de leur apprentissage. Il n'est donc pas surprenant qu'un même enfant puisse faire montre de niveaux d'aptitude différents en lecture, en calcul, en dessin, en informatique et/ou dans la maîtrise d'une langue étrangère.

Ainsi, non seulement l'histoire de l'apprentissage elle-même peut conduire à différents niveaux de développement de plusieurs sets d'acquisitions, mais le contexte dans lequel une aptitude donnée est acquise peut influer sur le niveau auquel l'enfant va se situer à une occasion particulière. Fisher a employé l'expression de *support environnemental* pour évoquer l'influence du contexte dans le fait que l'enfant pourra recourir, à un certain niveau, à une aptitude ou acquisition plutôt qu'à une autre. Prenons l'exemple de l'instituteur désireux d'inciter les enfants d'une classe élémentaire à participer à un spectacle dans lequel ils auront à jouer le rôle de médecin. L'instituteur devra d'abord mettre en place un *support environnemental* de haut niveau, en montrant comment un médecin traite un patient (en utilisant par exemple, un stéthoscope, un thermomètre, une poupée), permettant par la suite aux enfants de jouer comme ils l'entendent. Un faible niveau de support environnemental reviendrait à fournir ces divers instruments, sans démonstration aucune et à permettre aux enfants de s'en servir. Des expériences de ce genre ont amené Fisher à constater que les enfants de sept ans et demi font montre d'un niveau fonctionnel «quatre» dans leur jeu non dirigé quand leur support environnemental est assez faible. Par contre, ils passent au niveau cinq dès que le support environnemental est renforcé (K.W. Fisher et Canfield, 1986, pp. 252-255).

En résumé, Fisher a élaboré dans sa théorie plusieurs façons de tenir compte des inégalités de développement des enfants dans différents domaines de connaissance et a tenté d'analyser différents modes d'acquisitions cognitives qui apparaissent dans les recherches empiriques. Il ne s'est pas limité à proposer une hiérarchie linéaire d'acquisitions; il a également expliqué les contradictions internes du développement de l'enfant, comme par exemple le problème du *décalage horizontal* de Piaget, par le fait que l'enfant se situe à un niveau de développement donné pour certaines activités et à un niveau plus élevé (ou inférieur) pour d'autres (Cohen, 1981, p. 106).

Pour faciliter les recherches empiriques, Fisher a proposé cinq règles de transformation qui expliquent le mécanisme par lequel une acquisition peut être convertie en une autre plus élaborée. Ces cinq règles sont «le cœur du mécanisme servant à prévoir les séquences spécifiques de développement» (K.W. Fisher, 1980, p. 497). Il s'agit des règles d'*intercoordination*, de *complexité*, d'*accommodation*, de *substitution* et de *différenciation*. Les deux premières montrent comment des aptitudes existantes peuvent se combiner pour en créer de nouvelles. L'*intercoordination* s'applique aux combinaisons qui favorisent le développement d'un niveau à un autre (macro-développement), tandis que la règle de *complexité* (compounding) vaut pour les combinaisons résultant de petits progrès du développement à l'intérieur d'un niveau (micro-développement). Les règles d'accommodation et de substitution s'appliquent à des étapes micro-développementales plus petites que celles visées par la complexité. Plus précisément, l'*accommodation* concerne la succession des modifications qui mènent d'une acquisition à une autre et la *substitution* désigne certains cas de généralisation d'une aptitude (K.W. Fisher, 1980, p. 497)». La dernière règle de *différenciation* s'applique à la manière dont les ensembles d'acquisitions peuvent se subdiviser en sous-ensembles pendant que les quatre autres transformations s'opèrent. Quoique Fisher ne considère pas que les règles couvrent tous les facteurs participant au développement des aptitudes, il estime que leur application permet de mieux prédire la croissance cognitive que les théories antérieures.

Appréciation

En définitive, nous situerons ce modèle du développement des acquisitions à peu près au même niveau que celui de Case. La théorie de Fisher est le résultat d'un raisonnement soigneusement élaboré et c'est en cela qu'elle se révèle consistante et vérifiable. Des études empiriques menées à partir des acquisitions du raisonnement chez les enfants l'illustrent en suffisance. Sa méthode originale, qui consiste à intégrer l'histoire des apprentissages, les conditions affectives et la notion de support environnemental, permet d'aboutir à des interprétations raisonnables de découvertes empiriques que la théorie de Piaget n'expliquait pas de manière satisfaisante. Nous avons trouvé la théorie très compréhensible dans son ensemble, cependant un certain nombre de détails ont encore besoin d'être précisés. Par exemple, il serait utile d'établir des critères pour distinguer un *set* ou un *système* d'autres *sets* ou *systèmes* dans des situations qui n'ont pas fait l'objet d'exemples dans l'exposé de Fisher. Les normes précises à utiliser pour opérer de telles distinctions dans des situations de vie courante doivent être définies.

Quoiqu'il en soit, cette nouvelle théorie du développement des acquisitions en *étages* proposée par Fisher représente un pas en avant par rapport au schème de Piaget, car elle résout certains problèmes laissés en suspens dans le modèle de base. Notons aussi que la théorie de Fisher vaut jusqu'à l'âge de vingt ans, tandis que les enfants de plus de huit ans sont habituellement négligés par les théories cognitives, y compris dans l'œuvre de Piaget où «l'étude des enfants plus âgés a été très peu abordée» (Cohen, 1981, p. 106). De plus, le modèle de Fisher complète et amende les courants actuels de psychologie par ses tentatives pour intégrer dans son analyse du développement, les dimensions cognitives et les forces de l'environnement. Fisher et Pipp ont expliqué comment, dans la théorie des acquisitions :

> *deux types de processus ont été identifiés pour expliquer le développement et l'apprentissage : le niveau optimal et l'acquisition d'aptitudes. Les deux processus fonctionnent d'une manière qui lie étroitement les influences de l'organisme et de l'environnement* (1984, p. 46).

Le système de Mounoud

Pierre Mounoud est professeur à la Faculté de Psychologie et de Sciences de l'Education à l'Université de Genève. Bien qu'il s'inscrive encore dans la lignée de Piaget pour les grandes étapes du développement (Piaget et al., 1987), il s'en écarte dans sa façon de désigner celles-ci, dans l'évaluation de leur durée, dans ses propositions de sous-étapes et dans la capacité de construction qu'il attribue à l'enfant au cours d'une étape. Les noms des étapes et les divers âges auxquels on peut y avoir accès, selon Mounoud, sont représentés dans le tableau 18.2.

Bien qu'ayant conservé les quatre étapes de base de Piaget, Mounoud a toutefois rebaptisé les trois dernières afin de donner une idée plus précise de leur nature. Pour comprendre cette initiative, il nous faut considérer ce qu'il est permis aux enfants de construire à chaque étape de développement.

> *La théorie psychogénétique de Piaget m'apparaît extrêmement critiquable en ce qui concerne la construction de structures. De mon point de vue, les enfants ne construisent pas de structures mais des* représentations ou organisations internes de contenus. *Les enfants y parviennent par le truchement des structures, qui selon moi sont davantage préformées qu'autre chose. Il est possible de réinterpréter le processus de réflexion abstraite comme un* processus de construction de représentations *et non plus comme un processus de construction de structures logiques (intériorisation des principes généraux de la coordination des actions)* (Mounoud, 1986, p. 51).

En d'autres termes, Mounoud choisit d'examiner l'organisation sensori-motrice et mentale grâce à laquelle les enfants interprètent leur monde comme préexistant dans la nature de l'enfant et évoluant selon un système d'horloge génétique. En effet, d'après lui, les enfants ne construisent pas ces capacités générales ou ces points de vue au cours de leur croissance : les structures préformées évolutives équipent l'enfant de nouvelles capacités qui leur permettent d'intérioriser leurs expériences environnementales. Le petit enfant développe graduellement ces capacités dans la limite de ce qu'il perçoit directement : «l'apparence, le son et la sensation donnent accès au sens.» Dans le système de Mounoud, ce que l'enfant construit pendant ses premières années n'est pas la base des structures sensori-motrices (sa propre façon de voir), mais des enregistrements psychomoteurs (des représentations) de ses rencontres avec l'environnement (les organisations internes de contenus).

Avant l'âge scolaire (de 2 à 8 ans), les capacités perceptives de l'enfant sont suffisamment développées pour qu'il puisse interpréter ses rencontres avec l'environnement (il en construit des représentations internes) en termes d'apparence, de son et de toucher : l'enfant intériorise les organisations perceptivo-motrices du monde. En même temps, il commence à développer de nouvelles capacités d'encodage, basées cette fois, non sur l'apparence des choses, mais sur leurs propriétés logiques. Cela signifie qu'il se fonde davantage sur des concepts que sur

Tableau 18.2 — Etapes du développement cognitif et moteur selon Mounoud

Etapes	Représentations internes des enfants	Type d'organisation
Naissance	Représentations sensorielles (préformées) liées aux structures préformées + nouvelles capacités d'encodage (le code perceptif)	Organisation sensori-motrice (préformée)
De 18 à 24 mois	Représentations perceptives (construites) + nouvelles capacités d'encodage (le code conceptuel)	Organisation perceptivo-motrice (construite)
De 9 à 11 ans	Représentations conceptuelles (construites) + nouvelles capacités d'encodage (le code sémiotique)	Organisation conceptivo-motrice (construite)
De 16 à 18 ans	Représentations sémiotiques (construites)	Organisation sémiotico-motrice (construite)

(Tableau adapté de Mounoud, 1986, p. 52)

des perceptions. Le processus de développement de ces premières années va amener l'enfant à l'étape importante où il devient apte à codifier ses expériences. Cette étape est celle des concepts (de 9 à 15 ans). Ainsi, son organisation mentale du monde est à présent essentiellement conceptualisée. Au cours de cette troisième étape, il va mettre peu à peu au point une nouvelle méthode pour représenter le contenu de son monde : celle des symboles abstraits et des signes (organisation sémiotico-motrice). Cette dernière capacité peut être pleinement maîtrisée vers 16 ou 18 ans.

Il est maintenant évident que dans le système des quatre stades de Piaget (sensori-moteur, préopérationnel, opérations concrètes et opérations formelles), les trois derniers sont plus précoces que dans le système de Mounoud. Celui-ci explique cette différence par l'hypothèse relative au processus de développement interne à un stade. Pour lui, à l'intérieur de chaque stade, il y aurait deux niveaux d'organisation comportementale ou d'élaboration objectale qui représentent «deux niveaux qualitativement distincts d'organisation des échanges entre le sujet et l'environnement. Ces deux niveaux seraient caractéristiques d'une *séquence développementale invariante* qui définit la dynamique interne de chacun de ces stades» (1986, p. 51).

D'abord, dans le premier niveau à l'intérieur d'un stade, les nouvelles capacités d'encodage permettent à l'enfant d'accomplir ce que Mounoud nomme la *première révolution*, en organisant ses interactions avec l'environnement. Cette révolution consiste pour l'enfant à analyser des actions et des objets, afin de former des parties constituantes qui permettraient de nouvelles représentations élémentaires «partielles, locales et juxtaposées», plutôt qu'intégrées et reliées. Cette segmentation d'expériences :

> *se termine par l'intégration des représentations élémentaires dans des* représentations nouvelles ou globales *momentanément rigides, indécomposables, et non segmentables. La deuxième révolution consiste précisément dans la décomposition de ces représentations globales en unités, de telle manière qu'il puisse y avoir des relations entre leurs composantes* (Mounoud, 1986, p. 53).

Bref, à l'intérieur de chaque étape ou stade, les rencontres de l'enfant avec l'environnement dévoilent une capacité innée et évolutive permettant de segmenter un tout en unités abstraites et de reformer, avec les unités obtenues, une représentation nouvelle et plus sophistiquée du monde (Mounoud, 1986, p. 65). La *seconde révolution* apparaît presque au milieu d'un stade et se consolide au cours des mois ou des années qui précèdent le stade suivant. Ainsi, à l'intérieur de l'étape perceptivo-motrice, la deuxième révolution apparaît vers 6 ans, quand l'enfant entre à l'école et qu'il possède les capacités nécessaires pour apprendre à lire, à écrire, à compter et à tenir compte de la conservation du poids, de la masse et du nombre. La seconde révolution de Mounoud durant l'étape perceptivo-motrice correspond donc au début du stade des opérations concrètes de Piaget.

Dans le débat opposant la nature à l'environnement, Mounoud admet que son modèle donne plus de poids à la génétique qu'aux facteurs environnementaux :

> *Cette conception attribue un rôle important au processus de maturation neurale et à l'infrastructure biologique du comportement qui déterminent l'origine des stades dans la séquence du développement. La maturation du système neural elle-même repose sur la nature des interactions de l'organisme avec l'environnement mais d'une façon qui n'est pas déterminée, ces interactions pouvant accélérer ou ralentir le processus* (Mounoud, 1986, p. 55).

Notre évaluation de la théorie de Mounoud est, à peu de chose près, semblable à celles de Case et de Fisher. Sa logique est correcte, ses explications sont claires, ses hypothèses vérifiables et ses assertions illustrées de façon convaincante par des recherches empiriques. Son modèle offre des possibilités de recherches dans le domaine du développement humain, car de nombreux détails méritent d'être clarifiés et beaucoup d'hypothèses demandent à être vérifiées dans des situations autres que celles présentées par Mounoud.

L'avenir des théories des stades

Au cours de ces dernières années, un certain nombre de critiques ont annoncé, ou tout au moins suggéré, la fin des théories de développement par stades (Klahr et Wallace, 1976; Case, 1986, pp. 59-61). Ils ont avancé que celles-ci, du moins sous leur forme traditionnelle, ne parviennent pas à offrir une représentation fidèle du développement de l'enfant tel qu'il ressort des études empiriques. Cependant, comme l'ont montré Fisher (1980; 1986), Mounoud (1986), Case (1985, 1991) et un certain nombre d'autres chercheurs (Bruner, 1964; Halford, 1982; Pascual-Leone, 1976), les versions améliorées des théories des stades sont bien vivantes et florissantes au royaume de la psychologie développementale. Lamoureux a décrit comme suit les travaux ambitieux de Pascual-Leone :

> *Le projet assez vaste de Pascual-Leone ne vise pas moins, à partir des principes d'assimilation et d'accommodation de Piaget et d'adjonctions substantielles, qu'à l'élaboration d'un modèle intégrant aspects structuraux et fonctionnels. Il est fait appel ainsi à des facteurs tels que ceux de champ, de contenu (...), à des schèmes affectifs et exécutifs,*

> *à des processus d'apprentissage, pour ne citer que quelques éléments de la structure fonctionnelle du "métasujet" entre lesquels des relations sont établies* (dans Not, 1983, p. 210).

Levin, considérant l'ensemble des schèmes néo-piagétiens, a avancé que «dans l'ensemble, ils reconnaissent le bien-fondé de la plupart des traits caractéristiques du modèle de Piaget, en le libérant toutefois de certaines contraintes, de façon à le faire correspondre aux idées les plus courantes (1986, p. viii)».

Case (1986) estime que la clé de voûte des progrès récents observés dans les théories des stades réside dans l'accroissement des échanges entre les trois points de vue traditionnels des théories du développement, c'est-à-dire les structures (les rationalistes), et le point de vue privilégiant les facteurs historiques et culturels (les contextualistes sociaux). En d'autres termes, les théoriciens spécialisés dans chacun de ces trois points de vue, cherchent de plus en plus à intégrer les perspectives des deux autres modes de pensée dans leur propre modèle. Ainsi, les créateurs des théories des stades récentes veulent rendre compte des processus quotidiens intervenant dans le développement, et des différents contextes dans le cadre desquels celui-ci apparaît. Nombre d'entre eux ont abouti à des conclusions telles que celle émise par Fisher et Canfield :

> *Les stades et les structures ne sont pas des caractéristiques de l'enfant qui seraient monolithiques et unitaires. Au contraire, elles apparaissent comme étant des propriétés dynamiques et variables de l'enfant contextualisé. Différents enfants seront à des stades différents dans un contexte donné, et différents contextes vont déterminer différents stades chez le même enfant. Pour déjouer l'ambiguïté du stade et de la structure, les chercheurs ont besoin de méthodes qui leur permettent de détecter les variations dans les stades et d'étendre leur champ d'observation afin d'inclure les origines vraisemblables de ces variations. Inclure les origines ne veut pas seulement dire l'âge et l'histoire de l'apprentissage de l'enfant. Il faut aussi tenir compte de facteurs spécifiquement rattachés aux variations à court terme à l'intérieur d'un stade, tels que le degré de support environnemental et la complexité de la tâche, ainsi que les facteurs qui sont probablement à l'origine des différences individuelles à long terme dans les séquences développementales (comme les expériences affectives et les stratégies d'appréhension de tâches)* (Fisher et Canfield, 1986, p. 259).

L'avenir témoignera de l'apport fructueux de ces croisements théoriques, de sorte que les recherches aux résultats encore incertains «mèneront à d'intéressantes découvertes sur le développement cognitif de l'enfant. Au contraire, bien entendu, beaucoup d'autres questions soulevées connaîtront le destin qu'ont connu d'autres théories par le passé, soit parce qu'elles ne menaient nulle part, soit parce qu'elles n'étaient pas parvenues à susciter l'intérêt du grand public» (Levin, 1986, p. xix). En conclusion, il apparaît que les théories des stades – sous une forme ou sous une autre – sont destinées à être toujours au cœur des recherches sur le développement humain. Cependant, des reformulations et altérations de ces théories nous semblent être en cours; nous assistons à un élargissement de leur cadre conceptuel initial et à une introduction de paradigmes contextuels qui contribueront également à redéfinir les courants de la psychologie actuelle.

Bibliographie

Les citations dans le corps du texte renvoient aux pages des éditions en langue anglaise. Dans la mesure du possible, nous avons renseigné les éditions pour les ouvrages traduits en langue française ou pour les ouvrages originellement parus en cette langue.

Aboud, F. (1988), *Children and Prejudice*, Oxford: Basil Blackwell Ltd.

Adler, A. (1930), «Individual Psychology», in C. Murchinson (Ed.), *Psychologies of 1930*, Worchester, MA: Clark University Press.

Akers, R. L. and J. K. Cochran (1985), «Adolescent Marijuana Use: A Test of Three Theories of Deviant Behavior», *Deviant Behavior*, Vol. 6, No. 4, pp. 323-346.

Alexander, R. D. and P. W. Sherman (1977), «Local Mate Competition and Parental Investment in Social Insects», *Science*, Vol. 196, pp. 494-500.

Allport, G. W. (1968), *The Person in Psychology: Selected Essays*, Boston: Beacon Press.

Alston, W. P. (1971), «Comments on Kohlberg's 'From Is to Ought'», in T. Mischel (Ed.), *Cognitive Development and Epistemology*, New York: Academic.

Ames, L. B. and C. C. Haber (1990), *Your Eight Year Old*, New York: Dell.

Ames, L. B. and F. L. Ilg (1976), *Your Four Year Old*, New York: Dell.

Anastasi, A. (1958), «Heredity, Environment and the Question 'How?'», *Psychological Review*, Vol. 65, pp. 197-208.

Anderson, J. R. (1983), *The Architecture of Cognition*. Cambridge, MA: Harvard University Press.

Anthony, E. J. (1986), «The Contributions of Child Psychoanalysis to Psychoanalysis», *Psychoanalytic Study of the Child*, Vol. 41, pp. 61-87.

Archard, D. (1984), *Consciousness and the Unconscious*, La Salle, IL: Open Court.

Asante, M. K. (1980), *Afrocentricity: The Theory of Social Change*, New York: Amulefi Publishing Company.

Ashcraft, M. H. (1989), *Human Memory and Cognition*, Glenview, IL: Scott, Foresman.

Baddeley, A. D. (1966a), «Short-term Memory for Word Sequences as a Function of Acoustic, Semantic and Formal Similarity», *Quarterly Journal of Experimental Psychology*, Vol. 18, pp. 362-365.

Baddeley, A. D. (1966b), «The Influence of Acoustic and Semantic Similarity on Long-Term Memory for Word Sequences», *Quarterly Journal of Experimental Psychology*, Vol. 18, pp. 302-309.

Baddeley, A. D. (1986), *Working Memory*, Oxford: Oxford University Press.

Baddeley, A. D. (1990), *Human Memory: Theory and Practice*, London: Lawrence Erlbaum Ass.

Baddeley, A. D. and N. O. Bernsten (1989) (Eds), *Cognitive Psychology. Research Directions in Cognitive Science: European Perspective, Vol. 1,* London: Lawrence Erlbaum.

Baddeley, A. D. and G.J. Hitch (1974), «Working Memory», in G. Bower (Ed.), *Advances in Learning and Motivation,* Vol. VIII, New York: Academic Press, pp. 47-90.

Baldwin, A. L. (1967), *Theories of Child Development,* New York: Wiley.

Baldwin, J. D. and J. I. Baldwin (1989), «The Socialization of Homosexuality and Heterosexuality in a Non-Western Society», *Archives of Sexual Behavior,* Vol. 19, No. 1, pp. 13-29.

Baldwin, J. M. (1895), *The Development of the Child and of the Race,* New York: Macmillan (Reprinted by Augustus M. Kelley, 1968.)

Baldwin, J. M. (1906, 1908, 1911), *Thoughts and Things or Genetic Logic,* 3 Vols, New York: Macmillan.

Bandura, A. (1969), *Principles of Behavior Modification.* New York: Holt, Rinehart and Winston.

Bandura, A. (1977), *Social Learning Theory,* Englewood Cliffs, NJ: Prentice-Hall (trad. : Bandura, A., *L'apprentissage social,* Bruxelles, Mardaga, 1980).

Bandura, A. (1978), «The Self System in Reciprocal Determinism», *American Psychologist,* Vol. 33, pp. 344-358.

Bandura, A. and R. H. Walters (1963), *Social Learning and Personality Development,* New York: Holt, Rinehart and Winston.

Barker, R. G. (1968), *Ecological Psychology: Concepts and Methods for Studying the Environment of Human Behavior,* Stanford, CA: Stanford University Press.

Barker, R. G. (Ed.) (1978), *Habitats, Environments and Human Behavior,* San Francisco: Jossey-Bass.

Barker, R. G., T. Dembo and K. Lewin (1943), «Frustration and Regression», in R. G. Barker, J. S. Kounin and H. F. Wright (Eds), *Child Behavior and Development,* New York: McGraw-Hill.

Barker, R. G. et al. (1970), «The Ecological Environment: Student Participation in Non-Class Settings», in M. B. Miles and W. W. Charters, Jr., *Learning in Social Settings,* Boston: Allyn and Bacon.

Batson, C. D., J. Fultz, P. A. Schoenrade and A. Paduano (1987), «Critical Self-Reflection and Self-Perceived Altruism: When Self-Reward Fails», *Journal of Personality and Social Psychology,* Vol. 53, No. 3, pp. 594-602.

Battro, A. M. (1973), *Piaget: Dictionary of Terms,* New York: Pergamon.

Bell, R. W. and W. P. Smotherman (Eds) (1980), *Maternal Influences and Early Behavior,* New York: Spectrum.

Bernard, H. W. (1970), *Human Development in Western Culture,* Boston: Allyn and Bacon.

Berne, E. (1967), *Games People Play,* New York: Grove.

Berne, E. (1972), *What Do You Say after Your Say Hello?* New York: Grove (trad. : Berne, E., *Que dites-vous après avoir dit bonjour ?,* Paris, Sand).

Berry, G. L. and J.K. Asamen (1989), *Black Students. Psychosocial Issues and Academic Achievement.* Newbury Park: Sage Publications.

Biggs, J. B. (1976), «Schooling and Moral Development», in V. P. Varma and P. Williams (Eds), *Piaget, Psychology, and Education,* Itasca, IL: Peacock.

Bijou, S. W. (1976), *Child Development: The Basic Stage of Early Childhood,* Englewood Cliffs, NJ: Prentice-Hall.

Bijou, S. W. (1979), «Some Clarifications on the Meaning of a Behavior Analysis of Child Development», *Psychological Record*, Vol. 29, pp. 3-13.

Bijou, S. W. (1985), «Behaviorism: History and Educational Applications», in T. Husén and T. N. Postlethwaite (Eds), *International Encyclopedia of Education*, Vol. 1, Oxford: Pergamon, pp. 444-451.

Bijou, S. W. and D. M. Baer (1961), *Child Development: Vol. I. A Systematic and Empirical Theory*, New York: Appleton-Century-Crofts.

Bijou, S. W. and D. M. Baer (1965), *Child Development II: Universal Stage of Infancy*, New York: Appleton-Century-Crofts.

Bijou, S. W. and D. M. Baer (1967), «Operant Methods in Child Behavior and Development», in S. W. Bijou and D. M. Baer (Eds), *Child Development: Readings in Experimental Analysis*, New York: Appleton-Century-Crofts.

Block, J. H. and L. W. Anderson (1975), *Mastery Learning in Classroom Instruction*, New York: Macmillan.

Block, J. H., H. E. Efthim and R. B. Burns (1989), *Building Effective Mastery Learning Schools*, New York: Longman.

Bloom, L. (1970), *Language Development*, Cambridge: The M.I.T. Press

Bloom, L. (Ed.) (1973), *One Word at a time*, The Hague: Mouton.

Bloom, L. (1978), *Readings in Language Development*, New York: John Wiley and Sons.

Blurton Jones, N. G. (Ed.) (1972), *Ethological Studies of Child Behavior*, Cambridge: Cambridge University Press.

Boring, E. G. (1963), *The Physical Dimensions of Consciousness*, New York: Dover.

Bovet, M. (1974), «Cross Cultural Study of Conservation Concepts», in B. Inhelder, *Learning and The Development of Cognition*. London: Routledge and Kegan Paul.

Bower, T. (1977), *A Primer of Infant Development*, San Francisco: W.H. Freeman

Bower, T. and J. G. Wishart (1972), «The effects of motor skill on object permanence», *Cognition*, Vol. 1, pp. 165-172.

Bowerman, M. (1985), «What shapes children's grammars ?», in D. I. Slobin (Ed.), *The crosslinguistic study of language acquisition*, Hillsdale, N.J.: Erlbaum

Bowlby, J. (1951), *Maternal Care and Mental Health*, London: HMSO (trad. : Bowlby, J., *Soins maternels et santé mentale*, 2e éd., Genève, Organisation Mondiale de la Santé, 1954).

Bowlby, J. (1969), *Attachment and Loss, Vol. 1: Attachment*, New York: Basic Books (trad. : Bowlby, J., *Attachement et perte. L'attachement*, Paris, PUF, 1978).

Bowlby, J. (1973), *Attachment and Loss, Vol. 2: Separation: Anxiety and Anger*, New York: Basic Books (trad. : Bowlby, J., *Attachement et perte. La séparation : angoisse et colère*, Paris, PUF, 1978).

Bowlby, J. (1980), *Attachment and Loss, Vol. 3: Loss*, New York: Basic Books (trad. : Bowlby, J., *Attachement et perte. La perte*, Paris, PUF, 1984).

Boyd, W. (ed. and trans.) (1962), *The Minor Educational Writings of Jean Jacques Rousseau*. New York: Columbia University Press.

Boyd, W. (1963), *The Educational Theory of Jean Jacques Rousseau*. New York: Russell and Russell.

Brainerd, C. J. (Ed.) (1983), *Recent Advances in Cognitive-Developmental Theory*, New York: Springer-Verlag.

Bricker, D. D. (1986), *Early Education of At-risk and Handicapped Infants, Toddlers and Preschool Children*, Glenview, IL: Scott, Foresman.

Broadbent, D. E. (1958), *Perception and Communication*, New York: Macmillan.

Broadbent, D. E. (1970), «Psychological Aspects of Short-Term and Long-Term Memory», *Proceedings of the Royal Society,* London, Series B, Vol. 175, pp. 333-350.
Bronfenbrenner, U. (1979), *The Ecology of Human Development,* Cambridge, MA: Harvard University Press.
Brook, D. W. and J. S. Brook (1985), «Adolescent Alcohol Use», *Alcohol and Alcoholism,* Vol. 20, No. 3, pp. 259-262.
Brown, A. L. (1973), A First Language: The Early Stages. Cambridge, Mass: Harvard.
Brown, A. L. (1979), «Theories of Memory and the Problems of Development: Activity, Growth and Knowledge», in L. S. Cermak and F. I. M. Craik, *Levels of Processing in Human Memory,* Hillsdale, NJ: Erlbaum, pp. 225-258.
Brown, A. L. and J. S. DeLoache (1978), «Skills, Plans and Self-Regulation», in R. Siegler (Ed.), *Children's Thinking: What Develops.* New York: Wiley.
Brown, G. I. (1971), *Human Teaching for Human Learning: An Introduction to Confluent Education,* New York: Viking.
Brown, R. (1970), *Psycholinguistics,* New York: Free Press.
Brown, R. (1973), *A First Language: The early stages,* Cambridge: Harvard University Press.
Brown, R. (1978), «The Original Word Game», in L. Bloom (Ed.), *Readings in Language Development,* New York: John Wiley and Sons.
Bruner, J. S. (1964), «The Course of Cognitive Growth», *American Psychologist,* Vol. 19, pp. 1-15.
Bryant, P. (1978), Review of R. Gelman and C.R. Gollistel, in *Times Higher Educational Supplement,*.
Buhler, C. and F. Massarik (Eds) (1968), *The Course of Human Life,* New York: Springer.
Buhler, C. and M. Allen (1972), *Introduction to Humanistic Psychology,* Monterey, CA: Brooks/Cole.
Bullough, V. I. (1981), «Age at Menarche: A Misunderstanding», *Science,* Vol. 213, pp. 365-366.
Burke, J. P. (1983), «Rapprochement of Rotter's Social Learning Theory with Self-esteem Constructs», *Social Behavior and Personality,* Vol. 11, No. 1, pp. 81-91.
Burks, B. S. (1928), «The Relative Influence of Nature and Nurture upon Mental Development», in *Nature and Nurture. Part I: Their Influence upon Intelligence* (27th Yearbook of the National Society for the Study of Education). Bloomington, IL: Public School Publishing.
Bush, P. J. and R. J. Iannotti (1985), «The Development of Children's Health Orientations and Behaviors: Lessons for Substance Use Prevention», *National Institute on Drug Abuse Research Monograph Series,* No. 56, pp. 45-74.
Buss, A. R. (1976), «Development of Dialectics and Development of Humanistic Psychology», *Human Development,* Vol. 19, pp. 248-260.
Cairns, R. B. (1977), «Sociobiology: A New Synthesis or an Old Cleavage?», *Contemporary Psychology,* Vol. 22, pp. 1-3.
Cairns, R. B. (1983), *Social Development: The Origins and Plasticity of Interchanges,* San Francisco: W. H. Freeman.
California State Penal Code (1975), Sacramento, CA: State of California, Title I, Section 26.
Campbell, S. F. (1976), *Piaget Sampler,* New York: Wiley.
Captain, P. A. (1984), *Eight Stages of Christian Growth,* Englewood Cliffs, NJ: Prentice-Hall.
Case, R. (1984), «The Process of Stage Transition: A Neo-Piagetian View», in R. Sternberg (Ed.), *Mechanisms of Cognitive Development.* New York: Freeman and Company, pp. 19-44.

Case, R. (1985), *Intellectual Development, Birth to Adulthood,* Orlando, FL: Academic Press.

Case, R. (1986), «The New Stage Theories in Intellectual Development: Why We Need Them; What They Assert», in M. Perlmutter (Ed.), *Perspectives for Intellectual Development,* Hillsdale, NJ: Erlbaum, pp. 57-96.

Case, R. (1991) (in collaboration with M. Bruchkowsky), *The Mind's Staircase: Exploring the Conceptual Underpinnings of Children's Thought and Knowledge,* Hillsdale, NJ: Erlbaum.

Catania, A. C. and S. Harnad (Eds) (1988), *The Selection of Behavior: The Operant Behaviorism of B. F. Skinner: Comments and Consequences,* New York: Cambridge University Press.

Chaplin, W. F. (1987), «On the Thoughtfulness of Cognitive Psychologists», *Journal of Mind and Behavior,* Vol. 8, No. 2, pp. 269-279.

Chapman, A. J. and H. C. Foot (Eds) (1976), *Humour and Laughter: Research and Applications,* London: Wiley.

Chi, M. T. H. (1976), «Short-Term Memory Limitations in Children: Capacity or Processing Deficits?», *Memory and Cognition,* Vol. 4, pp. 559-572.

Chilman, C. S. (1983), *Adolescent Sexuality in a Changing American Society,* 2nd ed., New York: Wiley.

Chomsky, N. (1957), *Syntactic Structures.* The Hague: Mouton (trad. : Chomsky, N., *Structures syntaxiques,* Paris, Seuil, 1979).

Chomsky, N. (1967), «Review of Skinner's Verbal Behavior», in L. A. Jakobovits and M. S. Morn (Eds), *Readings in the Philosophy of Language,* Englewood Cliffs, NJ: Prentice-Hall.

Clarke-Stewart, A., S. Friedman and J. Koch (1985), *Child Development. A Topical Approach,* New York: John Wiley and Sons.

Cohen, D. (1981), *Faut-il brûler Piaget* ?, Paris: Retz.

Colby, A., L. Kohlberg, J. Gibbs and M. Lieberman (1983), *A Longitudinal Study of Moral Development* (Monographs of the Society for Research in Child Development, Serial No. 200, Vol. 48, Nos. 1-2).

Cole, M. (Ed.) (1970), *Soviet Developmental Psychology,* White Plains, NY: Sharpe.

Cole, M. (1975), «An Ethnographic Psychology of Cognition», in R. W. Brislin et al. (Eds). *Cross Cultural Perspectives on Learning,* Newbury Park, Ca: Sage.

Cole, M. et J. Bruner (1971), «Cultural Differences and Inferences about Psychological Processes», *American Psychologist,* Vol. 26, pp. 867-876.

Cole, J. E. and C. Levine (1987), «A Formulation of Cole's Theory of Ego Identity Formation», *Developmental Review,* Vol. 7, No. 4, pp. 273-325.

Cole, M. et S. Scribner (1974), *Culture and Thought. A Psychological Introduction,* New York: John Wiley and Sons.

Coles, R. (1970), *Erik H. Erikson: The Growth of His Work,* Boston: Little, Brown.

Combs, A. W. (1962), «A Perceptual View of the Adequate Personality», in *Perceiving, Behaving, Becoming,* Washington, DC: Association for Supervision and Curriculum Development.

Combs, A. W. (1975), «Humanistic Goals of Education», in D. A. Read and S. B. Simon (Eds), *Humanistic Education Sourcebook,* Englewood Cliffs, NJ: Prentice-Hall.

Combs, A. W. and D. Snygg (1959), *Individual Behavior.* New York: Harper and Row.

Cooper, H. and M. Findley (1983), «Locus of Control and Academic Achievement: A Literature Review», *Journal of Personality and Social Psychology,* Vol. 44, pp. 419-427.

Cortese, A. (1990), *Ethnic Ethics: The Restructuring of Moral Theory,* Albany: State University of New York Press.

Craik, F. I. M. and R. S. Lockhart (1972), «Levels of Processing: A Framework for Memory Research», *Journal of Verbal Learning and Verbal Behavior,* Vol. 11, pp. 671-684.

Dangelo, D. A. (1989), «Developmental Tasks in Literature for Adolescents – Has the Adolescent Female Protagonist Changed?», *Child Study Journal,* Vol. 19, No. 3, pp. 219-238.

Danset, A. (1983), *Eléments de psychologie du développement (Introduction et aspects cognitifs),* Paris: Armand Colin.

Dason, P. R. (Ed.) (1977), *Piagetian Psychology, Cross-Cultural Contributions,* New York: Gardner.

Davidov, V. V. (1985), «Soviet Theories of Human Development», in T. Husén and T. N. Postlethwaite (Eds), *International Encyclopedia of Education,* Vol. 8, Oxford: Pergamon, pp. 4721-4727.

Davidson, T. (1898), *Rousseau and Education According to Nature.* New York: Scribner's.

De Landsheere, G. (1982), *Introduction à la Recherche en Education,* Paris: Armand Colin-Bourrelier.

Deregowski, J. R. et R. Serpell (1971), «Performance on a Sorting Task», *International Journal of Psychology,* Vol. 6, pp. 273-281.

Deutsch, J. M. (1943), «The Development of Children's Concepts of Causal Relations», in R. G. Barker, J. S. Kounin and H. F. Wright (Eds), *Child Behavior and Development,* New York: McGraw-Hill.

de Vries, H., M. Dijkstra and P. Kuhlman (1988), «Self-Efficacy: The Third Factor Besides Attitude and Subjective Norm as a Predictor of Behavioural Intentions», *Health Education Research,* Vol. 3, No. 3, pp. 273-282.

DiBlasio, F. A. (1988), «Predriving Riders and Drinking Drivers», *Journal of Studies on Alcohol,* Vol. 49, No. 1, pp. 11-15.

Diop, C. A. (1979), *Nations nègres et culture,* Paris: Présence Africaine.

Dollard, J. and N. E. Miller (1950), *Personality and Psychotherapy,* New York: McGraw-Hill.

Dooling, D. J. and R. E. Christiaansen (1977), «Episodic and Semantic Aspects of Memory for Prose», *Journal of Experimental Psychology: Human Learning and Memory,* Vol. 3, pp. 428-436.

Dreikurs, R. R. (1950), *Fundamentals of Adlerian Psychology,* New York: Greenberg (trad. : Dreikurs, R. R., *La psychologie adlérienne,* Paris, Desclée et Cie).

Drum, P. A. (1990), «Language Acquisition and Human Development», in R. M. Thomas (Ed.), *The Encyclopedia of Human Development and Education,* Oxford: Pergamon, pp. 269-275.

Dunstan, J. I. (1961), *Protestantism,* New York: Braziller.

Durkin, D. (1976), *Teaching Young Children to Read,* 2nd ed., Boston: Allyn and Bacon.

Dusek, J., O. B. Carter and G. Levy (1986), «The Relationship Between Identity Development and Self-Esteem During the Late Adolescent Years: Sex Differences», *Journal of Adolescent Research,* Vol. 1, No. 3, pp. 251-265.

Duvall, E. M. (1971), *Family Development,* Philadelphia: Lippincott.

Eby, F. (Ed.) (1971), *Early Protestant Educators,* New York: AMS Press.

Eibl-Eibesfeldt, I. (1975), *Ethology: The Biology of Behavior,* 2nd ed., New York: Holt, Rinehart and Winston (trad. : Eibl-Eibesfeldt, I., *Ethologie : biologie du comportement,* 3e éd., Paris, Naturalia et biologia, 1984).

Eibl-Eibesfeldt, I. (1989), *Human Ethology*, New York: Aldine de Gruyter.

Elkind, D. (1967), «Piaget's Conservation Problems», *Child Development*, Vol. 38, pp. 15-27.

Elkind, D. (1976), *Child Development and Education*, New York: Oxford University Press.

Ellenberger, H. (1970), *The Discovery of the Unconscious*, New York: Basic Books (trad. : Ellenberger, H., *A la découverte de l'inconscient : histoire de la psychiatrie dynamique*, Paris, Simep, 1974).

Erikson, E. H. (1958), *Young Man Luther: A Study in Psychoanalysis and History*, New York: Norton (trad. : Erikson, E. H., *Luther avant Luther : psychanalyse et histoire*, Paris, Flammarion, 1968).

Erikson, E. H. (1959), *Identity and the Life Cycle* in *Psychological Issues* monograph. Vol. 1, No. 1, New York: International Universities Press.

Erikson, E. H. (1963), *Childhood and Society*, 2nd ed., New York: Norton (trad. : Erikson, E. H., *Enfance et société*, Neuchâtel, Delachaux et Niestlé, 1976).

Erikson, E. H. (1964), *Insight and Responsibility*, New York: Norton.

Erikson, E. H. (1968), *Identity: Youth and Crisis*, New York: Norton (trad. : Erikson, E. H., *Adolescence et crise : la quête de l'identité*, Paris, Flammarion, 1978).

Erikson, E. H. (1969), *Gandhi's Truth*, New York: Norton (trad. : Erikson, E. H., *La vérité de Gandhi : les origines de la non-violence*, Paris, Flammarion, 1974).

Erikson, E. H. (1975), *Life History and the Historical Movement*, New York: Norton.

Erikson, E. H. (1977), *Toys and Reasons*, New York: Norton.

Erikson, E. H. (1982), *The Life Cycle Completed*, New York: Norton.

Fantini, M. and G. Weinstein (1968), *Toward a Contact Curriculum*, New York: Anti-Defamation League of B'nai B'rith.

Fantz, R. L. (1961), «The Origin of Forum Perception», *Scientific American*, Vol. 204, No. 5, pp. 66-72

Farnham-Diggory, S. (1972), *Information Processing in Children*, New York: Academic.

Fisher, J. D., P. A. Bell and A. Baum (1984), *Environmental Psychology*, 2nd ed., New York: Holt, Rinehart and Winston.

Fisher, K. W. (1980), «A Theory of Cognitive Development: The Control and Construction of Hierarchies of Skills», *Psychological Review*, Vol. 87, No. 6, pp. 477-531.

Fisher, K. W. and R. L. Canfield (1986), «The Ambiguity of Stage and Structure in Behavior: Person and Environment in the Development of Psychological Structures», in I. Levin (Ed.), *Stage and Structure: Reopening the Debate*, Norwood, NJ: Ablex, pp. 246-267.

Fisher, K. W and S. Pipp (1984), «Processes of Cognitive Development: Optimal Level of Skill Acquisition», in R. J. Sternberg (Ed.), *Mechanisms of Cognitive Development*, New York: W. H. Freeman

Flavell, J. H. (1977), *Cognitive Development*, Englewood Cliffs, NJ: Prentice-Hall.

Flavell, J. H, B. Everette, K. Croft and E. Flavell (1981), «Young Children's Knowledge about Visual Perception: Further Evidence for the Level 1-Level 2 Distinction», *Developmental Psychology*, Vol. 17, No. 1, pp. 99-103.

Flexner, S. B. and L. C. Hauck (1987), *The Random House Dictionary of the English Language*, 2nd ed., New York: Random House.

Flora, J. A. and C. E. Thoresen (1988), «Reducing the Risk of AIDS in Adolescents», *American Psychologist*, Vol. 43, No. 11, pp. 965-970.

Fodor, J. A. (1983), *The Modularity of Mind*, Cambridge, MA: MIT Press.

Forbes, M. and F. Bloch (1990), *What Happened to Their Kids? Children of the Rich and Famous*, New York: Simon and Schuster.

Ford, P. L. (1962), *The New England Primer.* New York: Academic Press.

Franz, C. E. and K. M. White (1985), «Individuation and Attachment in Personality Development: Extending Erikson's Theory», *Journal of Personality,* Vol. 53, No. 2, pp. 224-256.

Freeman, D. (1983), *Margaret Mead and Samoa: The Making and Unmaking of an Anthropological Myth,* Cambridge, MA: Harvard University Press.

Frenkel-Brunswik, E. (1954), *Psychoanalysis and the Unity of Science,* Proceedings of the Academy of Arts and Sciences, Vol. 80.

Freud, A. (1974), *The Writings of Anna Freud,* New York: International Universities Press. In five volumes.

Freud, S. (1900), «The Interpretation of Dreams», in J. Strachey (Ed.), *The Standard Edition of the Complete Psychological Works of Sigmund Freud,* Vol. 4, London: Hogarth, 1953, pp. 1-338 (trad. : Freud, S., *L'interprétation des rêves,* Paris, PUF, 1987).

Freud, S. (1910), «Five Lectures on Psychoanalysis», in J. Strachey (Ed.), *The Standard Edition of the Complete Psychological Works of Sigmund Freud,* Vol. 11, London: Hogarth, 1957.

Freud, S. (1915a), «Repression», in J. Strachey (Ed.), *The Standard Edition of the Complete Psychological Works of Sigmund Freud,* Vol. 14, London: Hogarth, 1957, pp. 141-185.

Freud, S. (1915b), «The Unconscious», in J. Strachey (Ed.), *The Standard Edition of the Complete Psychological Works of Sigmund Freud,* Vol. 14, London: Hogarth, 1957, pp. 159-215.

Freud, S. (1917), «Introductory Lectures on Psychoanalysis, Part III», in J. Strachey (Ed.), *The Standard Edition of the Complete Psychological Works of Sigmund Freud,* Vol. 16, London: Hogarth, 1957, pp. 243-482 (trad. : Freud, S., *Introduction à la psychanalyse,* Paris, Payot, 1968).

Freud, S. (1920), «Beyond the Pleasure Principle», in J. Rickman (Ed.), *A General Selection from the Works of Sigmund Freud,* New York: Liveright, 1957, pp. 141-168.

Freud, S. (1923), *The Ego and the Id,* London: Hogarth, 1974.

Freud, S. (1933), *New Introductory Lectures on Psychoanalysis,* New York: Norton (trad. : Freud, S., *Nouvelles conférences d'introduction à la psychanalyse,* Paris, Gallimard, 1984).

Freud, S. (1938), *An Outline of Psychoanalysis,* London: Hogarth, 1973.

Freud, S. (1964), *The Standard Edition of the Complete Psychological Works of Sigmund Freud,* James Strachey (trans. and ed.), London: Hogarth. In thirty volumes.

Froëbel, F. (1889), *The Education of Man* (ed. W.N. Hailmann), New York: Appleton-Century-Crofts.

Fry, D. P. (1988), «Intercommunity Differences in Aggression among Zapotec Children», *Child Development,* Vol. 59, No. 4, pp. 1008-1019.

Fuchs, R. (1988), «Culminating Effects of Success and Failure in the Course of Learning Projects within the Frame of Developmental Tasks», *Psychologische Beitrage,* Vol. 30, No. 3, pp. 322-343.

Fuller, R. C. (1986), *Americans and the Unconscious,* New York: Oxford University Press.

Furstenburg, F. (1981), «Implicating the Family: Teenage Parenthood and Kinship Involvement», in T. Ooms (Ed.), *Teenage Pregnancy in Family Context,* Philadelphia: Temple University Press, pp. 131-164.

Furth, H. G. and W. Wachs (1975), *Thinking Goes to School,* New York: Oxford University Press.

Gardner, A. (1983), *Frames of Mind*, New York: Basic Books.
Gelman R. and C. R. Gallistel (1978), *The Young Child's Understanding of Number*, Cambridge: Harvard University Press.
«Genesis» (1611), *The Holy Bible, King James Authorized Version*, Philadelphia: John C. Winston (1929).
Gesell, A. and F. L. Ilg (1949), *Child Development: An Introduction to the Study of Human Growth*, New York: Harper and Row.
Gesell, A., F. L. Ilg, L. B. Ames and G. E. Bullis (1977), *The Child from Five to Ten*, New York: Harper and Row (trad. : Gesell, A., F. L. Ilg, *L'enfant de 5 à 10 ans*, Paris, PUF, 1949).
Gilligan, C. (1982), *In a Different Voice*, Cambridge, MA: Harvard University Press (trad. : Gilligan, C., *Une si grande différence*, Paris, Flammarion, 1986).
Gilligan, C., J. V. Ward and J. M. Taylor (Eds) (1988), *Mapping the Moral Domain*, Cambridge, MA: Harvard University Press.
Giorgi, A. (1987), «The Crisis of Humanistic Psychology», *The Humanistic Psychologist*, Vol. 15, No. 1, pp. 5-20.
Godin, A. (1971), «Some Developmental Tasks in Christian Education», in M. P. Strommen (Ed.), *Research in Religious Development*, New York: Hawthorne.
Goodnow, J. J. (1969), «Cultural Variations in Cognitive skills», in D. R. Price-Williams (Ed.), *Cross Cultural Studies*, New York: Penguin. pp. 246-266.
Graham, S. (1991), «A review of Attribution Theory in Achievement Context», *Educational Psychology Review*, Vol. 3, pp. 5-39.
Graham, S. and A. Long (1986), «Race, Class and the Attributional Process», *Journal of Educational Psychology*, Vol. 78, No. 1, pp. 4-13.
Gray, M. M., J. M, Ispa and K. R. Thornbury (1986), «Erikson Psychosocial Stage Inventory: A Factor Analysis», *Educational and Psychological Measurement*, Vol. 48, No. 4, pp. 979-983.
Greenfield, P. (1969), «*On Culture and Conservation*», in D. R. Price- Williams (Ed.), *Cross Cultural Studies*, New York: Penguin, pp. 201-211.
Gresham, F. M. and S. N. Elliott (1989), «Social Skills Deficits as a Primary Learning Disability», *Journal of Learning Disabilities*, Vol. 22, No. 2, pp. 120-124.
Hagen, J. W., R. H. Jongeward, Jr. and R. V. Kail, Jr. (1975), «Cognitive Perspectives on the Development of Memory», in H. W. Reese and L. P. Lipsitt (Eds), *Advances in Child Development and Behavior*, Vol. 10, New York: Academic.
Hagenhoff, C., A. Lowe, M. F. Hovell and D. Rugg (1987), «Prevention of the Teenage Pregnancy Epidemic: A Social Learning Theory Approach», *Education and Treatment of Children*, Vol. 10, No. 1, pp. 67-83.
Hale-Benson, J. (1986), *Black Children: Their Roots, Culture and Learning Styles*, Baltimore: John Hopkins University Press.
Halford, G. S. (1982), *The Development of Thought*, Hillsdale, NJ: Erlbaum.
Hall, C. S. (1954), *Primer of Freudian Psychology*, New York: World (trad. : Hall, C. S., *L'ABC de la psychologie freudienne*, Aubier-Montaigne).
Hall, C. S. and G. Lindsey (1970, 1978), *Theories of Personality*, 2nd and 3rd eds, New York: Wiley.
Hall, G. S. (1891), «The Contents of Children's Minds on Entering School», *Pedagogical Seminar*, Vol. 1, pp. 139-173.
Hall, G. S. (1904), *Adolescence*, New York: Appleton-Century-Crofts. In two volumes.

Hamachek, D. E. (1985), «The Self's Development and Ego Growth: Conceptual Analysis and Implications for Counselors», *Journal of Counseling and Development,* Vol. 64, No. 2, pp. 136-142.
Hamill, P. V. V. (1977), *NCHS Growth Curves for Children* (Vital and Health Statistics: Series 11, No. 165, Data from the National Health Survey), Washington, D.C.: U.S. Government Printing Office.
Hamilton, W. D. (1964), «The Genetical Evolution of Social Behavior», *Journal of Theoretical Biology*, Vol. 7, pp. 1-52.
Harris, M. L. and C. H. Harris (1971), «A Factor Analytic Interpretation Strategy», *Educational and Psychological Measurement,* Vol. 31, pp. 589-606.
Harris, P. L. (1975), «Inferences and Semantic Development», *Journal of Child Language,* Vol. 2, pp. 143-152.
Hartmann, H. (1959), «Psychoanalysis as a Scientific Theory», in S. Hook (Ed.), *Psychoanalysis, Scientific Method and Philosophy,* New York: New York University Press.
Hartshorne, H. and M. A. May (1928-1930), *Studies in the Nature of Character,* New York: Macmillan. In three volumes.
Hausfater, G. and S.B. Hardy (Eds) (1984), *Infanticide,* New York: Aldine.
Havighurst, R. J. (1953), *Human Development and Education,* New York: Longmans, Green.
Hawkins, J. D. and J. G. Weis (1985), «The Social Development Model: An Integrated Approach to Delinquency Prevention», *Journal of Primary Prevention,* Vol. 6, No. 2, pp. 73-97.
Heafford, M. (1967), *Pestalozzi, His Thought and Its Relevance Today,* London: Methuen.
Heath, S. B. (1983), *Ways with words: Language, Life and Work in communities,* Cambridge: Cambridge University Press.
Hebb, D. O. (1970), «A Return to Jensen and His Social Critics», *American Psychologist,* Vol. 25, p. 568.
Heider, F. (1958), *The Psychology of Interpersonal Relations,* New York: Wiley.
Helms, J. (Ed.) (1990), *Black and White Racial Identity. Theory, Research and Practice,* New York: Greenwood Press.
Heron, A. (1971), «Concrete Operation, 'g' and Achievements in Zambian Children». *Journal of Cross-Cultural Psychology,* Vol. 2, pp. 325-336.
Heron, A. et W. Dowel (1973), «Weight Conservation and Matrix Solving Ability in Papuan Children», *Journal of Cross Cultural Psychology,* Vol. 4, No. 2, pp. 207-219.
Hersh, R. H., J. P. Miller and G. D. Fielding (1984), *Models of Moral Education,* New York: Longman.
Hilgard, E. R. (1949), «Human Motives and the Concept of the Self», *American Psychologist,* Vol. 4, pp. 374-382.
Hilgard, E. R. (1952), «Experimental Approaches to Psychoanalysis», in E. Pumpian-Mindlin, *Psychoanalysis as a Science,* Stanford, CA: Stanford University Press.
Hilgard, E. R. and G. H. Bower (1975), *Theories of Learning,* 4th ed., Englewood Cliffs, NJ: Prentice-Hall.
Hillner, K. P. (1984), *History and Systems of Modern Psychology,* New York: Gardner.
Hinde, R. A. (1974), *Biological Bases of Human Social Behaviour,* New York: McGraw-Hill.
Hinde, R. A. (1983), «Ethology and Child Development», in M. M. Haith and J. J. Campos (Eds), *Handbook of Child Psychology – Volume II: Infancy and Developmental Psychobiology,* New York: Wiley, pp. 27-93.

Hinde, R. A. (1987), *Individuals, Relationships and Culture: Links between Ethology and the Social Sciences,* New York: Cambridge University Press.

Hinde R. A. and L. McGinnis (1977), «Some Factors Influencing the Effects of Temporary Mother-Infant Separation – Some Experiments with Rhesus Monkeys», *Psychological Medicine,* Vol. 7, pp. 197-212.

Hirsch, J. (1970), «Behaviour-Genetic Analysis and Its Biosocial Consequences», *Seminars in Psychiatry,* Vol. 2, pp. 89-105.

Hogan, J. D. and M. A. Vahey (1984), «Modern Classics in Child Development: Authors and Publications», *Journal of Psychology,* Vol. 116, No. 1, pp. 35-38.

Holt, R. F. (1989), *Freud Reappraised: A Fresh Look at Psychoanalytic Theory,* New York: Guilford.

Hook, S. (1959), «Science and Mythology in Psychoanalysis», in S. Hook (Ed.), *Psychoanalysis, Scientific Method and Philosophy,* New York: New York University Press.

Horton, D. L. and T. W. Turnage (1976), *Human Learning,* Englewood Cliffs, NJ: Prentice-Hall.

Hudley, C. (1991), «An Attribution Retraining Program to Reduce Peer-directed Agression among African-American Male Elementary School Students», Ph.D. dissertation, UCLA.

Hughes, M. (1975), *Egocentrism in Preschool Children,* Unpublished Ph. D dissertation, Edinburgh University

Hurlock, E. G. (1968), *Developmental Psychology,* 3rd ed. New York: McGraw-Hill (trad. : Hurlock, E. G., *La psychologie du développement,* McGraw-Hill, 1978).

Hyams, N. (1986), *Language Acquisition and the Theory of Parameters,* Dordrecht: Reidel.

Hyde, D. M. (1959), *An Investigation of Piaget's Theories of the Development of the Concept of Number,* Unpublished Ph.D. dissertation, University of London.

Ilg, F. L. and L. B. Ames (1955), *The Gesell Institute's Child Behavior,* New York: Dell.

Ilg, F. L. and L. B. Ames (1976), *Your Four Year Old,* New York: Dell.

Ilg, F. L., L. B. Ames and M. D. Baker (1981), *Child Behavior,* New York: Harper and Row.

Inhelder, B. (1968), «Foreword», in I. E. Sigel and F. H. Hooper (Eds), *Logical Thinking in Children,* New York: Holt, Rinehart and Winston.

Inhelder, B. and J. Piaget (1958), *The Growth of Logical Thinking from Childhood to Adolescence,* New York: Basic Books (orig. : Inhelder, B., J. Piaget, *De la logique de l'enfant à la logique de l'adolescent. Essai sur la construction des structures opératoires formelles,* Paris, PUF, 1955).

Inhelder, B. and J. Piaget (1964), *The Early Growth of Logic in the Child,* London: Routledge and Kegan Paul.

Ittejerah, M. and A. Samarapungavan (1989), «The Performance of Congenitally Blind Children in Cognitive Developmental Tasks», *British Journal of Developmental Psychology,* Vol. 7, pp. 129-139.

James, W. (1890), *The Principles of Psychology,* New York: Holt, Rinehart and Winston.

Jensen, A. R. (1969), «How Much Can We Boost IQ and Scholastic Achievement?», *Harvard Educational Review,* Vol. 39, pp. 1-123.

Jensen, A. R. (1973), *Educability and Group Differences,* New York: Harper and Row.

Johnston, L. D., P. M. O'Malley and J. G. Bachman (1986), *Drug Use among American High School Students, College Students and Other Young Adults: National Trends through 1985,* Rockville, MD.: U.S. National Institute on Drug Abuse.

Jones, E. (1961), *The Life and Works of Sigmund Freud,* New York: Basic Books (trad. : Jones, E., *La vie et l'œuvre de Sigmund Freud. I. La jeunesse (1856-1900),* 4e éd., Paris, PUF, 1982; Jones, E., *La vie et l'œuvre de Sigmund Freud. II. Les années de maturité*

(1901-1919), 3e éd., Paris, PUF, 1979; Jones, E., *La vie et l'œuvre de Sigmund Freud. III. Les dernières années (1919-1939)*, 2e éd., Paris, PUF, 1975).

Jones, E. E. and K. E. Davis (1965), «From Acts to Dispositions: The Attribution Process in Person Perception», in L. Berkowitz (Ed.), *Advances in Experimental Social Psychology* (Vol. 2), New York: Academic.

Jones, E. E. and R. E. Nisbett (1971), *The Actor and the Observer: Divergent Perceptions of the Causes of Behavior,* Morristown, NJ: General Learning Press.

Jones, E. E., D. E. Kanouse, H. H. Kelley, R. E. Nisbett, S. Valins and B. Weiner (1971), *Attribution: Perceiving the Causes of Behavior,* Morristown, NJ: General Learning Press.

Jones, R. L. (1989), *Black Adolescents,* Berkeley: Cobb and Henry

Jung, C. G. (1953), «On Psychical Energy», in *Collected Works,* Vol. VIII, New York: Pantheon (trad. : Jung, C. G., *L'énergie psychique,* Paris, Buchet-Chastel, 1974).

Jurkovic, Gregory (1980), «The Juvenile Delinquent as Moral Philosopher», *Psychological Bulletin,* Vol. 88, pp. 709-727.

Kail, R. and J. Bisanz (1982), «Information Processing and Cognitive Development», in H. W. Reese and L. P. Lipsitt (Eds), *Advances in Child Development and Behavior,* Vol. 17, New York: Academic.

Kail, R. and J. W. Pellegrino (1985), *Human Intelligence: Perspectives and Prospects,* New York: W. H. Freeman.

Kail, R. and N. E. Spear (1984), *Comparative Perspectives on the Development of Memory,* New Jersey: Lawrence Erlbaum Associates.

Kamin, L. F. (1974), *The Science and Politics of IQ,* New York: Wiley.

Kantor, J. R. (1959), *Interbehavioral Psychology,* 2nd rev. ed., Bloomington, IN: Principia.

Kaufman, L. (1974), *Sight and Mind,* New York: Oxford University Press.

Kazdin, A. E. (1978), *History of Behavior Modification: Experimental Foundations of Contemporary Research,* Baltimore, MD: University Park Press.

Kazdin, A. E. (1981), «Behavior Modification in Education: Contributions and Limitations», *Developmental Review,* Vol. 1, pp. 34-57.

Keller, F. S., and J. G. Sherman (1974), *The Keller Plan Handbook,* Menlo Park, CA: Benjamin/Cummings.

Kelley, E. C. (1962), «The Fully Functioning Self», in *Perceiving, Behaving, Becoming,* Washington, DC: Association for Supervision and Curriculum Development.

Kelley, H. H. (1967), «Attribution Theory in Social Psychology», in D. Levine (Ed.), *Nebraska Symposium on Motivation, 1967,* Vol. 15, Lincoln: University of Nebraska Press.

Kelley, H. H. (1971), *Attribution in Social Interaction,* Morristown, NJ: General Learning Press.

Kelley, H. H. (1972), *Causal Schemata and the Attribution Process,* Morristown, NJ: General Learning Press.

Kelley, H. H. (1973), «The Process of Causal Attribution», *American Psychologist,* Vol. 28, pp. 107-128.

Kessen, W. and E. D. Cahan (1986), «A Century of Psychology: From Subject to Object to Agent», *American Scientist,* Vol. 74, No. 6, pp. 640-649.

Kihlstrom, J. F. (1987), «The Cognitive Unconscious», *Science,* Vol. 237, pp. 1445-1452.

Kilpatrick, W. H. (1916), *Froebel's Kindergarten Principles Critically Examined,* New York: Macmillan.

Klahr, D. and J. G. Wallace (1976), *Cognitive Development: An Information-Processing View,* Hillsdale, NJ: Erlbaum.

Klaus, M. H. and J. H. Kennell (1976), *Maternal-Infant Binding*, St. Louis: Mosby.

Klazky, R. L. (1980), *Human Memory: Structures and Process,* San Francisco: W. H. Freeman.

Klein, D. B. (1977), *The Unconscious: Invention or Discovery*, Santa Monica, CA: Goodyear.

Kleinginna, P. R. and A. M. Kleinginna (1988), «Current Trends Toward Convergence of the Behavioristic, Functional and Cognitive Perspectives in Experimental Psychology», *Psychological Record*, Vol. 38, No. 3, pp. 368-397.

Knapp, T. J. (1985), «Who's Who in American Introductory Psychology Textbooks: A Citation Study», *Teaching of Psychology,* Vol. 12, No. 1, pp. 15-17.

Kohlberg, L. (1958), *The Development of Modes of Thinking and Choices in Years 10 to 16,* Unpublished doctoral dissertation, University of Chicago.

Kohlberg, L. (1967), «Moral and Religious Education in the Public Schools: A Developmental View», in T. R. Sizer, *Religion and Public Education*, Boston: Houghton-Mifflin.

Kohlberg, L. (1968a), «The Child as a Moral Philosopher», *Psychology Today*, Vol. 2, pp. 25-30.

Kohlberg, L. (1968b), «Moral Development», in *International Encyclopedia of the Social Sciences,* New York: Macmillan.

Kohlberg, L. (1971), «From Is to Ought», in T. Mischel, *Cognitive Development and Epistemology*, New York: Academic.

Kohlberg, L. (1976), «Moral States and Moralization: The Cognitive-Developmental Approach», in T. Likona (Ed.), *Moral Development and Behavior*, New York: Holt, Rinehart and Winston.

Kohlberg, L. (1984), *The Psychology of Moral Development*, San Francisco: Harper and Row.

Kohlberg, L. and R. Kramer (1969), «Continuities in Childhood and Adult Moral Development», *Human Development*, Vol. 12, pp. 93-120.

Kolominskly, Y. L. and M. H. Meltsas (1985), «Sex-Role Differentiation in Preschool Children», *Voprosy-Psikhologii*, No. 3, pp. 165-171.

Kounin, J. S. (1943), «Intellectual Development and Rigidity», in R. G. Barker, J. S. Kounin and H. F. Wright, *Child Behavior and Development*, New York: McGraw-Hill.

Kris, E. (1947), «The Nature of Psychoanalytic Propositions and Their Validation», in S. Hook and M. R. Konvitz, *Freedom and Experience*, Ithaca, NY: Cornell University Press.

Krohn, M. D., W. F. Skinner, J. L. Massey and R. L. Akers (1985), «Social Learning Theory and Adolescent Cigarette Smoking: A Longitudinal Study», *Social Problems*, Vol. 32, No. 5, pp. 455-473.

Kuhn, T. S. (1962), *The Structure of Scientific Revolutions,* Chicago: The University of Chicago Press.

Kunjufu, J. (1984), *Developing Positive Self-Images and Discipline in Black Children,* Chicago: African-American Images.

Lamal, P. A. (1989), «The Impact of Behaviorism on Our Culture: Some Evidence and Conjectures», *Psychological Record*, Vol. 39, pp. 529-535.

Layzer, D. (1974), «Heritability Analyses of IQ Scores: Science or Numerology?», *Science*, Vol. 183, pp. 1259-1266.

Leahy, A. M. (1935), «Nature-Nurture and Intelligence», *Genetic Psychology Monographs*, Vol. 17, pp. 236-308.

Lee, V. L. (1988), *Beyond Behaviorism*, Hillsdale, NJ: Lawrence Erlbaum.

Lefcourt, H. (1982), *Locus of control*, Hillsdale, NJ: Lawrence Erlbaum.
Leff, H. L. (1978), *Experience, Environment and Human Potentials,* New York: Oxford University Press.
Lerner, D. (1965), «Introduction», in D. Lerner (Ed.), *Cause and Effect,* New York: Free Press, pp. 1-10.
Lerner, R. M. (1976), *Concepts and Theories of Human Development,* Reading, MA: Addison-Wesley.
Lerner, R. M. (1986), *Concepts and Theories of Human Development,* 2nd ed., New York: Random House.
Levin, I. (Ed.) (1986), *Stage and Structure: Reopening the Debate,* Norwood, NJ: Ablex, pp. 40-58.
Lewin, K. (1939), «The Field Theory Approach to Adolescence», *American Journal of Sociology,* Vol. 44, pp. 868-896.
Lewin, K. (1942), «Field Theory and Learning», in *Forty-First Yearbook, National Society for the Study of Education, Part II,* Bloomington, IL: Public School Publishing.
Loftus, E. F. (1975), «Leading Questions and Eyewitness Report», *Cognitive Psychology,* Vol. 7, pp. 560-572.
Logan, R. D. (1986), «A Reconceptualization of Erikson's Theory: The Repetition of Existential and Instrumental Themes», *Human Development,* Vol. 29, No. 3, pp. 125-136.
Logue, A. W. (1985), «The Growth of Behaviorism: Controversy and Diversity», in C. E. Buxton (Ed.), *Points of View in the Modern History of Psychology,* Orlando, FL: Academic, pp. 169-196.
Lomotey, K. (Ed.) (1990), *Going to School. The African-American Experience,* Albany: SUNY.
Lorenz, K. Z. (1977), *Behind the Mirror: A Search for a Natural History of Human Knowledge,* New York: Harcourt Brace Jovanovich (trad. : Lorenz, K. Z., *L'envers du miroir : une histoire naturelle de la connaissance,* Paris, Flammarion, 1978).
Love, S. Q., T. H. Ollendick, C. Johnson and S. E. Schlesinger (1985), «A Preliminary Report of the Prediction of Bulimic Behaviors: A Social Learning Analysis», *Bulletin of the Society of Psychologists in Addictive Behaviors,* Vol. 4, No. 2, pp. 93-101.
Lowrey, G. H. (1978), *Growth and Development in Children,* 7th ed., Chicago: Year Book Medical Publications.
Luria, A. R. (1976), *Cognitive Development: Its Cultural and Social Foundations,* Cambridge, MA: Harvard University Press.
Luria, A. R. and R. Yudovich (1971), *Speech and the Development of Mental Processes in the Child,* Harmondsworth, England: Penguin.
Maccoby, E. (1968), «The Development of Moral Values and Behavior in Childhood», in J. A. Clausen (Ed.), *Socialization and Society,* Boston: Little, Brown.
Mackworth, J. F. (1976), «Development of Attention», in V. Hamilton and M. D. Vernon (Eds), *The Development of Cognitive Processes,* New York: Academic Press.
Magary, J. F., M. K. Poulsen, P. J. Levinson and P. A. Taylor (Eds) (1977), *Piagetian Theory and Its Implications for the Helping Professions,* Los Angeles: University of Southern California.
Mahoney, M. J. (1989), «Scientific Psychology and Radical Behaviorism», *American Psychologist,* Vol. 44, No. 11, pp. 1372-1377.
Mahrer, A. R. (1989a), *Experiencing: A Humanistic Theory of Psychology and Psychiatry,* Ottawa: University of Ottawa Press (First published in 1978, New York: Brunner/Mazel).

Mahrer, A. R. (1989b), *Dream work in Psychotherapy and Self-Change* New York: Norton.
Mahrer, A. R. (1989c), *How to do Experiential psychotherapy: a Manual for Practioners,* Ottawa: University of Ottawa Press.
Mahrer, A. R. (1989d), *The Integration of Psychotherapies: a Guide for Practicing Therapists,* New York: Human Sciences Press.
Mahrer, A. R. and P. A. Gervaize (1990), «Humanistic Theory of Development», in R. M. Thomas (Ed.), *The Encyclopedia of Human Development and Education,* Oxford: Pergamon Press.
Malina, R. M. and A. F. Roche (1983), *Manual of Physical Status and Performance in Childhood,* Vols 1 and 2: *Human Growth: A Comprehensive Treatise,* New York: Plenum.
Maratsos, M. P. (1976), *The Use of Definite and Indefinite Reference in Young Children,* New York: Cambridge University Press.
Marek, J. C. (1988), «A Buddhist Theory of Human Development», in R. M. Thomas (Ed.), *Oriental Theories of Human Development,* New York: Peter Lang, pp. 76-115.
Martindale, C. (1987), «Can We Construct Kantian Mental Machines?», *Journal of Mind and Behavior,* Vol. 8, No. 2, pp. 261-268.
Marx, K. (1847), «The Communist Manifesto», in D. McLellan (Ed.), *Karl Marx, Selected Writings,* Oxford: Oxford University Press, 1977.
Marx, K. (1859), «Preface to A Critique of Political Economy», in D. McLellan (Ed.), *Karl Marx, Selected Writings,* Oxford: Oxford University Press, 1977.
Maslow, A. H. (1968), *Toward a Psychology of Being,* Princeton, NJ: Van Nostrand Reinhold (trad. : Maslow, A. H., *Vers une psychologie de l'être,* Paris, Fayard, 1972).
Maslow, A. H. (1970), *Motivation and Personality,* 2nd ed., New York: Harper and Row.
Maslow. A. H. (1971), *The Farther Reaches of Human Nature,* New York: Viking.
McAdoo, H. P. and J. L. McAdoo (Eds) (1985), *Black Children: Social, Educational and Parental Environment,* Beverly Hills: Sage Publications.
Mead, G. H. (1934), *Mind, Self and Society,* Chicago: University of Chicago Press.
Mead, M. (1968), *Coming of Age in Samoa,* New York: Dell.
Miller, G. A. (1956), «The Magical Number Seven, Plus or Minus Two: Some Limits on Our Capacity for Processing Information», *Psychological Review,* Vol. 63, pp. 81-97.
Miller, L. (1988), «Behaviorism and the New Science of Cognition», *Psychological Record,* Vol. 28, No. 1, pp. 3-18.
Miller, P. (1963), *The New England Mind: The Seventeenth Century,* Cambridge: Harvard University Press.
Miller, P. H. (1983), *Theories of Developmental Psychology,* San Francisco: W. H. Freeman.
Mishkin, M. and T. Appenzeller (1987), «The Anatomy of Memory», *Scientific American,* Vol. 256, No. 6, pp. 80-89.
Modgil, S., C. Modgil and G. Brown (Eds) (1983), *Jean Piaget: An Interdisciplinary Critique,* London: Routledge and Kegan Paul.
Montagu, A. (1959), *Human Heredity,* New York: Harcourt Brace Jovanovich.
Moore, J. (1990), «On Mentalism, Privacy and Behaviorism», *The Journal of Mind and Behavior,* Vol. 11, No. 1, pp. 19-36.
Morgan, E. S. (1956), *The Puritan Family,* Boston: Trustees of the Public Library.
Morisson, S. E. (1936), *The Puritan Pronaos,* New York: New York University Press.
Mounoud, P. (1986), «Similarities between Developmental Sequences at Different Age Periods», in I. Levin (Ed.), *Stage and Structure: Reopening the Debate,* Norwood, NJ: Ablex, pp. 40-58.

Mueller-Schwarze, D. (Ed.) (1978), *Evolution of Play Behavior,* Stroudsburg, PA: Dowden, Hutchinson and Ross.

Muller, P. (1969), *The Tasks of Childhood,* New York: McGraw-Hill.

Munro, D. J. (1977), *The Concept of Man in Contemporary China,* Ann Arbor: University of Michigan Press.

Muzika, E. G. (1990), «Evolution, Emptiness and the Fantasy Self», *Journal of Humanistic Psychology,* Vol. 30, No. 2, pp. 89-108.

Nagel, E. (1959), «Methodological Issues in Psychoanalytic Theory», in S. Hook (Ed.), *Psychoanalysis, Scientific Method and Philosophy,* New York: New York University Press.

Nagel, E. (1965), «Types of Causal Explanation in Science», in D. Lerner (Ed.), *Cause and Effect,* New York: Free Press, pp. 11-32.

Neisser, U. (1976), *Cognition and Reality,* San Francisco: W. H. Freeman.

Newell, A., J. C. Shaw and H. A. Simon (1958), «Elements of a Theory of Human Problem Solving», *Psychological Review,* Vol. 65, pp. 151-166.

Newell, A. and H.A. Simon (1972), *Human Problem Solving,* Englewood Cliffs, NJ: Prentice-Hall.

New England Primer: Or An Easy and Pleasant Guide to the Art of Reading (1836), Boston: Massachusetts Sabbath School Society.

Nobles, W. W. (1986), *African Psychology: Towards its reclamation, reascension and revitalization,* Oakland: A Black Family Institute Publication.

Not, L. (Ed.) (1983), *Perspectives Piagétiennes,* Toulouse: Editions Privat.

Ochs, E. (1988), *Culture and Language Development: Language Acquisition and Language Socialization in a Samoan Village,* Cambridge: Cambridge University Press.

Ochse, R. and C. Pluy (1986), «Cross-Culture Investigation of the Validity of Erikson's Theory of Personality Development», *Journal of Personality and Social Psychology,* Vol. 50, No. 6, pp. 1240-1252.

Ornstein, P. A. and M. J. Naus (1978), «Rehearsal Processes in Children's Memory», in P. A. Ornstein, *Memory Development in Children,* Hillsdale, NJ: Erlbaum.

Ouspensky, P. D. (1957), *The Fourth Way,* London: Routledge and Kegan Paul.

Palmonari, A., M. L. Pombeni and E. Kirchler (1990), «Adolescents and Their Peer Groups – A Study of the Significance of Peers, Social Categorization Processes and Coping with Developmental Tasks», *Social Behaviour,* Vol. 5, No. 1, pp. 33-48.

Paniagua, F. A. (1986), «Synthetic Behaviorism: Remarks on Function and Structure», *Psychological Record,* Vol. 36, No. 2, pp. 179-184.

Paris, S. G. (1978), «The Development of Inference and Transformation as Memory Operations», in P. A. Ornstein, *Memory Development in Children,* Hillsdale, NJ: Erlbaum.

Pascual-Leone, J. (1976), «A View of Cognition from a Formalist's Perspective», in K. F. Riegel and J. Meacham (Eds), *The Developing Individual in a Changing World,* The Hague: Mouton, pp. 89-100.

Pascual-Leone, J. and D. Goodman (1979), «Intelligence and Expérience: A Neo-Piagetian Approach», *Instructional Science,* Vol. 8, No. 4, pp. 301 367.

Patterson, S. W. (1971), *Rousseau's Emile and Early Children's Literature,* Metuchen, N.Y.: Scarecrow.

Peel, E. A. (1976), «The Thinking and Education of the Adolescent», in V. P. Varma and P. Williams (Eds), *Piaget, Psychology and Education,* Itasca, IL: Peacock.

Pellegrino, J. W. and C. K. Varnhagan (1985), «Abilities and Aptitudes», in T. Husén and T. N. Postlethwaite, *International Encyclopedia of Education*, Vol. 1, pp. 1-8.

Pepler, D. and K. Rubin (1982), *Play of Children: Current Theory and Research*, New York: Karger.

Pepper, S. C. (1942), *World Hypotheses: A Study in Evidence*, Berkeley: University of California Press.

Perls, F. S., R. F. Hefferline and P. Goodman (1951), *Gestalt Therapy*, New York: Julian Press.

Peterman, F. (1987), «Behavioral Assessment and Reduction of Children's Aggression», *Journal of Human Behavior and Learning*, Vol. 4, No. 1, pp. 48-54.

Peters, R. S. (1971), «Moral Development: A Plea for Pluralism», in T. Mischel, *Cognitive Development and Epistemology*, New York: Academic Press.

Phillips, D. C. and M. E. Kelley (1975), «Hierarchical Theories of Development in Education and Psychology», *Harvard Educational Review*, Vol. 45, pp. 351-375.

Phillips, J. L., Jr. (1975), *The Origins of Intellect: Piaget's Theory*, 2nd ed., San Francisco: W. H. Freeman.

Piaget, J. (1930), *The Child's Conception of Physical Causality*, London: Kegan Paul (orig. : Piaget, J., *La causalité physique chez l'enfant*, Paris: Alcan, 1927).

Piaget, J. (1945), *La formation du symbole chez l'enfant*, Neuchâtel: Delachaux et Niestlé.

Piaget, J. (1946), *Le développement de la notion de temps chez l'enfant*, Paris: PUF.

Piaget, J. (1948), *The Moral Judgment of the Child*, Glencoe, Il.: Free Press (orig. : Piaget, J., *Le jugement moral chez l'enfant*, Paris: Alcan, 1932).

Piaget, J. (1950), *The Psychology of Intelligence*, London: Routledge and Kegan Paul (orig. : Piaget, J., *La psychologie de l'intelligence*, Paris: Armand Colin, 1947).

Piaget, J. (1952), *The Child's Conception of Number*, London: Routledge and Kegan Paul (orig. : Piaget, J., *La genèse du nombre chez l'enfant*, Neuchâtel: Delachaux et Niestlé, 3e éd., 1964).

Piaget, J. (1953), *Logic and Psychology*, Manchester, England: Manchester University Press (publication originale en langue anglaise).

Piaget, J. (1962), *Play, Dreams and Imitation in Childhood*, New York: Norton (orig. : Piaget J., *La formation chez l'enfant : imitation, jeu et rêve, image et représentation*, Neufchâtel: Delachaux et Niestlé, 1945).

Piaget, J. (1963), *The Origins of Intelligence in Children*, 2d ed., New York: Norton (orig. : Piaget, J., *La naissance de l'intelligence*, Neuchâtel: Delachaux et Niestlé, 2e éd., 1948).

Piaget, J. (1967), *La psychologie de l'intelligence*, Paris: Armand Colin.

Piaget, J. (1969), *The Child's Conception of Movement and Speed*, New York: Basic Books (orig. : Piaget, J., *Les notions de mouvement et de vitesse chez l'enfant*, Paris: PUF, 1946).

Piaget, J. (1970), *Psychologie et épistémologie*, Paris: Editions Gonthier.

Piaget, J. (1970a), *Genetic Epistemology*, New York: Columbia University Press (publication originale en langue anglaise).

Piaget, J. (1970b), *Science of Education and the Psychology of the Child*, New York: Viking Press (orig. : *Psychologie et pédagogie*, Paris : Denoël, 1969).

Piaget, J. (1972), *Psychology and Epistemology*, London: Penguin.

Piaget, J. (1973), *The Child and Reality*, New York: Viking Press (orig. : Piaget, J., *Problèmes de psychologie génétique*, Paris: Denoël/Gonthier, 1972).

Piaget, J., L. Apostel and B. Mandelbrot (1957), *Logique et équilibre*, Paris: PUF.

Piaget, J., B. Inhelder (1956), *The Child's Conception of Space*, London: Routledge and Kegan Paul (orig. : *La représentation de l'espace chez l'enfant*, Paris: PUF, 1948).

Piaget, J. and B. Inhelder (1966), *La psychologie de l'enfant*, Paris: PUF, Que sais-je ?

Piaget, J. and B. Inhelder (1969), *The Psychology of the Child,* New York: Basic Books.

Piaget, J., A. Jonckheere and B. Mandelbrot (1958), *La lecture de l'expérience* (Etudes d'Epistémologie Génétique V), Paris: PUF.

Piaget, J., P. Mounoud et J.P. Bronckart (Eds) (1987), *Psychologie*, Paris: Gallimard.

Piaget, J. and A. Szeminska (1952), *The Child's Conception of Number,* Atlantic Highlands, N.J.: Humanities Press (orig. : *La genèse du nombre chez l'enfant*, Neuchâtel: Delachaux et Niestlé, 1941).

Pickar, D. B. and C. D. Turi (1986), «The Learning Disabled Adolescent: Eriksonian Psychosocial Development, Self-Concept and Delinquent Behavior», *Journal of Youth and Adolescence*, Vol. 15, No. 5, pp. 429-440.

Pinker, S. (1984), *Language Learnability and Language Development,* Cambridge, Ma.: Harvard University Press.

Pinker, S. (1989), *Learnability and Cognition: The Acquisition of Argument Structure,* Cambridge, Ma.: Harvard University Press.

Posner, M. I. (Ed.) (1989), *Foundations of Cognitive Science*, Cambridge: MIT Press.

Poulsen, M. K. and G. I. Luben (1979), *Piagetian Theory and Its Implications for the Helping Professions,* Los Angeles: University of Southern California.

Povey, R. M. and E. Hill (1975), «Can Preschool Children form Concepts», *Educational Research*, Vol. 17, pp. 180-192.

Powell, G. J. (1989), «Defining Self-Concept as a Dimension of Academic Achievement for Inner-City Youth», in G. L. Berry and J. K. Asamen (Eds), *Black Students: Psychosocial Issues and Academic Achievement*, Newbury Park: Sage Publications,

Purkey, W. W. (1970), *Self-Concept and School Achievement,* Englewood Cliffs, NJ: Prentice-Hall.

Pylyshyn, Z. W. (1989), «Computing in Cognitive Science», in M. I. Posner (Ed.), *Foundations of Cognitive Science*, Cambridge, MA: MIT Press, pp. 52-91.

Rangell, L, «The Executive Functions of the Ego: An Extension of the Concept of Ego Autonomy», *Psychoanalytic Study of the Child*, Vol. 41, pp. 1-37.

Reese, H. W. and W. F. Overton (1970), «Models of Development and Theories of Development», in L. R. Goulet and P. B. Baltes (Eds), *Life-Span Developmental Psychology*, New York: Academic.

Reeves, C. (1977), *The Psychology of Rollo May,* San Francisco: Jossey-Bass.

Riegel, K. F. (1972), «Time and Change in the Development of the Individual and Society», in H. W. Reese (Ed.), *Advances in Child Development and Behavior*, Vol. 7, New York: Academic, pp. 91-113.

Riegel, K. F. (1973), «Dialectical Operations: The Final Period of Cognitive Development», *Human Development*, Vol. 16, pp. 346-370.

Riegel, K. F. (1975), «Toward a Dialectical Theory of Development», *Human Development*, Vol. 18, pp. 50-64.

Riegel, K. F. (1976), «From Traits and Equilibrium toward Developmental Dialectics», in W. J. Arnold (Ed.), *Conceptual Foundations of Psychology* (*Nebraska Symposium on Motivation,* 1975, Vol. 23 in series), Lincoln : University of Nebraska Press, pp. 349-497.

Riegel, K. F. (1979), *Foundations of Dialectical Psychology,* New York: Academic.

Roback, A. A. (1964), *History of American Psychology,* New York: Collier Books.

Roeper, T. and E. Williams (1987), *Parameter setting*, Dordrecht: Reidel.

Rogers, C. F. (1961), *On Becoming a Person,* Boston: Houghton Mifflin (trad. Rogers, C. F., *Le développement de la personne*, Paris, Dunod, 1967).

Rogers, C. F. (1973), «My Philosophy of Interpersonal Relationships and How It Grew», *Journal of Humanistic Psychology*, Vol. 13, pp. 13-15.
Romig, C. A. and J. G. Thompson (1988), «Teen-age Pregnancy: A Family Systems Approach», *American Journal of Family Therapy*, Vol. 16, No. 1, pp. 133-143.
Rose, M. (1986), «The Design of Atmosphere: A Residential Establishment for Disturbed Young People», *Journal of Adolescence*, Vol. 5, No. 1, pp. 49-62.
Rose, S. R. (1987), «Social Skills Training in Middle Childhood: A Structured Group Approach», *Journal for Specialists in Group Work*, Vol. 12, No. 4, pp. 144-149.
Rosenberg, M (1979), *Conceiving the Self*, New York: Basic Books.
Rosenthal, D. A., S. M. Moore and M. J. Taylor (1983), «A Study of the Self-Image of Anglo-, Greek- and Italian-Australian Working Class Adolescents», *Journal of Youth and Adolescence*, Vol. 12, No. 2, pp. 117-135.
Ross, R. P. (1985), «Ecological Theory of Human Development», in T. Husén and T. N. Postlethwaite (Eds), *International Encyclopedia of Education*, Vol. 3, Oxford: Pergamon Press, pp. 1513-1517.
Rotter, J. B. (1954), *Social Learning and Clinical Psychology*, New York: Johnson Reprint Company, 1980.
Rotter, J. B. (1982), *The Development and Application of Social Learning Theory*, New York: Praeger.
Rousseau, J. J. (1762), *Emile ou De l'éducation*, 4 Volumes, Londres.
Rousseau, J. J. (1966), *Emile ou De l'éducation*, Paris: Garnier-Flammarion.
Royce, J. (1959), «Herbert Spencer», in *Encyclopedia Americana*. Vol. 25, New York: Americana.
Rutman, D. B. (1970), *American Puritanism*, Philadelphia: Lippincott.
Sandor, D. and D. Rosenthal (1986), «Youths' Outlooks on Love: Is It Just a State or Two?», *Journal of Adolescent Research*, Vol. 1, No. 2, pp. 199-212.
Savin-Williams, R. C. (1976), «An Ethological Study of Dominance Formation and Maintenance in a Group of Human Adolescents», *Child Development*, Vol. 47, pp. 972-979.
Schieffelin, B. (1990), *The Give and Take of Everyday Life: Language Socialization of Kaluli Children*, Cambridge: Cambridge University Press.
Schieffelin, B. and E. Ochs (1986), *Language Socialization Across Cultures*, Cambridge: Cambridge University Press.
Schnaitier, R. (1987), «Behavior Is Not Cognitive and Cognitivism Is Not Behavioral», *Behaviorism*, Vol. 15, No. 1, pp. 1-11.
Schneirla, T. C. (1957), «The Concept of Development in Comparative Psychology», in D. B. Harris (Ed.), *The Concept of Development*, Minneapolis: University of Minnesota Press.
Schneirla, T. C. (1972), in L. R. Aronson, E. Tobach, J. S. Rosenblatt and D. S. Lehrman (Eds), *Selected Writings of T. C. Schneirla*, San Francisco: W. H. Freeman.
Schneirla, T. C. and J. S. Rosenblatt (1963), «'Critcal Periods' in Behavioral Development», *Science*, Vol. 139, pp. 1110-1114.
Schoggen, P. (1989), *Behavior Settings*, Stanford, CA: Stanford University Press.
Scholnick, E. K. (Ed.) (1983), *New Trends in Conceptual Representation: Challenges to Piaget's Theory?*, Hillsdale, NJ: Erlbaum.
Scott, J. P. (1963), «Critical Periods in Behavioral Development», *Science*, Vol. 138, pp. 949-958.

Scriven, M. (1959), «The Experimental Investigation of Psychoanalysis», in S. Hook (Ed.), *Psychoanalysis, Scientific Method and Philosophy,* New York: New York University Press.
Sears, R. R., L. Rau and R. Alpert (1965), *Identification and Child Rearing,* New York: Harper and Row.
Shaver, K. G. (1975), *An Introduction to Attribution Processes,* Cambridge, MA: Winthrop.
Sheldon, W. H. (1940), *Varieties of Physique,* New York: Harper and Row.
Sheldon, W. H. (1942), *Varieties of Temperament,* New York: Harper and Row.
Sherif, M. (1966), *In Common Predicament: Social Psychology of Intergroup Conflict and Cooperation,* Boston: Houghton Mifflin.
Shuttleworth, F. K. (1935), «The Nature versus Nurture Problem: II, The Contributions of Nature and Nurture to Individual Differences in Intelligence», *Journal of Educational Psychology,* Vol. 26, pp. 655-681.
Sidgwick, A. (1959), «Recapitulation», in *The Encyclopedia Americana,* Vol. 23, New York: Americana.
Sidman, M. (1986), «Functional Analysis of Emergent Verbal Classes», in T. Thompson and M. D. Zeiler (Eds), *Analysis and Integration of Behavioral Units,* Hillsdale, NJ: Erlbaum, pp. 213-245.
Siegel, M. (1982), *Fairness in Children,* London: Academic.
Siegler, R. S. (1976), «Three Aspects of Cognitive Development», *Cognitive Psychology,* Vol. 4, pp. 481-520.
Sigel, I. E. and F. H. Hooper (1968), *Logical Thinking in Children,* New York: Holt, Rinehart and Winston.
Sigel, I. E. and R. C. Cocking (1977), *Cognitive Development from Childhood to Adolescence: A Constructivist Perspective,* New York: Holt, Rinehart and Winston.
Sillamy, N. (1967), *Dictionnaire de la Psychologie,* Paris: Librairie Larousse.
Simonson, H.P. (Ed.) (1970), *Selected Writings of Jonathon Edwards,* New York: Ungar.
Skeels, H. M. (1940), «Some Iowa Studies of the Mental Growth of Children in Relation to Differentials of the Environment: A Summary», in *Intelligence: Its Nature and Nurture* (39th Yearbook of the National Society for the Study of Education), Bloomington, IL: Public School Publishing.
Skinner, B. F. (1938), *The Behavior of Organisms: An Experimental Analysis,* New York: Appleton-Century-Crofts.
Skinner, B. F. (1945), «Baby in a Box», in B.F. Skinner (Ed.), *Cumulative Record: A Selection of Papers,* 3rd ed., New York: Appleton-Century-Crofts, 1972.
Skinner, B. F. (1948), *Walden Two,* New York: MacMillan.
Skinner, B. F. (1950), «Are Theories of Learning Necessary?», *Psychological Review,* Vol. 57, pp. 193-216.
Skinner, B. F. (1969), *Contingencies of Reinforcement: A Theoretical Analysis,* Englewood Cliffs, N. J.: Prentice-Hall.
Skinner, B. F. (1971), *Beyond Freedom and Dignity,* New York: Knopf (trad. : Skinner, B. F., *Par delà la liberté et la dignité,* Paris, Robert Laffont, 1971).
Skinner, B. F. (1972), *Cumulative Record: A Selection of Papers,* 3rd ed., New York: Appleton-Century-Crofts.
Skinner, B. F. (1974), *About Behaviorism,* New York: Knopf (trad. : Skinner, B. F., *Pour une science du comportement : le behaviorisme,* Neuchâtel, Delachaux et Niestlé, 1974).

Skinner, B. F. (1984), «The Shame of American Education», *American Psychologist*, Vol. 39, No. 9, pp. 947-954.
Skinner, B. F. (1985), «Cognitive Science and Behaviourism», *British Journal of Psychology*, Vol. 76, No. 3, pp. 291-301.
Skinner, B. F. (1987), *Upon Further Reflection*, Englewood Cliffs, NJ: Prentice-Hall.
Skodak, M. (1939), «Children in Foster Homes: A Study of Mental Development», *University of Iowa Studies in Child Welfare*, Vol. 16, No. 1.
Slobin, D. I. (Ed.) (1985), *The Crosslinguistic study of language acquisition (Vols 1 and 2)*, Hillsdale, NJ: Erlbaum.
Smith, J. E. (1959), *The Works of Jonathan Edwards, Volume 2: Religious Affections*. New Haven: Yale University Press.
Smith, M. B. (1990), «Henry A. Murray (1893-1988): Humanistic Psychologist», *Journal of Humanistic Psychology*, Vol. 30, No. 1, pp. 6-13.
Smith, P. K. and K. J. Connolly (1980), *The Ecology of Preschool Behaviour*, Cambridge: Cambridge University Press.
Sober, E. (1989), «What is Psychological Egoism?», *Behaviorism*, Vol. 17, No. 2, pp. 89-131.
Spence, K. W. (1963), in Melvin H. M. (Ed.), *Theories in Contemporary Psychology*. New York: MacMillan.
Spitz, R. A. (1950), «Anxiety in Infancy; A Study of Its Manifestations in the First Year of Life», *International Journal of Psychoanalysis*, Vol. 31, pp, 138-143.
Spock, B. and M. B. Rothenberg (1985), *Dr. Spock's Baby and Child Care*, New York: Pocket Books.
St. John (1611), «The Gospel According to St. John», *Holy Bible* (King James Authorized Version), Chap. 14, Verse 2.
St. Matthew (1611), «The Gospel According to St. Matthew», *Holy Bible* (King James Authorized Version), Chap. 7, Verse 12.
Staats, A. W. (with contributions by C. K. Staats) (1963), *Complex Human Behavior*, New York: Holt, Rinehart and Winston.
Staats, A. W. (Ed.) (1964), *Human learning*, New York: Holt, Rinehart and Winston.
Staats, A. W. (1968), *Learning, Language and Cognition*, New York: Holt, Rinehart and Winston.
Staats, A. W. (1971), *Child Learning, Intelligence and Personality*, New York: Harper and Row.
Staats, A. W. (1972), «Language Behavior Therapy: A Derivative of Social Behaviorism», *Behavior Therapy*, Vol. 3, pp. 165-192.
Staats, A. W. (1975), *Social Behaviorism*, Homewood, Ill.: Dorsey Press.
Staats, A. W. (1983), *Psychology's Crisis of Disunity*, New York: Praeger Publishers.
Stafford-Clark, D. (1967), *What Freud Really Said*, London: Penguin (trad. : Stafford-Clark, D., *Ce que Freud a vraiment dit*, Paris, Stock, 1967).
Staples, R. (1986), *The Black Family: Essays and Studies*, Belmont, Ca.: Wadsworth Publishing.
Stemmer, N. (1989), «The Acquisition of the Ostensive Lexicon: The Superiority of Empiricist over Cognitive Theories», *Behaviorism*, Vol. 17, No. 1, pp. 41-59.
Sternberg, S. (1969), «Memory-Scanning: Mental processes Revealed by Reaction-Time Experiments», *American Scientist*, Vol. 57, pp. 421-457.
Stevenson, H., H. Azuma and K. Hakuta (Eds) (1986), *Child Development and Education in Japan*, New York: W. H. Freeman.

Stevick, D. B. (1968), *B. F. Skinner's Walden Two,* New York: Seabury Press.

Strayer, F. F. and J. Strayer (1976), «An Ethological Analysis of Social Agonism and Dominance Relations among Preschool Children», *Child Development,* Vol. 47, pp. 980-999.

Strazicich, M. (Ed.) (1988), *Moral ad Civic Education and Teaching about Religion,* Sacramento: California State Department of Education.

Suppes, P. C. (1969), *Studies in the Methodology and Foundations of Science,* Dordrecht, Holland: R. Reidel.

Tart, C. T. (1990), «Extending Mindfulness to Everyday Life», *Journal of Humanistic Psychology,* Vol. 30, No. 1, pp. 81-106.

Taylor, R. L. (1989), «Black Youth, Role Models and the Social Construction of Identity», in R. L. Jones (Ed.), *Black Adolescents,* Berkeley: Cobb and Henry.

Thagard, P. R. (1978), «The Best Explanation: Criteria for Theory Choice», *Journal of Philosophy,* Vol. 75, No. 1, pp. 76-92.

Thomas, R. M. (1960), *Judging Student Progress,* 2nd ed., New York: Longmans, Green.

Thomas, R. M. (1985), «Christian Theory of Human Development», in T. Husén and T. N. Postlethwaite (Eds), *International Encyclopedia of Education,* Oxford: Pergamon, pp. 715-721.

Thomas, R. M. (1986), «Assessing Moral Development», *International Journal of Educational Research,* Vol. 10, No. 4, pp. 349-476.

Thomas, R. M. (Ed.) (1988), *Oriental Theories of Human Development,* New York: Peter Lang.

Thomas, R. M. (1989a), «A Proposed Taxonomy of Moral Values», *The Journal of Moral Education,* Vol. 18, No. 1, pp. 60-75.

Thomas. R. M. (1989b), «Moral and Ethnic Identity», *International Journal on the Unity of the Sciences,* Vol. 2, No. 4, pp. 381-403.

Thomas, R. M. (1989c), *The Puzzle of Learning Difficulties – Applying a Diagnosis and Treatment Model,* Springfield, IL: C. C. Thomas.

Thomas, R. M. (1990), *Counseling and Life-Span Development,* Newbury Park, CA: Sage.

Thomas, R. M. (1992), *Comparing Theories of Child Development,* 3rd edition. Belmont, Ca: Wadsworth.

Thomas, R. M., *An Integrated Theory of Moral Development* (à paraître).

Thomas, R. M. and D. L. Brubaker (1971), *Curriculum Patterns in Elementary Social Studies,* Belmont, CA: Wadsworth.

Thomas, R. M. and S. M. Thomas (1965), *Individual Differences in the Classroom,* New York: David McKay.

Tinbergen, N. (1951), *The Study of Instinct,* Oxford: Oxford University Press (trad. Tinbergen, N., *Etude de l'instinct,* Lausanne, Payot, 1980).

Tinbergen, N. (1973), *The Animal in Its World: Explorations of an Ethologist 1932-1972,* Cambridge, MA: Harvard University Press.

Travers, J. F. (1977), *The Growing Child,* New York: Wiley.

Trivers, R. L. and H. Hare (1976), «Haplodipoidy and the Evolution of the Social Insects», *Science,* Vol. 191, pp. 249-263.

Tronick, E. and P. M. Greenfield (1973), *Infant Curriculum: The Bromley-Health Guide to the Care of Infants in Groups,* New York: Media Projects.

Tryon, C. and J. Lilienthal (1950), «Developmental Tasks: I, The Concept and Its Importance», in *Fostering Mental Health in Our Schools,* Washington, DC: Association of Supervision and Curriculum Development, National Education Association.

Tulving, E. (1972), «Episodic and Semantic Memory», in E. Tulving and W. Donaldson (Eds), *Organization and Memory,* New York: Academic.

Turiel, E. (1980), «The Development of Social-Conventional and Moral Concepts», in M. Windmiller, N. Lambert and E. Turiel (Eds), *Moral Development and Socialization,* Boston: Allyn and Bacon, pp. 69-106.

Tuttman, S. (1988), «Psychoanalytic Concepts of 'the Self'», *Journal of the American Academy of Psychoanalysis,* Vol. 16, No. 2, pp. 209-219.

Tyler, L. (1986), «Meaning and Schooling», *Theory Into Practice,* Vol. 25, No. 1, pp. 53-57.

Uttal, W. R. (1981), *A Taxonomy of Visual Processes,* Hillsdale, NJ: Erlbaum.

Valsiner, J. (1987), *Culture and the Development of Children's Action,* Chicester, England: John Wiley and Sons.

Valsiner, J. (Ed.) (1988a), *Child Development within Culturally Structured Environments,* Vols. 1 and 2, Norwood, NJ: Ablex.

Valsiner, J. (1988b), *Developmental Psychology in the Soviet Union,* Bloomington: Indiana University Press.

Valsiner, J. (Ed.) (1989), *Child Development in Cultural Context,* Toronto: Hogrefe and Huber Publishers.

van Vliet, W. (1985), «The Role of Housing Type, Household Density and Neighborhood Density in Peer Interaction and Social Adjustment», in J. F. Wohlwill and W. van Vliet (Eds), *Habitats for Children* (pp. 201-229), Hillsdale, NJ: Erlbaum.

Vaughn, G. M. (1972), «Concept Formation and the Development of Ethnic Awareness», in A. R. Brown (Ed.), *Prejudice in Children.* Springfield, Il: Charles C Thomas.

Vawkey, T. and A. Pellegrini (1984), *Child's Play: Developmental and Applied,* Hillsdale, NJ: Erlbaum.

Vonèche, J. J. (1985), «Genetic Epistemology: Piaget's Theory», in T. Husén and T. N. Postelthwaite (Eds), *International Encyclopedia of Education,* Vol. 4, Oxford: Pergamon, pp. 1997-2007.

Vurpillot, E. (1976), «Development of Identification of Objects», in V. Hamilton and M. D. Vernon, *The Development of Cognitive Processes,* New York: Academic.

Vygotsky, L. S. (1962), *Thought and Language,* Cambridge, MA: M.I.T. Press (trad. : Vygotsky, L. S., *Pensée et langage,* Paris: Messidor-Ed. Sociales, 1985).

Vygotsky, L. S. (1963), «Learning and Mental Development at School Age», in B. Simon and J. Simon (Eds), *Educational Psychology in the USSR,* London: Routledge and Kegan Paul, pp. 21-34.

Vygotsky, L. S. (1971), *Psychology of Art,* Cambridge, MA: M.I.T. Press.

Vygotsky, L. S. (1978), in M. Cole, V. John-Steiner, S. Scribner and E. Souberman (Eds), *Mind in Society,* Cambridge, MA: Harvard University Press.

Wadsworth, B. J. (1971), *Piaget's Theory of Cognitive Development,* New York: David McKay.

Waley, A. (1938), *The Analects of Confucius,* New York: Knopf.

Watson, J. B. (1913), «Psychology as a Behaviorist Views It», *Psychological Review,* Vol. 20, pp. 158-177.

Weiner, B. (1974), *Achievement Motivation and Attribution Theory,* Morristown, NJ: General Learning Press.

Weiner, B. (1980), «Dedication to Professor Heider», in D. Gorlitz (Ed.), *Perspectives on Attribution Research and Theory,* Cambridge, MA: Ballinger.

Weiner, B. (1986), *An Attributional Theory of Motivation and Emotion,* New York: Springer-Verlag.

Werner, H. (1961), *Comparative Psychology of Mental Development,* New York: Science Editions.

Werner, H. and B. Kaplan (1963), *Symbol Formation – An Organismic-Developmental Approach to Language and the Expression of Thought,* New York: Wiley.

Wertsch, J. V. (1985), *Culture communication and cognition: Vygotskian perspectives,* New York: Cambridge University Press.

White, B. L. (1971), *Human Infants: Experience and Psychological Development,* Englewood Cliffs, NJ: Prentice-Hall.

White, J. L. and T. A. Parham (1990), *The Psychology of Blacks: An African-American Perspective,* Englewood Cliffs, NJ: Prentice-Hall

Whyte, L. L. (1960), *The Unconscious before Freud,* New York: Basic Books (trad. : Whyte, L. L., *L'inconscient avant Freud,* Lausanne, Payot, 1971).

Wilson, E. O. (1975), *Sociobiology: The New Synthesis,* Cambridge, MA: Harvard University Press.

Wilson, E. O. (1978), *On Human Nature,* Cambridge, MA: Harvard University Press.

Winitz, H. (1969), *Articulation Acquisition and Behavior,* New York: Appleton-Century-Crofts.

Wohlwill, J. F. (1976), «The Age Variable in Psychological Research», in N. W. Endler, L. R. Boulter and H. Osser, *Contemporary Issues in Developmental Psychology,* New York: Holt, Rinehart and Winston.

Wohlwill, J. F. and W. van Vliet (1985), *Habitats for Children,* Hillsdale, NJ: Erlbaum.

Woodworth, R. S. (1929), *Psychology,* New York: Holt, Rinehart and Winston.

Worchel, S. and J. Cooper (1979), *Understanding Social Psychology,* Homewood, IL: Dorsey.

Wuthnow, R. (1978), «Peak Experiences: Some Empirical Tests», *Journal of Humanistic Psychology,* Vol. 18, No. 3, pp. 57-75.

Wylie, R. C. (1974), *The Self-Concept: A Review of Methodological Considerations and Measuring Instruments.* Lincoln: University of Nebraska Press.

Zigler, E. (1963), «Metatheoretical Issues in Developmental Psychology», in M. H. Marx (Ed.), *Theories in Contemporary Psychology,* New York: Macmillan.

Zimmerman, B. J. (1983), «Social Learning: A Contextualist Account of Cognitive Functioning», in C. J. Brainerd (Ed.), *Recent Advances in Cognitive-Developmental Theory,* New York: Springer-Verlag.

CARDU B., *Neuropsychologie du cerveau.*
Relations catégorielles cerveau-pensée

DALLA PIAZZA S., *L'enfant prématuré.*
Le point sur la question

DELVILLE J., MERCIER M., *Sexualité, vie affective et déficience mentale*

DUCARNE DE RIBAUCOURT B., BARBEAU M., *Neuropsychologie visuelle.*
Évaluation et rééducation

DUMONT A., *Implant cochléaire, surdité et langage*

EUSTACHE F., LAMBERT J.,VIADER F., *Rééducations neuropsychologiques.*
Historique, développements actuels et évaluation.
Séminaire Jean-Louis Signoret

EUSTACHE F., LECHEVALIER B., *Langage et aphasie.*
Séminaire Jean-Louis Signoret

EUSTACHE F., LECHEVALIER B.,VIADER F., *La mémoire.*
Neuropsychologie clinique et modèles cognitifs.
Séminaire Jean-Louis Signoret

GÉRARD C.-L., *L'enfant dysphasique*

GRÉGOIRE J., PIÉRART B., *Évaluer les troubles de la lecture.*
Les nouveaux modèles théoriques et leurs implications diagnostiques

LANTERI A., *Restauration du langage chez l'aphasique*

LECHEVALIER B., EUSTACHE F., VIADER F., *Perception et agnosies.*
Séminaire Jean-Louis Signoret

LEPOT-FROMENT C., CLEREBAUT N., *L'enfant sourd.*
Communication et langage

MESIBOV G., SCHOPLER E., SCHAFFER B., LANDRUS R.,
Profil psycho-éducatif pour adolescents et adultes.
(AAPEP)

MONTREUIL N., MAGEROTTE G., *Pratique de l'intervention individualisée*

POURTOIS J.-P. (Éd.), *Blessure d'enfant.*
La maltraitance: théorie, pratique et intervention

SCHOPLER E., REICHLER R.J., BASHFORD A., LANSING M.D., MARCUS L.M., *Profil psycho-éducatif (PEP-R).* Évaluation et intervention individualisée pour enfants autistes ou présentant des troubles du développement

THOMAS R. M., MICHEL C., *Théories du développement de l'enfant.* Études comparatives

VIROLE B. (Éd.), *Psychologie de la surdité*

VITAL-DURAND F., BARBEAU M., *Mon enfant voit mal*